内蒙古蒙药制剂规范注释

2021年版(第三册)

内蒙古自治区药品监督管理局 编著

内蒙古科学技术出版社

图书在版编目（CIP）数据

内蒙古蒙药制剂规范注释：2021年版. 第三册 / 内蒙古自治区药品监督管理局编著. — 赤峰：内蒙古科学技术出版社，2022. 3
ISBN 978-7-5380-3405-9

Ⅰ.①内… Ⅱ.①内… Ⅲ.①蒙医—中药制剂学—规范—注释 Ⅳ.①R291.2-65

中国版本图书馆CIP数据核字（2022）第053462号

内蒙古蒙药制剂规范注释 2021年版（第三册）

编　　著：内蒙古自治区药品监督管理局
主　　编：宝　山
执行主编：那松巴乙拉
责任编辑：张文娟　张继武　许占武　马洪利
封面设计：永　胜
出版发行：内蒙古科学技术出版社
地　　址：赤峰市红山区哈达街南一段4号
网　　址：www.nm-kj.cn
邮购电话：0476-5888970
排　　版：赤峰市阿金奈图文制作有限责任公司
印　　刷：内蒙古爱信达教育印务有限责任公司
字　　数：2264千
开　　本：889mm×1194mm　1/16
印　　张：73.5
版　　次：2022年3月第1版
印　　次：2022年3月第1次印刷
书　　号：ISBN 978-7-5380-3405-9
定　　价：580.00元

如出现印装质量问题，请与我社联系。电话：0476-5888926　5888917

《内蒙古蒙药制剂规范注释》

2021年版（第三册）

编制委员会

编写说明

一、本书是《内蒙古蒙药制剂规范》2021年版（第三册）实验研究的起草说明部分。

二、本书以每一个品种为编写单元，原则上以《内蒙古蒙药制剂规范》2021年版（第三册）中各品种项下规定的项目为基础，顺序编写。

三、每个品种项下主要增加了"历史沿革""处方来源""名称""蒙药材和饮片的来源和执行标准"的说明，有的品种增加了"微生物限度检查""急性毒性试验"内容。

"历史沿革"主要介绍该品种的原始处方的出处；"处方来源"主要介绍该品种的提供单位；"名称"即为本制剂的正式名称，如果有临床常用别名就写在后面的括号中，如化瘤丸（沙日乌日勒）；"蒙药材和饮片的来源和执行标准"项下注明处方药材和处方比例以及药材所执行的标准；"微生物限度检查"主要介绍控制菌检查结果是否符合微生物限度标准要求；"急性毒性试验"主要介绍含毒性药材的蒙药制剂对小鼠灌胃给药后的急性毒性反应情况，并对制剂的安全性做出评价。

四、本书中的计量单位等统一按《内蒙古蒙药制剂规范》2021年版（第三册）"凡例"中规定要求编写。

五、本书收载的各篇文尾均署有参加起草工作人员工作单位和姓名。

《内蒙古蒙药制剂规范注释》2021年版（第三册）

编制委员会

目 录

┃丸 剂┃

│ 散 剂 │

汤 剂

| 洗　剂 |

| 胶囊剂 |

丸　剂

化瘤丸质量标准起草说明

【历史沿革】

本方来源于内蒙古自治区国际蒙医医院杭盖巴特尔大夫经验方。

【处方来源】

本制剂由内蒙古自治区国际蒙医医院提供。

【名称】

化瘤丸（沙日乌日勒）

【蒙药材和饮片的来源和执行标准】

1. 处方组成及药味排列顺序：山沉香100g、血竭50g、枫香脂30g、制硼砂20g、熊胆粉20g、人工牛黄20g、乳香20g、葶苈子20g、朱砂粉20g、寒制红石膏20g、煅贝齿20g、炒珍珠20g、没药15g、盐飞雄黄15g、合成冰片10g、蟾酥粉4g、人工麝香2g。

2. 处方中除了山沉香、熊胆粉、煅贝齿、寒制红石膏和人工麝香药材外，其余血竭等药味均收载于《中国药典》2020年版一部，其质量应符合该品种项下的有关规定。

熊胆粉：为熊科动物黑熊*Selenarctos thibetanus* Cuvier经胆囊手术引流胆汁而得的干燥品。其标准应符合《中华人民共和国卫生部药品标准》新药转正标准第十一册第44页该品种项下的有关规定。

煅贝齿：为宝贝科动物货贝*Monetaria monrta*（L.）、环纹货贝*Monetaria annulus*（L.）、阿拉伯绶贝*Mauritia Arabica*（L.）等的贝壳，前二者为"白贝齿"，后者为"紫贝齿"。主含碳酸钙。其标准应符合《内蒙古蒙药饮片炮制规范》2020年版第70页该品种项下的有关规定。

山沉香：为木犀科植物贺兰山丁香*Syringa pinnatifolia* Hemsl.var.*alashanensis* Ma.et S.Q.Zhou削去外皮的干燥枝。其标准应符合《中华人民共和国卫生部药品标准》（蒙药分册）1998年版第4页该品种项下的有关规定。

寒制红石膏：为单斜晶系硫酸钙矿石族红石膏Gypsum的矿石红石膏（北寒水石）的炮制加工品。主含含水硫酸钙（$CaSO_4 \cdot 2H_2O$）。其标准应符合《内蒙古蒙药饮片炮制规范》2020年版第188页该品种项下的有关规定。

人工麝香：应符合卫生部标准（试行）WS–210（Z–32）–93标准的有关规定。

【制法】

以上十七味，除人工麝香、人工牛黄、蟾酥粉、熊胆粉、合成冰片、炒珍珠、朱砂粉、盐飞雄黄外，其余血竭等九味，粉碎成细粉，将合成冰片、炒珍珠、朱砂粉、盐飞雄黄分别研细，与人工麝香、人工牛黄、熊胆粉和上述细粉配研，过筛，混匀，用水泛丸，干燥，打光，分装，即得。

【性状】

本品为橙黄色至红棕色的水丸；气香，味苦，麻舌。

【鉴别】

本品为药材粉末制成的水丸,方中血竭、葶苈子、珍珠、朱砂的显微特征较明显,故建立显微鉴别,并对处方中人工牛黄、熊胆粉、血竭、沉香、葶苈子、蟾酥、人工麝香建立了薄层鉴别。

1. 试剂与试药

供试品:供试品(批号20190833、20140412、20190108)由内蒙古自治区国际蒙医医院提供,模拟样品(批号20200037)模拟。

对照品:人工牛黄对照药材(批号121197-200903),沉香对照药材(批号121222-200301),蟾酥对照药材(批号121132-201304),熊胆粉对照药材(批号121525-201202),牛胆粉对照药材(批号121095-201804),血竭对照药材(批号120906-201410),血竭素高氯酸盐(批号110811-201707),胆酸对照品(批号100078-201415),龙血素A对照品(批号111660-200402),龙血素B对照品(批号111558-201407),熊去氧胆酸对照品(批号110816-201509),鹅去氧胆酸对照品(批号110806-201708),槲皮素对照品(批号100081-201610)。上述对照药材及对照品购于中国生物制品检定所(批号为2010年之前)或中国食品药品检定研究院。

薄层板:硅胶G板,购于青岛海洋化工有限公司。

所用其他试剂均为分析纯,水为超纯水。

2. 试验方法与结果

(1)显微鉴别

血竭:不规则块片血红色,周围液体显鲜黄色,渐变红色。葶苈子:种皮内表皮细胞黄色,多角形或长多角形,壁稍厚。珍珠:不规则碎块无色或淡绿色,半透明,具光泽,有时可见细密波状纹理。朱砂:不规则细小颗粒暗棕红色,有光泽,边缘暗黑色。

(2)熊胆粉薄层鉴别

参照《中国药典》2020年版一部"熊胆胶囊"项下的鉴别(1)及"梅花点舌丸"项下的鉴别(2)中的方法,制定出鉴别方法。通过阴性对照试验观察,方中其他药材对熊去氧胆酸和鹅去氧胆酸对照品的检出无干扰。证明此法具专属性,未收入正文。

(3)人工牛黄薄层鉴别

参照《中国药典》2020年版一部"人工牛黄"项下薄层条件,制定出正文所述的鉴别方法。通过阴性对照试验观察,方中其他药材对牛胆粉、胆酸及猪去氧胆酸对照品的检出无干扰。证明此法具专属性。

(4)血竭薄层鉴别

参照《中国药典》2020年版一部"血竭"项下薄层条件,制定出鉴别方法。通过阴性对照试验观察,方中其他药材对血竭对照药材及血竭素高氯酸盐对照品的检出无干扰。证明此法具专属性,未收入正文。

(5)葶苈子薄层鉴别

参照《中国药典》2020年版一部"金钱草"项下薄层条件,制定出鉴别方法。结果:供试品色谱中,在与对照品色谱相应的位置上,未显相同颜色的荧光斑点,未收入正文。

(6)蟾酥薄层鉴别

参照《中国药典》2020年版一部"疬药"项下鉴别(3)中鉴别方法,制定出鉴别方法。结果:在时光下,供试品色谱中有色带干扰;紫外光灯365nm下,供试品色谱中在与对照药材色谱相应的位置上,未显相同颜色的斑点,未收入正文。

(7)人工麝香薄层鉴别

参照"珍珠活络二十九味丸"质量标准中鉴别(3)的条件,制定出鉴别方法。通过阴性对照试验观察,方中其他药材对麝香检出无干扰。证明此法不具专属性，未收入正文。

【检查】

按照丸剂（《中国药典》2020年版四部通则0108）项下规定，对三批供试品及模拟样品的水分、重量差异、溶散时限、重金属、微生物限度和急性毒性试验进行了检查。具体方法及测定数据如下：

1. 水分：取供试品照水分测定法（《中国药典》2020年版四部通则0832）测定。三批供试品及模拟样品的测定结果见表1。

表1　水分测定结果

序号	批号	水分（%）
1	20190108	5.5
2	20140412	5.8
3	20190833	5.6
4	20200037	5.4

药典规定丸剂水分含量不得大于9.0%。从表1中可见本品水分含量均符合要求。

2. 重量差异：取以上三批供试品，每批供试品取10份，10丸为1份，分别称定重量，再与每份标示重量（2克）相比较，求每一份的重量差异（%）。药典规定每份标示装量的限度为±8%，并规定超出重量差异限度的不得多于2份，并不得有1份超出限度1倍。本品的重量差异检查结果均符合规定。

3. 溶散时限：取本品按照片剂项下崩解时限检查法（《中国药典》2020年版四部通则0921）加挡板进行测定。三批供试品测定结果见表2。

表2　溶散时限测定结果

序号	批号	溶散时间（min）
1	20190108	47
2	20140412	47
3	20190833	45

本规范规定化瘤丸的溶散时限应在2小时内全部溶散。表2的结果显示，本品的溶散时限符合规定。

4. 对三批供试品及模拟样品进行了重金属考察，方法与结果如下：

重金属：分别取每个批号供试品0.5g、0.67g、1.0g、2.0g，按《中国药典》2020年版四部通则0821第二法检查。

供试品溶液的制备：取本品0.5g、0.67g、1.0g、2.0g，分别缓缓炽灼至完全炭化，放冷，加硫酸0.5ml，使湿润，低温加热至硫酸除尽后，加硝酸0.5ml，蒸干，至氧化氮蒸气除尽后，放冷，于600℃炽灼至完全灰化，放冷。加盐酸2ml，置水浴上蒸干后加水15ml，滴加氨试液至对酚酞指示液显中性，再加醋酸盐缓冲液（pH3.5）2ml，微热溶解后，移置纳氏比色管中，加水稀释至25ml，作为供试品溶液。

标准铅对照溶液的制备：另取配制供试品溶液的试剂两份，分别置瓷皿中蒸干后，加醋酸盐缓冲液（pH3.5）2ml，加水15ml微热溶解后，移置两支纳氏比色管中，分别加标准铅溶液（10μg/mlPb）2ml，再加水稀释至25ml，作为标准铅对照溶液。

检视：于上述供试品溶液和标准铅对照溶液中分别加硫代乙酰胺试液各2ml，摇匀，放置2分钟，同置白色背景上，从上向下进行观察。试验结果见表3。

表3 重金属检查结果

序号	批号	重金属含量（ppm）			
1	20190108	<10	<20	<30	<40
2	20140412	<10	<20	<30	<40
3	20190833	<10	<20	<30	<40
4	20200037	<10	<20	<30	<40

结果显示，供试品溶液的颜色接近或深于2ml的标准铅对照溶液。经过3批供试品及模拟样品的检查，含重金属超过百万分之四十，由于受雄黄和朱砂等药味颜色干扰，故暂未列入正文。

5. 微生物限度：照微生物计数法（《中国药典》2020年版四部通则1105）、控制菌检查法（《中国药典》2020年版四部通则1106）及《内蒙古蒙药制剂规范》（第三册）附录Ⅲ微生物限度标准，进行检查。结果均符合规定。

6. 急性毒性试验：试验研究及结果见本文后面的附件。

【含量测定】

化瘤丸是由山沉香、血竭、枫香脂、制硼砂、熊胆粉、人工牛黄、乳香、荜茇子、朱砂粉、寒制红石膏、煅贝齿、炒珍珠、没药、盐飞雄黄、合成冰片、蟾酥粉、人工麝香等十七味药组成的复方制剂。故参照《中国药典》2020年版一部"血竭"项下的含量测定方法，选择血竭素高氯酸盐作为指标成分，对本制剂中的血竭进行了HPLC含量测定方法研究。经分析方法验证，表明该方法重现性好、专属性强，方中其他组分对栀子苷的测定无干扰。参照《中国药典》2020年版一部"熊胆胶囊"项下的含量测定方法，以牛磺熊去氧胆酸钠为指标，采用高效液相色谱法，摸索建立含量测定方法。经方两批供试品（批号为20180422、20181208）测试，结果两批供试品中，在对照品色谱峰保留时间处均未出现明显的色谱峰，故放弃此方法。参照《中国药典》2020年版一部"蟾酥"项下的含量测定方法，以华蟾酥毒基对照品及脂蟾毒配基对照品为指标，采用高效液相色谱法，摸索建立含量测定方法。三批供试品中均未检测出华蟾酥毒基及脂蟾毒配基成分，故放弃此方法。

1 仪器与试剂试药

1.1 仪器

岛津LC-2030C型高效液相色谱仪；Sartorius BT25S型电子天平，Sartorius BSA223S型电子天平，Sartorius BSA224S型电子天平，MSA6.6S-OCE型电子天平；KQ-500DE型超声清洗仪。

1.2 试剂与试药

供试品（批号20190833、20140412、20190108）由内蒙古自治区国际蒙医医院提供，模拟样品（批号20200037）模拟；血竭素高氯酸盐对照品（批号110811-201707），牛磺熊去氧胆酸钠对照品（批号110816-201509，纯度93.4%），华蟾酥毒基对照品（批号110803-201807，纯度99.6%），脂蟾毒配基对照品（批号110718-201108，纯度98.0%），均购于中国食品药品检定研究院；乙腈、甲醇为色谱纯，水为超纯，所用其他试剂均为分析纯。

2 方法学考察

2.1 色谱条件

2.1.1 色谱柱：色谱柱填充剂为十八烷基硅烷键合硅胶，本实验采用Phenomenex-C₁₈（250mm×4.6mm，5μm）色谱柱、SHIMADZU C₁₈（250mm×4.6mm，5μm）色谱柱。

2.1.2 流动相的选择：参照《中国药典》2020年版一部"血竭"含量测定项下的测定方法，以乙腈-0.05mol/L磷酸二氢钠溶液（40:60）为流动相，供试品中的血竭素高氯酸盐与其他成分能达到较好的分离，色谱峰具有比较好的保留时间、分离度和对称性。故选择以乙腈−0.05mol/L磷酸二氢钠溶液（40∶60）为流动相。

2.1.3 柱温：40℃可以保证柱压较低，分离效果稳定，保留时间变化小。

2.1.4 检测波长的选择：参照《中国药典》2020年版一部"血竭"含量测定项下血竭素高氯酸盐的测定方法，选用440nm处作为检测波长。

2.1.5 理论板数的确定：对供试品测定结果看血竭素的理论板数均100000以上，结合《中国药典》2020年版一部"血竭"项下要求，本标准规定理论板数按血竭素峰计应不低于4000。

2.2 提取方法的选择及提取效率的考察

《中国药典》2020年版一部"血竭"项下的含量测定为振摇提取，考虑到研细程度的不同会影响振摇提取的效果，故根据《中国药典》2020年版一部"舒筋活血定痛散"项下的血竭含量测定为超声提取，故选择超声提取方法。取本品适量，精密称定，再精密加入三分之一量的硅藻土，研细，取5份，各1.5g，分别精密加入3%磷酸甲醇溶液20ml，密塞，分别超声处理（功率为400W，频率为40kHz）5分钟、10分钟、15分钟、20分钟，取出，放冷，再称定重量，用3%磷酸甲醇补足减失的重量，摇匀，滤过，取续滤液，按上述色谱条件测定。结果见表4。

表4 提取效率考察表

序号	提取时间（min）	含量（mg/g）
1	5	1.638
2	10	1.665
3	15	1.666
4	20	1.676

从表4数据可见，超声处理10分钟后，血竭素含量基本稳定，故确定超声时间为10分钟。

2.3 专属性考察

2.3.1 对照品溶液的制备：取血竭素高氯酸盐对照品5.5mg，精密称定，置50ml棕色量瓶中，加3%磷酸甲醇溶液使其溶解，并稀释至刻度，摇匀（储备液），再精密量取2ml，置10ml棕色量瓶中，加甲醇至刻度，摇匀，即得（每1ml中含血竭素16mg）（血竭素重量=血竭素高氯酸盐重量/1.377）。

2.3.2 供试品溶液的制备：取本品适量，精密称定，再精密加入三分之一量的硅藻土，研细，取1.5g，精密称定，置具塞锥形瓶中，精密加入3%磷酸甲醇溶液20ml，密塞，超声处理（功率400W，频率40kHz）10分钟，滤过，精密量取续滤液1ml，置5ml棕色量瓶中，加甲醇至刻度，摇匀，即得。

2.3.3 阴性对照溶液的制备：按本品处方工艺制备不含血竭的阴性样品，按"供试品溶液"的制备方法制备阴性对照溶液（缺血竭）。

2.3.4 测定：分别精密吸取以上三种溶液各10μl，分别注入液相色谱仪，记录各自的色谱图。

结果显示，供试品色谱中在与对照品色谱保留时间相同的位置上有色谱峰出现，而阴性对照在与对照品色谱保留时间相同的位置上无色谱峰出现，表明该含量测定方法阴性无干扰，专属性好。

2.4 线性关系考察

取血竭素高氯酸盐对照品5.5mg，精密称定，置50ml棕色量瓶中，加3%磷酸甲醇溶液使溶解，并稀释至刻度，摇匀（储备液），再精密量取2ml，置10ml棕色量瓶中，加甲醇至刻度，摇匀，作为对照品溶液（血竭素高氯酸盐实际浓度为0.022mg/ml）；分别精密吸取上述对照品溶液2μl、5μl、10μl、15μl、20μl、25μl注入液相色谱仪，按上述色谱条件进行测定。以峰面积对进样量进行回归分析。结果见表5。

表5　血竭素高氯酸盐标准曲线数值表

进样量（μg）	峰面积值	回归方程	回归系数（r）
0.0323	80479		
0.0808	202846		
0.1615	397645	$y = 2417x + 5384$	1.0
0.2423	590227		
0.3230	786622		
0.4038	980438		

从表5数据可见，木香烃内酯在0.0323～0.4038μg范围内与峰面积值呈良好的线性关系。

2.5　稳定性试验

取同一批供试品（批号20190611）分别于制备溶液后的0小时、2小时、4小时、6小时、8小时进行测定。结果见表6。

表6　不同时间测得溶液中血竭素高氯酸盐峰面积值

序号	时间（h）	峰面积值	RSD（%）
1	0	484725	
2	2	483431	
3	4	485794	0.33
4	6	481502	
5	8	483079	

从表6数据可见，随放置时间的延长，测得血竭素高氯酸盐峰面积值一直以较大幅度上下浮动，表明供试品溶液极不稳定，故提取后应立即测定。

2.6　重复性试验

取同批供试品（批号20190833）6份，各约1.5g，精密称定，再精密加入三分之一量的硅藻土，研细，取1.5g，精密称定，置具塞锥形瓶中，精密加入3%磷酸甲醇溶液20ml，密塞，超声处理（功率400W，频率40kHz）10分钟，滤过，精密量取续滤液1ml，置5ml棕色量瓶中，加甲醇至刻度，摇匀，作为供试品溶液。另精密称取血竭素高氯酸盐对照品5.5mg，精密称定，置50ml棕色量瓶中，加3%磷酸甲醇溶液使溶解，并稀释至刻度，摇匀（储备液），再精密量取2ml，置10ml棕色量瓶中，加甲醇至刻度，摇匀，作为对照品溶液（每1ml中含血竭素16mg）（血竭素重量=血竭素高氯酸盐重量/1.377）。分别精密吸取供试品溶液和对照品溶液各10μl，注入色谱仪，记录色谱图。按外标法以峰面积计算含量，结果见表7。

表7　重复性试验结果

序号	取样量（g）	含量（mg/g）	含量均值（mg/g）	RSD（%）
1	1.4655	1.632		
2	1.4600	1.652		
3	1.4920	1.655	1.657	0.92
4	1.5007	1.658		
5	1.5022	1.666		
6	1.5095	1.678		

从表7数据可见，在相同的提取溶剂和色谱条件下，6份供试品含量测定结果的均值为1.657mg/g，RSD为

0.92%，表明该方法的精密度好。

2.7 加样回收试验

取已知含量供试品（批号20190833）6份，每份约0.75g，精密称定，分别加入血竭素高氯酸盐（浓度为0.022mg/ml）10ml，按重复性试验项下方法制备供试品溶液，按重复性试验项下的色谱条件测定每份的含量，计算回收率。结果见表8。

表8 血竭素高氯酸盐加样回收试验结果

取样量（g）	供试品含量（mg）	对照品加入量（mg）	测得量（mg）	回收率（%）	平均回收率（%）	RSD（%）
0.7577	0.837		1.667	102.7		
0.7602	0.839		1.673	103.2		
0.7718	0.852	（5.684−0.045）/50×0.986/1.377×10ml	1.688	103.5	103.65	0.63
0.7705	0.851	＝0.80756mg	1.690	103.8		
0.7789	0.860		1.701	104.1		
0.7825	0.864		1.709	104.6		

从表8数据可见，本方法的平均加样回收率（n=6）为103.7%，RSD为0.63%，该方法准确度好。

2.8 耐用性试验

取供试品（批号20190833），按重复性试验项下的方法处理，换不同厂家、不同型号的色谱柱，分别测定供试品的含量。结果见表9。

表9 不同色谱柱的耐用性试验

序号	柱型号	分离度	测得平均含量（mg/g）	相对误差（%）
1	Phenomenex−C_{18}	>1.5	1.65	1.8
2	SHIMADZU C_{18}	>1.5	1.59	

从表9数据可见，不同型号或厂家的色谱柱对测定结果影响较小。

3 样品含量测定

取两批样品（批号20190833、20140412）及模拟样（批号20200037），各约1.5g，精密称定，按重复性试验项下的方法处理并测定。含量测定结果见表10。

表10 样品中血竭素高氯酸盐的含量测定结果

序号	批号	含量（mg/g）
1	20190833	1.656
2	20140412	1.593
3	20200037	1.201

从表10数据可见，两批样品及模拟样品中血竭素高氯酸盐含量最低为1.201mg/g，最高为1.656mg/g。三批次血竭素高氯酸盐含量均在1.1mg/g以上。

4 血竭药材含量测定

试验中采用同法对上述两批样品生产用血竭药材进行了含量测定。测定结果见表11。

表11 血竭药材中血竭素高氯酸盐的含量测定结果

序号	批号	含量（mg/g）	血竭药材含量（%）	血竭素转移率（%）
1	20190833	1.656	13.77	97.9
2	20140412	1.201	11.16	87.6

从表11数据可见，样品中血竭素的转移率在87.6%以上，平均转移率为92.75%。

5　本制剂含量限度的确定

参照《中国药典》2020年版一部"血竭"药材的血竭素含量限度不得少于1.0%，平均转移率为92.75%，考虑不同产地药材的质量差异，并结合其他影响因素及三批样品的测定结果，下浮10%，按此限度折算本品含血竭素的理论量应不低于$50 \div 406 \times 1000 \times 1.0\% \times 92.75\% \times 90\% = 1.02$mg/g。

标准正文暂定为：本品每1g含血竭以血竭素（$C_{17}H_{14}O_3$）计，不得少于1.0mg。

【功能与主治】

清热，解毒，杀黏，止痛，破瘀，散结。用于恶疮，无名肿物，食道及咽部肿物，胃痉挛，肝病，血液病，白喉等症。

【用法与用量】

口服。一次5~7丸，一日1次，饭后温开水送服。

【注意事项】

孕妇忌服，老年体弱者慎用。

【规格】

每10丸重2g。

【贮藏】

密封，防潮。

附件　昆明小鼠灌胃化瘤丸急性毒性试验研究报告

1　摘要

目的：

通过一天内大剂量（≥临床等效量的50倍）对昆明种小鼠灌胃化瘤丸，观察其产生的毒性反应及严重程度、主要毒性靶器官，为重复给药毒性研究计量设计和主要观察指标提供参考。

方法：

根据药物急性毒性预试验测定，无法测出LD_{50}，故采用急性毒性限度试验测定方法。小鼠按0.4ml/10g灌胃给药，给药1次，总给药体积为40ml/kg。成人最大剂量2.2g/（60kg·d），换算成小鼠临床等效最大剂量为0.275g/（kg·d）。配制药物最大可混悬浓度为0.6539g/ml，灌胃给药1次，给药剂量为26.1576g/（kg·d），经计算为临床给药量的95.12倍。故一天内给药1次，小鼠给药总量为临床等效量的95.12倍，给药后观察动物的临床症状，连续观察至第14天，每天进行体重、摄食量、饮水量测定。第15天解剖动物，并进行大体病理学检查，若发现病变，则对病变组织进行组织病理学检查。

结果：

（1）一般状态观察：给药后，供试品组动物自主活动减少，给药后第2天上述异常症状恢复。

（2）对动物体重的影响：试验期间，各组动物的体重增加之间比较，无显著性差异（$P > 0.05$），说明化瘤丸对实验动物的体重无显著性影响。

（3）对动物摄食量的影响：试验期间，给药当天化瘤丸组动物摄食量略有减少。从给药第2天开始，各组动物的摄食量之间比较，无显著性差异（$P > 0.05$），说明化瘤丸对实验动物的摄食量无显著性影响。

（4）病理学检查：大体病理学检查，肉眼观察组织、器官未发现异常或病变。

结论：

化瘤丸口服给药为无毒或低毒药物。

2 研究的一般信息

2.1 专题名称及研究目的

专题名称：昆明小鼠灌胃化瘤丸急性毒性试验研究报告

研究目的：采用昆明种小鼠，单次灌胃化瘤丸，观察其产生的毒性反应及严重程度、主要毒性靶器官，为重复给药毒性研究计量设计和主要观察指标提供参考。

2.2 研究遵循的GLP法规性文件

《药物非临床研究质量规范》（国家食品药品监督管理局令第34号，原CFDA 2017.9.1）。

2.3 所用毒性研究指导原则的文件和名称及参考文献

2.3.1 所用毒性研究指导原则的文件和名称

《药物单次给药毒性研究技术指导原则》（原CFDA 2014.5）

《中药、天然药物急性毒性研究技术指导原则》（原CFDA 2005.3）

2.3.2 所用参考文献

[1] 陈奇. 中药药理研究方法学 [M]. 北京：人民卫生出版社，2000.

[2] 李仪奎. 中药药理试验方法学 [M]. 上海：上海科学技术出版社，2006.

[3] 魏伟，吴希美，李元建. 药理实验方法学 [M]（第四版）. 北京：人民卫生出版社，2010.

3 实验材料

3.1 受试物及剩余受试物的处理

3.1.1 供试品

名称：化瘤丸。

提供单位：内蒙古自治区国际蒙医医院国家蒙药制剂中心。

批号：20140207。

3.1.2 剩余供试品的处理

对送样供试品留样60丸，留样保存至有效期2022年12月31日废弃。

3.2 实验系统

3.2.1 实验动物

动物种系、级别：小鼠，昆明种，SPF级。

繁育单位：内蒙古医科大学实验动物中心。

内蒙古医科大学实验动物中心实验动物生产许可证编号：SCXK（蒙）2015-0001。

发证机关：内蒙古自治区科学技术厅。

3.2.2 动物选择理由

作为一般毒性研究，昆明种小鼠是常用的啮齿类哺乳动物，且此种动物的国内外背景资料丰富，动物供应充足。

3.2.3 动物的饲养管理

3.2.3.1 动物的饲养环境

饲育环境：屏障环境。

温度：20~26℃，日温差≤3℃。

相对湿度：41%~64%。

换气次数：≥15次/小时。

照明时间：12/12明暗交替（150~300lx）。

动物笼具：PC材质小鼠饲养笼。

饲养密度：5只/笼。

笼具的换新频率：3次/周。

粪便的处理：在更换饲养盒时，随动物废弃垫料装入专用垃圾袋，密封后统一处理。

清扫与消毒：全部操作结束后清扫，采用0.1%新洁尔灭和0.2% 84消毒液进行轮换消毒，每周一次轮流交换消毒液的种类。

3.2.3.2 检疫

检疫与适应性饲养时程：7天（含购入日）。

3.2.3.2.1 购入日检疫内容

动物外观健康检查：外表（有无外伤、卷尾、肿瘤、畸残等），体形（有无消瘦、过肥），行动（有无倦怠、躁动），体温（有无发热、发冷），呼吸（有无呼吸不规律和异常呼吸音），被毛（有无竖毛、脱毛、脏污），鼻（有无流涕、出血、流脓），口腔（有无流涎、齿过长），眼（有无流泪、分泌物过多、眼球浑浊），耳（有无外伤、耳癣），生殖器（有无外伤、异常分泌物），尿（有无血尿），粪便（有无下痢、血便、脓便），其他异常。

3.2.3.2.2 第2~7天检疫驯化内容

每天上、下午各1次对检疫动物进行观察，检疫过程中，如出现外观、临床症状观察等任何异常现象，对实验可能有影响的动物予以淘汰。

3.2.3.2.3 检疫驯化期体重测定

在检疫第1天（动物入室日）和第7天（分组前）称量动物体重。

3.2.3.3 饲料

饲料种类：^{60}Co放射灭菌鼠全价颗粒饲料。

生产单位：斯贝福（北京）实验动物科技有限公司。

斯贝福（北京）实验动物科技有限公司实验动物生产许可证编号：SCXK（京）2015-0015。

发证机关：北京市科学技术委员会。

给料方法：定时投饲，自由摄取。

饲料的保存：保存在专门的通风、清洁、干燥的饲料间里。

3.2.3.4 饮用水

种类：实验动物高压灭菌饮用水。

给水方法：饮水瓶不间断供水，自由摄取。

3.2.3.5 垫料

垫料名称：玉米芯垫料。

提供单位：北京凌云博际（北京）科技有限公司。

北京凌云博际（北京）科技有限公司实验动物生产许可证编号：SCXK（京）2015-0014。

发证机关：北京市科学技术委员会。

灭菌方法：121℃、20分钟真空高压蒸汽灭菌。

3.2.4 动物的个体识别方法

分组前采用耳标记法，分组后采用躯体背部毛涂抹苦味酸溶液标记法。标记部位分别为头、背、尾、左前、左中、左后、右前、右中、右后和空白。鼠笼以笼卡标记组别、动物号、给药剂量及给药时间等信息。

3.3 药物剂量

成人临床每日用量为5~11粒，经测定药丸粒重，每10粒重约2.0g，一日1次，所以成人最小剂量为1.0g/（60kg·d），最大剂量2.2g/（60kg·d），换算成小鼠临床等效最大剂量为0.275g/（kg·d），最大给药剂量为26.1576g/（kg·d），为人临床给药剂量的95.12倍。

3.4 实验试剂

水合氯醛（天津市大茂化学试剂厂，批号20181124），羧甲基纤维素钠（天津市致远化学试剂有限公司，批号20190304）。

3.5 实验仪器

电子天平（北京塞多利斯仪器系统有限公司，型号BS2202S），电子天平（北京塞多利斯仪器系统有限公司，型号BS2402S），实体解剖显微镜（德国Leica公司，型号DFC 290）。

4 实验方法

4.1 实验分组

选取健康昆明种小鼠40只，雌雄各半。适应性饲养7天后，按性别、体重将小鼠随机分为空白对照组（0.5%CMC-Na）、供试品组（化瘤丸），共2组，每组20只，雌雄各半。

4.2 临床症状观察

观察时间和次数：

检疫期：每天上、下午各1次对检疫动物进行观察。

实验期：给药日，给药前、给药开始至给药结束后30分钟连续观察，如无异常则停止观察，如果有异常则继续观察至恢复正常为止，但最长不超过给药后2小时。下午观察一次。

非给药日，每天上、下午各观测一次。

观察例数：全部实验动物。

观察方法：隔笼观察，观察内容包括是否死亡、濒死、活动状况、外观及被毛、有无外伤、分辨情况等。

观察指征：见表1。

表1 临床症状观察

观察	指征	可能涉及的组织、器官、系统
Ⅰ. 鼻孔呼吸阻塞，呼吸频率和深度改变，体表颜色改变	呼吸困难：呼吸困难或费力，喘息，通常呼吸频率减慢	
	1. 腹式呼吸：膈膜呼吸，吸气时膈膜向腹部偏移	CNS呼吸中枢，肋间肌麻痹，胆碱能神经麻痹
	2.喘息：吸气很困难，伴随有喘息声	CNS呼吸中枢，肺水肿，呼吸道分泌物蓄积，胆碱能功能增强
	呼吸暂停：用力呼吸后出现短暂的呼吸停止	CNS呼吸中枢，肺心功能不全
	紫绀：尾部、口和足垫呈现青紫色	肺心功能不全，肺水肿
	呼吸急促：呼吸快而浅	呼吸中枢刺激，肺心功能不全
	鼻分泌物：红色或无色	肺水肿，出血

续表

观察	指征	可能涉及的组织、器官、系统
Ⅱ. 运动功能: 运动频率和特征的改变	自发活动、探究、梳理、运动增加或减少	躯体运动, CNS
	嗜睡: 动物嗜睡, 但可被针刺唤醒而恢复正常活动	CNS睡眠中枢
	正位反射(翻正反射)消失: 动物体处于异常体位时所产生的恢复正常体位的反射消失	CNS, 感觉, 神经肌肉
	麻痹: 正位反射和疼痛反应消失	CNS, 感觉
	僵住: 保持原姿势不变	CNS, 感觉, 神经肌肉, 自主神经
	共济失调: 动物行走时无法控制和协调运动, 但无痉挛、局部麻痹、轻瘫或僵直	CNS, 感觉, 自主神经
	异常运动: 痉挛, 足尖步态, 踏步, 忙碌, 低伏	CNS, 感觉, 神经肌肉
	俯卧: 不移动, 腹部贴地	CNS, 感觉, 神经肌肉
	震颤: 包括四肢和全身的颤抖和震颤	神经肌肉, CNS
	肌束震颤: 包括背部、肩部、后肢和足趾肌肉的运动	神经肌肉, CNS, 自主神经
Ⅲ. 惊厥(癫痫发作): 随意肌明显不自主收缩或痉挛性收缩	阵挛性惊厥: 肌肉收缩和松弛交替性痉挛	CNS, 呼吸衰竭, 神经肌肉, 自主神经
	强直性惊厥: 肌肉持续性收缩, 后肢僵硬性伸展	CNS, 呼吸衰竭, 神经肌肉, 自主神经
	强直性-阵挛性惊厥: 两种惊厥类型交替出现	CNS, 呼吸衰竭, 神经肌肉, 自主神经
	窒息性惊厥: 通常是阵挛性惊厥并伴有喘息和紫绀	CNS, 呼吸衰竭, 神经肌肉, 自主神经
	角弓反张: 背部弓起、头向背部抬起的强直性痉挛	CNS, 呼吸衰竭, 神经肌肉, 自主神经
Ⅳ. 反射	角膜性眼睑闭合反射: 接触角膜导致眼睑闭合	感觉, 神经肌肉
	基本条件反射: 轻轻敲击耳内表面, 引起外耳抽搐	感觉, 神经肌肉
	正位反射: 翻正反射的能力	CNS, 感觉, 神经肌肉
	牵张反射: 后肢被牵拉至从某一表面边缘掉下时缩回的能力	感觉, 神经肌肉
	对光反射: 瞳孔反射, 见光瞳孔收缩	感觉, 神经肌肉, 自主神经
	惊跳反射: 对外部刺激(如触摸、噪声)的反应	感觉, 神经肌肉
Ⅴ. 眼检	流泪: 眼泪过多, 泪液清澈或有色	自主神经
	缩瞳: 无论有无光线, 瞳孔缩小	自主神经
	散瞳: 无论有无光线, 瞳孔扩大	自主神经
	眼球突出: 眼眶内眼球异常突出	自主神经
	上睑下垂: 上睑下垂, 针刺后不能恢复正常	自主神经
	血泪症: 眼泪呈红色	自主神经, 出血, 感染
	瞬膜松弛	自主神经
	角膜混浊, 虹膜炎, 结膜炎	眼睛刺激

续表

观察	指征	可能涉及的组织、器官、系统
Ⅵ.心血管指征	心动过缓:心率减慢	自主神经,肺心功能不全
	心动过速:心率加快	自主神经,肺心功能不全
	血管舒张:皮肤、尾、舌、耳、足垫、结膜、阴囊发红,体热	自主神经、CNS、心输出量增加,环境温度高
	血管收缩:皮肤苍白,体凉	自主神经、CNS、心输出量降低,环境温度低
	心律不齐:心律异常	CNS、自主神经、肺心功能不全,心肌梗死
Ⅶ.流涎	唾液分泌过多:口周毛发潮湿	自主神经
Ⅷ.竖毛	毛囊竖毛组织收缩导致毛发蓬乱	自主神经
Ⅸ.痛觉缺失	对痛觉刺激(如热板)反应性降低	感觉,CNS
Ⅹ.肌张力	张力低下:肌张力全身性降低	自主神经
	张力过高:肌张力全身性增高	自主神经
Ⅺ.胃肠指征		
排便(粪)	干硬固体,干燥,量少	自主神经,便秘,胃肠动力
	体液丢失,水样便	自主神经,腹泻,胃肠动力
呕吐	呕吐或干呕	感觉,CNS,自主神经(小鼠无呕吐)
多尿	红色尿	肾脏损伤
	尿失禁	自主神经
Ⅻ.皮肤	水肿:液体充盈组织所致肿胀	刺激性,肾功能衰竭,组织损伤,长时间静止不动
	红斑:皮肤发红	刺激性,炎症,过敏

4.3 体重测定

测定次数:首次给药至给药后第14天,连续14天进行体重测定。

测定例数:全部实验动物。

测定方法:用电子天平进行体重测定。

4.4 摄食量测定

测定次数:首次给药至给药后第14天,连续14天进行摄食量测定。

测定例数:全部动物。

测定方法:第1天上午测定每个饲养笼所给饲料量,次日上午相同时间测定剩余饲料量,以二者差值计算每饲养笼动物的总进食量,并计算该笼每只动物每天的平均进食量。

4.5 饮水量测定

测定次数:首次给药至给药后第14天,连续14天进行摄食量测定。

测定例数:全部动物。

测定方法:第1天上午测定每个饲养笼所给水量,次日上午相同时间测定剩余水量,以二者差值计算每饲养笼动物的总饮水量,并计算该笼每只动物每天的平均饮水量。

4.6 病理学检查

4.6.1 剖检

剖检例数:全部预定解剖的动物、各组死亡或濒临死亡的动物。

剖检方法:对于全部预定解剖的动物和各组濒临死亡动物,腹腔注射20%水合氯醛进行麻醉。从腹腔后大静脉完全放血处死，然后进行解剖。如濒死动物，迅速解剖。

尸检：肉眼观察脑、脊髓、心脏、主动脉、肺（含支气管）、肝脏、肾脏、脾脏、胰脏、胃、十二指肠、空肠、回肠结肠、直肠、盲肠、睾丸、附睾、前列腺、卵巢、子宫、阴道、膀胱、脑垂体、甲状腺（含甲状旁腺）、颌下腺、肾上腺、坐骨神经、肌肉、肠系膜淋巴结、胸腺、乳腺（雌性）、胸骨，发现异常时对该组织脏器用10%的甲醛（睾丸、附睾和眼球用Davidson's液）进行固定保存，并进行组织病理学检查，如未发现异常，不进行固定保存。

4.6.2　组织病理学检查

检查方法：固定后的组织经修块取材，逐级酒精脱水，石蜡包埋，滑动切片机切片（厚度约3μm），经苏木精-伊红（HE）染色，光镜下进行检查。根据镜检结果，如果某些组织器官需用其他方法染色，以提供更多的组织病理学信息，则进一步进行特殊染色。

4.7　数据的统计与处理

对于体重、摄食量等数据均采用SPSS22.0按照以下方法进行统计，最终数据以$\bar{x}\pm s$表示：①首先用Barlett检验方法进行数据均一性检验，如有数据均一（检验$P \geq 0.05$），则进行方差分析检验（F检验）；如果Barlett检验结果显著（$P < 0.05$），则进行Kruskal-wallis检验。②如果方差分析检验结果显著（$P < 0.05$），则进一步用Dunett参数检验法进行多重比较检验；如果方差分析结果不显著（$P \geq 0.05$），则统计结束。③如果Kruskal-wallis检验结果显著（$P < 0.05$），则进一步用Dunett非数检验法进行多重比较检验；如果Kruskal-wallis检验结果不显著（$P \geq 0.05$），则统计结束。

临床症状观察、大体病理学检查结果、组织病理学检查结果（如果有）则无需进行统计学处理，直接列出观察结果。

5　结果

5.1　对动物临床症状的影响

给药后连续观察动物2周，小鼠进食、进水、活动、毛色、粪便姿势、躯体运动、呼吸频率、下腹及肛门周围有无污染、眼、鼻、口有无分泌物、体温等一切正常。

5.2　对动物体重的影响

试验期间，小鼠活动正常，健康活泼，小鼠无一死亡，无中毒反应，无其他异常现象。空白对照组和给药组小鼠体重比较，无显著性差异（$P > 0.05$）。结果见表2、表3。

表2　化瘤丸对雄性小鼠体重的影响（$n=10$, g, $\bar{x}\pm s$）

组别	给药第1天	给药第7天	给药第14天
空白对照组	18.26±1.86	25.27±4.65	33.85±3.71
供试品组	17.92±2.64	26.26±2.82	32.17±4.38

表3　化瘤丸对雌性小鼠体重的影响（$n=10$, g, $\bar{x}\pm s$）

组别	给药第1天	给药第7天	给药第14天
空白对照组	18.33±5.30	21.93±6.17	31.48±1.74
供试品组	17.52±3.96	22.17±4.84	30.23±3.61

5.3　对动物摄食量的影响

试验期间，各组动物的摄食量之间比较，无显著性差异（$P > 0.05$）。结果见表4、表5。

表4　化瘤丸对雄性小鼠摄食量的影响（$n=10$, g, $\bar{x} \pm s$）

组别	给药第1天	给药第7天	给药第14天
空白对照组	5.86±1.37	6.10±0.28	5.56±1.74
供试品组	4.56±0.83	6.86±0.53	5.35±1.48

表5　化瘤丸对雌性小鼠摄食量的影响（$n=10$, g, $\bar{x} \pm s$）

组别	给药第1天	给药第7天	给药第14天
空白对照组	5.74±0.74	6.62±0.62	5.82±0.37
供试品组	5.57±1.33	5.66±0.46	6.57±0.14

5.4　对动物饮水量的影响

试验期间，各组动物的饮水量之间比较，无显著性差异（$P>0.05$）。结果见表6、表7。

表6　化瘤丸对雄性小鼠饮水量的影响（$n=10$, g, $\bar{x} \pm s$）

组别	给药第1天	给药第7天	给药第14天
空白对照组	5.39±1.92	5.91±2.49	6.02±2.47
供试品组	5.47±1.62	6.75±0.83	6.43±1.57

表7　化瘤丸对雌性小鼠饮水量的影响（$n=10$, g, $\bar{x} \pm s$）

组别	给药第1天	给药第7天	给药第14天
空白对照组	5.82±1.71	6.03±2.17	5.86±1.43
供试品组	6.54±1.24	5.89±0.31	6.62±1.39

5.5　病理学检查

大体病理学检查，肉眼观察组织、器官未发现异常或病变。

6　结论

本实验条件下，昆明种小鼠灌胃给予化瘤丸，小鼠按0.4ml/10g灌胃给药，一日内给药1次，小鼠总给药量为40ml/kg，为人临床给药剂量的95.12倍。在观察期间内（0~14天），饲养观察2周，无任何异常及中毒反应，小鼠体重增加，行为、活动、进食一切正常。

结果表明，化瘤丸口服给药为无毒或低毒药物。

起草单位： 内蒙古自治区国际蒙医医院　　　代　钦　奥东塔那　高钰思　那松巴乙拉

赤峰市药品检验所　　　　　　郭莘莘　张学英　高嘉琦　兰利军

内蒙古医科大学附属第二医院　莎仁图雅　阿日嘎太

内蒙古医科大学药学院　　　　肖云峰　钱新宇　王　娜　韩运琪　王建民　李建华

张双兰　程　前　籍紫薇

乌力吉·乌日勒质量标准起草说明

【**历史沿革**】

本方来源于《蒙医药传统验方》（内蒙古人民出版社1975年版，蒙古文，第260页）。

【**处方来源**】

本制剂由内蒙古自治区国际蒙医医院提供。

【**名称**】

乌力吉·乌日勒

【**蒙药材和饮片的来源和执行标准**】

1. 处方组成及药味排列顺序：益母草60g、益母草膏100g、沙棘100g、赤飑子100g、诃子100g、寒制红石膏60g、红花60g、木香60g、山柰60g、刺柏叶60g、土木香40g、燎鹿茸40g、小白蒿40g、制硼砂20g、丁香20g、冬虫夏草20g、人工牛黄12g、熊胆粉12g、朱砂粉10g。

2. 处方中除了赤飑子、寒制红石膏、刺柏叶、小白蒿、燎鹿茸和熊胆粉药材外，其余益母草等药味均收载于《中国药典》2020年版一部，其质量应符合该品种项下的有关规定。

赤飑子：为葫芦科植物赤飑*Thladiantha dubia* Bge.的干燥成熟果实。其标准应符合《中华人民共和国卫生部药品标准》（蒙药分册）1998年版第17页该品种项下的有关规定。

寒制红石膏：为单斜晶系硫酸钙矿石族红石膏Gypsum的矿石红石膏（北寒水石）的炮制加工品。主含含水硫酸钙（CaSO$_4$·2H$_2$O）。其标准应符合《内蒙古蒙药饮片炮制规范》2020年版第188页该品种项下的有关规定。

刺柏叶：为柏科植物杜松*Juniperus rigida* Sieb. et Zucc.的干燥嫩枝叶。其标准应符合《中华人民共和国卫生部药品标准》（蒙药分册）1998年版第23页该品种项下的有关规定。

燎鹿茸：为鹿科动物梅花鹿*Cervus Nippon* Temminck或马鹿*Cervus elaphus* Linnaeus的雄鹿未骨化密生茸毛的幼角。其标准应符合《内蒙古蒙药饮片炮制规范》2020年版第524页该品种项下的有关规定。

小白蒿：为菊科多年生植物冷蒿*Artemisia frigida* Willd.的干燥地上部分。其标准应符合《内蒙古蒙药饮片炮制规范》2020年版第23页该品种项下的有关规定。

熊胆粉：为熊科动物黑熊*Selenarctos thibetanus* Cuvier经胆囊手术引流胆汁而得的干燥品。其标准应符合《中华人民共和国卫生部药品标准》新药转正标准第十一册第44页该品种项下的有关规定。

【**制法**】

以上十九味，除人工牛黄、燎鹿茸、冬虫夏草、朱砂粉外，其余细叶益母草等十五味，粉碎成细粉，将燎鹿茸、冬虫夏草分别研细，与人工牛黄、朱砂粉和上述细粉配研，过筛，混匀，用水泛丸，打光，干燥，分装，即得。

【**性状**】

本品为浅黄色至黄色的水丸；气香，味苦、微酸。

【**鉴别**】

本品为药材粉末制成的水丸，方中土木香、木香、丁香、红花、沙棘的显微特征较明显，故建立显微鉴别。

1. 试剂与试药

供试品：供试品（批号20200314、20200315、20200321）由内蒙古自治区国际蒙医医院提供，模拟样品（批号20200076）模拟。

所用其他试剂均为分析纯，水为离子交换高纯水。

2. 试验方法与结果

显微鉴别：

土木香：木纤维长梭形，末端倾斜，具斜纹孔。木香：木纤维多成束，长梭形，直径16~24μm，纹孔口横裂缝状，十字状或人字状。丁香：花粉粒极面观三角形，赤道表面观双凸镜形，具3副合沟。红花：花粉粒类圆形、椭圆形或橄榄形，直径约至60μm，具3个萌发孔，外壁有齿状突起。沙棘：鳞毛菊花状，由100多个单细胞毛毗连而成，末端分离，单个细胞长80~220μm，直径约5μm。

【检查】

按照丸剂（《中国药典》2020年版四部通则0108）项下规定，对三批供试品及模拟样品的水分、重量差异、溶散时限、重金属、砷盐和微生物限度进行了检查。具体方法及测定数据如下：

1. 水分：取供试品照水分测定法（《中国药典》2020年版四部通则0832）测定，三批供试品及模拟样品测定结果见表1。

表1　水分测定结果

序号	批号	水分（%）
1	20200321	5.1
2	20200314	5.0
3	20200315	5.1
4	20200076	5.2

药典规定丸剂水分含量不得大于9.0%。由表1的结果可见，三批供试品和模拟样品的水分含量均符合要求。

2. 重量差异：取以上三批供试品，每批供试品取10份，10丸为1份，分别称定重量，再与每份标示重量（2克）相比较，求每一份的重量差异（%）。药典规定每份标示装量的限度为±8%，并规定超出重量差异限度的不得多于2份，并不得有1份超出限度1倍。本品的重量差异检查结果均符合规定。

3. 溶散时限：取本品照片剂项下崩解时限检查法（《中国药典》2020年版四部通则0921）加挡板进行测定。三批供试品测定结果见表2。

表2　溶散时限测定结果

序号	批号	溶散时间（min）
1	20200321	58
2	20200314	58
3	20200315	58

药典规定水丸应在1小时内全部溶散。从表2数据可见，本品的溶散时限符合规定。

4. 对三批供试品及模拟样品进行了重金属、砷盐考察，方法与结果如下：

重金属：分别取每个批号供试品0.5g、0.67g、1.0g、2.0g，按《中国药典》2020年版四部通则0821第二法检查。

供试品溶液的制备：取本品0.5g、0.67g、1.0g、2.0g，分别缓缓炽灼至完全炭化，放冷，加硫酸0.5ml，使湿润，低温加热至硫酸除尽后，加硝酸0.5ml，蒸干，至氧化氮蒸气除尽后，放冷，于600℃炽灼至完全灰化，放冷。加盐酸2ml，置水浴上蒸干后加水15ml，滴加氨试液至对酚酞指示液显中性，再加醋酸盐缓冲液（pH3.5）2ml，微热溶解

后，移置纳氏比色管中，加水稀释至25ml，作为供试品溶液。

标准铅对照溶液的制备：另取配制供试品溶液的试剂两份，分别置瓷皿中蒸干后，加醋酸盐缓冲液（pH3.5）2ml，加水15ml微热溶解后，移置两支纳氏比色管中，分别加标准铅溶液（10μg/mlPb）2ml，再加水稀释至25ml，作为标准铅对照溶液。

检视：于上述供试品溶液和标准铅对照溶液中分别加硫代乙酰胺试液各2ml，摇匀，放置2分钟，同置白色背景上，从上向下进行观察。试验结果见表3。

表3　重金属检查结果

序号	批号	重金属含量（ppm）			
1	20200321	<10	<20	<30	<40
2	20200314	<10	<20	<30	<40
3	20200315	<10	<20	<30	<40
4	20200076	<10	<20	<30	<40

结果显示，供试品溶液的颜色明显浅于2ml的标准铅对照管。经过3批供试品及模拟样品的检查，含重金属均未超过百万分之十，故未收入正文。

砷盐：取本品1g和标准砷溶液（1μg/mlAS）2ml，分别加无砷氢氧化钙1g，加少量水，搅匀，烘干，用小火缓缓炽灼至炭化，再在600℃炽灼至完全灰化，放冷。分别加盐酸7ml使溶解，再加水21ml，按《中国药典》2020年版四部通则0822第一法（古蔡氏法）做砷盐限量检查。

结果：供试品砷斑浅于标准砷斑的颜色，表明本品含砷量未超过百万分之二（小于2ppm），故砷盐检查项目未列入正文。

5. 微生物限度：照微生物计数法（《中国药典》2020年版四部通则1105）、控制菌检查法（《中国药典》2020年版四部通则1106）及《内蒙古蒙药制剂规范》（第三册）附录Ⅲ微生物限度标准，进行检查。结果均符合规定。

【含量测定】

乌力吉·乌日勒是由益母草、诃子、沙棘、赤爬子、山奈、寒制红石膏、红花等十九味药组成的复方制剂。参照《中国药典》2020年版一部"红花"项下的含量测定方法，选择羟基红花黄色素A作为指标成分，对本制剂中的红花进行了HPLC含量测定方法研究。经分析方法验证，表明该方法重复性好、专属性强，方中其他组分对羟基红花黄色素A的测定无干扰。

1 仪器与试药试剂

1.1 仪器

Waters e2695型高效液相色谱仪，Mettler-Toledo MS105DU型百万分之一电子天平，Mettler-Toledo XPR10型万分之一电子天平，SBL-22DT型超声波清洗器（宁波新芝生物科技股份有限公司，40kHz）；Heal Force NW15UV型超纯水系统，FW400A型多功能粉碎机（材茂科技有限公司）。

1.2 试剂与试药

供试品（批号20200321、20200314、20200321）由内蒙古自治区国际蒙医医院提供，模拟样品（批号20200076）模拟；羟基红花黄色素A对照品（批号111637-201609），购于中国食品药品检定研究院；甲醇、乙腈为色谱纯，水为超纯水，其他试剂均为分析纯。

2 方法学考察

2.1 色谱条件

2.1.1 色谱柱：色谱柱填充剂为十八烷基硅烷键合硅胶，本试验采用Tnature-C$_{18}$（250mm×4.6mm，5μm）

色谱柱。

2.1.2　流动相的选择：参照《中国药典》2020年版一部"红花"含量测定项下的测定方法，以甲醇-乙腈-0.7%磷酸溶液（22∶2∶76）为流动相进行条件摸索。结果羟基红花黄色素A峰型不对称，拖尾严重，加三乙胺调节0.7%磷酸溶液pH至6.0后，供试品色谱图中的羟基红花黄色素A峰的对称性在0.95～1.05之间，与其他成分达到较好的分离，理论板数较高，并具有适宜的保留时间，故选择以甲醇-乙腈-0.7%磷酸溶液（22∶2∶76）用三乙胺调pH为6.0为流动相。

2.1.3　柱温：35℃可以保证柱压较低，分离效果稳定，保留时间变化小。

2.1.4　检测波长的选择：参照《中国药典》2020年版一部"红花"含量测定项下羟基红花黄色素A的测定方法，选用403nm处作为检测波长。

2.1.5　理论板数的确定：从对三批数据的测定结果可见，羟基红花黄色素A峰理论板数在3000以上即能达到较好的分离效果，故规定理论板数按羟基红花黄色素A峰计算应不低于3000。

2.2　提取方法的选择及提取效率的考察

参考《中国药典》2020年版一部"红花"含量测定项下的方法，以25%甲醇作为提取溶剂进行超声提取，为保证被测成分提取完全，在供试品的细度一致、提取溶剂确定、超声功率250W（频率40kHz）的条件下，试验中考察了30分钟、40分钟、50分钟等不同提取时间对提取效率的影响，结果见表4。

表4　羟基红花黄色素A提取时间考察

提取时间（min）	取样量（g）	平均峰面积值	含量（mg/g）
30	0.6081	1700174	2.45
40	0.6044	1700183	2.46
50	0.6032	1689869	2.45

从表4数据可见，超声提取30分钟、40分钟和50分钟供试品中羟基红花黄色素A的含量基本一致，故将提取时间定为40分钟，与《中国药典》2020年版一部"红花"含量测定项下的提取时间一致。

2.3　专属性考察

2.3.1　对照品溶液的制备：取羟基红花黄色素A对照品适量，精密称定，加25%甲醇制成每1ml含30μg的溶液，作为对照品溶液。

2.3.2　供试品溶液的制备：取本品适量，研细，取约1g，精密称定，置具塞锥形瓶中，精密加入25%甲醇25ml，称定重量，超声处理40分钟，取出，放冷，再次称定重量，用25%甲醇补足减失的重量，摇匀，滤过，取续滤液，作为供试品溶液。

2.3.3　阴性对照溶液的制备：按处方比例并以相同工艺制备的缺红花的阴性对照样品，按供试品溶液制备法制得阴性对照溶液。

2.3.4　测定：分别精密吸取以上三种溶液各10μl，注入色谱仪，记录各自的色谱图。

试验结果显示：供试品色谱中在与对照品色谱保留时间相同的位置上有色谱峰出现，而阴性对照在与对照品色谱保留时间相同的位置上无色谱峰出现，表明该含量测定方法阴性无干扰，专属性好。

2.4　线性关系考察

取羟基红花黄色素A对照品约3mg，精密称定，置25ml量瓶中，加25%甲醇使溶解，并稀释至刻度，摇匀，作为对照品溶液（对照品溶液实际浓度为0.126mg/ml）；分别精密吸取上述对照品溶液1μl、2μl、5μl、10μl、15μl、20μl和25μl注入液相色谱仪，按上述色谱条件测定。以峰面积对注入量进行回归分析，结果见表5。

表5　标准曲线数据及回归分析结果

进样量（μg）	峰面积值	回归方程	r
0.126	244298		
0.252	624594		
0.631	1699050		
1.261	3544351	y=2883515x−107103	1.0000
1.892	5372109		
2.522	7154656		
3.153	8972900		

从表5数据可见，羟基红花黄色素A在0.126~3.153μg范围内与峰面积值呈良好的线性关系。

2.5　精密度试验

取同一份供试品（批号20200321）溶液，连续进样6针，测定羟基红花黄色素A峰面积值，结果见表6。

表6　精密度试验结果

序号	峰面积值	平均值	RSD（%）
1	2869319		
2	2859277		
3	2866707	2865883	0.13
4	2864823		
5	2868402		
6	2866769		

从表6数据可见，符合《中国药典》2020年版四部通则0512中规定的RSD值小于2.0%的要求。

2.6　稳定性试验

取同一供试品（批号20200321）溶液，分别在溶液制备后的0小时、2小时、4小时、6小时、8小时、10小时进行测定，结果见表7。

表7　不同时间测定供试品中羟基红花黄色素A的峰面积值

时间（h）	峰面积值	RSD（%）
0	2883518	
2	2874026	
4	2891096	0.79
6	2895048	
8	2898053	
10	2931669	

从表7数据可见，羟基红花黄色素A在10小时内峰面积值基本稳定，能够满足测定所需的时间。

2.7　重复性试验

取同一批号（批号20200321）供试品6份，各约1.0g，精密称定，置具塞锥形瓶中，精密加入25%甲醇25ml，称定重量，超声处理40分钟，取出，放冷，再次称定重量，用25%甲醇补足减失的重量，摇匀，滤过，取续滤液，作为供试品溶液。取羟基红花黄色素A对照品适量，精密称定，加25%甲醇制成每1ml含30μg的溶液，作为对照品溶液。分别精密吸取以上两种溶液各10μl，注入液相色谱仪，记录各自的色谱图，用外标法以峰面积值计算含量。结果见表8。

表8　重复性试验结果

取样量（g）	峰面积值	含量（mg/g）	平均含量（mg/g）	RSD（%）
1.0038	2875904	2.54		
1.0050	2837833	2.50		
1.0068	2875677	2.53	2.51	1.61
1.0025	2759218	2.44		
1.0070	2869029	2.53		
1.0034	2858081	2.53		

从表8数据可见，在相同的提取溶剂和色谱条件下，6份供试品含量测定结果的均值为2.51mg/g，RSD为1.61%，表明该方法的重复性良好。

2.8 加样回收试验

取已知含量（批号20200321含量为2.51mg/g）的供试品9份，各约0.20g，精密称定，分别置9个具塞锥形瓶中，再分别在其中3个具塞锥形瓶中精密加入浓度为0.236mg/ml的羟基红花黄色素A对照品溶液1ml（约相当于供试品含有量的50%）及25%甲醇24ml，另3个具塞锥形瓶中各精密加入上述对照品溶液2ml（约相当于供试品含有量的100%）及25%甲醇23ml，其余3个具塞锥形瓶中各精密加入上述对照品溶液3ml（约相当于供试品含有量的150%）及25%甲醇22ml，分别称定重量，超声处理40分钟，取出，再称重，用25%甲醇补足减失重量，摇匀，滤过。各取续滤液10μl进样，分别按重复性试验项下的色谱条件测定每份的含量，计算回收率。结果见表9。

表9 羟基红花黄色素A加样回收试验结果

样品量（g）	供试品含量（mg）	对照品加入量（mg）	测得总量（mg）	回收率（%）	平均回收率（%）	RSD（%）
0.2043	0.5128	0.2360	0.7478	99.6		
0.2052	0.5151	0.2360	0.7446	97.3		
0.2057	0.5163	0.2360	0.7486	98.4		
0.2080	0.5221	0.4720	0.9822	97.5		
0.2065	0.5183	0.4720	0.9740	96.5	98.1	1.3
0.2035	0.5108	0.4720	0.9857	100.6		
0.2046	0.5135	0.7080	1.2092	98.3		
0.2072	0.5201	0.7080	1.2108	97.6		
0.2044	0.5130	0.7080	1.2002	97.1		

从表9数据可见，本方法的平均回收率为98.1%，RSD为1.3%。该方法准确度好。

2.9 耐用性试验

取供试品（批号20200321）约1.0g共两份，按重复性试验项下的方法处理，换不同厂家、不同型号的色谱柱，分别测定供试品及对照品的含量，结果见表10。

表10 不同色谱柱的耐用性试验

取样量（g）	柱型号	峰面积值	分离度	含量（mg/g）	相对偏差（%）
1.0038	Tnature C$_{18}$柱	2875901	5.15	2.54	1.30
	Phenomenex C$_{18}$柱	2759510	5.62	2.47	
1.0050	Tnature C$_{18}$柱	2837833	5.29	2.50	0.15
	Phenomenex C$_{18}$柱	2786313	5.93	2.50	

从表10数据可见，在使用不同型号或厂家的色谱柱时，对测定结果的影响较小，具有较好的耐用性。

3 样品含量测定

取三批样品（批号20200321、20200314、20200315）及模拟样品（批号20200076）约1.0g，各两份，精密称定，按重复性试验项下的方法处理并测定，含量测定结果见表11。

表11 样品中羟基红花黄色素A的含量测定结果

批号	取样量（g）	峰面积值	平均峰面积值	含量（mg/g）	平均含量（mg/g）
20200321	1.0070	2866717 2871340	2869029	2.53	2.53
	1.0034	2851879 2864282	2858081	2.53	
20200314	1.0042	2938007 2909169	2923588	2.58	2.58
	1.0027	2912018 2904767	2908393	2.57	

续表

批号	取样量（g）	峰面积值	平均峰面积值	含量（mg/g）	平均含量（mg/g）
20200315	1.0058	2805157 2823996	2814577	2.48	2.50
	1.0054	2859338 2839321	2849330	2.51	
20200076	1.0036	2122096 2119099	2020598	1.82	1.79
	1.0026	2057689 2047929	2052809	1.76	

从表11数据可见，三批样品中最低含量在2.50mg/g以上。

4 红花药材含量测定

试验中采用同法对上述三批样品生产用红花药材进行了含量测定。测定结果见表12。

表12 红花药材中羟基红花黄色素A的含量测定结果

药材编号	取样量（g）	测得峰面积值	平均峰面积值	含量（mg/g）	平均含量（mg/g）
1	0.4051	5564714 5506580	5535647	12.12	12.09
2	0.4066	5574609 5516660	5545635	12.10	
3	0.4027	5462552 5472900	5467726	12.05	

从表12数据可见，红花药材中羟基红花黄色素A含量为12.09mg/g（1.2%）。

5 本制剂含量限度的确定

从表中数据可见，三批样品中羟基红花黄色素A最低含量在2.50mg/g，红花药材中羟基红花黄色素A含量为12.09mg/g（1.21%），模拟样品中羟基红花黄色素A含量为1.79mg/g。

根据本品处方量折算，理论上每1g样品应含红花药材0.061g，羟基红花黄色素A含量=0.16g×1000×1.21%=1.936mg，即1.936mg/g。因此，转移率为1.79（mg/g）÷1.936（mg/g）×100%=92.46%。

参照《中国药典》2020年版一部"红花"药材的羟基红花黄色素A含量限度不得少于1.0%，转移率为92.46%，考虑不同产地药材的质量差异，并结合其他影响因素及三批样品的测定结果，下浮50%，按此限度折算本品含羟基红花黄色素A的理论量应不低于60÷974×1000×1.0%×92.46%×50%=0.28mg/g。

标准正文暂定为：本品每1g含红花以羟基红花黄色素A（$C_{27}H_{32}O_{16}$）计，不得少于0.30mg。

【功能与主治】

调赫依血相讧，调经。用于妇女赫依血相讧引起的病症，产后热，月经不调，乏力，出汗，身重，浮肿，四肢及肾腰部酸痛，乳肿等妇科诸症。

【用法与用量】

口服。一次11~15丸，一日1~2次，温开水送服。

【规格】

每10丸重2g。

【贮藏】

密闭，防潮。

起草单位：内蒙古自治区国际蒙医医院　　　乌仁高娃　奥东塔娜　那松巴乙拉

鄂尔多斯市检验检测中心　　　李　珍　杨　洋　吕彩莲

乌莫黑·达布日海-25丸质量标准起草说明

【历史沿革】

本方来源于内蒙古自治区国际蒙医医院苏嘎尔大夫经验方。

【处方来源】

本制剂由内蒙古自治区国际蒙医医院提供。

【名称】

乌莫黑·达布日海-25丸

【蒙药材和饮片的来源和执行标准】

1. 处方组成及药味排列顺序：草阿魏80g、石榴70g、诃子汤泡草乌60g、石菖蒲60g、山沉香50g、丁香50g、干姜40g、诃子40g、小茴香40g、荜茇40g、胡椒40g、肉豆蔻40g、木香40g、蒜炭40g、益智仁30g、土木香30g、光明盐30g、没药30g、紫草茸30g、枫香脂30g、宽筋藤30g、当归25g、川芎25g、肉桂12g、铁线莲12g。

2. 处方中除了光明盐、诃子汤泡草乌、宽筋藤、紫草茸、石榴、蒜炭、铁线莲、草阿魏和山沉香等药材外，其余丁香等药味均收载于《中国药典》2020年版一部，其质量应符合该品种项下的有关规定。

光明盐：为天然石盐Halite结晶体。主含氯化钙（NaCI）。其标准应符合《内蒙古蒙药饮片炮制规范》2020年版第160页该品种项下的有关规定。

石榴：为石榴科植物石榴*Punica granatum* L.的干燥成熟果实。其质量应符合《内蒙古蒙药材炮制规范》2020年版第119页该品种项下的有关规定。

宽筋藤：为防己科植物心叶宽筋藤*Tinospora cordifolia*（wulld）Miers或宽筋藤 *T.sinensis*（Lour.）Merr.的干燥茎。其标准应符合《中华人民共和国卫生部药品标准》（藏药第　册）1995年版第87页该品种项下有关规定。

紫草茸：为胶蚧科昆虫紫胶虫*Laccifer lacca* Kerr在树枝上所分泌的树脂状胶质。其标准应符合《内蒙古蒙药饮片炮制规范》2020年版第482页该品种项下的有关规定。

山沉香：为木犀科植物贺兰山丁香*Syringa pinnatifolia* Hemsl.var.*alashanensis* Ma. et S.Q.Zhou削去外皮的干燥枝。其标准应符合《中华人民共和国卫生部药品标准》（蒙药分册）1998年版第4页该品种项下的有关规定。

蒜炭：为百合科植物蒜*Allium ativum* L.的干燥鳞茎。其标准应符合《内蒙古蒙药饮片炮制规范》2020年版第22页该品种项下的有关规定。

草阿魏：为伞形科植物新疆阿魏*Ferula sinkiangensis* K. M. Shen或阜康阿魏*Ferula fukanensis* K. M.Shen的干燥根。其标准应符合《内蒙古蒙药饮片炮制规范》2020年版第311页该品种项下的有关规定。

铁线莲：为毛茛科植物芹叶铁线莲*Clematis aethusaefolia* Turcz.的干燥带花叶枝条。其标准应符合《中华人民共和国卫生部药品标准》（蒙药分册）1998年版第32页该品种项下有关规定。

诃子汤泡草乌：毛茛科植物北乌头 *Aconitum kusenzoffii* Reichb.的干燥块根。其标准应符合《内蒙古蒙药饮片炮制规范》2020年版第307页该品种项下有关规定。

【制法】

以上二十五味,粉碎成细粉,过筛,混匀,用水泛丸,打光,干燥,分装,即得。

【性状】

本品为棕褐色至黑褐色的水丸;气香,味辛、微苦。

【鉴别】

本品为原药材细粉制成的水丸,方中荜茇、诃子、肉桂、石榴的显微特征较明显,故建立显微鉴别,并对处方中荜茇、胡椒、丁香、土木香建立了薄层鉴别。

1. 试剂与试药

供试品:供试品(批号20191203、20200319、20200421)由内蒙古自治区国际蒙医医院提供,模拟样品(批号20200077)模拟。

对照品:胡椒碱对照品(批号110775-201706)、丁香酚(批号110725-201917)、土木香内酯(批号110760-201008)、异土木香内酯(批号110761-200203),均购于中国食品药品检定研究院。

薄层板:硅胶G板,购于青岛海洋化工有限公司。

2. 试验方法与结果

(1)显微鉴别

荜茇:外胚乳细胞充满细小淀粉粒集结成的淀粉团,有的含细小糊粉粒。诃子:石细胞成群或单个散离,淡黄色或鲜黄色,呈类圆形、类方形、长方形或长条形,长可达200μm,孔沟细密而清晰,不规则分叉。肉桂:石细胞类圆形、类方形,直径32~88μm,壁厚,有的一面菲薄。石榴:石细胞类圆形、长方形或不规则形,少数分枝状,直径27~102μm,壁厚,层纹细密,极明显,孔沟密,胞腔大,有的含棕色物。

(2)荜茇和胡椒薄层鉴别

参照《中国药典》2020年版一部"荜茇"项下的薄层鉴别方法,以胡椒碱为对照品,以无水乙醇作为溶剂,吸附剂为硅胶G,进行了薄层鉴别方法研究。并用以下展开剂进行筛选:①苯-乙酸乙酯-丙酮(7:2:1);②环己烷-乙酸乙酯-醋酸-甲醇(10:10:1:0.5)。分别展开,取出,晾干,喷以10%硫酸乙醇溶液,置紫外光灯(365nm)下检视,结果①组展开剂比较理想。供试品色谱分离效果好,供试品色谱中,在与对照品色谱相应的位置上,显相同颜色的荧光斑点,加热至斑点显色清晰,显相同颜色的斑点。通过阴性对照试验观察,方中其他药材对荜茇和胡椒的检出无干扰。证明此法具专属性。

(3)丁香薄层鉴别

参照《中国药典》2020年版一部"丁香"项下的方法,以丁香酚对照品为对照,以石油醚(60~90℃)-乙酸乙酯(9:1)为展开剂,进行条件摸索,结果供试品色谱的分离效果不理想,存在干扰成分,故对展开剂的类型及比例进行了摸索,结果以三氯甲烷-环己烷(5:1)为展开剂时,供试品色谱得到了较好的分离,供试品色谱中,在与对照品色谱相应的位置上,显相同颜色的斑点。通过阴性对照试验观察,方中其他药材对丁香以丁香酚的检出无干扰。证明此法具专属性。

(4)土木香薄层鉴别

土木香也为方中主要药味之一,曾参照《中国药典》2020年版一部"土木香"项下的方法,以土木香内酯和异土木香内酯对照品为对照,以石油醚(60~90℃)-苯-乙酸乙酯(5:1:1)为展开剂,进行条件摸索,结果供试品色谱的分离效果不理想,且同工艺同法制备的阴性对照(缺土木香)有干扰,故未收入正文。

【检查】

按照丸剂(《中国药典》2020年版四部通则0108)项下规定,对三批供试品及模拟样品的乌头碱限量、水分、重

量差异、溶散时限、重金属、砷盐和微生物限度进行了检查。具体方法及测定数据如下:

1. 乌头碱限量: 本处方中含有制草乌,因制草乌中含有的乌头碱、次乌头碱和新乌头碱等双酯类生物碱具有很高的毒性,需对制剂中双酯型乌头碱的量进行控制,故参照《中国药典》2020年版一部"附子"和"附子理中丸"项下乌头碱限量检查方法,拟定出本制剂乌头碱的限量检查方法及限度,以控制质量、确保安全、有效。供试品溶液的制备参照"附子理中丸"和"附子"限量检查项下的方法,并结合本处方实际情况,用氨试液碱化、乙醚作溶剂提取后,浓缩,酸水提取,碱化后再用氯仿提取,结果既保证了被测成分全部提净,又可排除其他成分对试验结果的干扰(具体方法见正文)。对三批供试品的检查结果表明,供试品色谱中,在与乌头碱对照品色谱相应位置上,出现的斑点小于对照品的斑点。证明本品含乌头碱每1g小于10μg。说明本品中制草乌的炮制程度符合要求。

制草乌中乌头碱的限度值参照《中国药典》2020年版一部"附子"项下乌头碱限量检查计算,乌头碱的限度为$2mg/ml×5μl/6μl×2ml/20g≈0.167mg/g$,即每1g低于167μg。所以本制剂中乌头碱的理论限度应为:$60g/974g×0.167mg/g×1000≈10μg/g$,本标准草案设定的限度指标与理论限度相当,说明方法可靠。《中国药典》2020年版一部规定附子用量为3~15g。本品日最高服用量为3g,相当于制草乌$60g/974g×3g=0.18g$,远远低于药典用量,说明本品安全。

2. 水分: 取供试品照水分测定法(《中国药典》2020年版四部通则0832第二法)测定。三批供试品测得结果如表1。

表1　水分测定结果

序号	批号	水分(%)
1	20191203	4.27
2	20200319	4.29
3	20200421	4.33

药典规定丸剂水分含量不得大于9.0%,从表1数据可见,本品水分含量符合要求。

3. 重量差异: 取以上三批供试品,每批供试品取10份,10丸为1份,分别称定重量,再与每份标示重量(2克)相比较,求每一份的重量差异(%)。药典规定每份标示装量的限度为±8%,并规定超出重量差异限度的不得多于2份,并不得有1份超出限度1倍。本品的重量差异检查结果均符合规定。

4. 溶散时限: 取本品照片剂项下崩解时限检查法(《中国药典》2020年版四部通则0921)加挡板进行测定,三批供试品测定结果见表2。

表2　溶散时限测定结果

序号	批号	溶散时间(min)
1	20191203	25
2	20200319	29
3	20200421	24

药典规定水丸应在1小时内全部溶散,从表2数据可见,本品溶散时限符合要求。

5. 对三批供试品及模拟样品进行了重金属、砷盐考察,方法与结果如下:

重金属: 分别取每个批号供试品0.5g、0.67g、1.0g、2.0g,按《中国药典》2020年版四部0821第二法检查。

供试品溶液的制备: 取本品0.5g、0.67g、1.0g、2.0g,分别缓缓炽灼至完全炭化,放冷,加硫酸0.5ml,使湿润,低温加热至硫酸除尽后,加硝酸0.5ml,蒸干,至氧化氮蒸气除尽后,放冷,于600℃炽灼至完全灰化,放冷。加盐酸2ml,置水浴上蒸干后加水15ml,滴加氨试液至对酚酞指示液显中性,再加醋酸盐缓冲液(pH3.5)2ml,微热溶解后,移置纳氏比色管中,加水稀释至25ml,作为供试品溶液。

标准铅对照溶液的制备: 另取配制供试品溶液的试剂两份,分别置瓷皿中蒸干后,加醋酸盐缓冲液(pH3.5)

2ml，加水15ml微热溶解后，移置两支纳氏比色管中，分别加标准铅溶液（10μg/mlPb）2ml，再加水稀释至25ml，作为标准铅对照溶液。

检视：于上述供试品溶液和标准铅对照溶液中分别加硫代乙酰胺试液各2ml，摇匀，放置2分钟，同置白色背景上，从上向下进行观察。试验结果见表3。

表3 重金属检查结果

序号	批号	重金属含量（ppm）			
1	20191203	<10	<20	<30	<40
2	20200319	<10	<20	<30	<40
3	20200421	<10	<20	<30	<40
4	20200077	<10	<20	<30	<40

结果显示，供试品溶液的颜色明显浅于2ml的标准铅对照管。经过3批供试品及模拟样品的检查，含重金属均未超过百万分之十，故未收入正文。

砷盐：取本品1g和标准砷溶液（1μg/mlAS）2ml，分别加无砷氢氧化钙1g，加少量水，搅匀，烘干，用小火缓缓炽灼至炭化，再在600℃炽灼至完全灰化，放冷。分别加盐酸7ml使溶解，再加水21ml，按《中国药典》2020年版四部通则0822第一法（古蔡氏法）做砷盐限量检查。

结果：供试品砷斑浅于标准砷斑的颜色，表明本品含砷量未超过百万分之二（小于2ppm），故砷盐检查项目未列入正文。

6. 微生物限度：照微生物计数法（《中国药典》2020年版四部通则1105）、控制菌检查法（《中国药典》2020年版四部通则1106）及《内蒙古蒙药制剂规范》（第三册）附录Ⅲ微生物限度标准，进行检查。结果均符合规定。

【含量测定】

乌莫黑·达布日海-25丸是由草阿魏、肉豆蔻、荜茇、枫香脂、诃子汤泡草乌、宽筋藤、土木香等二十五味组成，土木香为方中主要药味之一，土木香含土木香内酯、异土木香内酯等成分，故采用高效液相色谱法对土木香中的土木香内酯和异土木香内酯进行了测定，结果色谱中干扰成分过多，无法达到较好的分离，故通过提取挥发油的方式，采用气相色谱法进行条件摸索，结果异土木香内酯达到了较好的分离效果，且阴性对照（缺土木香）无干扰。

1 仪器与试剂试药

1.1 仪器

岛津GC-2010气相色谱仪，FID检测器，GC solution色谱工作站，Sartorius ME5型电子天平，Mettler AE100电子天平。

1.2 试剂与试药

供试品（批号20191203、20200319、20200421）由内蒙古自治区国际蒙医医院提供，模拟样品（批号20200077）模拟；异土木香内酯（批号110761-200203），购于中国食品药品检定研究院；其他均为分析纯试剂，水为高纯水。

2 方法学验证

2.1 色谱条件

2.1.1 色谱柱：HP-INNOWAX型毛细管柱，柱长30m，内径0.32mm，膜厚0.50μm。

2.1.2 检测器：FID检测器，氢气流速为47ml/min，空气流量为400ml/min，检测器温度为300℃。

2.1.3 进样口：进样口温度为240℃，柱流量为2.4ml/min，分流比为1:2。

2.1.4 柱温的选定：分别采用200℃和180℃柱温进行了条件摸索，但供试品均未得到较好的分离效果，故采用程序升温的方式进行分离，结果得到了较好的分离，供试品中异土木香内酯与其他成分的分离度在1.7以上，确定的程序升温条件为初始温度160℃，以2℃/min升至240℃，保持10分钟。

2.1.5 理论板数的确定：对多批供试品测定结果表明，异土木香内酯峰的理论板数在5000以上即能达到与相邻峰分离，并符合《中国药典》规定R＞1.5的要求，故本标准规定理论板数按异土木香内酯峰计应不低于5000。

2.2 提取方法的选择及提取效率的考察

2.2.1 提取方法的选择

曾采用甲醇、乙酸乙酯等溶剂进行超声提取，但因处方中含有大量树脂类成分，干扰严重，不能得到较好的分离效果，且供试品溶液黏度大，因异土木香内酯为挥发性成分，故采用提取挥发油作为供试品溶液。

2.2.2 提取效率考察

取本品粉末4份，研细，各约5g，精密称定，置挥发油提取器中，侧管加乙酸乙酯2ml，分别提取挥发油2小时、4小时、6小时和8小时，放冷，用乙酸乙酯转移至10ml量瓶中，侧管用乙酸乙酯洗涤，洗液并入量瓶中，加乙酸乙酯至刻度，摇匀，按上述色谱条件测定。结果见表4。

表4 不同提取时间的考察结果

序号	提取时间（h）	含量（mg/g）
1	2	0.094
2	4	0.130
3	6	0.155
4	8	0.157

从表4数据可见，提取6小时后，异土木香内酯的含量基本不再增加，故确定提取时间为6小时。

2.3 专属性考察

2.3.1 对照品溶液的制备：取异土木香内酯对照品适量，精密称定，加乙酸乙酯制成每1ml含80μg的溶液，作为对照品溶液。

2.3.2 供试品溶液的制备：取本品适量，研细，取约5g，精密称定，置挥发油提取器中，侧管加乙酸乙酯2ml，提取6小时，放冷，用乙酸乙酯转移至10ml量瓶中，侧管用乙酸乙酯洗涤，洗液并入量瓶中，加乙酸乙酯至刻度，摇匀，作为供试品溶液。

2.3.3 阴性对照溶液的制备：按本品处方工艺制备不含土木香的阴性样品，按供试品溶液的制备方法制备阴性对照溶液（缺土木香）。

2.3.4 测定：分别精密吸取以上三种溶液各10μl，注入色谱仪，记录各自的色谱图。

试验结果显示，供试品色谱中在与对照品色谱保留时间相同的位置上有色谱峰出现，且分离效果较好，而阴性对照在与对照品色谱保留时间相同的位置上无色谱峰出现，表明该含量测定方法阴性无干扰，专属性好。

2.4 线性关系考察

取异土木香内酯对照品10.725mg，置25ml量瓶中，加乙酸乙酯使溶解，并稀释至刻度，摇匀（含异土木香内酯0.429mg/ml），分别精密量取0.5ml、1ml、2ml、3ml、4ml、6ml置10ml量瓶中，加乙酸乙酯至刻度，摇匀，精密吸取1μl注入气相色谱仪，按上述色谱条件测定，以峰面积对进样量进行回归分析，结果见表5。

表5 标准曲线数据及回归分析结果

对照品量（ng）	峰面积值	回归方程	r
21.45	67675		
42.90	146197		
85.80	293592	$y=3931.8x-27111$	0.9996
128.70	474496		
171.60	647199		
257.40	991318		

从表5数据可见,异土木香内酯在21.45~257.40ng范围内与峰面积值呈良好的线性关系。

2.5 稳定性试验

取同一份供试品(批号20200319)溶液,分别于制备溶液后的0小时、2小时、4小时、6小时、12小时、21小时进样测定,结果见表6。

表6 稳定性试验结果

时间(h)	峰面积值	RSD(%)
0	209797	
2	211447	
4	213143	
6	214562	1.61
8	216573	
12	219955	
21	216778	

从表6数据可见,供试品溶液在21小时内稳定性良好。

2.6 重复性试验

取同一供试品(批号20200319)6份,研细,各约5g,精密称定,置挥发油提取器中,侧管加乙酸乙酯2ml,提取6小时,放冷,用乙酸乙酯转移至10ml量瓶中,侧管用乙酸乙酯洗涤,洗液并入量瓶中,加乙酸乙酯至刻度,摇匀,作为供试品溶液。取异土木香内酯对照品适量,精密称定,加乙酸乙酯制成每1ml含80μg的溶液,作为对照品溶液。分别吸取两种溶液各1μl,注入气相色谱仪中,记录色谱图,计算含量。结果见表7。

表7 异土木香内酯重复性试验结果

取样量(g)	峰面积值	含量(mg/g)	平均含量(mg/g)	RSD(%)
5.0214	291360	0.157		
5.0706	306618.5	0.164		
5.0943	300938.5	0.160	0.1614	1.47
5.0213	302127	0.163		
5.0944	304281.5	0.162		
5.0752	302910.5	0.162		

从表7数据可见,在相同的提取溶剂和色谱条件下,6份供试品含量测定结果的均值为0.16mg/g,RSD为1.47%,表明该方法的重复性良好。

2.7 加样回收试验

取同一供试品(批号20200319,含异土木香内酯0.1614mg/g)6份,研细,各约2.5g,精密称定,置挥发油提取器中,分别精密加入对照品溶液1ml(异土木香内酯浓度为0.3436mg/ml),按上述方法测定并计算含量。结果见表8。

表8 异土木香内酯加样回收试验

取样量(g)	供试品含量(mg)	对照品加入量(mg)	测得总量(mg)	回收率(%)	平均(%)	RSD(%)
2.5841	0.417	0.3436	0.761	100.12		
2.5444	0.411	0.3436	0.754	99.84		
2.4613	0.397	0.3436	0.741	100.13	99.69	0.70
2.2808	0.368	0.3436	0.707	98.54		
2.3155	0.374	0.3436	0.714	99.16		
2.6037	0.420	0.3436	0.765	100.32		

从表8数据可见，本方法的平均回收率为99.69%，RSD为0.7%。该方法准确度好。

3 样品含量测定

取本品按上述方法处理并测定。三批样品的测定结果见表9。

表9 样品中异土木香内酯含量测定结果

批号	取样量（g）	峰面积值（mg/g）	含量（mg/g）	平均含量（mg/g）
20191203	5.0241	280587.5	0.151	0.150
	5.0012	277268.5	0.150	
20200319	5.0015	281653.5	0.153	0.152
	5.0041	279025.5	0.151	
20200421	5.0044	273337.5	0.148	0.146
	4.8059	254436.5	0.144	

从表9数据可见，乌莫黑-达布日海-25丸中异土木香内酯的最低含量在0.146mg/g以上。试验中采用相同方法对生产样品用的土木香药材进行了含量测定，测得异土木香内酯的含量为5.47mg/g，成品的理论含量应为：30÷994×5.47＝0.165mg/g，以三批样品的平均含量计算异土木香内酯在制剂中的转移率为88.48%。

《中国药典》2020年版一部"土木香"药材的土木香内酯、异土木香内酯的总含量限度不得少于2.2%，按异土木香内酯占有量为三分之一计算，考虑不同产地药材的质量差异，并结合其他影响因素及三批样品的测定结果，下浮25%，按此限度折算本品含异土木香内酯的理论量应不低于30÷974×2.2%×1/3×88.48%×75%＝0.149mg/g。

标准正文暂定为：本品每1g含土木香以异土木香内酯（$C_{15}H_{20}O_2$）计，不得少于0.15mg。

【功能与主治】

镇赫依。用于司命赫依病，散于皮、肌、脉和骨骼等的外赫依病，侵入五脏六腑的内赫依以及依存于体躯上、中、下的诸赫依症。

【用法与用量】

口服。一次11~15丸，一日1~2次，温开水送服。

【规格】

每10丸重2g。

【贮藏】

密闭，防潮。

起草单位： 内蒙古自治区国际蒙医医院　　　斯琴塔娜　苏嘎尔　那松巴乙拉

包头市检验检测中心　　　　　马　静　赵　欣　王　丽

内蒙古医科大学附属第二医院　莎仁图雅　阿日嘎太

巴日干–12丸质量标准起草说明

【历史沿革】

本方来源于《蒙医药常用方剂选》（吉林人民出版社1975年版，蒙汉对照，第14页）。

【处方来源】

本制剂由内蒙古自治区国际蒙医医院提供。

【名称】

巴日干–12味丸

【蒙药材和饮片的来源和执行标准】

1. 处方组成及药味排列顺序：黑冰片100g、土木香30g、肋柱花30g、胡黄连30g、诃子30g、川楝子30g、栀子30g、红花30g、石膏30g、甘松30g、牛胆粉20g、人工牛黄5g。

2. 处方中除了黑冰片、肋柱花和牛胆粉药材外，其余土木香等药味均收载于《中国药典》2020年版一部，其质量应符合该品种项下的有关规定。

黑冰片：为猪科动物野猪 *Sus scrofa* linnaeus的成形粪便野猪粪的炮制加工品。主含活性炭和微量元素。其质量应符合《内蒙古蒙药饮片炮制规范》2020年版第444页该品种项下的有关规定。

牛胆粉：为牛科动物牛 *Bos taurus domesticus* Gmelin的干燥胆汁粉。其标准应符合《内蒙古蒙药饮片炮制规范》2020年版第74页该品种项下的有关规定。

肋柱花：为龙胆科植物肋柱花 *Lomatogonium rotatum*（L）Fries ex Nym的干燥全草。其标准应符合《中华人民共和国卫生部药品标准》（蒙药分册）1998年版第15页该品种项下的有关规定。

【制法】

以上十二味，除人工牛黄外，其余黑冰片等十一味，粉碎成细粉，将人工牛黄与上述细粉配研，过筛，混匀，用水泛丸，打光，干燥，分装，即得。

【性状】

本品为灰褐色至黑色水丸；气微香，味苦、微涩。

【鉴别】

本品为原药材细粉制成的水丸，方中栀子、红花、诃子、肋柱花的显微特征较明显，故建立显微鉴别，并对处方中人工牛黄建立了薄层鉴别。

1. 试剂与试药

供试品：供试品（批号20190128、20190821、20180823）由内蒙古自治区国际蒙医医院提供，模拟样品（批号20200011）模拟。

对照品：胆酸对照品（批号100078–201415），猪去氧胆酸对照品（批号100087–201411），均购于中国食品药品检定研究院。

薄层板：硅胶G板，购于青岛海洋化工有限公司。

所用其他试剂均为分析纯,水为离子交换高纯水。

2. 试验方法与结果

(1)显微鉴别

栀子:内果皮石细胞类长方形、类圆形或类三角形,常上下层交错排列或与纤维连接直径14~34μm,长约全75μm,壁厚4~13μm;胞腔内常含草酸钙方晶。红花:花粉粒类圆形、椭圆形或橄榄形,直径约至60μm,具三个萌发孔,外壁有齿状突起。诃子:石细胞类方形、类多角形或呈纤维状,直径14~40μm,长至130μm,壁厚,孔沟细密。肋柱花:花粉粒浅黄色,呈类三角形、圆球形或椭圆形,直径25~46μm,具三个孔沟,表面具条纹或网状雕纹。

(2)人工牛黄薄层鉴别

参照《中国药典》2020年版一部"人工牛黄"项下薄层条件,制定出正文所述的鉴别方法。通过阴性对照试验观察,方中其他药材对人工牛黄的检出无干扰。证明此法具专属性。

【检查】

按照丸剂(《中国药典》2020年版四部通则0108丸剂)项下规定,对三批供试品及模拟样品的水分、重量差异、溶散时限、重金属、砷盐和微生物限度进行了检查。具体方法及测定数据如下:

1. 水分:取供试品照水分测定法(《中国药典》2020年版四部通则0832)测定。三批供试品及模拟样品测定结果见表1。

表1 水分测定结果

序号	供试品批号	水分(%)
1	20190128	6.1
2	20190821	6.3
3	20180823	6.2
4	20200011	6.4

药典规定丸剂水分含量不得大于9.0%。表1中可见本品水分含量均符合要求。

2. 重量差异:取以上三批供试品,每批供试品取10份,10丸为1份,分别称定重量,再与每份标示重量(2g)相比较,求每一份的重量差异(%)。药典规定每份标示装量的限度为±8%,并规定超出重量差异限度的不得多于2份,并不得有1份超出限度1倍。本品的重量差异检查结果均符合规定。

3. 溶散时限:取本品按照片剂项下崩解时限检查法(《中国药典》2020年版四部通则0921)加挡板进行测定。三批供试品测定结果见表2。

表2 溶散时限测定结果

序号	批号	溶散时间(min)
1	20190128	40
2	20190821	41
3	20180823	42

药典规定水丸应在1小时内全部溶散。表2的结果显示,本品的溶散时限符合规定。

4. 对三批供试品及模拟样品进行了重金属和砷盐考察,方法与结果如下:

重金属:分别取每个批号供试品0.5g、0.67g、1.0g、2.0g,按《中国药典》2020年版四部0821第二法检查。

供试品溶液的制备:取本品0.5g、0.67g、1.0g、2.0g,分别缓缓炽灼至完全炭化,放冷,加硫酸0.5ml,使湿润,低温加热至硫酸除尽后,加硝酸0.5ml,蒸干,至氧化氮蒸气除尽后,放冷,于600℃炽灼至完全灰化,放冷。加盐酸

2ml，置水浴上蒸干后加水15ml，滴加氨试液至对酚酞指示液显中性，再加醋酸盐缓冲液（pH3.5）2ml，微热溶解后，移置纳氏比色管中，加水稀释至25ml，作为供试品溶液。

标准铅对照溶液的制备：另取配制供试品溶液的试剂两份，分别置瓷皿中蒸干后，加醋酸盐缓冲液（pH3.5）2ml，加水1ml微热溶解后，移置两支纳氏比色管中，分别加标准铅溶液（10μg/mlPb）2ml，再加水稀释至25ml，作为标准铅对照溶液。

检视：于上述供试品溶液和标准铅对照溶液中分别加硫代乙酰胺试液各2ml，摇匀，放置2分钟，同置白色背景上，从上向下进行观察。试验结果见表3。

表3 重金属检查结果

序号	批号	重金属含量（ppm）			
1	20190128	<10	<20	<30	<40
2	20190821	<10	<20	<30	<40
3	20180823	<10	<20	<30	<40
4	20200011	<10	<20	<30	<40

表3数据显示，供试品溶液的颜色明显浅于2ml的标准铅对照溶液。经过三批供试品及模拟样品的检查，含重金属均未超过百万分之十，故未收入正文

砷盐：取本品1g和标准砷溶液（1μg/mlAS）2ml，分别加无砷氢氧化钙1g，加少量水，搅匀，烘干，用小火缓缓炽灼至炭化，再在600℃炽灼至完全灰化，放冷。分别加盐酸7ml使溶解，再加水21ml，按《中国药典》2020年版四部通则0822第一法（古蔡氏法）做砷盐限量检查。

结果：供试品砷斑浅于标准砷斑的颜色，表明本品含砷量未超过百万分之二（小于2ppm），故砷盐检查项目未收入正文。

5. 微生物限度：照微生物计数法（《中国药典》2020年版四部通则1105）、控制菌检查法（《中国药典》2020年版四部通则1106）及《内蒙古蒙药制剂规范》（第三册）附录Ⅲ微生物限度标准，进行检查。结果均符合规定。

【含量测定】

巴日干-12丸由黑冰片、土木香、肋柱花、胡黄连、诃子、川楝子、栀子、红花、石膏、甘松、牛胆粉、人工牛黄等十二味药材组成。主要用于清希日热。主治希日病，目肤发黄，瘟疫，瘟疫陷胃，口渴烦躁，食不消。红花中的黄色素和红色素成分是由黄酮类化合物组成，水溶性黄色素的主要成分包括红花黄色素A、B、C，近年来的研究还发现了羟基化的红花黄色素A（hydroxysafflor yellow A）为主要成分。标准制定过程中，以羟基红花黄色素A作为测定指标，采用高效液相色谱法对本品中的红花建立了含量测定方法。通过实验摸索，确定了比较理想的色谱条件，并经过方法学考察及阴性对照实验，表明该方法操作简单，重现性好，专属性强，方中其他组分对羟基红花黄色素A的测定无干扰。

1 仪器与试剂试药

1.1 仪器

Waters e2695型高效液相色谱仪，SBL-20DT型超声波清洗机（宁波新芝生物科技股份有限公司），循环水式多用真空泵（河南省予华仪器有限公司），Heal Force NW15UV型超纯水系统，Mettler-Toledo PL602-S型电子天平（百分之一），Mettler-Toledo XPR10型电子天平（万分之一），Mettler-Toledo MS105DU型电子天平（百万分之一），FW400A型多功能粉碎机（材茂科技有限公司）。

1.2 试剂与试药

供试品（批号20190128、20190821、20180823）由内蒙古自治区国际蒙医医院提供，模拟样品（批号20200011）

模拟；羟基红花黄色素A对照品（批号111637-201609），购于中国食品药品检定研究院；甲醇、乙腈、三乙胺为色谱纯，磷酸为分析纯，水为超纯水。

2　方法学考察

2.1　色谱条件

2.1.1　色谱柱：Tnature C$_{18}$（150mm×4.6mm，5μm）。

2.1.2　流动相的选择：参照《中国药典》2020年版一部"红花"项下的流动相比例进行流动相条件摸索，但拖尾现象较为严重，加三乙胺调节pH值至6.0，经试验，可以清除拖尾现象，使色谱峰的对称性在0.95~1.05之间，故将流动相定为甲醇-乙腈-0.7%磷酸水溶液（20：2：78），三乙胺调pH值为6.0。

2.1.3　柱温：30℃。

2.1.4　检测波长：按照《中国药典》2020年版一部"红花"项下规定，选择测定波长为403nm。

2.1.5　理论板数的确定：对多批供试品测定结果表明，羟基红花黄色素A峰的理论板数在3000以上即能达到与相邻峰分开，并符合《中国药典》规定R＞1.5的要求，故本标准规定理论板数按羟基红花黄色素A峰计不得低于3000。

2.2　提取溶剂的选择及提取时间的考察

2.2.1　提取溶剂的选择：参考《中国药典》2020年版一部"红花"项下的羟基红花黄色素A含量测定方法，选用25%甲醇作为提取溶剂。

2.2.2　提取时间的考察：试验中以25%甲醇溶液作为提取溶剂进行超声提取，试验中考察了超声30分钟、40分钟、50分钟等不同提取时间对提取效率的影响，结果见表4。

表4　羟基红花黄色素A提取时间考察

时间	取样量	峰面积值			平均含量（mg/g）
		A	B	平均峰面积值	B
30	4.0556	4398254	4403396	4400825	0.9422
40	4.0064	4357006	4338953	4347979	0.9423
50	4.0000	4336797	4342769	4339783	0.9421

从表4数据可见，超声处理40分钟后，对供试品中羟基红花黄色素A的含量没有太大的影响，故将提取时间定为超声处理40分钟。

2.3　专属性试验

2.3.1　对照品溶液的制备：取羟基红花黄色素A对照品适量，精密称定，加25%甲醇制成每1ml含25μg的溶液，即得。

2.3.2　供试品溶液的制备：取本品适量，研细，取约3g，精密称定，置具塞锥形瓶中，精密加入25%甲醇25ml，称定重量，超声处理（功率250W，频率40kHz）40分钟，取出，放冷，再称定重量，用25%甲醇补足减失的重量，摇匀，滤过，取续滤液，即得。

2.3.3　阴性对照溶液的制备：按处方配比制备阴性对照，称取约1.8g，精密称定，从"置具塞锥形瓶中……"起操作同"供试品溶液的制备"，取续滤液，作为阴性对照溶液。

2.3.4　测定：分别精密吸取以上三种溶液各10μl，注入色谱仪，记录各自的色谱图。

结果阴性对照色谱中在与羟基红花黄色素A对照品以及供试品色谱相对应的保留时间处无色谱峰出现，表明其他组分对羟基红花黄色素A的测定无干扰。

2.4 线性关系考察

取羟基红花黄色素A对照品约3.2mg,精密称定,置25ml量瓶中,加25%甲醇使溶解并稀释至刻度,摇匀(实际含羟基红花黄色素A 0.1192mg/ml),然后吸取上述溶液1μl、3μl、5μl、7μl、10μl、12μl、15μl、20μl分别进样,按上述色谱条件测定。以峰面积对羟基红花黄色素A的进样量进行回归分析,结果见表5。

表5 标准曲线数值表

对照品量(μg)	峰面积值	回归方程	回归系数(r)
0.1192	307186		
0.3576	975928		
0.5960	1692607		
0.8344	2404130	$y=2999945.97x-82717.60$	0.9999
1.1920	3490909		
1.4304	4218686		
1.7880	5274964		
2.3840	7078179		

从表5数据可见,羟基红花黄色素A在0.1192~2.3840μg范围内与峰面积值呈良好的线性关系。

2.5 溶液稳定性试验

取同一份供试品溶液(批号20190128),分别于0小时、1小时、2小时、3小时、4小时、5小时、6小时、8小时进样测定。结果见表6。

表6 不同时间测定供试品中羟基红花黄色素A的峰面积值

时间(h)	峰面积值	RSD(%)
0	3315947	
1	3267809	
2	3202278	
3	3278418	
4	3312877	1.49
5	3324266	
6	3342464	
8	3362850	

从表6数据可见,羟基红花黄色素A在8小时内的峰面积值基本稳定不变。

2.6 精密度试验

取同一份供试品溶液(批号20190128),连续进样6次,测定羟基红花黄色素峰面积值。RSD为0.94%。结果见表7。

表7 精密度试验结果

序号	峰面积值	RSD(%)
1	3355634	
2	3345609	
3	3334855	
4	3294965	0.94
5	3286432	
6	3288500	

从表7数据可见符合《中国药典》2020年版四部通则0512中规定的RSD值小于2.0%的要求。

2.7 重复性试验

取同一批号供试品6份（批号20190128），各约3g，精密称定，置具塞锥形瓶中，精密加入25%甲醇25ml，称定重量，超声处理（功率250W，频率40kHz）40分钟，取出，放冷，再称定重量，用25%甲醇补足减失的重量，摇匀，滤过，取续滤液，作为供试品溶液。另精密称取羟基红花黄色素A对照品适量，精密称定，加25%甲醇制成每1ml含25μg的溶液，作为对照品溶液。分别精密吸取供试品溶液和对照品溶液各10μl，注入色谱仪，记录色谱图。按外标法以峰面积计算含量，结果见表8。

表8 羟基红花黄色素A含量重复性试验结果

样品号	取样量	样品峰面积	含量（mg/g）	平均含量（mg/g）	RSD（%）
1	3.0002	3288500	0.94		
2	3.0003	3293200	0.95		
3	3.0028	3313895	0.95	0.95	0.32
4	3.0047	3290123	0.94		
5	3.0032	3309399	0.95		
6	3.0036	3295355	0.95		

从表8数据可见，在相同的提取溶剂和色谱条件下，6份供试品含量测定结果的均值为0.95mg/g，RSD为0.32%，表明该方法的重复性良好。

2.8 加样回收率试验

取供试品（批号20190128，含量：0.94mg/g）9份，各约0.24g，精密称定，分别置9个具塞锥形瓶中，再分别在其中3个具塞锥形瓶中精密加入浓度为23.84μg/ml的羟基红花黄色素A对照品溶液5ml（约相当于供试品含有量的50%）及25%甲醇20ml，另3个具塞锥形瓶中各精密加入上述对照品溶液10ml（约相当于供试品含有量的100%）及25%甲醇15ml，其余3个具塞锥形瓶中各精密加入上述对照品溶液15ml（约相当于供试品含有量的150%）及25%甲醇10ml，分别称定重量，超声处理40分钟，取出，再称重，用25%甲醇补足减失的重量，摇匀，滤过。各取续滤液10μl进样，测定每份含量，计算回收率，结果见表9。

表9 羟基红花黄色素A加样回收试验结果

序号	样品量（g）	供试品含量（mg）	对照品加入量（mg）	测得总量（mg）	回收率（%）	平均（%）	RSD（%）
1	0.2400	0.2269	0.1192	0.3122	96.7		
2	0.2400	0.2269	0.1192	0.3432	97.6		
3	0.2404	0.2272	0.1192	0.3412	95.6		
4	0.2400	0.2269	0.2384	0.4563	96.2		
5	0.2400	0.2269	0.2384	0.4555	95.9	97.3	1.48
6	0.2404	0.2272	0.2384	0.4599	97.6		
7	0.2400	0.2269	0.3576	0.5746	97.2		
8	0.2400	0.2269	0.3576	0.5839	99.8		
9	0.2404	0.2272	0.3576	0.5822	99.2		

从表9数据可见，本方法的平均回收率为97.3%，RSD为1.48%。该方法准确度好。

2.9 耐用性试验

换不同厂家、不同型号的色谱柱，取样品（批号20190128）约3g，精密称定（3.0068g）置具塞锥形瓶中，精密加入25%甲醇25ml，称定重量，超声处理（功率250W，频率40kHz）40分钟，取出，放冷，再称定重量，用25%甲醇补足减失的重量，摇匀，滤过，取续滤液，作为供试品溶液。另精密称取羟基红花黄色素A对照品适量，精密称定，加25%甲醇制成每1ml含25μg的溶液，作为对照品溶液。分别精密吸取供试品溶液和对照品溶液各10μl，注入色谱仪,记录色谱图。按外标法以峰面积计算含量,结果见表10。

表10 不同色谱柱的耐用性试验

柱型号	分离度	平均含量（mg/g）	相对偏差（%）
Phenomenex C$_{18}$	2.19	0.8803	1.43
Alltima C$_{18}$	4.55	0.9058	

从表10数据可见,不同型号或厂家的色谱柱对测定结果影响较小。

3　样品含量测定

取本品研细,称约3.0g,精密称定,取本品研细,称取约1.0g,精密称定(3.0068g)置具塞锥形瓶中,精密加入25%甲醇25ml,称定重量,超声处理(功率250W,频率40kHz)40分钟,取出,放冷,再称定重量,用25%甲醇补足减失的重量,摇匀,滤过,取续滤液,作为供试品溶液。另精密称取羟基红花黄色素A对照品适量,精密称定,加25%甲醇制成每1ml含25μg的溶液,作为对照品溶液。分别精密吸取供试品溶液、模拟样品溶液和对照品溶液各10μl,注入色谱仪,记录色谱图。按外标法以峰面积计算含量,结果见表11。

表11　样品中羟基红花黄色素A的含量测定结果

批号	取样量（g）	样品峰面积			含量	平均含量（mg/g）
		A	B	平均		
20190801	3.0070	3202278	3224548	3213413	0.91	0.94
	3.0013	3421591	3351896	3386743.5	0.96	
20190802	3.0060	3249225	3274807	3262016	0.93	0.93
	3.0060	3249225	3274807	3262016	0.93	
20190803	3.0047	3296712	3326983	3311847.5	0.94	0.94
	3.0036	3322337	3323671	3323004	0.94	
20200011	3.0056	1797518	1787648	1792583	0.51	0.51
	3.0044	1815422	1811087	1813254.5	0.52	

从表11数据可见,三批样品中羟基红花黄色素A的含量最低为0.93mg/g,模拟样品中羟基红花黄色素A的含量为0.51mg/g。

4　红花药材的含量考察

取红花药材粉末约0.4g,精密称定,按《中国药典》2020年一部"红花"项下的方法处理并测定。红花药材中羟基红花黄色素A的含量测定结果见表12。

表12　红花药材中羟基红花黄色素A的含量测定结果

取样量（g）	测得药材峰面积值			含量（mg/g）	平均含量（mg/g）
	A	B	平均		
0.4248	6037145	6041265	6039205	12.13	12.12
0.4256	6043387	6032817	6038102	12.11	

从表12数据可见,模拟样品生产相应批次红花中羟基红花黄色素A的平均含量为12.12mg/g。

5　本制剂含量限度确定

三批样品中羟基红花黄色素A的含量最低为0.93mg/g,模拟样品中羟基红花黄色素A的含量为0.51mg/g,红花药材中羟基红花黄色素A含量为12.12mg/g(1.212%)。按理论值折算,样品含大羟基红花黄花素A应为12.12×30÷395=0.920mg/g。羟基红花黄花素A的转移率为0.51÷0.92×100%=55.43%。

根据《中国药典》2020年版一部"红花"药材的羟基红花黄色素A含量限度不得少于1.0%,转移率为55.43%,考虑不同产地药材的质量差异,并结合其他影响因素及三批样品的测定结果,下浮30%,按此限度折算本品含羟基红花黄色素A的理论量应不低于30÷395×1.0%×1000÷100×55.43%×70%=0.294mg/g。

标准正文暂定为：本品每1g含红花以羟基红花黄色素A（$C_{27}H_{32}O_{16}$）计，不得少于0.30mg。

【功能与主治】

清希日，清热，助消化。用于胃希日，肝热，瘟疫，各种刺痛症，食积不消，目、肤黄染等希日病，尤其对希日热效果更佳。

【用法与用量】

口服。一次11~15丸，一日1~2次，温开水送服。

【规格】

每10丸重装2g。

【贮藏】

密闭，防潮。

起草单位：内蒙古自治区国际蒙医医院　　　莫日根　庆　日　那松巴乙拉

　　　　　赤峰市药品检验所　　　　　　　王天媛　刘建海　李海华

　　　　　赤峰市巴林右旗蒙医医院　　　　旺其格　查干莲花　新图亚　努恩达古拉

巴布-7丸质量标准起草说明

【历史沿革】

本方来源于《蒙药验方》（内蒙古自治区人民医院编，1971年版，蒙古文，第83页）。

【处方来源】

本制剂由内蒙古自治区国际蒙医医院提供。

【名称】

巴布-7丸

【蒙药材和饮片的来源和执行标准】

1. 处方组成及药味排列顺序：草乌叶250g、诃子250g、茜草100g、多叶棘豆100g、没药100g、瞿麦50g、人工麝香1g。

2. 处方中除了多叶棘豆、人工麝香药材外，其余草乌叶等药味均收载于《中国药典》2020年版一部，其质量应符合该品种项下的有关规定。

多叶棘豆：为豆科植物多叶棘豆*Oxytropis myriophylla*（Pall.）DC.的干燥全草。其标准应符合《中华人民共和国卫生部药品标准》（蒙药分册）1998年版第14页该品种项下的有关规定。

人工麝香：应符合卫生部标准（试行）WS-210（Z-32）-93标准的有关规定。

【制法】

以上七味，除人工麝香外，其余草乌叶等六味，粉碎成细粉，将人工麝香与上述细粉配研，过筛，混匀，用水泛丸，打光，干燥，分装，即得。

【性状】

本品为口服制剂水丸，性状为黄棕色至棕褐色的水丸；气香，味涩麻、微苦。

【鉴别】

本品为药材粉末制成的水丸，方中茜草、诃子的显微特征较明显，故建立显微鉴别，并对处方中诃子建立了薄层鉴别。

1. 试剂与试药

供试品：供试品（批号20200301、20200305、20200423）由内蒙古自治区国际蒙医医院提供，模拟样品（批号20200006）模拟。

对照品：没食子酸对照品（批号110831-201605），大叶茜草素对照品（批号110884-201606），茜草对照药材（批号121049-201705），乌头碱对照品（批号110720-200410），次乌头碱对照品（批号110798-200404），新乌头碱对照品（批号110799-200410），槲皮素对照品（批号100081-201610），均购于中国食品药品检定研究院。

薄层板：硅胶G板，购于青岛海洋化工有限公司。

所用其他试剂均为分析纯，水为离子交换高纯水。

2. 试验方法与结果

（1）显微鉴别

茜草：草酸钙针晶成束或散在。诃子：石细胞类方形、类多角形或呈纤维状，直径14～40μm，长至130μm，壁厚，孔沟细密；胞腔内偶见草酸钙方晶和砂晶。

（2）诃子薄层鉴别

参照《中国药典》2020年版一部"诃子"项下的薄层条件，制定出正文所述的鉴别方法。通过阴性对照试验观察，方中其他药材对处方中诃子的检出无干扰，证明此方法具专属性。

【检查】

按照丸剂（《中国药典》2020年版四部通则0108）项下规定，对三批供试品及模拟样品的水分、重量差异、溶散时限、重金属、砷盐和微生物限度进行了检查。具体方法及测定数据如下：

1. 水分：取供试品照水分测定法（《中国药典》2020年版四部通则0832）测定。三批供试品及模拟样品测定结果见表1。

表1　水分测定结果

序号	批号	水分（%）
1	20200305	3.5
2	20200301	3.7
3	20200423	4.0
4	20200006	4.6

药典规定丸剂水分含量不得大于9.0%。从表1中可见本品水分含量均符合要求。

2. 重量差异：取以上三批供试品，每批供试品取10份，10丸为1份，分别称定重量，再与每份标示重量（2g）相比较，求每一份的重量差异（%）。药典规定每份标示装量的限度为±8%，并规定超出重量差异限度的不得多于2份，并不得有1份超出限度1倍。本品的重量差异检查结果均符合规定。

3. 溶散时限：取本品按照片剂项下崩解时限检查法（《中国药典》2020年版四部通则0921）加挡板进行测定。三批供试品测定结果见表2。

表2　溶散时限测定结果

序号	批号	溶散时间（min）
1	20200305	62
2	20200301	64
3	20200423	65

本规范规定巴布-7丸的溶散时限应在2小时内全部溶散。表2的结果显示，本品的溶散时限符合规定。

4. 对三批供试品及模拟样品进行了重金属、砷盐考察，方法与结果如下：

重金属：分别取每个批号供试品0.5g、0.67g、1.0g、2.0g，按《中国药典》2020年版四部0821第二法检查。

供试品溶液的制备：取本品0.5g、0.67g、1.0g、2.0g，分别缓缓炽灼至完全炭化，放冷，加硫酸0.5ml，使湿润，低温加热至硫酸除尽后，加硝酸0.5ml，蒸干，至氧化氮蒸气除尽后，放冷，于600℃炽灼至完全灰化，放冷。加盐酸2ml，置水浴上蒸干后加水15ml，滴加氨试液至对酚酞指示液显中性，再加醋酸盐缓冲液（pH3.5）2ml，微热溶解后，移置纳氏比色管中，加水稀释至25ml，作为供试品溶液。

标准铅对照溶液的制备：另取配制供试品溶液的试剂两份，分别置瓷皿中蒸干后，加醋酸盐缓冲液（pH3.5）2ml，加水15ml微热溶解后，移置两支纳氏比色管中，分别加标准铅溶液（10μg/mlPb）2ml，再加水稀释至25ml，作为标准铅对照溶液。

检视: 于上述供试品溶液和标准铅对照溶液中分别加硫代乙酰胺试液各2ml, 摇匀, 放置2分钟, 同置白色背景上, 从上向下进行观察。试验结果见表4。

表3　重金属检查结果

序号	批号	重金属含量（ppm）			
1	20200305	<10	<20	<30	<40
2	20200301	<10	<20	<30	<40
3	20200423	<10	<20	<30	<40
4	20200006	<10	<20	<30	<40

结果显示, 供试品溶液的颜色明显浅于2ml的标准铅对照管。经过3批供试品及模拟样品的检查, 含重金属均未超过百万分之十, 故未收入正文。

砷盐: 取本品1g和标准砷溶液（1μg/mlAS）2ml, 分别加无砷氢氧化钙1g, 加少量水, 搅匀, 烘干, 用小火缓缓炽灼至炭化, 再在600℃炽灼至完全灰化, 放冷。分别加盐酸7ml使溶解, 再加水21ml, 按《中国药典》2020年版四部通则0822第一法（古蔡氏法）做砷盐限量检查。

结果: 供试品砷斑浅于标准砷斑的颜色, 表明本品含砷量未超过百万分之二（小于2ppm）, 故砷盐检查项目未列入正文。

5. 微生物限度: 照微生物计数法（《中国药典》2020年版四部通则1105）、控制菌检查法（《中国药典》2020年版四部通则1106）及《内蒙古蒙药制剂规范》（第三册）附录Ⅲ微生物限度标准, 进行检查。结果均符合规定。

【含量测定】

巴布-7丸是由草乌叶、诃子、茜草、多叶棘豆、没药、人工麝香、瞿麦等七味药材组成。茜草是其中的主要药味之一。茜草中的已知成分有大叶茜草素、羟基茜草素等。本试验采用反相高效液相色谱法对大叶茜草素的含量测定方法进行了研究。经试验研究确定了提取条件和液相分离条件, 对HPLC法进行了方法学考察。经分析方法验证, 该方法重复性好、专属性强, 方法中其他成分对没食子酸的测定无干扰。

1　仪器与试剂试药

1.1　仪器

TU-1901型双光束紫外可见分光光度计, 伊利特P230型高效液相色谱仪（大连伊利特分析仪器有限公司）, AL204型电子天平（梅特勒-托利多仪器有限公司）, AS3120型超声清洗仪（天津奥特赛恩斯仪器有限公司）。

1.2　试剂与试药

供试品（批号20200301、20200305、20200423）由内蒙古自治区国际蒙医医院提供, 模拟样品（批号20200006）模拟; 大叶茜草素对照品（批号110884-201606）, 购于中国食品药品检定研究院; 甲醇为色谱纯, 水为高纯水, 所用其他试剂均为分析纯。

2　方法学考察

2.1　色谱条件

2.1.1　色谱柱: 十八烷基硅烷键合硅胶为填充剂, 本试验采用Phenomen C$_{18}$（4.6mm×250mm, 5μm）。

2.1.2　流动相的选择: 按《中国药典》2020年版中"茜草"项下方法: 备供试品溶液, 对以下三种流动相进行了比较研究: 甲醇-乙腈-0.2%磷酸溶液（25:50:25）、甲醇-乙腈-水（6:3:1）和甲醇-水（85:15）。结果表明, 以甲醇-水（85:15）作为流动相时, 保留时间适中, 且分离效果好, 故选作为本试验流动相。

2.1.3　检测波长的选择: 参照《中国药典》2020年版一部"茜草"含量测定项下叶茜草素的测定方法, 故确定250nm作为检测波长。

2.1.4 理论板数的确定：理论板数按大叶茜草素峰计算应不低于5000。

2.2 提取方法的选择及提取效率的考察

2.2.1 提取溶剂的选择：在HPLC法测定茜草中大叶茜草素的含量时，《中国药典》2020年版一部采用的提取溶剂是甲醇。为比较不同极性溶剂对大叶茜草素含量的影响，对不同的提取溶剂进行了比较研究，结果见表4。

表4 不同溶剂提取时的结果比较

称样量（g）	提取溶剂（100ml）	峰面积值	含量（mg/g）
4.2501	甲醇	6073.59	0.698
		6044.07	0.695
4.2511	乙醇	5007.98	0.571
		5008.50	0.571
4.2515	80%乙醇	5267.46	0.600
		5235.47	0.596

从表4数据可见，用甲醇作为提取溶剂时的提取效率最高，故确定甲醇为提取溶剂。

2.2.2 提取方法的选择：采用不同的提取方法制备供试品溶液，照《中国药典》2020年版中"茜草"的含量测定方法测定大叶茜草素的含量，结果见表5。

表5 不同提取方法的结果比较

称样量（g）	提取方法	提取时间（min）	峰面积值	含量（mg/g）
4.2501	超声（先浸泡过夜）	30	6073.59	0.698
			6044.07	0.695
4.2514	回流（先浸泡过夜）	30	5735.23	0.666
			5697.01	0.662
4.2501	索氏提取	90	5924.59	0.681
			5960.55	0.685

从表5数据可见，甲醇超声的提取效率高，且操作简便，故选用甲醇超声提取的方法，其方法与《中国药典》2020年版一部的"茜草"项下的方法相同。

2.2.3 浸泡时间的选择：针对《中国药典》2020年一部版茜草含量测定项下的浸泡时间，设置了不同的浸泡时间，对浸泡时间对测定结果的影响进行了考察，结果如表6。

表6 不同浸泡时间对结果的影响

称样量（g）	浸泡时间（h）	峰面积值	含量（mg/g）
4.0068	0	5589.95	0.691
		5626.84	0.695
4.0034	1	6046.84	0.748
		5968.25	0.738
3.9928	3	6119.67	0.754
		6008.63	0.741
3.9914	5	6633.65	0.823
		6534.06	0.810
4.0068	8	6595.35	0.810
		6566.69	0.807
3.9955	12	5791.04	0.713
		5777.50	0.712
3.9950	18	5521.49	0.680
		5700.41	0.702

从表6数据可见，浸泡时间在0~5小时范围内，随浸泡时间增加，大叶茜草素含量逐渐增大；浸泡5~8小时，大叶茜草素含量稳定；浸泡时间大于8小时，大叶茜草素含量有下降趋势。故浸泡时间以5~8小时为宜。

2.2.4 提取时间的选择：本试验对超声提取时间进行了考察，结果见表7。

表7 不同超声提取时间的测定结果

称样量（g）	提取时间（min）	峰面积值	含量（mg/g）
4.2513	15	6002.27	0.677
		6081.75	0.686
4.2501	30	6073.59	0.698
		6044.07	0.695
4.2519	45	5994.91	0.676
		5973.76	0.674
4.2514	60	5928.29	0.669
		5968.75	0.673

从表7数据可见，从15分钟到30分钟，随着提取时间的延长，提取效率增加；30分钟以后，提取时间的延长使含量有下降趋势。故将超声时间确定为30分钟。

2.3 专属性考察

2.3.1 对照品溶液的制备：精密称取大叶茜草素对照品适量，加甲醇制成每1ml含50μg的溶液，作为对照品溶液。

2.3.2 供试品溶液的制备：取本品粉末约4.0g，精密称定，置具塞锥形瓶中，精密加入甲醇100ml，密塞，称定重量，放置5~8小时，超声处理（功率300W，频率40kHz）30分钟，放冷再称定重量，用甲醇补足减失的重量，摇匀，滤过，精密量取续滤液50ml，蒸干，残渣加甲醇-25%盐酸（4∶1）混合溶液20ml溶解，置水浴中加热水解30分钟，立即冷却，加入三乙胺3ml，混匀，转移至25ml量瓶中，加甲醇至刻度，摇匀，滤过，取续滤液，作为供试品溶液。

2.3.3 阴性对照溶液的制备：按处方配比制备不含茜草的阴性供试品，按"供试品溶液的制备"方法制备阴性对照溶液。

2.3.4 测定：分别精密吸取对照品溶液、供试品溶液、阴性对照溶液各10μl，注入色谱仪，记录各自的色谱图。

结果：阴性对照色谱图在与大叶茜草素对照品以及供试品色谱相对应的保留时间处无色谱峰出现，表明处方中其他组分对大叶茜草素对照品的测定无干扰。

2.4 线性关系考察

精密称取大叶茜草素对照品，用甲醇溶解并制成每1ml含有大叶茜草素116.5μg的溶液，作为对照品溶液。吸取该对照品溶液1ml、2ml、3ml、4ml、5ml、6ml、10ml，分别至7个10ml量瓶中，分别用甲醇稀释至刻度，摇匀，即得。以上系列溶液的浓度分别为11.65、23.30、34.95、46.60、58.25、69.90、116.5μg/ml。吸取以上的系列溶液各20μl，分别注入液相色谱仪中，按上述色谱条件测定，以峰面积对注入量进行回归分析，结果见表8。

表8 标准曲线数据及回归分析结果

浓度（μg/ml）	进样量（μg）	峰面积值	回归方程	回归系数（r）
11.65	0.233	1502.18		
23.30	0.466	3029.95		
34.95	0.699	4650.14		
46.60	0.932	6229.98	$y=6300.6x-267.53$	0.9978
58.25	1.165	7838.02		
69.90	1.398	9562.38		
116.5	2.33	14569.26		

从表8数据可见,大叶茜草素在0.233~2.33μg范围内与峰面积值呈良好的线性关系。

2.5 稳定性试验

取同一供试品溶液,分别在溶液制备后的0小时、0.5小时、1小时、2小时、4小时、6小时、8小时、24小时进样测定。结果见表9。

表9 供试品溶液的稳定性考察

测定时间(h)	峰面积值	含量(mg/g)	平均含量(mg/g)	RSD(%)
0	6381.58	0.809		
0.5	6239.92	0.791		
1	6291.25	0.798		
2	6206.40	0.787		
4	6258.55	0.793	0.7959	0.89
6	6259.27	0.794		
8	6302.19	0.799		
24	6244.93	0.792		

从表9数据可见,供试品溶液在24小时内基本稳定。

2.6 精密度试验

2.6.1 供试品溶液的精密度试验:取本品粉末约4g,精密称定,按"供试品溶液的制备"方法制备溶液,吸取供试品溶液20μl,注入液相色谱仪,连续进样7次,记录色谱峰的积分值,计算结果见表10。

表10 供试品溶液的精密度试验

取样量(g)	峰面积值	均值	RSD(%)
4.2500	6728.48		
	6740.49		
	6748.59		
	6654.67	6718.956	0.45
	6724.26		
	6718.65		
	6717.55		

从表10数据可见,供试品溶液的精密度符合规定。

2.6.2 对照品溶液的精密度试验:精密量取对照品大叶茜草素1.16mg,用甲醇定容至10ml,作为对照品溶液的储备液。精密吸取对照品溶液储备液1ml,定容在2ml的容量瓶中作为对照品溶液。精密吸取对照品溶液20μl,注入液相色谱仪,连续进样6次,记录色谱图,对大叶茜草素的峰面积进行精密度考察。计算结果见表11。

表11 对照品溶液的精密度试验

峰面积值	峰面积值均值	RSD(%)
7696.73		
7632.07		
7519.81	7656.94	0.9516
7712.51		
7701.05		
7679.47		

从表11数据可见,对照品溶液的精密度符合规定。

2.7 重复性试验

取同一供试品(批号20200301)6份,各约4.0g,精密称定,置具塞锥形瓶中,精密加入甲醇100ml,密塞,称定重量, 放置5~8小时, 超声处理 (功率300W, 频率40kHz) 30分钟, 放冷再称定重量, 用甲醇补足减失的重量, 摇匀, 滤过, 精密量取续滤液50ml, 蒸干, 残渣加甲醇–25%盐酸 (4:1) 混合溶液20ml溶解, 置水浴中加热水解30分钟, 立即冷却, 加入三乙胺3ml, 混匀, 转移至25ml量瓶中, 加甲醇至刻度, 摇匀, 滤过, 取续滤液, 作为供试品溶液。精密称取大叶茜草素对照品适量, 加甲醇制成每1ml含50μg的溶液, 作为对照品溶液。分别精密吸取以上两种溶液各20μl, 注入液相色谱仪, 记录各自的色谱图, 用外标法以峰面积计算含量。结果见表12。

表12　重复性试验结果

取样量（g）	峰面积值	含量（mg/g）	平均含量（mg/g）	RSD（%）
4.0000	6359.61	0.806		
	6387.43	0.810		
4.0015	6377.18	0.808		
	6403.87	0.811		
4.0014	6476.31	0.821		
	6450.81	0.817	0.800	2.00
3.9999	6118.97	0.776		
	6176.39	0.783		
3.9998	6154.81	0.780		
	6169.10	0.782		
4.0006	6295.82	0.798		
	6411.50	0.813		

从表12数据可见, 在相同的提取溶剂和色谱条件下, 6份供试品含量测定结果的均值为0.800mg/g, RSD为2.00%, 表明该方法的重复性良好。

2.8　加样回收试验

取已知含量的供试品 (批号20200301, 含量为0.800mg/g), 研细, 称取约2g, 精密称定, 称取3份, 每份加入一定量大叶茜草素对照品, 与供试品含有量的比值约为80%; 同法再称取3份样品, 每份加入一定量大叶茜草素对照品, 与供试品含有量的比值约为100%; 同法再称取3份样品, 每份加入一定量大叶茜草素对照品, 与供试品含有量的比值约为120%。按溶液的制备项下的方法制备供试品溶液, 按上述色谱条件进行操作, 进样体积为20μl, 记录色谱图, 计算加样回收率。结果见表13。

表13　加样回收试验结果

回收试验	供试品量（g）	供试品含有量（mg）	对照品加入量（mg）	测得总量（mg）	回收率（%）	平均回收率（%）	RSD（%）
120%	2.0001	1.60	2.00	3.54	97.0		
				3.57	98.5		
	1.9995	1.60	2.02	3.62	100.0	99.6	2.09
				3.68	103.0		
	2.0010	1.60	2.00	3.61	100.5		
				3.57	98.5		
100%	1.9978	1.60	1.80	3.43	101.7		
				3.36	97.8		
	2.0059	1.60	1.60	3.16	97.5	99.5	1.99
				3.20	100.0		
	2.0064	1.61	1.60	3.18	98.1		
				3.24	101.9		

续表

回收试验	供试品量（g）	供试品含有量（mg）	对照品加入量（mg）	测得总量（mg）	回收率（%）	平均回收率（%）	RSD（%）
80%	1.9900	1.59	1.40	3.01	101.4	98.9	1.74
				2.97	98.6		
	1.9000	1.52	1.40	2.93	100.7		
				2.89	97.9		
	1.9800	1.58	1.40	2.95	97.9		
				2.94	97.1		

从表13数据可见，80%、100%、120%的回收试验结果的均值为99.3%，平均的RSD为1.94%。该方法准确度好。

2.9 耐用性试验

取供试品约1.0g，按重复性试验项下的方法处理，换不同厂家、不同型号的色谱柱，分别测定供试品及对照品的含量，结果见表14。

表14 不同色谱柱的试验结果

序号	柱型号	峰面积值	测得平均含量（mg/g）	理论板数
1	Phenomen C_{18}	5175.27	0.641	48780.67
2	Diamonsil C_{18}	5107.35	0.633	16841.82

从表14数据可见，在使用不同型号或厂家的色谱柱时，对测定结果影响较小，具有较好的耐用性。

3 样品含量测定

取三批样品（批号20200301、20200305、20200423）约1.0g，各两份，精密称定，按重复性试验项下的方法处理并测定。含量测定结果见表15。

表15 样品中大叶茜草素含量测定结果

批号	取样量（g）	峰面积值	含量（mg/g）	均含量（mg/g）
20200305	4.0017	5828.03	0.730	0.742
		5900.32	0.739	
	4.0012	5952.80	0.746	
		5994.22	0.751	
20200301	4.0003	4270.72	0.547	0.525
		4259.42	0.545	
	4.0008	4204.35	0.538	
		4045.89	0.518	
20200423	4.0007	5717.63	0.717	0.708
		5682.62	0.712	
	4.0004	5577.82	0.699	
		5600.95	0.702	

从表15数据可见，巴布-7丸中大叶茜草素的含量在0.525～0.742 mg/g之间，最高含量为0.742mg/g。

4 茜草药材的含量测定

分别称取三个不同批次的茜草药材约0.5g，精密称定，按供试品溶液的制备项下的方法制备供试品溶液，按上述色谱条件进行操作，进样体积为20μl。计算结果见表16。

表16 不同批次药材的含量测定结果

取样量（g）	峰面积值	含量（mg/g）	均含量（mg/g）
0.5000	7945	7.8	7.69
	7713.6	7.58	
0.5000	4571.5	4.48	4.47
	4549	4.46	
0.5080	4510.5	4.36	4.45
	4703.5	4.54	

从表16数据可见，茜草药材中大叶茜草素含量差异大，含量在4.45~7.69mg/g之间，最高含量为7.69mg/g。

5 本制剂含量限度的确定

从表中数据可见，茜草药材中大叶茜草素的含量为7.69mg/g，批号为（20200305）样品中大叶茜草素的含量为0.742mg/g。

按理论值折算，样品应含大叶茜草素为7.69×100÷851=0.9036mg/g，可见，大叶茜草素的转移率为0.742÷0.9036×100%=82.11%。

参照《中国药典》2020年版一部"茜草"药材的大叶茜草素含量限度不得少于0.40%，考虑不同产地药材的质量差异，并结合其他影响因素及三批样品的测定结果，下浮10%，按此限度折算本品含大叶茜草素的理论量应不低于0.40%×1000×100÷851×82.11%×90%=0.347mg/g。

标准正文暂定为：本品每1g含茜草以大叶茜草素（$C_{17}H_{15}O_4$）计，不得少于0.35mg。

【功能与主治】

杀黏，清热。主治瘟疫，天花，麻疹，肠刺痛，脑刺痛，胸刺痛，喉塞，转筋，疹症，白喉，炭疽等。

【用法与用量】

口服。一次9~13粒，一日1次，温开水送服。

【注意事项】

孕妇禁忌。

【规格】

每10粒重2g。

【贮藏】

密封，防潮。

起草单位：内蒙古自治区国际蒙医医院　　乌恩奇　莫日根　那松巴乙拉

　　　　　包头市检验检测中心　　　　　马　静　赵　欣　王　丽

巴勒其日根-29丸质量标准起草说明

【历史沿革】

本方来源于《蒙医金匮》（内蒙古人民出版社1978年版，蒙古文，第250页）。

【处方来源】

本制剂由内蒙古自治区国际蒙医医院提供。

【名称】

巴勒其日根-29丸

【蒙药材和饮片的来源和执行标准】

1. 处方组成及药味排列顺序：藁本100g、诃子汤泡草乌50g、苦参50g、铁杆蒿50g、黑冰片30g、苦地丁30g、五灵脂30g、人工牛黄30g、拳参30g、麦冬30g、没药30g、多叶棘豆30g、角茴香30g、山沉香30g、檀香30g、丁香30g、制木鳖30g、草乌花20g、山豆根20g、石膏20g、齿缘草20g、蓝刺头20g、细辛20g、草乌叶10g、红花10g、牦牛心10g、石菖蒲10g、药浸硫黄10g、人工麝香2g。

2. 处方中除了诃子汤泡草乌、黑冰片、铁杆蒿、山沉香、多叶棘豆、齿缘草、蓝刺头、牦牛心和人工麝香药材外，其余藁本等药味均收载于《中国药典》2020年版一部，其质量应符合该品种项下的有关规定。

黑冰片：为猪科动物野猪*Sus scrofa* linnaeus的成形粪便野猪粪的炮制加工品。主含活性炭和微量元素。其标准应符合《内蒙古蒙药饮片炮制规范》2020年版第444页该品种项下的有关规定。

铁杆蒿：为菊科植物白莲蒿*Artemisia gmelinii* Web. ex Stechm. 的干燥地上部分。其标准应符合《中华人民共和国卫生部药品标准》（蒙药分册）1998年版第38页该品种项下的有关规定。

多叶棘豆：为豆科植物多叶棘豆*Oxytropis myriophylla*（Pall）DC的干燥全草。其标准符合《中华人民共和国卫生部药品标准》（蒙药分册）1998年版第14页该品种项下的有关规定。

山沉香：为木犀科植物贺兰山丁香*Syrjinga pinnatifolia* Hemsl.var.*alashanensis* Ma.et S.Q.Zhou除去栓皮的根。其标准应符合《中华人民共和国卫生部药品标准》（蒙药分册）1998年版第4页该品种项下的有关规定。

齿缘草：为紫草科植物石生齿缘草*Eritrichium rupestre*（Pall.）Bunge 的干燥地上部分。其标准应符合《内蒙古蒙药饮片炮制规范》2020年版240页该品种项下有关规定。

蓝刺头：为菊科植物蓝刺头*Echinops latifolius* Tausch. 的干燥头状花序。其标准应符合《中华人民共和国卫生部药品标准》（蒙药分册）1998年版第51页该品种项下的有关规定。

牦牛心：为牛科动物牦牛*Bos grunniens* L. 的干燥心脏。其标准应符合《内蒙古蒙药饮片炮制规范》2020年版第247页该品种项下的有关规定。

药浸硫黄：为自然元素类矿物硫族自然硫Native Sulfur的提纯品，或为含硫矿物的加工制品。主含单质硫（S）。其标准应符合《内蒙古蒙药饮片炮制规范》2020年版426页该品种项下有关规定。

诃子汤泡草乌：毛茛科植物北乌头*Aconitum kusenzoffii* Reichb.的干燥块根。其标准应符合《内蒙古蒙药饮片炮制规范》2020年版第307页该品种项下有关规定。

人工麝香：应符合卫生部标准（试行）WS-210（Z-32）-93标准的有关规定。

【制法】

上述二十九味，除人工麝香、人工牛黄外，其余藁本等二十七味，粉碎成细粉，将人工麝香与人工牛黄和上述细粉配研，过筛，混匀，用水泛丸，打光，干燥，分装，即得。

【性状】

本品为灰棕色至棕色的水丸；气香，味苦、辛。

【鉴别】

本品为药材粉末制成的丸剂，方中大多数药味的显微特征都比较明显，故建立草乌、苦参、檀香和拳参显微鉴别，并对处方中藁本、丁香和草乌叶建立了薄层鉴别。

1. 试剂与试药

供试品：供试品（批号20171117、20190118、20190732）由内蒙古自治区国际蒙医医院提供，模拟样品（批号20200010）模拟。

对照品：藁本对照药材（批号121128-201803），丁香酚（批号110725-201917）均购于中国食品药品检定研究院。

薄层板：硅胶G板，购于青岛海洋化工有限公司。

所用其他试剂均为分析纯，水为离子交换高纯水。

2. 试验方法与结果

（1）显微鉴别

草乌：后生皮层细胞棕色或深棕色，形大，呈类方形或长多角形，直径25~133μm，壁微弯曲，不均匀增厚，有的呈瘤状突入细胞腔。苦参：纤维束周围细胞中含草酸钙方晶，形成晶纤维，含晶细胞壁不均匀木化增厚。檀香：纤维成束，直径8~14μm，壁厚，微木化，周围薄壁细胞含草酸钙方晶，形成晶纤维。拳参：草酸钙簇晶存在于薄壁细胞中，直径15~68μm，含晶细胞类圆形，壁稍厚。

（2）藁本薄层鉴别

参照《内蒙古蒙药材标准》1986年版本第516页"藁本"项下的薄层条件，制定出正文所述的鉴别方法。通过阴性对照试验观察，方中其他药材对藁本的检出无干扰，证明此方法具专属性。

（3）丁香薄层鉴别

参照《中国药典》2020版一部"丁香"项下的薄层鉴别条件，制定出正文所述的鉴别方法。通过阴性对照实验观察，方中其他药材对丁香的检出无干扰，证明此方法具专属性。

（4）草乌叶的理化鉴别

参照《中国药典》2020年版一部"草乌叶"项下的理化鉴别鉴别条件，制定出正文所述的鉴别方法。经理化鉴别，分别生成棕黄色与灰白色沉淀。通过阴性对照试验观察，方中其他药材对草乌叶的检出无干扰，证明此方法具专属性。

【检查】

按照丸剂（《中国药典》2020年版四部通则0108）项下的规定，对三批供试品及模拟样品中的乌头碱限量、水分、重量差异、溶散时限、重金属、砷盐、微生物限度和急性毒性试验进行了检查。具体方法及测定数据如下：

1. 乌头碱限量：参照《内蒙古蒙药制剂规范》2007年版第一册"那如-5丸"项下乌头碱限量检查方法，拟定出本制剂乌头碱的限量检查方法及限度，以控制质量，确保安全、有效。对三批供试品的检查结果显示，供试品色谱中，在与乌头碱、次乌头碱、新乌头碱对照品色谱相应的位置上出现的斑点小于或无对照品斑点。

2. 水分：取供试品照水分测定法（《中国药典》2020年版四部通则0832）测定。三批供试品及模拟样品的测定结果见表1。

表1 水分测定结果

序号	批号	水分（%）
1	20171117	6.9
2	20190732	5.2
3	20190118	5.6
4	20200010	5.7

药典规定丸剂水分含量不得大于9.0%。从表1中可见本品水分含量均符合要求。

3. 重量差异：取以上三批供试品，每批供试品取10份，10丸为1份，分别称定重量，再与每份标示重量（2g）相比较，求每一份的重量差异（%）。药典规定每份标示装量的限度为±8%，并规定超出重量差异限度的不得多于2份，并不得有1份超出限度1倍。本品的重量差异检查结果均符合规定。

4. 溶散时限：取本品照片剂项下崩解时限检查法（《中国药典》2020年版四部通则0921）加挡板进行测定。三批供试品测定结果见表2。

表2 溶散时限测定结果

序号	批号	溶散时限（min）
1	20171117	33
2	20190118	38
3	20190732	40
4	20200010	35

药典规定水丸应在1小时内全部溶散。表2的结果显示，本品的溶散时限符合规定。

5. 对三批供试品及模拟样品进行了重金属、砷盐的考察。方法与结果如下：

重金属：分别取每个批号供试品0.5g、0.67g、1.0g、2.0g，按《中国药典》2020年版四部0821第二法检查。

供试品溶液的制备：取本品0.5g、0.67g、1.0g、2.0g，分别缓缓炽灼至完全炭化，放冷，加硫酸0.5ml，使湿润，低温加热至硫酸除尽后，加硝酸0.5ml，蒸干，至氧化氮蒸气除尽后，放冷，于600℃炽灼至完全灰化，放冷。加盐酸2ml，置水浴上蒸干后加水15ml，滴加氨试液至对酚酞指示液显中性，再加醋酸盐缓冲液（pH3.5）2ml，微热溶解后，移置纳氏比色管中，加水稀释至25ml，作为供试品溶液。

标准铅对照溶液的制备：另取配制供试品溶液的试剂两份，分别置瓷皿中蒸干后，加醋酸盐缓冲液（pH3.5）2ml，加水15ml微热溶解后，移置两支纳氏比色管中，分别加标准铅溶液（10μg/mlPb）2ml，再加水稀释至25ml，作为标准铅对照溶液。

检视：于上述供试品溶液和标准铅对照溶液中分别加硫代乙酰胺试液各2ml，摇匀，放置2分钟，同置白色背景上，从上向下进行观察。试验结果见表3。

表3 重金属检查结果

序号	供试品批号	重金属含量（ppm）			
1	20171117	<10	<20	<30	<40
2	20190118	<10	<20	<30	<40
3	20190732	<10	<20	<30	<40
4	20200010	<10	<20	<30	<40

结果显示,供试品溶液的颜色明显浅于2ml的标准铅对照溶液。经过3批供试品及模拟样品的检查,含重金属均未超过百万分之十,故未收入正文。

砷盐:取本品1g和标准砷溶液(1μg/mlAS)2ml,分别加无砷氢氧化钙1g,加少量水,搅匀,烘干,用小火缓缓炽灼至炭化,再在600℃炽灼至完全灰化,放冷。分别加盐酸7ml使溶解,再加水21ml,按《中国药典》2020年版四部通则0822第一法(古蔡氏法)做砷盐限量检查。

结果:供试品砷斑浅于标准砷斑的颜色,表明本品含砷量未超过百万分之二(小于2ppm),故砷盐检查项目未收入正文。

6. 微生物限度:照微生物计数法(《中国药典》2020年版四部通则1105)、控制菌检查法(《中国药典》2020年版四部通则1106)及《内蒙古蒙药制剂规范》(第三册)附录Ⅲ微生物限度标准,进行检查。结果均符合规定。

7. 急性毒性试验:试验研究及结果见本文后面的附件。

【含量测定】

巴勒其日根-29丸是由藁本、诃子汤泡草乌、苦参、黑冰片、铁杆蒿、苦地丁、五灵脂(制)、人工牛黄、拳参、麦冬、没药、多叶棘豆、角茴香、山沉香、檀香、丁香、制木鳖、草乌花、山豆根、石膏、齿缘草、蓝刺头、细辛、草乌叶、红花、牛心、石菖蒲、药浸硫黄、人工麝香等二十九味药组成的复方制剂。红花为本方中的佐药,故选择了处方中红花作为指标性成分进行测定,红花主要含有黄酮类化合物、脂肪酸、色素、挥发油及多炔等化合物。参照《中国药典》2020年版一部"红花"项下的含量测定方法,对羟基红花黄色素A做了含量测定,经分析方法验证,表明该方法重现性好,专属性强,方中其他组分对羟基红花黄色素A的测定无干扰。

1 仪器与试剂试药

1.1 仪器

Agilent Technologies 1260 Infinity Ⅱ,AB135-S型电子分析天平(梅特勒-托利多),KQ-250型超声波清洗机(巩义予华仪器厂)。

1.2 试剂与试药

供试品(批号20171117、20190118、20190732)由内蒙古自治区国际蒙医医院提供,模拟样品(批号20200010)模拟;羟基红花黄色素A(批号111637-201609,供含量测定),购于中国食品药品检定研究院;甲醇为色谱纯(Fisher),其他试剂均为分析纯。

2 方法学考察

2.1 色谱条件

2.1.1 色谱柱:色谱柱填充剂为十八烷基硅烷键合硅胶,本实验研究采用Agilent ZORBAX Eclipse XDB-C$_{18}$柱(250mm×4.6mm,5μm)。

2.1.2 流动相的选择:参照《中国药典》2020年版一部"红花"含量测定项下羟基红花黄色素A的测定方法,以甲醇-乙腈-0.7%磷酸溶液(26:2:72)为流动相进行流动相条件摸索。结果供试品色谱中的羟基红花黄色素A具有较好的分离度,理论板数较高,并具有较适宜的保留时间,故作为检测流动相。

2.1.3 柱温:室温。

2.1.4 检测波长:参照《中国药典》2020年版一部"红花"含量测定项下羟基红花黄色素A的测定方法,选用403nm处作为检测波长。

2.2 专属性试验

2.2.1 对照品溶液的制备:取羟基红花黄色素A对照品适量,精密称定,加25%甲醇制成每1ml含1.0mg的溶液,即得。

2.2.2 供试品溶液的制备：取本品适量，研细，取约1g，精密称定，置于具塞锥形瓶中，精密加入25%甲醇50ml，称定重量，超声处理（功率250W，频率40kHz）40分钟，放冷，再称定重量，用25%甲醇补足减失的重量，摇匀，过滤，取续滤液，即得。

2.2.3 阴性对照溶液的制备：按处方配比制备阴性对照，称取约1.8g，精密称定，从"置具塞锥形瓶中……"起操作同"供试品溶液的制备"，取续滤液，作为阴性对照溶液。

2.2.4 测定：分别精密吸取以上三种溶液各10μl，注入液相色谱仪，记录各自的色谱图。

结果阴性对照色谱图中在与羟基红花黄色素A对照品及供试品色谱图相对应的保留时间处无色谱峰出现，表明其他组分对羟基红花黄色素A的测定无干扰。

2.3 线性关系考察

精密称取羟基红花黄色素A对照品适量，加甲醇制成每1ml含0.8mg的溶液（0.816mg/ml），作为对照品溶液，精密吸取上述对照品溶液，得到浓度分别为0.0025mg/ml、0.0051mg/ml、0.0102mg/ml、0.0204mg/ml、0.0408mg/ml、0.0816mg/ml的系列对照品溶液。精密吸取10μl，分别注入液相色谱仪，记录色谱图，以峰面积对浓度进行回归分析。结果见表4。

表4　羟基红花黄色素A的标准曲线

序号	浓度（mg/ml）	峰面积值	回归方程	回归系数（r）
1	0.0025	47		
2	0.0051	96.4		
3	0.0102	197.5	$y=26753x-46.656$	0.9995
4	0.0204	496.1		
5	0.0408	1038		
6	0.0816	2143		

从表4数据可见，羟基红花黄色素A在0.025～0.816μg范围内与峰面积值呈良好的线性关系。

2.4 精密度试验

取同一浓度对照品溶液（0.0102mg/ml）10μl，重复进样5次，测定。结果见表5。

表5　精密度试验结果

序号	峰面积值	平均值	RSD（%）
1	197.5		
2	193.2		
3	196.1	195.6	0.99
4	197.8		
5	193.5		

从表5数据可见，符合《中国药典》2020年版四部通则0512中规定的RSD值小于2.0%的要求。

2.5 加样回收率试验

取供试品（含量0.27mg/g）6份，各1.0g，精密称定，置于具塞锥形瓶中，精密加入25%甲醇50ml，称定重量，超声处理（功率250W，频率40kHz）40分钟，放冷，再称定重量，用25%甲醇补足减失的重量，摇匀，过滤，取续滤液，作为供试品溶液。另精密称取羟基红花黄色素A对照品适量，加25%甲醇制成每1ml含1.0mg的溶液，作为对照品溶液。分别精密吸取各溶液10μl，注入液相色谱仪，记录色谱图，按外标法以峰面积计算含量。结果见表6。

表6 羟基红花黄色素A加样回收率试验结果

序号	取样量（g）	样品中对照品的量（mg）	加入对照品量（mg）	测得总量（mg）	加样回收率（%）	平均回收率（%）	RSD（%）
1	1.0008	0.2702	0.27	0.5376	99.0		
2	1.0032	0.2708	0.27	0.5476	102.5		
3	1.0115	0.2731	0.27	0.5434	100.1	100.7	1.10
4	1.0062	0.2716	0.27	0.5463	101.7		
5	1.0025	0.2706	0.27	0.5401	99.8		
6	1.0031	0.2708	0.27	0.5444	101.3		

从表6数据可见，本方法的平均回收率为100.7%，RSD为1.10%。该方法准确度好。

3 样品含量测定

取本品研细，称取约1.0g，精密称定，置于具塞锥形瓶中，精密加入25%甲醇50ml，称定重量，超声处理（功率250W，频率40kHz）40分钟，放冷，再称定重量，用25%甲醇补足减失的重量，摇匀，过滤，取续滤液，作为供试品溶液。另精密称取羟基红花黄色素A对照品适量，加25%甲醇制成每1ml含1.0mg的溶液，作为对照品溶液。分别精密吸取各溶液10μl，注入液相色谱仪，记录色谱图，按外标法以峰面积计算含量。结果见表7。

表7 样品中羟基红花黄色素A含量测定结果

药材来源	取样量（g）	峰面积值	测得含量（mg/g）	平均含量（mg/g）
20171117	1.0132	184	0.2127	
	1.0093	164	0.1950	0.2075
	1.0080	185	0.2147	
20190118	1.0068	347	0.3653	
	1.0014	358	0.3776	0.3493
	1.0100	283	0.3050	
20190732	1.0053	252	0.2776	
	1.0004	253	0.2799	0.2778
	1.0015	247	0.2740	

从表7数据可见，三批样品中羟基红花黄色素A平均含量为0.2782mg/g，最高为0.3493mg/g，最低为0.2075mg/g。

4 红花药材含量测定

试验中采用同法对上述三批样品生产用红花药材进行了含量测定。测定结果见表8。

表8 红花药材中羟基红花黄色素A含量测定结果

取样量（g）	测得峰面积值	含量（mg/g）	平均含量（mg/g）	RSD（%）
0.2096	480925	2.202		
0.2123	488203	2.203	2.20	0.45
0.2189	507466	2.220		

从表13数据可见，红花中羟基红花黄色素A含量为2.2mg/g。

5 本制剂含量限度的确定

从表中数据可见，三批样品中羟基红花黄色素A的含量在0.2075mg/g以上，红花药材中羟基红花黄色素A含量为22mg/g（2.2%）。

按理论值折算，样品应含羟基红花黄色素A为2.2%×10÷812=0.2709mg/g，可见，羟基红花黄色素A的转移率为0.2075÷0.2709×100%=76.59%。

参照《中国药典》2020年版一部"红花"项下规定含羟基红花黄色素A量不得少于1.0%，转移率为76.59%，考虑不同产地药材的质量差异，并结合其他影响因素及三批样品的测定结果，下浮10%，按此限度折算本品含羟基红花黄色素A的理论量应不低于10÷812×1.0%×1000×76.59%×90%=0.084mg/g。

标准正文暂定为：本品每1g含红花以羟基红花黄色素A（$C_{27}H_{32}O_{16}$）计，不得少于0.080mg。

【功能与主治】

收敛清除黏、热、赫依相搏。主治时疫，肠刺痛，白喉，炭疽，胆汁窜脉，流行性感冒等黏性病及不扩散相搏之黏、热、赫依并收敛清除。

【用法与用量】

口服。一次9~13丸，一日1次，温开水送服。

【注意事项】

孕妇忌服。

【规格】

每10丸重2g。

【贮藏】

密封，防潮。

附件　昆明小鼠灌胃巴勒其日根-29丸急性毒性试验研究报告

1　摘要

目的：

通过一天内大剂量（≥临床等效量的50倍）对昆明种小鼠灌胃巴勒其日根-29丸，观察其产生的毒性反应及严重程度、主要毒性靶器官，为重复给药毒性研究计量设计和主要观察指标提供参考。

方法：

根据药物急性毒性预试验测定，无法测出LD_{50}，故采用急性毒性限度试验测定方法。小鼠按0.4ml/10g灌胃给药，给药3次，总给药体积为120ml/kg。成人最大剂量5.2g/（60kg·d），换算成小鼠临床等效最大剂量为0.65g/（kg·d）。配制药物最大可混悬浓度为0.5411g/ml，灌胃给药3次，给药剂量为64.93g/（kg·d），经计算为临床给药量的99.89倍。故一天内给药1次，小鼠给药总量为临床等效量的99.89倍，给药后观察动物的临床症状，连续观察至第14天，每天进行体重、摄食量、饮水量测定。第15天解剖动物，并进行大体病理学检查，若发现病变，则对病变组织进行组织病理学检查。

结果：

（1）一般状态观察：给药后，供试品组动物自主活动减少，给药后第2天上述异常症状恢复。

（2）对动物体重的影响：试验期间，各组动物的体重增加之间比较，无显著性差异（$P>0.05$），说明巴勒其日根-29丸对实验动物的体重无显著性影响。

（3）对动物摄食量的影响：试验期间，给药当天巴勒其日根-29丸组动物摄食量略有减少。从给药第2天开始，各组动物的摄食量之间比较，无显著性差异（$P>0.05$），说明巴勒其日根-29丸对实验动物的摄食量无显著性影响。

（4）病理学检查：大体病理学检查，肉眼观察组织、器官未发现异常或病变。

结论：

巴勒其日根-29丸口服给药为无毒或低毒药物。

2 研究的一般信息

2.1 专题名称及研究目的

专题名称：昆明小鼠灌胃巴勒其日根-29丸急性毒性试验研究报告

研究目的：采用昆明小鼠，单次灌胃巴勒其日根-29丸，观察其产生的毒性反应及严重程度、主要毒性靶器官，为重复给药毒性研究计量设计和主要观察指标提供参考。

2.2 研究遵循的GLP法规性文件

《药物非临床研究质量规范》（国家食品药品监督管理局令第34号，原CFDA 2017.9.1）。

2.3 所用毒性研究指导原则的文件和名称及参考文献

2.3.1 所用毒性研究指导原则的文件和名称

《药物单次给药毒性研究技术指导原则》（原CFDA 2014.5）

《中药、天然药物急性毒性研究技术指导原则》（原CFDA 2005.3）

2.3.2 所用参考文献

[1]陈奇.中药药理研究方法学[M].北京：人民卫生出版社，2000.

[2]李仪奎.中药药理试验方法学[M].上海：上海科学技术出版社，2006.

[3]魏伟，吴希美，李元建.药理实验方法学[M]（第四版）.北京：人民卫生出版社，2010.

3 实验材料

3.1 受试物及剩余受试物的处理

3.1.1 供试品

名　　称：巴勒其日根-29丸。

提供单位：内蒙古自治区国际蒙医医院国家蒙药制剂中心。

批　　号：20190827。

3.1.2 剩余供试品的处理

对送样供试品留样60丸，留样保存至有效期2022年12月31日废弃。

3.2 实验系统

3.2.1 实验动物

动物种系、级别：小鼠，昆明种，SPF级。

繁育单位：内蒙古医科大学实验动物中心。

内蒙古医科大学实验动物中心实验动物生产许可证编号：SCXK（蒙）2015-0001。

发证机关：内蒙古自治区科学技术厅。

3.2.2 动物选择理由

作为一般毒性研究，昆明种小鼠是常用的啮齿类哺乳动物，且此种动物的国内外背景资料丰富，动物供应充足。

3.2.3 动物的饲养管理

3.2.3.1 动物的饲养环境

饲育环境：屏障环境。

温度：20~26℃，日温差≤3℃。

相对湿度：41%～64%。

换气次数：≥15次/小时。

照明时间：12/12明暗交替（150～300lx）。

动物笼具：PC材质小鼠饲养笼。

饲养密度：5只/笼。

笼具的换新频率：3次/周。

粪便的处理：在更换饲养盒时，随动物废弃垫料装入专用垃圾袋，密封后统一处理。

清扫与消毒：全部操作结束后清扫，采用0.1%新洁尔灭和0.2% 84消毒液进行轮换消毒，每周一次轮流交换消毒液的种类。

3.2.3.2　检疫

检疫与适应性饲养时程：7天（含购入日）。

3.2.3.2.1　购入日检疫内容

动物外观健康检查：外表（有无外伤、卷尾、肿瘤、畸残等），体形（有无消瘦、过肥），行动（有无倦怠、躁动），体温（有无发热、发冷），呼吸（有无呼吸不规律和异常呼吸音），被毛（有无竖毛、脱毛、脏污），鼻（有无流涕、出血、流脓），口腔（有无流涎、齿过长），眼（有无流泪、分泌物过多、眼球浑浊），耳（有无外伤、耳癣），生殖器（有无外伤、异常分泌物），尿（有无血尿），粪便（有无下痢、血便、脓便），其他异常。

3.2.3.2.2　第2～7天检疫驯化内容

每天上、下午各1次对检疫动物进行观察，检疫过程中，如出现外观、临床症状观察等任何异常现象，对实验可能有影响的动物予以淘汰。

3.2.3.2.3　检疫驯化期体重测定

在检疫第1天（动物入室日）和第7天（分组前）称量动物体重。

3.2.3.3　饲料

饲料种类：^{60}Co放射灭菌鼠全价颗粒饲料。

生产单位：斯贝福（北京）实验动物科技有限公司。

斯贝福（北京）实验动物科技有限公司实验动物生产许可证编号：SCXK（京）2015-0015。

发证机关：北京市科学技术委员会。

给料方法：定时投饲，自由摄取。

饲料的保存：保存在专门的通风、清洁、干燥的饲料间里。

3.2.3.4　饮用水

种类：实验动物高压灭菌饮用水。

给水方法：饮水瓶不间断供水，自由摄取。

3.2.3.5　垫料

垫料名称：玉米芯垫料。

提供单位：北京凌云博际（北京）科技有限公司。

北京凌云博际（北京）科技有限公司实验动物生产许可证编号：SCXK（京）2015-0014。

发证机关：北京市科学技术委员会。

灭菌方法：121℃、20分钟真空高压蒸汽灭菌。

3.2.4　动物的个体识别方法

分组前采用耳标记法，分组后采用躯体背部毛涂抹苦味酸溶液标记法。标记部位分别为头、背、尾、左前、左中、左后、右前、右中、右后和空白。鼠笼以笼卡标记组别、动物号、给药剂量及给药时间等信息。

3.3 药物剂量

成人临床每日用量为9~13粒，经测定药丸粒重，每10粒重约2g，一日1~2次，所以成人最小剂量为1.8g/（60kg·d），最大剂量5.2g/（60kg·d），换算成小鼠临床等效最大剂量为0.65g/（kg·d），最大给药剂量为64.93g/（kg·d），为人临床给药剂量的99.89倍。

3.4 实验试剂

水合氯醛（天津市大茂化学试剂厂，批号20181124）、羧甲基纤维素钠（天津市致远化学试剂有限公司，批号20190304）。

3.5 实验仪器

电子天平（北京塞多利斯仪器系统有限公司，型号BS2202S）、电子天平（北京塞多利斯仪器系统有限公司，型号BS2402S）、实体解剖显微镜（德国Leica公司，型号DFC290）。

4 实验方法

4.1 实验分组

选取健康昆明种小鼠40只，雌雄各半。适应性饲养7天后，按性别、体重将小鼠随机分为空白对照组（0.5%CMC-Na）、供试品组（巴勒其日根-29丸），共2组，每组20只，雌雄各半。

4.2 临床症状观察

观察时间和次数：

检疫期：每天上、下午各1次对检疫动物进行观察。

实验期：给药日，给药前、给药开始至给药结束后30分钟连续观察，如无异常则停止观察，如果有异常则继续观察至恢复正常为止，但最长不超过给药后2小时。下午观察一次。

非给药日，每天上、下午各观测一次。

观察例数：全部实验动物。

观察方法：隔笼观察，观察内容包括是否死亡、濒死、活动状况、外观及被毛、有无外伤、分辨情况等。

观察指征：见表1。

表1 临床症状观察

观察	指征	可能涉及的组织、器官、系统
Ⅰ.鼻孔呼吸阻塞，呼吸频率和深度改变，体表颜色改变	呼吸困难：呼吸困难或费力，喘息，通常呼吸频率减慢	
	1.腹式呼吸：膈膜呼吸，吸气时膈膜向腹部偏移	CNS呼吸中枢，肋间肌麻痹，胆碱能神经麻痹
	2.喘息：吸气很困难，伴随有喘息声	CNS呼吸中枢，肺水肿，呼吸道分泌物蓄积，胆碱能功能增强
	呼吸暂停：用力呼吸后出现短暂的呼吸停止	CNS呼吸中枢，肺心功能不全
	紫绀：尾部、口和足垫呈现青紫色	肺心功能不全，肺水肿
	呼吸急促：呼吸快而浅	呼吸中枢刺激，肺心功能不全
	鼻分泌物：红色或无色	肺水肿，出血

续表

观察	指征	可能涉及的组织、器官、系统
Ⅱ.运动功能:运动频率和特征的改变	自发活动、探究、梳理、运动增加或减少	躯体运动,CNS
	嗜睡:动物嗜睡,但可被针刺唤醒而恢复正常活动	CNS睡眠中枢
	正位反射(翻正反射)消失:动物体处于异常体位时所产生的恢复正常体位的反射消失	CNS,感觉,神经肌肉
	麻痹:正位反射和疼痛反应消失	CNS,感觉
	僵住:保持原姿势不变	CNS,感觉,神经肌肉,自主神经
	共济失调:动物行走时无法控制和协调运动,但无痉挛、局部麻痹、轻瘫或僵直	CNS,感觉,自主神经
	异常运动:痉挛,足尖步态,踏步,忙碌,低伏	CNS,感觉,神经肌肉
	俯卧:不移动,腹部贴地	CNS,感觉,神经肌肉
	震颤:包括四肢和全身的颤抖和震颤	神经肌肉,CNS
	肌束震颤:包括背部、肩部、后肢和足趾肌肉的运动	神经肌肉,CNS,自主神经
Ⅲ.惊厥(癫痫发作):随意肌明显不自主收缩或痉挛性收缩	阵挛性惊厥:肌肉收缩和松弛交替性痉挛	CNS,呼吸衰竭,神经肌肉,自主神经
	强直性惊厥:肌肉持续性收缩,后肢僵硬性伸展	CNS,呼吸衰竭,神经肌肉,自主神经
	强直性-阵挛性惊厥:两种惊厥类型交替出现	CNS,呼吸衰竭,神经肌肉,自主神经
	窒息性惊厥:通常是阵挛性惊厥并伴有喘息和紫绀	CNS,呼吸衰竭,神经肌肉,自主神经
	角弓反张:背部弓起、头向背部抬起的强直性痉挛	CNS,呼吸衰竭,神经肌肉,自主神经
Ⅳ.反射	角膜性眼睑闭合反射:接触角膜导致眼睑闭合	感觉,神经肌肉
	基本条件反射:轻轻敲击耳内表面,引起外耳抽搐	感觉,神经肌肉
	正位反射:翻正反射的能力	CNS,感觉,神经肌肉
	牵张反射:后肢被牵拉至从某一表面边缘掉下时缩回的能力	感觉,神经肌肉
	对光反射:瞳孔反射,见光瞳孔收缩	感觉,神经肌肉,自主神经
	惊跳反射:对外部刺激(如触摸、噪声)的反应	感觉,神经肌肉
Ⅴ.眼检指征	流泪:眼泪过多,泪液清澈或有色	自主神经
	缩瞳:无论有无光线,瞳孔缩小	自主神经
	散瞳:无论有无光线,瞳孔扩大	自主神经
	眼球突出:眼眶内眼球异常突出	自主神经
	上睑下垂:上睑下垂,针刺后不能恢复正常	自主神经
	血泪症:眼泪呈红色	自主神经,出血,感染
	瞬膜松弛	自主神经
	角膜混浊,虹膜炎,结膜炎	眼睛刺激

续表

观察	指征	可能涉及的组织、器官、系统
Ⅵ.心血管指征	心动过缓:心率减慢	自主神经,肺心功能不全
	心动过速:心率加快	自主神经,肺心功能不全
	血管舒张:皮肤、尾、舌、耳、足垫、结膜、阴囊发红,体热	自主神经、CNS、心输出量增加,环境温度高
	血管收缩:皮肤苍白,体凉	自主神经、CNS、心输出量降低,环境温度低
	心律不齐:心律异常	CNS、自主神经、肺心功能不全,心肌梗死
Ⅶ.流涎	唾液分泌过多:口周毛发潮湿	自主神经
Ⅷ.竖毛	毛囊竖毛组织收缩导致毛发蓬乱	自主神经
Ⅸ.痛觉缺失	对痛觉刺激(如热板)反应性降低	感觉,CNS
Ⅹ.肌张力	张力低下:肌张力全身性降低	自主神经
	张力过高:肌张力全身性增高	自主神经
Ⅺ.胃肠指征排便(粪)	干硬固体,干燥,量少	自主神经,便秘,胃肠动力
	体液丢失,水样便	自主神经,腹泻,胃肠动力
呕吐	呕吐或干呕	感觉,CNS, 自主神经(小鼠无呕吐)
多尿	红色尿	肾脏损伤
	尿失禁	自主神经
Ⅻ.皮肤	水肿:液体充盈组织所致肿胀	刺激性,肾功能衰竭,组织损伤,长时间静止不动
	红斑:皮肤发红	刺激性,炎症,过敏

4.3 体重测定

测定次数:首次给药至给药后第14天,连续14天进行体重测定。

测定例数:全部实验动物。

测定方法:用电子天平进行体重测定。

4.4 摄食量测定

测定次数:首次给药至给药后第14天,连续14天进行摄食量测定。

测定例数:全部动物。

测定方法:第1天上午测定每个饲养笼所给饲料量,次日上午相同时间测定剩余饲料量,以二者差值计算每个饲养笼动物的总进食量,并计算该笼每只动物每天的平均进食量。

4.5 饮水量测定

测定次数:首次给药至给药后第14天,连续14天进行摄食量测定。

测定例数:全部动物。

测定方法:第1天上午测定每个饲养笼所给水量,次日上午相同时间测定剩余水量,以二者差值计算每个饲养笼动物的总饮水量,并计算该笼每只动物每天的平均饮水量。

4.6 病理学检查

4.6.1 剖检

剖检例数:全部预定解剖的动物、各组死亡或濒临死亡的动物。

剖检方法:对于全部预定解剖的动物和各组濒临死亡动物,腹腔注射20%水合氯醛进行麻醉。从腹腔后大静脉完全放血处死,然后进行解剖。濒死动物,迅速解剖。

尸检：肉眼观察脑、脊髓、心脏、主动脉、肺（含支气管）、肝脏、肾脏、脾脏、胰脏、胃、十二指肠、空肠、回肠结肠、直肠、盲肠、睾丸、附睾、前列腺、卵巢、子宫、阴道、膀胱、脑垂体、甲状腺（含甲状旁腺）、颌下腺、肾上腺、坐骨神经、肌肉、肠系膜淋巴结、胸腺、乳腺（雌性）、胸骨，发现异常时对该组织脏器用10%的甲醛（睾丸、附睾和眼球用Davidson's液）进行固定保存，并进行组织病理学检查，如未发现异常，不进行固定保存。

4.6.2 组织病理学检查

检查方法：固定后的组织经修块取材，逐级酒精脱水，石蜡包埋，滑动切片机切片（厚度约3μm），经苏木精-伊红（HE）染色，光镜下进行检查。根据镜检结果，如果某些组织器官需用其他方法染色，以提供更多的组织病理学信息，则进一步进行特殊染色。

4.7 数据的统计与处理

对于体重、摄食量等数据均采用SPSS22.0按照以下方法进行统计，最终数据以$\bar{x}\pm s$表示：①首先用Barlett检验方法进行数据均一性检验，如有数据均一（检验$P\geq0.05$），则进行方差分析检验（F检验）；如果Bartlett检验结果显著（$P<0.05$），则进行Kruskal-wallis检验。②如果方差分析检验结果显示（$P<0.05$），则进一步用Dunett参数检验法进行多重比较检验；如果方差分析结果不显著（$P\geq0.05$），则统计结束。③如果Kruskal-wallis检验结果显著（$P<0.05$），则进一步用Dunett非数检验法进行多重比较检验；如果Kruskal-wallis检验结果不显著（$P\geq0.05$），则统计结束。

临床症状观察、大体病理学检查结果、组织病理学检查结果（如果有）则无需进行统计学处理，直接列出观察结果。

5 结果

5.1 对动物临床症状的影响

给药后连续观察动物2周，小鼠进食、进水、活动、毛色、粪便姿势、躯体运动、呼吸频率、下腹及肛门周围有无污染、眼、鼻、口有无分泌物、体温等一切正常。

5.2 对动物体重的影响

试验期间，小鼠活动正常，健康活泼，小鼠无一死亡，无中毒反应，无其他异常现象。空白对照组和给药组小鼠体重比较，无显著性差异（$P>0.05$）。结果见表2、表3。

表2　巴勒其日根-29丸对雄性小鼠体重的影响（$n=10$, g, $\bar{x}\pm s$）

组别	给药第1天	给药第7天	给药第14天
空白对照组	18.26±1.86	25.27±4.65	33.85±3.71
供试品组	18.27±0.83	27.27±1.69	35.28±1.85

表3　巴勒其日根-29丸对雌性小鼠体重的影响（$n=10$, g, $\bar{x}\pm s$）

组别	给药第1天	给药第7天	给药第14天
空白对照组	18.33±5.30	21.93±6.17	31.48±1.74
供试品组	17.26±4.88	23.34±1.85	32.91±2.14

5.3 对动物摄食量的影响

试验期间，各组动物的摄食量之间比较，无显著性差异（$P>0.05$）。结果见表4、表5。

表4　巴勒其日根-29丸对雄性小鼠摄食量的影响（$n=10$, g, $\bar{x}\pm s$）

组别	给药第1天	给药第7天	给药第14天
空白对照组	5.86±1.37	6.10±0.28	5.56±1.74
供试品组	2.27±0.29	6.15±1.28	7.23±1.17

表5　巴勒其日根–29丸对雌性小鼠摄食量的影响（ n =10, g, $\bar{x} \pm s$ ）

组别	给药第1天	给药第7天	给药第14天
空白对照组	5.74±0.74	6.62±0.62	5.82±0.37
供试品组	2.48±1.27	5.16±1.81	6.51±1.38

5.4　对动物饮水量的影响

试验期间，各组动物的饮水量之间比较，无显著性差异（ P ＞0.05）。结果见表6、表7。

表6　巴勒其日根–29丸对雄性小鼠饮水量的影响（ n =10, g, $\bar{x} \pm s$ ）

组别	给药第1天	给药第7天	给药第14天
空白对照组	5.39±1.92	5.91±2.49	6.02±2.47
供试品组	8.03±2.28	6.37±1.51	6.37±1.62

表7　巴勒其日根–29丸对雌性小鼠饮水量的影响（ n =10, g, $\bar{x} \pm s$ ）

组别	给药第1天	给药第7天	给药第14天
空白对照组	5.82±1.71	6.03±2.17	5.86±1.43
供试品组	7.27±2.39	5.37±1.29	5.25±1.63

5.5　病理学检查

大体病理学检查，肉眼观察组织、器官未发现异常或病变。

6　结论

本实验条件下，昆明种小鼠灌胃给予巴勒其日根–29丸，小鼠按0.4ml/10g灌胃给药，一日内给药3次，小鼠总给药量为120ml/kg，为人临床给药剂量的99.89倍。在观察期间内（0~14天），饲养观察2周，无任何异常及中毒反应，小鼠体重增加，行为、活动、进食一切正常。

结果表明，巴勒其日根–29丸口服给药为无毒或低毒药物。

起草单位： 内蒙古医科大学蒙医药学院　　莎础拉　邓·乌力吉　那松巴乙拉

鄂尔多斯市检验检测中心　　张　烨　杨　洋　孟美英

内蒙古医科大学药学院　　肖云峰　钱新宇　王　娜　韩运琪　王建民　李建华

张双兰　程　前　籍紫薇

巴嘎·古日古木–13丸质量标准起草说明

【历史沿革】

本方来源于《蒙医验方》(内蒙古自治区人民医院编,1971年版,蒙古文,第117页)。

【处方来源】

本制剂由内蒙古自治区国际蒙医医院提供。

【名称】

巴嘎·古日古木–13丸

【蒙药材和饮片的来源和执行标准】

1. 处方组成及药味排列顺序:红花60g、紫檀60g、麦冬60g、大托叶云实30g、木香30g、诃子30g、川楝子30g、栀子30g、丁香30g、水牛角浓缩粉30g、人工牛黄30g、熊胆粉20g、人工麝香1g。

2. 处方中除了熊胆粉、大托叶云实、紫檀和人工麝香药材外,其余红花等药味均收载于《中国药典》2020年版一部,其质量应符合该品种项下的有关规定。

熊胆粉:为熊科动物黑熊*Selenarctos thibetanus* Cuvier经胆囊手术引流胆汁而得的干燥品。其标准应符合《中华人民共和国卫生部药品标准》新药转正标准第十一册第44页该品种项下的有关规定。

大托叶云实:为豆科植物大托叶云实*Caesalpinia crista* L.的干燥成熟种子。其标准应符合《内蒙古蒙药饮片炮制规范》2020年版第15页该品种项下的有关规定。

紫檀:为豆科植物紫檀*Pterocarpus sindicus* Willd的干燥新材。其标准应符合《内蒙古蒙药饮片炮制规范》2020年版第440页该品种项下的有关规定。

人工麝香:应符合卫生部标准(试行)WS–210(Z–32)–93标准的有关规定。

【制法】

以上十三味,除人工牛黄、水牛角浓缩粉、熊胆粉、人工麝香,其余红花等九味粉碎成细粉,将人工牛黄、水牛角浓缩粉、熊胆粉、人工麝香细粉与上述细粉配研,过筛,混匀,用水泛丸,打光,干燥,分装,即得。

【性状】

本品为浅棕红色至红棕色水丸;气香,味苦。

【鉴别】

本品为原药材细粉制成的水丸,方中木香、红花的显微特征较明显,故建立显微鉴别,并对处方中麦冬、丁香建立了薄层鉴别。

1. 试剂与试药

供试品:供试品(批号20191228、20190936、20191207)由内蒙古自治区国际蒙医医院提供,模拟样品(批号20200009)模拟。

对照药材:麦冬对照药材(批号100078–201815),丁香酚对照品(批号110725–201917),均购于中国食品药品检定研究院。

薄层板:硅胶G板,购于青岛海洋化工有限公司。

所用其他试剂均为分析纯,水为离子交换高纯水。

2. 试验方法与结果

(1)显微鉴别

红花:花粉粒类圆形、椭圆形或橄榄形,直径约至60μm,具3个萌发孔,外壁有齿状突起。木香:木纤维多成束,长梭形,直径16~24μm,纹孔口横裂缝状、十字状或人字状。

(2)麦冬薄层鉴别

参照《中国药典》2020年版一部"麦冬"项下的薄层条件,制定出正文所述的鉴别方法。通过阴性对照试验观察,方中其他药材对处方中麦冬的检出无干扰。证明此法具专属性。

(3)丁香薄层鉴别

参照《中国药典》2020年版一部"丁香"项下的薄层条件,制定出正文所述的鉴别方法。通过阴性对照试验观察,方中其他药材对处方中丁香的检出无干扰。证明此法具专属性。

【检查】

按照丸剂(《中国药典》2020年版四部通则0108)项下规定,对三批供试品及模拟样品的水分、重量差异、溶散时限、重金属、砷盐和微生物限度进行了检查。具体方法及测定数据如下:

1. 水分:取供试品照水分测定法(《中国药典》2020年版四部通则0832)测定。三批供试品及模拟样品测定结果见表1。

表1 水分测定结果

序号	批号	水分(%)
1	20191228	2.4
2	20190936	2.5
3	20191207	2.9
4	20190009	2.6

药典规定丸剂水分含量不得大于9.0%。从表1中可见本品水分含量均符合要求。

2. 重量差异:取以上三批供试品,每批供试品取10份,10丸为1份,分别称定重量,再与每份标示重量(2g)相比较,求每一份的重量差异(%)。药典规定每份标示装量的限度为±8%,并规定超出重量差异限度的不得多于2份,并不得有1份超出限度1倍。本品的重量差异检查结果均符合规定。

3. 溶散时限:取本品按照片剂项下崩解时限检查法(《中国药典》2020年版四部通则0921)加挡板进行测定。三批供试品测定结果见表2。

表2 溶散时限测定结果

序号	批号	溶散时间(min)
1	20191228	55
2	20190936	54
3	20191207	57

药典规定水丸应在1小时内全部溶散。表2的结果显示,本品的溶散时限符合规定。

4. 对三批供试品及模拟样品进行了重金属、砷盐、微生物限度考察。方法与结果如下:

重金属:分别取每个批号供试品0.5g、0.67g、1.0g、2.0g,按《中国药典》2020年版四部0821第二法检查。

供试品溶液的制备:取本品0.5g、0.67g、1.0g、2.0g,分别缓缓炽灼至完全炭化,放冷,加硫酸0.5ml,使湿润,

低温加热至硫酸除尽后，加硝酸0.5ml，蒸干，至氧化氮蒸气除尽后，放冷，于600℃炽灼至完全灰化，放冷。加盐酸2ml，置水浴上蒸干后加水15ml，滴加氨试液至对酚酞指示液显中性，再加醋酸盐缓冲液（pH3.5）2ml，微热溶解后，移置纳氏比色管中，加水稀释至25ml，作为供试品溶液。

标准铅对照溶液的制备：另取配制供试品溶液的试剂两份，分别置瓷皿中蒸干后，加醋酸盐缓冲液（pH3.5）2ml，加水15ml微热溶解后，移置两支纳氏比色管中，分别加标准铅溶液（10μg/mlPb）2ml，再加水稀释至25ml，作为标准铅对照溶液。

检视：于上述供试品溶液和标准铅对照溶液中分别加硫代乙酰胺试液各2ml，摇匀，放置2分钟，同置白色背景上，从上向下进行观察。试验结果见表3。

表3　重金属检查结果

序号	批号	重金属含量（ppm）			
1	20190423	<10	<20	<30	<40
2	20180717	<10	<20	<30	<40
3	20190918	<10	<20	<30	<40
4	20200028	<10	<20	<30	<40

结果显示，供试品溶液的颜色明显浅于2ml的标准铅对照溶液。经过3批供试品及模拟样品的检查，含重金属均未超过百万分之十，故未收入正文。

砷盐：取本品1g和标准砷溶液（1μg/mlAS）2ml，分别加无砷氢氧化钙1g，加少量水，搅匀，烘干，用小火缓缓炽灼至炭化，再在600℃炽灼至完全灰化，放冷。分别加盐酸7ml使溶解，再加水21ml，按《中国药典》2020年版四部通则0822第一法（古蔡氏法）做砷盐限量检查。

结果：供试品砷斑浅于标准砷斑的颜色，表明本品含砷量未超过百万分之二（小于2ppm），故砷盐检查项目未收入正文。

5. 微生物限度：照微生物计数法（《中国药典》2020年版四部通则1105）、控制菌检查法（《中国药典》2020年版四部 通则1106）及《内蒙古蒙药制剂规范》（第三册）附录Ⅲ微生物限度标准，进行检查。结果均符合规定。

【含量测定】

巴嘎·古日古木-13是由红花、丁香、大托叶云实、麦冬、木香、诃子、川楝子、栀子、紫檀、人工麝香、水牛角浓缩粉、人工牛黄、熊胆粉等十三味药组成的复方制剂。参照《中国药典》2020年版一部"栀子"项下的含量测定方法，以没食子酸对照品作为指标成分，进行含量测定方法研究。经分析方法验证，该方法重复性好、专属性强，方法中其他成分对没食子酸的测定无干扰。

1　仪器与试剂试药

1.1　仪器

日本岛津LC-2010AHT高效液相色谱仪，LC-10ADVP输液泵，SPD-10AVP型检测器，美国Alltech高效液相色谱仪，M626输液泵，VIS-200型检测器，Precisa 92SM-202A天平。

1.2　试剂与试药

供试品（批号20191228、20190936、20191207）由内蒙古自治区国际蒙医医院提供，模拟样品（批号20190001）模拟；栀子苷对照品（批号110749-200714），购于中国食品药品检定研究院；甲醇、乙腈为色谱纯，水为超纯水，所用其他试剂均为分析纯。

2　方法学考察

2.1　色谱条件

2.1.1 色谱柱：色谱柱填充剂为十八烷基硅烷键合硅胶，本实验采用Alltima C$_{18}$柱（250mm×4.6mm，5μm）色谱柱。

2.1.2 流动相的选择：参照《中国药典》2020年版一部"栀子"含量测定项下的测定方法，以乙腈-水（15：85）为流动相，供试品中的栀子苷与其他成分能达到较好的分离，色谱峰具有比较好的保留时间、分离度和对称性。故选择以乙腈-水（15：85）为流动相。

2.1.3 柱温：30℃可以保证柱压较低，分离效果稳定，保留时间变化小。

2.1.4 检测波长的选择：参照《中国药典》2020年版一部"栀子"含量测定项下栀子苷的测定方法，选用238nm处作为检测波长。

2.1.5 理论板数的确定：从对三批数据的测定结果可见，栀子苷峰理论板数在5000以上即能达到较好的分离效果，故规定理论板数按栀子苷峰计算应不低于5000。

2.2 提取方法的选择及提取效率的考察

参考《中国药典》2020年版一部"栀子"含量测定项下的方法，以甲醇作为提取溶剂进行超声提取。为保证被测成分提取完全，在供试品的细度一致、提取溶剂为甲醇、超声功率为250W（频率40kHz）的条件下，分别考察了提取20分钟、30分钟和40分钟时的提取效率，结果见表4。

表4 栀子苷提取时间考察

提取时间（min）	取样量（g）	样品平均峰面积值	含量（mg/g）
20	1.0017	406846	3.14
30	1.0020	423116	3.26
40	1.0046	447944	3.45
60	1.0056	443318	3.41

从表4数据可见，超声处理40分钟时，供试品中栀子苷的含量最高，故将提取时间定为超声处理40分钟。 这与《中国药典》2020年版一部"栀子"含量测定项下的提取时间一致。

2.3 专属性考察

2.3.1 对照品溶液的制备：取栀子苷对照品适量，精密称定，加甲醇制成每1ml含30μg的溶液，即得。

2.3.2 供试品溶液的制备：取本品适量，研细，取约1.0g，精密称定，置具塞锥形瓶中，精密加入甲醇50ml，称定重量，超声处理40分钟，放冷，再称定重量，用甲醇补足减失的重量，摇匀，滤过，精密量取续滤液10ml，置25ml量瓶中，加甲醇至刻度，摇匀，即得。

2.3.3 阴性对照溶液的制备：按本品处方工艺制备不含栀子的阴性样品，按供试品溶液的制备方法制备阴性对照溶液（缺栀子）。

2.3.4 测定：分别精密吸取以上三种溶液各10μl，注入色谱仪，记录各自的色谱图。

结果显示，供试品色谱中在与对照品色谱保留时间相同的位置上有色谱峰出现，而阴性对照在与对照品色谱保留时间相同的位置上无色谱峰出现，表明该含量测定方法阴性无干扰，专属性好。

2.4 线性关系考察

取栀子苷对照品约3.0mg，精密称定，置100ml量瓶中，加甲醇使溶解，并稀释至刻度，摇匀，作为对照品溶液（栀子苷实际浓度为：29.9μg/ml）；分别精密吸取上述对照品溶液1μl、3μl、5μl、7μl、10μl、12μl、15μl、20μl注入液相色谱仪，按上述色谱条件进行测定。以峰面积对进样量进行回归分析，结果见表5。

表5 栀子苷标准曲线数值表

序号	进样量（μg）	峰面积值	回归方程	r
1	29.9	158238		
2	89.7	474714		
3	149.5	791190		
4	209.3	1107666	$y=0.5045x+0.0699$	0.9996
5	299	1582380		
6	358.8	1898856		
7	448.5	2373570		
8	598	3164760		

从表5数据可见，栀子苷在29.9~598μg范围内与峰面积值呈良好的线性关系。

2.5 稳定性试验

取同一份供试品（批号20191207）溶液，分别于0小时、3小时、6小时、9小时、12小时、24小时进样测定。结果见表6。

表6 不同时间测定供试品中栀子苷的峰面积值

序号	时间（h）	峰面积值
1	0	459641
2	3	459957
3	6	447551
4	9	447218
5	12	446886
6	24	445745

从表6数据可见，栀子苷在24小时内峰面积值基本稳定不变，能够满足测定所需的时间。

2.6 精密度试验

取同一份供试品（批号20191207）溶液，连续进样6针，记录色谱图。木香烃内酯峰面积的精密度计算结果见表7。

表7 栀子苷精密度试验结果

序号	峰面积值	平均值	RSD（%）
1	459641		
2	459957		
3	447551	451166	0.18
4	447218		
5	446886		
6	445745		

从表7数据可见，符合《中国药典》2020年版四部通则0512中规定的RSD值小于2.0%的要求。

2.7 重复性试验

取同一批号供试品（批号20191207）6份，各约1g，精密称定，置具塞锥形瓶中，精密加入甲醇50ml，称定重量，超声处理40分钟，放冷，再称定重量，用甲醇补足减失的重量，摇匀，滤过，精密量取续滤液10ml，置25ml量瓶中，加甲醇至刻度，摇匀，作为供试品溶液。另精密称取栀子苷对照品适量，精密称定，加甲醇制成每1ml含30μg的溶液，作为对照品溶液。分别精密吸取各溶液10μl，注入液相色谱仪测定。结果见表8。

表8 栀子苷重复性试验结果

样品号	称样量（g）	峰面积值	含量（mg/g）	平均含量（mg/g）	RSD（%）
1	1.0084	461786	3.54		
2	1.0093	464828	3.56		
3	1.0047	462024.5	3.56	3.56	0.34
4	1.0089	465281	3.57		
5	1.0095	465233	3.56		
6	1.0031	458881.5	3.54		

从表8数据可见，在相同的提取溶剂和色谱条件下，6份供试品含量测定结果的均值为3.56mg/g（RSD为0.34%），表明该方法的精密度好。

2.8 加样回收试验

取已知含量（批号 20191207，栀子苷含量为3.43mg/g）的供试品9份，精密称定，分别置9个具塞锥形瓶中，分别在其中3个具塞锥形瓶中精密加入栀子苷对照品溶液1ml（浓度为1.0052mg/ml）（约相当于供试品含有量的50%）及甲醇24ml，另3个具塞锥形瓶中各精密加入上述对照品溶液2ml（约相当于供试品含有量的150%）及甲醇23ml，其余3个具塞锥形瓶中各精密加入上述对照品溶液3ml（约相当于供试品含有量的150%）及甲醇22ml，称定重量，超声处理40分钟，放冷，再称定重量，用甲醇补足减失的重量，摇匀，滤过，精密量取续滤液10ml，置25ml量瓶中，加甲醇至刻度，摇匀，作为供试品溶液。另取栀子苷对照品适量，精密称定，加甲醇制成每1ml含30μg的溶液，作为对照品溶液。分别精密吸取各溶液10μl，注入液相色谱仪测定。结果见表9。

表9 栀子苷加样回收试验结果

序号	称样量（g）	供试品含量（mg）	对照品加入量（mg）	测得总量（mg）	回收率（%）	平均回收率（%）	RSD（%）
1	0.6034	2.0697	1.0052	3.0548	98.00		
2	0.6040	2.0717	1.0052	3.0622	98.54		
3	0.6030	2.0683	1.0052	3.0577	98.43		
4	0.6020	2.0649	2.0104	4.0411	98.30		
5	0.6030	2.0683	2.0104	4.0379	97.97	98.81	0.81
6	0.6048	2.0744	2.0104	4.0861	100.06		
7	0.6026	2.0669	3.0156	5.0443	98.73		
8	0.6029	2.0679	3.0156	5.0848	100.04		
9	0.6021	2.0652	3.0156	5.0577	99.23		

从表9数据可见，本方法的平均回收率为98.81%，RSD为0.81%。该方法准确度好。

2.9 耐用性试验

取供试品（批号20191207）2份，各约1.0g，精密称定，置具塞锥形瓶中，精密加入甲醇50ml，称定重量，超声处理40分钟，放冷，再称定重量，用甲醇补足减失的重量，摇匀，滤过，精密量取续滤液10ml，置25ml量瓶中，加甲醇至刻度，摇匀，作为供试品溶液。另取栀子苷对照品适量，精密称定，加甲醇制成每1ml含30μg的溶液，作为对照品溶液。分别精密吸取各溶液10μl，注入液相色谱仪测定。换不同厂家、不同型号的色谱柱，分别测定供试品的含量，结果见表10。

表10　色谱柱耐用性试验

样品号	取样量（g）	柱型号	峰面积值	含量（mg/g）	偏差（%）
1	1.0084	Apollo C_{18}柱	462786	3.54	0.28
2	1.0084	Alltima C_{18}柱	463828	3.56	

从表10数据可见，不同型号或厂家的色谱柱对测定结果影响较小。

3　样品含量测定

取三批样品（批号20191228、20190936、20191207），各2份，每份约1.0g，精密称定，置具塞锥形瓶中，精密加入甲醇50ml，称定重量，超声处理40分钟，放冷，再称定重量，用甲醇补足减失的重量，摇匀，滤过，精密量取续滤液10ml，置25ml量瓶中，加甲醇至刻度，摇匀，作为供试品溶液。另取栀子苷对照品适量，精密称定，加甲醇制成每1ml含30μg的溶液，作为对照品溶液。分别精密吸取各溶液10μl，注入液相色谱仪测定。结果见表11。

表11　样品中栀子苷的含量测定结果

批号	取样量（g）	平均峰面积值	含量（mg/g）	平均含量（mg/g）
20191228	1.0060	447777	3.44	3.43
	1.0059	446256	3.43	
20190936	1.0016	434141	3.35	3.39
	1.0060	445723	3.43	
20191207	1.0093	464828	3.56	3.56
	1.0095	465233	3.56	

从表11数据可见，三批样品和模拟样品中栀子苷含量最低为3.39mg/g，最高为3.56mg/g。含量之间无明显差异。

4　栀子药材的含量考察

试验中采用同法对上述三批样品生产用栀子药材进行了含量测定。测定结果见表12。

表12　栀子药材中栀子苷的含量测定结果

序号	取样量（g）	平均峰面积值（$n=2$）	含量（mg/g）	平均含量（mg/g）
1	1.0312	629458	58.26	58.21
2	1.0261	618300	57.82	
3	1.0563	636816	58.56	

从表12数据可见，栀子药材中栀子苷的含量为58.21mg/g（5.82%）。

5　本制剂含量限度的确定

从表中数据可见，三批样品中栀子苷的含量最低为3.39mg/g，栀子药材中栀子苷含量为58.21mg/g（5.82%）。

按理论值折算，样品应含栀子苷为58.21mg/g×30÷441=3.95mg/g，可见栀子苷的转移率为3.39÷3.95×100%=85.82%。

参照《中国药典》2020年版一部"栀子"药材的栀子苷含量限度不得少于1.8%，转移率为85.82%，考虑不同产地药材的质量差异，并结合其他影响因素及三批样品的测定结果，按此限度折算本品含栀子苷的理论量应不低于30÷441×1000×1.8%×85.82%=1.05mg/g。

标准正文暂定为：本品每1g含栀子以栀子苷（$C_{17}H_{24}O_{10}$）计，不得少于1.0mg。

【功能与主治】

清肝热，解毒，杀黏。主治肝肿大，肝衰，配制毒，肝硬化，肝中毒，肾损伤，尿闭，热性亚玛症。

【用法与用量】

口服。一次11~15丸,每日1~2次,温开水送服。

【注意事项】

孕妇忌服,禁食辛辣、油腻。

【规格】

每10丸重2g。

【贮藏】

密封,防潮。

起草单位: 内蒙古自治区国际蒙医医院　　　乌恩奇　那松巴乙拉　青　松

包头市检验检测中心　　　　　　段　羚　宋　超　赵艳霞

巴嘎·嘎如迪-13丸质量标准起草说明

【历史沿革】

本方来源于《蒙医药选编》（内蒙古人民出版社1999年版，蒙古文，第874页）。

【处方来源】

本制剂由内蒙古自治区国际蒙医医院提供。

【名称】

巴嘎·嘎如迪-13丸

【蒙药材和饮片的来源和执行标准】

1. 处方组成及药味排列顺序：诃子100g、诃子汤泡草乌90g、石菖蒲90g、木香60g、甘草40g、山沉香60g、酒珊瑚30g、炒珍珠30g、禹粮土30g、丁香20g、肉豆蔻20g、淬磁石20g、人工麝香4g。

2. 处方中除了山沉香、禹粮土、诃子汤泡草乌、人工麝香和淬磁石药材外，其余诃子等药味均收载于《中国药典》2020年版一部，其质量应符合该品种项下的有关规定。

山沉香：为木犀科植物贺兰山丁香*Syringa pinnatifolia* Hemsl.var.*alashanensis* Ma.et S.Q.Zhou削去外皮的干燥枝。其标准应符合《中华人民共和国卫生部药品标准》（蒙药分册）1998年版第4页该品种项下的有关规定。

诃子汤泡草乌：毛茛科植物北乌头*Aconitum kusenzoffii* Reichb.的干燥块根。其标准应符合《内蒙古蒙药饮片炮制规范》2020年版第307页该品种项下有关规定。

人工麝香：应符合卫生部标准（试行）WS-210（Z-32）-93标准的有关规定。

禹粮土：为含铁黏土矿物。其标准应符合《内蒙古蒙药饮片炮制规范》2020年版第339页该品种项下有关规定。

淬磁石：为氧化物类矿物尖晶石族磁铁矿。其标准应符合《内蒙古蒙药饮片炮制规范》2020年版第411页该品种项下有关规定。

【制法】

以上十三味，除人工麝香外，其余诃子等十二味，粉碎成细粉，将人工麝香与上述细粉配研，过筛，混匀，用水泛丸，打光，干燥，分装，即得。

【性状】

本品为棕色至棕褐色的水丸；气微，味苦、辛、微涩。

【鉴别】

本品为药材粉末制成的水丸，方中炒珍珠、诃子、丁香、木香、广枣的显微特征较明显，故建立显微鉴别。

1. 试剂与试药

供试品：供试品（批号20191116、20191228、20200106）由内蒙古自治区国际蒙医医院提供，模拟样品（批号20200008）模拟。

对照品：乌头碱对照品（批号110720-201710），购于中国食品药品检定研究院。

2.试验方法与结果

显微鉴别：

诃子：石细胞成群，呈类圆形、长卵形、长方形或长条形，孔沟细密而明显。木香：菊糖多见，表面现放射状纹理。珍珠：不规则碎块，半透明，具彩虹样光泽，可见极细密的微波状纹理。丁香：花粉粒众多，极面观三角形，赤道表面观双凸镜形，具3副合沟。广枣：果皮表皮细胞成片，表面观类圆形或类多角形，胞腔内颗粒状物。

【检查】

按照丸剂（《中国药典》2020年版四部通则0108）项下的规定，对三批供试品及模拟样品的乌头碱限量、水分、重量差异、溶散时限、重金属、砷盐、微生物限度和急性毒性试验进行了检查。具体方法及测定数据如下：

1. 乌头碱限量：参照《中国药典》2020年版一部"制草乌"项下双酯型乌头碱的限量检查，结果因处方中其他药味的影响，供试品溶液中双酯型乌头碱与其他杂质分不开。故参照《中国药典》2020年版一部"制川乌"和"附子理中丸"项下乌头碱限量检查方法，拟定出本制剂乌头碱的限量检查方法及限度，以控制质量，确保安全、有效。供试品溶液的制备参照"附子理中丸"和"制川乌"限量检查项下的方法，并结合本处方实际情况，用氨试液碱化、乙醚作溶剂提取后，乙醚作溶剂提取后，浓缩，无水乙醇溶解，结果既保证了被测成分全部提净，又可排除其他成分对试验结果的干扰（具体方法见正文）。对三批供试品的检查结果表明，供试品色谱中，在与乌头碱对照品色谱相应位置上，出现的斑点小于对照品的斑点。证明本品含乌头碱每1g小于25μg。说明本品中制草乌的炮制程度符合要求。

制草乌中乌头碱的限度值参照《中国药典》2020年版一部"附子"项下乌头碱限量检查计算，乌头碱的限度为$2mg/ml \times 5\mu l/6\mu l \times 2ml/20g \approx 0.167mg/g$，即每1g低于167μg。所以本制剂中乌头碱的理论限度应为：$45g/297g \times 0.167mg/g \times 1000 \approx 25\mu g/g$，本标准草案设定的限度指标略低于理论限度，说明方法可靠。《中国药典》2020年版一部规定制草乌用量为1.5~3g。本品日最高服用量2g，相当于制草乌$45g/297g \times 2g=0.30g$，远远低于药典用量，说明本品安全。

2. 水分：取供试品照水分测定法（《中国药典》2020年版四部通则0832）测定。三批供试品及模拟样品的测定结果见表1。

表1　水分测定法结果

序号	批号	水分（%）
1	20191228	5.4
2	20191116	5.2
3	20200106	5.3
4	20200008	5.6

药典规定丸剂水分含量不得大于9.0%。从表1中可见本品水分含量均符合要求。

3. 重量差异：取以上三批供试品，每批供试品取10份，10丸为1份，分别称定重量，再与每份标示重量（2g）相比较，求每一份的重量差异（%）。药典规定每份标示装量的限度为±8%，并规定超出重量差异限度的不得多于2份，并不得有1份超出限度1倍。本品的重量差异检查结果均符合规定。

4. 溶散时限：取本品按照片剂项下崩解时限检查法（《中国药典》2020年版四部通则0921）加挡板进行测定。三批供试品测定结果见表2。

表2 溶散时限测定结果

序号	批号	溶散时间（min）
1	20191228	14
2	20191116	14
3	20200106	14

药典规定水丸应在1小时内全部溶散。表2的结果显示，本品的溶散时限符合规定。

5. 对三批供试品及模拟样品进行了重金属和砷盐考察。方法与结果如下：

重金属：分别取每个批号样品0.5g、0.67g、1.0g、2.0g，按《中国药典》2020年版四部0821第二法检查。

供试品溶液的制备：取本品0.5g、0.67g、1.0g、2.0g，分别缓缓炽灼至完全炭化，放冷，加硫酸0.5ml，使湿润，低温加热至硫酸除尽后，加硝酸0.5ml，蒸干，至氧化氮蒸气除尽后，放冷，于600℃炽灼至完全灰化，放冷。加盐酸2ml，置水浴上蒸干后加水15ml，滴加氨试液至对酚酞指示液显中性，再加醋酸盐缓冲液（pH3.5）2ml，微热溶解后，移置纳氏比色管中，加水稀释至25ml，作为供试品溶液。

标准铅对照管的制备：另取配制供试品溶液的试剂两份，分别置瓷皿中蒸干后，加醋酸盐缓冲液（pH3.5）2ml，加水15ml微热溶解后，移至两支纳氏比色管中，分别加标准铅溶液（10μg/mlPb）2ml，再加水稀释至25ml，作为标准铅对照管。

检视：于上述供试品溶液和标准铅对照管中分别加硫代乙酰胺试液各2ml，摇匀，放置2分钟，同至白纸上，自上向下透视，供试品溶液的颜色明显浅于1ml的标准铅对照管，经过三批供试品及模拟样品的检查，含重金属均未超过百万分之十，故未列入正文。试验结果见下表3。

表3 重金属检查结果

序号	供试品批号	重金属含量（ppm）			
1	20191228	<10	<20	<30	<40
2	20191116	<10	<20	<30	<40
3	20200106	<10	<20	<30	<40
4	20200008	<10	<20	<30	<40

结果显示，供试品溶液的颜色明显浅于2ml的标准铅对照溶液。经过3批供试品及模拟样品的检查，含重金属均未超过百万分之十，故未收入正文。

砷盐：取本品1g和标准砷溶液（1μg/mlAS）2ml，分别加无砷氢氧化钙1g，加少量水，搅匀，烘干，用小火缓缓炽灼至炭化，再在600℃炽灼至完全灰化，放冷。分别加盐酸7ml使溶解，再加水21ml，按《中国药典》2020年版四部通则0822第一法（古蔡氏法）检查砷盐含量。

结果：供试品砷斑浅于标准砷斑的颜色，表明本品含砷量未超过百万分之二（小于2ppm），故砷盐检查项目未列入正文。

6. 微生物限度：照微生物计数法（《中国药典》2020年版四部通则1105）、控制菌检查法（《中国药典》2020年版四部通则1106）及《内蒙古蒙药制剂规范》（第三册）附录Ⅲ微生物限度标准，进行检查。结果均符合规定。

7. 急性毒性试验：试验研究及结果见本文后面的附件。

【含量测定】

巴嘎·嘎如迪-13丸是由诃子、诃子汤泡草乌、石菖蒲、木香、甘草、山沉香、珊瑚（酒制）、珍珠（炒）、禹粮土、丁香、肉豆蔻、磁石（淬）、人工麝香十三味药组成。临床功效通窍，舒筋，活血，镇静安神，除协日乌素。用于白脉病，半身不遂，左瘫右痪，口舌歪斜，四肢麻木，腰腿不利，言语不清，筋骨疼痛，神经麻痹，风湿，关节疼痛。

木香功效行气止痛，健脾消食。故选择木香烃内酯和去氢木香内酯作为指标成分，对本制剂中的木香进行含量测定方法的研究。参照《中国药典》2020年版一部"木香"项下高效液相色谱法对其进行含量测定。通过试验分析，结果分离效果和重现性好、专属性强。

1 仪器与试剂试药

1.1 仪器

Waters e2695高效液相色谱仪，百万分之一电子天平（Mettler-Toledo MS105DU），万分之一电子天平（Mettler-Toledo XPR10），多功能粉碎机（FW400A材茂科技有限公司），超纯水系统（Heal Force NW15UV），超声波恒温清洗器（SBL-22DT宁波新芝生物科技股份有限公司）。

1.2 试剂与试药

供试品（批号20191228、20200106、20191116）由内蒙古自治区国际蒙医医院提供，模拟样品（批号20200008）模拟；木香烃内酯对照品（批号111524-201208）购于中国食品药品检定研究院；甲醇为色谱纯，水为纯化水，其他试剂均为分析纯。

2 方法学考察

2.1 色谱条件

2.1.1 色谱柱：填充剂为十八烷基硅烷键合硅胶，本试验采用Pheomenex C$_{18}$（250mm×4.6mm，5μm）、Alltima C$_{18}$（250mm×4.6mm，5μm）色谱柱。

2.1.2 流动相：选择以甲醇-水（65:35）为流动相，供试品中的木香烃内酯与其他成分能达到较好的分离，色谱峰具有比较好的保留时间、分离度和对称性。

2.1.3 柱温：比较了30℃和35℃的柱温，结果在30℃的条件下，木香烃内酯保留时间和峰型基本一致，而且分离效果比较好。因此，选择柱温在30℃。

2.1.4 检测波长的选择：参照《中国药典》2020年版一部"木香"的含量测定方法中的测定波长，选用225nm处作为检测波长。

2.1.5 理论板数的确定：从对三批数据的测定结果可见，木香烃内酯理论板数在3000以上即能达到较好的分离效果，故确定理论板数按木香烃内酯峰计算应不低于3000。

2.2 提取溶剂的选择

参照《中国药典》2020年版一部"木香"的含量测定方法中对木香药材的提取方法，故选择甲醇作为提取溶剂。

2.3 提取时间的考察

将供试品研成粉末，取粉末，以甲醇25ml作为提取溶剂，进行超声提取（功率250W，频率40kHz），试验中考察了超声20分钟、30分钟、40分钟三个不同提取时间对提取效率的影响，含量测定结果见表4。

表4　木香烃内酯提取时间考察

时间（min）	取样量（g）	样品峰面积值			含量（mg/g）
		A	B	平均	
20	4.0028	2276154	2256560	2266357	0.64
30	4.0019	2272628	2260924	2266776	0.64
40	4.0054	2266062	2250467	2258264.5	0.64

从表4数据可见，超声提取20分钟、30分钟、40分钟供试品中木香烃内酯含量结果几乎无变化，同时，参照《中国药典》2020年版一部"木香"含量测定项下的超声时间，为超声30分钟，故本标准也将提取超声时间定为30分钟（功率250W，频率40kHz）。

2.4 专属性考察

2.4.1 对照品溶液的制备：取木香烃内酯对照品适量，精密称定，加甲醇制成每1ml含木香烃内酯0.1mg的对照品溶液，即得。

2.4.2 供试品溶液的制备：将本品研成粉末，取粉末约4.0g，精密称定，置具塞锥形瓶中，精密加入甲醇25ml，密塞，称定重量，超声处理（功率250W，频率40kHz）30分钟，放冷至室温，再称定重量，用甲醇补足减失的重量，摇匀，滤过，取续滤液，即得。

2.4.3 阴性对照溶液的制备：另取按处方比例并以相同工艺制备的不含木香的阴性对照供试品。按"供试品溶液"制备法制得的阴性对照溶液。

2.4.4 测定：分别精密吸取以上三种溶液各10μl，注入色谱仪，记录各自的色谱图。

结果阴性对照色谱中在与木香烃内酯和去氢木香内酯对照品以及供试品色谱相应的保留时间处无色谱峰出现，表明其他组分对木香烃内酯和去氢木香内酯的测定无干扰。

2.5 线性关系考察

分别取木香烃内酯约2.5mg，精密称定，置25ml量瓶中，用甲醇使溶解，并稀释至刻度，摇匀（木香烃内酯浓度为0.10304mg/ml），分别精密吸取上述对照品溶液2μl、5μl、10μl、15μl、20μl和25μl注入液相色谱仪测定。记录色谱图，按上述色谱条件测定以峰面积对进样量进行回归分析，标准曲线数值见表5。

表5 木香烃内酯标准曲线数值表

对照品量（μg）	峰面积值	回归方程	回归系数（r）
0.2061	284959		
0.5152	910210		
1.0304	1890584	$y=199126.2x-96017.5$	0.9999
1.5456	2915857		
2.0608	3887613		
2.5760	4867393		

从表5数据可见，木香烃内酯在0.20608~2.576μg范围内与峰面积值呈良好的线性关系。

2.6 稳定性试验

取同一份供试品溶液（批号20191116），分别于0小时、2小时、4小时、10小时、12小时、14小时进行测定。结果见表6。

表6 不同时间测定供试品中木香烃内酯的峰面积值

时间（h）	峰面积值	RSD（%）
0	2276234	
2	2276381	
4	2275968	
6	2276904	0.02
8	2276351	
10	2275337	
12	2276854	

从表6数据可见,木香烃内酯在12小时内的峰面积值基本稳定不变,能够满足测定所需要的时间。

2.7 精密度试验

取同一份供试品溶液(批号20191116),连续进样6次,测定木香烃内酯和去氢木香内酯峰面积值。结果见表7。

表7　木香烃内酯精密度试验结果

峰面积值	平均值	RSD(%)
2275625		
2276258		
2275423	2275857	0.01
2275984		
2275857		
2275369		

从表7数据可见,符合《中国药典》2020年版四部通则0512中规定的RSD值小于2.0%的要求。

2.8 重复性试验

取同一批号供试品6份(批号20191116),各约2.0g,精密称定,置具塞锥形瓶中,精密加入甲醇25ml,密塞,称定重量,超声处理(功率250W,频率40kHz)30分钟,放冷至室温,再称定重量,用甲醇补足减失的重量,摇匀,滤过,取续滤液作为供试品溶液。另精密称取木香烃内酯对照品适量,精密称定,加甲醇制成每1ml含木香烃内酯0.1mg的对照品溶液,作为对照品溶液。分别精密吸取供试品溶液和对照品溶液各10μl,注入色谱仪,记录色谱图。按外标法以峰面积计算含量,结果见表8。

表8　木香烃内酯含量重复性试验结果

编号	取样量	样品峰面积值		平均峰面积值	含量 (mg/g)	平均含量 (mg/g)	RSD (%)
		A	B				
1	4.0028	2275638	2275867	2275753	0.6434		
2	4.0036	2276854	2276845	2276850	0.6436		
3	4.0014	2276857	2276985	2276921	0.6440	0.6435	0.04
4	4.0054	2277857	2277524	2277691	0.6435		
5	4.0033	2275425	2275368	2275397	0.6432		
6	4.0051	2276548	2276985	2276767	0.6433		

从表8数据可见,在相同的提取溶剂和色谱条件下,6份供试品含量测定结果的均值为0.6435mg/g,RSD为0.04%,表明该方法的重复性良好。

2.9 加样回收试验

取已知含量的(木香烃内酯含量为0.64mg/g)供试品9份置25ml容量瓶中,各4.0g,精密称定。分成三组,每组三份,每组分别精密加入木香烃内酯对照品(浓度为0.130mg/ml)溶液各5ml、10ml、15ml(约相当于供试品含有量的50%、100%、150%),用甲醇定容到刻度,测定每份的含量,计算回收率,结果见表9。

表9 木香烃内酯加样回收试验结果

序号	样品量（g）	供试品含量（mg）	对照品加入量（mg）	测得总量（mg）	回收率（%）	平均（%）	RSD（%）
1-1	2.0033	1.2821	0.65	1.9295	99.8		
2-1	2.0008	1.2805	0.65	1.9139	98.7		
3-1	2.0006	1.2804	0.65	1.9432	101.0		
1-2	2.0033	1.2821	1.30	2.5680	98.9		
2-2	2.0033	1.2821	1.30	2.6078	102.0	99.4	1.5
3-2	2.0006	1.2804	1.30	2.5765	99.7		
1-3	2.0033	1.2821	0.195	1.4361	96.8		
2-3	2.0008	1.2805	0.195	1.4576	98.6		
3-3	2.0006	1.2804	0.195	1.4690	99.5		

从表9数据可见，本方法的平均回收率为99.4%，RSD为1.5%。该方法准确度好。

2.10 耐用性试验

取不同厂家、不同型号的色谱柱，考察本实验方法是否具备耐用性。取重复性试验中的1、2号供试品及对照品分别进样，测定含量，结果见表10。

表10 不同色谱柱木香烃内酯的耐用性试验

样品号	柱型号	分离度	含量（mg/g）	相对偏差（%）
1	Pheomenex C_{18}	5.24	0.6458	0.93
	Alltima C_{18}	4.25	0.6338	
2	Pheomenex C_{18}	6.27	0.6457	0.22
	Alltima C_{18}	3.58	0.6428	

从表10数据可见，使用不同型号或厂家的色谱柱对测定结果影响较小，具有较好的耐用性。

3 样品含量测定

取样品粉末各约4.0g，每批2份，精密称定，置具塞锥形瓶中，精密加入甲醇25ml，密塞，称定重量，超声处理30分钟（功率250W，频率40kHz），放冷至室温，再称定重量，用甲醇补足减失的重量，摇匀，滤过，取续滤液，即得。按重复性试验的方法和色谱条件，吸取10μl，分别注入液相色谱仪，三批样品的含量测定结果见表11。

表11 样品木香烃内酯的含量测定结果

批号	取样量（g）	样品峰面积值 A	样品峰面积值 B	样品峰面积值 平均	含量（mg/g）	平均含量（mg/g）
20190627	4.006	2275859	2276857	2276358	0.6431	0.6431
	4.0059	2276851	2276338	2276594.5	0.6431	
20191120	4.0038	2276591	2276354	2276472.5	0.6434	0.6437
	4.0007	2276538	2276354	2276446	0.6439	
20200335	4.0066	2276358	2276413	2276385.5	0.6430	0.6434
	4.0013	2276425	2276854	2276639.5	0.6439	
2020008	4.0068	5065699	5120267	5092983	1.4384	1.4381
	4.0019	5085786	5082594	5084190	1.4377	

从表11数据可见，三批样品的木香烃内酯含量在0.64mg/g以上。

4 木香药材含量测定

同法对上述三批供试品生产用木香药材进行木香烃内酯含量测定。测定结果见表12。

表12 木香药材的含量测定结果（木香烃内酯）

批号	取样量（g）	峰面积值			含量（mg/g）	平均含量（mg/g）
		A	B	平均		
木香1	0.2028	2406508	2351108	2378808	16.18	16.11
木香2	0.2062	2404952	2390045	2397499	16.04	

从表12数据可见，木香药材中木香烃内酯含量为16.11mg/g。

5 本制剂含量限度的确定

表中数据可见，三批样品中木香烃内酯含量最低为0.64mg/g，模拟样品中木香烃内酯含量为1.43mg/g。试验中用相同方法对生产用相同木香药材进行了含量测定。测得木香烃内酯含量为16.11mg/g（1.61%）。

按理论值折算，样品应含木香烃内酯量为30÷287×1.61%=1.68mg，可见，木香烃内酯量转移率为1.4381÷1.68×100%=85.59%

参照《中国药典》2020年版一部"木香"药材的木香烃内酯、去氢木香内酯的总含量限度不得少于1.8%，按《中国药典》"木香"项下规定含量限度（2种成分1.8%）折算，转移率为85.59%，考虑不同产地药材的质量差异，并结合其他影响因素及三批样品的测定结果，下浮40%，按此限度折算本品含木香烃内酯的理论量应不低于30÷287×1.8%÷2×1000×85.59%×60%=0.48mg/g。

标准正文暂定为：本品每1g含木香以木香烃内酯（$C_{15}H_{20}O_2$）计，不得少于0.50mg。

【功能与主治】

祛风通窍，舒筋活血，镇静安神，杀黏，燥协日乌素。主治白脉病，中风，黏性刺痛，吾亚曼病，白喉，炭疽，瘟疫，转筋，关节协日乌素症，丹毒，亚玛症等。

【用法与用量】

口服。一次5~9丸，一日1次，晚睡前温开水送服。

【注意事项】

孕妇忌服，年老体弱者慎用。

【规格】

每10丸重2g。

【贮藏】

密封，防潮。

附件 昆明小鼠灌胃巴嘎·嘎如迪-13丸急性毒性试验研究报告

1 摘要

目的：

通过一天内大剂量（≥临床等效量的50倍）对昆明种小鼠灌胃巴嘎·嘎如迪-13丸，观察其产生的毒性反应及严重程度、主要毒性靶器官，为重复给药毒性研究计量设计和主要观察指标提供参考。

方法：

根据药物急性毒性预试验测定，无法测出LD_{50}，故采用急性毒性限度试验测定方法。小鼠按0.4ml/10g灌胃给药,给药1次,总给药体积为40ml/kg。成人最大剂量1.8g/(60kg·d),换算成小鼠临床等效最大剂量为0.225g/(kg·d)。配制药物最大可混悬浓度为0.6030g/ml,灌胃给药1次,给药剂量为24.12g/(kg·d),经计算为临床给药量的107.20倍。故一天内给药1次,小鼠给药总量为临床等效量的107.20倍,给药后观察动物的临床症状,连续观察至第14天,每天进行体重、摄食量、饮水量测定。第15天解剖动物,并进行大体病理学检查,若发现病变,则对病变组织进行组织病理学检查。

结果:

(1)一般状态观察:给药后,供试品组动物自主活动减少,给药后第2天上述异常症状恢复。

(2)对动物体重的影响:试验期间,各组动物的体重增加之间比较,无显著性差异($P>0.05$),说明巴嘎·嘎如迪-13丸对实验动物的体重无显著性影响。

(3)对动物摄食量的影响:试验期间,给药当天巴嘎·嘎如迪-13丸组动物摄食量略有减少。从给药第2天开始,各组动物的摄食量之间比较,无显著性差异($P>0.05$),说明巴嘎·嘎如迪-13丸对实验动物的摄食量无显著性影响。

(4)病理学检查:大体病理学检查,肉眼观察组织、器官未发现异常或病变。

结论:

巴嘎·嘎如迪-13丸口服给药为无毒或低毒药物。

2 研究的一般信息

2.1 专题名称及研究目的

专题名称:昆明小鼠灌胃巴嘎·嘎如迪-13丸急性毒性试验研究报告。

研究目的:采用昆明小鼠,单次灌胃巴嘎·嘎如迪-13丸,观察其产生的毒性反应及严重程度、主要毒性靶器官,为重复给药毒性研究计量设计和主要观察指标提供参考。

2.2 研究遵循的GLP法规性文件

《药物非临床研究质量规范》(国家食品药品监督管理局令第34号,原CFDA 2017.9.1)。

2.3 所用毒性研究指导原则的文件和名称及参考文献

2.3.1 所用毒性研究指导原则的文件和名称

《药物单次给药毒性研究技术指导原则》(原CFDA 2014.5);

《中药、天然药物急性毒性研究技术指导原则》(原CFDA 2005.3)。

2.3.2 所用参考文献

[1]陈奇.中药药理研究方法学[M].北京:人民卫生出版社,2000.

[2]李仪奎.中药药理试验方法学[M].上海:上海科学技术出版社,2006.

[3]魏伟,吴希美,李元建.药理实验方法学[M](第四版).北京:人民卫生出版社,2010.

3 实验材料

3.1 受试物及剩余受试物的处理

3.1.1 供试品

名称:巴嘎·嘎如迪-13丸。

提供单位:内蒙古自治区国际蒙医医院国家蒙药制剂中心。

批号:20180601。

3.1.2 剩余供试品的处理

对送样供试品留样60丸,留样保存至有效期2022年12月31日废弃。

3.2 实验系统

3.2.1 实验动物

动物种系、级别: 小鼠, 昆明种, SPF级。

繁育单位: 内蒙古医科大学实验动物中心。

内蒙古医科大学实验动物中心实验动物生产许可证编号: SCXK(蒙)2015-0001。

发证机关: 内蒙古自治区科学技术厅。

3.2.2 动物选择理由

作为一般毒性研究, 昆明种小鼠是常用的啮齿类哺乳动物, 且此种动物的国内外背景资料丰富, 动物供应充足。

3.2.3 动物的饲养管理

3.2.3.1 动物的饲养环境。

饲育环境: 屏障环境。

温度: 20~26℃, 日温差≤3℃。

相对湿度: 41%~64%。

换气次数: ≥15次/小时。

照明时间: 12/12明暗交替(150~300lx)。

动物笼具: PC材质小鼠饲养笼。

饲养密度: 5只/笼。

笼具的换新频率: 3次/周。

粪便的处理: 在更换饲养盒时, 随动物废弃垫料装入专用垃圾袋, 密封后统一处理。

清扫与消毒: 全部操作结束后清扫, 采用0.1%新洁尔灭和0.2% 84消毒液进行轮换消毒, 每周一次轮流交换消毒液的种类。

3.2.3.2 检疫

检疫与适应性饲养时程: 7天(含购入日)。

3.2.3.2.1 购入日检疫内容

动物外观健康检查: 外表(有无外伤、卷尾、肿瘤、畸残等), 体形(有无消瘦、过肥), 行动(有无倦怠、躁动), 体温(有无发热、发冷), 呼吸(有无呼吸不规律和异常呼吸音), 被毛(有无竖毛、脱毛、脏污), 鼻(有无流涕、出血、流脓), 口腔(有无流涎、齿过长), 眼(有无流泪、分泌物过多、眼球浑浊), 耳(有无外伤、耳癣), 生殖器(有无外伤、异常分泌物), 尿(有无血尿), 粪便(有无下痢、血便、脓便), 其他异常。

3.2.3.2.2 第2~7天检疫驯化内容

每天上、下午各1次对检疫动物进行观察, 检疫过程中, 如出现外观、临床症状观察等任何异常现象, 对实验可能有影响的动物予以淘汰。

3.2.3.2.3 检疫驯化期体重测定

在检疫第1天(动物入室日)和第7天(分组前)称量动物体重。

3.2.3.3 饲料

饲料种类: ^{60}Co放射灭菌鼠全价颗粒饲料。

生产单位: 斯贝福(北京)实验动物科技有限公司。

斯贝福(北京)实验动物科技有限公司实验动物生产许可证编号: SCXK(京)2015-0015。

发证机关：北京市科学技术委员会。

给料方法：定时投饲，自由摄取。

饲料的保存：保存在专门的通风、清洁、干燥的饲料间里。

3.2.3.4 饮用水

种类：实验动物高压灭菌饮用水。

给水方法：饮水瓶不间断供水，自由摄取。

3.2.3.5 垫料

垫料名称：玉米芯垫料。

提供单位：北京凌云博际（北京）科技有限公司。

北京凌云博际（北京）科技有限公司实验动物生产许可证编号：SCXK（京）2015-0014。

发证机关：北京市科学技术委员会。

灭菌方法：121℃、20分钟真空高压蒸汽灭菌。

3.2.4 动物的个体识别方法

分组前采用耳标记法，分组后采用躯体背部毛涂抹苦味酸溶液标记法。标记部位分别为头、背、尾、左前、左中、左后、右前、右中、右后和空白。鼠笼以笼卡标记组别、动物号、给药剂量及给药时间等信息。

3.3 药物剂量

成人临床每日用量为5~9粒，测定药丸平均粒重，每10粒重2.02g，一日1次，所以成人最小剂量为1.01g/（60kg·d），最大剂量1.818g/（60kg·d），换算成小鼠临床等效最大剂量为0.225g/（kg·d），最大给药剂量为24.12g/（kg·d），为人临床给药剂量的107.20倍。

3.4 实验试剂

水合氯醛（天津市大茂化学试剂厂，批号20181124），羧甲基纤维素钠（天津市致远化学试剂有限公司，批号20190304）。

3.5 实验仪器

电子天平（北京塞多利斯仪器系统有限公司，型号BS2202S），电子天平（北京塞多利斯仪器系统有限公司，型号BS2402S），实体解剖显微镜（德国Leica公司，型号DFC 290）。

4 实验方法

4.1 实验分组

选取健康昆明小鼠40只，雌雄各半。适应性饲养7天后，按性别、体重将小鼠随机分为空白对照组（0.5%CMC-Na）、供试品组（巴嘎·嘎如迪-13丸），共2组，每组20只，雌雄各半。

4.2 临床症状观察

观察时间和次数：

检疫期：每天上、下午各1次对检疫动物进行观察。

实验期：给药日，给药前、给药开始至给药结束后30分钟连续观察，如无异常则停止观察，如果有异常则继续观察至恢复正常为止，但最长不超过给药后2小时。下午观察一次。

  非给药日，每天上、下午各观测一次。

观察例数：全部实验动物。

观察方法：隔笼观察，观察内容包括是否死亡、濒死、活动状况、外观及被毛、有无外伤、分辨情况等。

观察指征：见表1。

表1 临床症状观察

观察	指征	可能涉及的组织、器官、系统
I. 鼻孔呼吸阻塞, 呼吸频率和深度改变, 体表颜色改变	呼吸困难: 呼吸困难或费力, 喘息, 通常呼吸频率减慢	
	1. 腹式呼吸: 膈膜呼吸, 吸气时膈膜向腹部偏移	CNS呼吸中枢, 肋间肌麻痹, 胆碱能神经麻痹
	2. 喘息: 吸气很困难, 伴随有喘息声	CNS呼吸中枢, 肺水肿, 呼吸道分泌物蓄积, 胆碱能功能增强
	呼吸暂停: 用力呼吸后出现短暂的呼吸停止	CNS呼吸中枢, 肺心功能不全
	紫绀: 尾部、口和足垫呈现青紫色	肺心功能不全, 肺水肿
	呼吸急促: 呼吸快而浅	呼吸中枢刺激, 肺心功能不全
	鼻分泌物: 红色或无色	肺水肿, 出血
II. 运动功能: 运动频率和特征的改变	自发活动、探究、梳理、运动增加或减少	躯体运动, CNS
	嗜睡: 动物嗜睡, 但可被针刺唤醒而恢复正常活动	CNS睡眠中枢
	正位反射 (翻正反射) 消失: 动物体处于异常体位时所产生的恢复正常体位的反射消失	CNS, 感觉, 神经肌肉
	麻痹: 正位反射和疼痛反应消失	CNS, 感觉
	僵住: 保持原姿势不变	CNS, 感觉, 神经肌肉, 自主神经
	共济失调: 动物行走时无法控制和协调运动, 但无痉挛、局部麻痹、轻瘫或僵直	CNS, 感觉, 自主神经
	异常运动: 痉挛, 足尖步态, 踏步, 忙碌, 低伏	CNS, 感觉, 神经肌肉
	俯卧: 不移动, 腹部贴地	CNS, 感觉, 神经肌肉
	震颤: 包括四肢和全身的颤抖和震颤	神经肌肉, CNS
	肌束震颤: 包括背部、肩部、后肢和足趾肌肉的运动	神经肌肉, CNS, 自主神经
III. 惊厥 (癫痫发作): 随意肌明显不自主收缩或痉挛性收缩	阵挛性惊厥: 肌肉收缩和松弛交替性痉挛	CNS, 呼吸衰竭, 神经肌肉, 自主神经
	强直性惊厥: 肌肉持续性收缩, 后肢僵硬性伸展	CNS, 呼吸衰竭, 神经肌肉, 自主神经
	强直性-阵挛性惊厥: 两种惊厥类型交替出现	CNS, 呼吸衰竭, 神经肌肉, 自主神经
	窒息性惊厥: 通常是阵挛性惊厥并伴有喘息和紫绀	CNS, 呼吸衰竭, 神经肌肉, 自主神经
	角弓反张: 背部弓起、头向背部抬起的强直性痉挛	CNS, 呼吸衰竭, 神经肌肉, 自主神经
IV. 反射	角膜性眼睑闭合反射: 接触角膜导致眼睑闭合	感觉, 神经肌肉
	基本条件反射: 轻轻敲击耳内表面, 引起外耳抽搐	感觉, 神经肌肉
	正位反射: 翻正反射的能力	CNS, 感觉, 神经肌肉
	牵张反射: 后肢被牵拉至从某一表面边缘掉下时缩回的能力	感觉, 神经肌肉
	对光反射: 瞳孔反射, 见光瞳孔收缩	感觉, 神经肌肉, 自主神经
	惊跳反射: 对外部刺激 (如触摸、噪声) 的反应	感觉, 神经肌肉

续表

观察	指征	可能涉及的组织、器官、系统
V. 眼检指征	流泪:眼泪过多,泪液清澈或有色	自主神经
	缩瞳:无论有无光线,瞳孔缩小	自主神经
	散瞳:无论有无光线,瞳孔扩大	自主神经
	眼球突出:眼眶内眼球异常突出	自主神经
	上睑下垂:上睑下垂,针刺后不能恢复正常	自主神经
	血泪症:眼泪呈红色	自主神经,出血,感染
	瞬膜松弛	自主神经
	角膜混浊,虹膜炎,结膜炎	眼睛刺激
VI. 心血管指征	心动过缓:心率减慢	自主神经,肺心功能不全
	心动过速:心率加快	自主神经,肺心功能不全
	血管舒张:皮肤、尾、舌、耳、足垫、结膜、阴囊发红,体热	自主神经、CNS、心输出量增加,环境温度高
	血管收缩:皮肤苍白,体凉	自主神经、CNS、心输出量降低,环境温度低
	心律不齐:心律异常	CNS、自主神经、肺心功能不全,心肌梗死
VII. 流涎	唾液分泌过多:口周毛发潮湿	自主神经
VIII. 竖毛	毛囊竖毛组织收缩导致毛发蓬乱	自主神经
IX. 痛觉缺失	对痛觉刺激(如热板)反应性降低	感觉,CNS
X. 肌张力	张力低下:肌张力全身性降低	自主神经
	张力过高:肌张力全身性增高	自主神经
XI. 胃肠指征		
排便(粪)	干硬固体,干燥,量少	自主神经,便秘,胃肠动力
	体液丢失,水样便	自主神经,腹泻,胃肠动力
呕吐	呕吐或干呕	感觉,CNS,自主神经(小鼠无呕吐)
多尿	红色尿	肾脏损伤
	尿失禁	自主神经
XII. 皮肤	水肿:液体充盈组织所致肿胀	刺激性,肾功能衰竭,组织损伤,长时间静止不动
	红斑:皮肤发红	刺激性,炎症,过敏

4.3 体重测定

测定次数:首次给药至给药后第14天,连续14天进行体重测定。

测定例数:全部实验动物。

测定方法:用电子天平进行体重测定。

4.4 摄食量测定

测定次数:首次给药至给药后第14天,连续14天进行摄食量测定。

测定例数:全部动物。

测定方法:第1天上午测定每个饲养笼所给饲料量,次日上午相同时间测定剩余饲料量,以二者差值计算每个饲养笼动物的总进食量,并计算该笼每只动物每天的平均进食量。

4.5 饮水量测定

测定次数:首次给药至给药后第14天,连续14天进行摄食量测定。

测定例数：全部动物。

测定方法：第1天上午测定每个饲养笼所给水量，次日上午相同时间测定剩余水量，以二者差值计算每个饲养笼动物的总饮水量，并计算该笼每只动物每天的平均饮水量。

4.6 病理学检查

4.6.1 剖检

剖检例数：全部预定解剖的动物、各组死亡或濒临死亡的动物。

剖检方法：对于全部预定解剖的动物和各组濒临死亡动物，腹腔注射20%水合氯醛进行麻醉。从腹腔后大静脉完全放血处死，然后进行解剖。濒死动物，迅速解剖。

尸检：肉眼观察脑、脊髓、心脏、主动脉、肺（含支气管）、肝脏、肾脏、脾脏、胰脏、胃、十二指肠、空肠、回肠结肠、直肠、盲肠、睾丸、附睾、前列腺、卵巢、子宫、阴道、膀胱、脑垂体、甲状腺（含甲状旁腺）、颌下腺、肾上腺、坐骨神经、肌肉、肠系膜淋巴结、胸腺、乳腺（雌性）、胸骨，发现异常时对该组织脏器用10%的甲醛（睾丸、附睾和眼球用Davidson's液）进行固定保存，并进行组织病理学检查，如未发现异常，不进行固定保存。

4.6.2 组织病理学检查

检查方法：固定后的组织经修块取材，逐级酒精脱水，石蜡包埋，滑动切片机切片（厚度约$3\mu m$），经苏木精-伊红（HE）染色，光镜下进行检查。根据镜检结果，如果某些组织器官需用其他方法染色，以提供更多的组织病理学信息，则进一步进行特殊染色。

4.7 数据的统计与处理

对于体重、摄食量等数据均采用SPSS22.0按照以下方法进行统计，最终数据以$\bar{x}\pm s$表示：①首先用Barlett检验方法进行数据均一性检验，如有数据均一（检验$P\geq 0.05$），则进行方差分析检验（F检验）；如果Bartlett检验结果显著（$P<0.05$），则进行Kruskal-wallis检验。②如果方差分析检验结果显著（$P<0.05$），则进一步用Dunett参数检验法进行多重比较检验；如果方差分析结果不显著（$P\geq 0.05$），则统计结束。③如果Kruskal-wallis检验结果显著（$P<0.05$），则进一步用Dunett非数检验法进行多重比较检验；如果Kruskal-wallis检验结果不显著（$P\geq 0.05$），则统计结束。

临床症状观察、大体病理学检查结果、组织病理学检查结果（如果有）则无需进行统计学处理，直接列出观察结果。

5 结果

5.1 对动物临床症状的影响

给药后连续观察动物2周，小鼠进食、进水、活动、毛色、排便姿势、躯体运动、呼吸频率，下腹及肛门周围有无污染，眼、鼻、口有无分泌物，体温等一切正常。

5.2 对动物体重的影响

试验期间，小鼠活动正常，健康活泼，小鼠无一死亡，无中毒反应，无其他异常现象。空白对照组和给药组小鼠体重比较，无显著性差异（$P>0.05$）。结果见表2、表3。

表2 巴嘎·嘎如迪-13丸对雄性小鼠体重的影响（$n=10$, g, $\bar{x}\pm s$）

组别	给药第1天	给药第7天	给药第14天
空白对照组	18.26±1.86	25.27±4.65	33.85±3.71
供试品组	17.48±3.92	26.45±3.73	34.70±4.11

表3   巴嘎·嘎如迪-13丸对雌性小鼠体重的影响（n=10, g, $\bar{x}\pm s$）

组别	给药第1天	给药第7天	给药第14天
空白对照组	18.33±5.30	21.93±6.17	31.48±1.74
供试品组	18.45±4.62	20.30±2.91	31.77±2.25

5.3   对动物摄食量的影响

试验期间，各组动物的摄食量之间比较，无显著性差异（$P>0.05$）。结果见表4、表5。

表4   巴嘎·嘎如迪-13丸对雄性小鼠摄食量的影响（n=10, g, $\bar{x}\pm s$）

组别	给药第1天	给药第7天	给药第14天
空白对照组	5.86±1.37	6.10±0.28	5.56±1.74
供试品组	4.96±1.67	7.03±1.94	6.66±1.20

表5   巴嘎·嘎如迪-13丸对雌性小鼠摄食量的影响（n=10, g, $\bar{x}\pm s$）

组别	给药第1天	给药第7天	给药第14天
空白对照组	5.74±0.74	6.62±0.62	5.82±0.37
供试品组	2.87±0.29	6.59±1.47	6.27±1.63

5.4   对动物饮水量的影响

试验期间，各组动物的饮水量之间比较，无显著性差异（$P>0.05$）。结果见表6、表7。

表6   巴嘎·嘎如迪-13丸对雄性小鼠饮水量的影响（n=10, g, $\bar{x}\pm s$）

组别	给药第1天	给药第7天	给药第14天
空白对照组	5.39±1.92	5.91±2.49	6.02±2.47
供试品组	6.86±1.37	5.83±1.15	5.16±1.44

表7   巴嘎·嘎如迪-13丸对雌性小鼠饮水量的影响（n=10, g, $\bar{x}\pm s$）

组别	给药第1天	给药第7天	给药第14天
空白对照组	5.82±1.71	6.03±2.17	5.85±1.26
供试品组	6.62±1.69	4.54±1.97	5.29±1.61

5.5   病理学检查

大体病理学检查，肉眼观察组织、器官未发现异常或病变。

6   结论

本实验条件下，昆明种小鼠灌胃给予巴嘎·嘎如迪-13丸，小鼠按0.4ml/10g灌胃给药，一日内给药1次，小鼠总给药量为40ml/kg，为人临床给药剂量的107.20倍。在观察期间内（0~14天），饲养观察2周，无任何异常及中毒反应，小鼠体重增加，行为、活动、进食一切正常。

结果表明，巴嘎·嘎如迪-13丸口服给药为无毒或低毒药物。

起草单位：内蒙古自治区国际蒙医医院   那松巴乙拉   白嘎利   包文亮   曹山虎

鄂尔多斯市检验检测中心   孟美英   吕彩莲   张烨

内蒙古医科大学药学院   肖云峰   钱新宇   王娜   韩运琪   王建民   李建华

张双兰   程前   籍紫薇

巴嘎·额日敦质量标准起草说明

【历史沿革】

本方来源于《蒙医金匮》(满阿格仁钦中乃)(内蒙古人民出版社1978年版,蒙古文,第874页)。

【处方来源】

本制剂由内蒙古自治区国际蒙医医院提供。

【名称】

巴嘎·额日敦

【蒙药材和饮片的来源和执行标准】

1. 处方组成及药味排列顺序: 炒珍珠20g、紫檀20g、石膏15g、诃子15g、川楝子15g、栀子15g、红花15g、生草果仁15g、檀香15g、枫香脂15g、山沉香15g、海金沙15g、豆蔻15g、决明子10g、香旱芹10g、苘麻子10g、肉豆蔻15g、土木香10g、木香10g、甘草10g、荜茇10g、肉桂10g、地锦草10g、丁香10g、黑种草子10g、方海10g、水牛角浓缩粉30g、人工牛黄5g、人工麝香1g。

2. 处方中除了方海、香旱芹、紫檀、山沉香和人工麝香药材外,其余石膏等药味均收载于《中国药典》2020年版一部,其质量应符合该品种项下的有关规定。

方海: 为方蟹科中华绒螯蟹*Eriocher sinensis* H. Milne–Edwards的干燥全体。其质量应符合《内蒙古蒙药饮片炮制规范》2020年版第431页该品种项下的有关规定。

香旱芹: 为伞形科植物孜然芹*Cuminum cyminum* L. 的干燥成熟果实。其标准应符合《内蒙古蒙药饮片炮制规范》2020年版第334页该品种项下的有关规定。

紫檀: 为豆科植物紫檀*Pterocarpus sindicus* Willd的干燥新材。其标准应符合《内蒙古蒙药饮片炮制规范》2020年版第440页该品种项下的有关规定。

山沉香: 为木犀科植物贺兰山丁香*Syringa pinnatifolia* Hemsl.var.*alashanensis* Ma.et S.Q.Zhou削去外皮的干燥枝。其标准应符合《中华人民共和国卫生部药品标准》(蒙药分册)1998年版第4页该品种项下的有关规定。

人工麝香: 应符合卫生部标准(试行)WS–210(Z–32)–93标准的有关规定。

【制法】

以上二十九味,除人工牛黄、人工麝香、水牛角浓缩粉外,其余石膏等二十六味,粉碎成细粉,将人工麝香、水牛角浓缩粉、人工牛黄与上述细粉配研,过筛,混匀,用水泛丸,打光,干燥,分装,即得。

【性状】

本品为黄棕色至黄褐色的水丸;气香,味微甘、涩、苦。

【鉴别】

本品为原药材粉末制成的水丸,方中海金沙、丁香、红花、栀子、檀香、珍珠、水牛角的显微特征较明显,故建立显微鉴别,并对处方中荜茇建立了薄层鉴别。

1. 试剂与试药

供试品：供试品（批号20181205、20200312、20200728）由内蒙古自治区国际蒙医医院提供，模拟样品（批号20200007）模拟。

对照品：胡椒碱对照品（批号110775-201706），购于中国食品药品检定研究院。

薄层板：硅胶G板，购于青岛海洋化工有限公司。

所用其他试剂均为分析纯，水为超纯水。

2. 试验方法与结果

（1）显微鉴别

海金沙：孢子四面体，三角状圆锥形，顶面观三面锥形，可见三叉状裂隙，底面观类圆形，直径60~85μm，外壁有颗粒状雕纹。丁香：花粉粒三角形，直径约16μm。栀子：种皮石细胞黄色或淡黄色，多破碎，完整者长多角形或形状不规则，壁厚，有大的圆形纹孔，胞腔棕红色。红花：花粉粒类圆形、椭圆形或橄榄形，直径约至60μm，具3个萌发孔，外壁有齿状突起。檀香：纤维束周围薄壁细胞含草酸钙方晶，形成晶纤维；草酸钙方晶，呈多面形、板状、双晶状，直径22~42μm。珍珠：半透明碎块，有光泽，可见细密波状纹理，色白或淡粉色。水牛角：不规则碎片，灰棕色或棕黑色，表面多裂隙，内含棕色颗粒。

（2）荜茇薄层鉴别

参照《中国药典》2020年版一部"荜茇"项下的薄层条件，制定出正文所述的鉴别方法。通过阴性对照试验观察，方中其他药材对处方中荜茇的检出无干扰。证明此法具专属性。

【检查】

按照丸剂（《中国药典》2020年版四部通则0108）项下规定，对三批供试品及模拟样品的水分、重量差异、溶散时限、重金属、砷盐和微生物限度进行了检查。具体方法及测定数据如下：

1. 水分：取供试品照水分测定法（《中国药典》2020年版四部通则0832）测定。三批供试品及模拟样品测定结果见表1。

表1　水分测定结果

序号	批号	水分（%）
1	20181205	5.0
2	20200312	5.0
3	20200728	4.7
4	20200007	4.8

药典规定丸剂水分含量不得大于9.0%。从表1中可见本品水分含量均符合要求。

2. 重量差异：取以上三批供试品，每批供试品取10份，10丸为1份，分别称定重量，再与每份标示重量（2g）相比较，求每一份的重量差异（%）。药典规定每份标示装量的限度为±8%，并规定超出重量差异限度的不得多于2份，并不得有1份超出限度1倍。本品的重量差异检查结果均符合规定。

3. 溶散时限：取本品按照片剂项下崩解时限检查法（《中国药典》2020年版四部通则0921）加挡板进行测定。三批供试品测定结果见表2。

表2　溶散时限测定结果

序号	批号	溶散时间（min）
1	20181205	44
2	20200312	42
3	20200728	50

药典规定水丸应在1小时内全部溶散。表2的结果显示,本品的溶散时限符合规定。

4. 对三批供试品及模拟样品进行了重金属和砷盐考察,方法与结果如下:

重金属:分别取每个批号供试品0.5g、0.67g、1.0g、2.0g,按《中国药典》2020年版四部0821第二法检查。

供试品溶液的制备:取本品0.5g、0.67g、1.0g、2.0g,分别缓缓炽灼至完全炭化,放冷,加硫酸0.5ml,使湿润,低温加热至硫酸除尽后,加硝酸0.5ml,蒸干,至氧化氮蒸气除尽后,放冷,于600℃炽灼至完全灰化,放冷。加盐酸2ml,置水浴上蒸干后加水15ml,滴加氨试液至对酚酞指示液显中性,再加醋酸盐缓冲液(pH3.5)2ml,微热溶解后,移置纳氏比色管中,加水稀释至25ml,作为供试品溶液。

标准铅对照溶液的制备:另取配制供试品溶液的试剂两份,分别置瓷皿中蒸干后,加醋酸盐缓冲液(pH3.5)2ml,加水15ml微热溶解后,移置两支纳氏比色管中,分别加标准铅溶液(10μg/mlPb)2ml,再加水稀释至25ml,作为标准铅对照溶液。

检视:于上述供试品溶液和标准铅对照溶液中分别加硫代乙酰胺试液各2ml,摇匀,放置2分钟,同置白色背景上,从上向下进行观察。结果见表3。

表3 重金属检查结果

序号	供试品批号	重金属含量(ppm)			
1	20181205	<10	<20	<30	<40
2	20200312	<10	<20	<30	<40
3	20200728	<10	<20	<30	<40
4	20200007	<10	<20	<30	<40

结果显示,供试品溶液的颜色明显浅于1ml的标准铅对照溶液。经过三批供试品及模拟样品的检查,含重金属均未超过百万分之十,故未收入正文。

砷盐:取本品1g和标准砷溶液(1μg/mlAS)2ml,分别加无砷氢氧化钙1g,加少量水,搅匀,烘干,用小火缓缓炽灼至炭化,再在600℃炽灼至完全灰化,放冷。分别加盐酸7ml使溶解,再加水21ml,按《中国药典》2020年版四部通则0822第一法(古蔡氏法)做砷盐限量检查。

结果:供试品砷斑浅于标准砷斑的颜色,表明本品含砷量未超过百万分之二(小于2ppm),故砷盐检查项目未收入正文。

5. 微生物限度:照微生物计数法(《中国药典》2020年版四部通则1105)、控制菌检查法(《中国药典》2020年版四部通则1106)及《内蒙古蒙药制剂规范》(第三册)附录Ⅲ微生物限度标准,进行检查。结果均符合规定。

【含量测定】

巴嘎·额日敦是由炒珍珠、石膏、丁香、诃子、川楝子、栀子、红花、肉豆蔻、豆蔻、决明子、生草果仁、荜麻子、枫香脂、土木香、木香、甘草、檀香、紫檀、地锦草、香旱芹、黑种草子、方海、海金沙、山沉香、水牛角浓缩粉、荜茇、肉桂、人工麝香、人工牛黄等二十九味药组成的复方制剂。具有清热,安神,舒筋活络的功效。为了保证该药品内在质量,确保其临床的有效性,对处方中主要药味之一栀子进行了含量测定试验研究。故参照《中国药典》2020年版一部"栀子"项下的含量测定方法,以栀子苷为指标,对本制剂中的栀子进行了HPLC含量测定方法研究。经分析方法验证,表明该方法重现性好、专属性强,方中其他组分对栀子苷的测定无干扰。

1 仪器与试剂试药

1.1 仪器

岛津LC-2030C型高效液相色谱仪,Sartorius BT25S型电子天平,Sartorius BSA223S型电子天平,Sartorius BSA224S型电子天平,MSA6.6S-OCE型电子天平,KQ-500DE型超声清洗仪。

1.2　试剂与试药

供试品(批号20181205、20200312、20200728)由内蒙古自治区国际蒙医医院提供,模拟样(批号20200007)模拟;栀子苷对照品(批号110749-200714)购于中国食品药品检定研究院;乙腈为色谱纯,水为超纯水,其他试剂均为分析纯。

2　方法学验证

2.1　色谱条件

2.1.1　色谱柱:色谱柱填充剂为十八烷基硅烷键合硅胶,本试验研究采用kromasil C$_{18}$(250mm×4.6mm,5μm)色谱柱和Shim-pack C$_{18}$(250mm×4.6mm,5μm)色谱柱。

2.1.2　流动相的选择:参照《中国药典》2020年版一部"栀子"含量测定项下的测定方法,以乙腈-水(22:78)为流动相,供试品与其他成分能达到较好的分离,色谱峰具有比较好的保留时间、分离度和对称性。故选择以乙腈-水(22:78)为流动相。

2.1.3　柱温:试验中对30℃和40℃柱温进行了比较,结果保留时间略有差异,但分离度及理论板数没有变化,本试验研究选择柱温为30℃。

2.1.4　检测波长的选择:取栀子苷对照品适量,加甲醇制成每1ml含30μg的溶液,通过二极管阵列检测器,自800~190nm进行光谱扫描,结果栀子苷在239nm处有最大吸收,结合《中国药典》2020年版一部"栀子"项下选择238nm作为检测波长。

2.1.5　理论板数的确定:从对多批数据的测定结果可见,栀子苷峰的理论板数在2000以上能达到较好的分离效果,故规定理论板数按栀子苷峰计算应不低于2000。

2.2　提取溶剂的选择及提取效率的考察

参照《中国药典》2020年版一部"栀子"含量测定项下的方法,以甲醇作为提取溶剂进行超声提取。为保证被测成分提取完全,在供试品的细度一致、提取溶剂为甲醇的条件下,分别考察了提取10分钟、20分钟、30分钟、40分钟、50分钟的提取效率。结果见表4。

表4　提取效率考察表

提取时间(min)	取样量(g)	平均峰面积值	含量(mg/g)
10	1.0027	690073.5	1.206
20	1.0019	750694.5	1.311
30	1.0025	775866	1.354
40	1.0050	802583	1.402
50	1.0036	751159	1.312

从表4数据可见,超声提取40分钟,栀子苷的含量最高,故将提取时间定为40分钟。

2.3　专属性考察

2.3.1　对照品溶液的制备:取栀子苷对照品适量,精密称定,加甲醇制成每1ml含30μg的溶液,作为对照品溶液。

2.3.2　供试品溶液的制备:取本品适量,研细,取约1.0g,精密称定,置具塞锥形瓶中,精密加入甲醇25ml,密塞,称定重量,超声处理40分钟,放冷,再称定重量,用甲醇补足减失的重量,摇匀,滤过,取续滤液,作为供试品溶液。

2.3.3　阴性对照溶液的制备:按本品处方工艺制备不含栀子的阴性样品,按"供试品溶液的制备"方法制备阴性对照溶液(缺栀子)。

2.3.4 测定：分别精密吸取以上三种溶液各10μl，注入色谱仪，记录各自的色谱图。

试验结果显示，供试品色谱中在与对照品色谱保留时间相同的位置上有色谱峰出现，而阴性对照在与对照品色谱保留时间相同的位置上无色谱峰出现，表明该含量测定方法阴性无干扰，专属性好。

2.4 线性关系考察

取栀子苷对照品约9mg，精密称定，置100ml量瓶中，加甲醇使溶解，并稀释至刻度，摇匀，作为对照品溶液；分别精密吸取1μl、2μl、4μl、6μl、8μl、10μl、12μl、14μl注入液相色谱仪，按上述色谱条件进行测定。以峰面积对进样量进行回归分析，结果见表5。

表5 栀子苷标准曲线数值表

序号	进样量（μg）	峰面积值	回归方程	回归系数（r）
1	0.09002	131461		
2	0.18004	259559		
3	0.36008	520918		
4	0.54012	782279	$y=1452297.9x-253.6$	0.9999
5	0.72016	1050740		
6	0.90020	1306271		
7	1.08024	1574906		
8	1.26028	1823781		

从表5数据可见，栀子苷在0.09002~1.26028μg范围内与峰面积值呈良好的线性关系。

2.5 溶液稳定性试验

取同一供试品溶液，分别在溶液制备后的0小时、2小时、4小时、6小时、8小时、10小时进行测定。结果见表6。

表6 不同时间测定溶液中栀子苷的峰面积值

序号	时间（h）	峰面积值
1	0	811075
2	2	807169
3	4	808824.5
4	6	808161.5
5	8	809136.5
6	10	811799

从表6数据可见，栀子苷在10小时内峰面积值基本稳定不变，能够满足测定所需要的时间。

2.6 重复性试验

取同一批号供试品（批号20181205）6份，每份约1.0g，精密称定，置具塞锥形瓶中，精密加入甲醇25ml，密塞，称定重量，超声处理40分钟，放冷，再称定重量，用甲醇补足减失的重量，摇匀，滤过，取续滤液，作为供试品溶液。另精密称取栀子苷对照品适量，精密称定，加甲醇制成每1ml含30μg的溶液，作为对照品溶液。分别精密吸取供试品溶液和对照品溶液各10μl，注入色谱仪，记录色谱图。按外标法以峰面积计算含量，结果见表7。

表7 栀子苷重复性试验结果

序号	取样量（g）	峰面积值（$n=2$）	含量（mg/g）	平均含量（mg/g）	RSD（%）
1	1.0005	800298	1.390		
2	1.0001	818741.5	1.423		
3	1.0002	803080	1.395	1.396	1.30
4	1.0004	793937	1.379		
5	1.0006	813985.5	1.414		
6	1.0003	793149.5	1.378		

从表7数据可见，在相同的提取溶剂和色谱条件下，6份供试品含量测定结果的均值为1.396mg/g，RSD为1.30%，表明该方法的精密度好。

2.7 加样回收试验

取已知含量（批号20181205，栀子苷含量1.396mg/g）的供试品6份，每份约0.5g，精密称定，分别置具塞锥形瓶中，分别精密加入栀子苷对照品溶液（浓度为0.09002mg/g）8ml及甲醇17ml，密塞，称定重量，超声处理40分钟，放冷，再称定重量，用甲醇补足减失的重量，摇匀，滤过，取续滤液，作为供试品溶液。另精密称取栀子苷对照品适量，精密称定，加甲醇制成每1ml含30μg的溶液，作为对照品溶液。分别精密吸取供试品溶液和对照品溶液各10μl，注入色谱仪，记录色谱图。按外标法以峰面积计算含量，结果见表8。

表8 栀子苷加样回收试验结果

序号	称样量（g）	供试品含量（mg）	对照品加入量（mg）	测得总量（mg）	回收率（%）	平均回收率（%）	RSD（%）
1	0.5001	0.6986	0.72016	1.4036	97.89		
2	0.5002	0.6984	0.72016	1.4048	98.08		
3	0.5001	0.6986	0.72016	1.4111	98.93	98.23	0.71
4	0.5002	0.6986	0.72016	1.4082	98.53		
5	0.5002	0.6984	0.72016	1.4106	98.89		
6	0.5001	0.6984	0.72016	1.3975	97.07		

从表8数据可见，本方法的平均回收率为98.23%，RSD为0.71%。该方法准确度好。

2.8 耐用性试验

换不同厂家、不同型号的色谱柱，取重复性试验中的1号供试品（批号20181205）及对照品溶液分别进样，测定含量，结果见表9。

表9 不同色谱柱的耐用性试验

序号	色谱柱型号	分离度	含量（mg/g）
1	Shim-pack C_{18}	>1.5	1.390
2	Kromasil C_{18}	>1.5	1.396

从表9数据可见，不同型号或厂家的色谱柱对测定结果影响较小。

3 样品含量测定

取三批样品（批号20181205、20200312、20200728）各2份，各约1g，精密称定，置具塞锥形瓶中，精密加入甲醇25ml，密塞，称定重量，超声处理40分钟，放冷，再称定重量，用甲醇补足减失的重量，摇匀，滤过，取续滤液，作为供试品溶液。另精密称取栀子苷对照品适量，精密称定，加甲醇制成每1ml含30μg的溶液，作为对照品溶液。分别精密吸取供试品溶液和对照品溶液各10μl，注入色谱仪，记录色谱图。按外标法以峰面积计算含量，结果见表10。

表10 样品中栀子苷的含量测定结果

序号	批号	取样量（g）	平均峰面积值	含量（mg/g）	平均含量（mg/g）
1	20181205	1.0016	811430	1.4025	1.403
		1.0020	813072	1.4054	
2	20200312	1.0016	820451	1.4126	1.405
		1.0023	812099	1.3982	
3	20200728	1.0012	809289	1.3945	1.392
		1.0019	807015	1.3906	

从表10数据可见，三批样品中栀子苷含量最低为1.392mg/g，最高为1.405mg/g。三批次栀子苷含量均在1.0mg/g以上。

4 栀子药材含量测定

试验中采用同法对上述三批样品生产用栀子药材进行了含量测定。测定结果见表11。

表11 栀子药材中栀子苷含量测定结果

序号	批号	含量（mg/g）	栀子药材含量（%）	平均含量（mg/g）	栀子苷转移率（%）	平均转移率（%）
1	20180323	0.966	3.8		61.94	
2	20190502	1.049	3.8		67.26	
3	20190630	1.026	3.8	3.84	65.79	71.13
4	20200322	1.172	3.7		77.18	
5	20200326	1.405	4.1		83.50	

从表11数据可见，栀子药材中栀子苷的含量和转移率有一定差异，平均转移率为71.13%，

5 本制剂含量限度的确定

参照《中国药典》2020年版一部"栀子"药材的栀子苷含量限度不得少于1.8%，平均转移率为71.13%，考虑不同产地药材的质量差异，并结合其他影响因素及三批样品的测定结果，下浮25%，按此限度折算本品含羟基红花黄色素A的理论量应不低于15÷371×1.8%×71.13%=0.517mg/g。

标准正文暂定为：本品每1g含栀子以栀子苷（$C_{17}H_{24}O_{10}$）计，不得少于0.50mg。

【功能与主治】

愈白脉损伤，清陈热，燥协日乌素。主治血脉、白脉损伤，半身不遂，陶赖，赫如虎，吾亚曼，肾脉震伤，肾热，抽筋，热邪陈旧而扩散于脉，关节僵直，协日乌素症，疫热。

【用法与用量】

口服。一次11~15丸，一日1~2次，温开水送服。

【规格】

每10丸重2g。

【贮藏】

密闭，防潮。

起草单位：内蒙古自治区国际蒙医医院　　　乌恩奇　包文亮　宝　山　那松巴乙拉

　　　　　包头市检验检测中心　　　　　　杨桂娥　苏瑞萍　张　婷

　　　　　内蒙古自治区药品检验研究院　　娜仁图雅　包顺茹　乌云索德

甘露云香丸 质量标准起草说明

【历史沿革】

处方来源于内蒙古自治区国际蒙医医院特木其乐大夫经验方。

【处方来源】

本制剂由内蒙古自治区国际蒙医医院提供。

【名称】

甘露云香丸

【蒙药材和饮片的来源和执行标准】

1. 处方组成及药味排列顺序：没药40g、枫香脂40g、紫草茸40g、草阿魏60g、文冠木80g、甘草30g。

2. 处方中除了紫草茸、文冠木和草阿魏药材外，其余没药等药味均收载于《中国药典》2020年版一部，其质量应符合该品种项下的有关规定。

紫草茸：为胶蚧科昆虫紫胶虫 *Laccifer lacca* Kerr在树枝上所分泌的树脂状胶质。其质量应符合《内蒙古蒙药饮片炮制规范》2020年版第436页该品种项下的有关规定。

文冠木：为无患子科植物文冠果 *Xanthoceras sorbifolia* Bge.的茎干或枝条的干燥木材。其标准应符合《内蒙古蒙药饮片炮制规范》2020年版第85页该品种项下的有关规定。

草阿魏：为伞形科植物新疆阿魏 *Ferula sinkiangenises* K.M.Shen或阜康阿魏 *Ferula fukanensis* K.M.Shen的干燥根。其标准应符合《内蒙古蒙药饮片炮制规范》2020年版第311页该品种项下的有关规定。

【制法】

以上六味粉碎成细粉，过筛，混匀，用水泛丸，低温打光，干燥，分装，即得。

【性状】

本品为紫褐色至棕褐色的丸剂；气微香，味微苦、涩。

【鉴别】

本品为原药材细粉制成的水丸，方中甘草的显微特征较明显，故建立显微鉴别，并对处方中紫草茸建立了薄层鉴别。

1. 试剂与试药

供试品：供试品（批号20200411、20200613、20191222）由内蒙古自治区国际蒙医医院提供，模拟样品（批号20200034）模拟。

对照品：紫草茸对照药材（批号121052-200302），购于中国食品药品检定研究院。

薄层板：硅胶G板，购入青岛海洋化工有限公司。

所用其他试剂均为分析纯，水为离子交换高纯水。

2. 试验方法与结果

（1）显微鉴别

甘草：纤维成束，壁厚，微木化，周围薄壁细胞含草酸钙方晶，形成晶纤维。

（2）紫草茸薄层鉴别

参照《内蒙古蒙药制剂规范》2007年版第一册"达吉德满达乐丸"项下的薄层鉴别（3）方法制定出正文所述的鉴别方法。通过阴性对照试验观察，方中其他药材对紫草茸的检出无干扰。证明此方法具有专属性。

（3）枫香脂薄层鉴别

参照《中国药典》2020年版一部"枫香脂"项下的薄层条件，制定出此项鉴别方法。通过阴性对照实验观察，方中其他药材对此项鉴别无干扰，证明此法具专属性。故未收入正文。

【检查】

按照丸剂（《中国药典》2020年版四部通则0108）项下的规定，对三批供试品及模拟样品的水分、重量差异、溶散时限、重金属、砷盐和微生物限度进行了检查。具体方法及测定数据如下：

1. 水分：取供试品照水分测定法（《中国药典》2020年版四部通则0832）测定。三批供试品及模拟样品的测定结果见表1。

表1　水分测定结果

序号	批号	水分（%）
1	20200411	4.6
2	20200613	4.6
3	20191222	4.6
4	20200034	4.7

药典规定丸剂水分含量不得大于9.0%。从表1中可见本品水分含量均符合要求。

2. 重量差异：取以上三批供试品，每批供试品取10份，10丸为1份，分别称定重量，再与每份标示重量（2g）相比较，求每一份的重量差异（%）。药典规定每份标示装量的限度为±8%，并规定超出重量差异限度的不得多于2份，并不得有1份超出限度1倍。本品的重量差异检查结果均符合规定。

3. 溶散时限：取本品按照片剂项下崩解时限检查法（《中国药典》2020年版四部通则0921）加挡板进行测定。三批供试品测定结果见表2。

表2　溶散时限测定结果

序号	批号	溶散时间（min）
1	20200411	115
2	20200613	118
3	20191222	115

本规范规定甘露云香丸的溶散时限应在2小时内全部溶散。表2的结果显示，本品的溶散时限符合规定。

4. 对三批供试品及模拟样品进行了重金属和砷盐考察，方法与结果如下：

重金属：分别取每个批号供试品0.5g、0.67g、1.0g、2.0g，按《中国药典》2020年版四部0821第二法检查。

供试品溶液的制备：取本品0.5g、0.67g、1.0g、2.0g，分别缓缓炽灼至完全炭化，放冷，加硫酸0.5ml，使湿润，低温加热至硫酸除尽后，加硝酸0.5ml，蒸干，至氧化氮蒸气除尽后，放冷，于600℃炽灼至完全灰化，放冷。加盐酸2ml，置水浴上蒸干后加水15ml，滴加氨试液至对酚酞指示液显中性，再加醋酸盐缓冲液（pH3.5）2ml，微热溶解后，移置纳氏比色管中，加水稀释至25ml，作为供试品溶液。

标准铅对照溶液的制备：另取配制供试品溶液的试剂两份，分别置瓷皿中蒸干后，加醋酸盐缓冲液（pH3.5）2ml，加水15ml微热溶解后，移置两支纳氏比色管中，分别加标准铅溶液（10μg/mlPb）2ml，再加水稀释至25ml，作为标准铅对照溶液。

检视：于上述供试品溶液和标准铅对照溶液中分别加硫代乙酰胺试液各2ml，摇匀，放置2分钟，同置白色背景上，从上向下进行观察。结果见表3。

表3　重金属检查结果

序号	供试品批号	重金属含量（ppm）			
1	20181205	<10	<20	<30	<40
2	20200312	<10	<20	<30	<40
3	20200728	<10	<20	<30	<40
4	20200007	<10	<20	<30	<40

结果显示，供试品溶液的颜色明显浅于1ml的标准铅对照溶液。经过三批供试品及模拟样品的检查，含重金属均未超过百万分之十，故未收入正文。

砷盐　取本品1g和标准砷溶液（1μg/mlAS）2ml，分别加无砷氢氧化钙1g，加少量水，搅匀，烘干，用小火缓缓炽灼至炭化，再在600℃炽灼至完全灰化，放冷。分别加盐酸7ml使溶解，再加水21ml，按《中国药典》2020年版四部通则0822第一法（古蔡氏法）做砷盐限量检查。

结果：供试品砷斑浅于标准砷斑的颜色，表明本品含砷量未超过百万分之二（小于2ppm），故砷盐检查项目未收入正文。

5. 微生物限度：照微生物计数法（《中国药典》2020年版四部通则1105）、控制菌检查法（《中国药典》2020年版四部 通则1106）及《内蒙古蒙药制剂规范》（第三册）附录Ⅲ微生物限度标准，进行检查。结果均符合规定。

【含量测定】

甘露云香丸是由没药、枫香脂、紫草茸、草阿魏、文冠木、甘草等六味药组成的复方制剂，文冠木为处方中主要药味之一。参照《药学学报》2000（035）002文冠木化学成分研究项下的含量测定方法，以杨梅树皮素、文冠木素对照品作为指标成分，但是杨梅树皮素和文冠木素对照品在中检院的网上没有现货，所以未能进行含量测定方法研究。

甘露云香丸是由没药、枫香脂、紫草茸、草阿魏、文冠木、甘草等六味药组成的复方制剂，甘草为处方中主要药味之一。参照《中国药典》2020年版一部"甘草"项下的含量测定方法，以甘草苷、甘草酸铵对照品作为指标成分，进行含量测定方法研究，由于阴性干扰，分不开，再加上含量很低，所以没列入正文中。阴性干扰很可能是流动相的原因。

1　仪器与试剂试药

1.1　仪器

岛津LC-2014一体机，Labsolution色谱工作站，Sartorius BT25S型电子天平，Sartorius BSA223S型电子天平，Sartorius BSA224S型电子天平，MSA6.6S-OCE-DM型百万分之一电子天平。

1.2　试剂与试药

供试品（批号20200411、20200613、20191222）内蒙古自治区国际蒙医医院提供，模拟样品（批号20200034）模拟；甘草苷、甘草酸铵对照品（批号111610-200604、110731-201720），均购于中国食品药品检定研究院；乙腈为色谱纯，水为高纯水，其他试剂均为分析纯。

2　方法学考察

2.1　色谱条件

2.1.1　色谱柱：参照《中国药典》2020年版一部"甘草"药材项下含量测定方法，色谱柱填充剂为十八烷基硅烷键合硅胶，本实验研究采用岛津C₁₈柱（4.6mm×250mm，5μm）。

2.1.2　流动相的选择：参照《中国药典》2020年版一部"甘草"药材项下含量测定方法，以乙腈-0.05%磷酸溶液为流动相，进行条件摸索，结果供试品色谱中的甘草苷对照品、甘草酸铵对照品分离效果好，理论板数较高，并具适宜保留时间,并且阴性有干扰。

2.1.3 柱温:采用35℃柱温,可减小流动相黏度,降低柱压并改善分离效果。

2.1.4 检测波长的选择:参照《中国药典》2020年版一部"甘草"药材项下含量测定方法,选择237nm作为检测波长。

2.1.5 理论板数的确定:经对三批供试品测定的结果可见,甘草苷对照品、甘草酸铵对照品的理论板数在5000以上时均能达到较好的分离效果,结合《中国药典》2020年版一部"甘草"药材项下含量测定项下的规定,故确定理论板数按甘草苷对照品、甘草酸铵对照品峰计不得低于3000。

2.2 提取方法的选择及提取效率的考察

提取溶剂的选择:参照《中国药典》2020年版一部"甘草"项下的甘草苷对照品、甘草酸铵对照品含量测定项下的方法,以70%乙醇作提取溶剂。

2.3 专属性考察

2.3.1 对照品溶液的制备:取甘草苷对照品和甘草酸铵对照品适量,精密称定,加70%乙醇制成每1ml含甘草苷20μg、甘草酸铵0.20mg的混合溶液,即得。

2.3.2 供试品溶液的制备:取本品粉末(过三号筛)约1.9g,精密称定,置具塞锥形瓶中,精密加入70%乙醇100ml,称定重量,超声处理(功率250W,频率50kHz)30分钟,取出,放冷,再称定重量,用甲醇补足减失的重量,摇匀,滤过,取续滤液,即得。

2.3.3 阴性对照溶液的制备:按处方配比制备不含甘草的阴性对照,操作同"供试品溶液的制备",取续滤液,作为阴性对照溶液。

2.3.4 测定:分别精密吸取以上三种溶液各10μl,注入色谱仪,记录各自的色谱图。

结果为:阴性对照色谱图中在与甘草苷对照品、甘草酸铵对照品以及供试品色谱相对应的保留时间处色谱峰出现,按理来说处方中的其他组分对甘草苷对照品、甘草酸铵对照品的测定无干扰,但是阴性出现干扰,故未列入正文。

【功能与主治】

通利白脉,祛呼英,燥协日乌素。用于白脉损伤引起的肢体及关节强直,活动障碍,红肿热痛症。

【用法与用量】

口服。一次11~15丸,一日1~2次,温开水送服。

【注意事项】

孕妇及儿童慎用。

【规格】

每10丸重2g。

【贮藏】

密闭,防潮。

起草单位:内蒙古自治区国际蒙医医院　　　青 松 吴红升 特木其乐 那松巴乙拉

　　　　　包头市检验检测中心　　　　　　　吴 博 贺 鹏 王 皓

　　　　　内蒙古自治区药品检验研究院　　　娜仁图雅 包顺茹 乌云索德

甘露升脉丸质量标准起草说明

【历史沿革】

处方来源于内蒙古自治区国际蒙医医院纳顺达来大夫经验方。

【处方来源】

本制剂由内蒙古自治区国际蒙医医院提供。

【名称】

甘露升脉丸

【蒙药材和饮片的来源和执行标准】

1. 处方组成及药味排列顺序：广枣350g、荜茇100g、枸杞子100g、赤芍100g、紫茉莉75g、肉桂75g、淫羊藿50g、麻黄50g、茯苓50g、红参45g、草阿魏25g、细辛15g。

2. 处方中除了紫茉莉、草阿魏药材外，其余广枣等药味均收载于《中国药典》2020年版一部，其质量应符合该品种项下的有关规定。

紫茉莉：为紫茉莉科植物喜马拉雅紫茉莉*Mirabilis himalaica*（Edgew.）Heim.的干燥根。其标准应符合《内蒙古蒙药饮片炮制规范》2020年版第429页该品种项下的有关规定。

草阿魏：为伞形科植物新疆阿魏*Ferula sinkiangenises* K.M.Shen或阜康阿魏*Ferula fukanensis* K.M.Shen的干燥根。其标准应符合《内蒙古蒙药饮片炮制规范》2020年版第311页该品种项下的有关规定。

【制法】

以上十二味粉碎成细粉，混匀后，过筛，制丸，低温干燥，即得。

【性状】

本品为黄棕色至棕色的水丸；气香，味微苦、甘。

【鉴别】

本品为原药材细粉制成的水丸，方中广枣、荜茇的显微特征较明显，故建立显微鉴别，并对处方中荜茇、赤芍和枸杞子建立了薄层鉴别。

1. 试剂与试药

供试品：供试品（批号20170305、20180903、20190733）由内蒙古自治区国际蒙医医院提供，模拟样品（批号20200033）模拟。

对照品：荜茇对照药材（批号121023-201103），赤芍对照药材（批号100087-201411），枸杞子对照药材（批号121072-201611），均购于中国食品药品检定研究院。

薄层板：硅胶G板，购于青岛海洋化工有限公司。

所用其他试剂均为分析纯，水为离子交换高纯水。

2. 试验方法与结果

（1）显微鉴别

广枣：内果皮石细胞呈类圆形、椭圆形、梭形、长方形或不规则形，有的延长呈纤维状或有分支，壁厚，孔沟明显，胞腔内含淡黄棕色或黄褐色物。荜茇：石细胞类圆形、长卵形或多角形，壁较厚，有的层纹明显。

（2）荜茇薄层鉴别

参照《中国药典》2020版一部"荜茇"项下的薄层条件，制定出正文所述的鉴别方法。通过阴性对照试验观察，方中其他药材对荜茇的检出无干扰，此法具专属性。

（3）赤芍薄层鉴别

参照《中国药典》2020版一部"赤芍"项下的薄层条件，制定出正文所述的鉴别方法。通过阴性对照试验观察，方中其他药材对赤芍的检出无干扰，此法具专属性。

（4）枸杞子薄层鉴别

参照《中国药典》2020版一部"枸杞子"项下的薄层条件，制定出正文所述的鉴别方法。通过阴性对照试验观察，阴性对照溶液有干扰，在与对照药材色谱相应的位置上显相同颜色的斑点，模拟样出现相应的斑点，故未列入正文。

【检查】

按照丸剂（《中国药典》2020年版四部通则0108）项下的规定，对三批供试品及模拟样品的水分、重量差异、溶散时限、重金属、砷盐和微生物限度进行了检查。具体方法及测定数据如下：

1. 水分：取供试品照水分测定法（《中国药典》2020年版四部通则0832）测定，三批供试品及模拟样品测定结果见表1。

表1　水分测定结果

序号	批号	水分（%）
1	20170305	4.3
2	20180903	4.2
3	20190733	4.7
4	20200033	4.5

药典规定丸剂水分含量不得大于9.0%。从表1数据可见，三批供试品和模拟样品的水分含量均符合要求。

2. 重量差异：取以上三批供试品，每批供试品取10份，10丸为1份，分别称定重量，再与每份标示重量（2g）相比较，求每一份的重量差异（%）。药典规定每份标示装量的限度为±8%，并规定超出重量差异限度的不得多于2份，并不得有1份超出限度1倍。本品的重量差异检查结果均符合规定。

3. 溶散时限：取本品照崩解时限检查法（《中国药典》2020年版四部通则0921）片剂项下加挡板进行测定。三批供试品测定结果见表2。

表2　溶散时限测定结果

序号	批号	溶散时间（min）
1	20170305	42
2	20180903	47
3	20190733	36

药典规定水丸应在1小时内全部溶散。从表2数据可见，本品的溶散时限符合规定。

4. 对三批供试品及模拟样品进行了重金属、砷盐考察，方法与结果如下：

重金属：分别取每个批号供试品0.5g、0.67g、1.0g、2.0g，按《中国药典》2020年版四部通则0821第二法检查。

供试品溶液的制备：取本品0.5g、0.67g、1.0g、2.0g，分别缓缓炽灼至完全炭化，放冷，加硫酸0.5ml，使湿润，

低温加热至硫酸除尽后，加硝酸0.5ml，蒸干，至氧化氮蒸气除尽后，放冷，于600℃炽灼至完全灰化，放冷。加盐酸2ml，置水浴上蒸干后加水15ml，滴加氨试液至对酚酞指示液显中性，再加醋酸盐缓冲液（pH3.5）2ml，微热溶解后，移置纳氏比色管中，加水稀释至25ml，作为供试品溶液。

标准铅对照溶液的制备：另取配制供试品溶液的试剂两份，分别置瓷皿中蒸干后，加醋酸盐缓冲液（pH3.5）2ml，加水15ml微热溶解后，移置两支纳氏比色管中，分别加标准铅溶液（10μg/mlPb）2ml，再加水稀释至25ml，作为标准铅对照溶液。

检视：于上述供试品溶液和标准铅对照溶液中分别加硫代乙酰胺试液各2ml，摇匀，放置2分钟，同置白色背景上，从上向下进行观察。试验结果见表3。

表3　重金属检查结果

序号	批号	重金属含量（ppm）			
1	20170305	<10	<20	<30	<40
2	20180903	<10	<20	<30	<40
3	20190733	<10	<20	<30	<40
4	20200033	<10	<20	<30	<40

从表3数据可见，供试品溶液的颜色明显浅于2ml的标准铅对照管。经过三批供试品及模拟样品的检查，含重金属均未超过百万分之十，故未收入正文。

砷盐：取本品1g和标准砷溶液（1μg/mlAS）2ml，分别加无砷氢氧化钙1g，加少量水，搅匀，烘干，用小火缓缓炽灼至炭化，再在600℃炽灼至完全灰化，放冷。分别加盐酸7ml使溶解，再加水21ml，按《中国药典》2020年版四部通则0822第一法（古蔡氏法）做砷盐限量检查。

结果：供试品砷斑浅于标准砷斑的颜色，表明本品含砷量未超过百万分之二（小于2ppm），故砷盐检查项目未列入正文。

5. 微生物限度：照微生物计数法（《中国药典》2020年版四部通则1105）、控制菌检查法（《中国药典》2020年版四部通则1106）及《内蒙古蒙药制剂规范》（第三册）附录Ⅲ微生物限度标准，进行检查，结果均符合规定。

【含量测定】

甘露升脉丸是由广枣、枸杞子、赤芍等十二味药组成的复方制剂，广枣和赤芍为处方中主要药味之一，参照《中国药典》2020年版一部"广枣"项下的含量测定方法，以没食子酸对照品作为指标成分，进行含量测定方法研究，方法中其他成分对没食子酸对照品的测定有干扰，峰分不开；经过排查发现赤芍含有少量的没食子酸，所以对处方中的广枣和赤芍进行了含量测定方法研究，经分析方法验证，该方法重复性好、专属性强，方法中其他成分对没食子酸对照品的测定无干扰。

1　仪器与试剂试药

1.1　仪器

岛津LC-2014一体机，Labsolution色谱工作站，Sartorius BT25S型电子天平，Sartorius BSA223S型电子天平，Sartorius BSA224S型电子天平，MSA6.6S-OCE-DM型百万分之一电子天平。

1.2　试剂与试药

供试品（批号20170305、20180903、20190733）由内蒙古自治区国际蒙医医院提供，模拟样品（批号20200033）模拟；没食子酸对照品（批号110831-201605），购于中国食品药品检定研究院；甲醇为色谱纯，水为高纯水，其他试剂均为分析纯。

2　方法学考察

2.1 色谱条件

2.1.1 色谱柱：参照《中国药典》2020年版一部"广枣"药材项下含量测定方法，色谱柱填充剂为十八烷基硅烷键合硅胶，本试验研究采用岛津C₁₈柱（4.6mm×250mm）。

2.1.2 流动相的选择：参照《中国药典》2020年版一部"西青果茶"项下的含量测定方法，以甲醇–0.1%磷酸溶液（5∶95）为流动相，进行条件摸索，结果供试品色谱中的没食子酸对照品分离效果好，理论板数较高，并具适宜保留时间，并且阴性无干扰，故作为检测流动相。

2.1.3 柱温：采用35℃柱温，可减小流动相黏度，降低柱压并改善分离效果。

2.1.4 检测波长的选择：参照《中国药典》2020年版一部"西青果茶"项下的含量测定方法，选择215nm作为检测波长。

2.1.5 理论板数的确定：经对三批样品测定的结果可见，没食子酸对照品的理论板数在3000以上时均能达到较好的分离效果，结合《中国药典》2020年版一部"西青果茶"项下的含量测定方法项下的规定，故确定理论板数按没食子酸峰计不得低于3000。

2.2 提取方法的选择及提取效率的考察

2.2.1 提取溶剂的选择

参照《中国药典》2020年版一部"广枣"药材项下含量测定方法，以70%甲醇作提取溶剂。

2.2.2 提取效率的考察

以70%甲醇作提取溶剂进行回流提取，为了保证被测成分提取完全，试验中考察了10分钟、20分钟、30分钟、60分钟、120分钟等不同回流时间对提取效率的影响。结果见表4。

表4 提取效率的考察表

序号	提取时间（min）	含量（mg/g）
1	10	0.051
2	20	0.052
3	30	0.052
4	60	0.056
5	120	0.053

从表4数据可见，回流提取60分钟没食子酸的含量基本不再增加，故确定回流时间为60分钟。

2.3 专属性考察

2.3.1 对照品溶液的制备：取没食子酸对照品适量，精密称定，加25%甲醇制成每1ml含130μg的溶液，作为对照品溶液。

2.3.2 供试品溶液的制备：取本品适量，研细，取约2g，精密称定，置具塞锥形瓶中，精密加入70%甲醇20ml，称定重量，加热回流60分钟，取出，放冷，再称定重量，用70%甲醇补足减失的重量，摇匀，滤过，取续滤液，即得。

2.3.3 阴性对照溶液的制备：按本品处方工艺制备不含广枣、赤芍的阴性样品，按供试品溶液的制备方法制备阴性对照溶液。

2.3.4 测定：分别精密吸取以上三种溶液各10μl，注入色谱仪，记录各自的色谱图。

试验结果显示：供试品色谱中在与对照品色谱保留时间相同的位置上有色谱峰出现，而阴性对照在与对照品色谱保留时间相同的位置上无色谱峰出现，表明该含量测定方法阴性无干扰，专属性好。

2.4 线性关系考察

精密称取没食子酸对照品3.3mg（对照品纯度90.8%），置50ml量瓶中，加甲醇使溶解，并稀释至刻度，摇匀，即得。没食子酸对照品溶液（浓度为0.059928mg/ml）分别取1μl、2μl、4μl、8μl、10μl、20μl进样，按上述色谱条件测定。以峰面积对进样量进行回归分析,结果见表5。

表5 标准曲线数据及回归分析结果

进样量(μl)	峰面积值	回归方程	回归系数(r)
1	285729		
2	997953		
4	1989173	$y=486834x+0.0933$	0.9999
8	3928401		
10	4894667		
20	9699292		

从表5数据可见,没食子酸在0.059~1.19820μg范围内与峰面积值呈良好的线性关系。

2.5 稳定性试验

取同一份供试品(批号20170305)溶液,分别在溶液制备后的0小时、2小时、4小时、6小时、8小时、10小时、12小时进行测定。结果见表6。

表6 不同时间测定供试品中没食子酸的峰面积值

时间(h)	峰面积值	RSD(%)
0	1065328	
2	1069300	
4	1064865	
6	1066230	0.18
8	1069157	
10	1067452	
12	1069453	

从表6数据可见,没食子酸在12小时内的峰面积值基本稳定。

2.6 重复性试验

取同一供试品(批号20170305)6份,各取约2.0g,精密称定,置具塞锥形瓶中,精密加入70%甲醇20ml,称定重量,加热回流60分钟,取出,放冷,再称定重量,用甲醇补足减失的重量,摇匀,作为供试品溶液。另取没食子酸对照品适量,精密称定,加甲醇制成每1ml含130μg的溶液,作为对照品溶液。分别精密吸取以上两种溶液各10μl,注入液相色谱仪,记录各自的色谱图,用外标法以峰面积计算含量。结果见表7。

表7 没食子酸含量重复性试验结果

取样量(g)	峰面积值(n=2)	含量(mg/g)	平均含量(mg/g)	RSD(%)
2.0099	1082314	0.552		
2.0023	989290	0.035		
2.0834	998291.5	0.537	0.5453	2.3
2.0313	1135547.5	0.555		
2.0088	1039777	0.531		
2.0405	1168452.5	0.562		

从表7数据可见,在相同的提取溶剂和色谱条件下,6份供试品含量测定结果的均值为0.5453mg/g,RSD为2.3%,表明该方法的精密度好。

2.7 加样回收试验

称取同一供试品(批号20170305,含量0.54533mg/g)6份,每份约1.0g,精密称定,分别置具塞锥形瓶中,分别依次精密加入没食子酸对照品溶液（浓度为0.011986mg/ml）1ml，精密加入70%甲醇19ml，摇匀，称定重量，按上述供试品溶液的制备方法操作，测定每份含量，计算回收率。结果见表8。

表8 没食子酸加样回收试验结果

样品取样量（g）	供试品含量（mg）	对照品加入量（mg）	测得总量（mg）	回收率（%）	平均（%）	RSD（%）
1.0026	0.1290	0.119856	0.2502	101.14%		
1.0009	0.1317	0.119856	0.2536	101.72%		
0.9952	0.1314	0.119856	0.2505	99.39%	100.08	1.6
0.9976	0.1346	0.119856	0.2564	101.58%		
0.9988	0.1332	0.119856	0.2503	97.68%		
0.9955	0.1315	0.119856	0.2501	98.97%		

从表8数据可见，本方法的平均回收率为100.08%，RSD为1.6%。该方法准确度好。

2.8 耐用性试验

换不同厂家、不同型号的色谱柱，供试品（批号20170305）2份，注入液相色谱仪，测定含量，结果见表9。

表9 不同色谱柱的耐用性试验

色谱柱型号	理论板数	含量（mg/g）	误差（%）
岛津C_{18}	6954	0.5350	
Alltech C_{18}	6961	0.5370	0.19

从表9数据可见，不同型号或厂家的色谱柱对测定结果影响较小。

3 样品含量测定

取本品按重复性试验项下的方法处理并测定。三批样品的测定结果见表10。

表10 样品中没食子酸含量

批号	取样量（g）	测得峰面积值（n=2）	含量（mg/g）	平均含量（mg/g）
20170305	2.0056	1135547.5	0.555	0.5453
	2.0023	1039777	0.531	
20180903	2.0007	911303.5	0.4706	0.4634
	1.9825	879470	0.4561	
20190733	1.9936	971449	0.5026	0.5133
	2.0028	1012546.5	0.5240	

从表10数据可见，甘露升脉丸中没食子酸的含量为0.5453mg/g。

4 广枣药材含量测定

试验中采用同法对上述三批样品生产用广枣药材进行了含量测定。测定结果见表11。

表11 广枣和赤芍药材中没食子酸的含量测定结果

取样量（g）	平均峰面积值（n=2）		含量（mg/g）	平均含量（mg/g）
1.0020	1463553	1465992.5	1.902	
	1468432			1.8995
1.0031	1463251	1463316.5	1.897	
	1463382			

从表11数据可见，生产甘露升脉丸的广枣药材进行了含量测定。没食子酸为1.8995mg/g。

5 制剂含量限度的确定

从表10和表11数据可见，甘露升脉丸中没食子酸的含量为0.5453mg/g，试验中，采用相同方法对生产甘露升脉丸的广枣药材进行了含量测定,没食子酸为1.8995mg/g。

按理论值折算,样品应含没食子酸为1.8995mg/g×350÷1035＝0.642mg/g,可见,没食子酸的转移率为0.5453÷0.642×100%＝84.93%。

参照《中国药典》2020年版一部"广枣"药材的没食子酸含量限度不得少于0.060%,转移率为84.93%,考虑不同产地药材的质量差异,并结合其他影响因素及三批样品的测定结果,下浮10%,按此限度折算本品含没食子酸的理论量应不低于350÷1035×0.06%×1000×84.93%×90%＝0.155mg/g。

标准正文暂定为:本品每1g含广枣以没食子酸($C_7H_6O_5$)计,不得少于0.15mg。

【功能与主治】

调赫依,祛巴达干,开窍。主治窦性心动过缓,房室传导阻滞,病态窦房结综合征等缓慢性心律失常。

【用法与用量】

口服。一次11~15粒,一日1~2次,温开水送服。

【注意事项】

孕妇慎用。

【规格】

每10丸重2g。

【贮藏】

密闭,防潮。

起草单位: 内蒙古自治区国际蒙医医院　　　　纳顺达来　青　松　那松巴乙拉

　　　　　　鄂尔多斯市检验检测中心　　　　　郝继红　陈志忠　吕彩莲

　　　　　　内蒙古自治区药品检验研究院　　　娜仁图雅　包顺茹　乌云索德

甘露降糖丸 质量标准起草说明

【历史沿革】

本方来源于内蒙古自治区国际蒙医医院纳顺达来大夫经验方。

【处方来源】

本制剂由内蒙古自治区国际蒙医医院提供。

【名称】

甘露降糖丸

【蒙药材和饮片的来源和执行标准】

1. 处方组成及药味排列顺序：石榴90g、栀子50g、苏木40g、牛蒡子40g、赤芍40g、红参40g、冬葵果40g、芫荽子40g、玉竹40g、香附24g、西红花20g、胡黄连20g、红花20g、肉桂10g、豆蔻10g、荜茇10g。

2. 处方中除了石榴药材外，其余栀子等药味均收载于《中国药典》2020年版一部，其质量应符合该品种项下的有关规定。

石榴：为石榴科植物石榴*Punica granatum* L.的干燥成熟果实。其标准应符合《内蒙古蒙药材炮制规范》2020年版第119页该品种项下的有关规定。

【制法】

以上十六味，除西红花、红参外，其余石榴等十四味，粉碎成细粉，将西红花、红参分别研细，与上述细粉配研，过筛，混匀，用水泛丸，打光，干燥，分装，即得。

【性状】

本品为药材细粉以水为黏合剂泛制成的水丸，表面呈橙黄色，正文确定为橙黄色至红棕色的水丸。气微，味酸、微苦，故定为味酸、微苦。

【鉴别】

本品为药材粉末制成的水丸，方中部分药材显微特征明显，故建立了红花和西红花的显微鉴别，并对处方中栀子、西红花建立了薄层色谱鉴别。

1. 试剂与试药

供试品：供试品（批号20180128、20190536、20200122）由内蒙古自治区国际蒙医医院提供，模拟样品（批号20200031）模拟。

对照品：栀子苷对照品（批号110749-200714）、西红花对照药材（批号121009-200502），均购于中国食品药品检定研究院。

薄层板：硅胶G板，购于青岛海洋化工有限公司。

所用其他试剂均为分析纯，水为离子交换高纯水。

2. 试验方法与结果

（1）显微鉴别

红花：花粉粒类圆形、椭圆形或橄榄形，直径约60μm，具3个萌发孔，外壁有齿状突起；西红花：花粉粒圆球形，直径71~166（~200）μm。

（2）栀子薄层鉴别

参照《中国药典》2020年版一部"栀子"项下的薄层条件，制定出正文所述的鉴别方法。通过阴性对照试验观察，方中其他药材对栀子苷的检出无干扰，证明此法具专属性。

（3）西红花薄层鉴别

参照《中国药典》2020年版一部"西红花"项下的薄层条件，制定出正文所述的鉴别方法。通过阴性对照试验观察，方中其他药材对西红花的检出无干扰，证明此法具专属性。

【检查】

按照丸剂（《中国药典》2020年版四部通则0108）项下的规定，对三批供试品及模拟样品的水分、重量差异、溶散时限、重金属、砷盐和微生物限度进行了检查。具体方法及测定数据如下：

1. 水分：取供试品照水分测定法（《中国药典》2020年版四部附录0832水分测定法项下第四法甲苯法）测定，三批供试品及模拟样品测定结果见表1。

表1　水分测定结果

序号	批号	水分（%）
1	20190536	3.8
2	20200122	3.8
3	20180128	3.9
4	20200031	3.42

药典规定丸剂水分含量不得大于9.0%。从表1数据可见，三批供试品和模拟样品的水分含量均符合要求。

2. 重量差异：取以上三批供试品，每批供试品取10份，10丸为1份，分别称定重量，再与每份标示重量（2g）相比较，求每一份的重量差异（%）。药典规定每份标示装量的限度为±8%，并规定超出重量差异限度的不得多于2份，并不得有1份超出限度1倍。本品的重量差异检查结果均符合规定。

3. 溶散时限：取本品照崩解时限检查法（《中国药典》2020年版四部通则0921）片剂项下加挡板进行测定。三批供试品测定结果见表2。

表2　溶散时限测定结果

序号	批号	溶散时间（min）
1	20190536	46
2	20200122	46
3	20180128	48

药典规定水丸应在1小时内全部溶散。从表2数据可见，本品的溶散时限符合规定。

4. 对三批供试品及模拟样品进行了重金属、砷盐考察，方法与结果如下：

重金属：分别取每个批号供试品0.5g、0.67g、1.0g、2.0g，按《中国药典》2020年版四部0821第二法检查。

供试品溶液的制备：取本品0.5g、0.67g、1.0g、2.0g，分别缓缓炽灼至完全炭化，放冷，加硫酸0.5ml，使湿润，低温加热至硫酸除尽后，加硝酸0.5ml，蒸干，至氧化氮蒸气除尽后，放冷，于600℃炽灼至完全灰化，放冷。加盐酸2ml，置水浴上蒸干后加水15ml，滴加氨试液至对酚酞指示液显中性，再加醋酸盐缓冲液（pH3.5）2ml，微热溶解后，移置纳氏比色管中，加水稀释至25ml，作为供试品溶液。

标准铅对照溶液的制备：另取配制供试品溶液的试剂两份，分别置瓷皿中蒸干后，加醋酸盐缓冲液（pH3.5）

2ml, 加水15ml微热溶解后, 移置两支纳氏比色管中, 分别加标准铅溶液 (10μg/mlPb) 2ml, 再加水稀释至25ml, 作为标准铅对照溶液。

检视: 于上述供试品溶液和标准铅对照溶液中分别加硫代乙酰胺试液各2ml, 摇匀, 放置2分钟, 同置白色背景上, 从上向下进行观察。试验结果见表3。

表3 重金属检查结果

序号	批号	重金属含量（ppm）			
1	20190536	<10	<20	<30	<40
2	20200122	<10	<20	<30	<40
3	20180128	<10	<20	<30	<40
4	20200031	<10	<20	<30	<40

从表3数据可见, 供试品溶液的颜色明显浅于2ml的标准铅对照管。经过3批供试品及模拟样品的检查, 含重金属均未超过百万分之十, 故未收入正文。

砷盐: 取本品1g和标准砷溶液 (1μg/mlAS) 2ml, 分别加无砷氢氧化钙1g, 加少量水, 搅匀, 烘干, 用小火缓缓炽灼至炭化, 再在600℃炽灼至完全灰化, 放冷。分别加盐酸7ml使溶解, 再加水21ml, 按《中国药典》2020年版四部通则0822第一法（古蔡氏法）做砷盐限量检查。

结果: 供试品砷斑浅于标准砷斑的颜色, 表明本品含砷量未超过百万分之二（小于2ppm）, 故砷盐检查项未列入正文。

5. 微生物限度: 照微生物计数法（《中国药典》2020年版四部通则1105）、控制菌检查法（《中国药典》2020年版四部通则1106）及《内蒙古蒙药制剂规范》（第三册）附录Ⅲ微生物限度标准, 进行检查。结果均符合规定。

【含量测定】

甘露降糖丸是由石榴、栀子、苏木、牛蒡子、赤芍、红参、冬葵果、玉竹等十六味药组成。具有降血糖, 升精降浊的功效。参照《中国药典》2020年版一部中"栀子"项下的含量测定方法, 选择栀子苷作为指标成分, 对本制剂中的栀子进行了HPLC含量测定方法研究。经方法验证, 表明该方法重现性好、专属性强, 方中其他组分对栀子苷的测定无干扰, 故收入质量标准中。

1 仪器与试剂试药

1.1 仪器

Waters e2695型液相色谱仪（2998 PDA Detector）, UV-2450型紫外-可见分光光度计, Sartorius BSA124S（0.1mg）和BT 125D（0.01mg）电子天平, KQ-500DE型数控超声波清洗器（功率300W, 频率40kHz）。

1.2 试剂与试药

供试品（批号20180128、20190536、20200122）由内蒙古自治区国际蒙医医院提供, 模拟样品（批号20200031）模拟; 栀子苷对照品（批号110749-200714）, 购于中国食品药品检定研究院; 乙腈为色谱纯, 水为高纯水, 其他试剂均为分析纯。

2 方法学考察

2.1 色谱条件

2.1.1 色谱柱: 色谱柱填充剂为十八烷基硅烷键合硅胶, 本试验采用SHIMADZU Shim-pack GIST C₁₈色谱柱（250mm×4.6mm, 5μm）。

2.1.2 流动相的选择: 参照《中国药典》2020年版一部"栀子"项下的含量测定方法, 以乙腈-水（15:85）为流动相。

2.1.3 柱温：在30℃的条件下，栀子苷的保留时间一致，而且分离效果比较好，因此选择柱温在30℃±1℃。

2.1.4 检测波长的选择：精密称取栀子苷对照品适量，于紫外–可见分光光度计上，在200~700nm波长范围扫描，结果栀子苷在波长345.8nm、305.4nm、236.8nm处有最大吸收。参照《中国药典》2020版一部"栀子"含量测定项下的测定方法，选择238nm作为检测波长。

2.1.5 理论板数的确定：从对多批数据的测定结果可见，栀子苷的理论板数在3000以上即能达到较好的分离效果，考虑到不同的色谱柱具不同的理论板数，故确定理论板数按栀子苷峰算应不低于3000。

2.1.6 流速的选择：本次试验选取0.8ml/min的流速，原因在于考察提取条件时，选择的是1.0ml/min的流速，随着试验的进行，虽然进行相应清洗，但发现柱压仍然偏高，又考察了0.8ml/min，柱压相对理想，且含量无明显差异，故本次试验选择0.8ml/min的流速。

2.1.7 定容体积的选择：因供试品过滤速度较慢，故本次试验中将超声提取后的供试品定容体积设为取5ml置10ml容量瓶中定容。

2.2 提取方法的选择及提取效率的考察

参考《中国药典》2020年版一部"栀子"项下含量测定方法，以50%甲醇作为提取溶剂进行超声提取。试验中考察了20分钟、30分钟、40分钟不同提取时间对提取效率的影响，含量测定结果见表4。

表4 栀子苷提取效率考察

序号	提取时间（min）	含量（mg/g）
1	20	5.81
2	30	5.84
3	40	5.82

从表4数据可见，超声提取30分钟、40分钟栀子苷含量基本稳定，故将超声提取时间定为30分钟。

2.3 专属性考察

2.3.1 对照品溶液的制备：取栀子苷对照品适量，精密称定，加50%甲醇制成每1ml约含60μg的溶液，作为对照品溶液。

2.3.2 供试品溶液的制备：取本品适量，研细，取约1g，精密称定，置具塞锥形瓶中，精密加入50%甲醇25ml，密塞，称定重量，超声（功率300W，频率40kHz）30分钟，放冷，再称定重量，摇匀，滤过，精密量取续滤液5ml，置10ml量瓶中，加50%甲醇稀释至刻度，摇匀，作为供试品溶液。

2.3.3 阴性对照溶液的制备：按本品处方工艺制备不含栀子的阴性样品，按供试品溶液的制备方法制备阴性对照溶液（缺栀子）。

2.3.4 测定：分别精密吸取以上三种溶液各10μl，注入色谱仪，记录各自的色谱图。

试验结果显示：供试品色谱中在与对照品色谱保留时间相同的位置上有色谱峰出现，而阴性对照在与对照品色谱保留时间相同的位置上无色谱峰出现，表明该含量测定方法阴性无干扰，专属性好。

2.4 线性关系考察

取栀子苷对照品（批号110749-200714，含量97.1%）约5.07mg，精密称定，置25ml量瓶中，加50%甲醇使溶解并稀释至刻度，摇匀（0.1969mg/ml），精密吸取1ml、1.5ml、2ml、2.5ml、3ml、3.5ml、4ml，分别置10ml量瓶中，加50%甲醇稀释至刻度，摇匀，制成栀子苷的19.69μg/ml、29.54μg/ml、39.38μg/ml、49.23μg/ml、59.08μg/ml、68.92μg/ml、78.77μg/ml系列浓度溶液。分别精密吸取20μl进样，按上述色谱条件测定。以峰面积对注入量进行回归分析，结果见表5。

表5   标准曲线数据及回归分析结果

浓度（μg/ml）	峰面积值	回归方程	回归系数（r）
19.69	362122		
29.54	534048		
39.38	707409		
49.23	888389	$y=18216x-4696.6$	0.9998
59.08	1060776		
68.92	1252170		
78.77	1439640		

从表5数据可见，栀子苷在19.69~78.77μg/ml范围内与峰面积值呈良好的线性关系。

2.5   稳定性试验

取同一供试品（批号20200122）溶液，分别在溶液制备后的0小时、3小时、6小时、9小时、12小时进行测定。结果见表6。

表6   不同时间测定样品中栀子苷峰面积值

时间（h）	峰面积值	RSD（%）
0	1149910	
3	1132520	
6	1144181	0.74
9	1153325	
12	1151538	

从表6数据可见，栀子苷在12小时内的峰面积值基本稳定，RSD值为0.74%能够满足测定所需要的时间。

2.6   重复性试验

取一供试品（批号20200122）6份，各约0.5g，精密称定，置具塞锥形瓶中，精密加入50%甲醇25ml，密塞，称定重量，超声（功率300W，频率40kHz）30分钟，放冷，再称定重量，摇匀，滤过，精密量取续滤液5ml，置10ml量瓶中，加50%甲醇稀释至刻度，摇匀，作为供试品溶液。另取栀子苷对照品适量，精密称定，加50%甲醇制成每1ml约含60μg的溶液，作为对照品溶液。分别精密吸取以上两种溶液各10μl，注入液相色谱仪，记录各自的色谱图，用外标法以峰面积计算含量。结果见表7。

表7   栀子苷重复性试验结果

取样量（g）	峰面积值	含量（mg/g）	平均含量（mg/g）	RSD（%）
0.5065	1099036	5.843		
0.5015	1070454	5.748		
0.5036	1068948	5.716	5.83	1.55
0.5040	1114358	5.954		
0.5056	1107802	5.901		
0.5064	1091963	5.807		

从表7数据可见，在相同的提取溶剂和色谱条件下，6份供试品含量测定结果的均值为5.83mg/g，RSD为1.55%，表明该方法的精密度好。

2.7   加样回收试验

取一供试品（批号20200122，含量为5.83mg/g）9份，各约0.25g，精密称定，分别置9个具塞锥形瓶中，精密加入用50%甲醇配制的栀子苷对照品溶液（栀子苷浓度1.479mg/ml）0.8ml、0.8ml、0.8ml、1ml、1ml、1ml、1.2ml、1.2ml、

1.2ml，按重复性试验项下的方法操作，测定每份的含量，计算回收率，结果见表8。

表8　栀子苷加样回收试样结果

取样量（g）	供试品含量（mg）	对照品加入量（mg）	测得总量（mg）	回收率（%）	平均（%）	RSD（%）
0.2608	1.520	1.183	2.637	94.42		
0.2640	1.539	1.183	2.669	95.52		
0.2630	1.533	1.183	2.656	94.93		
0.2604	1.518	1.479	2.908	93.98		
0.2593	1.512	1.479	2.918	95.06	93.6	1.52
0.2590	1.510	1.479	2.889	93.24		
0.2560	1.492	1.775	3.163	94.14		
0.2505	1.460	1.775	3.104	92.62		
0.2501	1.458	1.775	3.072	90.93		

从表8数据可见，本方法的平均回收率为93.6%，RSD为1.52%。该方法准确度好。

2.8　耐用性试验

取供试品（批号20200122）4份，各约0.5g，精密称定，按重复性试验项下的方法处理，换不同厂家、不同型号的色谱柱，分别测定供试品的含量。结果见表9。

表9　不同色谱柱的耐用性试验

样品号	柱型号	含量（mg/g）
1	SHIMADZU Shim-pack GIST C_{18}	5.84
	SHIMADZU-GL WondaCract ODS-2	6.04
2	SHIMADZU Shim-pack GIST C_{18}	5.82
	SHIMADZU-GL WondaCract ODS-2	5.95

从表9数据可见，不同型号或厂家的色谱柱对测定结果影响较小。

3　样品含量测定

取三批样品（批号20180128、20190536、20200122），各2份，各约0.5g，精密称定，按重复性试验项下的方法处理并测定。含量测定结果见表10。

表10　样品中栀子苷含量测定结果

批号	取样量（g）	平均峰面积值	含量（mg/g）	平均含量（mg/g）
20200604	0.5048	927520	4.948	
	0.5033	943566	5.049	4.97
	0.5036	917539	4.907	
20200613	0.5065	1099036	5.844	
	0.5015	1070454	5.748	5.76
	0.5036	1068948	5.716	
20200615	0.5040	1109229	5.927	
	0.5025	1113001	5.965	5.93
	0.5019	1097100	5.887	

从表10数据可见，三批样品中栀子苷含量最低为4.97mg/g，最高为5.93mg/g。含量之间无明显差异。

4　栀子药材含量测定

试验中同法对上述批次样品生产的栀子药材（过四号筛）进行了含量测定。结果为62.77mg/g，测定结果见表11。

表11　栀子药材的含量测定结果

序号	取样量（g）	峰面积值	含量（mg/g）	平均含量（mg/g）
1	0.1054	2310597	62.602	62.77
2	0.1010	2370101	62.947	

从表11数据可见，测得栀子原料的栀子苷含量为62.77mg/g。

5　本制剂含量限度的确定

从表中数据可见，三批样品平均含量为5.5533mg/g，栀子药材中栀子苷A的含量为62.77mg/g。

按理论值折算，样品中应含栀子苷为62.77×30÷267=7.05mg/g，可见，栀子苷的转移率为（4.97+5.76+5.93）÷3÷7.05×100%=78%。

参照《中国药典》2020年版一部"栀子"药材的栀子苷含量限度不得少于1.8%，转移率为78%，考虑不同产地药材的质量差异，并结合其他影响因素及三批样品的测定结果，下浮10%，按此限度折算本品含栀子苷的理论量应不低于1.8×1000×50÷534×78%×90%=1.18mg/g。

标准正文暂定为：本品每1g含栀子以栀子苷（$C_{17}H_{24}O_{10}$）计，不得少于1.2mg。

【功能与主治】

降血糖，清糟归精。用于食积不消，食欲不振。

【用法与用量】

口服，一次11～15粒，一日1～2次，温开水送服。

【规格】

每10丸重2g。

【贮藏】

密封，防潮。

起草单位：呼伦贝尔市食品药品检验所　　　周晓明　秦　丹　徐涵宇　席海娟

　　　　　赤峰市药品检验所　　　　　　　吕　颖　郭莘莘　张学英

　　　　　内蒙古自治区国际蒙医医院　　　纳顺达来　那松巴乙拉

甘露养心丸 质量标准起草说明

【历史沿革】

本方来源于内蒙古自治区国际蒙医医院纳顺达来大夫经验方。

【处方来源】

本制剂由内蒙古自治区国际蒙医医院提供。

【名称】

甘露养心丸

【蒙药材和饮片的来源和执行标准】

1. 处方组成及药味排列顺序：广枣50g、五味子15g、肉豆蔻25g、沙棘30g、红参20g、西红花10g、炒蒺藜20g、荜茇20g、方海50g、海金沙20g、滑石粉10g、豆蔻20g、赤瓟子20g、山沉香25g、车前子10g、芒硝15g、小茴香15g、牛蒡子20g、冬青叶20g、冬葵果20g、香附12g、石榴20g、山奈5g、赤芍20g、炒硇砂20g、葶苈子50g、黄芪30g、茯苓10g、肉桂15g。

2. 处方中除了赤瓟子、炒硇砂、方海、石榴、冬葵果、山沉香药材外，其余广枣等药味均收载于《中国药典》2020年版一部，其质量应符合该品种项下的有关规定。

山沉香：本品为木犀科植物贺兰山丁香*Syringa pinnatifolia* Hemsl. var. *alashanensis* Ma.et S.Q.Zhou削去外皮的干燥枝。其标准应符合《中华人民共和国卫生部药品标准》（蒙药分册）1998年版第4页该品种项下的有关规定。

方海：为方蟹科中华绒螯蟹*Eriocher sinensis* H. Milne–Edwards 的干燥全体。其质量应符合《内蒙古蒙药饮片炮制规范》2020年版第431页该品种项下的有关规定。

赤瓟子：为葫芦科植物赤瓟 *Thladiantha dubia* Bge.的干燥成熟果实。其标准应符合《中华人民共和国卫生部药品标准》（蒙药分册）1998 年版第17页该品种项下的有关规定。

石榴：为石榴科植物石榴*Punica granatum* L.的干燥成熟果实。其标准应符合《内蒙古蒙药饮片炮制规范》2020年版第119页该品种项下的有关规定。

炒硇砂：为卤化物类矿物硇砂 Sal Ammoniac的晶体，主含氯化铵。其标准应符合《内蒙古蒙药饮片炮制规范》2020年版第144页该品种项下的有关规定。

【制法】

以上二十九味，粉碎成细粉，过筛，混匀，用水泛丸，干燥，即得。

【性状】

本品为黄棕色至黄褐色的水丸；气香，味微苦。

【鉴别】

本品为原药材细粉制成的水丸，方中海金沙、沙棘、葶苈子、黄芪、西红花、方海、小蜀季花、山沉香的显微特征较明显，故建立显微鉴别，并对处方中红参、赤芍、荜茇建立了薄层鉴别。

1. 试剂与试药

供试品：供试品（批号20190731、20191229、20200331）由内蒙古自治区国际蒙医医院提供，模拟样品（批号20200033）自制。

对照品：蒺藜对照药材（批号121296-201105），芍药苷对照品（批号110736-201640），人参皂苷Re对照品（批号110754-201123），五味子对照药材（批号120922-201108），广枣对照药材（批号121334-200401），黄芪对照药材（批号120974-201612），红参对照药材（批号1045-9701），赤芍对照药材（批号121093-201804），肉豆蔻对照药材（批号120926-201608），沉香对照药材（批号121222-201203），黄芪甲苷对照品（批号110781-201717），人参皂苷Rg1对照品（批号110703-200424），人参皂苷Rb1对照品（批号110704-200420），南五味子对照药材（批号121118-200502、1118-200001），五味子甲素对照品（批号110764-200408），胡椒碱对照品（批号0775-200203），荜茇对照药材（批号1023-200202），牛蒡子对照药材（批号120903-200407），牛蒡苷对照品（批号110819-200505），鞣花酸对照品（批号111959-201903）均购于中国食品药品检定研究院。

薄层板：硅胶G及GF₂₅₄板，购于烟台市化学工业研究所和青岛海洋化工厂。

所用其他试剂均为分析纯，水为离子交换高纯水。

2. 试验方法与结果

（1）显微鉴别

海金沙：孢子淡黄色，为四面体、三角状圆锥形，直径60~80μm，外壁有颗粒状雕纹；沙棘：盾状毛由数十个单细胞毛毗连而成，末端分离，单个细胞长80~150μm，直径约5μm，棕黄色，多破碎成扇形。荜茇子：种皮内表皮细胞黄色，多角形或长多角形，壁稍厚。黄芪：纤维成束散离，壁厚，表面有纵裂纹，两端断裂成帚状或较平截。西红花：花粉粒无色或淡黄色，呈圆球形，直径71~166μm，表面有稀疏的细小刺状雕纹。方海：不规则碎片淡黄色或无色，表面有的可见细密波状或直或网状纹理。小蜀季花：花粉粒呈圆球形，直径约110μm，外壁表面有短刺。山沉香：木射线细胞淡黄色至黄色，径向面观长方形，壁略连珠状增厚，切向面观宽1~2列细胞，高4~13列细胞，有的射线细胞含棕黄色物。

（2）红参薄层鉴别

参照《中国药典》2020年版一部"补肾益脑丸"及"心元胶囊"项下的薄层色谱方法，制定出正文所述的鉴别方法。通过阴性对照试验观察，方中其他药材对红参的检出无干扰。证明此方法具有专属性。由于此鉴别法过程复杂，条件不好控制，故未收入正文。

（3）赤芍薄层鉴别

参照《中国药典》2020年版一部"三七伤药片"薄层鉴别项下的方法，进行试验，制定出正文所述的鉴别方法。通过阴性对照试验观察，方中其他药材对赤芍的检出无干扰。证明此方法具有专属性。由于此鉴别法过程复杂，条件不好控制，故未收入正文。

（4）荜茇薄层鉴别

参照《中国药典》2020年版一部"荜茇"项下薄层条件，制定出正文所述的鉴别方法。通过阴性对照试验观察，方中其他药材对荜茇的检出无干扰。证明此方法具有专属性。

【检查】

按照丸剂（《中国药典》2020年版四部通则0108）项下的规定，对三批供试品及模拟样品的水分、重量差异、溶散时限、重金属、砷盐和微生物限度进行了检查。具体方法及测定数据如下：

1. 水分：取供试品照水分测定法（《中国药典》2020年版四部通则0832）测定。三批供试品及模拟样品的测定结果见表1。

表1 水分测定结果

序号	批号	水分（%）
1	20190731	6.3
2	20191229	6.5
3	20200331	6.3
4	20200033	6.7

药典规定丸剂水分含量不得大于9.0%。从表1中可见本品水分含量均符合要求。

2. 重量差异：取以上三批供试品，每批供试品取10份，10丸为1份，分别称定重量，再与每份标示重量（2g）相比较，求每一份的重量差异（%）。药典规定每份标示装量的限度为±8%，并规定超出重量差异限度的不得多于2份，并不得有1份超出限度1倍。本品的重量差异检查结果均符合规定。

3. 溶散时限：取本品按照片剂项下崩解时限检查法（《中国药典》2020年版四部通则0921）加挡板进行测定。三批供试品测定结果见表2。

表2 溶散时限测定结果

序号	批号	溶散时间（min）
1	20190731	35
2	20191229	39
3	20200331	34

药典规定水丸应在1小时内全部溶散。表2的结果显示，本品的溶散时限符合规定。

4. 对三批供试品及模拟样品进行了重金属和砷盐考察，方法与结果如下：

重金属：分别取每个批号供试品0.5g、0.67g、1.0g、2.0g，按《中国药典》2020年版四部0821第二法检查。

供试品溶液的制备：取本品0.5g、0.67g、1.0g、2.0g，分别缓缓炽灼至完全炭化，放冷，加硫酸0.5ml，使湿润，低温加热至硫酸除尽后，加硝酸0.5ml，蒸干，至氧化氮蒸气除尽后，放冷，于600℃炽灼至完全灰化，放冷。加盐酸2ml，置水浴上蒸干后加水15ml，滴加氨试液至对酚酞指示液显中性，再加醋酸盐缓冲液（pH3.5）2ml，微热溶解后，移置纳氏比色管中，加水稀释至25ml，作为供试品溶液。

标准铅对照溶液的制备：另取配制供试品溶液的试剂两份，分别置瓷皿中蒸干后，加醋酸盐缓冲液（pH3.5）2ml，加水15ml微热溶解后，移置两支纳氏比色管中，分别加标准铅溶液（10μg/mlPb）2ml，再加水稀释至25ml，作为标准铅对照溶液。

检视：于上述供试品溶液和标准铅对照溶液中分别加硫代乙酰胺试液各2ml，摇匀，放置2分钟，同置白色背景上，从上向下进行观察。试验结果见表3。

表3 重金属检查结果

序号	批号	重金属含量（ppm）			
1	20190731	<10	<20	<30	<40
2	20191229	<10	<20	<30	<40
3	20200331	<10	<20	<30	<40
4	20200033	<10	<20	<30	<40

结果显示，供试品溶液的颜色明显浅于2ml的标准铅对照管。经过3批供试品及模拟样品的检查，含重金属均未超过百万分之十，故未收入正文。

砷盐：取本品1g和标准砷溶液（1μg/mlAS）2ml，分别加无砷氢氧化钙1g，加少量水，搅匀，烘干，用小火缓缓炽灼至炭化，再在600℃炽灼至完全灰化，放冷。分别加盐酸7ml使溶解，再加水21ml，按《中国药典》2020年版四部通则0822第一法(古蔡氏法)做砷盐限量检查。

结果:供试品砷斑浅于标准砷斑的颜色,表明本品含砷量未超过百万分之二(小于2ppm),故砷盐检查项目未列入正文。

5. 微生物限度:照微生物计数法(《中国药典》2020年版四部通则1105)、控制菌检查法(《中国药典》2020年版四部通则1106)及《内蒙古蒙药制剂规范》(第三册)附录Ⅲ微生物限度标准,进行检查。结果均符合规定。

【含量测定】

甘露养心丸是由广枣、五味子、肉豆蔻、沙棘、红参、西红花、炒蒺藜、荜茇、方海、海金沙、滑石粉、豆蔻、赤瓟子、山沉香、车前子、芒硝、小茴香、牛蒡子、冬青叶、冬葵果、香附、石榴、山奈、赤芍、炒硇砂、葶苈子、黄芪、茯苓、肉桂等二十九味药组成的复方制剂。故参照《中国药典》2020年版一部"西红花"项下的含量测定方法,选择西红花苷-Ⅰ和西红花苷-Ⅱ作为指标成分,对本制剂中的西红花进行了HPLC含量测定方法研究。经分析方法验证,表明该方法重现性好、专属性强,方中其他组分对西红花苷-Ⅰ和西红花苷-Ⅱ的测定无干扰。

1 仪器与试剂试药

1.1 仪器

岛津LC-20A型高效液相色谱仪(日本岛津公司),KQ-500DE型超声波清洗器(昆山市超声仪器有限公司),PL-203梅特勒-托利多电子天平(千分之一,梅特勒-托利多仪器有限公司),Mettler AE-100型电子天平(万分之一,梅特勒-托利多仪器有限公司),Sartorius ME 5型电子天平(百万分之一,赛多利斯仪器有限公司)。

1.2 试剂与试药

供试品(批号20190731、20191229、20200331)由内蒙古自治区国际蒙医医院提供,模拟样品(20200033)模拟;西红花苷-Ⅰ对照品(批号111588-201704),西红花苷-Ⅱ对照品(批号111589-201705)均购于中国食品药品检定研究院;甲醇为色谱纯,乙醇为分析纯,水为超纯水。

2 方法学考察

2.1 色谱条件

2.1.1 色谱柱:以十八烷基硅烷键合硅胶为填充剂,本实验研究用Waters XBridge C_{18}(250mm×4.6mm,5μm)、Agilent ZORBA C_{18}(250mm×4.6mm,5μm)。

2.1.2 流动相的选择:参照《中国药典》2020年版一部"西红花"含量测定项下方法,采用甲醇-水(45:55)为流动相,结果分离效果好、保留时间适中,故确定以甲醇-水(45:55)为流动相。

2.1.3 柱温与流速考察:试验中对30℃、35℃和40℃柱温进行了比较,对0.8ml/min、1.0ml/min流速进行了考察,结果保留时间略有差异,但分离度及理论板数没有变化。

2.1.4 检测波长的选择:通过二极管阵列检测器对西红花苷-Ⅰ自200~800nm进行光谱扫描,结果西红花苷-Ⅰ在440nm处有吸收峰,对西红花苷-Ⅱ自200~800nm进行光谱扫描,结果西红花苷-Ⅱ在440nm处有吸收峰,结合《中国药典》2020年版一部西红花项下含量测定,选择440nm作为检测波长。

2.1.5 理论板数的确定:对供试品测定结果表明,西红花苷-Ⅰ的理论板数在3000以上均能达到与相邻峰分开,结合《中国药典》2020年版一部西红花项下要求,本标准规定理论板数按西红花苷-Ⅰ峰计应不低于4000。

2.2 提取方法的选择及提取效率的考察

2.2.1 提取溶剂的选择:参照《中国药典》2020年版一部"西红花"含量测定项下选用稀乙醇作为提取溶剂,干扰成分少,供试品分离效果好,故选择稀乙醇作为提取溶剂。

2.2.2 提取方法的选择:《中国药典》2020年版一部"西红花"含量测定项下采用冰浴超声提取。《中国药典》2020年版一部中"仁青常觉"及"二十五味珍珠丸"含西红花的制剂,且其制法与甘露养心丸相同,都是原药材粉碎细粉后直接加工制丸。故参照这两个制剂含量测定项下的供试品溶液的制备方法,采用超声20分钟进行提取。

对提取溶剂量进行考察:取本品5份,研细,各取约0.5g,精密称定,置具塞锥形瓶中,分别精密加入稀乙醇10ml、15ml、20ml、25ml、50ml,密塞,称定重量,超声处理(功率500W,频率40kHz)20分钟,取出,放冷,再称定重量,用稀乙醇补足减失的重量,摇匀,滤过,取续滤液,即得。按上述色谱条件测定,测得结果见表4。

表4 取溶剂量考察表

溶剂量(ml)	西红花苷-Ⅰ含量(mg/g)	西红花苷-Ⅱ峰含量(mg/g)
10	1.095	0.705
15	1.115	0.720
20	1.120	0.725
25	1.125	0.740
50	1.125	0.730

从表4数据可见,可见溶剂量为25ml时,西红花苷-Ⅰ与西红花苷-Ⅱ的含量最高。

2.3 专属性考察

2.3.1 对照品溶液的制备:取西红花苷-Ⅰ与西红花苷-Ⅱ对照品适量,精密称定,加稀乙醇分别制成每1ml含12μg和5μg的混合溶液,即得。

2.3.2 供试品溶液的制备:取本品,研细,取约0.5g,精密称定,置具塞锥形瓶中,精密加入稀乙醇25ml,密塞,称定重量,超声处理(功率500W,频率40kHz)20分钟,取出,放冷,再称定重量,用稀乙醇补足减失的重量,摇匀,滤过,取续滤液,即得。

2.3.3 阴性对照溶液的制备:按本品处方工艺制备不含西红花的阴性样品,按"供试品溶液"的制备方法制备阴性对照溶液(缺西红花)。

2.3.4 测定:分别精密吸取以上三种溶液及对照品溶液各10μl,注入液相色谱仪,记录各自的色谱图。

结果显示,供试品色谱中在与对照品色谱保留时间相同的位置上有色谱峰出现,而阴性对照在与对照品色谱保留时间相同的位置上无色谱峰出现,表明该含量测定方法阴性无干扰,专属性好。

2.4 线性关系考察

取西红花苷-Ⅰ对照品2.928mg,置100ml量瓶中,加稀乙醇使溶解;取西红花苷-Ⅱ对照品2.365mg,置25ml量瓶中,加稀乙醇使溶解,并稀释至刻度,摇匀,精密量取10ml置西红花苷-Ⅰ对照品的100ml量瓶中,加稀乙醇稀释至刻度,摇匀,即得。分别精密吸取2μl、4μl、6μl、8μl、10μl、15μl、20μl注入液相色谱仪,按上述色谱条件测定,以峰面积对进样量进行回归分析,结果见表5。

表5 标准曲线数值表

西红花苷-Ⅰ量(ng)	西红花苷-Ⅰ峰面积值	回归方程	回归系数(r)	西红花苷-Ⅱ量(ng)	西红花苷-Ⅱ峰面积值	回归方程	回归系数(r)
51.76	340667			17.444	134068		
103.52	683857			34.888	275205		
155.28	1028815			52.332	412424		
207.04	1373305	$y=6656.4x-4627.2$	1.0	69.776	554443	$y=8053.6x-7127.5$	1.0
258.80	1717775			87.22	695352		
388.20	2580006			130.83	1045757		
517.60	3440557			174.44	1398662		

从表5数据可见，西红花苷-Ⅰ在51.76~517.60ng范围内、西红花苷-Ⅱ在17.444~174.44ng范围内与峰面积值呈良好的线性关系。

2.5 稳定性试验

取同一供试品溶液（批号20190731），分别于0小时、4小时、8小时、12小时、16小时、20小时、24小时进行测定。结果见表6。

表6 不同时间测定西红花苷-Ⅰ、西红花苷-Ⅱ峰面积值

时间（h）	0	4	8	12	16	20	24	RSD（%）
西红花苷-Ⅰ 峰面积值	1130272	1131654	1133291	1129676	1144337	1132566	1127943	0.47
西红花苷-Ⅱ 峰面积值	418641	424616	416843	421529	414403	415711	418326	0.83

从表6数据可见，在24小时内西红花苷-Ⅰ、西红花苷-Ⅱ峰面积值基本稳定不变。

2.6 重复性试验

取同一批号供试品（批号20190731）6份，各约0.5g，精密称定，置具塞锥形瓶中，精密加入稀乙醇25ml，密塞，称定重量，超声处理（功率500W，频率40kHz）20分钟，取出，放冷，再称定重量，用稀乙醇补足减失的重量，摇匀，滤过，取续滤液，作为供试品溶液。另精密称取西红花苷-Ⅰ与西红花苷-Ⅱ对照品适量，精密称定，加稀乙醇分别制成每1ml含12μg和5μg的混合溶液，作为对照品溶液。分别精密吸取供试品溶液和对照品溶液各10μl，注入色谱仪，记录色谱图。按外标法以峰面积计算含量，结果见表7。

表7 甘露养心丸重复性试验结果

样品号	取样品量（g）	成分	峰面积值（n=2）	含量（mg/g）	总含量（mg/g）	平均含量（mg/g）	RSD（%）
1	0.4858	西红花苷-Ⅰ	1130963	0.880	1.152		
		西红花苷-Ⅱ	421628.5	0.272			
2	0.5153	西红花苷-Ⅰ	1246819	0.914	1.193		
		西红花苷-Ⅱ	458514	0.279			
3	0.4976	西红花苷-Ⅰ	1186487	0.901	1.177		
		西红花苷-Ⅱ	437487	0.276			
4	0.4998	西红花苷-Ⅰ	1206064.5	0.912	1.190	1.179	1.26
		西红花苷-Ⅱ	442694	0.278			
5	0.5003	西红花苷-Ⅰ	1206238.5	0.911	1.187		
		西红花苷-Ⅱ	439297	0.276			
6	0.5013	西红花苷-Ⅰ	1197775.5	0.903	1.179		
		西红花苷-Ⅱ	440217	0.276			

从表7数据可见，在相同的提取溶剂和色谱条件下，6份供试品含量测定结果的均值为1.179mg/g，RSD为1.26%，表明该方法的精密度好。

2.7 加样回收试验

取同一批号供试品（批号20190731，含西红花苷-Ⅰ0.904mg/g、西红花苷-Ⅱ0.276mg/g）6份，各约0.25g，精密称定，置具塞锥形瓶中，分别精密加入西红花苷-Ⅰ和西红花苷-Ⅱ混合对照品溶液5ml、10ml、15ml（西红花苷-Ⅰ浓度为23.44ng/ml、西红花苷-Ⅱ浓度为7.039ng/ml），再精密加稀乙醇20ml、15ml、10ml，按重复性试验项下的方法测定。结果见表8。

表8 甘露养心丸加样回收试验

成分	序号	样品量（g）	供试品含量（mg）	对照品加入量（mg）	测得总量（mg）	回收率（%）	平均回收率（%）	RSD（%）
西红花苷-Ⅰ	1	0.2497	0.2257	0.1172	0.3460	102.64	102.53	1.58
	2	0.2515	0.2273		0.3498	104.52		
	3	0.2497	0.2257	0.2344	0.4625	101.02		
	4	0.2556	0.2310		0.4731	103.28		
	5	0.2497	0.2257	0.3516	0.5781	100.22		
	6	0.2504	0.2263		0.5903	103.52		
西红花苷-Ⅱ	1	0.2497	0.0689	0.0351	0.1044	101.13	102.60	1.65
	2	0.2515	0.0694		0.1059	103.98		
	3	0.2497	0.0689	0.0703	0.1407	102.13		
	4	0.2556	0.0705		0.1433	103.55		
	5	0.2497	0.0689	0.1055	0.1747	100.28		
	6	0.2504	0.0691		0.1794	104.54		

从表8数据可见，本方法的西红花苷-Ⅰ的平均回收率为102.53%，RSD为1.58%；西红花苷-Ⅱ平均回收率为102.60%，RSD为1.65。该方法准确度好。

2.8 耐用性试验

换不同厂家、不同型号的色谱柱，按确定的色谱条件，取重复性实验中的4号样品进行测定。结果见表9。

表9 不同色谱柱的耐用性试验

柱型号	分离度	测得总含量（mg/g）	相对偏差（%）
Waters XBridge C$_{18}$	2.4	1.177	0.68
Agilent ZORBAX SB-C$_{18}$	2.9	1.161	

从表9数据可见，不同型号或厂家的色谱柱对测定结果影响较小。

3 样品含量测定

取三批样品（批号20190731、20191229、20200331），按重复性试验项下的方法处理并测定。含量测定结果见表10。

表10 样品中西红花苷-Ⅰ、西红花苷-Ⅱ总含量测定结果

批号	西红花苷-Ⅰ含量（mg/g）	西红花苷-Ⅱ含量（mg/g）	总含量（mg/g）
20190731	1.088	0.268	1.356
20191229	2.004	0.637	2.641
20200331	1.936	0.624	2.560

从表10数据可见，三批样品中西红花苷-Ⅰ、西红花苷-Ⅱ总含量最高为2.641（mg/g），最低为1.356（mg/g）。

4 西红花药材含量测定

根据提供的原料药材制备模拟处方的含量和西红花单药材的含量数据，计算出成品中西红花苷-Ⅰ、西红花苷-Ⅱ的转移率，结果见表11。

表11 模拟处方中西红花苷-Ⅰ、西红花苷-Ⅱ的转移率

	模拟处方含量（mg/g）	西红花药材含量（mg/g）	转移率（%）
西红花苷-Ⅰ	1.311	83.97	96.3
西红花苷-Ⅱ	0.425	28.43	92.3

5 本制剂含量限度的确定

《中国药典》2020年版一部"西红花"药材的西红花苷–Ⅰ和西红花苷–Ⅱ总含量限度不得少于10.0%，转移率为92.3%，考虑不同产地药材的质量差异，并结合其他影响因素及三批样品的测定结果，下浮30%，按此限度折算本品含西红花苷–Ⅰ和西红花苷–Ⅱ总的理论量应不低于$20÷1234×10.0\%×1000×92.3\%×70\%=1.04mg/g$。

标准正文暂定为：本品每1g含西红花以西红花苷–Ⅰ（$C_{44}H_{64}O_{24}$）和西红花苷–Ⅱ（$C_{38}H_{54}O_{19}$）总量计，不得少于1.0mg。

【功能和主治】

养心，通脉，利尿，平喘，助胃火。主治慢性心力衰竭，水肿，气喘，脉管栓塞等病症。

【用法与用量】

口服，一次11~15丸，一日1~2次，温开水送服。

【规格】

每10粒重2g。

【贮藏】

密封，防潮。

起草单位：内蒙古自治区药品检验研究院　　　韩塔娜　　包顺茹　　娜仁图雅　　乌云索德
　　　　　　赤峰市药品检验所　　　　　　　　兰利军　　周国立　　姜明慧
　　　　　　内蒙古自治区国际蒙医医院　　　　纳顺达来　　那松巴乙拉

甘露润脉丸 质量标准起草说明

【历史沿革】

处方来源于内蒙古自治区国际蒙医医院纳顺达来大夫经验方。

【处方来源】

本制剂由内蒙古自治区国际蒙医医院提供。

【名称】

甘露润脉丸

【蒙药材和饮片的来源和执行标准】

1. 处方组成及药味排列顺序：广枣100g、方海100g、当归100g、木香80g、土木香80g、沙棘60g、栀子60g、檀香50g、枫香脂50g、肉豆蔻50g、山沉香50g、赤芍40g、苏木40g、牛蒡子40g、炒硇砂40g、丹参30g、肉桂30g、合成冰片25g、西红花20g、滑石粉20g、山柰10g。

2. 处方中除了方海、山沉香和炒硇砂药材外，其余广枣等药味均收载于《中国药典》2020年版一部，其质量应符合该品种项下的有关规定。

方海：为方蟹科中华绒螯蟹 *Eriocher sinensis* H. Milne-Edwards 的干燥全体。其质量应符合《内蒙古蒙药饮片炮制规范》2020年版第431页该品种项下的有关规定。

山沉香：为木犀科植物贺兰山丁香 *Syringa pinnatifolia* Hemsl.var.*alashanensis* Ma.et S.Q.Zhou 削去外皮的干燥枝。其标准应符合《中华人民共和国卫生部药品标准》（蒙药分册）1998年版第4页该品种项下的有关规定。

炒硇砂：为卤化物类矿物硇砂 Sal Ammoniac 的晶体，主含氯化铵。其标准应符合《内蒙古蒙药饮片炮制规范》2020年版第144页该品种项下的有关规定。

【制法】

以上二十一味，除西红花外，其余广枣等二十味，粉碎成细粉，将西红花研细，与上述细粉配研，过筛，混匀，用水泛丸，打光，干燥，分装，即得。

【性状】

本品为药材细粉以水为黏合剂泛制成的水丸，表面呈黄棕色，正文确定为黄棕色至黄褐色的水丸。味微酸、辛、苦。

【鉴别】

本品为药材粉末制成的水丸，方中部分药材显微特征明显，故建立了沙棘、西红花的显微鉴别，并对处方中栀子、西红花建立了薄层色谱鉴别。

1. 试剂与试药

供试品：供试品（批号20190910、20180507、20171126）由内蒙古自治区国际蒙医医院提供，模拟样品（批号20200032）模拟。

对照品：栀子苷对照品（批号110749-200714），西红花对照药材（批号121009-200502），均购于中国食品药品检定研究院。

薄层板：硅胶H板，购于青岛海洋化工有限公司。

所用其他试剂均为分析纯，水为离子交换高纯水。

2. 试验方法与结果

（1）显微鉴别

沙棘：盾状毛由多个单细胞毛毗连而成，末端分离。西红花：花粉粒圆球形，直径71~166（~200）μm。

（2）栀子薄层鉴别

参照《中国药典》2020年版一部"栀子"项下的薄层条件，制定出正文所述的鉴别方法。通过阴性对照试验观察，方中其他药材对栀子苷的检出无干扰，证明此方法具有专属性。

（3）西红花薄层鉴别

参照《中国药典》2020年版一部"西红花"项下的薄层条件，制定出正文所述的鉴别方法。通过阴性对照试验观察，方中其他药材对西红花的检出无干扰，证明此方法具有专属性。

【检查】

按照丸剂（《中国药典》2020年版四部通则0108）项下的规定，对三批供试品及模拟样品的水分、重量差异、溶散时限、重金属、砷盐和微生物限度进行了检查。具体方法及测定数据如下：

1. 水分：取供试品照水分测定法（《中国药典》2020年版四部附录0832水分测定法项下第四法甲苯法）测定。三批供试品及模拟样品测定结果见表1。

表1　水分测定结果

序号	批号	水分（%）
1	20190910	4.0
2	20180507	4.1
3	20171126	4.0
4	20200032	4.1

药典规定丸剂水分含量不得大于9.0%。从表1数据可见，三批供试品和模拟样品的水分含量均符合要求。

2. 重量差异：取以上三批供试品，每批供试品取10份，10丸为1份，分别称定重量，再与每份标示重量（2g）相比较，求每一份的重量差异（%）。药典规定每份标示装量的限度为±8%，并规定超出重量差异限度的不得多于2份，并不得有1份超出限度1倍。本品的重量差异检查结果均符合规定。

3. 溶散时限：取本品按照片剂崩解时限检查法（《中国药典》2020年版四部通则0921）项下加挡板进行测定。三批供试品测定结果见表2。

表2　溶散时限测定结果

序号	批号	溶散时间（min）
1	20190910	56
2	20180507	54
3	20171126	58

药典规定水丸应在1小时内全部溶散。从表2数据可见，本品的溶散时限符合规定。

4. 对三批供试品及模拟样品进行了重金属和砷盐考察，方法与结果如下：

重金属：分别取每个批号供试品0.5g、0.67g、1.0g、2.0g，按《中国药典》2020年版四部0821第二法检查。

供试品溶液的制备：取本品0.5g、0.67g、1.0g、2.0g，分别缓缓炽灼至完全炭化，放冷，加硫酸0.5ml，使湿润，

低温加热至硫酸除尽后，加硝酸0.5ml，蒸干，至氧化氮蒸气除尽后，放冷，于600℃炽灼至完全灰化，放冷。加盐酸2ml，置水浴上蒸干后加水15ml，滴加氨试液至对酚酞指示液显中性，再加醋酸盐缓冲液（pH3.5）2ml，微热溶解后，移置纳氏比色管中，加水稀释至25ml，作为供试品溶液。

标准铅对照溶液的制备：另取配制供试品溶液的试剂两份，分别置瓷皿中蒸干后，加醋酸盐缓冲液（pH3.5）2ml，加水15ml微热溶解后，移置两支纳氏比色管中，分别加标准铅溶液（10μg/mlPb）2ml，再加水稀释至25ml，作为标准铅对照溶液。

检视：于上述供试品溶液和标准铅对照溶液中分别加硫代乙酰胺试液各2ml，摇匀，放置2分钟，同置白色背景上，从上向下进行观察。试验结果见表3。

表3 重金属检查结果

序号	批号	重金属含量（ppm）			
1	20190910	<10	<20	<30	<40
2	20180507	<10	<20	<30	<40
3	20171126	<10	<20	<30	<40
4	20200032	<10	<20	<30	<40

结果显示，供试品溶液的颜色明显浅于2ml的标准铅对照管。经过3批供试品及模拟样品的检查，含重金属均未超过百万分之十，故未收入正文。

砷盐：取本品1g和标准砷溶液（1μg/mlAS）2ml，分别加无砷氢氧化钙1g，加少量水，搅匀，烘干，用小火缓缓炽灼至炭化，再在600℃炽灼至完全灰化，放冷。分别加盐酸7ml使溶解，再加水21ml，按《中国药典》2020年版四部通则0822第一法（古蔡氏法）做砷盐限量检查。

结果：供试品砷斑浅于标准砷斑的颜色，表明本品含砷量未超过百万分之二（小于2ppm），故砷盐检查项目未列入正文。

5. 微生物限度：照微生物计数法（《中国药典》2020年版四部通则1105）、控制菌检查法（《中国药典》2020年版四部通则1106）及《内蒙古蒙药制剂规范》（第三册）附录Ⅲ微生物限度标准，进行检查。结果均符合规定。

【含量测定】

甘露润脉丸是由广枣、方海、当归、栀子、土木香等二十一味药组成。具有促赫依，血运行，通脉止痛功效。适用于冠心病心绞痛，心肌梗死，冠脉支架植入术后再狭窄等病症。参照《中国药典》2020年版一部中"栀子"项下的含量测定方法，选择栀子苷作为指标成分，对本制剂中的栀子进行了HPLC含量测定方法研究。经方法验证，表明该方法重复性好，专属性强，方中其他组分对栀子苷的测定无干扰。

1 仪器与试剂试药

1.1 仪器

Waters e2695型液相色谱仪（2998 PDA Detector），UV-2450型紫外-可见分光光度计，Sartorius BSA124S（0.1mg）和BT 125D（0.01mg）电子天平，KQ-500DE型数控超声波清洗器（功率300W，频率40kHz）。

1.2 试剂与试药

供试品（批号20190910、20180507、20171126）由内蒙古自治区国际蒙医医院提供，模拟样品（批号20191124）模拟；栀子苷对照品（批号110749-200714），购于中国药品生物制品检定所；乙腈为色谱纯，水为高纯水，其他试剂均为分析纯。

2 方法学考察

2.1 色谱条件

2.1.1 色谱柱: 色谱柱填充剂为十八烷基硅烷键合硅胶, 本试验采用SHIMADZU Shim-pack GIST C$_{18}$色谱柱 (250mm×4.6mm, 5μm)。

2.1.2 流动相的选择: 参照《中国药典》2020年版一部 "栀子" 项下的含量测定方法, 以乙腈-水 (15∶85) 为流动相。

2.1.3 柱温: 在30℃的条件下, 栀子苷的保留时间一致, 而且分离效果比较好, 因此选择柱温在30℃。

2.1.4 检测波长的选择: 精密称取栀子苷对照品适量, 于紫外-可见分光光度计上, 在200~700nm波长范围扫描, 结果见图。栀子苷在波长345.8nm、305.4nm、236.8nm处有最大吸收。参照《中国药典》2020版一部 "栀子" 含量测定项下的测定方法, 选择238nm作为检测波长。

2.1.5 理论板数的确定: 从对多批数据的测定结果可见, 栀子苷的理论板数在3000以上即能达较好的分离效果, 考虑到不同的色谱柱具不同的理论板数, 故确定理论板数按栀子苷峰算应不低于3000。

2.1.6 流速的选择: 本次试验选取0.8ml/min的流速, 原因在于考察提取条件时, 选择的是1.0ml/min的流速, 随着试验的进行, 虽然进行相应清洗柱子, 但发现柱压仍然偏高, 故考察了0.8ml/min, 柱压相对理想, 且含量无明显差异, 故本次试验选择0.8ml/min的流速。

2.2 提取方法的选择及提取效率的考察

参考《中国药典》2020年版一部 "栀子" 含量测定项下的方法, 以50%甲醇作为提取溶剂进行超声提取。试验中考察了20分钟、30分钟、40分钟不同提取时间对提取效率的影响, 含量测定结果见表4。

表4 栀子苷提取效率考察

序号	提取时间 (min)	含量 (mg/g)
1	20	3.05
2	30	3.09
3	40	3.09

从表4数据可见, 超声提取30分钟、40分钟栀子苷含量基本稳定, 故将超声提取时间定为30分钟。

2.3 专属性考察

2.3.1 对照品溶液的制备: 取栀子苷对照品适量, 精密称定, 加50%甲醇制成每1ml约含60μg的溶液, 作为对照品溶液。

2.3.2 供试品溶液的制备: 取本品适量, 研细, 取约1g, 精密称定, 置具塞锥形瓶中, 精密加入50%甲醇25ml, 密塞, 称定重量, 超声 (功率300W, 频率40kHz) 30分钟, 放冷, 再称定重量, 摇匀, 滤过, 精密量取续滤液10ml, 置25ml量瓶中, 加50%甲醇稀释至刻度, 摇匀, 作为供试品溶液。

2.3.3 阴性对照溶液的制备: 按本品处方工艺制备不含栀子的阴性样品, 按供试品溶液的制备方法制备阴性对照溶液 (缺栀子)。

2.3.4 测定: 分别精密吸取以上三种溶液各10μl, 注入色谱仪, 记录各自的色谱图。

试验结果显示: 供试品色谱中在与对照品色谱保留时间相同的位置上有色谱峰出现, 而阴性对照在与对照品色谱保留时间相同的位置上无色谱峰出现, 表明该含量测定方法阴性无干扰, 专属性好。

2.4 线性关系考察

取栀子苷对照品 (批号110749-200714, 含量97.1%) 约5.07mg, 精密称定, 置25ml量瓶中, 加50%甲醇使溶解并稀释至刻度, 摇匀 (0.1969mg/ml), 精密吸取1ml、1.5ml、2ml、2.5ml、3ml、3.5ml、4ml, 分别置10ml量瓶中, 加50%甲醇稀释至刻度, 摇匀, 制成栀子苷的19.69μg/ml、29.54μg/ml、39.38μg/ml、49.23μg/ml、59.08μg/ml、68.92μg/ml、78.77μg/ml系列浓度溶液。各取10μl进样, 按上述色谱条件进行测定。以峰面积对进样量进行回归分析。结果见表5。

表5 标准曲线数据及回归分析结果

浓度（μg/ml）	峰面积值	回归方程	回归系数（r）
19.69	362122		
29.54	534048		
39.38	707409		
49.23	888389	$y=18216x-4696.6$	0.9998
59.08	1060776		
68.92	1252170		
78.77	1439640		

从表5数据可见，栀子苷在19.69~78.77μg/ml范围内与峰面积值呈良好的线性关系。

2.5 稳定性试验

取同一份供试品（批号20190910）溶液，分别在溶液制备后的0小时、3小时、6小时、9小时、12小时进行测定。结果见表6。

表6 不同时间测定样品中栀子苷峰面积值

时间（h）	峰面积值	RSD（%）
0	929585	
3	926387	
6	929066	0.18
9	926885	
12	930198	

从表6数据可见，栀子苷在12小时内的峰面积值基本稳定，RSD值为0.74%能够满足测定所需要的时间。

2.6 重复性试验

取一供试品（批号20190910）6份，各约1.0g，精密称定，置具塞锥形瓶中，精密加入50%甲醇25ml，密塞，称定重量，超声（功率300W，频率40kHz）30分钟，放冷，再称定重量，摇匀，滤过，精密量取续滤液10ml，置25ml量瓶中，加50%甲醇稀释至刻度，摇匀，作为供试品溶液。另取栀子苷对照品适量，精密称定，加50%甲醇制成每1ml约含60μg的溶液，作为对照品溶液。分别精密吸取以上两种溶液各10μl，注入液相色谱仪，记录各自的色谱图，用外标法以峰面积计算含量。结果见表7。

表7 栀子苷重复性试验结果

取样量（g）	峰面积值	含量（mg/g）	平均含量（mg/g）	RSD（%）
1.0019	927485	3.107		
1.0024	940128	3.148		
1.0085	921448	3.067	3.10	1.45
1.0083	935598	3.114		
1.0094	934834	3.118		
1.0001	900106	3.021		

从表7数据可见，在相同的提取溶剂和色谱条件下，6份供试品含量测定结果的均值为5.83mg/g，RSD为1.55%，表明该方法的精密度好。

2.7 加样回收试验

取供试品（含量为3.10mg/g）9份，各约0.50g，精密称定，分别置9个具塞锥形瓶中，精密加入用50%甲醇配制的栀子苷对照品溶液（栀子苷浓度1.43mg/ml）0.8ml、0.8ml、0.8ml、1ml、1ml、1ml、1.2ml、1.2ml、1.2ml，按重复性试验项下的方法操作，测定每份的含量，计算回收率，结果见表8。

表8 栀子苷加样回收试样结果

取样量（g）	供试品含量（mg）	对照品加入量（mg）	测得总量（mg）	回收率（%）	平均（%）	RSD（%）
0.5064	1.570	1.144	2.583	88.54		
0.5063	1.570	1.144	2.588	88.98		
0.5065	1.570	1.144	2.582	88.46		
0.5065	1.570	1.430	2.847	89.30		
0.5061	1.569	1.430	2.817	87.27	88.4	1.25
0.5075	1.573	1.430	2.869	90.63		
0.5063	1.570	1.716	3.074	87.65		
0.5060	1.569	1.716	3.072	87.59		
0.5086	1.577	1.716	3.076	87.35		

从表8数据可见，本方法的平均回收率为88.4%，RSD为1.25%。该方法准确度好。

2.8 耐用性试验

取供试品4份，各约1.0g，精密称定，按重复性试验项下的方法处理，换不同厂家、不同型号的色谱柱分别测定供试品的含量。结果见表9。

表9 不同色谱柱的耐用性试验

样品号	柱型号	含量（mg/g）
1	SHIMADZU Shim-pack GIST C$_{18}$	3.11
	SHIMADZU-GL WondaCract ODS-2	3.16
2	SHIMADZU Shim-pack GIST C$_{18}$	3.13
	SHIMADZU-GL WondaCract ODS-2	3.14

从表9数据可见，不同型号或厂家的色谱柱对测定结果影响较小。

3 样品含量测定

取三批样品（批号20190910、20180507、20171126），各2份，各约0.5g，精密称定，按重复性试验下的方法处理并测定。含量测定结果见表10。

表10 样品中栀子苷含量测定结果

批号	取样量（g）	平均峰面积值	含量（mg/g）	平均含量（mg/g）
20190910	1.0038	524247	1.753	
	1.0066	520949	1.737	1.73
	1.0030	509130	1.704	
20180507	1.0024	940129	3.107	
	1.0085	921448	3.148	3.11
	1.0083	935598	3.067	
20171126	1.0077	840724	2.800	
	1.0081	849839	2.829	2.81
	1.0021	836441	2.801	

从表10数据可见，三批样品中栀子苷含量最低为1.73mg/g，最高为3.11mg/g。含量之间无明显差异。

4 栀子药材含量测定

试验中同法对上述批次样品生产的栀子药材（过四号筛）进行了含量测定，平均含量为63.13mg/g，测定结果见

表11。

表11　栀子药材的含量测定结果

序号	取样量（g）	峰面积值	含量（mg/g）	平均含量（mg/g）
1	0.1016	1909940	63.093	63.13
2	0.1044	1964703	63.162	

从表11数据可见，测得栀子原料的栀子苷平均含量为63.13mg/g。

5　本制剂含量限度的确定

从表中数据可见，栀子药材中栀子苷的含量为63.13mg/g，含量之间无明显差异的两批样品中栀子苷的平均含量为2.92mg/g。

按理论值折算，样品中应含栀子苷为$63.13×60÷1075=3.52mg/g$，可见，栀子苷的转移率为$2.92÷3.52×100\%=84\%$。

参照《中国药典》2020年版一部"栀子"药材的含量限度不得少于1.8%，转移率为84%，考虑不同产地药材的质量差异，并结合其他影响因素及三批样品的测定结果，下浮15%，按此限度折算本品含栀子苷的理论量应不低于$1.8\%×1000×60÷1075×84\%×85\%=0.717mg/g$。

标准正文暂定为：本品每1g含栀子以栀子苷（$C_{17}H_{24}O_{10}$）计，不得少于0.75mg。

【功能与主治】

调赫依，行血，通脉止痛。用于冠心病心绞痛，心肌梗死，冠脉支架植入术后再狭窄症。

【用法与用量】

口服，一次11~15丸，一日1~2次，温开水送服。

【规格】

每10丸重2g。

【贮藏】

密封，防潮。

起草单位：呼伦贝尔市食品药品检验所　　　秦　丹　白　南　鄂文君　郭司群
　　　　　赤峰市药品检验所　　　　　　　兰利军　周国立　姜明慧
　　　　　内蒙古自治区国际蒙医医院　　　纳顺达来　那松巴乙拉

甘露解毒丸 质量标准起草说明

【历史沿革】

处方来源于内蒙古自治区国际蒙医医院杭盖巴特尔大夫经验方。

【处方来源】

本制剂由内蒙古自治区国际蒙医医院提供。

【名称】

甘露解毒丸

【蒙药材和饮片的来源和执行标准】

1. 处方组成及药味排列顺序：连翘50g、黑冰片30g、木棉花30g、款冬花30g、黄芪30g、紫檀30g、贯众30g、水牛角浓缩粉30g、石韦30g、手参30g、炒马钱子30g、栀子30g、诃子30g、钩藤30g、党参30g、制炉甘石30g、炒珍珠30g、花香青兰30g、水柏枝30g、山茶花30g、石榴30g、甘草30g、卷柏30g、木香20g、麦冬20g、枫香脂20g、苘麻子20g、决明子20g、苦参20g、闹羊花20g、檀香20g、制木鳖10g、石膏10g、益智仁10g、红花10g、朱砂粉10g、香旱芹10g、肉豆蔻10g、煅青金石10g、人工牛黄10g、丁香10g、煅绿松石10g、胡黄连10g、人工麝香10g、苦地丁10g、酒珊瑚10g、生草果仁10g。

2. 处方中除了人工麝香、山茶花、紫檀、贯众、煅青金石、花香青兰、石榴、香旱芹、煅绿松石、酒珊瑚、炒珍珠、黑冰片和手参药材外，其余连翘等药味均收载在《中国药典》2020年版一部，其质量应符合该品种项下的有关规定。

人工麝香：应符合卫生部标准（试行）WS–210（Z–32）–93标准的有关规定。

山茶花：为山茶科植物山茶 *Camellia japonica* L.的干燥花。其标准应符合《内蒙古蒙药饮片炮制规范》2020年版第34页该品种项下的有关规定。

紫檀：为豆科植物紫檀 *Pterocarpus sindicus* Willd的干燥新材。其标准应符合《内蒙古蒙药饮片炮制规范》2020年版第440页该品种项下的有关规定。

贯众：为鳞毛蕨科植物粗茎鳞毛蕨 *Dryopteris crassirhizoma* Nakai的干燥根茎和叶柄残基。其标准应符合《内蒙古蒙药饮片炮制规范》2020年版第412页该品种项下的有关规定。

煅青金石：为硅酸盐类矿物青金石。其标准应符合《内蒙古蒙药饮片炮制规范》2020年版第489页该品种项下的有关规定。

花香青兰：为唇形科植物香青兰 *Dracocephalum moldavica* L. 的干燥带花地上部分。其标准应符合《内蒙古蒙药饮片炮制规范》2020年版第201页该品种项下的有关规定。

石榴：为石榴科植物石榴 *Punica granatum* L.的干燥成熟果实。其标准应符合《内蒙古蒙药材炮制规范》2020年版第119页该品种项下的有关规定。

煅绿松石：为磷酸盐类矿物绿松石。其标准应符合《内蒙古蒙药材炮制规范》2020年版第415页该品种项下的有关规定。

炒珍珠: 为珍珠贝科动物马氏珍珠贝 *Pteria martensii*（Dunker）、蚌科动物三角帆蚌 *Hyriopsis cumingii*（Lea）或褶纹冠蚌 *Cristaria plicata*（Leach）等双壳类动物受刺激形成的珍珠。其标准应符合《内蒙古蒙药材炮制规范》2020年版第288页该品种项下的有关规定。

酒珊瑚: 为矶花科动物桃色珊瑚 *Corallium japonicum* Kishinouye等珊瑚虫分泌的石灰质骨骼。其标准应符合《内蒙古蒙药材炮制规范》2020年版第294页该品种项下的有关规定。

黑冰片: 为猪科动物野猪 *Sus scrofa* linnaeus 的成形粪便野猪粪的炮制加工品。主含活性炭和微量元素。其标准应符合《内蒙古蒙药饮片炮制规范》2020年版第444页该品种项下的有关规定。

手参: 为兰科植物手参 *Gymnadenia conopsea*（L.）R. Br. 的干燥块茎。其标准应符合《内蒙古蒙药饮片炮制标准》2020年版第71页该品种项下有关规定。

香旱芹: 为伞形科植物孜然芹 *Cuminum cyminum* L. 的干燥成熟果实。其标准应符合《内蒙古蒙药饮片炮制规范》2020年版第334页该品种项下的有关规定。

【制法】

以上四十七味, 除水牛角浓缩粉、人工牛黄、人工麝香外, 其余石膏等四十四味, 粉碎成细粉, 将水牛角浓缩粉、人工牛黄、人工麝香与上述细粉配研, 过筛, 混匀, 用水泛丸, 打光, 干燥, 分装, 即得。

【性状】

本品为药材细粉以水为黏合剂泛制成的水丸, 表面呈棕褐色, 正文确定为棕褐色的水丸。气微, 味微苦涩, 故定为味微苦涩。

【鉴别】

本品方中药材经显微鉴别观察, 显微特征不明显, 专属性不强, 故未建立显微鉴别。对处方中栀子和人工牛黄建立了薄层色谱鉴别。

1. 试剂与试药

供试品: 供试品（批号20180514、20200316、20200440）由内蒙古自治区国际蒙医医院提供, 模拟样品（批号20200032）模拟。

对照: 栀子苷对照品（批号110749-200714）, 胆酸对照品（批号100078-201415）, 猪去氧胆酸对照品（批号100087-201411）, 人工牛黄对照药材（批号121197-201204）, 均购于中国食品药品检定研究院。

薄层板: 硅胶G板, 购于青岛海洋化工有限公司。

所用其他试剂均为分析纯, 水为离子交换高纯水。

2. 试验方法与结果

（1）栀子的鉴别

参照《中国药典》2020年版一部 "栀子" 项下的薄层条件, 制定出正文所述的鉴别方法（栀子苷的Rf值为0.54）。通过阴性对照试验观察, 方中其他药材对栀子苷的检出无干扰, 证明此方法具有专属性。

（2）人工牛黄薄层鉴别

参照《中国药典》2020年版一部 "人工牛黄" 项下的薄层条件, 人工牛黄对照药材、胆酸、猪去氧胆酸对照品为对照物质; 紫外光灯365nm下, 供试品在与人工牛黄对照药材及猪去氧胆酸对照品色谱相应位置上, 并未出现斑点, 仅出现胆酸对照相应的斑点。故未收入正文。

【检查】

按照丸剂（《中国药典》2020年版四部通则0108）项下的规定, 对三批供试品及模拟样品的水分、重量差异、溶散时限、重金属、砷盐和微生物限度进行了检查。具体方法及测定数据如下:

1. 水分: 取供试品照水分测定法 (《中国药典》2020年版四部通则0832) 测定, 三批供试品及模拟样品测定结果见表1。

表1 水分测定结果

序号	批号	水分 (%)
1	20180514	4.2
2	20200316	4.1
3	20200440	4.2
4	20200031	4.1

药典规定丸剂水分含量不得大于9.0%。从表1数据可见, 三批供试品和模拟样品的水分含量均符合要求。

2. 重量差异: 取以上三批供试品, 每批供试品取10份, 10丸为1份, 分别称定重量, 再与每份标示重量 (2g) 相比较, 求每一份的重量差异 (%)。药典规定每份标示装量的限度为±8%, 并规定超出重量差异限度的不得多于2份, 并不得有1份超出限度1倍。本品的重量差异检查结果均符合规定。

3. 溶散时限: 取本品按照片剂崩解时限检查法 (《中国药典》2020年版四部通则0921) 项下加挡板进行测定。三批供试品测定结果见表2。

表2 溶散时限测定结果

序号	批号	溶散时间 (min)
1	20180514	45
2	20200316	43
3	20200440	46

药典规定水丸应在1小时内全部溶散。从表2数据可见, 本品的溶散时限符合规定。

4. 对三批供试品及模拟样品进行了重金属和砷盐考察, 方法与结果如下:

重金属: 分别取每个批号供试品0.5g、0.67g、1.0g、2.0g, 按《中国药典》2020年版四部0821第二法检查。

供试品溶液的制备: 取本品0.5g、0.67g、1.0g、2.0g, 分别缓缓炽灼至完全炭化, 放冷, 加硫酸0.5ml, 使湿润, 低温加热至硫酸除尽后, 加硝酸0.5ml, 蒸干, 至氧化氮蒸气除尽后, 放冷, 于600℃炽灼至完全灰化, 放冷。加盐酸2ml, 置水浴上蒸干后加水15ml, 滴加氨试液至对酚酞指示液显中性, 再加醋酸盐缓冲液 (pH3.5) 2ml, 微热溶解后, 移置纳氏比色管中, 加水稀释至25ml, 作为供试品溶液。

标准铅对照溶液的制备: 另取配制供试品溶液的试剂两份, 分别置瓷皿中蒸干后, 加醋酸盐缓冲液 (pH3.5) 2ml, 加水15ml微热溶解后, 移置两支纳氏比色管中, 分别加标准铅溶液 (10μg/mlPb) 2ml, 再加水稀释至25ml, 作为标准铅对照溶液。

检视: 于上述供试品溶液和标准铅对照溶液中分别加硫代乙酰胺试液各2ml, 摇匀, 放置2分钟, 同置白色背景上, 从上向下进行观察。试验结果见表4。

表3 重金属检查结果

序号	批号	重金属含量 (ppm)			
1	20180514	<10	<20	<30	<40
2	20200316	<10	<20	<30	<40
3	20200440	<10	<20	<30	<40
4	20200031	<10	<20	<30	<40

从表3数据可见, 供试品溶液的颜色明显浅于2ml的标准铅对照溶液。经过三批供试品及模拟样品的检查, 含重金属均未超过百万分之十, 故未收入正文。

砷盐：取本品1g和标准砷溶液（1μg/mlAS）2ml，分别加无砷氢氧化钙1g，加少量水，搅匀，烘干，用小火缓缓炽灼至炭化，再在600℃炽灼至完全灰化，放冷。分别加盐酸7ml使溶解，再加水21ml，按《中国药典》2020年版四部通则0822第一法（古蔡氏法）做砷盐限量检查。

结果：供试品砷斑浅于标准砷斑的颜色，表明本品含砷量未超过百万分之二（小于2ppm），故砷盐检查项目未列入正文。

5. 微生物限度：照微生物计数法（《中国药典》2020年版四部通则1105）、控制菌检查法（《中国药典》2020年版四部通则1106）及《内蒙古蒙药制剂规范》（第三册）附录Ⅲ微生物限度标准，进行检查，结果均符合规定。

【含量测定】

甘露解毒丸是由石膏、栀子、丁香等四十七味药组成。具有清热，解毒，消食功效。用于接触性毒，阳光毒，呼吸中毒，木质性毒等各类毒性疾病。方中的连翘为主药，具有清热解毒，消肿散结，疏散风热之功效，其有效成分主要是以连翘苷为主的木脂素类和以连翘酯苷为主的苯乙醇苷类。标准制定过程中，以连翘酯苷A作为测定指标，参照《中国药典》2020年版一部中"连翘"项下的连翘酯苷A含量测定方法，采用高效液相色谱法对处方中连翘所含的连翘酯苷A进行测定，通过试验分析，结果表明该方法重复性好、专属性强，方中其他组分对连翘酯苷A的测定无干扰。

1 仪器与试剂试药

1.1 仪器

仪器 Waters e2695高效液相色谱仪，Waters 2998 Photodiode Array Detector型检测器，Empower色谱工作站，岛津UV-2450型紫外-可见分光光度计，Sartorius BSA124S（0.1mg）、BT125D（0.01mg）电子天平。

1.2 试剂与试药

供试品（批号20180514、20200316、20200440）由内蒙古自治区国际蒙医医院提供，模拟样品（批号20200031）模拟；连翘酯苷A对照品（批号111810-201405），购于中国食品药品检定研究院；甲醇为色谱纯，乙腈为色谱纯，水为超纯水，所用其他试剂均为分析纯。

2 方法学考察

2.1 色谱条件

2.1.1 色谱柱：色谱柱填充剂为十八烷基硅烷键合硅胶，本试验采用SHISEIDO（资生堂）CAPCELL PAK C₁₈色谱柱（250mm×4.6mm，5μm）。

2.1.2 流动相的选择：参照《中国药典》2020年版一部"连翘"项下的连翘酯苷A含量测定方法，以乙腈-0.4%冰醋酸溶液（15：85）为流动相。

2.1.3 柱温：在30℃的条件下，连翘酯苷A的保留时间一致，而且分离效果比较好，降低柱压，故将柱温定为30℃。

2.1.4 检测波长的选择：精密称取连翘酯苷A对照品适量，用甲醇制成每1ml约含50μg的溶液，于紫外-可见分光光度计上，以甲醇为空白，在200~700nm波长范围扫描。连翘酯苷A在波长330nm处有最大吸收。参照《中国药典》2020年版一部"连翘"含量测定项下连翘酯苷A的测定方法，选择330nm作为检测波长。

2.1.5 流速的选择：本次试验选取流速为0.8ml/min，原因在于考察提取条件时，选择1.0ml/min的流速，随着试验的进行，虽然持续清洗色谱柱，但发现柱压仍然偏高，故考察了0.8ml/min流速，柱压相对理想，且含量无明显差异，故本次试验选择流速为0.8ml/min。

2.1.6 理论板数的确定：从对多批数据的测定结果可见，连翘酯苷A的理论板数在5000以上即能达到较好的分离效果，考虑到不同的色谱柱具有不同的理论板数，故确定理论板数按连翘酯苷A峰算应不低于5000。

2.2 提取方法的选择及提取效率的考察

2.2.1 提取溶剂的考察

以30分钟作为超声（功率300W，频率40kHz）提取时间，为保证被测成分的完全提取，试验中考察了25%甲醇、50%甲醇、70%甲醇不同提取溶剂对提取效率的影响，含量测定结果见表4。

表4　连翘酯苷A提取溶剂的考察表

序号	提取溶剂	连翘酯苷A含量（mg/g）
1	25%甲醇	0.5863
2	50%甲醇	0.7306
3	70%甲醇	0.7572

从表4数据可见，用70%甲醇作为提取溶剂，供试品中连翘酯苷A的含量最高，故将提取溶剂定为70%甲醇。

2.2.2 提取效率的考察

以70%甲醇作为提取溶剂进行超声提取，为保证被测成分的完全提取，试验中考察了超声20分钟、30分钟、40分钟不同提取时间对提取效率的影响，含量测定结果见表5。

表5　提取方式考察表

序号	超声时间（min）	连翘酯苷A含量（mg/g）
1	20	0.7311
2	30	0.7387
3	40	0.7376

从表5数据可见，超声30分钟供试品中连翘酯苷A的含量基本稳定，故将提取时间定为超声30分钟。

2.3 专属性考察

2.3.1 对照品溶液的制备：取连翘酯苷A对照品约5mg，精密称定，置50ml量瓶中，加甲醇使溶解并稀释至刻度，摇匀，作为对照品溶液（含连翘酯苷A 0.1mg/ml）。

2.3.2 供试品溶液的制备：取本品适量，研细，取约1.0g，精密称定，置具塞锥形瓶中，精密加入70%甲醇50ml，密塞，称定重量，超声处理30分钟，放冷，再称定重量，用70%甲醇补足减失的重量，摇匀，滤过，取续滤液，作为供试品溶液。

2.3.3 阴性对照溶液的制备：按本品处方工艺制备不含连翘的阴性样品，按供试品溶液的制备方法制备阴性对照溶液（缺连翘）。

2.3.4 测定：分别精密吸取以上三种溶液各10μl，注入色谱仪，记录各自的色谱图。

试验结果显示：供试品色谱中在与对照品色谱保留时间相同的位置上有色谱峰出现，而阴性对照在与对照品色谱保留时间相同的位置上无色谱峰出现，表明该含量测定方法阴性无干扰，专属性好。

2.4 线性关系考察

取连翘酯苷A对照品约5mg，精密称定，置50ml量瓶中，加甲醇使溶解并稀释至刻度，摇匀（含连翘酯苷A 0.1mg/ml），吸取上述溶液1μl、2μl、4μl、10μl、12μl、14μl分别进样，按上述色谱条件测定，以峰面积对连翘酯苷A的浓度进行回归分析，结果见表6。

表6　连翘酯苷A标准曲线数值表

对照品浓度（μg/ml）	峰面积值	回归方程	回归系数（r）
0.1	283834		
0.2	538221	$y=2302379x+2377$	0.9999
0.4	1059075		

续表

对照品浓度（μg/ml）	峰面积值	回归方程	回归系数（r）
1	2129303		
1.2	3096804	y=2302379x+2377	0.9999
1.4	4071539		

从表6数据可见，连翘酯苷A在0.1~1.4μg范围内与峰面积值呈良好的线性关系。

2.5 稳定性试验

取同一供试品溶液，分别在溶液制备后的0小时、2小时、4小时、8小时、12小时进行测定。结果见表7。

表7 不同时间测得溶液中连翘酯苷A峰面积值

时间（h）	峰面积值	RSD（%）
0	669603	
2	670537	
4	679913	1.2
8	685994	
12	686406	

从表7数据可见，连翘酯苷A在12小时内的峰面积值基本稳定不变，稳定性良好。

2.6 重复性试验

取同一（批号20180514）供试品6份，各约1.0g，精密称定，置具塞锥形瓶中，精密加入70%甲醇50ml，密塞，称定重量，超声处理30分钟，放冷，再称定重量，用70%甲醇补足减失的重量，摇匀，滤过，取续滤液，作为供试品溶液。另取连翘酯苷A对照品约5mg，精密称定，置50ml量瓶中，加甲醇使溶解并稀释至刻度，摇匀，作为对照品溶液。分别精密吸取以上两种溶液各10μl，注入液相色谱仪，记录各自的色谱图，用外标法以峰面积计算含量。结果见表8。

表8 连翘酯苷A重复性试验结果

取样量（g）	峰面积值		含量（mg/g）	平均含量（mg/g）	RSD（%）
1.0095	658620	678756	0.7155		
1.0040	674594	676762	0.7270		
1.0085	680739	682320	0.7300	0.723	0.74
1.0080	675462	673523	0.7228		
1.0004	660347	669983	0.7128		
1.0055	668587	677194	0.7229		

从表8数据可见，在相同的提取溶剂和色谱条件下，6份供试品含量测定结果的均值为0.723mg/g，RSD为0.74%，表明该方法的重复性良好。

2.7 加样回收试验

取供试品（含量为0.723mg/g）9份，各约0.5g，精密称定，分别置9个具塞锥形瓶中，再分别在其中3个具塞锥形瓶中各精密加入浓度为0.2120mg/ml的连翘酯苷A对照品溶液0.85ml（约相当于供试品含有量的50%）及70%甲醇25.0ml，另3个具塞锥形瓶中各加入上述对照品溶液1.7ml（约相当于供试品含有量的100%）及70%甲醇25.0ml，其余3个具塞锥形瓶中各加入上述对照品溶液2.4ml（约相当于供试品含有量的150%）及70%甲醇25.0ml，分别按正文含量测定项下的方法操作，测定每份的含量，计算回收率，结果见表9。

表9　连翘酯苷A加样回收试验结果

取样量（g）	供试品含量（mg）	对照品加入量（mg）	测得总量（mg）	回收率（%）	平均回收率（%）	RSD（%）
0.5052	0.3652	0.1802	0.5369	95.27		
0.5209	0.3766	0.1802	0.5477	94.97		
0.5229	0.3780	0.1802	0.5479	94.26		
0.5061	0.3659	0.3604	0.6993	92.51		
0.5007	0.3620	0.3604	0.6903	91.11	93.7	1.98
0.5150	0.3723	0.3604	0.7009	91.18		
0.4735	0.3423	0.5088	0.8200	93.88		
0.5323	0.3848	0.5088	0.8764	96.62		
0.5131	0.3709	0.5088	0.8456	93.28		

从表9数据可见，本方法的平均回收率为93.7%，RSD为1.98%。该方法准确度好。

2.8　耐用性试验

取同一批号供试品4份，分别按重复性试验项下方法操作，换不同厂家、不同型号的色谱柱，分别测定供试品的含量。结果见表10。

表10　色谱柱耐用性试验

序号	柱型号	含量（mg/g）
1	SHISEIDO CAPCELL PAK C$_{18}$	0.782
2	SHIMADZU Wonda Cract ODS-2 C$_{18}$	0.780

从表10数据可见，不同型号或厂家的色谱柱对测定结果影响较小。

3　样品含量测定

取三批样品（批号20180514、20200316、20200440）各3份及模拟样（批号20200031）2份，各约1.0g，精密称定，按重复性试验项下的方法处理并测定。含量测定结果见表11。

表11　样品中连翘酯苷A的含量测定结果

批号	取样量（g）	平均峰面积值	含量（mg/g）	平均含量（mg/g）
20180514	1.0042	660546	0.7105	
	1.0002	672558	0.7263	0.722
	1.0074	681460	0.7307	
20200316	1.0085	1245880	1.3345	
	1.0033	1256904	1.3533	1.342
	1.0088	1250218	1.3387	
20200440	1.0010	725456	0.7829	
	1.0013	723842	0.7809	0.782
	1.0022	726323	0.7828	
20200031	1.0001	2801195	3.0257	
	1.0067	2862489	3.0716	3.05

从表11数据可见，三批样品中连翘酯苷A含量最低为0.722mg/g，最高为1.342mg/g，模拟样品含量结果为3.05mg/g。

4　连翘药材含量测定

试验中采用同法对上述两批样品生产用连翘药材进行了含量测定。测定结果见表12。

表12　连翘药材中连翘酯苷A的含量测定结果

序号	取样量（g）	峰面积值	含量（mg/g）	平均含量（mg/g）
1	0.5045	28852442	61.780	61.98
2	0.5045	29291287	62.177	

从表12数据可见, 连翘药材中连翘酯苷A的含量为61.98mg/g。

按理论值折算, 成品应含连翘酯苷A 3.02mg/g。三批样品中, 批号20200316样品为1.342mg/g, 转移率为44.4%。考虑转移率较低, 结合其他影响因素及三批样品的测定结果, 下浮20%, 据此制定样品含量低限为50÷1025×3.5%×1000×44.4%×80%=0.60mg/g。

标准正文暂定为: 本品每1g含连翘以连翘酯苷A($C_{29}H_{36}O_{15}$)计, 不得少于0.60mg。

【功能与主治】

清热, 解毒, 消食。用于接触性毒, 阳光毒, 呼吸中毒, 木质性毒症等各类毒性疾病。

【用法与用量】

口服。一次11~15粒, 一日1~2次, 温开水送服。

【规格】

每10丸重2g。

【贮藏】

密封, 防潮。

起草单位: 呼伦贝尔市食品药品检验所　　　穆　跃　席海娟　孙　汇　郭司群

　　　　　赤峰市药品检验所　　　　　　　曹　月　王静宝　会伟哲

　　　　　内蒙古自治区国际蒙医医院　　　艾毅斯　安鲁斯　高钰思

古古勒–15丸质量标准起草说明

【历史沿革】

本方来源于《蒙医药传统验方》（内蒙古人民出版社1975年版，蒙古文，第284页）。

【处方来源】

本制剂由内蒙古自治区国际蒙医医院提供。

【名称】

古古勒–15丸

【蒙药材和饮片的来源和执行标准】

1. 处方组成及药味排列顺序：诃子汤泡草乌40g、木香40g、石菖蒲40g、诃子40g、栀子40g、川楝子40g、决明子40g、蒡麻子40g、枫香脂40g、党参40g、文冠木40g、瞿麦40g、没药40g、山沉香40g、人工麝香1g。

2. 处方中除诃子汤泡草乌、文冠木、山沉香和人工麝香药材外，其余木香等药味均收载于《中国药典》2020年版一部，其质量应符合该品种项下的有关规定。

诃子汤泡草乌：毛茛科植物北乌头*Aconitum kusenzoffii* Reichb.的干燥块根。其标准应符合《内蒙古蒙药饮片炮制规范》2020年版第307页该品种项下有关规定。

文冠木：为无患子科植物文冠果*Xanthoceras sorbifolia* Bge.的茎干或枝条的干燥木部。其标准应符合《内蒙古蒙药饮片炮制规范》2020年版第85页该品种项下的有关规定。

山沉香：为木犀科植物贺兰山丁香*Syringa pinnatifolia* Hemsl.var.*alashanensis* Ma.et S.Q.Zhou削去外皮的干燥枝。其标准应符合《中华人民共和国卫生部药品标准》（蒙药分册）1998年版第4页该品种项下的有关规定。

人工麝香：应符合卫生部标准（试行）WS–210（Z–32）–93标准的有关规定。

【制法】

以上十五味，除人工麝香外，其余诃子汤泡草乌等十四味，粉碎成细粉，将人工麝香与上述细粉配研，过筛，混匀，用水泛丸，打光，干燥，分装，即得。

【性状】

本品为黄棕色之棕褐色的水丸；气微，味苦、微涩。

【鉴别】

本品为原药材细粉制成的水丸，方中诃子、栀子、瞿麦的显微特征较明显，故建立显微鉴别，并对处方中的木香建立了薄层鉴别。

1. 试剂与试药

供试品：供试品（批号20191521、20191522、20191523）由内蒙古自治区国际蒙医医院提供，模拟样品（批号20191102）模拟。

对照品：去氢木香内酯对照品（批号111525–201711）购于中国食品药品检定研究院。

薄层板：硅胶G板，购于青岛海洋化工有限公司。

所用其他试剂均为分析纯,水为离子交换高纯水。

2. 试验方法与结果

（1）显微鉴别

诃子: 石细胞淡黄色或鲜黄色,成群或单个散在,呈类圆形、卵圆形、类方形、长方形或长条形,有的略分支或一端稍尖突,孔沟细密而清晰。栀子: 种皮石细胞黄色或淡棕色,多破碎,完整者长多角形、长方形或不规则形,壁厚,有大的圆形纹孔,胞腔棕红色。瞿麦: 纤维多成束,纤维束外侧的细胞中含草酸钙簇晶,形成晶纤维,含晶细胞类圆形。

（2）木香的薄层鉴别

参照《中国药典》2020年版一部"木香"项下薄层条件,制定出正文所述的鉴别方法。通过阴性对照试验观察,方中其他药材对木香的检出无干扰,证明此方法具有专属性。

【检查】

按照丸剂（《中国药典》2020年版四部通则0108）项下的规定,对三批供试品及模拟样品的水分、重量差异、溶散时限、重金属、砷盐、微生物限度和急性毒性试验进行了检查。具体方法及测定数据如下:

1. 水分: 取供试品照水分测定法（《中国药典》2020年版四部通则0832）测定,三批供试品及模拟样品测定结果见表1。

表1　水分测定结果

序号	批号	水分（%）
1	20191521	5.11
2	20191522	5.09
3	20191523	5.13
4	20191102	5.00

药典规定丸剂水分含量不得大于9.0%。由表1的结果可见,3批供试品和1批模拟样品的水分含量均符合要求。

2. 重量差异: 取以上三批供试品,每批供试品取10份,10丸为1份,分别称定重量,再与每份标示重量（2g）相比较,求每一份的重量差异（%）。药典规定每份标示装量的限度为±8%,并规定超出重量差异限度的不得多于2份,并不得有1份超出限度1倍。本品的重量差异检查结果均符合规定。

3. 溶散时限: 取本品按照片剂崩解时限检查法（《中国药典》2020年版四部通则0921）项下加挡板进行测定。三批供试品测定结果见表2。

表2　溶散时限测定结果

序号	批号	溶散时间（min）
1	20191521	38
2	20191522	35
3	20191523	35

本规范规定古古勒-15丸的溶散时限应在2小时内全部溶散。表2的结果显示,本品的溶散时限符合规定。

4. 对三批供试品及模拟样品进行了重金属和砷盐考察,方法与结果如下:

重金属: 分别取每个批号样品0.5g、0.67g、1.0g、2.0g,按《中国药典》2020年版四部0821第二法检查。

供试品溶液的制备: 取本品0.5g、0.67g、1.0g、2.0g,分别缓缓炽灼至完全炭化,放冷,加硫酸0.5ml,使湿润,低温加热至硫酸除尽后,加硝酸0.5ml,蒸干,至氧化氮蒸气除尽后,放冷,于600℃炽灼至完全灰化,放冷。加盐酸2ml,置水浴上蒸干后加水15ml,滴加氨试液至对酚酞指示液显中性,再加醋酸盐缓冲液（pH3.5）2ml,微热溶解后，移置纳氏比色管中，加水稀释至25ml，作为供试品溶液。

标准铅对照溶液的制备：另取配制供试品溶液的试剂两份，分别置瓷皿中蒸干后，加醋酸盐缓冲液（pH3.5）2ml，加水15ml微热溶解后，移至两支纳氏比色管中，分别加标准铅溶液（10μg/mlPb）2ml，再加水稀释至25ml，作为标准铅对照溶液。

检视：于上述供试品溶液和标准铅对照溶液中分别加硫代乙酰胺试液各2ml，摇匀，放置2分钟，同置白色背景上，从上向下进行观察。试验结果见表3。

表3 重金属检查结果

序号	批号	重金属含量（ppm）			
1	20191521	<10	<20	<30	<40
2	20191522	<10	<20	<30	<40
3	20191523	<10	<20	<30	<40
4	20191102	<10	<20	<30	<40

结果显示，供试品溶液的颜色明显浅于2ml的标准铅对照溶液。经过3批供试品及模拟样品的检查，含重金属均未超过百万分之十，故未列入正文。

砷盐：取本品1g和标准砷溶液（1μg/mlAS）2ml，分别加无砷氢氧化钙1g，加少量水，搅匀，烘干，用小火缓缓炽灼至炭化，再在600℃炽灼至完全灰化，放冷。分别加盐酸7ml使溶解，再加水21ml，按《中国药典》2020年版四部通则0822第一法（古蔡氏法）检查砷盐含量。

结果：供试品砷斑浅于标准砷斑的颜色，表明本品含砷量未超过百万分之二（小于2ppm）。故砷盐检查项目未列入正文。

5. 微生物限度：照微生物计数法（《中国药典》2020年版四部通则1105）、控制菌检查法（《中国药典》2020年版四部通则1106）及《内蒙古蒙药制剂规范》（第三册）附录Ⅲ微生物限度标准，进行检查，结果均符合规定。

6. 急性毒性试验：试验研究及结果见本文后面的附件。

【含量测定】

古古勒-15丸是由诃子汤泡草乌、木香、石菖蒲、诃子、栀子、川楝子、决明子、茼麻子、枫香脂、党参、文冠木、瞿麦、没药、山沉香、人工麝香等十五味药组成。临床功效为燥协日乌素，消黏，消肿。用于陶赖，赫如虎，关节协日乌素症，狼头疮、巴木病、疥疮、丘疹、梅毒等皮肤协日乌素病。栀子功能为泻火除烦，清热利湿。在标准制定过程中，以栀子苷作为测定指标，采用高效液相色谱法对本品中的栀子建立了含量测定方法。通过实验摸索，确定了比较理想的色谱条件。经分析方法验证，表明该方法重现性好、专属性强，方中其他组分对栀子苷的测定无干扰。

1 仪器与试剂试药

1.1 仪器

U3000型高效液相色谱仪，KQ-250DB型超声波清洗器（昆山市超声仪器有限公司），Heal Force NW15UV型超纯水系统，ADVENTURERTM型电子天平（万分之一），Ohaus Discovery型电子天平（十万分之一），FW400A型多功能粉碎机（材茂科技有限公司）。

1.2 试剂与试药

供试品（批号20191521、20191522、20191523），由内蒙古自治区国际蒙医医院提供，模拟样品（批号20191102）模拟；栀子苷对照品（批号110749-201617），购于中国食品药品检定研究院；乙腈为色谱纯，水为超纯水，其他试剂均为分析纯。

2 方法学考察

2.1 色谱条件

2.1.1 色谱柱: 本实验采用Alltima C_{18}(250mm×4.6mm, 5μm)色谱柱。

2.1.2 流动相的选择: 参照《中国药典》2020年版一部"栀子"项下的流动相比例进行流动相条件摸索。经验证, 在此条件下分离效果好, 色谱峰对称性好, 故将流动相定为乙腈–水(15∶85)。

2.1.3 柱温: 33℃可以保证柱压较低, 分离效果稳定。

2.1.4 检测波长的选择: 按照《中国药典》2020年版一部"栀子"项下规定, 选择测定波长为238nm。

2.1.5 理论板数的确定: 多批供试品测定结果表明, 栀子苷峰的理论板数在1500以上即能达到与相邻峰分开, 故规定理论板数按栀子苷峰计算不低于1500。

2.2 提取溶剂及提取时间的考察

参考《中国药典》2020年版一部"栀子"含量测定项下的方法, 以甲醇作为提取溶剂进行超声处理(功率90kHz), 为保证被测成分提取完全, 在供试品的细度一致、提取溶剂、超声功率一致的条件下, 试验中考察了超声20分钟、30分钟、40分钟、50分钟等不同提取时间对提取效率的影响。结果见表4。

表4 栀子苷提取时间考察

提取时间(min)	称样量(g)	峰面积平均值	含量(mg/g)	平均含量(mg/g)
20–1	0.8043	12.7425	2.0305	1.9567
20–2	0.8035	11.8038	1.8828	
30–1	0.8034	13.5769	2.1659	2.2888
30–2	0.8085	15.2425	2.4116	
40–1	0.8012	13.0335	2.0850	2.1295
40–2	0.8017	13.5991	2.1740	
50–1	0.8084	12.6727	2.0092	2.0524
50–2	0.8026	13.1229	2.0956	

从表4数据可见, 超声处理30分钟时, 供试品中栀子苷的含量最高, 故将提取时间定为30分钟。

2.3 专属性考察

2.3.1 对照品溶液的制备: 取栀子苷对照品适量, 精密称定, 加甲醇制成每1ml含70μg的溶液, 作为对照品溶液。

2.3.2 供试品溶液的制备: 取本品适量, 研细, 取约0.8g, 精密称定, 置具塞锥形瓶中, 精密加入甲醇25ml, 密塞, 称定重量, 超声处理(功率250W, 频率40kHz)30分钟, 放冷, 再称定重量, 用甲醇补足减失的重量, 摇匀, 滤过, 取续滤液, 作为供试品溶液。

2.3.3 阴性对照溶液的制备: 按本品处方工艺制备不含栀子的阴性供试品, 取约0.8g, 精密称定, 从"置具塞锥形瓶中……"起操作同"供试品溶液的制备", 取续滤液, 作为阴性对照溶液。

2.3.4 测定: 分别精密吸取上述三种溶液各10μl, 注入液相色谱仪, 记录各自的色谱图。

结果显示, 供试品色谱中在与对照品色谱保留时间相同的位置上有色谱峰出现, 而阴性对照在与对照品色谱保留时间相同的位置上无色谱峰出现, 表明共存组分对处方中栀子苷的测定无干扰。

2.4 线性关系考察

取栀子苷对照品约7.0mg, 精密称定, 置100ml量瓶中, 加甲醇使溶解并稀释至刻度, 摇匀, 作为对照品溶液(栀子苷实际浓度为0.0734mg/ml), 精密吸取上述溶液1μl、3μl、5μl、7μl、10μl、12μl、15μl、20μl注入液相色谱仪, 按上述色谱条件进行测定。以峰面积对对照品进样量进行回归分析。结果见表5。

表5 标准曲线数据及回归分析结果

序号	进样量（μg）	峰面积值	回归方程	回归系数（r）
1	0.0734	1.3260		
2	0.2202	4.1818		
3	0.3670	6.8643		
4	0.5138	9.5585	$y=18.4228x+0.0782$	1.0000
5	0.7340	13.6120		
6	0.8808	16.3485		
7	1.1010	20.3931		
8	1.4680	27.0542		

从表5数据可见，栀子苷在0.0734~1.47μg范围内与峰面积呈良好的线性关系。

2.5 稳定性试验

取同一份供试品（批号20191521）溶液，分别在溶液制备后的0小时、1小时、2小时、3小时、4小时、5小时、6小时、7小时、8小时进行测定。结果见表6。

表6 溶液的稳定性试验结果

序号	时间（h）	峰面积值	RSD（%）
1	0	15.1068	
2	1	15.1756	
3	2	14.9947	
4	3	14.5654	
5	4	14.3398	1.96
6	5	14.6155	
7	6	14.8661	
8	7	15.1035	
9	8	15.0227	

从表6数据可见，栀子苷在8小时内峰面积值基本稳定不变。

2.6 精密度试验

取同一份供试品（批号20191521）溶液，连续进样6针，记录色谱图。栀子苷峰面积的精密度计算结果见表7。

表7 精密度试验结果

序号	峰面积值	平均值	RSD（%）
1	15.4513		
2	15.7334		
3	15.2263	15.3130	1.65
4	15.1756		
5	15.0042		
6	15.2871		

从表7数据可见，符合《中国药典》2020年版四部通则0512中规定的RSD值小于2.0%的要求。

2.7 重复性试验

取同一供试品（批号20191521）6份，各约0.8g，精密称定，置具塞锥形瓶中，精密加入甲醇25ml，密塞，称定重量，超声处理（功率250W，频率40kHz）30分钟，放冷，再称定重量，用甲醇补足减失的重量，摇匀，滤过，取续滤液，作为供试品溶液。取栀子苷对照品适量，精密称定，加甲醇制成每1ml含70μg的溶液，作为对照品溶液。结果见表8。

表8 栀子苷重复性试验结果

称样量（g）	峰面积值	含量（mg/g）	平均含量（mg/g）	RSD（%）
0.8014	14.6861	2.3900		
0.8042	14.4787	2.3480		
0.8046	14.4544	2.3429	2.34	1.66
0.8054	14.6045	2.3649		
0.8084	15.0393	2.4263		
0.8005	14.2139	2.3157		

从表8数据可见，在相同的细度、提取溶剂和色谱条件下，6份供试品含量测定结果的均值为2.34mg/g，RSD为1.66%，表明该方法的重复性好。

2.8 加样回收试验

取已知含量（批号20191521，栀子苷含量为2.34mg/g）的供试品9份，各约0.4g，精密称定，分别置9个具塞锥形瓶中，其中1、2、3号各精密加入栀子苷对照品溶液（栀子苷浓度0.1124mg/ml）5ml及甲醇20ml，4、5、6号各精密加入上述对照品溶液10ml及甲醇15ml，7、8、9号各精密加入上述对照品溶液15ml及甲醇10ml，密塞，称定重量，超声处理（功率250W，频率40kHz）30分钟，放冷，再称定重量，用甲醇补足减失的重量，摇匀，滤过，取续滤液，作为供试品溶液。分别精密吸取各溶液10μl进样测定，按外标法以峰面积计算含量并计算回收率。结果见表9。

表9 加样回收试验结果

称样量（g）	供试品含量（mg）	对照品加入量（mg）	测得总量（mg）	回收率（%）	平均回收率（%）	RSD（%）
0.4012	0.9383	0.4735	1.4162	100.92		
0.4021	0.9404	0.4735	1.4417	105.87		
0.4024	0.9411	0.4735	1.4367	104.65		
0.4038	0.9444	0.9470	1.9263	103.68		
0.4021	0.9404	0.9470	1.9176	103.18	103.3	1.77
0.4037	0.9442	0.9470	1.8917	100.05		
0.4065	0.9507	1.4205	2.4206	103.48		
0.4062	0.9500	1.4205	2.4371	104.69		
0.4046	0.9463	1.4205	2.4170	103.53		

从表9数据可见，本方法的平均回收率为103.3%，RSD为1.77%。该方法准确度好。

2.9 耐用性试验

取供试品（批号20191521）2份，各约0.8g，精密称定，按重复性试验项下的方法处理，换不同厂家、不同型号的色谱柱，分别测定供试品的含量。结果见表10。

表10 色谱柱耐用性试验

序号	称样量（g）	柱型号	峰面积值	含量（mg/g）
1	0.8021	Apollo C_{18}柱	15.0019	2.42
		Alltima C_{18}柱	14.9987	2.34
2	0.8055	Apollo C_{18}柱	15.2491	2.49
		Alltima C_{18}柱	14.4768	2.40

从表10数据可见，在使用不同型号或厂家的色谱柱时，对测定结果影响较小。

3 样品含量测定

取三批样品（批号20191521、20191522、20191523）及模拟样品（批号20191102），每批各1份，各约0.8g，精密称定，按重复性试验项下的方法处理并测定含量。测定结果见表11。

表11　样品中栀子苷的含量测定结果

批号	称样量（g）	峰面积平均值	含量（mg/g）	平均含量（mg/g）
20191521	0.8038	23096	2.94	
20191522	0.8019	22785	2.91	2.93
20191523	0.8066	23056	2.93	
20191102	0.8084	20419	2.37	

从表11数据可见，三批样品和模拟样品中栀子苷含量最低为2.37mg/g，最高为2.94mg/g。

4　栀子药材含量测定

取样品生产用栀子药材粉末约0.05g，精密称定，按《中国药典》2020年一部"栀子"含量测定项下的方法处理并测定。栀子药材中栀子苷的含量测定结果见表12。

表12　栀子药材中栀子苷的含量测定结果

序号	称样量（g）	平均峰面积值（$n=2$）	含量（mg/g）	平均含量（mg/g）
1	0.0528	11.5315	28.3115	29.19
2	0.0535	12.4105	30.0708	

从表12数据可见，栀子药材中栀子苷含量为29.19mg/g。根据本品处方量折算，理论上成品每1g供试品含栀子苷应为2.08mg，转移率为113.9%。

5　本制剂含量限度的确定

三批样品中栀子苷最低含量在2.91mg/g，栀子药材中栀子苷含量为29.19mg/g，模拟样品中栀子苷的含量为2.37mg/g。

按理论值折算，样品应含栀子苷为40÷561×29.19=2.0812mg/g，即2.08mg/g。可见，栀子苷转移率为2.37（mg/g）÷2.08（mg/g）×100%=113.9%。

参照《中国药典》2020年版一部"栀子"药材的栀子苷含量限度不得少于1.8%，转移率为113.9%，转移率过高，故不计入含量限度计算里。考虑不同产地药材的质量差异，并结合其他影响因素及三批样品的测定结果，下浮20%，按此限度折算本品含栀子苷的理论量应不低于40÷561×1000×1.8%×100%×80%=1.02mg/g。

标准正文暂定为：本品每1g含栀子以栀子苷（$C_{17}H_{24}O_{10}$）计，不得少于1.0mg。

【功能与主治】

燥协日乌素，杀黏，消肿。主治陶赖，赫如虎，关节协日乌素症，狼头疮、巴木病、疥疮、丘疹、梅毒等皮肤协日乌素病。

【用法与用量】

口服。一次7~11丸，一日1次，温开水送服。

【注意事项】

孕妇禁用，老弱者、婴幼儿慎用。

【规格】

每10丸重2g。

【贮藏】

密封，防潮。

附件　昆明小鼠灌胃古古勒-15丸急性毒性试验研究报告

1　摘要

目的：

通过一天内大剂量（≥临床等效量的50倍）对昆明种小鼠灌胃古古勒-15丸，观察其产生的毒性反应及严重程度、主要毒性靶器官，为重复给药毒性研究计量设计和主要观察指标提供参考。

方法：

根据药物急性毒性预试验测定，无法测出LD_{50}，故采用急性毒性限度试验测定方法。小鼠按0.4ml/10g灌胃给药，给药1次，总给药体积为40ml/kg。成人每日最大剂量2.2g/（60kg·d），换算成小鼠临床等效最大剂量为0.275g/（kg·d）。配制药物最大可混悬浓度为0.5576g/ml，灌胃给药1次，给药剂量为22.30g/（kg·d），经计算为临床给药量的81.08倍。故一天内给药1次，小鼠给药总量为临床等效量的81.08倍，给药后观察动物的临床症状，连续观察至第14天，每天进行体重、摄食量、饮水量测定。第15天解剖动物，并进行大体病理学检查，若发现病变，则对病变组织进行组织病理学检查。

结果：

（1）一般状态观察：给药后，供试品组动物自主活动减少，给药后第2天上述异常症状恢复。

（2）对动物体重的影响：试验期间，各组动物的体重增加之间比较，无显著性差异（$P>0.05$），说明古古勒-15丸对实验动物的体重无显著性影响。

（3）对动物摄食量的影响：试验期间，给药当天古古勒-15丸组动物摄食量略有减少。从给药第2天开始，各组动物的摄食量之间比较，无显著性差异（$P>0.05$），说明古古勒-15丸对实验动物的摄食量无显著性影响。

（4）病理学检查：大体病理学检查，肉眼观察组织、器官未发现异常或病变。

结论：

古古勒-15丸口服给药为无毒或低毒药物。

2　研究的一般信息

2.1　专题名称及研究目的

专题名称：昆明小鼠灌胃古古勒-15丸急性毒性试验研究报告。

研究目的：采用昆明小鼠，单次灌胃古古勒-15丸，观察其产生的毒性反应及严重程度、主要毒性靶器官，为重复给药毒性研究计量设计和主要观察指标提供参考。

2.2　研究遵循的GLP法规性文件

《药物非临床研究质量规范》（国家食品药品监督管理局令第34号，原CFDA 2017.9.1）。

2.3　所用毒性研究指导原则的文件和名称及参考文献

2.3.1　所用毒性研究指导原则的文件和名称

《药物单次给药毒性研究技术指导原则》（原CFDA 2014.5）；

《中药、天然药物急性毒性研究技术指导原则》（原CFDA 2005.3）。

2.3.2　所用参考文献

[1]陈奇.中药药理研究方法学[M].北京:人民卫生出版社,2000.

[2]李仪奎.中药药理试验方法学[M].上海:上海科学技术出版社,2006.

[3]魏伟,吴希美,李元建.药理实验方法学[M](第四版).北京:人民卫生出版社,2010.

3 实验材料

3.1 受试物及剩余受试物的处理

3.1.1 供试品

名称:古古勒-15丸。

提供单位:内蒙古自治区国际蒙医医院国家蒙药制剂中心。

批号:20190425。

3.1.2 剩余供试品的处理

对送样供试品留样60丸,留样保存至有效期2022年12月31日废弃。

3.2 实验系统

3.2.1 实验动物

动物种系、级别:小鼠,昆明种,SPF级。

繁育单位:内蒙古医科大学实验动物中心。

内蒙古医科大学实验动物中心实验动物生产许可证编号:SCXK(蒙)2015-0001。

发证机关:内蒙古自治区科学技术厅。

3.2.2 动物选择理由

作为一般毒性研究,昆明种小鼠是常用的啮齿类哺乳动物,且此种动物的国内外背景资料丰富,动物供应充足。

3.2.3 动物的饲养管理

3.2.3.1 动物的饲养环境

饲育环境:屏障环境。

温度:20~26℃,日温差≤3℃。

相对湿度:41%~64%。

换气次数:≥15次/小时。

照明时间:12/12明暗交替(150~300lx)。

动物笼具:PC材质小鼠饲养笼。

饲养密度:5只/笼。

笼具的换新频率:3次/周。

粪便的处理:在更换饲养盒时,随动物废弃垫料装入专用垃圾袋,密封后统一处理。

清扫与消毒:全部操作结束后清扫,采用0.1%新洁尔灭和0.2% 84消毒液进行轮换消毒,每周一次轮流交换消毒液的种类。

3.2.3.2 检疫

检疫与适应性饲养时程:7天(含购入日)。

3.2.3.2.1 购入日检疫内容

动物外观健康检查:外表(有无外伤、卷尾、肿瘤、畸残等),体形(有无消瘦、过肥),行动(有无倦怠、躁动),体温(有无发热、发冷),呼吸(有无呼吸不规律和异常呼吸音),被毛(有无竖毛、脱毛、脏污),鼻(有无流涕、出血、流脓),口腔(有无流涎、齿过长),眼(有无流泪、分泌物过多、眼球浑浊),耳(有无外伤、耳癣),生殖器(有无外伤、异常分泌物),尿(有无血尿),粪便(有无下痢、血便、脓便),其他异常。

3.2.3.2.2　第2~7天检疫驯化内容

每天上、下午各1次对检疫动物进行观察,检疫过程中,如出现外观、临床症状观察等任何异常现象,对实验可能有影响的动物予以淘汰。

3.2.3.2.3　检疫驯化期体重测定

在检疫第1天(动物入室日)和第7天(分组前)称量动物体重。

3.2.3.3　饲料

饲料种类:^{60}Co放射灭菌鼠全价颗粒饲料。

生产单位:斯贝福(北京)实验动物科技有限公司。

斯贝福(北京)实验动物科技有限公司实验动物生产许可证编号:SCXK(京)2015-0015。

发证机关:北京市科学技术委员会。

给料方法:定时投饲,自由摄取。

饲料的保存:保存在专门的通风、清洁、干燥的饲料间里。

3.2.3.4　饮用水

种类:实验动物高压灭菌饮用水。

给水方法:饮水瓶不间断供水,自由摄取。

3.2.3.5　垫料

垫料名称:玉米芯垫料。

提供单位:北京凌云博际(北京)科技有限公司。

北京凌云博际(北京)科技有限公司实验动物生产许可证编号:SCXK(京)2015-0014。

发证机关:北京市科学技术委员会。

灭菌方法:121℃、20分钟真空高压蒸汽灭菌。

3.2.4　动物的个体识别方法

分组前采用耳标记法,分组后采用躯体背部毛涂抹苦味酸溶液标记法。标记部位分别为头、背、尾、左前、左中、左后、右前、右中、右后和空白。鼠笼以笼卡标记组别、动物号、给药剂量及给药时间等信息。

3.3　药物剂量

成人临床每日用量为7~11粒,经测定药丸粒重,每10粒重约2g,一日1次,所以成人每日最小剂量为1.4g/(60kg·d),最大剂量2.2g/(60kg·d),换算成小鼠临床等效最大剂量为0.275g/(kg·d),最大给药剂量为22.30g/(kg·d),为人临床给药剂量的81.08倍。

3.4　实验试剂

水合氯醛(天津市大茂化学试剂厂,批号20181124),羧甲基纤维素钠(天津市致远化学试剂有限公司,批号20190304)。

3.5　实验仪器

BS2202S电子天平(北京塞多利斯仪器系统有限公司),BS2402S电子天平(北京塞多利斯仪器系统有限公司),实体解剖显微镜(德国Leica公司,型号DFC 290)。

4　实验方法

4.1　实验分组

选取健康昆明小鼠40只,雌雄各半。适应性饲养7天后,按性别、体重将小鼠随机分为空白对照组(0.5%CMC-Na)、供试品组(古古勒-15丸),共2组,每组20只,雌雄各半。

4.2 临床症状观察

观察时间和次数:

检疫期:每天上、下午各1次对检疫动物进行观察。

实验期:给药日,给药前、给药开始至给药结束后30分钟连续观察,如无异常则停止观察,如果有异常则继续观察至恢复正常为止,但最长不超过给药后2小时。下午观察一次。

非给药日,每天上、下午各观测一次。

观察例数:全部实验动物。

观察方法:隔笼观察,观察内容包括是否死亡、濒死、活动状况、外观及被毛、有无外伤、分辨情况等。

观察指征:见表1。

表1　临床症状观察

观　察	指　征	可能涉及的组织、器官、系统
Ⅰ.鼻孔呼吸阻塞,呼吸频率和深度改变,体表颜色改变	呼吸困难:呼吸困难或费力,喘息,通常呼吸频率减慢	
	1.腹式呼吸:膈膜呼吸,吸气时膈膜向腹部偏移	CNS呼吸中枢,肋间肌麻痹,胆碱能神经麻痹
	2.喘息:吸气很困难,伴随有喘息声	CNS呼吸中枢,肺水肿,呼吸道分泌物蓄积,胆碱能功能增强
	呼吸暂停:用力呼吸后出现短暂的呼吸停止	CNS呼吸中枢,肺心功能不全
	紫绀:尾部、口和足垫呈现青紫色	肺心功能不全,肺水肿
	呼吸急促:呼吸快而浅	呼吸中枢刺激,肺心功能不全
	鼻分泌物:红色或无色	肺水肿,出血
Ⅱ.运动功能:运动频率和特征的改变	自发活动、探究、梳理、运动增加或减少	躯体运动,CNS
	嗜睡:动物嗜睡,但可被针刺唤醒而恢复正常活动	CNS睡眠中枢
	正位反射(翻正反射)消失:动物体处于异常体位时所产生的恢复正常体位的反射消失	CNS,感觉,神经肌肉
	麻痹:正位反射和疼痛反应消失	CNS,感觉
	僵住:保持原姿势不变	CNS,感觉,神经肌肉,自主神经
	共济失调:动物行走时无法控制和协调运动,但无痉挛、局部麻痹、轻瘫或僵直	CNS,感觉,自主神经
	异常运动:痉挛,足尖步态,踏步,忙碌,低伏	CNS,感觉,神经肌肉
	俯卧:不移动,腹部贴地	CNS,感觉,神经肌肉
	震颤:包括四肢和全身的颤抖和震颤	神经肌肉,CNS
	肌束震颤:包括背部、肩部、后肢和足趾肌肉的运动	神经肌肉,CNS,自主神经

续表

观　察	指　征	可能涉及的组织、器官、系统
III.惊厥（癫痫发作）：随意肌明显的不自主收缩或痉挛性收缩	阵挛性惊厥：肌肉收缩和松弛交替性痉挛	CNS,呼吸衰竭,神经肌肉,自主神经
	强直性惊厥：肌肉持续性收缩,后肢僵硬性伸展	CNS,呼吸衰竭,神经肌肉,自主神经
	强直性–阵挛性惊厥：两种惊厥类型交替出现	CNS,呼吸衰竭,神经肌肉,自主神经
	窒息性惊厥：通常是阵挛性惊厥并伴有喘息和紫绀	CNS,呼吸衰竭,神经肌肉,自主神经
	角弓反张：背部弓起、头向背部抬起的强直性痉挛	CNS,呼吸衰竭,神经肌肉,自主神经
IV.反射	角膜性眼睑闭合反射：接触角膜导致眼睑闭合	感觉,神经肌肉
	基本条件反射：轻轻敲击耳内表面,引起外耳抽搐	感觉,神经肌肉
	正位反射：翻正反射的能力	CNS,感觉,神经肌肉
	牵张反射：后肢被牵拉至从某一表面边缘掉下时缩回的能力	感觉,神经肌肉
	对光反射：瞳孔反射；见光瞳孔收缩	感觉,神经肌肉,自主神经
	惊跳反射：对外部刺激（如触摸、噪声）的反应	感觉,神经肌肉
V.眼检指征	流泪：眼泪过多,泪液清澈或有色	自主神经
	缩瞳：无论有无光线,瞳孔缩小	自主神经
	散瞳：无论有无光线,瞳孔扩大	自主神经
	眼球突出：眼眶内眼球异常突出	自主神经
	上睑下垂：上睑下垂,针刺后不能恢复正常	自主神经
	血泪症：眼泪呈红色	自主神经,出血,感染
	瞬膜松弛	自主神经
	角膜混浊,虹膜炎,结膜炎	眼睛刺激
VI.心血管指征	心动过缓：心率减慢	自主神经,肺心功能不全
	心动过速：心率加快	自主神经,肺心功能不全
	血管舒张：皮肤、尾、舌、耳、足垫、结膜、阴囊发红,体热	自主神经、CNS、心输出量增加,环境温度高
	血管收缩：皮肤苍白,体凉	自主神经、CNS、心输出量降低,环境温度低
	心律不齐：心律异常	CNS、自主神经、肺心功能不全,心肌梗死
VII.流涎	唾液分泌过多：口周毛发潮湿	自主神经
VIII.竖毛	毛囊竖毛组织收缩导致毛发蓬乱	自主神经
IX.痛觉缺失	对痛觉刺激（如热板）反应性降低	感觉,CNS
X.肌张力	张力低下：肌张力全身性降低	自主神经
	张力过高：肌张力全身性增高	自主神经
XI.胃肠指征		

续表

观 察	指 征	可能涉及的组织、器官、系统
排便(粪)	干硬固体,干燥,量少	自主神经,便秘,胃肠动力
	体液丢失,水样便	自主神经,腹泻,胃肠动力
呕吐	呕吐或干呕	感觉,CNS,自主神经(小鼠无呕吐)
多尿	红色尿	肾脏损伤
	尿失禁	自主神经
XII. 皮肤	水肿:液体充盈组织所致肿胀	刺激性,肾功能衰竭,组织损伤,长时间静止不动
	红斑:皮肤发红	刺激性,炎症,过敏

4.3 体重测定

测定次数:首次给药至给药后第14天,连续14天进行体重测定。

测定例数:全部实验动物。

测定方法:用电子天平进行体重测定。

4.4 摄食量测定

测定次数:首次给药至给药后第14天,连续14天进行摄食量测定。

测定例数:全部动物。

测定方法:第1天上午测定每个饲养笼所给饲料量,次日上午相同时间测定剩余饲料量,以二者差值计算每个饲养笼动物的总进食量,并计算该笼每只动物每天的平均进食量。

4.5 饮水量测定

测定次数:首次给药至给药后第14天,连续14天进行摄食量测定。

测定例数:全部动物。

测定方法:第1天上午测定每个饲养笼所给水量,次日上午相同时间测定剩余水量,以二者差值计算每个饲养笼动物的总饮水量,并计算该笼每只动物每天的平均饮水量。

4.6 病理学检查

4.6.1 剖检

剖检例数:全部预定解剖的动物、各组死亡或濒临死亡的动物。

剖检方法:对于全部预定解剖的动物和各组濒临死亡动物,腹腔注射20%水合氯醛进行麻醉。从腹腔后大静脉完全放血处死,然后进行解剖。如濒死动物,迅速解剖。

尸检:肉眼观察脑、脊髓、心脏、主动脉、肺(含支气管)、肝脏、肾脏、脾脏、胰脏、胃、十二指肠、空肠、回肠结肠、直肠、盲肠、睾丸、附睾、前列腺、卵巢、子宫、阴道、膀胱、脑垂体、甲状腺(含甲状旁腺)、颌下腺、肾上腺、坐骨神经、肌肉、肠系膜淋巴结、胸腺、乳腺(雌性)、胸骨,发现异常时对该组织脏器用10%的甲醛(睾丸、附睾和眼球用Davidson's液)进行固定保存,并进行组织病理学检查,如未发现异常,不进行固定保存。

4.6.2 组织病理学检查

检查方法:固定后的组织经修块取材,逐级酒精脱水,石蜡包埋,滑动切片机切片(厚度约3μm),经苏木精-伊红(HE)染色,光镜下进行检查。根据镜检结果,如果某些组织器官需用其他方法染色,以提供更多的组织病理学信息,则进一步进行特殊染色。

4.7 数据的统计与处理

对于体重、摄食量等数据均采用SPSS22.0按照以下方法进行统计，最终数据以$\bar{x}\pm s$表示：①首先用Barlett检验方法进行数据均一性检验，如有数据均一（检验$P\geq 0.05$），则进行方差分析检验（F检验）；如果Bartlett检验结果显著（$P<0.05$），则进行Kruskal-wallis检验。②如果方差分析检验结果显示（$P<0.05$），则进一步用Dunett参数检验法进行多重比较检验；如果方差分析结果不显著（$P\geq 0.05$），则统计结束。③如果Kruskal-wallis检验结果显著（$P<0.05$），则进一步用Dunett非数检验法进行多重比较检验；如果Kruskal-wallis检验结果不显著（$P\geq 0.05$），则统计结束。

临床症状观察、大体病理学检查结果、组织病理学检查结果（如果有）则无需进行统计学处理，直接列出观察结果。

5 结果

5.1 对动物临床症状的影响

给药后连续观察动物2周，小鼠进食、进水、活动、毛色、粪便姿势、躯体运动、呼吸频率、下腹及肛门周围有无污染、眼、鼻、口有无分泌物、体温等一切正常。

5.2 对动物体重的影响

试验期间，小鼠活动正常，健康活泼，小鼠无一死亡，无中毒反应，无其他异常现象。空白对照组和给药组小鼠体重比较，无显著性差异（$P>0.05$）。结果见表2、表3。

表2 古古勒-15丸对雄性小鼠体重的影响（$n=10$, g, $\bar{x}\pm s$）

组别	给药第1天	给药第7天	给药第14天
空白对照组	18.26±1.86	25.27±4.65	33.85±3.71
供试品组	17.97±1.17	26.34±2.15	33.27±2.24

表3 古古勒-15丸对雌性小鼠体重的影响（$n=10$, g, $\bar{x}\pm s$）

组别	给药第1天	给药第7天	给药第14天
空白对照组	18.33±5.30	21.93±6.17	31.48±1.74
供试品组	18.46±2.16	22.17±2.81	29.66±2.59

5.3 对动物摄食量的影响

试验期间，各组动物的摄食量之间比较，无显著性差异（$P>0.05$）。结果见表4、表5。

表4 古古勒-15丸对雄性小鼠摄食量的影响（$n=10$, g, $\bar{x}\pm s$）

组别	给药第1天	给药第7天	给药第14天
空白对照组	5.86±1.37	6.10±0.28	5.56±1.74
供试品组	4.51±1.25	5.73±1.39	5.34±1.13

表5 古古勒-15丸对雌性小鼠摄食量的影响（$n=10$, g, $\bar{x}\pm s$）

组别	给药第1天	给药第7天	给药第14天
空白对照组	5.74±0.74	6.62±0.62	5.82±0.37
供试品组	4.37±1.19	6.54±1.74	6.26±2.14

5.4 对动物饮水量的影响

试验期间，各组动物的饮水量之间比较，无显著性差异（$P>0.05$）。结果见表6、表7。

表6 古古勒-15丸对雄性小鼠饮水量的影响（$n=10$, g, $\bar{x} \pm s$）

组别	给药第1天	给药第7天	给药第14天
空白对照组	5.39±1.92	5.91±2.49	6.02±2.47
供试品组	4.28±1.79	7.16±2.96	6.37±1.62

表7 古古勒-15丸对雌性小鼠饮水量的影响（$n=10$, g, $\bar{x} \pm s$）

组别	给药第1天	给药第7天	给药第14天
空白对照组	5.82±1.71	6.03±2.17	5.85±1.26
供试品组	7.53±1.73	5.27±1.94	6.38±1.18

5.5 病理学检查

大体病理学检查，肉眼观察组织、器官未发现异常或病变。

6 结论

本实验条件下，昆明种小鼠灌胃给予古古勒-15丸，小鼠按0.4ml/10g灌胃给药，一日内给药1次，小鼠总给药量为40ml/kg，为人临床给药剂量的81.08倍。在观察期间内（0~14天），饲养观察2周，无任何异常及中毒反应，小鼠体重增加，行为、活动、进食一切正常。

结果表明，古古勒-15丸口服给药为无毒或低毒药物。

起草单位： 内蒙古盛唐国际蒙医药研究院　　张跃祥　崔圆圆　王　伟

包头市检验检测中心　　　　　靖彩霞　董　宇　张　琳

内蒙古医科大学药学院　　　　肖云峰　钱新宇　王　娜　韩运琪　王建民　李建华

张双兰　程　前　籍紫薇

匝迪-13丸质量标准起草说明

【历史沿革】

本方来源于内蒙古自治区国际蒙医医院包长山大夫经验方。

【处方来源】

本制剂由内蒙古自治区国际蒙医医院提供。

【名称】

匝迪-13丸

【蒙药材和饮片的来源和执行标准】

1. 处方组成及药味排列顺序：肉豆蔻108g、诃子100g、草乌叶88g、土木香84g、木香84g、广枣54g、没药40g、茜草40g、多叶棘豆40g、朱砂粉20g、诃子汤泡草乌12g、荜茇11g、人工麝香2g。

2. 处方中除了多叶棘豆、诃子汤泡草乌和人工麝香药材外，其余肉豆蔻等药味均收载于《中国药典》2020年版一部，其质量应符合该品种项下的有关规定。

多叶棘豆：为豆科植物多叶棘豆*Oxytropis myriophylla*（Pall.）DC.的干燥全草。其标准应符合《中华人民共和国卫生部药品标准》（蒙药分册）1998年版第14页该品种项下有关规定。

诃子汤泡草乌：毛茛科植物北乌头*Aconitum kusenzoffii* Reichb.的干燥块根。其标准应符合《内蒙古蒙药饮片炮制规范》2020年版第307页该品种项下有关规定。

人工麝香：应符合卫生部标准（试行）WS-210（Z-32）-93标准的有关规定。

【制法】

以上十三味，除人工麝香外，其余肉豆蔻等十二味，粉碎成细粉，将人工麝香与上述细粉配研，过筛，混匀，用水泛丸，干燥，分装，即得。

【性状】

本品为棕黄色至棕褐色；气微，味苦、涩。

【鉴别】

本品为原药材细粉制成的水丸，方中诃子、广枣、荜茇、朱砂的显微特征较明显，故建立显微鉴别，并对处方中的茜草建立了薄层鉴别。

1. 试剂与试药

供试品：供试品（批号20190539、20190154、20180724）由内蒙古自治区国际蒙医医院提供，模拟样品（批号201909050）模拟。

对照品：大叶茜草素对照品（批号110884-201606）购于中国食品药品检定研究院。

薄层板：硅胶G板，购于青岛海洋化工有限公司。

所用其他试剂均为分析纯，水为离子交换高纯水。

2. 试验方法与结果

（1）显微鉴别

诃子：木化细胞呈类长方形、类多角形、类三角形、长条形或不规则形，纹孔圆点状、斜裂缝状或人字状，石细胞呈类圆形、长卵形、长方形或长条形，孔沟细密而明显；广枣：果皮表皮细胞成片，表面观类圆形或类多角形，胞腔内颗粒状物；荜茇：种皮细胞红棕色，长多角形，壁连珠状增厚；朱砂：不规则细小颗粒暗棕红色，有光泽，边缘暗黑色。

（2）茜草的薄层鉴别

参照《中国药典》2020年版一部"茜草"项下薄层条件，制定出正文所述的鉴别方法。通过阴性对照试验观察，方中其他药材对茜草的检出无干扰，证明此方法具有专属性。

【检查】

按照丸剂（《中国药典》2020年版四部通则0108）项下的规定，对三批供试品及模拟样品的乌头碱限量、水分、重量差异、溶散时限、重金属、砷盐和微生物限度进行了检查。具体方法及测定数据如下：

1. 乌头碱限量：称样量确定，诃子汤泡草乌占处方量6/343.5×100%=0.017%；取本品20g相当于取诃子汤泡草乌0.35g。

供试品溶液的制备：取本品20g（相当于诃子汤泡草乌0.35g），置锥形瓶中，加氨试液10ml，拌匀，密塞，放置2小时，加乙醚50ml，振摇1小时，放置过夜，滤过，滤渣用乙醚洗涤2次，每次15ml，合并乙醚液，蒸干，残渣加无水乙醇溶解并转移至1ml量瓶中，稀释至刻度，摇匀，作为供试品溶液。

对照品溶液的制备：另取乌头碱对照品，加无水乙醇制成每1ml含1.0mg的溶液，作为对照品溶液。

阴性对照溶液的制备：按处方比例配制不含草乌药材的阴性供试品。取阴性供试品粉末20g，制法同供试品溶液的制备，作为阴性对照溶液。

点样与展开：照薄层色谱法（《中国药典》2020年版四部通则0502）试验，吸取供试品溶液12μl、对照品溶液5μl，分别点于同一硅胶G薄层板上，以二氯甲烷（经无水硫酸钠脱水处理）-丙酮-甲醇（6:1:1）为展开剂，展开，取出，晾干。

显色：喷以稀碘化铋钾试液。

结果：供试品色谱中，在与对照品色谱相应的位置上，显相同的橙红色斑点，Rf值为0.23。出现的斑点小于并且颜色浅于对照品的斑点或不出现斑点，即乌头碱限量小于20ppm。

注：L=1（mg/ml）×5（μl）÷[20（g/ml）×12（μl）×1000]=20ppm。

2. 水分：取供试品照水分测定法（《中国药典》2020年版四部通则0832）测定。三批供试品及模拟样品测定结果见表1。

表1 水分测定结果

序号	批号	水分（%）
1	20190539	7.11
2	20190154	7.10
3	20180724	7.14
4	201909050	7.25

药典规定丸剂水分含量不得大于9.0%。由表1的结果可见，三批供试品和模拟样品的水分含量均符合要求。

3. 重量差异：取以上三批供试品，每批供试品取10份，10丸为1份，分别称定重量，再与每份标示重量（2g）相比较，求每一份的重量差异（%）。药典规定每份标示装量的限度为±8%，并规定超出重量差异限度的不得多于2份，并不得有1份超出限度1倍。本品的重量差异检查结果均符合规定。

4. 溶散时限: 取本品按照片剂崩解时限检查法(《中国药典》2020年版四部通则0921)项下加挡板进行测定。三批供试品测定结果见表2。

表2 溶散时限测定结果

序号	批号	溶散时间(min)
1	20190539	48
2	20190154	45
3	20180724	47

药典规定水丸应在1小时内全部溶散。表2的结果显示, 本品的溶散时限符合规定。

5. 对三批供试品及模拟样品进行了重金属、砷盐考察, 方法与结果如下:

重金属: 分别取每个批号样品0.5g、0.67g、1.0g、2.0g, 按《中国药典》2020年版四部0821第二法检查。

供试品溶液的制备: 取本品0.5g、0.67g、1.0g、2.0g, 分别缓缓炽灼至完全炭化, 放冷, 加硫酸0.5ml, 使湿润, 低温加热至硫酸除尽后, 加硝酸0.5ml, 蒸干, 至氧化氮蒸气除尽后, 放冷, 于600℃炽灼至完全灰化, 放冷。加盐酸2ml, 置水浴上蒸干后加水15ml, 滴加氨试液至对酚酞指示液显中性, 再加醋酸盐缓冲液(pH3.5)2ml, 微热溶解后, 移置纳氏比色管中, 加水稀释至25ml, 作为供试品溶液。

标准铅对照溶液的制备: 另取配制供试品溶液的试剂两份, 分别置瓷皿中蒸干后, 加醋酸盐缓冲液(pH3.5)2ml, 加水15ml微热溶解后, 移至两支纳氏比色管中, 分别加标准铅溶液(10μg/mlPb)2ml, 再加水稀释至25ml, 作为标准铅对照管。

检视: 于上述供试品溶液和标准铅对照溶液中分别加硫代乙酰胺试液各2ml, 摇匀, 放置2分钟, 同置白色背景上, 从上向下进行观察。试验结果见表3。

表3 重金属检查结果

序号	批号	重金属含量(ppm)			
1	20190539	<10	<20	<30	<40
2	20190154	<10	<20	<30	<40
3	20180724	<10	<20	<30	<40
4	20190905	<10	<20	<30	<40

结果显示, 供试品溶液的颜色明显浅于2ml的标准铅对照溶液。经过三批供试品及模拟样品的检查, 含重金属均未超过百万分之十, 故未列入正文。

砷盐: 取本品1g和标准砷溶液(1μg/mlAS)2ml, 分别加无砷氢氧化钙1g, 加少量水, 搅匀, 烘干, 用小火缓缓炽灼至炭化, 再在600℃炽灼至完全灰化, 放冷。分别加盐酸7ml使溶解, 再加水21ml, 按《中国药典》2020年版四部通则0822第一法(古蔡氏法)检查砷盐含量。

结果: 供试品砷斑浅于标准砷斑的颜色, 表明本品含砷量未超过百万分之二(小于2ppm)。故砷盐检查项目未列入正文。

6. 微生物限度: 照微生物计数法(《中国药典》2020年版四部通则1105)、控制菌检查法(《中国药典》2020年版四部通则1106)及《内蒙古蒙药制剂规范》(第三册)附录Ⅲ微生物限度标准, 进行检查。结果均符合规定。

【含量测定】

匝迪-13丸是由肉豆蔻、诃子、草乌叶、土木香、木香、广枣、没药、茜草、多叶棘豆、朱砂粉、荜茇、诃子汤泡草乌、人工麝香等十三味药组成的复方制剂。临床功效为杀黏虫, 除心赫依热。主治: 甲状腺功能亢进及失症, 心赫依热、心陈热、咽喉热症。方中木香具有行气止痛, 健脾消食的功效。用于胸胁、脘腹胀痛, 泻痢后重, 食积不消,不思饮食。木香的主要活性成分为倍半萜内酯类化合物木香烃内酯和去氢木香内酯。文献研究常采用高效液相色谱法测定木香中木香烃内酯的含量,故参照《中国药典》2020年版一部"木香"项下的含量测定方法,选择木香烃内酯作为指标成分,对本制剂中的木香进行了HPLC含量测定方法研究。经分析方法验证,表明该方法重现性好、专属性强,方中其他组分对木香烃内酯的测定无干扰,故收入质量标准中。

1 仪器与试剂试药

1.1 仪器

Waters e2695型高效液相色谱仪,Mettler-Toledo MS105DU型百万分之一电子天平,Mettler-Toledo XPR10型万分之一电子天平,SBL-22DT型超声波清洗器(宁波新芝生物科技股份有限公司,40kHz),Heal Force NW15UV型超纯水系统,FW400A型多功能粉碎机(材茂科技有限公司)。

1.2 试剂与试药

供试品(批号20190539、20190154、20180724)由内蒙古自治区国际蒙医医院提供,模拟样品(批号201909050)模拟;木香烃内酯对照品(批号111524-201809)购于中国食品药品检定研究院;甲醇为色谱纯,水为超纯水,其他试剂均为分析纯。

2 方法学考察

2.1 色谱条件

2.1.1 色谱柱:色谱柱填充剂为十八烷基硅烷键合硅胶,本实验采用Tnature C$_{18}$(250mm×4.6mm,5μm)色谱柱。

2.1.2 流动相的选择:参照《中国药典》2020年版一部"木香"含量测定项下的测定方法,以甲醇-水溶液(65∶35)为流动相,供试品中的木香烃内酯与其他成分能达到较好的分离,色谱峰具有比较好的保留时间、分离度和对称性。故选择以甲醇-水(65∶35)为流动相。

2.1.3 柱温:30℃可以保证柱压较低,分离效果稳定,故选择柱温为30℃。

2.1.4 检测波长的选择:参照《中国药典》2020年版一部"木香"含量测定项下木香烃内酯的测定方法,选用225nm处作为检测波长。

2.1.5 理论板数的确定:从对三批供试品的测定结果可见,木香烃内酯峰理论板数在3000以上即能达到较好的分离效果,故规定理论板数按木香烃内酯峰计不低于3000。

2.2 提取溶剂及提取效率的考察

参考《中国药典》2020年版一部"木香"含量测定项下的方法,以甲醇作为提取溶剂进行超声提取,为保证被测成分提取完全,在供试品的细度一致、提取溶剂确定、超声功率250W(频率40kHz)的条件下,实验中考察了20分钟、30分钟和40分钟等不同提取时间对提取效率的影响。结果见表4。

表4 木香烃内酯提取时间考察

提取时间(min)	称样量(g)	平均峰面积值	含量(mg/g)
20	2.0060	1872394	0.91
30	2.0064	1895710	0.93
40	2.0089	11912376	0.93

从表4数据可见,超声提取30分钟和40分钟供试品中木香烃内酯的含量基本一致,故将提取时间定为30分钟,与《中国药典》2020年版一部"木香"含量测定项下的提取时间一致。

2.3 专属性考察

2.3.1 对照品溶液的制备:取木香烃内酯对照品适量,精密称定,加甲醇制成每1ml含100μg的溶液,作为对照品溶液。

2.3.2　供试品溶液的制备：取本品适量，研细，取约2.0g，精密称定，置具塞锥形瓶中，精密加入甲醇25ml，密塞，称定重量，超声处理(功率250W，频率40kHz)30分钟，放冷，再称定重量，用甲醇补足减失的重量，摇匀，滤过，取续滤液，作为供试品溶液。

2.3.3　阴性对照溶液的制备：按本品处方配比制备不含木香的阴性样品，取约2.0g，精密称定，从"置具塞锥形瓶中……"起操作同"供试品溶液的制备"，取续滤液，作为阴性对照溶液。

2.3.4　测定：分别精密吸取以上三种溶液各10μl，注入液相色谱仪，记录各自的色谱图。

结果显示，供试品色谱中在与对照品色谱保留时间相同的位置上有色谱峰出现，而阴性对照在与对照品色谱保留时间相同的位置上无色谱峰出现，表明共存组分对处方中木香烃内酯的测定无干扰。

2.4　线性关系考察

取木香烃内酯对照品约2.5mg，精密称定，置25ml量瓶中，加甲醇使溶解，并稀释至刻度，摇匀，作为对照品溶液(木香烃内酯实际浓度为0.112mg/ml)。分别精密吸取上述对照品溶液1μl、2μl、5μl、10μl、15μl、20μl、25μl注入液相色谱仪，按上述色谱条件进行测定，以峰面积对对照品进样量进行回归分析。结果见表5。

表5　标准曲线数据及回归分析结果

序号	进样量(μg)	峰面积值	回归方程	回归系数(r)
1	0.112	101201		
2	0.224	413072		
3	0.560	1332204		
4	1.12	2846143	$y=2734544x-205527$	1.0
5	1.68	4377046		
6	2.24	5920193		
7	2.80	7460426		

从表5数据可见，木香烃内酯在0.112~2.80μg范围内与峰面积呈良好的线性关系。

2.5　精密度试验

取同一份供试品(批号20190539)溶液，连续进样6针，记录色谱图。木香烃内酯峰面积的精密度计算结果见表6。

表6　精密度试验结果

序号	峰面积值	平均值	RSD(%)
1	1826180		
2	1816860		
3	1812535	1808328	0.85
4	1782875		
5	1813291		
6	1798224		

从表6数据可见，符合《中国药典》2020年版四部通则0512中规定的RSD值小于2.0%的要求。

2.6　稳定性试验

取同一份供试品(批号20190539)溶液，分别于溶液制备后的0小时、2小时、4小时、6小时、8小时、10小时、12小时进样测定。结果见表7。

表7　溶液的稳定性试验结果

序号	时间（h）	峰面积值	RSD（%）
1	0	1800264	
2	2	1787821	
3	4	1770704	
4	6	1750984	0.94
5	8	1764267	
6	10	1772085	
7	12	1761954	

从表7数据可见，木香烃内酯在12小时内峰面积值基本稳定不变。

2.7　重复性试验

取同一供试品（批号20190539）6份，各约2.0g，精密称定，置具塞锥形瓶中，精密加入甲醇25ml，密塞，称定重量，超声处理（功率250W，频率40kHz）30分钟，放冷，再称定重量，用甲醇补足减失的重量，摇匀，滤过，取续滤液，作为供试品溶液。另取木香烃内酯对照品适量，精密称定，加甲醇制成每1ml含100μg的溶液，作为对照品溶液。分别精密吸取以上两种溶液各10μl，注入液相色谱仪，记录各自的色谱图，用外标法以峰面积计算含量。结果见表8。

表8　木香烃内酯重复性试验结果

称样量（g）	峰面积值	含量（mg/g）	平均含量（mg/g）	RSD（%）
2.0044	1800264	0.88		
2.0077	1803785	0.88		
2.0065	1804240	0.88	0.88	0.68
2.0024	1781392	0.87		
2.0009	1772418	0.87		
2.0062	1811126	0.88		

从表8数据可见，在相同的细度、提取溶剂和色谱条件下，6份供试品含量测定结果的均值为0.88mg/g，RSD为0.68%，表明该方法的重复性好。

2.8　加样回收试验

取已知含量（批号20190539，木香烃内酯含量为0.88mg/g）的供试品9份，各约0.25g，精密称定，分别置9个具塞锥形瓶中，分别在其中3个具塞锥形瓶中精密加入木香烃内酯对照品溶液（浓度为0.1122mg/ml）1ml（约相当于供试品含有量的50%）及甲醇24ml，另3个具塞锥形瓶中各精密加入上述对照品溶液2ml（约相当于供试品含有量的100%）及甲醇23ml，其余3个具塞锥形瓶中各精密加入上述对照品溶液3ml（约相当于供试品含有量的150%）及甲醇22ml，分别称定重量，超声处理30分钟，取出，再称重，用甲醇补足减失重量，摇匀，滤过，取续滤液，作为供试品溶液。分别精密吸取各溶液10μl进样测定，按外标法以峰面积计算含量并计算回收率。结果见表9。

表9　加样回收试验结果

称样量（g）	供试品含量（mg）	对照品加入量（mg）	测得总量（mg）	回收率（%）	平均回收率（%）	RSD（%）
0.2588	0.2277	0.1124	0.3371	97.3		
0.2565	0.2257	0.1124	0.3319	94.5		
0.2551	0.2245	0.1124	0.3344	97.8		
0.2532	0.2228	0.2248	0.4334	93.7	95.8	1.85
0.2508	0.2207	0.2248	0.4303	93.2		
0.2544	0.2239	0.2248	0.4373	95.0		

续表

称样量（g）	供试品含量（mg）	对照品加入量（mg）	测得总量（mg）	回收率（%）	平均回收率（%）	RSD（%）
0.2594	0.2283	0.3372	0.5552	97.0		
0.2551	0.2245	0.3372	0.5496	96.4	95.8	1.85
0.2586	0.2276	0.3372	0.5570	97.7		

从表9数据可见，本方法的平均回收率为95.8%，RSD为1.85%。表明该方法准确度好。

2.9 耐用性试验

取供试品（批号20190539）2份，各约2g，精密称定，按重复性试验项下的方法处理，换不同厂家、不同型号的色谱柱，分别测定供试品的含量。结果见表10。

表10 色谱柱耐用性试验

序号	称样量（g）	柱型号	峰面积值	含量（mg/g）
1	2.0009	Tnature C$_{18}$柱	1827966	0.89
		phenomenex C$_{18}$柱	1833542	0.88
2	2.0062	Tnature C$_{18}$柱	1840951	0.90
		phenomenex C$_{18}$柱	1801837	0.86

从表10数据可见，在使用不同型号或厂家的色谱柱时，对测定结果影响较小。

3 样品含量测定

取三批样品（批号20190539、20190154、20180724）及模拟样品（批号201909050），每批各2份，各约2.0g，精密称定，按重复性试验项下的方法处理并测定含量。结果见表11。

表11 样品中木香烃内酯的含量测定结果

批号	称样量（g）	峰面积平均值	含量（mg/g）	平均含量（mg/g）
20190539	2.0044	1800264	0.88	0.88
	2.0077	1803785	0.88	
20190154	2.0036	2043470	1.00	0.99
	2.0043	2024157	0.99	
20180724	2.0026	1901269	0.97	0.97
	2.0017	1928550	0.97	
201909050	2.0037	2637468	1.29	1.32
	2.0046	2769694	1.35	

从表11数据可见，三批样品和模拟样品中木香烃内酯的含量最低为0.88mg/g，最高为1.32mg/g。

4 木香药材含量测定

采用同法对上述三批样品生产用木香药材进行了含量测定。测定结果见表12。

表12 木香药材中木香烃内酯的含量测定结果

序号	称样量（g）	测得峰面积值	峰面积平均值	含量（mg/g）	平均含量（mg/g）
1	0.1534	1748394	1744245	1746320	11.12	
2	0.1518	1761869	1759945	1760907	11.34	11.16
3	0.1530	1722765	1727796	1725281	11.02	

从表12数据可见，木香药材中木香烃内酯的含量为11.16mg/g（1.12%）。根据本品处方量折算，理论上每1g供试品含木香药材0.12g，木香烃内酯的含量为0.12g×1000×1.12%=1.34mg，即1.34mg/g。因此，转移率为1.32（mg/g）/1.34（mg/g）×100%=98.5%。

5 本制剂含量限度的确定

三批样品中木香烃内酯的含量最低为0.88mg/g, 木香药材中木香烃内酯含量为11.16mg/g (1.12%), 模拟样品中木香烃内酯的含量为1.32mg/g。

参照《中国药典》2020年版一部"木香"药材的木香烃内酯含量限度不得少于0.9%, 转移率为98.5%, 考虑不同产地药材的质量差异, 并结合其他影响因素及三批样品的测定结果, 下浮20%, 按此限度折算本品含木香烃内酯的理论量应不低于84÷683×1000×0.9%×98.5%×80%=0.87mg/g。

标准正文暂定为: 本品每1g含木香以木香烃内酯 ($C_{15}H_{20}O_2$) 计, 不得少于0.85mg。

【功能与主治】

杀黏, 清心赫依热。用于甲状腺功能亢进, 失眠, 心赫依热、心陈热、咽喉热症。

【用法与用量】

口服。一次7~11丸, 一日1次, 温开水送服。

【注意事项】

孕妇忌服, 年老体弱者慎用。

【规格】

每10丸重2g。

【贮藏】

密封, 防潮。

起草单位: 内蒙古盛唐国际蒙医药研究院　　　张跃祥　崔圆圆　王　伟
　　　　　赤峰市药品检验所　　　　　　　　高丽梅　赵虎义　吕　颖　吴　迪
　　　　　内蒙古自治区药品检验研究院　　　籍学伟　郭宝凤

永瓦-14丸质量标准起草说明

【历史沿革】

处方来源于内蒙古自治区国际蒙医医院杭盖巴特尔大夫经验方。

【处方来源】

本制剂由内蒙古自治区国际蒙医医院提供。

【名称】

永瓦-14丸

【蒙药材和饮片的来源和执行标准】

1. 处方组成及药味排列顺序：姜黄180g、寒制红石膏90g、盐飞雄黄90g、生草果仁90g、朱砂粉90g、黑冰片60g、铜绿60g、没药60g、血竭60g、枫香脂60g、烘白矾30g、炒轻粉15g、蟾酥粉8g、人工麝香2g。

2. 处方中除了人工麝香、铜绿、黑冰片、寒制红石膏、蟾酥粉和炒轻粉等药材外，其余姜黄等药味均收载于《中国药典》2020年版一部，其质量应符合该品种项下的有关规定。

人工麝香：应符合卫生部标准（试行）WS-210（Z-32）-93标准的有关规定。

铜绿：为铜器表面经二氧化碳或醋酸作用后生成的绿色锈衣。其标准应符合《内蒙古蒙药材标准》1986年版第480页该品种项下的有关规定。

黑冰片：为猪科动物野猪*Sus scrofa* linnaeus的成形粪便野猪粪的炮制加工品。主含活性炭和微量元素。其质量应符合《内蒙古蒙药饮片炮制规范》2020年版第444页该品种项下的有关规定。

寒制红石膏：为单斜晶系硫酸钙矿石族红石膏Gypsum的矿石红石膏（北寒水石）的炮制加工品。主含含水硫酸钙（$CaSO_4 \cdot 2H_2O$）。其标准应符合《内蒙古蒙药饮片炮制规范》2020年版第188页该品种项下的有关规定。

炒轻粉：为采用升华法炼制而成的氯化亚汞Mercurous chloride结晶性粉末。其标准应符合《内蒙古蒙药饮片炮制规范》2020年版第329页该品种项下的有关规定。

蟾酥粉：为蟾蜍科动物中华大蟾蜍*Bufo bufo gargarizans* Cantor或黑眶蟾蜍*Bufo melanostictus* Schneider的干燥分泌物。其标准应符合《内蒙古蒙药饮片炮制规范》2020年版第532页该品种项下的有关规定。

【制法】

以上十四味，粉碎成细粉，过筛，混匀，用水泛丸，打光，干燥，分装，即得。

【性状】

本品为黄棕色至黄褐色的水丸，气微，味苦、辛、咸。

【鉴别】

本品方中药材经显微鉴别观察，显微特征不明显，专属性不强，故未建立显微鉴别。对处方中姜黄、血竭建立了薄层鉴别。

1. 试剂与试药

供试品：供试品（批号20200913、20201015、20200133）由内蒙古自治区国际蒙医医院提供，模拟样品（批号

20200082）模拟。

对照品：姜黄素对照品（批号110823-201706）、姜黄对照药材（批号121188-201605）、血竭对照药材（批号120906-201410）、血竭素高氯酸盐对照品（批号110811-201707），均购于中国食品药品检定研究院。

薄层板：硅胶G板，购于青岛海洋化工有限公司。

所用其他试剂均为分析纯，水为离子交换高纯水。

2. 试验方法与结果

（1）姜黄薄层鉴别

破血行气，通经止痛。参照《中国药典》2020年版一部"姜黄"项下薄层鉴别条件，制定出正文所述的鉴别方法（姜黄素的Rf值为0.64）。通过阴性对照试验观察，方中其他药材对姜黄的检出无干扰，此法具有专属性。

（2）血竭薄层鉴别

活血定痛，化瘀止血，生肌敛疮。参照《中国药典》2020年版一部"血竭"药材项下的薄层鉴别条件，制定出正文所述的鉴别方法（Rf值为0.67）。通过阴性对照试验观察，方中其他药材对血竭的检出无干扰，此法具有专属性。

【检查】

按照丸剂（《中国药典》2020年版四部通则0108）项下的规定，对三批供试品及模拟样品的水分、重量差异、溶散时限、重金属、微生物限度和急性毒性试验进行了检查。具体方法及测定数据如下：

1. 水分：取供试品照水分测定法（《中国药典》2020年版四部通则0832）测定，三批供试品及模拟样品测定结果见表1。

表1　水分测定结果

序号	批号	水分（%）
1	20200913	4.02
2	20201015	5.01
3	20200133	4.33
4	20200082	6.1

药典规定丸剂水分含量不得大于9.0%。从表1数据可见，三批供试品和模拟样品的水分含量均符合要求。

2. 重量差异：取以上三批供试品，每批供试品取10份，10丸为1份，分别称定重量，再与每份标示重量（2g）相比较，求每一份的重量差异（%）。药典规定每份标示装量的限度为±8%，并规定超出重量差异限度的不得多于2份，并不得有1份超出限度1倍。本品的重量差异检查结果均符合规定。

3. 溶散时限：取本品按照片剂项下崩解时限检查法（《中国药典》2020年版四部通则0921）加挡板进行测定。三批供试品测定结果见表2。

表2　溶散时限测定结果

序号	批号	溶散时间（min）
1	20200913	48
2	20201015	50
3	20200133	47

药典规定水丸应在1小时内全部溶散。从表2数据可见，本品的溶散时限符合规定。

4. 对三批供试品及模拟样品进行了重金属考察，方法与结果如下：

重金属：分别取每个批号供试品0.5g、0.67g、1.0g、2.0g，按《中国药典》2020年版四部0821第二法检查。

供试品溶液的制备：取本品0.5g、0.67g、1.0g、2.0g，分别缓缓炽灼至完全炭化，放冷，加硫酸0.5ml，使湿润，低温加热至硫酸除尽后，加硝酸0.5ml，蒸干，至氧化氮蒸气除尽后，放冷，于600℃炽灼至完全灰化，放冷。加盐酸2ml，置水浴上蒸干后加水15ml，滴加氨试液至对酚酞指示液显中性，再加醋酸盐缓冲液（pH3.5）2ml，微热溶解后，移置纳氏比色管中，加水稀释至25ml，作为供试品溶液。

标准铅对照溶液的制备：另取配制供试品溶液的试剂两份，分别置瓷皿中蒸干后，加醋酸盐缓冲液（pH3.5）2ml，加水15ml微热溶解后，移置两支纳氏比色管中，分别加标准铅溶液（10μg/mlPb）2ml，再加水稀释至25ml，作为标准铅对照溶液。

检视：于上述供试品溶液和标准铅对照溶液中分别加硫代乙酰胺试液各2ml，摇匀，放置2分钟，同置白色背景上，从上向下进行观察。试验结果见表3。

表3 重金属检查结果

序号	批号	重金属含量（ppm）			
1	20200913	>10	>20	>30	≥40
2	20201015	>10	>20	>30	≥40
3	20200133	>10	>20	>30	≥40
4	20190081	>10	>20	>30	≥40

结果显示，供试品溶液的颜色接近或深于2ml的标准铅对照溶液。经过三批供试品及模拟样品的检查，含重金属超过百万分之四十，由于受雄黄和朱砂等药味颜色干扰，故暂未列入正文。

5. 微生物限度：照微生物计数法（《中国药典》2020年版四部通则1105）、控制菌检查法（《中国药典》2020年版四部通则1106）及《内蒙古蒙药制剂规范》（第三册）附录Ⅲ微生物限度标准，进行检查。结果均符合规定。

6. 急性毒性试验：试验研究及结果见本文后面的附件。

【含量测定】

永瓦-14丸是由姜黄、血竭、人工麝香、朱砂、没药、雄黄等十四味药组成。参照《中国药典》2020年版一部中"姜黄"项下的含量测定方法，采用高效液相色谱法对处方中姜黄所含的姜黄素进行测定，通过试验分析，结果表明该方法重现性好、专属性强，方中其他组分对姜黄素的测定无干扰。

1 仪器与试剂试药

1.1 仪器

岛津LC-20A SPD-M20A型检测器，LC solution色谱工作站，UA-2700型紫外-可见分光光度，Sartorius BSA124S（0.1mg）电子天平，BT125D（0.01mg）电子天平，Sartorius MSE3.6P-OCE-DM（0.001mg）电子天平。

1.2 试剂与试药

供试品（批号20200913、20201015、20200133）由内蒙古自治区国际蒙医医院提供，模拟样品（批号20200082）模拟；姜黄素对照品（批号110823-201706），购于中国食品药品检定研究院；甲醇为色谱纯，乙腈为色谱纯，水为超纯水，所用其他试剂均为分析纯。

2 方法学考察

2.1 色谱条件

2.1.1 色谱柱：色谱柱填充剂为十八烷基硅烷键合硅胶，本试验采用安捷伦C_{18}色谱柱（250mm×4.6mm，5μm）。

2.1.2 流动相的选择：参照《中国药典》2020年版一部"姜黄"项下的含量测定方法，以①乙腈-4%冰醋酸溶液（48∶52）为流动相，②乙腈-4%冰醋酸溶液（43∶57）为流动相进行条件摸索，结果②供试品中姜黄素与其他成分达到较好的分离,理论板数较高,保留时间适宜,并阴性无干扰,故作为检测流动相。

2.1.3　柱温:在40℃的条件下,姜黄素的保留时间一致,而且分离效果比较好,因此选择柱温在40℃。

2.1.4　检测波长的选择:精密称取姜黄素对照品适量,用甲醇制成每1ml含10μg的溶液,于紫外-可见分光光度计上,在300～500nm波长范围扫描,结果姜黄素在424.6nm处有最大吸收。参照《中国药典》2020版一部"姜黄"含量测定项下姜黄素的测定方法,选择430nm作为检测波长。

2.1.5　理论板数的确定:从对多批数据的测定结果可见,姜黄素的理论板数在4000以上即能达到较好的分离效果,考虑到不同的色谱柱具不同的理论板数,故确定理论板数按姜黄素峰算应不低于4000。

2.2　提取方法的选择及提取效率的考察

2.2.1　参照《中国药典》2020版一部"姜黄"项下对姜黄素含量测定项下方法,以甲醇作提取溶剂。

2.2.2　提取效率的考察

以甲醇作为提取溶剂对供试品(20200133)分别进行加热回流与超声提取,考察不同提取方法对提取效率的影响,并在试验中考察20分钟、30分钟、40分钟不同提取时间提取效果的影响,结果见表4。

表4　提取方式考察表

提取方式	提取时间(min)	姜黄素含量(mg/g)
回流	20	1.01
	30	0.94
	40	0.91
超声	20	1.34
	30	1.39
	40	1.30

从表4数据可见,超声提取效率较为稳定,且超声30分钟提取姜黄素的含量最高,故提取方法及提取时间确定为超声提取30分钟。

2.2.3　提取溶剂用量的考察

取供试品粉末约0.5g,共3份,精密称定,置具塞锥形瓶中,分别精密加入甲醇溶液50ml、75ml和100ml,密塞,称定重量,超声处理30分钟,放冷,再称定重量,用甲醇补足减失的重量,摇匀,滤过,取续滤液,作为供试品溶液分别精密吸取以上两种溶液各10μl,注入液相色谱仪,记录各自的色谱图,用外标法以峰面积计算含量。结果见表5。

表5　姜黄素提取溶剂用量考察表

提取溶剂用量(ml)	取样量(g)	姜黄素峰面积值	姜黄素含量(mg/g)
50	0.5024	1336928	1.5684
	0.5024	1341251	
75	0.5029	892254	1.5745
	0.5026	901385	
100	0.5028	676954	1.5812
	0.5024	673546	

从表5数据可见,100ml溶剂的供试品姜黄素的含量略高,提取完全,故确定提取溶剂加入量为100ml。

2.3　专属性考察

2.3.1　对照品溶液的制备:精密称定姜黄素对照品2.539mg,置25ml量瓶中加甲醇使溶解,并稀释至刻度,再精密吸取1ml,加甲醇定容至10ml容量瓶中,摇匀,作为对照品溶液(姜黄素0.010156mg/ml)。

2.3.2 供试品溶液的制备：取本品适量，研细，取约0.5g，精密称定，置具塞锥形瓶中，精密加入甲醇100ml，密塞，称定重量，超声处理30分钟，放冷，再称定重量，用甲醇补足减失的重量，摇匀，滤过，取续滤液，作为供试品溶液。

2.3.3 阴性对照溶液的制备：按本品处方工艺制备不含姜黄的阴性样品，按供试品溶液的制备方法制备阴性对照溶液（缺姜黄）。

2.3.4 测定：分别精密吸取以上三种溶液各10μl，注入色谱仪，记录各自的色谱图。

试验结果显示：供试品色谱中在与对照品色谱保留时间相同的位置上有色谱峰出现，而阴性对照在与对照品色谱保留时间相同的位置上无色谱峰出现，表明该含量测定方法阴性无干扰，专属性好。

2.4 线性关系考察

精密称定姜黄素对照品2.539mg，置25ml量瓶中加甲醇使溶解，并稀释至刻度，再精密吸取1ml，加甲醇定容至10ml容量瓶中，摇匀，即得（姜黄素0.010156mg/ml）。分别取1μl、2μl、5μl、10μl、15μl、20μl进样，按上述色谱条件测定，以峰面积对注入量进行回归分析，结果见表6。

表6 标准曲线数据及回归分析结果

对照品浓度（μg/ml）	峰面积值	回归方程	r
10.156	82127		
20.312	167195		
50.78	421950	$y = 8310.4x-1342.2$	0.9992
101.56	842086		
152.34	1266432		
203.12	1685378		

从表6数据可见，姜黄素在10.156~203.12μg/ml范围内与峰面积值呈良好的线性关系。

2.5 稳定性试验

取同一供试品溶液，分别在溶液制备后的0小时、2小时、4小时、8小时、10小时进行测定，结果见表7。

表7 不同时间测得溶液中姜黄素峰面积值

时间（h）	峰面积值	RSD（%）
0	688188	
2	681042	
4	687313	0.40
8	686969	
10	685498	

从表7数据可见，姜黄素在10小时内峰面积值基本稳定。

2.6 重复性试验

取同一供试品（批号20200913）6份，各约0.5g，精密称定，置具塞锥形瓶中，精密加入甲醇100ml，密塞，称定重量，超声处理30分钟，放冷，再称定重量，用甲醇补足减失的重量，摇匀，滤过，取续滤液，作为供试品溶液。另精密称定姜黄素对照品2.539mg，置25ml量瓶中加甲醇使溶解，并稀释至刻度，再精密吸取1ml，加甲醇定容至10ml容量瓶中，摇匀，作为对照品溶液。分别精密吸取以上两种溶液各10μl，注入液相色谱仪，记录各自的色谱图，用外标法以峰面积计算含量。结果见表8。

表8 姜黄素重复性试验结果

取样量（g）	峰面积值	含量（mg/g）	平均含量（mg/g）	RSD（%）
0.5028	676954	1.5845		
0.5024	673546	1.5778		
0.5026	678117	1.5879	1.5846	0.20
0.5027	678052	1.5874		
0.5026	676962	1.5852		
0.5025	676815	1.5851		

从表8数据可见，在相同的提取溶剂和色谱条件下，6份供试品含量测定结果的均值为1.5846mg/g，RSD为0.20%，表明该方法的重复性良好。

2.7 加样回收试验

取供试品（含量为1.5846mg/g，批号20200913）9份，各约0.25g，精密称定，分别置9个具塞锥形瓶中，分成三组，每组三份，每组分别精密加入0.3552mg/ml的姜黄素对照品溶液各1.4ml、1ml、1.2ml，再精密加100ml甲醇，分别按重复性试验项下方法进行含量测定，计算回收率。结果见表9。

表9 姜黄素加样回收试验结果

取样量（g）	供试品含量（mg）	对照品加入量（mg）	测得总量（mg）	回收率（%）	平均回收率（%）	RSD（%）
0.5399	0.4049	0.4973	0.9102	101.61		
0.5300	0.4039	0.4973	0.9050	100.76		
0.5292	0.4036	0.4973	0.8966	99.13		
0.5001	0.4047	0.3552	0.7614	100.42		
0.5174	0.4047	0.3552	0.7641	101.18	101.51	1.50
0.5287	0.4039	0.3552	0.7650	101.66		
0.4910	0.4041	0.4262	0.8429	102.96		
0.4912	0.4044	0.4262	0.8434	103.00		
0.5209	0.4044	0.4262	0.8430	102.91		

从表9数据可见，本方法的平均回收率为101.51%，RSD为1.50%。该方法准确度好。

2.8 耐用性试验

换不同厂家、不同型号的色谱柱，取重复性试验中的供试品及对照品溶液分别进样，测定含量，结果见表10。

表10 色谱柱耐用性试验

序号	柱型号	含量（mg/g）
1	Agilent C$_{18}$	1.5845
	Inert Sustain C$_{18}$	1.5731
2	Agilent C$_{18}$	1.5778
	Inert Sustain C$_{18}$	1.5395

从表10数据可见，不同型号或厂家的色谱柱对测定结果影响较小。

3 样品含量测定

取三批样品（批号20200913、20201015、20200133）及模拟样（批号20200082）各2份，各约0.5g，精密称定，分别按重复性试验项下进行含量测定。结果见表11。

表11　样品中姜黄素的含量测定结果

批号	取样量（g）	平均峰面积值	含量（mg/g）	平均含量（mg/g）
20200913	0.5028	676954	1.5845	1.5812
	0.5024	673546	1.5778	
20201015	0.5032	689114	1.6117	1.6122
	0.5030	689217	1.6126	
20200133	0.5032	686162	1.6048	1.6000
	0.5035	682482	1.5952	
20200082	0.5023	844698	1.9791	1.9736
	0.5019	834554	1.9680	

从表11数据可见，三批样品和模拟样品中姜黄素含量最低为1.5812mg/g，最高为1.6122mg/g，模拟样品含量结果为1.9736mg/g。

4　姜黄药材含量测定

试验中采用同法对上述两批样品生产用红花药材进行了含量测定。测定结果见表12。

表12　姜黄药材中姜黄素的含量测定结果

取样量（g）	测得峰面积	平均峰面积值（n=2）	含量（mg/g）	平均含量（mg/g）
0.2049	874757	875345	10.092	10.06
	875933			
0.2058	868504	869612	10.031	
	870720			

从表12数据可见，姜黄药材中姜黄素的含量为10.06mg/g。

5　本制剂含量限度的确定

从表中数据可见，姜黄药材中姜黄素的含量为10.06mg/g，三批样品实测结果的平均值为1.5978mg/g。

按理论值折算，样品中应含姜黄素为 $180 \div 895 \times 10.06 = 2.0232 \, mg/g$，可见，姜黄素的转移率为 $1.5978 \div 2.0232 \times 100\% = 78.97\%$。

参照《中国药典》2020年版一部"姜黄"药材的姜黄素含量限度不得少于1.0%，转移率为78.97%，考虑不同产地药材的质量差异，并结合其他影响因素及三批样品的测定结果，下浮10%，按此限度折算本品含姜黄素的理论量应不低于 $180 \div 895 \times 1.0\% \times 1000 \times 78.97\% \times 90\% = 1.4294 \, mg/g$。

标准正文暂定为：本品每1g含姜黄以姜黄素（$C_{21}H_{20}O_6$）计，不得少于1.4mg。

【功能与主治】

清热，杀黏，解毒，消肿，止痛。用于治疗咽喉肿痛，白喉，肝热等症。

【用法与用量】

口服。一次5~9丸，一日1次，温开水送服。

【注意事项】

孕妇忌服，年老体弱者慎用。

【规格】

每10丸重2g。

【贮藏】

密封，防潮。

附件 昆明小鼠灌胃永瓦-14丸急性毒性试验研究报告

1 摘要

目的:

通过一天内大剂量(≥临床等效量的50倍)对昆明种小鼠灌胃永瓦-14丸,观察其产生的毒性反应及严重程度、主要毒性靶器官,为重复给药毒性研究计量设计和主要观察指标提供参考。

方法:

根据药物急性毒性预试验测定,无法测出LD_{50},故采用急性毒性限度试验测定方法。小鼠按0.4ml/10g灌胃给药,给药1次,总给药体积为40ml/kg。成人最大剂量2.2g/(60kg·d),换算成小鼠临床等效最大剂量为0.275g/(kg·d)。配制药物最大可混悬浓度为0.6539g/ml,灌胃给药1次,给药剂量为26.1576g/(kg·d),经计算为临床给药量的95.12倍。故一天内给药1次,小鼠给药总量为临床等效量的95.12倍,给药后观察动物的临床症状,连续观察至第14天,每天进行体重、摄食量、饮水量测定。第15天解剖动物,并进行大体病理学检查,若发现病变,则对病变组织进行组织病理学检查。

结果:

(1)一般状态观察:给药后,供试品组动物自主活动减少,给药后第2天上述异常症状恢复。

(2)对动物体重的影响:试验期间,各组动物的体重增加之间比较,无显著性差异($P>0.05$),说明永瓦-14丸对实验动物的体重无显著性影响。

(3)对动物摄食量的影响:试验期间,给药当天永瓦-14丸组动物摄食量略有减少。从给药第2天开始,各组动物的摄食量之间比较,无显著性差异($P>0.05$),说明永瓦-14丸对实验动物的摄食量无显著性影响。

(4)病理学检查:大体病理学检查,肉眼观察组织、器官未发现异常或病变。

结论:

永瓦-14丸口服给药为无毒或低毒药物。

2 研究的一般信息

2.1 专题名称及研究目的

专题名称:昆明小鼠灌胃永瓦-14丸急性毒性试验研究报告。

研究目的:采用昆明小鼠,单次灌胃永瓦-14丸,观察其产生的毒性反应及严重程度、主要毒性靶器官,为重复给药毒性研究计量设计和主要观察指标提供参考。

2.2 研究遵循的GLP法规性文件

《药物非临床研究质量规范》(国家食品药品监督管理局令第34号,原CFDA 2017.9.1)。

2.3 所用毒性研究指导原则的文件和名称及参考文献

2.3.1 所用毒性研究指导原则的文件和名称

《药物单次给药毒性研究技术指导原则》(原CFDA 2014.5)

《中药、天然药物急性毒性研究技术指导原则》(原CFDA 2005.3)

2.3.2 所用参考文献

[1]陈奇. 中药药理研究方法学[M]. 北京:人民卫生出版社,2000.

〔2〕李仪奎. 中药药理试验方法学〔M〕. 上海：上海科学技术出版社，2006.

〔3〕魏伟，吴希美，李元建. 药理实验方法学〔M〕（第四版）. 北京：人民卫生出版社，2010.

3 实验材料

3.1 受试物及剩余受试物的处理

3.1.1 供试品

名称：永瓦-14丸。

提供单位：内蒙古自治区国际蒙医医院国家蒙药制剂中心。

批号：20140207。

3.1.2 剩余供试品的处理

对送样供试品留样60丸，留样保存至有效期2022年12月31日废弃。

3.2 实验系统

3.2.1 实验动物

动物种系、级别：小鼠，昆明种，SPF级。

繁育单位：内蒙古医科大学实验动物中心。

内蒙古医科大学实验动物中心实验动物生产许可证编号：SCXK（蒙）2015-0001。

发证机关：内蒙古自治区科学技术厅。

3.2.2 动物选择理由

作为一般毒性研究，昆明种小鼠是常用的啮齿类哺乳动物，且此种动物的国内外背景资料丰富，动物供应充足。

3.2.3 动物的饲养管理

3.2.3.1 动物的饲养环境

饲育环境：屏障环境。

温度：20～26℃，日温差≤3℃。

相对湿度：41%～64%。

换气次数：≥15次/小时。

照明时间：12/12明暗交替（150～300lx）。

动物笼具：PC材质小鼠饲养笼。

饲养密度：5只/笼。

笼具的换新频率：3次/周。

粪便的处理：在更换饲养盒时，随动物废弃垫料装入专用垃圾袋，密封后统一处理。

清扫与消毒：全部操作结束后清扫，采用0.1%新洁尔灭和0.2% 84消毒液进行轮换消毒，每周一次轮流交换消毒液的种类。

3.2.3.2 检疫

检疫与适应性饲养时程：7天（含购入日）。

3.2.3.2.1 购入日检疫内容

动物外观健康检查：外表（有无外伤、卷尾、肿瘤、畸残等），体形（有无消瘦、过肥），行动（有无倦怠、躁动），体温（有无发热、发冷），呼吸（有无呼吸不规律和异常呼吸音），被毛（有无竖毛、脱毛、脏污），鼻（有无流涕、出血、流脓），口腔（有无流涎、齿过长），眼（有无流泪、分泌物过多、眼球浑浊），耳（有无外伤、耳癣），生殖器(有无外伤、异常分泌物),尿(有无血尿),粪便(有无下痢、血便、脓便),其他异常。

3.2.3.2.2 第2~7天检疫驯化内容

每天上、下午各1次对检疫动物进行观察,检疫过程中,如出现外观、临床症状观察等任何异常现象,对实验可能有影响的动物予以淘汰。

3.2.3.2.3 检疫驯化期体重测定

在检疫第1天(动物入室日)和第7天(分组前)称量动物体重。

3.2.3.3 饲料

饲料种类:^{60}Co放射灭菌鼠全价颗粒饲料。

生产单位:斯贝福(北京)实验动物科技有限公司。

斯贝福(北京)实验动物科技有限公司实验动物生产许可证编号:SCXK(京)2015-0015。

发证机关:北京市科学技术委员会。

给料方法:定时投饲,自由摄取。

饲料的保存:保存在专门的通风、清洁、干燥的饲料间里。

3.2.3.4 饮用水

种类:实验动物高压灭菌饮用水。

给水方法:饮水瓶不间断供水,自由摄取。

3.2.3.5 垫料

垫料名称:玉米芯垫料。

提供单位:北京凌云博际(北京)科技有限公司。

北京凌云博际(北京)科技有限公司实验动物生产许可证编号:SCXK(京)2015-0014。

发证机关:北京市科学技术委员会。

灭菌方法:121℃、20分钟真空高压蒸汽灭菌。

3.2.4 动物的个体识别方法

分组前采用耳标记法,分组后采用躯体背部毛涂抹苦味酸溶液标记法。标记部位分别为头、背、尾、左前、左中、左后、右前、右中、右后和空白。鼠笼以笼卡标记组别、动物号、给药剂量及给药时间等信息。

3.3 药物剂量

成人临床每日用量为5~11粒,经测定药丸粒重,每10粒重约2.0g,一日1次,所以成人每日最小剂量为1.0g/(60kg·d),最大剂量2.2g/(60kg·d),换算成小鼠临床等效最大剂量为0.275g/(kg·d),最大给药剂量为26.1576g/(kg·d),为人临床给药剂量的95.12倍。

3.4 实验试剂

水合氯醛(天津市大茂化学试剂厂,批号20181124),羧甲基纤维素钠(天津市致远化学试剂有限公司,批号20190304)。

3.5 实验仪器

BS2202S电子天平(北京塞多利斯仪器系统有限公司),BS2402S电子天平(北京塞多利斯仪器系统有限公司),实体解剖显微镜(德国Leica公司,型号DFC 290)。

4 实验方法

4.1 实验分组

选取健康昆明小鼠40只,雌雄各半。适应性饲养7天后,按性别、体重将小鼠随机分为空白对照组

（0.5%CMC-Na）、供试品组（永瓦-14丸），共2组，每组20只，雌雄各半。

4.2 临床症状观察

观察时间和次数：

检疫期：每天上、下午各1次对检疫动物进行观察。

实验期：给药日，给药前、给药开始至给药结束后30分钟连续观察，如无异常则停止观察，如果有异常则继续观察至恢复正常为止，但最长不超过给药后2小时。下午观察一次。

非给药日，每天上、下午各观测一次。

观察例数：全部实验动物。

观察方法：隔笼观察，观察内容包括是否死亡、濒死、活动状况、外观及被毛、有无外伤、分辨情况等。

观察指征：见表1。

表1 临床症状观察

观察	指征	可能涉及的组织、器官、系统
Ⅰ. 鼻孔呼吸阻塞，呼吸频率和深度改变，体表颜色改变	呼吸困难：呼吸困难或费力，喘息，通常呼吸频率减慢	
	1. 腹式呼吸：膈膜呼吸，吸气时膈膜向腹部偏移	CNS呼吸中枢，肋间肌麻痹，胆碱能神经麻痹
	2. 喘息：吸气很困难，伴随有喘息声	CNS呼吸中枢，肺水肿，呼吸道分泌物蓄积，胆碱能功能增强
	呼吸暂停：用力呼吸后出现短暂的呼吸停止	CNS呼吸中枢，肺心功能不全
	紫绀：尾部、口和足垫呈现青紫色	肺心功能不全，肺水肿
	呼吸急促：呼吸快而浅	呼吸中枢刺激，肺心功能不全
	鼻分泌物：红色或无色	肺水肿，出血
Ⅱ. 运动功能：运动频率和特征的改变	自发活动、探究、梳理、运动增加或减少	躯体运动，CNS
	嗜睡：动物嗜睡，但可被针刺唤醒而恢复正常活动	CNS睡眠中枢
	正位反射（翻正反射）消失：动物体处于异常体位时所产生的恢复正常体位的反射消失	CNS，感觉，神经肌肉
	麻痹：正位反射和疼痛反应消失	CNS，感觉
	僵住：保持原姿势不变	CNS，感觉，神经肌肉，自主神经
	共济失调：动物行走时无法控制和协调运动，但无痉挛、局部麻痹、轻瘫或僵直	CNS，感觉，自主神经
	异常运动：痉挛，足尖步态，踏步，忙碌，低伏	CNS，感觉，神经肌肉
	俯卧：不移动，腹部贴地	CNS，感觉，神经肌肉
	震颤：包括四肢和全身的颤抖和震颤	神经肌肉，CNS
	肌束震颤：包括背部、肩部、后肢和足趾肌肉的运动	神经肌肉，CNS，自主神经
Ⅲ. 惊厥（癫痫发作）：随意肌明显的不自主收缩或痉挛性收缩	阵挛性惊厥：肌肉收缩和松弛交替性痉挛	CNS，呼吸衰竭，神经肌肉，自主神经
	强直性惊厥：肌肉持续性收缩，后肢僵硬性伸展	CNS，呼吸衰竭，神经肌肉，自主神经
	强直性-阵挛性惊厥：两种惊厥类型交替出现	CNS，呼吸衰竭，神经肌肉，自主神经
	窒息性惊厥：通常是阵挛性惊厥并伴有喘息和紫绀	CNS，呼吸衰竭，神经肌肉，自主神经

续表

观察	指征	可能涉及的组织、器官、系统
III.惊厥（癫痫发作）：随意肌明显的不自主收缩或痉挛性收缩	角弓反张：背部弓起、头向背部抬起的强直性痉挛	CNS，呼吸衰竭，神经肌肉，自主神经
IV.反射	角膜性眼睑闭合反射：接触角膜导致眼睑闭合	感觉，神经肌肉
	基本条件反射：轻轻敲击耳内表面，引起外耳抽搐	感觉，神经肌肉
	正位反射：翻正反射的能力	CNS，感觉，神经肌肉
	牵张反射：后肢被牵拉至从某一表面边缘掉下时缩回的能力	感觉，神经肌肉
	对光反射：瞳孔反射；见光瞳孔收缩	感觉，神经肌肉，自主神经
	惊跳反射：对外部刺激（如触摸、噪声）的反应	感觉，神经肌肉
V.眼检指征	流泪：眼泪过多，泪液清澈或有色	自主神经
	缩瞳：无论有无光线，瞳孔缩小	自主神经
	散瞳：无论有无光线，瞳孔扩大	自主神经
	眼球突出：眼眶内眼球异常突出	自主神经
	上睑下垂：上睑下垂，针刺后不能恢复正常	自主神经
	血泪症：眼泪呈红色	自主神经，出血，感染
	瞬膜松弛	自主神经
	角膜混浊，虹膜炎，结膜炎	眼睛刺激
VI.心血管指征	心动过缓：心率减慢	自主神经，肺心功能不全
	心动过速：心率加快	自主神经，肺心功能不全
	血管舒张：皮肤、尾、舌、耳、足垫、结膜、阴囊发红，体热	自主神经、CNS，心输出量增加，环境温度高
	血管收缩：皮肤苍白，体凉	自主神经、CNS，心输出量降低，环境温度低
	心律不齐：心律异常	CNS、自主神经、肺心功能不全，心肌梗死
VII.流涎	唾液分泌过多：口周毛发潮湿	自主神经
VIII.竖毛	毛囊竖毛组织收缩导致毛发蓬乱	自主神经
IX.痛觉缺失	对痛觉刺激（如热板）反应性降低	感觉，CNS
X.肌张力	张力低下：肌张力全身性降低	自主神经
	张力过高：肌张力全身性增高	自主神经
XI.胃肠指征		
排便（粪）	干硬固体，干燥，量少	自主神经，便秘，胃肠动力
	体液丢失，水样便	自主神经，腹泻，胃肠动力
呕吐	呕吐或干呕	感觉，CNS，自主神经（小鼠无呕吐）
多尿	红色尿	肾脏损伤
	尿失禁	自主神经
XII.皮肤	水肿：液体充盈组织所致肿胀	刺激性，肾功能衰竭，组织损伤，长时间静止不动
	红斑：皮肤发红	刺激性，炎症，过敏

4.3 体重测定

测定次数：首次给药至给药后第14天，连续14天进行体重测定。

测定例数：全部实验动物。

测定方法：用电子天平进行体重测定。

4.4 摄食量测定

测定次数：首次给药至给药后第14天，连续14天进行摄食量测定。

测定例数：全部动物。

测定方法：第1天上午测定每个饲养笼所给饲料量，次日上午相同时间测定剩余饲料量，以二者差值计算每饲养笼动物的总进食量，并计算该笼每只动物每天的平均进食量。

4.5 饮水量测定

测定次数：首次给药至给药后第14天，连续14天进行摄食量测定。

测定例数：全部动物。

测定方法：第1天上午测定每个饲养笼所给水量，次日上午相同时间测定剩余水量，以二者差值计算每个饲养笼动物的总饮水量，并计算该笼每只动物每天的平均饮水量。

4.6 病理学检查

4.6.1 剖检

剖检例数：全部预定解剖的动物、各组死亡或濒临死亡的动物。

剖检方法：对于全部预定解剖的动物和各组濒临死亡动物，腹腔注射20%水合氯醛进行麻醉。从腹腔后大静脉完全放血处死，然后进行解剖。如濒死动物，迅速解剖。

尸检：肉眼观察脑、脊髓、心脏、主动脉、肺（含支气管）、肝脏、肾脏、脾脏、胰脏、胃、十二指肠、空肠、回肠结肠、直肠、盲肠、睾丸、附睾、前列腺、卵巢、子宫、阴道、膀胱、脑垂体、甲状腺（含甲状旁腺）、颌下腺、肾上腺、坐骨神经、肌肉、肠系膜淋巴结、胸腺、乳腺（雌性）、胸骨，发现异常时对该组织脏器用10%的甲醛（睾丸、附睾和眼球用Davidson's液）进行固定保存，并进行组织病理学检查，如未发现异常，不进行固定保存。

4.6.2 组织病理学检查

检查方法：固定后的组织经修块取材，逐级酒精脱水，石蜡包埋，滑动切片机切片（厚度约3μm），经苏木精–伊红（HE）染色，光镜下进行检查。根据镜检结果，如果某些组织器官需用其他方法染色，以提供更多的组织病理学信息，则进一步进行特殊染色。

4.7 数据的统计与处理

对于体重、摄食量等数据均采用SPSS22.0按照以下方法进行统计，最终数据以$\bar{x} \pm s$表示：①首先用Barlett检验方法进行数据均一性检验，如有数据均一（检验$P \geqslant 0.05$），则进行方差分析检验（F检验）；如果Bartlett检验结果显著（$P < 0.05$），则进行Kruskal–wallis检验。②如果方差分析检验结果显示（$P < 0.05$），则进一步用Dunett参数检验法进行多重比较检验；如果方差分析结果不显著（$P \geqslant 0.05$），则统计结束。③如果Kruskal–wallis检验结果显著（$P < 0.05$），则进一步用Dunett非数检验法进行多重比较检验；如果Kruskal–wallis检验结果不显著（$P \geqslant 0.05$），则统计结束。

临床症状观察、大体病理学检查结果、组织病理学检查结果（如果有）则无需进行统计学处理，直接列出观察结果。

5 结果

5.1 对动物临床症状的影响

给药后连续观察动物2周,小鼠进食、进水、活动、毛色、粪便姿势、躯体运动、呼吸频率、下腹及肛门周围有无污染、眼、鼻、口有无分泌物、体温等一切正常。

5.2 对动物体重的影响

试验期间,小鼠活动正常,健康活泼,小鼠无一死亡,无中毒反应,无其他异常现象。空白对照组和给药组小鼠体重比较,无显著性差异($P>0.05$)。结果见表2、表3。

表2 永瓦-14丸对雄性小鼠体重的影响($n=10$, g, $\bar{x}\pm s$)

组别	给药第1天	给药第7天	给药第14天
空白对照组	18.26±1.86	25.27±4.65	33.85±3.71
供试品组	17.92±2.64	26.26±2.82	32.17±4.38

表3 永瓦-14丸对雌性小鼠体重的影响($n=10$, g, $\bar{x}\pm s$)

组别	给药第1天	给药第7天	给药第14天
空白对照组	18.33±5.30	21.93±6.17	31.48±1.74
供试品组	17.52±3.96	22.17±4.84	30.23±3.61

5.3 对动物摄食量的影响

试验期间,各组动物的摄食量之间比较,无显著性差异($P>0.05$)。结果见表4、表5。

表4 永瓦-14丸对雄性小鼠摄食量的影响($n=10$, g, $\bar{x}\pm s$)

组别	给药第1天	给药第7天	给药第14天
空白对照组	5.86±1.37	6.10±0.28	5.56±1.74
供试品组	4.56±0.83	6.86±0.53	5.35±1.48

表5 永瓦-14丸对雌性小鼠摄食量的影响($n=10$, g, $\bar{x}\pm s$)

组别	给药第1天	给药第7天	给药第14天
空白对照组	5.74±0.74	6.62±0.62	5.82±0.37
供试品组	5.57±1.33	5.66±0.46	6.57±0.14

5.4 对动物饮水量的影响

试验期间,各组动物的饮水量之间比较,无显著性差异($P>0.05$)。结果见表6、表7。

表6 永瓦-14丸对雄性小鼠饮水量的影响($n=10$, g, $\bar{x}\pm s$)

组别	给药第1天	给药第7天	给药第14天
空白对照组	5.39±1.92	5.91±2.49	6.02±2.47
供试品组	5.47±1.62	6.75±0.83	6.43±1.57

表7 永瓦-14丸对雌性小鼠饮水量的影响($n=10$, g, $\bar{x}\pm s$)

组别	给药第1天	给药第7天	给药第14天
空白对照组	5.82±1.71	6.03±2.17	5.86±1.43
供试品组	6.54±1.24	5.89±0.31	6.62±1.39

5.5 病理学检查

大体病理学检查,肉眼观察组织、器官未发现异常或病变。

6 结论

本实验条件下,昆明种小鼠灌胃给予永瓦-14丸,小鼠按0.4ml/10g灌胃给药,一日内给药1次,小鼠总给药量为40ml/kg,为人临床给药剂量的95.12倍。在观察期间内(0~14天),饲养观察2周,无任何异常及中毒反应,小鼠体重增加,行为、活动、进食一切正常。

结果表明,永瓦-14丸口服给药为无毒或低毒药物。

起草单位: 呼伦贝尔市食品药品检验所　　王　佳　马　丽　白　南　鄂文君

赤峰市药品检验所　　会伟哲　陆　静　王天媛

内蒙古自治区国际蒙医医院　　高钰思　艾毅斯　安鲁斯　那松巴乙拉

内蒙古医科大学药学院　　肖云峰　钱新宇　王　娜　韩运琪　王建民　李建华

张双兰　程　前　籍紫薇

尼达金道格丸 质量标准起草说明

【历史沿革】

本方来源于《蒙医药选编》（内蒙古科技出版社2004年版，蒙古文，第588页）。

【处方来源】

本制剂由内蒙古自治区国际蒙医医院提供。

【名称】

尼达金道格丸

【蒙药材和饮片的来源和执行标准】

1. 处方组成及药味排列顺序：齿叶草70g、紫檀40g、红花30g、胡黄连20g、豆蔻20g、石榴10g、肋柱花10g、姜黄10g、熊胆粉10g。

2. 处方中除了齿叶草、石榴、肋柱花、紫檀和熊胆粉药材外，其余红花等药味均收载于《中国药典》2020年版一部，其质量应符合该品种项下的有关规定。

齿叶草：为玄参科植物齿叶草 *Odontites serotina* (Lam.) Dum.的干燥地上部分。其标准应符合《中华人民共和国卫生部药品标准》（蒙药分册）1998年版第28页该品种项下的有关规定。

肋柱花：本品为龙胆科植物肋柱花 *Lomatogonium rotatum* (L) Fries ex Nym.的干燥全草。其标准应符合《中华人民共和国卫生部药品标准》（蒙药分册）1998年版第15页该品种项下的有关规定。

石榴：为石榴科植物石榴 *Punica granatum* L.的干燥成熟果实。其质量应符合《内蒙古蒙药饮片炮制规范》2020年版第119页该品种项下的有关规定。

紫檀：为豆科植物紫檀 *Pterocarpus sindicus* Willd的干燥新材。其标准应符合《内蒙古蒙药饮片炮制规范》2020年版第440页该品种项下的有关规定。

熊胆粉：为熊科动物黑熊 *Selenarctos thibetanus* Cuvier经胆囊手术引流胆汁而得的干燥品。其标准应符合《中华人民共和国卫生部药品标准》新药转正标准第十一册第44页该品种项下的有关规定。

【制法】

以上九味药，除熊胆粉外，其余齿叶草等八味，粉碎成细粉，将熊胆粉研细，与上述细粉配研，过筛，混匀，用水泛丸，干燥，打光，分装，即得。

【性状】

本品为淡红色至棕红色的水丸；气微，味极苦。

【鉴别】

本品为药材粉末制成的水丸，处方中红花、紫檀香、豆蔻、肋柱花的显微特征较明显，故建立显微鉴别，并对处方中胡黄连建立了薄层鉴别。

1. 试剂与试药

供试品：供试品（批号20190720、20191121、20200214）由内蒙古自治区国际蒙医医院提供，模拟样品（批号

20200049）模拟。

对照品：胆酸对照品（批号100078-201415）、胡椒碱对照品（批号110775-201706），均购于中国食品药品检定研究院。

薄层板：硅胶G板，购于青岛海洋化工有限公司。

所用其他试剂均为分析纯，水为离子交换高纯水。

2. 试验方法与结果

（1）显微鉴别

红花：花粉粒类圆形、椭圆形或橄榄形，直径约至60μm，具3个萌发孔，外壁有齿状突起。紫檀香：木射线细胞切向纵断面观呈类圆形或类三角形，壁稍厚，木化，孔沟明显，胞腔内含草酸钙方晶。豆蔻：内种皮厚壁细胞黄棕色或棕红色，表面观类多角形，壁厚，胞腔含硅质块。肋柱花：花粉粒浅黄色，呈类三角形、圆球形或椭圆形，直径25~46μm，具三个孔沟，表面具条纹或网状雕纹。

（2）胡黄连薄层鉴别

参照《中国药典》2020年版一部"胡黄连"项下的薄层条件，制定出正文所述的鉴别方法。通过阴性对照试验观察，方中其他药材对胡黄连的检出无干扰，此法具专属性。

【检查】

按照丸剂（《中国药典》2020年版四部通则0108）项下的规定，对三批供试品及模拟样品的水分、重量差异、溶散时限、重金属、砷盐和微生物限度进行了检查。具体方法及测定数据如下：

1. 水分：取供试品照水分测定法（《中国药典》2020年版四部通则0832）测定，三批供试品及模拟样品测定结果见表1。

表1 水分测定结果

序号	批号	水分（%）
1	20190720	4.8
2	20191121	4.9
3	20200214	4.9
4	20200049	5.2

药典规定丸剂水分含量不得大于9.0%。从表1数据可见，三批供试品和模拟样品的水分含量均符合要求。

2. 重量差异：取以上三批供试品，每批供试品取10份，10丸为1份，分别称定重量，再与每份标示重量（2g）相比较，求每一份的重量差异（%）。药典规定每份标示装量的限度为±8%，并规定超出重量差异限度的不得多于2份，并不得有1份超出限度1倍。本品的重量差异检查结果均符合规定。

3. 溶散时限：取本品按照片剂项下崩解时限检查法（《中国药典》2020年版四部通则0921）加挡板进行测定。三批供试品测定结果见表2。

表2 溶散时限测定结果

序号	批号	溶散时间（min）
1	20190720	38
2	20191121	43
3	20200214	43

药典规定水丸应在1小时内全部溶散。从表2数据可见，本品的溶散时限符合规定。

4. 对三批供试品及模拟样品进行了重金属和砷盐考察，方法与结果如下：

重金属：分别取每个批号供试品0.5g、0.67g、1.0g、2.0g，按《中国药典》2020年版四部0821第二法检查。

供试品溶液的制备：取本品0.5g、0.67g、1.0g、2.0g，分别缓缓炽灼至完全炭化，放冷，加硫酸0.5ml，使湿润，低温加热至硫酸除尽后，加硝酸0.5ml，蒸干，至氧化氮蒸气除尽后，放冷，于600℃炽灼至完全灰化，放冷。加盐酸2ml，置水浴上蒸干后加水15ml，滴加氨试液至对酚酞指示液显中性，再加醋酸盐缓冲液（pH3.5）2ml，微热溶解后，移置纳氏比色管中，加水稀释至25ml，作为供试品溶液。

标准铅对照溶液的制备：另取配制供试品溶液的试剂两份，分别置瓷皿中蒸干后，加醋酸盐缓冲液（pH3.5）2ml，加水15ml微热溶解后，移置两支纳氏比色管中，分别加标准铅溶液（10μg/mlPb）2ml，再加水稀释至25ml，作为标准铅对照溶液。

检视：于上述供试品溶液和标准铅对照溶液中分别加硫代乙酰胺试液各2ml，摇匀，放置2分钟，同置白色背景上，从上向下进行观察。试验结果见表3。

表3　重金属检查结果

序号	批号	重金属含量（ppm）			
1	20190720	<10	<20	<30	<40
2	20191121	<10	<20	<30	<40
3	20200214	<10	<20	<30	<40
4	20200049	<10	<20	<30	<40

结果显示，供试品溶液的颜色明显浅于2ml的标准铅对照溶液。经过三批供试品及模拟样品的检查，含重金属均未超过百万分之十，故未列入正文。

砷盐：取本品1g和标准砷溶液（1μg/mlAS）2ml，分别加无砷氢氧化钙1g，加少量水，搅匀，烘干，用小火缓缓炽灼至炭化，再在600℃炽灼至完全灰化，放冷。分别加盐酸7ml使溶解，再加水21ml，按《中国药典》2020年版四部通则0822第一法（古蔡氏法）做砷盐限量检查。

结果：供试品砷斑浅于标准砷斑的颜色，表明本品含砷量未超过百万分之二（小于2ppm）。故砷盐检查项目未收入正文。

5. 微生物限度：照微生物计数法（《中国药典》2020年版四部通则1105）、控制菌检查法（《中国药典》2020年版四部通则1106）及《内蒙古蒙药制剂规范》（第三册）附录Ⅲ微生物限度标准，进行检查。结果均符合规定。

【含量测定】

尼达金道格丸是由齿叶草、紫檀、红花、胡黄连、豆蔻、石榴、肋柱花、姜黄、熊胆粉等九味药组成。主要用于清血热，止赤白带下。主治赤白带下，腰疼，膀胱区疼痛。红花为方中的主药，红花中的黄色素和红色素成分是由黄酮类化合物组成，水溶性黄色素的主要成分包括红花黄色素A、B、C，近几年来的研究还发现了羟基化的红花黄色素A为主要成分。标准制定过程中，以羟基红花黄色素A作为测定指标，采用高效液相色谱法对本品中的红花建立了含量测定方法。通过试验摸索，确定了比较理想的色谱条件，并经过方法学考察及阴性对照试验，表明该方法操作简单，重复性好，专属性强，方中其他组分对羟基红花黄色素A的测定无干扰。

1　仪器与试剂试药

1.1　仪器：岛津LC-10AT泵，岛津SPD-10A检测器，岛津CLASS-VP色谱工作站，岛津uv-1700型紫外-分光光度仪，Sartorius BP211D型电子分析天平，Precisa 92SM-202A型电子分析天平。

1.2　试剂与试药

供试品（批号20190720、20191121、20200214）由内蒙古自治区国际蒙医医院提供，模拟样品（批号20200049）模拟；羟基红花黄色素A对照品（批号111637-201810），购于中国药品生物制品检定所；甲醇、乙腈为色谱纯，水为高纯水，其他试剂均为分析纯。

2 方法学考察

2.1 色谱条件

2.1.1 色谱柱：色谱柱填充剂为十八烷基硅烷键合硅胶，本试验研究采用Phenomenex C$_{18}$柱（250mm×4.6mm，5μm）及Kromasil ODS柱（250mm×4.6mm，5μm）。

2.1.2 流动相的选择：参照《中国药典》2020年版一部"红花"项下的流动相比例进行流动相条件摸索，样品保留时间太短，经调整流动相比例至0.7%磷酸溶液–甲醇–乙腈（72：26：2），羟基红花黄色素A与其他成分达到较好的分离度，并具合适的保留时间，但拖尾现象较为严重，加三乙胺调节pH值至6.0，解除了拖尾现象，故将流动相定为以0.7%磷酸溶液–甲醇–乙腈（用三乙胺调节pH值至6.0±0.1）（72：26：2）。

2.1.3 柱温：采用40℃柱温，可降低流动相黏度，降低柱压，故将柱温定为40℃。

2.1.4 检测波长的选择：取羟基红花黄色素A对照品溶液，于紫外–可见分光光度仪上，自200~700nm做光谱扫描，结果羟基红花黄色素A在波长402nm与226nm处有最大吸收，参照《中国药典》2020年版一部"红花"项下的规定，选用403nm作为检测波长。

2.1.5 理论板数的确定：对多批供试品测定结果表明，羟基红花黄色素A峰的理论板数在3000以上即能达到与相邻峰分开，并符合《中国药典》规定R＞1.5的要求，故本标准规定理论板数按羟基红花黄色素A峰计不得低于3000。

2.2 提取方法的选择及提取效率的考察

参照《中国药典》2020年版一部"红花"项下，以25%甲醇作为提取溶剂进行超声处理，试验中考察了超声30分钟、40分钟、50分钟等不同提取时间对提取效率的影响，结果见表4。羟基红花黄色素A对照品溶液制备：精密称取羟基红花黄色素A对照品适量，加甲醇制成每1ml含88.4μg的溶液，即得。羟基红花黄色素A对照品峰面积值分别为1894271、1892374、1894087、1891335、1886649，平均为1891374。

表4 羟基红花黄色素A提取效率考察

时间（min）	取样量	对照品峰面积平均值	样品峰面积值			含量（mg/g）
			A	B	平均	
30	1.5400	1891743	1391160	1394183	1392672	1.056
	1.5000	1891743	1360371	1360054	1360212	1.059
40	1.4902	1891743	1360680	1360877	1360778	1.067
	1.5032	1891743	1364446	1366814	1365630	1.061
50	1.4312	1891743	1286164	1293287	1289726	1.053
	1.4926	1891743	1353547	1346215	1349881	1.057

从表4数据可见，超声处理40分钟，供试品中羟基红花黄色素A的含量最大，故将提取时间定为超声处理40分钟。

2.3 专属性考察

2.3.1 对照品溶液的制备：取羟基红花黄色素A对照品适量，精密称定，加25%甲醇制成每1ml含30μg的溶液，作为对照品溶液。

2.3.2 供试品溶液的制备：取本品适量，研细，取约1g，精密称定，置具塞锥形瓶中，精密加入25%甲醇25ml，密塞，称定重量，超声处理（功率250W，频率40kHz）40分钟，放冷，再称定重量，用25%甲醇补足减失的重量，摇匀，滤过，取续滤液，作为供试品溶液。

2.3.3 阴性对照溶液的制备：按处方配比制备不含红花的阴性供试品，按"供试品溶液的制备"方法制备阴性对照溶液。

2.3.4 测定：分别精密吸取以上三种溶液各10μl，注入色谱仪，记录各自的色谱图。

试验结果显示：供试品色谱中在与对照品色谱保留时间相同的位置上有色谱峰出现，而阴性对照在与对照品色谱保留时间相同的位置上无色谱峰出现，表明该含量测定方法阴性无干扰，专属性好。

2.4 线性关系考察

取羟基红花黄色素A对照品约7mg，精密称定，置25ml量瓶中，加25%甲醇使溶解并稀释至刻度，摇匀，滤过，精密量取续滤液1ml，置10ml量瓶中，加25%甲醇稀释至刻度，摇匀（含羟基红花黄色素A 55.6μg/ml），然后吸取上述溶液2μl、4μl、8μl、12μl、16μl、20μl分别进样，按上述色谱条件测定，以峰面积对羟基红花黄色素A的进样量进行回归分析。标准曲线数值见表5。

表5 标准曲线数据及回归分析结果

进样量（μg）	峰面积值			回归方程	r
	A	B	平均		
0.1112	354658	328893	341776		
0.2224	671556	669529	670542		
0.4448	1368153	1380126	1374140	$y=2523078x-22169$	0.9999
0.6672	2070942	2086972	2078957		
0.8896	2808123	2805913	2807018		
1.1120	3470890	3493396	3482143		

从表5数据可见，羟基红花黄色素A在0.1112~1.1120μg范围内与峰面积值呈良好的线性关系。

2.5 稳定性试验

取同一供试品溶液，分别在溶液制备后的0小时、2小时、4小时、6小时、8小时、24小时进样测定，结果见表6。

表6 不同时间测定供试品中羟基红花黄色素A的峰面积值

时间（h）	峰面积值			RSD（%）
	A	B	平均	
0	1610864	1613268	1612066	
2	1624076	1618590	1621333	
4	1613343	1600555	1606949	0.92
6	1606667	1600856	1603762	
8	1597402	1584382	1590892	
24	1577033	1583665	1580349	

从表6数据可见，羟基红花黄色素A在24小时内的峰面积值基本稳定。

2.6 重复性试验

取同一批号（批号20190720）供试品6份，各约1.5g，精密称定，置具塞锥形瓶中，精密加入25%甲醇25ml，密塞，称定重量，超声处理（功率250W，频率40kHz）40分钟，放冷，再称定重量，用25%甲醇补足减失的重量，摇匀，滤过，取续滤液，作为供试品溶液。另精密称取羟基红花黄色素A对照品适量，加甲醇制成每1ml含88.4μg的溶液，作为对照品溶液。分别精密吸取以上两种溶液各10μl，注入液相色谱仪，记录各自的色谱图，用外标法以峰面积计算含量。结果见表7。羟基红花黄色素A对照品峰面积值分别为1894271、1892374、1894087、1891335、1886649，平均为1891374。

表7　重复性试验结果

取样量（g）	对照品峰面积平均值	峰面积值			含量（mg/g）	平均含量（mg/g）	RSD（%）
		A	B	平均			
1.5401	1891743	1390462	1393334	1391898	1.056		
1.5562	1891743	1424939	1423339	1424139	1.069		
1.5347	1891743	1402840	1403822	1403331	1.068	1.065	0.44
1.5056	1891743	1371376	1377136	1374256	1.066		
1.5321	1891743	1402767	1395750	1399258	1.067		
1.5389	1891743	1403376	1401028	1402202	1.064		

从表7数据可见，在相同的提取溶剂和色谱条件下，6份供试品含量测定结果的均值为1.065mg/g，RSD为0.44%，表明该方法的重复性良好。

2.7　加样回收试验

取供试品（批号20190720，含量1.065mg/g）9份，各约0.75g，精密称定，其中1、2、3号各精密加入用25%甲醇配置的羟基红花黄色素A对照品溶液（羟基红花黄色素A浓度0.4102mg/ml）0.5ml，4、5、6号各精密加入上述对照品溶液1ml，7、8、9号各精密加入上述对照品溶液1.5ml，分别按重复性试验项下进行含量测定。结果见表8。羟基红花黄色素A对照品峰面积值分别为1894271、1892374、1894087、1891335、1886649，平均为1891374。

表8　羟基红花黄色素A加样回收试验结果

取样量（g）	供试品含量（mg）	对照品加入量（mg）	峰面积值			测得总量（mg）	回收率（%）	平均回收率（%）	RSD（%）
			A	B	平均				
0.7499	0.799	0.4102	1011856	1041528	1026692	1.199	97.51		
0.7545	0.804	0.4102	1023588	1039727	1030658	1.204	97.51		
0.7385	0.787	0.4102	1016660	1020083	1018372	1.190	98.24		
0.7551	0.804	0.8204	1391793	1388556	1390174	1.624	99.95		
0.7562	0.805	0.8204	1402114	1403569	1402842	1.639	101.66	99.84	1.74
0.7546	0.804	0.8204	1400678	1401517	1401098	1.637	101.54		
0.7488	0.797	1.2306	1730505	1730917	1730711	2.022	99.54		
0.7514	0.800	1.2306	1749260	1749366	1749313	2.044	101.09		
0.7526	0.802	1.2306	1756220	1754897	1755558	2.051	101.50		

从表8数据可见，本方法的平均回收率为99.84%，RSD为1.74%。该方法准确度好。

2.8　耐用性试验

换不同厂家、不同型号的色谱柱，取重复性试验中的供试品及对照品溶液分别进样，测定含量，结果见表9。

表9　不同色谱柱的耐用性试验

供试品号	柱型号	含量（mg/g）	相对偏差（%）
1	Phenomenex C_{18}柱	1.058	0.24
	Kromasil ODS柱	1.063	
2	Phenomenex C_{18}柱	1.072	0.89
	Kromasil ODS柱	1.053	

从表9数据可见，不同型号或厂家的色谱柱对测定结果影响较小。

3　样品含量测定

取本品按重复性试验项下的方法处理并测定。三批样品及模拟样品的测定结果见表10。

表10 样品中羟基红花黄色素A含量测定结果

批号	取样量（g）	样品峰面积值			含量（g）	平均含量（g）	RSD（%）
		A	B	平均			
20190720	1.5022	1361125	1358619	1359872	1.058		
	1.5056	1402312	1398491	1400402	1.087	1.08	1.40
	1.5063	1388936	1392603	1390770	1.079		
20191121	1.5043	1375581	1374153	1374867	1.068		
	1.5000	1358619	1358181	1358400	1.058	1.07	1.13
	1.5016	1387988	1394254	1391121	1.082		
20200214	1.5008	1378777	1371794	1375286	1.071		
	1.5012	1359619	1356318	1357968	1.057	1.06	0.68
	1.4100	1282293	1279206	1280750	1.061		
20200049	1.5035	2404016	2405247	2404632	1.868		
	1.5038	2368345	2377570	2372958	1.84	1.86	0.69
	1.5089	2404066	2400832	2402449	1.86		

从表10数据可见，模拟样品的羟基红花黄色素A含量为1.856mg/g。

4 红花药材的含量测定

取6批不同的红花药材粉末（过三号筛），各约0.4g，精密称定，按《中国药典》2020年一部"红花"项下的方法处理并测定，6批红花药材中羟基红花黄色素A的含量测定结果见表11。羟基红花黄色素A对照品制备：①精密称取羟基红花黄色素A对照品2.85mg，加25%甲醇25ml，峰面积值分别为3100437、3125156、3098930，对照品②的响应因子F1分别为27196818、27413649、27183596；②精密称取羟基红花黄色素A对照品2.559mg，加25%甲醇25ml，峰面积值分别为2808123、2805913、2826801，对照品②的响应因子F2分别为27433792、27412202、27616266。响应因子的平均值F为27376054。

表11 红花药材中羟基红花黄色素A的含量测定结果

药材编号	取样量（g）	测得药材峰面积值			含量（mg/g）	平均含量（mg/g）
		A	B	平均		
1	0.4069	1176103	1166710	1171406	5.258	5.224
	0.4051	1154666	1148221	1151444	5.191	
2	0.4250	4623157	4607340	4615248	19.834	19.690
	0.4190	4481997	4486590	4484294	19.547	
3	0.4065	3019350	3031657	3025504	13.594	13.561
	0.4076	3015371	3022513	3018942	13.528	
4	0.4036	2332507	2163427	2346967	10.621	10.714
	0.4083	2420542	2411125	2415834	10.807	
5	0.4046	3943307	3944634	3943970	17.804	17.886
	0.4029	3965058	3961789	3963424	17.967	
6	0.4087	3928262	3902694	3915478	17.498	17.574
	0.4097	3952065	3965908	3958986	17.649	

从表11数据可见，模拟样品所用红花药材5中羟基红花黄色素A的含量为17.886mg/g。

5 本制剂含量限度的确定

从表中数据可见，模拟样品含量为1.856mg/g，红花药材中羟基红花黄色素A的含量为117.886mg/g。

按理论值折算，样品应含羟基红花黄色素A为30÷220×17.886=2.439mg/g，即2.439mg/g。可见，羟基红花黄色

A转移率为1.856（mg/g）÷2.44（mg/g）×100%=76.09%。

参照《中国药典》2020年版一部"红花"药材的羟基红花黄色素A含量限度不得少于1.0%，转移率为76.09%，考虑不同产地药材的质量差异，并结合其他影响因素及三批样品的测定结果，下浮25%，按此限度折算本品含羟基红花黄色素A的理论量应不低于1.0%×1000×30÷220×76.09%=1.037mg/g。

标准正文暂定为：本品每1g含红花以羟基红花黄色素A（$C_{27}H_{32}O_{16}$）计，不得少于1.0mg。

【功能与主治】

清血热，止赤白带下。主治赤白带下，腰疼，膀胱区疼痛。

【用法与用量】

口服。一次11~15丸，一日1~2次，温开水送服。

【规格】

每10丸重2g。

【贮藏】

密闭，防潮。

起草单位：内蒙古自治区国际蒙医医院　　　那松巴乙拉　青　松　乌仁高娃

赤峰市药品检验所　　　会伟哲　周国立　姜明慧

吉如和米斯-5丸质量标准起草说明

【历史沿革】

本方来源于《蒙医常用方剂选》（吉林人民出版社1975年版，蒙古文，第69页）。

【处方来源】

本制剂由内蒙古自治区国际蒙医医院提供。

【名称】

吉如和米斯-5丸

【蒙药材和饮片的来源和执行标准】

1. 处方组成及药味排列顺序：肉豆蔻50g、木香50g、丁香40g、广枣25g、荜茇5g。

2. 处方中药味均收载于《中国药典》2020年版一部，其质量应符合该品种项下的有关规定。

【制法】

以上五味，粉碎成细粉，过筛，混匀，用水泛丸，干燥，打光，分装，即得。

【性状】

本品为棕黄色至棕红色的水丸；气芳香，味微苦。

【鉴别】

本品为药材粉末制成的水丸，方中丁香、广枣的显微特征较明显，故建立显微鉴别，并对处方中肉豆蔻建立了薄层鉴别。

1. 试剂与试药

供试品：供试品（批号201900607、20190948、20200124）由内蒙古自治区国际蒙医医院提供，模拟样品（批号20200038）模拟。

对照品：诃子对照药材（批号121015-201605），石榴对照药材（批号121043-201304），均购于中国食品药品检定研究院。

薄层板：硅胶GF_{254}板，购于青岛海洋化工有限公司。

2. 试验方法与结果

（1）显微鉴别

丁香：花粉粒三角形，直径约16μm。广枣：内果皮石细胞类圆形、椭圆形，壁厚，孔沟明显，胞腔内充满淡黄棕色或棕红色颗粒状物。

（2）肉豆蔻薄层鉴别

参照《中国药典》中"肉豆蔻"药材项下的方法进行试验，制定出正文所述的鉴别方法。通过阴性对照实验观察，方中其他药材对肉豆蔻药材薄层检验无干扰，证明此方法具专属性。

【检查】

按照丸剂（《中国药典》2020年版四部通则0108）项下的规定，对三批供试品及模拟样品的水分、重量差异、溶散时限、重金属、砷盐和微生物限度进行了检查。具体方法及测定数据如下：

1. 水分：取供试品照水分测定法（《中国药典》2020年版四部通则0832）测定。三批供试品及模拟样品的测定结果见表1。

表1　水分测定结果

序号	批号	水分（%）
1	20190607	4.8
2	20190948	5.0
3	20200124	4.7
4	20200038	4.5

药典规定丸剂水分含量不得大于9.0%。从表1中可见本品水分含量均符合要求。

2. 重量差异：取以上三批供试品，每批供试品取10份，10丸为1份，分别称定重量，再与每份标示重量（2g）相比较，求每一份的重量差异（%）。药典规定每份标示装量的限度为±8%，并规定超出重量差异限度的不得多于2份，并不得有1份超出限度1倍。本品的重量差异检查结果均符合规定。

3. 溶散时限：取本品按照片剂项下崩解时限检查法（《中国药典》2020年版四部通则0921）加挡板进行测定。三批供试品测定结果见表2。

表2　溶散时限测定结果

序号	批号	溶散时间（min）
1	20190607	37
2	20190948	37
3	20200124	40

药典规定水丸应在1小时内全部溶散。表2的结果显示，本品的溶散时限符合规定。

4. 对三批供试品及模拟样品进行了重金属和砷盐考察。方法与结果如下：

重金属：分别取每个批号供试品0.5g、0.67g、1.0g、2.0g，按《中国药典》2020年版四部0821第二法检查。

供试品溶液的制备：取本品0.5g、0.67g、1.0g、2.0g，分别缓缓炽灼至完全炭化，放冷，加硫酸0.5ml，使湿润，低温加热至硫酸除尽后，加硝酸0.5ml，蒸干，至氧化氮蒸气除尽后，放冷，于600℃炽灼至完全灰化，放冷。加盐酸2ml，置水浴上蒸干后加水15ml，滴加氨试液至对酚酞指示液显中性，再加醋酸盐缓冲液（pH3.5）2ml，微热溶解后，移置纳氏比色管中，加水稀释至25ml，作为供试品溶液。

标准铅对照溶液的制备：另取配制供试品溶液的试剂两份，分别置瓷皿中蒸干后，加醋酸盐缓冲液（pH3.5）2ml，加水15ml微热溶解后，移置两支纳氏比色管中，分别加标准铅溶液（10μg/mlPb）2ml，再加水稀释至25ml，作为标准铅对照溶液。

检视：于上述供试品溶液和标准铅对照溶液中分别加硫代乙酰胺试液各2ml，摇匀，放置2分钟，同置白色背景上，从上向下进行观察。试验结果见表3。

表3　重金属检查结果

序号	批号	重金属含量（ppm）			
1	20190607	<10	<20	<30	<40
2	20190948	<10	<20	<30	<40
3	20200124	<10	<20	<30	<40
4	20200038	<10	<20	<30	<40

结果显示,供试品溶液的颜色明显浅于2ml的标准铅对照溶液。经过三批供试品及模拟样品的检查,含重金属均未超过百万分之十,故未收入正文。

砷盐:取本品1g和标准砷溶液(1μg/mlAS)2ml,分别加无砷氢氧化钙1g,加少量水,搅匀,烘干,用小火缓缓炽灼至炭化,再在600℃炽灼至完全灰化,放冷。分别加盐酸7ml使溶解,再加水21ml,按《中国药典》2020年版四部通则0822第一法(古蔡氏法)做砷盐限量检查。

结果:供试品砷斑浅于标准砷斑的颜色,表明本品含砷量未超过百万分之二(小于2ppm),故砷盐检查项目未收入正文。

5. 微生物限度:照微生物计数法(《中国药典》2020年版四部通则1105)、控制菌检查法(《中国药典》2020年版四部通则1106)及《内蒙古蒙药制剂规范》(第三册)附录Ⅲ微生物限度标准,进行检查。结果均符合规定。

【含量测定】

吉如和米斯-5丸是由肉豆蔻、木香、丁香、广枣、荜茇等五味药组成的复方制剂。荜茇药材中含有生物碱,主要为胡椒碱,此外尚含棕榈酸、四氢胡椒酸、挥发油等。参照《中国药典》2020年版一部"荜茇"项下的含量测定方法,选择胡椒碱作为指标成分,对本制剂中的胡椒碱进行了含量测定方法学研究。经分析方法验证,表明该方法重现性好、专属性强,处方中其他组分对胡椒碱的测定无干扰,故收入质量标准中。

1 仪器与试剂试药

1.1 仪器

岛津LC-10A液相色谱仪,SPD-10A型检测器,CLASSVP色谱工作站,VU-2201紫外-可见分光光度计,AE163电子天平,AE100电子天平。

1.2 试剂与试药

供试品(批号201900607、20190948、20200124)由内蒙古自治区国际蒙医医院提供,模拟样品(批号20200038)模拟;胡椒碱对照品(批号110775-201706),购于中国食品药品检定研究院;甲醇为色谱纯,水为高纯水,其他试剂均为分析纯。

2 方法学考察

2.1 色谱条件

2.1.1 色谱柱:色谱柱填充剂为十八烷基硅烷键合硅胶,本实验采用ODS-2HYPERSIL(250mm×4.6mm)及Daiso C$_{18}$柱(250mm×4.6mm,5μm)。

2.1.2 流动相的选择:参照《中国药典》2020年版一部"荜茇"项下,以甲醇-水(77:23)作为流动相进行测定,结果胡椒碱峰保留时间短,分离效果不好,调整流动相比例改为甲醇-水-三乙胺(70:30:0.2),则样品中的胡椒碱达到了较好的分离度,并具较适合的保留时间。

2.1.3 柱温:常温。

2.1.4 检测波长的选择:取胡椒碱对照品溶液,于紫外-可见分光光度仪上,自200~700nm波长内做光谱扫描,胡椒碱在波长为343nm处有最大吸收,参照药典方法选择343nm作为检测波长。

2.1.5 理论板数的确定:对多批样品检测结果表明,胡椒碱的理论板数在1500以上即能达到较好的分离效果,故确定理论板数按胡椒碱峰计不得低于1500。

2.2 提取方法的选择

参照《中国药典》2020年版一部"荜茇"含量测定的方法,直接将样品用无水乙醇超声处理提取,制备供试品溶液。为了被测组分完全提出,考察了同一批号供试品,超声处理20分钟、30分钟、40分钟,进行测定。结果30分钟和40分钟的测定结果基本相同,20分钟稍低,所以选择了30分钟超声处理作为提取条件。

2.3 专属性考察

2.3.1 对照品溶液的制备：取胡椒碱对照品适量，精密称定，置棕色量瓶中，加无水乙醇制成每1ml含15μg的溶液，即得。

2.3.2 供试品溶液的制备：取本品适量，研细，取约0.8g，精密称定，置50ml棕色量瓶中，加无水乙醇40ml，超声处理(功率250W，频率40kHz)30分钟，放冷，加无水乙醇至刻度，摇匀，滤过，取续滤液，即得。

2.3.3 阴性对照溶液的制备：按处方配比制备不含荜茇阴性对照品溶液，操作同"供试品溶液的制备"，取续滤液，作为阴性对照溶液。

2.3.4 测定：分别精密吸取以上三种溶液各10μl，注入色谱仪，记录各自的色谱图。

结果为：阴性对照色谱图中在与胡椒碱对照品以及供试品色谱相应的保留时间处无色谱峰出现，表明处方中其他组分对胡椒碱的测定无干扰。

2.4 线性关系考察

精密称取胡椒碱对照品15.78mg，置50ml棕色量瓶中，加无水乙醇使溶解，用无水乙醇稀释至刻度，摇匀（0.3156mg/ml），精密吸取3ml，置25ml棕色量瓶中，用无水乙醇稀释至刻度。精密吸取1μl、2μl、4μl、6μl、8μl、12μl、20μl进样，按上述色谱条件进行测定。以峰面积对进样量进行回归分析，标准曲线见表4。x代表峰面积值，y代表胡椒碱进样质量（μg）。

表4 标准曲线数据值表

对照品（μg）	峰面积值	回归方程	回归系数（r）
0.03787	346553		
0.07574	701721		
0.15148	701721		
0.22772	2116688	$y=9229317.22x+0.1$	0.99
0.30296	2829859		
0.45444	4258449		
0.75740	7072860		

从表4数据可见，胡椒碱在0.03787~0.7574μg范围内与峰面积值呈良好的线性关系。

2.5 稳定性试验

取同一份供试品溶液，分别于0小时、3小时、6小时、8小时、12小时、16小时进行测定。结果见表5。

表5 胡椒碱稳定性试验结果

时间（h）	峰面积值	RSD（%）
0	1186912	
3	1187062	
6	1187675	0.10
8	1189969	
12	1190364	
16	1189707	

从表5数据可见，供试品在16小时内的峰面积值基本稳定。

2.6 重复性试验

取同一批号（批号20190607）供试品6份，精密称取6g，置50ml棕色量瓶中，加无水乙醇40ml，超声处理(功率250W，频率40kHz)30分钟，放冷，加无水乙醇至刻度，摇匀，滤过，取续滤液，作为供试品溶液。另精密称取胡椒碱对照品适量，精密称定，置棕色量瓶中，加无水乙醇制成每1ml含15μg的溶液，作为对照品溶液。分别精密吸取供试品溶液和对照品溶液各10μl，注入色谱仪，记录色谱图。按外标法以峰面积计算含量，结果见表6。

表6 胡椒碱含量重复性试验结果

样品号	取样量（g）	峰面积值	含量（mg/g）	平均含量（mg/g）	RSD（%）
1	6.0927	1145475	0.5043		
2	6.0795	1145459	0.5054		
3	5.8021	1072233	0.4957	0.5051	1.70
4	6.3673	1237571	0.5214		
5	6.1641	1146934	0.4999		
6	6.0997	1146109	0.5040		

从表6数据可见，在相同的提取溶剂和色谱条件下，6份供试品含量测定结果的均值为0.5051mg/g，RSD为1.70%，表明该方法的重复性良好。

2.7 加样回收试验

取同一批号供试品（批号20190607，含量0.4994mg/g）6份，各取3g，精密称定，置100ml棕色量瓶中，精密加入对照品溶液（0.3156mg/ml）5ml，再加无水乙醇至约80ml，分别按重复性试验项下方法操作，测定每份含量，计算回收率，结果见表7。

表7 胡椒碱加样回收试验结果

序号	取样量（g）	样品含量（g）	对照品加入量（mg）	测得总量（mg）	回收率（%）	平均回收率（%）	RSD（%）
1	2.9023	1.4494	1.5780	2.9750	96.7		
2	2.8831	1.4398	1.5780	2.9782	97.5		
3	2.7251	1.3609	1.5780	2.8735	95.9	97.0	0.86
4	2.7108	1.3538	1.5780	2.8730	96.3		
5	2.8988	1.4477	1.5780	2.9957	98.1		
6	2.9298	1.4631	1.5780	2.99870	97.3		

从表7数据可见，本方法的平均回收率为97.0%，RSD为0.86%。该方法准确度好。

2.8 耐用性试验

取供试品（批号20190607）2份，各约3g，精密称定，按重复性试验项下的方法处理，换不同厂家、不同型号的色谱柱，分别测定供试品的含量。结果见表8。

表8 不同色谱柱的耐用性试验

柱型号	分离度	测得平均含量	相对误差（%）
ODS–2HYPERSIL	5.73	0.532	
Daiso ID	5.67	0.525	0.47

从表8数据可见，在使用不同型号或厂家的色谱柱时，对测定结果影响较小。

3 样品含量测定

取本品约6g，按重复性试验项下的方法处理并测定。三批样品的测定结果见表9。

表9 样品中胡椒碱含量测定结果

批号	取样量（g）	峰面积值	含量（mg/g）	平均含量（mg/g）
20190948	6.0888	1186538	0.5221	0.523
		1183535		
	6.0849	1186816	0.5232	
		1186768		

续表

批号	取样量（g）	峰面积值	含量（mg/g）	平均含量（mg/g）
20190607	6.1520	1145224	0.4997	0.499
		1146934		
	6.1571	1146109	0.4992	
		1145475		
20200124	6.2611	1240175	0.5312	0.534
		1239502		
	6.1820	1236040	0.5367	
		1237571		

从表9数据可见，样品中胡椒碱的含量最低为0.499mg/g。

4 荜茇药材的含量测定

照《中国药典》2020年版一部"荜茇"项下进行含量测定。结果见表10。

表10 荜茇药材含量测定结果

取样量	峰面积值	含量（%）	平均含量（%）	RSD（%）
0.2554	2429692	2.55	2.53	0.78
	2417395			
0.2576	2410946	2.51		
	2410252			

从表10数据可见，荜茇药材中胡椒碱的含量为25.3mg/g，RSD为0.78%。

5 本制剂含量限度的确定

从表中数据可见，荜茇药材中胡椒碱的含量为25.3mg/g（2.53%），样品中胡椒碱的含量最低为0.499mg/g。

按理论值折算，样品应含胡椒碱为 $10 \div 340 \times 25.3 mg/g = 0.744 mg/g$，可见，胡椒碱的转移率为 $0.499 \div 0.744 \times 100\% = 67.06\%$。

参照《中国药典》2020年版一部"荜茇"药材的胡椒碱含量限度不得少于2.5%，转移率为67.06%，考虑不同产地药材的质量差异，并结合其他影响因素及三批样品的测定结果，下浮20%，按此限度折算本品含胡椒碱的理论量应不低于 $10 \div 340 \times 2.5\% \times 1000 \times 67.06\% \times 80\% = 0.394 mg/g$。

标准正文暂定为：本品每1g含荜茇以胡椒碱（$C_{17}H_{19}NO_3$）计，不得少于0.40mg。

【功能与主治】

镇心赫依，平赫依血相讧。主治心赫依病，心慌，心悸，心神不安，胸闷，心刺痛。

【用法与用量】

口服。一次11~15丸，每日1~2次，温开水送服。

【规格】

每10丸重2g。

【贮藏】

密闭，防潮。

起草单位：内蒙古自治区国际蒙医医院　　　庆　日　那松巴乙拉　乌恩奇

　　　　　包头市检验检测中心　　　　　　周智臣　杨宇慧　王晓东

吉如很·古日古木–7丸 质量标准起草说明

【历史沿革】

本方来源于《四部医典》（内蒙古人民出版社1978年版，蒙古文，第1015页）。

【处方来源】

本制剂由内蒙古自治区国际蒙医医院提供。

【名称】

吉如很·古日古木–7丸

【蒙药材和饮片的来源和执行标准】

1. 处方组成及药味排列顺序：石膏20g、红花20g、人工牛黄15g、肉豆蔻10g、山沉香10g、广枣10g、木香10g。

2. 处方中除了山沉香药材外，其余石膏等药味均收载于《中国药典》2020年版一部，其质量应符合该品种项下的有关规定。

山沉香：为木犀科植物贺兰山丁香*Syringa pinnatifolia* Hemsl.var.*alashanensis* Ma.et S.Q.Zhou削去外皮的干燥枝。其标准应符合《中华人民共和国卫生部药品标准》（蒙药分册）1998年版第4页该品种项下的有关规定。

【制法】

以上七味，除人工牛黄外，其余天竺黄等六味，粉碎成细粉，将人工牛黄与上述细粉配研，过筛，混匀，用水泛丸，打光，干燥，分装，即得。

【性状】

本品为黄棕色至棕色的水丸；气香，味苦。

【鉴别】

本品为药材粉末制成的水丸，方中部分药材显微特征明显，故建立了显微鉴别。并对处方中的红花等建立了薄层鉴别。

1. 试剂与试药

供试品：供试品（批号20190913、20140104、20190318）由内蒙古自治区国际蒙医医院提供，模拟样品（批号20200040）模拟。

对照品：木香烃内酯（批号111524–201208），去氢木香烃内酯（批号111525–200505），胆酸对照品（批号100078–201415），均购于中国食品药品检定研究院。

薄层板：硅胶H板、硅胶G板，购于青岛海洋化工有限公司。

2. 试验方法与结果

（1）显微鉴别

红花：花粉粒类圆形、椭圆形或橄榄形，直径约至60μm，具3个萌发孔，外壁有齿状突起。广枣：内果皮石细胞呈类圆形、椭圆形、梭形、长方形或不规则形，有的延长呈纤维状或有分枝，壁厚，孔沟明显，胞腔内含淡黄棕色或黄褐色物。

（2）人工牛黄薄层鉴别

人工牛黄具有清热解毒，化痰定惊的功能。参照《中国药典》2020年版一部"人工牛黄"项下及万应锭的薄层条件，进行了筛选：①硅胶G板，以正己烷-乙酸乙酯-醋酸-甲醇（20∶25∶2∶3）为展开剂，展开，显色剂为10%磷钼酸乙醇溶液；②硅胶G板，展开剂为异辛烷-乙酸乙酯-冰醋酸（15∶7∶5），显色剂为10%硫酸乙醇溶液，置紫外灯（365nm）下检视。认为以第二种方法展开效果好，故选择第二种薄层条件，制定出正文所述的鉴别方法。展开后，供试品色谱中，与对照品色谱相应的位置上，显相同颜色的荧光斑点。通过阴性对照实验观察，方中其他药材对人工牛黄的检出无干扰，此法具有专属性。

（3）木香薄层鉴别

木香具有行气止痛的功能。参照《中国药典》2020年版一部"木香"项下的提取溶剂及薄层条件，即取供试品加三氯甲烷10ml超声处理30分钟，展开剂为三氯甲烷-环己烷（5∶1），但实验室中所用试剂毒性较大，故选用乙酸乙酯做提取溶剂，取供试品加乙酸乙酯10ml超声处理30分钟，展开剂为环己烷-丙酮（10∶3）。认为第二种方法色谱分离效果较好，故选择第二种展开剂环己烷-丙酮（10∶3）为展开剂进行试验。展开后，供试品色谱中，在与对照品色谱相应的位置上，显相同颜色的斑点。通过阴性对照实验观察，方中其他药材对木香的检出无干扰，此法具有专属性。

【检查】

按照丸剂（《中国药典》2020年版四部通则0108）项下的规定，对三批供试品及模拟样品的水分、重量差异、溶散时限、重金属、砷盐和微生物限度进行了检查。具体方法及测定数据如下：

1. 水分：取供试品照水分测定法（《中国药典》2020年版四部通则0832）测定。三批供试品及模拟样品的测定结果见表1。

表1　水分测定法结果

供试品批号	水分（%）
20190913	5.5
20140104	5.9
20190318	5.6

药典规定丸剂水分含量不得大于9.0%。从表1中可见本品水分含量均符合要求。

2. 重量差异：取以上三批供试品，每批供试品取10份，10丸为1份，分别称定重量，再与每份标示重量（2g）相比较，求每一份的重量差异（%）。药典规定每份标示装量的限度为±8%，并规定超出重量差异限度的不得多于2份，并不得有1份超出限度1倍。本品的重量差异检查结果均符合规定。

3. 溶散时限：取本品按照片剂项下崩解时限检查法（《中国药典》2020年版四部通则0921）加挡板进行测定。三批供试品测定结果见表2。

表2　溶散时限测定结果

批号	溶散时限（分）
20190913	24
20140104	28
20190318	29
20200040	30

药典规定水丸应在1小时内全部溶散。表2的结果显示，本品的溶散时限符合规定。

4. 对三批供试品及模拟样品进行了重金属和砷盐考察。方法与结果如下：

重金属：分别取每个批号供试品0.5g、0.67g、1.0g、2.0g，按《中国药典》2020年版四部0821第二法检查。

供试品溶液的制备：取本品0.5g、0.67g、1.0g、2.0g，分别缓缓炽灼至完全炭化，放冷，加硫酸0.5ml，使湿润，低温加热至硫酸除尽后，加硝酸0.5ml，蒸干，至氧化氮蒸气除尽后，放冷，于600℃炽灼至完全灰化，放冷。加盐酸2ml，置水浴上蒸干后加水15ml，滴加氨试液至对酚酞指示液显中性，再加醋酸盐缓冲液（pH3.5）2ml，微热溶解后，移置纳氏比色管中，加水稀释至25ml，作为供试品溶液。

标准铅对照溶液的制备：另取配制供试品溶液的试剂两份，分别置瓷皿中蒸干后，加醋酸盐缓冲液（pH3.5）2ml，加水15ml微热溶解后，移置两支纳氏比色管中，分别加标准铅溶液（10μg/mlPb）2ml，再加水稀释至25ml，作为标准铅对照溶液。

检视：于上述供试品溶液和标准铅对照溶液中分别加硫代乙酰胺试液各2ml，摇匀，放置2分钟，同置白色背景上，从上向下进行观察。试验结果见表3。

表3 重金属检查结果

序号	批号	重金属含量（ppm）			
1	20190913	<10	<20	<30	<40
2	20140104	<10	<20	<30	<40
3	20190318	<10	<20	<30	<40
4	20200040	<10	<20	<30	<40

结果显示，供试品溶液的颜色明显浅于2ml的标准铅对照溶液。经过三批供试品及模拟样品的检查，含重金属均未超过百万分之十，故未收入正文。

砷盐：取本品1g和标准砷溶液（1μg/mlAS）2ml，分别加无砷氢氧化钙1g，加少量水，搅匀，烘干，用小火缓缓炽灼至炭化，再在600℃炽灼至完全灰化，放冷。分别加盐酸7ml使溶解，再加水21ml，按《中国药典》2020年版四部通则0822第一法（古蔡氏法）做砷盐限量检查。

结果：供试品砷斑浅于标准砷斑的颜色，表明本品含砷量未超过百万分之二（小于2ppm），故砷盐检查项目未收入正文。

5. 微生物限度：照微生物计数法（《中国药典》2020年版四部通则1105）、控制菌检查法（《中国药典》2020年版四部通则1106）及《内蒙古蒙药制剂规范》（第三册）附录Ⅲ微生物限度标准，进行检查。结果均符合规定。

【含量测定】

吉如很·古日古木-7丸是由红花、人工牛黄、肉豆蔻、木香、石膏、山沉香、广枣等七味药组成的复方制剂。红花为处方中主药，有活血通经、散瘀止痛的功效。主要成分为红花甙类、红花多糖和有机酸。羟基红花黄色素A是红花中的活性物质，具有抗血小板凝血作用。参照《中国药典》2020年版一部"红花"项下的含量测定方法，选择羟基红花黄色素A为测定指标成分，采用高效液相色谱法对本品中的红花建立含量测定的方法。通过实验摸索，确定了比较理想的色谱条件。经过方法学考察，表明该方法操作简单，重现性好，专属性强，方中其他组分对羟基红花黄色素A的测定无干扰。

1 仪器与试剂试药

1.1 仪器

LC-10Avp泵，SCL-10ATvp型控制器，SPD-10Avp型检测器，CLASS—VP色谱工作站，UA-1700型紫外–可见分光光度计，Sartorius Bp121S（0.1mg）、Bp211D（0.01mg）电子天平。

1.2 试剂与试药

供试品（批号20190913、20140104、20190318）由内蒙古自治区国际蒙医医院提供，模拟样品（批号20200040）

模拟；羟基红花黄色素A对照品（批号111637-201609供含量测定用），购于中国食品药品检定研究院；乙腈、甲醇为色谱纯，磷酸为分析纯，水为高纯水。

2 方法学考察

2.1 色谱条件

2.1.1 色谱柱：本实验用Diamonsil C_{18}柱（250mm×4.6mm，5μm）。

2.1.2 流动相的选择：参照《中国药典》2020年版一部"红花"项下含量测定方法，以甲醇-乙腈-0.7%磷酸溶液（26：2：72）作为流动相进行测定，结果样品中羟基红花黄色素A与方中其他组分达到了分离，但结果不理想，且基线不易平衡。考虑到流动中磷酸的比例及浓度都大，对其进行pH值测定，结果pH值达到1.70左右，结合本实验采用的色谱柱的特性及实验中羟基红花黄色素A色谱峰托尾因子过大，不符合药典规定，因此通过加入三乙胺，调整pH值，以及调节流动相的比例。经过比较，当流动相的比例达到甲醇-乙腈-0.7%磷酸（19：2：79）且pH值为6.0±0.1时，样品中羟基红花黄色素A与其他成分达到较好的分离并且具有较好的保留时间，托尾因子等因素都符合《中国药典》2020年版四部通则0512的要求，故将流动相定为甲醇-乙腈-0.7%磷酸（19：2：79），用三乙胺调节pH为6.0±0.1。

2.1.3 柱温：由于流动相中水相的比例较大，在常温下柱压过高，采用40℃柱温，减小流动相的黏度，降低柱压，改善分离效果。

2.1.4 检测波长的选择：取羟基红花黄色素A对照溶液，于紫外-可见分光光度仪上，自190～600nm做光谱扫描。羟基红花黄色素A在波长为404nm处有最大吸收，参照药典方法选用403nm作为检测波长。

2.1.5 理论板数的确定：对多批样品测定结果表明，羟基红花黄色素A的理论板数在3000以上即能达到较好的分离效果，故确定理论板数按羟基红花黄色素A峰计不得低于3000。

2.2 提取方法的选择及提取效率的考察

参照《中国药典》2020年版一部"红花"含量测定项下的方法，直接在样品中加入25%甲醇25ml，超声40分钟，滤过，取续滤液，制备供试的溶液。为保证被测组分提取完全，取同一批号样品4份，分别加25%甲醇25ml，超声处理30分钟、40分钟、50分钟、60分钟，不同提取时间对提取效率的影响，含量测定结果如下表4。

表4 羟基红花黄色素A提取效率考察

序号	时间（min）	含量（mg/g）
1	30	1.9174
2	40	1.9290
3	50	1.9051
4	60	1.8958

从表4数据可见，羟基红花黄色素A在超声处理40分钟时含量最大，故将提取时间确定为超声处理40分钟。

2.3 专属性考察

2.3.1 对照品溶液的制备：取羟基红花黄色素A对照品适量，精密称定，加25%甲醇制成每1ml含40μg的溶液，即得。

2.3.2 供试品溶液的制备：取本品适量，研细，取约0.8g，精密称定，置具塞锥形瓶中，精密加入25%甲醇50ml，称定重量，超声处理（功率300W，频率50kHz）40分钟，放冷，再称定重量，用25%甲醇补足减失的重量，摇匀，滤过，取续滤液，即得。

2.3.3 阴性对照溶液的制备：按处方配比制备不含红花的阴性对照品溶液，操作同"供试品溶液的制备"，取续滤液，作为阴性对照溶液。

2.3.4 测定:分别精密吸取以上三种溶液各10μl,注入色谱仪,记录各自的色谱图。

结果为:阴性对照色谱图中在羟基红花黄色素A对照品及供试品色谱相对应的保留时间处无色谱峰出现,表明处方中其他组分对羟基红花黄色素A的测定无干扰。

2.4 线性关系考察

精密称取羟基红花黄色素A对照品0.00648g,置50ml量瓶中,加25%甲醇溶解,并稀释至刻度,摇匀。精密吸取上述溶液1ml、3ml、5ml、7ml、9ml、10ml置10ml量瓶中,分别加25%甲醇稀释至刻度,作为对照品溶液,分别精密吸取上述溶液20μl注入液相色谱仪,按上述色谱条件测定。以羟基红花黄色素A峰面积对进样量进行回归分析,标准曲线数值见表5。

表5 标准曲线数值表

对照品量（μg）	峰面积值	回归方程	回归系数（r）
0.1296	690264		
0.3888	1985993		
0.6480	3296443	$y=2516690x+19952$	0.9999
0.9072	4617675		
1.1664	5877612		
1.2960	6565934		

从表5数据可见,羟基红花黄色素A在0.1296~1.296μg范围内与峰面积值呈良好的线性关系。

2.5 稳定性试验

取同一份供试品溶液,分别于0小时、2小时、4小时、8小时、10小时、12小时进样测定。结果见表6。

表6 不同时间测定样品中羟基红花黄色素A的峰面积值

时间（h）	峰面积值	RSD（%）
0	3791304	
2	3791213	
4	3755639	0.30
8	3784730	
10	3793748	
12	3810283	

从表6数据可见,羟基红花黄色素A在12小时内的峰面积值基本稳定,没有变化。

2.6 重复性试验

取同一批号供试品(批号20190913)6份,各取约1.0g,精密称定,置具塞锥形瓶中,精密加入25%甲醇50ml,称定重量,超声处理(功率300W,频率50kHz)40分钟,放冷,再称定重量,用25%甲醇补足减失的重量,摇匀,滤过,取续滤液,作为供试品溶液。另精密称取羟基红花黄色素A对照品适量,精密称定,加25%甲醇制成每1ml含40μg的溶液,作为对照品溶液。分别精密吸取供试品溶液和对照品溶液各10μl,注入色谱仪,记录色谱图。按外标法以峰面积计算含量,结果见7。

表7 羟基红花黄色素A含量重现性试验结果

样品号	取样量（g）	峰面积值	含量（mg/g）	平均含量（mg/g）	RSD（%）
1	1.0010	3785769	1.8967		
2	1.0001	3709543	1.8602	1.8930	0.89
3	1.0023	3802974	1.9071		
4	1.0006	3797474	1.9034		

续表

样品号	取样量（g）	峰面积值	含量（mg/g）	平均含量（mg/g）	RSD（%）
5	1.0008	3773953	1.8912	1.8930	0.89
6	1.0012	3792346	1.8997		

从表7数据可见，在相同的提取溶剂和色谱条件下，6份供试品含量测定结果的均值为1.8930mg/g，RSD为0.89%，表明该方法的重复性良好。

2.7 加样回收试验

取已知羟基红花黄色素A含量的样品共9份（含量1.8930mg/g），样品取约0.5g，精密称定，置具塞锥形瓶中，分别精密加入对照品溶液低等浓度（0.0796mg/ml，5ml）、中等浓度（0.0876mg/ml，10ml）、高等浓度（0.1064mg/ml，15ml）各每个浓度3份按正文方法测定，计算回收率，结果见表8。

表8 加样回收测定结果

样品量（g）	供试品含量（mg/g）	加入量	测得总量（mg）	回收率（%）	平均回收率（%）	RSD（%）
0.5016	0.9595	0.3980	1.3537	101.6	100.0	0.84
0.5013	0.9476	0.3980	1.3430	99.3		
0.4985	0.9437	0.3980	1.3357	98.5		
0.5003	0.9457	0.8760	1.8165	99.4		
0.5014	0.9477	0.8760	1.8266	100.3		
0.5012	0.9474	0.8760	1.8264	100.3		
0.5014	0.9477	1.5960	2.5434	99.9		
0.5011	0.9472	1.5960	2.5456	100.2		
0.5013	0.9476	1.5960	2.5427	99.9		

从表8数据可见，本方法的平均回收率为100.0%，RSD为0.84%。该方法准确度好。

2.8 耐用性试验

换不同厂家、不同型号的色谱柱，取重复性试验中的5、6号供试品及对照品分别进样，测定含量，结果见下表9。

表9 不同色谱柱的耐用性试验

柱型号	分离度	平均含量（mg/ml）	相对偏差（%）
Diamonsil C_{18}（250mm×4.6mm，4μm）	8.47	0.6081	0.02
Phenomenex C_{18}（250mm×4.6mm，4μm）	8.42	0.6082	

从表9数据可见，使用不同型号或厂家的色谱柱，对测定结果影响较小。

3 样品含量测定

三批样品各取约1.0g，精密称定，按重复性试验项下的方法操作，并测定结果。结果表10。

表10 样品中羟基红花黄色素A含量测定结果

样品	取样量（g）	峰面积值	含量（mg/g）	平均含量（mg/g）	RSD（%）
20190913	1.0011	3774817	1.8873	1.888	0.24
	1.0005	3764550	1.8833		
	1.0008	3784412	1.8926		
20140104	1.0007	3781671	1.8915	1.891	0.10
	1.0001	3777857	1.8907		
	0.9998	3784075	1.8944		
20200318	0.9995	3761648	1.8837	1.893	0.39
	1.0008	3781977	1.8914		
	1.0001	3802718	1.9031		

从表10数据可见，三个批次样品进样含量测定的数据中，吉如很·古日古木–7丸中羟基红花黄色素A的含量在1.888mg/g以上。

4 红花药材的含量测定

试验中对上述三个批次样品生产用药材红花进行了含量测定，测得羟基红花黄色素A含量为11.51mg/g（1.1%）。

5 本制剂含量限度的确定

从表中数据可见，三批样品平均含量为1.8906mg/g，红花药材中羟基红花黄色素A的含量为11.51mg/g。

按理论值折算，样品应含羟基红花黄色素A为$20 \div 95 \times 11.51 = 2.4231$mg/g，即2.423mg/g。可见，羟基红花黄色素A转移率为1.806（mg/g）$\div 2.423$（mg/g）$\times 100\% = 74.53\%$。

参照《中国药典》2020年版一部"红花"药材的羟基红花黄色素A含量限度不得少于1.0%，转移率为74.53%，考虑不同产地药材的质量差异，并结合其他影响因素及三批样品的测定结果，下浮25%，按此限度折算本品含羟基红花黄色素A的理论量应不低于$20 \div 95 \times 1.0\% \times 1000 \times 74.53\% \times 80\% = 1.255$mg/g。

标准正文暂定为：本品每1g含红花以羟基红花黄色素A（$C_{27}H_{32}O_{16}$）计，不得少于1.3mg。

【功能与主治】

清心热。主治心热，心悸，心刺痛。

【用法与用量】

口服。一次11~15丸，一日1~2次，温开水送服。

【规格】

每10丸重2g。

【贮藏】

密闭，防潮。

起草单位：内蒙古自治区国际蒙医医院 　　那松巴乙拉　奥东塔娜　宝　山
　　　　　　鄂尔多斯市检验检测中心 　　张　烨　李　珍　陈羽涵

吉如很·芍沙-6丸质量标准起草说明

【历史沿革】

本方来源于《蒙药方剂汇编》（内蒙古科学技术出版社2004年版，蒙古文，第336页）。

【处方来源】

本制剂由内蒙古自治区国际蒙医医院提供。

【名称】

吉如很·芍沙-6丸

【蒙药材和饮片的来源和执行标准】

1. 处方组成及药味排列顺序：广枣50g、肉豆蔻10g、丁香10g、木香10g、牦牛心10g、枫香脂10g。

2. 处方中除了牦牛心药材外，其余广枣等药味均收载于《中国药典》2020年版一部，其质量应符合该品种项下的有关规定。

牦牛心：为牛科动物牦牛Bos grunniens L. 的干燥心脏。其质量应符合《内蒙古蒙药饮片炮制规范》2020年版第247页该品种项下的有关规定。

【制法】

以上六味，粉碎成细粉，过筛，混匀，用水泛丸，打光，低温干燥，分装，即得。

【性状】

本品为黄棕色至棕褐色的水丸；气香，味苦、涩、辛。

【鉴别】

本品为药材细粉制成的水丸。处方中丁香、肉豆蔻、广枣的显微特征比较明显，故建立显微鉴别，并对处方中的木香建立了薄层鉴别。

1. 试剂与试药

供试品：供试品（批号20190628、20191104、20191121）由内蒙古自治区国际蒙医医院提供，模拟样品（批号20200043）模拟。

对照品：木香对照药材（批号120921—202010），购于中国食品药品检定研究院。

薄层板：硅胶G板，购于青岛海洋化工有限公司。

2. 试验方法与结果

（1）显微鉴别

广枣：石细胞呈类圆形、椭圆形、长方形或不规则形，胞腔内含淡黄棕色或黄褐色物。丁香：纤维梭状，顶端钝圆，壁较厚。花粉粒微黄色，极面观略呈三角形，具3副合沟。肉豆蔻：脂肪油呈块片状、鳞片状，不规则多边形，显暗红色。牛心：肌纤维淡黄色或无色，多碎断，可观两端断层，表面有细密横纹，横纹明暗相间，平直或微波状，有的不清晰。

（2）木香薄层鉴别

参照《中国药典》2020年版一部"木香"项下薄层条件，制定出正文所述的鉴别方法。通过阴性对照试验观察,方中其他药材对木香的检出无干扰,此方法具有专属性。

【检查】

按照丸剂(《中国药典》2020年版四部通则0108)项下的规定,对三批供试品及模拟样品的水分、重量差异、溶散时限、重金属、砷盐和微生物限度进行了检查。具体方法及测定数据如下:

1. 水分:取供试品照水分测定法(《中国药典》2020年版四部通则0832)测定,三批供试品及模拟样品测定结果见表1。

表1 水分测定结果

序号	批号	水分(%)
1	20190628	8.1
2	20191104	7.8
3	20191121	8.2
4	20200043	7.8

药典规定丸剂水分含量不得大于9.0%。从表1数据可见,三批供试品和模拟样品的水分含量均符合要求。

2. 重量差异:取以上三批供试品,每批供试品取10份,10丸为1份,分别称定重量,再与每份标示重量(2g)相比较,求每一份的重量差异(%)。药典规定每份标示装量的限度为±8%,并规定超出重量差异限度的不得多于2份,并不得有1份超出限度1倍。本品的重量差异检查结果均符合规定。

3. 溶散时限:取本品按照片剂项下崩解时限检查法(《中国药典》2020年版四部通则0921)加挡板进行测定。三批供试品测定结果见表2。

表2 溶散时限测定结果

序号	批号	溶散时间(min)
1	20190628	40
2	20191104	42
3	20191121	46

药典规定水丸应在1小时内全部溶散。从表2数据可见,本品的溶散时限符合规定。

4. 对三批供试品及模拟样品进行了重金属和砷盐考察。方法与结果如下:

重金属:分别取每个批号供试品0.5g、0.67g、1.0g、2.0g,按《中国药典》2020年版四部0821第二法检查。

供试品溶液的制备:取本品0.5g、0.67g、1.0g、2.0g,分别缓缓炽灼至完全炭化,放冷,加硫酸0.5ml,使湿润,低温加热至硫酸除尽后,加硝酸0.5ml,蒸干,至氧化氮蒸气除尽后,放冷,于600℃炽灼至完全灰化,放冷。加盐酸2ml,置水浴上蒸干后加水15ml,滴加氨试液至对酚酞指示液显中性,再加醋酸盐缓冲液(pH3.5)2ml,微热溶解后,移置纳氏比色管中,加水稀释至25ml,作为供试品溶液。

标准铅对照溶液的制备:另取配制供试品溶液的试剂两份,分别置瓷皿中蒸干后,加醋酸盐缓冲液(pH3.5)2ml,加水15ml微热溶解后,移置两支纳氏比色管中,分别加标准铅溶液(10μg/mlPb)2ml,再加水稀释至25ml,作为标准铅对照溶液。

检视:于上述供试品溶液和标准铅对照溶液中分别加硫代乙酰胺试液各2ml,摇匀,放置2分钟,同置白色背景上,从上向下进行观察。试验结果见表3。

表3 重金属检查结果

序号	批号	重金属含量(ppm)			
1	20190628	<10	<20	<30	<40
2	20191104	<10	<20	<30	<40
3	20191121	<10	<20	<30	<40
4	20200043	<10	<20	<30	<40

结果显示, 供试品溶液的颜色明显浅于2ml的标准铅对照溶液。经过三批供试品及模拟样品的检查, 含重金属均未超过百万分之十, 故未收入正文。

砷盐: 取本品1g和标准砷溶液 (1μg/mlAS) 2ml, 分别加无砷氢氧化钙1g, 加少量水, 搅匀, 烘干, 用小火缓缓炽灼至炭化, 再在600℃炽灼至完全灰化, 放冷。分别加盐酸7ml使溶解, 再加水21ml, 按《中国药典》2020年版四部通则0822第一法 (古蔡氏法) 做砷盐限量检查。

结果: 供试品砷斑浅于标准砷斑的颜色, 表明本品含砷量未超过百万分之二 (小于2ppm)。故砷盐检查项目未收入正文。

5. 微生物限度: 照微生物计数法 (《中国药典》2020年版四部通则1105)、控制菌检查法 (《中国药典》2020年版四部通则1106) 及《内蒙古蒙药制剂规范》(第三册) 附录Ⅲ微生物限度标准, 进行检查。结果均符合规定。

【含量测定】

吉如很·芍沙–6丸是由广枣、肉豆蔻、丁香、木香、牦牛心、枫香脂等六味药组成的复方制剂。广枣为处方中主要药味之一。参照《中国药典》2020年版一部 "广枣" 项下的含量测定方法, 以没食子酸对照品作为指标成分, 进行含量测定方法的研究, 方法中其他成分对没食子酸对照品的测定有干扰, 经过排查发现丁香含有少量的没食子酸, 所以对处方中的广枣和丁香进行了没食子酸的含量测定方法研究, 经分析方法验证, 该方法重现性好、专属性强, 方法中其他成分对没食子酸对照品的测定无干扰。

1 仪器与试剂试药

1.1 仪器

岛津LC–2014一体机, Labsolution色谱工作站, Sartorius BT25S型电子天平, Sartorius BSA223S型电子天平, Sartorius BSA224S型电子天平, MSA6.6S–OCE–DM型百万分之一电子天平。

1.2 试剂与试药

供试品 (批号20190628、20191104、20191121) 由内蒙古自治区国际蒙医医院提供, 模拟样品 (批号20200043) 模拟; 没食子酸对照品 (批号110831–201605), 购于中国食品药品检定研究院; 甲醇、乙腈为色谱纯, 水为高纯水, 其他试剂均为分析纯。

2 方法学考察

2.1 色谱条件

2.1.1 色谱柱: 参照《中国药典》2020年版一部 "广枣" 药材项下含量测定方法, 色谱柱填充剂为十八烷基硅烷键合硅胶, 本试验研究采用岛津C$_{18}$柱 (4.6mm×250mm)。

2.1.2 流动相的选择: 参照《中国药典》2020年版一部 "西青果茶" 项下的含量测定方法, 以甲醇–1%磷酸溶液 (15:85) 为流动相。

2.1.3 柱温: 采用35℃柱温, 可减小流动相黏度, 降低柱压并改善分离效果。

2.1.4 检测波长的选择: 参照《中国药典》2020年版一部 "西青果茶" 项下的含量测定方法, 选择210nm作为检测波长。

2.1.5 理论板数的确定: 经对三批供试品测定的结果可见, 没食子酸对照品的理论板数在10000以上时均能达到较好的分离效果, 结合《中国药典》2020年版一部 "西青果茶" 项下的含量测定方法项下的规定, 故确定理论板数按没食子酸对照品峰计不得低于2000。

2.2 提取方法的选择及提取效率的考察

2.2.1 提取溶剂的选择

参照《中国药典》2020年版一部 "广枣" 药材项下含量测定方法, 以70%甲醇作提取溶剂。

2.2.2 提取效率的考察

以70%甲醇作提取溶剂进行回流提取，为了保证被测成分提取完全，试验中考察了10分钟、20分钟、30分钟、60分钟、120分钟等不同回流时间对提取效率的影响。结果见表4。

表4 提取效率的考察表

序号	超声时间（min）	没食子酸（mg/g）
1	10	0.103
2	20	0.102
3	30	0.104
4	60	0.106
5	120	0.103

从表4数据可见，回流提取60分钟没食子酸的含量基本不再增加，故确定回流时间为60分钟。

2.3 专属性考察

2.3.1 对照品溶液的制备：精密称取没食子酸对照品，加甲醇制成每1ml含12μg的溶液，作为对照品溶液。

2.3.2 供试品溶液的制备：取本品粉末（过六号筛）约0.30g精密称定，置具塞锥形瓶中，精密加入70%甲醇20ml，称定重量，加热回流60分钟，取出，放冷，再称定重量，用甲醇补足减失的重量，摇匀，滤过，药渣与滤纸用70%甲醇溶液洗涤6次，合并于蒸发皿中，蒸干，残渣用10ml水使溶解，转移至分液漏斗中，用乙醚振摇提取6次，每次20ml，合并乙醚液蒸干，残渣用70%甲醇溶液使溶解，转移至10ml量瓶中并稀释至刻度，摇匀，取续滤液，作为供试品溶液。

2.3.3 阴性对照溶液的制备：按处方配比制备缺广枣和丁香的阴性供试品，按"供试品溶液的制备"方法制备阴性对照溶液。

2.3.4 测定：分别精密吸取以上三种溶液各10μl，注入色谱仪，记录各自的色谱图。

试验结果显示：供试品色谱中在与对照品色谱保留时间相同的位置上有色谱峰出现，而阴性对照在与对照品色谱保留时间相同的位置上无色谱峰出现，表明该含量测定方法阴性无干扰，专属性好。

2.4 线性关系考察

精密称取没食子酸对照品3.300mg，置50ml量瓶中，加甲醇使溶解，并稀释至刻度，摇匀，即得。（没食子酸对照品0.059928mg/ml）分别取1μl、2μl、4μl、8μl、10μl、20μl进样，按上述色谱条件测定。以峰面积对注入量进行回归分析，结果见表5。

表5 标准曲线数据及回归分析结果

对照品量（μl）	峰面积值	回归方程	回归系数（r）
1	485729		
2	997953		
4	1989173	$y = 486834x + 0.5$	0.9999
8	3928401		
10	4894667		
20	9699292		

从表5数据可见，没食子酸在59.928～1198.56ng范围内与峰面积值呈良好的线性关系。

2.5 稳定性试验

取同一供试品溶液，分别在溶液制备后的0小时、2小时、4小时、6小时、8小时、10小时、12小时进样测定，结果见表6。

表6 不同时间测定样品中栀子苷的峰面积值

时间（h）	峰面积值	RSD（%）
0	1274120	
2	1271143	
4	1276322	
6	1273499	0.15
8	1274298	
10	1276933	
12	1275866	

从表6数据可见，供试品溶液在12小时内的峰面积值基本稳定。

2.6 重复性试验

取同一批号供试品（批号20190628）6份，各约0.30g，置具塞锥形瓶中，精密加入70%甲醇20ml，称定重量，加热回流60分钟，取出，放冷，再称定重量，用甲醇补足减失的重量，摇匀，滤过，药渣与滤纸用70%甲醇溶液洗涤6次，合并于蒸发皿中，蒸干，残渣用10ml水使溶解，转移至分液漏斗中，用乙醚振摇提取六次，每次20ml，合并乙醚液蒸干，残渣用70%甲醇溶液使溶解，转移至10ml量瓶中并稀释至刻度，摇匀，取续滤液，作为供试品溶液。取没食子酸对照品，加甲醇制成每1ml含12μg的溶液，作为对照品溶液。分别精密吸取以上两种溶液各10μl，注入液相色谱仪，记录各自的色谱图，用外标法以峰面积计算含量。结果见表7。

表7 重复性试验结果

取样量（g）	峰面积值（n=2）	含量（mg/g）	平均含量（mg/g）	RSD（%）
0.3034	1273010.5	1.0336		
0.3021	1276229	1.0407		
0.3036	1297492	1.0528	1.04655	1.5
0.3057	1271257	1.0244		
0.3022	1320805	1.0767		
0.302	1288602.5	1.0511		

从表7数据可见，在相同的提取溶剂和色谱条件下，6份供试品含量测定结果的均值为1.04655mg/g，RSD为1.5%，表明该方法的重复性良好。

2.7 加样回收试验

取同一批号供试品（批号20190628，含量1.04655mg/g）6份，每份约0.15g，精密称定，分别置具塞锥形瓶中，分别依次加入没食子酸对照品溶液（浓度为120.82μg/ml）1ml，再精密加入19ml 70%甲醇溶液，摇匀，称定重量，摇匀，滤过，取续滤液，作为供试品溶液。分别按重复性试验项下进行含量测定。结果见表8。

表8 没食子酸加样回收试验结果

取样量（g）	供试品含量（mg）	对照品加入量（mg）	测得总量（mg）	回收率（%）	平均（%）	RSD（%）
0.1503	0.1573	0.1208	0.2766	98.806%		
0.1506	0.1576	0.1208	0.2765	98.470%		
0.1511	0.1581	0.1208	0.2786	99.768%	99.872	1.2
0.1508	0.1578	0.1208	0.2808	101.848%		
0.1502	0.1571	0.1208	0.2784	100.372%		
0.151	0.1580	0.1208	0.2788	99.970%		

从表8数据可见，本方法的平均回收率为99.872%，RSD为1.2%。该方法准确度好。

2.8 耐用性试验

换不同厂家、不同型号的色谱柱,取三批供试品含量测定中的两批供试品及对照品溶液分别进样,测定含量,结果见表9。

表9 不同色谱柱的耐用性试验

取样号	色谱柱型号	理论板数	含量(mg/g)	误差(%)
20190628	岛津 C_{18}	10489	0.3033	0.34
20190628	Alltech C_{18}	10474	0.1040	

从表9数据可见,不同型号或厂家的色谱柱对测定结果影响较小。

3 样品含量测定

取三批样品(批号20190628、20191104、20191121)及模拟样品(批号20200043),精密称定,分别按重复性试验项下进行含量测定。结果见表10。

表10 样品中没食子酸的含量测定

批号	取样量(g)	测得峰面积值($n=2$)	含量(mg/g)	平均含量(mg/g)
20190628	0.3034	1273010.5	1.0336	1.04
	0.3021	1276229	1.0407	
20191104	0.3066	1041698	0.837	0.84
	0.3052	1044395	0.843	
20191121	0.3042	974830	0.7894	0.79
	0.3026	974948	0.7937	
20200043	2.0290	7777859.5	0.236	0.24

从表10数据可见,吉如很·芍沙-6丸中没食子酸最低含量在0.79mg/g以上,模拟样含量为0.236mg/g。

4 广枣和丁香药材含量测定

试验中采用同法对上述三批样品生产用广枣和丁香药材进行了含量测定。测定结果见表11。

表11 广枣和丁香药材中没食子酸的含量测定结果

取样量(g)	测得峰面积值	值平均值	含量(mg/g)	平均值(mg/g)	总量(mg/g)
广枣 1.0110	2640714		0.6434	0.6552	1.31755
1.0655	2884917		0.667		
丁香 1.0138	2639544		0.6414	0.66235	
1.0381	2879420		0.6833		

从表11数据可见,广枣和丁香药材中没食子酸的总量为1.317mg/g。

5 本制剂含量限度的确定

从表中数据可见,吉如很·芍沙-6丸中没食子酸的总量在0.79mg/g以上。试验中,采用相同方法对生产吉如很·芍沙-6丸的广枣、丁香药材进行了含量测定,没食子酸的含量为1.317mg/g。

按理论值折算,样品应含没食子酸的总量为1.317(mg/g)×(50+10)÷100=0.79mg/g,可见,没食子酸的转移率为0.79÷0.79×100%=100%。

参照《中国药典》2020年版一部"广枣"药材项下规定没食子酸含量不得少于0.060%,转移率为100%,考虑到不同产地药材的质量差异,并结合其他影响因素及三批样品的测定结果,下浮40%,按此限度折算本品含没食子酸的理论量应不低于(50+10)÷100×1000×0.060%×100%×60%=0.216mg/g。

标准正文暂定为:本品每1g含广枣和丁香以没食子酸($C_7H_6O_5$)计,不得少于0.20mg。

【功能与主治】

祛心赫依, 强心, 镇静。用于心赫依引起的颤抖、气喘, 命脉赫依, 心激症。

【用法与用量】

口服。一次11~15丸, 一日1~2次, 温开水送服。

【注意】

孕妇忌服。

【规格】

每10粒重2g。

【贮藏】

密闭, 防潮。

起草单位: 内蒙古自治区国际蒙医医院　　青　松　那松巴乙拉　乌仁高娃

　　　　　　赤峰市药品检验所　　　　高嘉琦　曹　月　李彦铮　会伟哲

吉如很·芍沙-7丸质量标准起草说明

【历史沿革】

本方来源于《蒙医药手册》（内蒙古人民出版社1972年版，蒙古文，第123页）。

【处方来源】

本制剂由内蒙古自治区国际蒙医医院提供。

【名称】

吉如很·芍沙-7丸

【蒙药材和饮片的来源和执行标准】

1. 处方组成及药味排列顺序：广枣60g、木香10g、牦牛心10g、肉豆蔻10g、枫香脂10g、丁香10g、山沉香10g。

2. 处方中除了牦牛心和山沉香药材外，其余广枣等药味均收载于《中国药典》2020年版一部，其质量应符合该品种项下的有关规定。

牦牛心：为牛科动物牦牛 *Bos grunniens* L. 的干燥心脏。其标准应符合《内蒙古蒙药饮片炮制规范》2020年版第247页该品种项下的有关规定。

山沉香：为木犀科植物贺兰山丁香 *Syringa pinnatifolia* Hemsl. var. *alashanensis* Ma. et S. Q. Zhou削去外皮的干燥枝。其标准应符合《中华人民共和国卫生部药品标准》（蒙药分册）1998年版第4页该品种项下的有关规定。

【制法】

以上七味，粉碎成细粉，过筛，混匀，用水泛丸，打光，低温干燥，分装，即得。

【性状】

本品为棕黄色至棕褐色的水丸；气香，味苦，甘，辛，微酸。

【鉴别】

本品为药材细粉制成的水丸。处方中广枣、丁香、肉豆蔻和牦牛心的显微特征比较明显，故建立显微鉴别，并对处方中的木香建立了薄层鉴别。

1. 试剂与试药

供试品：供试品（批号20181230、20180830、20180118）由内蒙古自治区国际蒙医医院提供，模拟样品（批号20190044）模拟。

对照品：丁香酚对照品（批号110725-201917）、丁香对照药材（批号121039-201405）、木香对照药材（批号120921-202010），均购于中国食品药品检定研究院。

薄层板：硅胶G板，购于青岛海洋化工有限公司。

2. 试验方法与结果

（1）显微鉴别

广枣：石细胞呈类圆形、椭圆形、长方形或不规则形，胞腔内含淡黄棕色或黄褐色物。丁香：纤维梭状，顶端钝圆，壁较厚。花粉粒微黄色，极面观略呈三角形，具3副合沟。肉豆蔻：脂肪油呈块片状、鳞片状，不规则多边形，显暗红色。牦牛心：肌纤维淡黄色或无色，多碎断，可观两端断层，表面有细密横纹，横纹明暗相间，平直或微波状，有的不清晰。

（2）丁香薄层鉴别

参照《中国药典》2020年版一部"丁香"项下的薄层条件，制定出正文所述的鉴别方法。通过阴性对照试验观察，方中其他药材对处方中丁香的检出无干扰，证明此法具有专属性。

（3）木香薄层鉴别

参照《中国药典》2020年版一部"木香"项下的薄层条件，制定出正文所述的鉴别方法。通过阴性对照试验观察，方中其他药材对处方中木香的检出无干扰，证明此法具有专属性。

（4）枫香脂薄层鉴别

参照《中国药典》2020年版一部"枫香脂"项下的薄层条件，制定出正文所述的鉴别方法。通过阴性对照试验观察，方中其他药材对处方中枫香脂的检出无干扰，证明此法具有专属性。

【检查】

按照丸剂（《中国药典》2020年版四部通则0108）项下的规定，对三批供试品及模拟样品的水分、重量差异、溶散时限、重金属、砷盐和微生物限度进行了检查。具体方法及测定数据如下：

1. 水分：取供试品照水分测定法（《中国药典》2020年版四部通则0832）测定，三批供试品及模拟样品测定结果见表1。

表1　水分测定结果

序号	批号	水分（%）
1	20181230	4.3
2	20180830	4.5
3	20180118	4.7
4	20190044	4.7

药典规定丸剂水分含量不得大于9.0%。从表1数据可见，三批供试品和模拟样品的水分含量均符合要求。

2. 重量差异：取以上三批供试品，每批供试品取10份，10丸为1份，分别称定重量，再与每份标示重量（2g）相比较，求每一份的重量差异（%）。药典规定每份标示装量的限度为±8%，并规定超出重量差异限度的不得多于2份，并不得有1份超出限度1倍。本品的重量差异检查结果均符合规定。

3. 溶散时限：取本品照片剂项下崩解时限检查法（《中国药典》2020年版四部通则0921）加挡板进行测定。三批供试品测定结果见表2。

表2　溶散时限测定结果

序号	批号	溶散时间（min）
1	20181230	59
2	20180830	57
3	20180118	57

药典规定水丸应在1小时内全部溶散。从表2数据可见，本品的溶散时限符合规定。

4. 对三批供试品及模拟样品进行了重金属和砷盐考察。方法与结果如下：

重金属：分别取每个批号供试品0.5g、0.67g、1.0g、2.0g，按《中国药典》2020年版四部0821第二法检查。

供试品溶液的制备：取本品0.5g、0.67g、1.0g、2.0g，分别缓缓炽灼至完全炭化，放冷，加硫酸0.5ml，使湿润，低温加热至硫酸除尽后，加硝酸0.5ml，蒸干，至氧化氮蒸气除尽后，放冷，于600℃炽灼至完全灰化，放冷。加盐酸

2ml，置水浴上蒸干后加水15ml，滴加氨试液至对酚酞指示液显中性，再加醋酸盐缓冲液（pH3.5）2ml，微热溶解后，移置纳氏比色管中，加水稀释至25ml，作为供试品溶液。

标准铅对照溶液的制备：另取配制供试品溶液的试剂两份，分别置瓷皿中蒸干后，加醋酸盐缓冲液（pH3.5）2ml，加水15ml微热溶解后，移置两支纳氏比色管中，分别加标准铅溶液（10μg/mlPb）2ml，再加水稀释至25ml，作为标准铅对照溶液。

检视：于上述供试品溶液和标准铅对照溶液中分别加硫代乙酰胺试液各2ml，摇匀，放置2分钟，同置白色背景上，从上向下进行观察。结果显示，供试品溶液的颜色明显浅于1ml的标准铅对照溶液。经过三批供试品及模拟样品的检查，含重金属均未超过百万分之十，故未收入正文。试验结果见表3。

表3 重金属检查结果

序号	批号	重金属含量（ppm）			
1	20181230	<10	<20	<30	<40
2	20180830	<10	<20	<30	<40
3	20180118	<10	<20	<30	<40
4	20190044	<10	<20	<30	<40

结果显示，供试品溶液的颜色明显浅于2ml的标准铅对照溶液。经过三批供试品及模拟样品的检查，含重金属均未超过百万分之十，故未收入正文。

砷盐：取本品1g和标准砷溶液（1μg/mlAS）2ml，分别加无砷氢氧化钙1g，加少量水，搅匀，烘干，用小火缓缓炽灼至炭化，再在600℃炽灼至完全灰化，放冷。分别加盐酸7ml使溶解，再加水21ml，按《中国药典》2020年版四部通则0822第一法（古蔡氏法）做砷盐限量检查。

结果：供试品砷斑浅于标准砷斑的颜色，表明本品含砷量未超过百万分之二（2ppm）。故砷盐检查项目未收入正文。

5. 微生物限度：照微生物计数法（《中国药典》2020年版四部通则1105）、控制菌检查法（《中国药典》2020年版四部通则1106）及《内蒙古蒙药制剂规范》（第三册）附录Ⅲ微生物限度标准，进行检查。结果均符合规定。

【含量测定】

吉如很·芍沙-7丸是由广枣、木香、牦牛心、肉豆蔻、枫香脂、丁香、山沉香等七味药组成的复方制剂。广枣为处方中主要药味之一。参照《中国药典》2020年版一部"广枣"项下的含量测定方法，以没食子酸对照品作为指标成分，进行含量测定方法研究，方法中其他成分对没食子酸对照品的测定有干扰，经过排查发现丁香含有少量的没食子酸，故对处方中的广枣和丁香进行了含量测定方法研究，经分析方法验证，该方法重现性好、专属性强，方法中其他成分对没食子酸对照品的测定无干扰。

1 仪器与试剂试药

1.1 仪器

岛津LC-2014一体机，Labsolution色谱工作站，Sartorius BT25S型电子天平，Sartorius BSA223S型电子天平，Sartorius BSA224S型电子天平，MSA6.6S-OCE-DM型百万分之一电子天平。

1.2 试剂与试药

供试品（批号20181230、20180830、20180118）由内蒙古自治区国际蒙医医院提供，模拟样品（批号20190044）模拟；没食子酸对照品（批号110831-201605），购于中国食品药品检定研究院；甲醇、乙腈为色谱纯，水为高纯水，其他试剂均为分析纯。

2 方法学考察

2.1 色谱条件

2.1.1 色谱柱：参照《中国药典》2020年版一部"广枣"药材项下含量测定方法，色谱柱填充剂为十八烷基硅烷键合硅胶，本试验研究采用岛津C$_{18}$柱（4.6mm×250mm）。

2.1.2 流动相的选择：参照《中国药典》2020年版一部"西青果茶"项下的含量测定方法，以甲醇-1%磷酸溶液（15:85）为流动相。

2.1.3 柱温：采用35℃柱温，可减小流动相黏度、降低柱压并改善分离效果。

2.1.4 检测波长的选择：参照《中国药典》2020年版一部"西青果茶"项下的含量测定方法，选择210nm作为检测波长。

2.1.5 理论板数的确定：经对三批样品测定的结果可见，没食子酸对照品的理论板数在2000以上时均能达到较好的分离效果，结合《中国药典》2020年版一部"西青果茶"项下的含量测定方法项下的规定，故确定理论板数按丁香酚对照品峰计不得低于2000。

2.2 提取方法的选择及提取效率的考察

2.2.1 提取溶剂的选择

参照《中国药典》2020年版一部"广枣"药材项下含量测定方法，以70%甲醇作提取溶剂。

2.2.2 提取效率的考察

以70%甲醇作提取溶剂进行回流提取，为了保证被测成分提取完全，试验中考察了10分钟、20分钟、30分钟、60分钟、120分钟等不同回流时间对提取效率的影响。结果见表4。

表4 提取效率的考察表

序号	超声时间（min）	没食子酸（mg/g）
1	10	0.102
2	20	0.100
3	30	0.104
3	60	0.106
4	120	0.103

从表4数据可见，回流提取60分钟没食子酸的含量基本稳定，故确定回流时间为60分钟。

2.3 专属性考察

2.3.1 对照品溶液的制备：取没食子酸对照品适量，精密称定，加甲醇制成每1ml含12μg的溶液，作为对照品溶液。

2.3.2 供试品溶液的制备：取本品粉末（过六号筛）约0.30g，精密称定，置具塞锥形瓶中，精密加入70%甲醇20ml，称定重量，加热回流60分钟，取出，放冷，再称定重量，用甲醇补足减失的重量，摇匀，滤过，药渣与滤纸用70%甲醇溶液洗涤6次，合并于蒸发皿中，蒸干，残渣用10ml水使溶解，转移至分液漏斗中，用乙醚振摇提取6次，每次20ml，合并乙醚液蒸干，残渣用70%甲醇溶液使溶解，转移至10ml量瓶中并稀释至刻度，摇匀，取续滤液，作为供试品溶液。

2.3.3 阴性对照溶液的制备：按上述方法制备供试品溶液和对照品溶液。另取按处方比例并以相同工艺制备的缺广枣和丁香的阴性对照，按供试品溶液制备法制得阴性对照溶液。

2.3.4 测定：分别精密吸取以上三种溶液各10μl，注入色谱仪，记录各自的色谱图。

试验结果显示：供试品色谱中在与对照品色谱保留时间相同的位置上有色谱峰出现，而阴性对照在与对照品色谱保留时间相同的位置上无色谱峰出现，表明该含量测定方法阴性无干扰，专属性好。

2.4 线性关系考察

精密称取没食子酸对照品3.300mg,置50ml量瓶中,加甲醇使溶解,并稀释至刻度,摇匀,即得。(没食子酸对照品 0.059928mg/ml)分别精密吸取1μl、2μl、4μl、8μl、10μl、20μl,分别注入液相色谱仪进行测定。以峰面积对进样量进行回归分析,结果见表5。

表5　标准曲线数据及回归分析结果

对照品量（μl）	峰面积值	回归方程	回归系数（r）
1	485729		
2	997953		
4	1989173	$y = 486834x + 0.5$	0.9999
8	3928401		
10	4894667		
20	9699292		

从表5数据可见,没食子酸在59.928～1198.56ng范围内与峰面积值呈良好的线性关系。

2.5　溶液稳定性试验

取本品(批号20181230)溶液,分别在溶液制备后的0小时、2小时、4小时、6小时、8小时、10小时、12小时进行测定。结果见表6。

表6　不同时间测定供试品中没食子酸的峰面积值

时间（h）	峰面积值	RSD（%）
0	1279887	
2	1274369	
4	1277055	
6	1280265	0.58
8	1276216	
10	1277382	
12	1279887	

从表6数据可见,供试品在12小时内的峰面积值基本稳定。

2.6　重复性试验

取同一供试品(批号20181230)6份,各取约0.30g,精密称定,置具塞锥形瓶中,精密加入70%甲醇20ml,称定重量,加热回流60分钟,取出,放冷,再称定重量,用甲醇补足减失的重量,摇匀,滤过,药渣与滤纸用70%甲醇溶液洗涤6次,合并于蒸发皿中,蒸干,残渣用10ml水使溶解,转移至分液漏斗中,用乙醚振摇提取6次,每次20ml,合并乙醚液蒸干,残渣用70%甲醇溶液使溶解,转移至10ml量瓶中并稀释至刻度,摇匀,取续滤液,作为供试品溶液。取没食子酸对照品适量,精密称定,加甲醇制成每1ml含12μg的溶液,作为对照品溶液。分别精密吸取以上两种溶液各10μl,注入液相色谱仪,记录各自的色谱图,用外标法以峰面积计算含量。结果见表7。

表7　重复性试验结果

取样量（g）	峰面积值（n=2）	含量（mg/g）	平均含量（mg/g）	RSD（%）
0.3091	1277128	1.0178		
0.3013	1244066.5	1.0171		
0.3013	1293051.5	1.0572	1.0249	1.6
0.3085	1260095	1.0062		
0.3088	1276635.5	1.0184		
0.3019	1266267.5	1.0332		

从表7数据可见，在相同的提取溶剂和色谱条件下，6份供试品含量测定结果的均值为1.0249mg/g，RSD为1.6%，表明该方法的重复性良好。

2.7 加样回收试验

称取同一供试品（批号20181230，含量1.0249mg/g）6份，每份约0.15g，精密称定，分别置具塞锥形瓶中，分别依次加入没食子酸对照品溶液（浓度为12.082μg/ml）1ml，再精密加入19ml 70%甲醇溶液，摇匀，取续滤液，作为供试品溶液。分别按重复性试验项下进行含量测定。结果见表8。

表8 没食子酸加样回收试验结果

取样量（g）	供试品含量（mg）	对照品加入量（mg）	测得总量（mg）	回收率（%）	平均（%）	RSD（%）
0.1547	0.01573	0.012082	0.02759	97.170%		
0.1592	0.01576	0.012082	0.02806	97.210%		
0.1539	0.01581	0.012082	0.02794	100.730%	98.70	1.5
0.1548	0.01578	0.012082	0.02792	99.790%		
0.1536	0.01571	0.012082	0.02784	100.180%		
0.155	0.01580	0.012082	0.02762	97.170%		

从表8数据可见，本方法的平均回收率为98.70%，RSD为1.5%。该方法准确度好。

2.8 耐用性试验

换不同厂家、不同型号的色谱柱，取三批样品含量测定中的两批供试品及对照品溶液分别进样，测定含量，结果见表9。

表9 不同色谱柱的耐用性试验

取样号	色谱柱型号	理论板数	含量（mg/g）	误差（%）
20181230	岛津 C_{18}	10463	1.017	0.54
20181230	Alltech C_{18}	10482	1.006	

从表9数据可见，不同型号或厂家的色谱柱对测定结果影响较小。

3 样品含量测定

取三批样品（批号20181230、20180830、20180118）及模拟样品（批号20190044）各2份，称取约0.30g，精密称定，分别按重复性试验下进行含量测定。结果见表10。

表10 样品中没食子酸的含量测定结果

批号	取样量（g）	测得峰面积值（n=2）	含量（mg/g）	平均含量（mg/g）
20181230	0.3091	1277128	1.0178	1.0175
	0.3013	1244066.5	1.0171	
20180830	0.3055	1063524	0.8576	0.8547
	0.3069	1061213	0.8518	
20180118	0.3093	1173257	0.9344	0.93315
	0.3088	1168188	0.9319	
20190044	0.3037	964265	0.7594	0.74655
	0.3018	958362	0.7337	

从表10数据可见，吉如很·芍沙-7丸三批样品及模拟样品中没食子酸最低含量在0.746mg/g以上。

4 广枣和丁香药材含量测定

试验中采用同法对上述三批样品生产用广枣和丁香药材进行了含量测定。测定结果见表11。

表11 广枣和丁香药材中没食子酸的含量测定结果

	取样量（g）	峰面积平均值	含量（mg/g）	平均值（mg/g）	总量（mg/g）
广枣	1.0110	2640714	0.6434	0.6552	1.31755
	1.0655	2884917	0.667		
丁香	1.0138	2639544	0.6414	0.66235	
	1.0381	2879420	0.6833		

从表11数据可见，广枣和丁香药材中没食子酸的总量为1.317mg/g。

5 本制剂含量限度的确定

从表中数据可见，吉如很·芍沙–7丸模拟样品中没食子酸的总量在0.746mg/g以上。试验中，采用相同方法对生产吉如很·芍沙–7丸的广枣、丁香药材进行了含量测定，没食子酸的含量为1.317mg/g。

按理论值折算，样品应含没食子酸的总量为1.317（mg/g）×（60+10）÷120=0.768mg/g，可见，没食子酸的转移率为0.746÷0.768×100%=97.13%。

参照《中国药典》2020年版一部"广枣"药材项下规定没食子酸含量不得少于0.060%，转移率为97.13%，考虑到不同产地药材的质量差异，并结合其他影响因素及三批样品的测定结果，下浮40%，按此限度折算本品含没食子酸的理论量应不低于（60+10）÷120×1000×0.060%×97.13%×60%=0.203mg/g。

标准正文暂定为：本品每1g含广枣和丁香以没食子酸（$C_7H_6O_5$）计，不得少于0.20mg。

【功能与主治】

镇心赫依，安神，强心。主治心赫依，心悸，心衰，气喘，失眠，胸痛，癫狂等症。

【用法与用量】

口服。一次11～15丸，一日1～2次，温开水送服。

【规格】

每10丸重2g。

【贮藏】

密闭，防潮。

起草单位：内蒙古自治区国际蒙医医院　　　　青　松　那松巴乙拉　阿木古楞
　　　　　　鄂尔多斯市检验检测中心　　　　　李雨生　陈禹涵　樊　敏

吉如很-7丸质量标准起草说明

【历史沿革】

本方来源于内蒙古自治区国际蒙医医院经验方。

【处方来源】

本制剂由内蒙古自治区国际蒙医医院提供。

【名称】

吉如很-7丸

【蒙药材和饮片的来源和执行标准】

1. 处方组成及药味排列顺序：丹参120g、沙棘40g、广枣40g、肉豆蔻40g、紫檀25g、山奈20g、檀香15g。

2. 处方中除了紫檀药材外，其余丹参等药味均收载于《中国药典》2020年版一部，其质量应符合该品种项下的有关规定。

紫檀：为豆科植物紫檀*Pterocarpus sindicus* Willd的心材。其标准应符合《内蒙古蒙药饮片炮制规范》2020年版第440页该品种项下的有关规定。

【制法】

以上七味，粉碎成细粉，过筛，混匀，用水泛丸，打光，低温干燥，分装，即得。

【性状】

本品为黄棕色至红棕色的水丸；气微香，味微苦，酸。

【鉴别】

本品为药材细粉制成的水丸。处方中山奈、广枣和沙棘的显微特征比较明显，故建立显微鉴别，并对处方中的肉豆蔻建立了薄层鉴别。

1. 试剂与试药

供试品：供试品（批号20190523、20190934、20200134）由内蒙古自治区国际蒙医医院提供，模拟样品（批号20200045）模拟。

对照品：丹酚酸B（批号111562-201917），购于中国食品药品检定研究院。

薄层板：硅胶H、G薄层板，均购于青岛海洋化工有限公司。

所用其他试剂均为分析纯，水为离子交换高纯水。

2. 试验方法与结果

（1）显微鉴别

山奈：淀粉粒圆形、椭圆形或类三角形，多数扁平，直径5~30μm，脐点、层纹均不明显。广枣：果皮表皮细胞成片，表面观类圆形或类多角形，胞腔内颗粒状物。沙棘：表皮上盾状毛，末端分离。

（2）肉豆蔻薄层鉴别

参照《中国药典》2020年版一部"肉豆蔻"项下的薄层条件，制定出正文所述的鉴别方法。通过阴性对照试验观察,方中其他药材对肉豆蔻的检出无干扰,证明此法具有专属性。

【检查】

按照丸剂(《中国药典》2020年版四部通则0108)项下的规定,对三批供试品及模拟样品的水分、重量差异、溶散时限、重金属、砷盐和微生物限度进行了检查。具体方法及测定数据如下:

1. 水分:取供试品照水分测定法(《中国药典》2020年版四部通则0832)测定。三批供试品及模拟样品测定结果见表1。

表1 水分测定结果

序号	批号	水分(%)
1	20190523	4.6
2	20190934	4.5
3	20200134	4.7
4	20200045	4.6

药典规定丸剂水分含量不得大于9.0%。从表1数据可见,三批供试品和模拟样品的水分含量均符合要求。

2. 重量差异:取以上三批供试品,每批供试品取10份,10丸为1份,分别称定重量,再与每份标示重量(2g)相比较,求每一份的重量差异(%)。药典规定每份标示装量的限度为±8%,并规定超出重量差异限度的不得多于2份,并不得有1份超出限度1倍。本品的重量差异检查结果均符合规定。

3. 溶散时限:取本品照片剂项下崩解时限检查法(《中国药典》2020年版四部通则0921)加挡板进行测定。三批供试品测定结果见表2。

表2 溶散时限测定结果

序号	批号	溶散时间(min)
1	20190523	28
2	20190934	25
3	20200134	27

药典规定水丸应在1小时内全部溶散。从表2数据可见,本品的溶散时限符合规定。

4. 对三批供试品及模拟样品进行了重金属和砷盐考察。方法与结果如下:

重金属:分别取每个批号供试品0.5g、0.67g、1.0g、2.0g,按《中国药典》2020年版四部0821第二法检查。

供试品溶液的制备:取本品0.5g、0.67g、1.0g、2.0g,分别缓缓炽灼至完全炭化,放冷,加硫酸0.5ml,使湿润,低温加热至硫酸除尽后,加硝酸0.5ml,蒸干,至氧化氮蒸气除尽后,放冷,于600℃炽灼至完全灰化,放冷。加盐酸2ml,置水浴上蒸干后加水15ml,滴加氨试液至对酚酞指示液显中性,再加醋酸盐缓冲液(pH3.5)2ml,微热溶解后,移置纳氏比色管中,加水稀释至25ml,作为供试品溶液。

标准铅对照溶液的制备:另取配制供试品溶液的试剂两份,分别置瓷皿中蒸干后,加醋酸盐缓冲液(pH3.5)2ml,加水15ml微热溶解后,移置两支纳氏比色管中,分别加标准铅溶液(10μg/mlPb)2ml,再加水稀释至25ml,作为标准铅对照溶液。

检视:于上述供试品溶液和标准铅对照溶液中分别加硫代乙酰胺试液各2ml,摇匀,放置2分钟,同置白色背景上,从上向下进行观察。结果显示,供试品溶液的颜色明显浅于1ml的标准铅对照溶液。经过三批供试品及模拟样品的检查,含重金属均未超过百万分之十,故未收入正文。试验结果见表3。

表3 重金属检查结果

序号	批号	重金属含量（ppm）			
1	20190523	<10	<20	<30	<40
2	20190934	<10	<20	<30	<40
3	20200134	<10	<20	<30	<40
4	20200045	<10	<20	<30	<40

结果显示，供试品溶液的颜色明显浅于2ml的标准铅对照溶液。经过三批供试品及模拟样品的检查，含重金属均未超过百万分之十，故未收入正文。

砷盐：取本品1g和标准砷溶液（1μg/mlAS）2ml，分别加无砷氢氧化钙1g，加少量水，搅匀，烘干，用小火缓缓炽灼至炭化，再在600℃炽灼至完全灰化，放冷。分别加盐酸7ml使溶解，再加水21ml，按《中国药典》2020年版四部通则0822第一法（古蔡氏法）做砷盐限量检查。

结果：供试品砷斑浅于标准砷斑的颜色，表明本品含砷量未超过百万分之二（小于2ppm）。故砷盐检查项目未列入正文。

5. 微生物限度：照微生物计数法（《中国药典》2020年版四部通则1105）、控制菌检查法（《中国药典》2020年版四部通则1106）及《内蒙古蒙药制剂规范》（第三册）附录Ⅲ微生物限度标准，进行检查。结果均符合规定。

【含量测定】

吉如很-7丸是以丹参为主药，丹参含有丹参酮Ⅰ、丹参酮Ⅱ、丹参素钠、丹酚酸B等化学成分。考虑到丹参酮Ⅰ、丹参酮Ⅱ化学性质不稳定，本次制剂标准提高选择丹酚酸B作为指标成分，参照《中国药典》2020年版一部"丹参"药材项下含量测定方法，对吉如很-7丸中丹参的主要成分丹酚酸B进行了含量测定条件摸索，经方法学考察及阴性对照试验，表明该方法专属性较强，处方中其他组分对丹酚酸B的测定无干扰。

1 仪器与试剂试药

1.1 仪器

岛津LC-20AT泵，CBM-20A型控制器，SPD-M20A型检测器，LC solution色谱工作站，AS 5150A超声清洗仪。

1.2 试剂与试药

供试品（批号20190523、20190934、20200134）由内蒙古自治区国际蒙医医院提供，模拟样品（批号20200045）模拟；丹酚酸B对照品（批号111562-201917），购于中国食品药品检定研究院；乙腈为色谱纯，水为高纯水，所用其他试剂均为分析纯。

2 方法学考察

2.1 色谱条件

2.1.1 色谱柱：参照《中国药典》2020年版一部"丹参"药材项下含量测定方法，色谱柱填充剂为十八烷基硅烷键合硅胶，本试验研究采用Phenomenex C₁₈（250mm×4.6mm，5μm）、岛津C₁₈（250mm×4.6mm，5μm）。

2.1.2 流动相的选择：参照《中国药典》2020年版一部"丹参"药材项下含量测定方法，以甲醇-乙腈-甲酸-水（30：10：1：59）为流动相。

2.1.3 柱温：采用30℃柱温，可减小流动相黏度，降低柱压并改善分离效果。

2.1.4 检测波长的选择：通过岛津SPD-M20A型二极管阵列检测器对丹酚酸B自200～400nm进行光谱扫描，结果在286nm处有最大吸收，结合《中国药典》2020年版一部"丹参"药材项下含量测定方法，采用286nm作为检测波长。

2.1.5 理论板数的确定：经对多批供试品测定的结果可见，丹酚酸B峰的理论板数在6000以上时，丹酚酸B达到较好的分离效果，结合《中国药典》2020年版一部"丹参"项下，故暂定为：本品的理论板数按丹酚酸B峰计不得低于3000。

2.2 提取方法的选择及提取效率的考察

2.2.1 提取溶剂的选择

参照《中国药典》2020年版一部"丹参"项下以75%甲醇作为提取溶剂。

2.2.2 提取效率的考察

取本品4份，研细，各取0.3g，精密称定，置锥形瓶中，分别精密加75%甲醇50ml，密塞，称定重量，分别超声处理（功率80W，频率400kHz）15分钟、30分钟、45分钟、60分钟，取出，放冷，再称定重量，用75%甲醇补足减失的重量，摇匀，滤过，取续滤液，按所确定色谱条件测定。测得结果见表4。

表4 提取效率的考察表

序号	超声时间（min）	丹酚酸B（mg/g）
1	15	5.459
2	30	5.494
3	45	5.219
4	60	4.958

从表4数据可见，超声处理30分钟，丹酚酸B含量最高，故确定超声时间为30分钟。

2.3 专属性考察

2.3.1 供试品溶液的制备：取本品适量，研细，取约0.5g，精密称定，置具塞锥形瓶中，精密加75%甲醇50ml，密塞，称定重量，超声处理（功率80W，频率400kHz）30分钟，取出，放冷，再称定重量，用75%甲醇补足减失的重量，摇匀，滤过，取续滤液，作为供试品溶液。

2.3.2 对照品溶液的制备：精密称取丹酚酸B对照品适量，加75%甲醇制成每1ml含100μg的溶液，作为对照品溶液。

2.3.3 阴性对照试验：取按本品处方工艺制备不含丹参的阴性样品，按供试品溶液的制备方法制备阴性对照溶液。

2.3.4 测定：分别精密吸取以上三种溶液各10μl，注入液相色谱仪，记录各自的色谱图。

试验结果显示：供试品色谱中在与对照品色谱保留时间相同的位置上有色谱峰出现，而阴性对照在与对照品色谱保留时间相同的位置上无色谱峰出现，表明该含量测定方法阴性无干扰，专属性好。

2.4 峰纯度检查

精密吸取2.3.1项下供试品溶液10μl，注入液相色谱仪，以二极管阵列检测对丹酚酸B被测成分峰进行纯度验证，结果表明被测样品中丹酚酸B为单一成分。

2.5 线性考察

取丹酚酸B对照品2.466mg置25ml量瓶中，加75%甲醇使溶解，并稀释至刻度，摇匀（丹酚酸B 0.09864mg/ml），分别吸取2μl、5μl、10μl、15μl、20μl、30μl进样，按上述色谱条件测定，以峰面积对注入量进行回归分析，结果见表5。

表5 标准曲线数据及回归分析结果

丹酚酸B（ng）	峰面积值	回归方程	r
197.28	174447.0		
493.20	483142.7	$y=1121.67x-77821.1$	0.9995
986.40	1017652.7		

续表

丹酚酸B（ng）	峰面积值	回归方程	r
1479.6	1556990.2		
1972.8	2087970.2	$y-1121.67x-77821.1$	0.9995
2959.2	3285484.7		

从表5数据可见，丹酚酸B在197.28～2959.2ng范围内与峰面积值呈良好的线性关系。

2.6 稳定性试验

取同一供试品溶液（批号20190523），分别在溶液制备后的0小时、2小时、4小时、8小时、12小时、24小时进样测定，结果见表6。

表6 溶液的稳定性试验结果

时间（h）	峰面积值	RSD（%）
0	1186906	
2	1125558	
4	1186288	
8	1177107	1.9
10	1165954	
12	1902253	
24	1158810	

从表6数据可见，在24小时内丹酚酸B的含量基本稳定。

2.7 重复性试验

取同一供试品（批号20190523）6份，各约0.5g，精密称定，置具塞锥形瓶中，精密加75%甲醇50ml，密塞，称定重量，超声处理（功率80W，频率400kHz）30分钟，取出，放冷，再称定重量，用75%甲醇补足减失的重量，摇匀，滤过，取续滤液，作为供试品溶液。另精密称取丹酚酸B对照品适量，加75%甲醇制成每1ml含0.1mg的溶液，作为对照品溶液。分别精密吸取以上两种溶液各10μl，注入液相色谱仪，记录各自的色谱图，用外标法以峰面积计算含量。结果见表7。

表7 丹酚酸B重复性试验结果

取样量（g）	峰面积值（n=2）	含量（mg/gl）	平均含量（mg/g）	RSD（%）
0.5011	1008630	16.346		
0.5061	1065808	16.990		
0.5049	1033911	16.547	16.587	1.7
0.5014	1023294	16.567		
0.5046	1051611	16.846		
0.5295	1095850	16.228		

从表7数据可见，在相同的提取溶剂和色谱条件下，6份供试品含量测定结果的均值为16.587mg/g，RSD为1.7%，表明该方法的重复性良好。

2.8 加样回收试验

取同一供试品（批号20190523）6份，除去包衣，研细，各取约0.25g，精密称定，置具塞锥形瓶中，分别依次精密加入丹酚酸B对照品溶液（丹酚酸B 2.501mg/ml）各1.0ml，再分别精密加入75%甲醇使成50ml，摇匀，分别按重复性试验项下进行含量测定。结果见表8。

表8　丹酚酸B加样回收试验结果

取样量（mg）	供试品含量（mg）	对照品加入量（mg）	测得总量（mg）	回收率（%）	平均（%）	RSD（%）
0.2589	2.6356	2.5010	5.2327	103.84		
0.2582	2.6240	2.5010	5.2280	104.11		
0.2574	2.6107	2.5010	5.1415	101.19	102.86	1.4
0.2580	2.6207	2.5010	5.1956	102.95		
0.2598	2.6506	2.5010	5.2599	104.33		
0.2520	2.5212	2.5010	5.0415	100.77		

从表8数据可见，本方法的平均回收率为102.86%，RSD为1.4%。该方法准确度好。

2.9　耐用性试验

换不同厂家、不同型号的色谱柱，按确定的色谱条件，取重复性试验中的同批号样品进行测定。结果见表9。

表9　不同色谱柱的耐用性试验

色谱柱型号	理论板数	含量（mg/g）	标准偏差（%）
岛津C_{18}	>1.5	17.734	1.2
Phenome C_{18}	>1.5	17.303	

从表9数据可见，不同型号或厂家的色谱柱对测定结果影响较小。

2.10　加样回收试验

取供试品（批号20190523）约0.15g，各6份，精密称定，分别精密加入丹酚酸B对照品溶液1ml（浓度为0.2543mg/ml），再分别精密加入75%甲醇使成50ml，作为低浓度加样供试品。分别按重复性试验项下方法操作，计算回收率及低浓度点6份样品的RSD，结果见表10。

表10　加样回收试验

取样量（mg）	供试品含量（mg）	对照品加入量（mg）	测得总量（mg）	回收率（%）	平均（%）	RSD（%）
0.1560	2.5875	0.2543	2.8410	99.68		
0.1538	2.5510	0.2543	2.8016	98.54		
0.1487	2.4664	0.2543	2.7106	96.02	98.12	1.2
0.1513	2.5096	0.2543	2.7598	98.38		
0.1508	2.5013	0.2543	2.7518	98.50		
0.1518	2.5179	0.2543	2.7661	97.60		

从表10数据可见，该法的准确度好。

3　样品含量测定及含量限度确定

取三批样品（批号20190523、20190934、20200134）各2份，各约0.5g，精密称定，分别按重复性试验项下进行含量测定。结果见表11。

表11　样品中丹酚酸B含量测定结果

批号	取样量（g）	测得峰面积值（n=2）	含量（mg/g）	平均含量（mg/g）
20190523	0.5153	386193	9.766	9.78
	0.5158	388358	9.799	
20190934	0.5047	524315	13.906	13.87
	0.5001	511634	13.863	
20200134	0.5320	594179	13.993	13.91
	0.5457	621001	13.835	

从表11数据可见，吉如很-7丸中丹酚酸B最低含量在9mg/g以上。

4　丹参药材含量测定

试验中采用同法对上述三批样品生产用丹参药材进行了含量测定。测定结果见表12。

表12　丹参药材中丹酚酸B含量测定结果

序号	取样量g	测得峰面积值	含量（%）
1	0.1596	2009624	5.60
2	0.1523	2441016	8.83
3	0.1589	1137330	3.7

从表12数据可见，丹参中丹酚酸B的含量差异大，最低为3.7%。

5　本制剂含量限度的确定

从表中数据可见，丹参药材的丹酚酸B含量为37.0mg/g，批号为20200134样品的含量为13.91mg/g。

按理论值折算，样品应含丹酚酸B为$120 \div 300 \times 37.0 = 14.8 mg/g$，可见，丹酚酸B的转移率为$13.91 \div 14.8 \times 100\% = 93.98\%$。

参照《中国药典》2020年版一部"丹参"药材的丹酚酸B含量限度不得少于3.0%，移率为93.98%，考虑不同产地药材的质量差异，并结合其他影响因素及三批样品的测定结果，下浮15%，按此限度折算本品含丹酚酸B的理论量应不低于$3.0\% \times 1000 \times 120 \div 300 \times 95.47\% \times 90\% = 9.74 mg/g$。

标准正文暂定为：本品每1g含丹参以丹酚酸B（$C_{36}H_{30}O_{16}$）计，不得少于10.0mg。

【功能与主治】

活血，强心，止痛。主治心悸，心激荡，胸胁作痛。

【用法与用量】

口服。一次11~15丸，一日1~2次，温开水口服。

【规格】

每10丸重2g。

【贮藏】

密闭，防潮。

起草单位：内蒙古自治区国际蒙医医院　　　　那松巴乙拉　斯琴塔娜　乌仁高娃
　　　　　　赤峰市药品检验所　　　　　　　　曹　月　李彦铮　兰利军

吉森·乌讷斯–25丸质量标准起草说明

【历史沿革】

本方来源于《蒙医验方》（内蒙古科学技术出版社2004年版，蒙古文，第141页）。

【处方来源】

本制剂由锡林郭勒盟镶黄旗蒙医医院提供。

【名称】

吉森·乌讷斯–25丸

【蒙药材和饮片的来源和执行标准】

1. 处方组成及药味排列顺序：铜灰48g、野菊花48g、火绒草48g、沙棘48g、木香48g、木棉花96g、制木鳖32g、檀香24g、紫檀24g、香旱芹24g、羚羊角24g、红花24g、生草果仁24g、豆蔻24g、白花龙胆24g、紫花高乌头24g、丁香24g、肉豆蔻24g、拳参24g、石膏24g、人工牛黄10g、熊胆粉10g、人工麝香2g。

注：木棉花96g（木棉花萼32g+木棉花瓣32g+木棉花蕊32g）。

2. 处方中除了铜灰、火绒草、香旱芹、紫檀、紫花高乌头、熊胆粉、白花龙胆、木棉花和人工麝香药材外，其余沙棘等药味均收载于《中国药典》2020年版一部，其质量应符合该品种项下的有关规定。

铜灰（制）：为金属铜Cuprum或铜板。其标准应符合《内蒙古蒙药饮片炮制规范》2020年版第398页该品种项下的有关规定。

火绒草：为菊科植物火绒草*Leontopodium leontopodioides*（Willd.）Beauv.的干燥地上部分。其标准应符合《中华人民共和国卫生部药品标准》（蒙药分册）1998年版第8页该品种项下的有关规定。

香旱芹：为伞形科植物香旱芹*Cuminum cyminum* L.的干燥成熟果实。其标准应符合《内蒙古蒙药饮片炮制规范》2020年版第334页该品种项下的有关规定。

白花龙胆：为龙胆科植物高山龙胆*Gentiana purdomii* Marq. 的干燥花。其标准应符合《内蒙古蒙药饮片炮制规范》2020年版第136页该品种项下的有关规定。

紫檀：为豆科植物紫檀*Pterocarpus indicus* Willd. 的心材。其标准应符合《内蒙古蒙药饮片炮制规范》2020年版第440页该品种项下的有关规定。

紫花高乌头：为毛茛科植物紫花高乌头*Aconitum excelsum* Reichb.的干燥地上部分。其标准应符合《内蒙古蒙药饮片炮制规范》2020年版第431页该品种项下的有关规定。

熊胆粉：为熊科动物黑熊*Selenarctos thibetanus* Cuvier经胆囊手术引流胆汁而得的干燥品。其标准应符合《中华人民共和国卫生部药品标准》新药转正标准第十一册第44页该品种项下的有关规定。

木棉花：为木棉科植物木棉*Gossampinus malabarica*（DC.）Merr. 的干燥花。其标准应符合《内蒙古蒙药饮片炮制规范》2020年版第60页该品种项下的有关规定。

人工麝香：应符合卫生部标准（试行）WS–210（Z–32）–93标准的有关规定。

【制法】

以上二十五味，除熊胆粉、人工麝香、人工牛黄外，其余铜灰等二十二味，粉碎成细粉，将熊胆粉、人工麝香、人工牛黄与上述细粉配研，过筛，混匀，用水泛丸，打光，干燥，分装，即得。

【性状】

本品为棕色至棕灰色的水丸；气清香，味涩、苦、微辛。

【鉴别】

本品为药材粉末制成的水丸，方中檀香、拳参、豆蔻、红花的显微特征比较明显，故建立显微鉴别，并对处方中木香建立了薄层鉴别。

1. 试剂与试药

供试品：供试品（批号20190428、20191003、20191022）由锡林郭勒盟镶黄旗蒙医医院提供，模拟样品（批号20200088）模拟。

对照品：木香烃内酯对照品（批号111524–201208），购于中国食品药品检定研究院。

薄层板：硅胶G板，购于青岛海洋化工有限公司。

所用其他试剂均为分析纯，水为离子交换高纯水。

2. 试验方法与结果

（1）显微鉴别

檀香：纤维成束，壁厚，微木化，周围薄壁细胞含草酸钙方晶，形成晶纤维。红花：花粉粒深黄色，呈类圆形、椭圆形或橄榄形，直径39～60μm。有3萌发孔，外壁有齿状突起。拳参：草酸钙簇晶存在于薄壁细胞中，直径15～68μm，含晶细胞类圆形，壁稍厚。豆蔻：内种皮杯状细胞成片，红棕色或黄棕色，表面观呈五角形或六角形，壁厚，非木化；断面观细胞1列，排成栅状，外壁较薄，内壁极厚，胞腔位于上端，胞腔内含硅质块。

（2）木香薄层鉴别

参照《中国药典》2020年版一部"木香"项下的薄层条件，制定出正文所述的鉴别方法。通过阴性对照试验观察，方中其他药材对木香的检出无干扰，此法具专属性。

【检查】

按照丸剂（《中国药典》2020年版四部通则0108）项下的规定，对三批供试品及模拟样品的水分、重量差异、溶散时限、重金属、微生物限度和急性毒性试验进行了检查。具体方法及测定数据如下：

1. 水分：取供试品照水分测定法（《中国药典》2020年版四部通则0832）测定，三批供试品及模拟样品测定结果见表1。

表1 水分测定结果

序号	批号	水分（%）
1	20190428	6.6
2	20191003	6.6
3	20191022	7.2
4	20200088	6.5

药典规定丸剂水分含量不得大于9.0%。从表1数据可见，三批供试品和模拟样品的水分含量均符合要求。

2. 重量差异：取以上三批供试品，每批供试品取10份，10丸为1份，分别称定重量，再与每份标示重量（2g）相比较，求每一份的重量差异（%）。药典规定每份标示装量的限度为±8%，并规定超出重量差异限度的不得多于2份，并不得有1份超出限度1倍。本品的重量差异检查结果均符合规定。

3. 溶散时限：取本品照片剂项下崩解时限检查法（《中国药典》2020年版四部通则0921）加挡板进行测定。三批供试品测定结果见表2。

表2 溶散时限测定结果

序号	批号	溶散时间（min）
1	20190428	53
2	20191003	55
3	20191022	50

药典规定水丸应在1小时内全部溶散。从表2数据可见，本品的溶散时限符合规定。

4. 对三批供试品及模拟样品进行了重金属考察，方法与结果如下：

重金属：分别取每个批号供试品0.5g、0.67g、1.0g、2.0g，按《中国药典》2020年版四部0821第二法检查。

供试品溶液的制备：取本品0.5g、0.67g、1.0g、2.0g，分别缓缓炽灼至完全炭化，放冷，加硫酸0.5ml，使湿润，低温加热至硫酸除尽后，加硝酸0.5ml，蒸干，至氧化氮蒸气除尽后，放冷，于600℃炽灼至完全灰化，放冷。加盐酸2ml，置水浴上蒸干后加水15ml，滴加氨试液至对酚酞指示液显中性，再加醋酸盐缓冲液（pH3.5）2ml，微热溶解后，移置纳氏比色管中，加水稀释至25ml，作为供试品溶液。

标准铅对照溶液的制备：另取配制供试品溶液的试剂两份，分别置瓷皿中蒸干后，加醋酸盐缓冲液（pH3.5）2ml，加水15ml微热溶解后，移置两支纳氏比色管中，分别加标准铅溶液（10μg/mlPb）2ml，再加水稀释至25ml，作为标准铅对照溶液。

检视：于上述供试品溶液和标准铅对照溶液中分别加硫代乙酰胺试液各2ml，摇匀，放置2分钟，同置白色背景上，从上向下进行观察。试验结果见表3。

表3 重金属检查结果

序号	批号	重金属含量（ppm）			
1	20190428	<10	<20	<30	<40
2	20191003	<10	<20	<30	<40
3	20191022	<10	<20	<30	<40
4	20200088	<10	<20	<30	<40

结果显示，供试品溶液的颜色接近或深于2ml的标准铅对照溶液。经过三批供试品及模拟样品的检查，含重金属超过百万分之四十，由于受雄黄和朱砂等药味颜色干扰，故暂未列入正文。

5. 微生物限度：照微生物计数法（《中国药典》2020年版四部通则1105）、控制菌检查法（《中国药典》2020年版四部通则1106）及《内蒙古蒙药制剂规范》（第三册）附录Ⅲ微生物限度标准，进行检查。结果均符合规定。

6. 急性毒性试验：试验研究及结果见本文后面的附件。

【含量测定】

吉森·乌讷斯-25丸是由铜灰、肉豆蔻、火绒草、沙棘、木香、紫檀、檀香、石膏、野菊花、香旱芹、羚羊角、红花、生草果仁、肉豆蔻、白花龙胆、紫花高乌头、丁香、木棉花瓣、人工麝香、拳参、熊胆粉、木棉花萼、人工牛黄、木棉花蕊、木鳖子（制）等二十五味药组成的复方制剂。故参照《中国药典》2020年版四部"2321铅、镉、砷、汞、铜测定法"项下的含量测定方法，选择铜元素作为指标成分，对本制剂中的铜灰进行了原子吸收含量测定方法研究。经分析方法验证，表明该方法重复性好、专属性强，方中其他组分对铜元素的测定无干扰。

1 仪器与试剂试药

1.1 仪器

ZEEnit700型原子吸收分光光度法仪(耶拿,analytikjena有限公司),铜空心阴极灯,Mettler-Toledo XPR10型万分之一电子天平。

1.2 试剂与试药

供试品(批号20190428、20191003、20191022)由锡林郭勒盟镶黄旗蒙医医院提供,模拟样品(批号20200088)模拟。1000μg/ml铜单元素溶液标准物质(中国计量科学研究院,GBW08615);65%浓硝酸(优级纯,Merck,批号1.00456.2508);甲醇为色谱纯,水为超纯水,所用其他试剂均为分析纯。

2 方法学考察

2.1 测量条件

2.1.1 原子化法:乙炔-空气火焰法,氩气为保护气。

2.1.2 光源:铜元素空心阴极灯。

2.1.3 检测器:PMT。

2.1.4 检测波长:参照《中国药典》2020年版四部"2321铅、镉、砷、汞、铜测定法"项下的含量测定方法,选用324.7nm处作为检测波长。

2.2 专属性考察

2.2.1 对照品溶液的制备:取铜单元素对照品适量,精密称定,加1%硝酸溶液制成每1ml含10μg的溶液,作为对照品溶液。

2.2.2 供试品溶液的制备:取本品适量,研细,取约0.5g,精密称定,置瓷坩埚中,于电热板上先低温炭化至无烟,移入高温炉中,于500℃灰化5~6小时(若灰化不完,加硝酸适量,于电热板上低温加热,反复多次直至灰化完全),取出冷却,加10%硝酸溶液5ml使溶解,转入50ml量瓶中,用水洗涤容器,洗液合并于量瓶中,并稀释至刻度,摇匀,滤过,精密量取续滤液1ml,用1%硝酸溶液定容至500ml,摇匀,作为供试品溶液。同法同时制备试剂空白溶液。

2.2.3 阴性对照溶液的制备:按本品处方工艺制备不含铜灰的阴性样品,按供试品溶液的制备方法制备阴性对照溶液(缺铜灰)。

2.2.4 测定:在上述光谱测量条件下,分别吸取对照品溶液、阴性对照溶液、供试品溶液,依次用原子吸收分光光度仪检测,吸光度扣除空白。

结果显示,阴性对照品溶液在上述条件下几乎无响应,表明该含量测定方法阴性无干扰,专属性好。

2.3 线性关系考察

精密吸取1000μg/ml铜单元素标准物质1.00ml,置100ml量瓶中,加1%硝酸溶液,定容至刻度,制成10μg/ml的标准储备液。从10μg/ml储备液中分别移取计算量的铜的标准储备液,置50ml容量瓶中,加1%硝酸溶液稀释至刻度,摇匀,配制成0μg/ml、0.05μg/ml、0.2μg/ml、0.4μg/ml、0.6μg/ml、0.8μg/ml的系列标准品溶液。依次喷入火焰,测定吸光度,以吸光度为横坐标,浓度为纵坐标,绘制标准曲线,结果见表4。

表4 铜元素标准曲线数值表

浓度(μg/ml)	吸光度	回归方程	r
0.0	0		
0.05	0.00909		
0.2	0.02958	$y=7.236x-0.009709$	0.9998
0.4	0.05690		
0.6	0.08423		
0.8	0.1116		

从表4数据可见，铜元素在0.0~0.8μg/ml范围内与吸光度值呈良好的线性关系。

2.4 精密度试验

取同一供试品（批号20191022）溶液，连续进样6针，记录吸光度值。铜元素吸光度值的精密度计算结果见表5。

表5 铜元素精密度试验结果

吸光度	平均值	RSD（%）
0.06571		
0.06601		
0.06623	0.0659	0.31
0.06571		
0.06577		
0.06611		

从表5数据可见，符合《中国药典》2020年版四部通则0512中规定的RSD值小于2.0%的要求。

2.5 稳定性试验

取同一供试品（批号20191022）溶液，分别于制备溶液后的0小时、1小时、2小时、4小时、6小时、8小时进行测定。结果见表6。

表6 不同时间测得溶液中铜元素吸光度值

序号	时间（h）	峰面积值
1	0	0.06377
2	1	0.06473
3	2	0.06806
4	4	0.06892
5	6	0.06781
6	8	0.06729

从表6数据可见，铜元素在8小时内峰面积值基本稳定，能够满足测定所需要的时间。

2.6 重复性试验

取同一供试品（批号20191022）6份，各约0.5g，精密称定，置瓷坩埚中，于电热板上先低温炭化至无烟，移入高温炉中，于500℃灰化5~6小时（若灰化不完全，加硝酸适量，于电热板上低温加热，反复多次直至灰化完全），取出冷却，加10%硝酸溶液5ml使溶解，转入50ml量瓶中，用水洗涤容器，洗液合并于量瓶中，并稀释至刻度，摇匀，滤过，精密量取续滤液1ml，用1%硝酸溶液定容至500ml，摇匀，作为供试品溶液。另取铜单元素对照品适量，精密称定，加1%硝酸溶液制成每1ml含10μg的溶液，作为对照品溶液。在上述光谱测量条件下，分别依次用原子吸收分光光度仪检测，结果见表7。

表7 铜元素重复性试验结果

称样质量（mg）	测得浓度（μg/ml）	铜含量（mg/g）	平均值（%）	RSD（%）
500.5	0.5175	2.59		
500.3	0.5154	2.58		
500.1	0.5088	2.54	2.55	1.06
500.8	0.5026	2.51		
500.1	0.5047	2.52		
500.6	0.5079	2.54		

从表7数据可见，在相同的提取溶剂和色谱条件下，6份供试品含量测定结果的均值为2.55mg/g，RSD为1.06%，

表明该方法的重复性良好。

2.7　加样回收率试验

取已知含量（批号20191022，铜元素含量为25.46mg/g）的供试品6份，各约0.25g，精密称定，分别置6个瓷坩埚中，分别在其中2个瓷坩埚中精密加入铜元素对照品溶液2.8ml（浓度为1mg/ml）（约相当于供试品含有量的50%），另2个瓷坩埚中各精密加入上述对照品溶液5.6ml（约相当于供试品含有量的100%），其余2个瓷坩埚中各精密加入上述对照品溶液8.4ml（约相当于供试品含有量的150%），分别按重复性试验项下的光谱测量条件测定每份的含量，计算回收率。结果见表8。

表8　铜元素加样回收率试验结果

取样量（g）	供试品含量（mg）	对照品加入量（mg）	测得总量（mg）	回收率（%）	平均回收率（%）	RSD（%）
0.2514	6.399	5.600	12.04	100.7%		
0.2510	6.389	5.600	11.94	99.18%		
0.2511	6.392	2.800	9.015	93.67%	97.59%	3.81
0.2516	6.405	2.800	9.277	102.6%		
0.2507	6.382	8.300	14.47	97.40%		
0.2510	6.389	8.300	14.03	92.07%		

从表8数据可见，本方法的平均回收率为97.59%，RSD为3.81%。该方法准确度好。

3　样品含量测定

取样品三批（批号20191022、20191003、20190428）各3份，各约0.5g，精密称定，按重复性试验项下的方法处理并测定。结果见表9。

表9　样品中铜元素的含量测定结果

批号	取样量（g）	吸光度	含量（mg/g）	平均含量（mg/g）
20191022	0.5018	0.1168	25.8	
	0.5013	0.1123	25.1	25.8
	0.5011	0.1126	25.4	
20191003	0.5004	0.06314	22.34	
	0.5001	0.06166	21.82	22.18
	0.5006	0.06326	22.38	
20190428	0.5018	0.06966	24.63	
	0.5019	0.07006	24.77	24.77
	0.5027	0.07057	24.91	

从表9数据可见，三批样品中铜元素含量最低为22.18mg/g，最高为25.8mg/g。含量之间无明显差异。

4　铜灰药材含量测定

试验中采用同法对上述三批样品生产用铜灰药材进行了含量测定。取铜灰药材，研细，取约0.1g，精密称定，置瓷坩埚中，于电热板上先低温炭化至无烟，移入高温炉中，于500℃灰化5~6小时（若灰化不完全，加硝酸适量，于电热板上低温加热，反复多次直至灰化完全），取出冷却，加10%硝酸溶液5ml使溶解，转入50ml量瓶中，用水洗涤容器，洗液合并于量瓶中，并稀释至刻度，摇匀，滤过，精密量取续滤液0.5ml，用1%硝酸溶液定容至500ml，摇匀，即得。同法同时制备试剂空白溶液。测定结果见表10。

表10　铜灰药材中铜元素含量测定结果

取样量（g）	平均吸光度（n=2）	含量（mg/g）	平均含量（mg/g）
0.1056	0.11245	38.91	38.39
0.1038		37.86	

从表10数据可见，铜灰药材中铜元素的含量为383.9mg/g（38.39%）。根据本品处方量折算，理论上每1g供试品含铜灰药材0.06781g，铜元素的含量为0.06781（g）×1000×38.39=26.03mg，即26.03mg/g。因此，转移率为25.46（mg/g）/26.03（mg/g）×100%=97.81%。

5　本制剂含量限度的确定

从表中数据可见，三批样品中铜元素的含量最低为22.18mg/g，铜灰药材中铜元素含量为383.9mg/g（38.39%）。

按理论值折算，样品含铜元素应为48÷702×383.9（mg/g）=26.249mg/g，可见，铜元素的转移率为22.18÷26.249×100%=84.49%。

参照《内蒙古蒙药饮片炮制规范》2020年版"铜灰"（赤铜灰）项下含量以铜元素计应为18.0%~30.0%，转移率为84.49%，考虑不同产地药材的质量差异，并结合其他影响因素及三批样品的测定结果，按此限度折算本品含铜元素的理论量应不低于48÷702×18.0%×84.49%×1000=10.39mg/g。

标准正文暂定为：本品每1g含铜灰以铜元素（Cu）计，应为10~80mg。

【功能与主治】

清肺热，解毒，益肺，止咳，化痰。用于肺肿痛，肺苏日亚症。

【用法与用量】

口服。一次11~15丸，一日1次，温开水送服。

【注意事项】

孕妇忌服。

【规格】

每10丸重2g。

【贮藏】

密闭，防潮。

附件　昆明小鼠灌胃吉森·乌讷斯–25丸急性毒性试验研究报告

1　摘要

目的：

通过一天内大剂量（≥临床等效量的50倍）对昆明种小鼠灌胃吉森·乌讷斯–25丸，观察其产生的毒性反应及严重程度、主要毒性靶器官，为重复给药毒性研究计量设计和主要观察指标提供参考。

方法：

根据药物急性毒性预试验测定，无法测出LD_{50}，故采用急性毒性限度试验测定方法。小鼠按0.4ml/10g灌胃给药，给药1次，总给药体积为40ml/kg。成人每日最大剂量2.2g/（60kg·d），换算成小鼠临床等效最大剂量为0.275g/（kg·d）。配制药物最大可混悬浓度为0.6539g/ml，灌胃给药1次，给药剂量为26.1576g/（kg·d），经计算为临床给药量的95.12倍。故一天内给药1次，小鼠给药总量为临床等效量的95.12倍，给药后观察动物的临床症状，连续观察至第14天，每天进行体重、摄食量、饮水量测定。第15天解剖动物，并进行大体病理学检查，若发现病变，则对病变组织进行组织病理学检查。

结果：

（1）一般状态观察：给药后，供试品组动物自主活动减少，给药后第2天上述异常症状恢复。

（2）对动物体重的影响：试验期间，各组动物的体重增加之间比较，无显著性差异（$P > 0.05$），说明吉森·乌讷斯-25丸对实验动物的体重无显著性影响。

（3）对动物摄食量的影响：试验期间，给药当天吉森·乌讷斯-25丸组动物摄食量略有减少。从给药第2天开始，各组动物的摄食量之间比较，无显著性差异（$P > 0.05$），说明吉森·乌讷斯-25丸对实验动物的摄食量无显著性影响。

（4）病理学检查：大体病理学检查，肉眼观察组织、器官未发现异常或病变。

结论：

吉森·乌讷斯-25丸口服给药为无毒或低毒药物。

2 研究的一般信息

2.1 专题名称及研究目的

专题名称：昆明小鼠灌胃吉森·乌讷斯-25丸急性毒性试验研究报告。

研究目的：采用昆明小鼠，单次灌胃吉森·乌讷斯-25丸，观察其产生的毒性反应及严重程度、主要毒性靶器官，为重复给药毒性研究计量设计和主要观察指标提供参考。

2.2 研究遵循的GLP法规性文件

《药物非临床研究质量规范》国家食品药品监督管理局令第34号（原CFDA 2017.9.1）。

2.3 所用毒性研究指导原则的文件和名称及参考文献

2.3.1 所用毒性研究指导原则的文件和名称

《药物单次给药毒性研究技术指导原则》（原CFDA 2014.5）；

《中药、天然药物急性毒性研究技术指导原则》（原CFDA 2005.3）。

2.3.2 所用参考文献

[1]陈奇. 中药药理研究方法学[M]. 北京：人民卫生出版社，2000.

[2]李仪奎. 中药药理试验方法学[M]. 上海：上海科学技术出版社，2006.

[3]魏伟，吴希美，李元建. 药理实验方法学[M]（第四版）. 北京：人民卫生出版社，2010.

3 实验材料

3.1 受试物及剩余受试物的处理

3.1.1 供试品

名称：吉森·乌讷斯-25丸。

提供单位：内蒙古自治区国际蒙医医院国家蒙药制剂中心。

批号：20140207。

3.1.2 剩余供试品的处理

对送样供试品留样60丸，留样保存至有效期2022年12月31日废弃。

3.2 实验系统

3.2.1 实验动物

动物种系、级别：小鼠，昆明种，SPF级。

繁育单位：内蒙古医科大学实验动物中心。

内蒙古医科大学实验动物中心实验动物生产许可证编号：SCXK（蒙）2015-0001。

发证机关：内蒙古自治区科学技术厅。

3.2.2 动物选择理由

作为一般毒性研究，昆明种小鼠是常用的啮齿类哺乳动物，且此种动物的国内外背景资料丰富，动物供应充足。

3.2.3 动物的饲养管理

3.2.3.1 动物的饲养环境。

饲育环境：屏障环境。

温度：20~26℃，日温差≤3℃。

相对湿度：41%~64%。

换气次数：≥15次/小时。

照明时间：12/12明暗交替（150~300lx）。

动物笼具：PC材质小鼠饲养笼。

饲养密度：5只/笼。

笼具的换新频率：3次/周。

粪便的处理：在更换饲养盒时，随动物废弃垫料装入专用垃圾袋，密封后统一处理。

清扫与消毒：全部操作结束后清扫，采用0.1%新洁尔灭和0.2% 84消毒液进行轮换消毒，每周一次轮流交换消毒液的种类。

3.2.3.2 检疫

检疫与适应性饲养时程：7天（含购入日）。

3.2.3.2.1 购入日检疫内容

动物外观健康检查：外表（有无外伤、卷尾、肿瘤、畸残等），体形（无消瘦、过肥），行动（有无倦怠、躁动），体温（有无发热、发冷），呼吸（有无呼吸不规律和异常呼吸音），被毛（有无竖毛、脱毛、脏污），鼻（有无流涕、出血、流脓），口腔（有无流涎、齿过长），眼（有无流泪、分泌物过多、眼球浑浊），耳（有无外伤、耳癣），生殖器（有无外伤、异常分泌物），尿（有无血尿），粪便（有无下痢、血便、脓便），其他异常。

3.2.3.2.2 第2~7天检疫驯化内容

每天上、下午各1次对检疫动物进行观察，检疫过程中，如出现外观、临床症状观察等任何异常现象，对实验可能有影响的动物予以淘汰。

3.2.3.2.3 检疫驯化期体重测定

在检疫第1天（动物入室日）和第7天（分组前）称量动物体重。

3.2.3.3 饲料

饲料种类：^{60}Co放射灭菌鼠全价颗粒饲料。

生产单位：斯贝福（北京）实验动物科技有限公司。

斯贝福（北京）实验动物科技有限公司实验动物生产许可证编号：SCXK（京）2015-0015。

发证机关：北京市科学技术委员会。

给料方法：定时投饲，自由摄取。

饲料的保存：保存在专门的通风、清洁、干燥的饲料间里。

3.2.3.4 饮用水

种类：实验动物高压灭菌饮用水。

给水方法：饮水瓶不间断供水，自由摄取。

3.2.3.5 垫料

垫料名称：玉米芯垫料。

提供单位：北京凌云博际（北京）科技有限公司。

北京凌云博际（北京）科技有限公司实验动物生产许可证编号：SCXK（京）2015-0014。

发证机关：北京市科学技术委员会。

灭菌方法：121℃、20分钟真空高压蒸汽灭菌。

3.2.4 动物的个体识别方法

分组前采用耳标记法，分组后采用躯体背部毛涂抹苦味酸溶液标记法。标记部位分别为头、背、尾、左前、左中、左后、右前、右中、右后和空白。鼠笼以笼卡标记组别、动物号、给药剂量及给药时间等信息。

3.3 药物剂量

成人临床每日用量为5~11粒，经测定药丸粒重，每10粒重约2.0g，一日1次，所以成人每日最小剂量为1.0g/（60kg·d），最大剂量2.2g/（60kg·d），换算成小鼠临床等效最大剂量为0.275g/（kg·d），最大给药剂量为26.1576g/（kg·d），为人临床给药剂量的95.12倍。

3.4 实验试剂

水合氯醛（天津市大茂化学试剂厂，批号20181124），羧甲基纤维素钠（天津市致远化学试剂有限公司，批号20190304）。

3.5 实验仪器

电子天平（北京塞多利斯仪器系统有限公司，型号BS2202S），电子天平（北京塞多利斯仪器系统有限公司，型号BS2402S），实体解剖显微镜（德国Leica公司，型号DFC 290）。

4 实验方法

4.1 实验分组

选取健康昆明小鼠40只，雌雄各半。适应性饲养7天后，按性别、体重将小鼠随机分为空白对照组（0.5%CMC-Na）、供试品组（吉森·乌讷斯-25丸），共2组，每组20只，雌雄各半。

4.2 临床症状观察

观察时间和次数：

检疫期：每天上、下午各1次对检疫动物进行观察。

实验期：给药日，给药前、给药开始至给药结束后30分钟连续观察，如无异常则停止观察，如果有异常则继续观察至恢复正常为止，但最长不超过给药后2小时。下午观察一次。

非给药日，每天上、下午各观测一次。

观察例数：全部实验动物。

观察方法：隔笼观察，观察内容包括是否死亡、濒死、活动状况、外观及被毛、有无外伤、分辨情况等。

观察指征：见表1。

表1 临床症状观察

观察	指征	可能涉及的组织、器官、系统
Ⅰ．鼻孔呼吸阻塞，呼吸频率和深度改变，体表颜色改变	呼吸困难：呼吸困难或费力，喘息，通常呼吸频率减慢	
	1. 腹式呼吸：膈膜呼吸，吸气时膈膜向腹部偏移	CNS呼吸中枢，肋间肌麻痹，胆碱能神经麻痹
	2. 喘息：吸气很困难，伴随有喘息声	CNS呼吸中枢，肺水肿，呼吸道分泌物蓄积，胆碱能功能增强
	呼吸暂停：用力呼吸后出现短暂的呼吸停止	CNS呼吸中枢，肺心功能不全
	紫绀：尾部、口和足垫呈现青紫色	肺心功能不全，肺水肿
	呼吸急促：呼吸快而浅	呼吸中枢刺激，肺心功能不全
	鼻分泌物：红色或无色	肺水肿，出血
Ⅱ．运动功能：运动频率和特征的改变	自发活动、探究、梳理、运动增加或减少	躯体运动，CNS
	嗜睡：动物嗜睡，但可被针刺唤醒而恢复正常活动	CNS睡眠中枢
	正位反射（翻正反射）消失：动物体处于异常体位时所产生的恢复正常体位的反射消失	CNS，感觉，神经肌肉
	麻痹：正位反射和疼痛反应消失	CNS，感觉
	僵住：保持原姿势不变	CNS，感觉，神经肌肉，自主神经
	共济失调：动物行走时无法控制和协调运动，但无痉挛、局部麻痹、轻瘫或僵直	CNS，感觉，自主神经
	异常运动：痉挛，足尖步态，踏步，忙碌，低伏	CNS，感觉，神经肌肉
	俯卧：不移动，腹部贴地	CNS，感觉，神经肌肉
	震颤：包括四肢和全身的颤抖和震颤	神经肌肉，CNS
	肌束震颤：包括背部、肩部、后肢和足趾肌肉的运动	神经肌肉，CNS，自主神经
Ⅲ．惊厥（癫痫发作）：随意肌明显不自主收缩或痉挛性收缩	阵挛性惊厥：肌肉收缩和松弛交替性痉挛	CNS，呼吸衰竭，神经肌肉，自主神经
	强直性惊厥：肌肉持续性收缩，后肢僵硬性伸展	CNS，呼吸衰竭，神经肌肉，自主神经
	强直性-阵挛性惊厥：两种惊厥类型交替出现	CNS，呼吸衰竭，神经肌肉，自主神经
	窒息性惊厥：通常是阵挛性惊厥并伴有喘息和紫绀	CNS，呼吸衰竭，神经肌肉，自主神经
	角弓反张：背部弓起、头向背部抬起的强直性痉挛	CNS，呼吸衰竭，神经肌肉，自主神经
Ⅳ．反射	角膜性眼睑闭合反射：接触角膜导致眼睑闭合	感觉，神经肌肉
	基本条件反射：轻轻敲击耳内表面，引起外耳抽搐	感觉，神经肌肉
	正位反射：翻正反射的能力	CNS，感觉，神经肌肉
	牵张反射：后肢被牵拉至从某一表面边缘掉下时缩回的能力	感觉，神经肌肉
	对光反射：瞳孔反射；见光瞳孔收缩	感觉，神经肌肉，自主神经
	惊跳反射：对外部刺激（如触摸、噪声）的反应	感觉，神经肌肉

续表

观 察	指 征	可能涉及的组织、器官、系统
V.眼检指征	流泪:眼泪过多,泪液清澈或有色	自主神经
	缩瞳:无论有无光线,瞳孔缩小	自主神经
	散瞳:无论有无光线,瞳孔扩大	自主神经
	眼球突出:眼眶内眼球异常突出	自主神经
	上睑下垂:上睑下垂,针刺后不能恢复正常	自主神经
	血泪症:眼泪呈红色	自主神经,出血,感染
	瞬膜松弛	自主神经
	角膜混浊,虹膜炎,结膜炎	眼睛刺激
VI.心血管指征	心动过缓:心率减慢	自主神经,肺心功能不全
	心动过速:心率加快	自主神经,肺心功能不全
	血管舒张:皮肤、尾、舌、耳、足垫、结膜、阴囊发红,体热	自主神经、CNS、心输出量增加,环境温度高
	血管收缩:皮肤苍白,体凉	自主神经、CNS、心输出量降低,环境温度低
	心律不齐:心律异常	CNS、自主神经、肺心功能不全,心肌梗死
VII.流涎	唾液分泌过多:口周毛发潮湿	自主神经
VIII.竖毛	毛囊竖毛组织收缩导致毛发蓬乱	自主神经
IX.痛觉缺失	对痛觉刺激(如热板)反应性降低	感觉,CNS
X.肌张力	张力低下:肌张力全身性降低	自主神经
	张力过高:肌张力全身性增高	自主神经
XI.胃肠指征		
排便(粪)	干硬固体,干燥,量少	自主神经,便秘,胃肠动力
	体液丢失,水样便	自主神经,腹泻,胃肠动力
呕吐	呕吐或干呕	感觉,CNS, 自主神经(小鼠无呕吐)
多尿	红色尿	肾脏损伤
	尿失禁	自主感觉神经
XII.皮肤	水肿:液体充盈组织所致肿胀	刺激性,肾功能衰竭,组织损伤,长时间静止不动
	红斑:皮肤发红	刺激性,炎症,过敏

4.3 体重测定

测定次数:首次给药至给药后第14天,连续14天进行体重测定。

测定例数:全部实验动物。

测定方法:用电子天平进行体重测定。

4.4 摄食量测定

测定次数:首次给药至给药后第14天,连续14天进行摄食量测定。

测定例数:全部动物。

测定方法:第1天上午测定每个饲养笼所给饲料量,次日上午相同时间测定剩余饲料量,以二者差值计算每个饲养笼动物的总进食量,并计算该笼每只动物每天的平均进食量。

4.5 饮水量测定

测定次数:首次给药至给药后第14天,连续14天进行摄食量测定。

测定例数：全部动物。

测定方法：第1天上午测定每个饲养笼所给水量，次日上午相同时间测定剩余水量，以二者差值计算每个饲养笼动物的总饮水量，并计算该笼每只动物每天的平均饮水量。

4.6 病理学检查

4.6.1 剖检

剖检例数：全部预定解剖的动物、各组死亡或濒临死亡的动物。

剖检方法：对于全部预定解剖的动物和各组濒临死亡动物，腹腔注射20%水合氯醛进行麻醉。从腹腔后大静脉完全放血处死，然后进行解剖。如濒死动物，迅速解剖。

尸检：肉眼观察脑、脊髓、心脏、主动脉、肺（含支气管）、肝脏、肾脏、脾脏、胰脏、胃、十二指肠、空肠、回肠结肠、直肠、盲肠、睾丸、附睾、前列腺、卵巢、子宫、阴道、膀胱、脑垂体、甲状腺（含甲状旁腺）、颌下腺、肾上腺、坐骨神经、肌肉、肠系膜淋巴结、胸腺、乳腺（雌性）、胸骨，发现异常时对该组织脏器用10%的甲醛（睾丸、附睾和眼球用Davidson's液）进行固定保存，并进行组织病理学检查，如未发现异常，不进行固定保存。

4.6.2 组织病理学检查

检查方法：固定后的组织经修块取材，逐级酒精脱水，石蜡包埋，滑动切片机切片（厚度约3μm），经苏木精-伊红（HE）染色，光镜下进行检查。根据镜检结果，如果某些组织器官需用其他方法染色，以提供更多的组织病理学信息，则进一步进行特殊染色。

4.7 数据的统计与处理

对于体重、摄食量等数据均采用SPSS22.0按照以下方法进行统计，最终数据以$\bar{x}\pm s$表示：①首先用Barlett检验方法进行数据均一性检验，如有数据均一（检验$P\geq0.05$），则进行方差分析检验（F检验）；如果Bartlett检验结果显著（$P<0.05$），则进行Kruskal-wallis检验。②如果方差分析检验结果显示（$P<0.05$），则进一步用Dunett参数检验法进行多重比较检验；如果方差分析结果不显著（$P\geq0.05$），则统计结束。③如果Kruskal-wallis检验结果显著（$P<0.05$），则进一步用Dunett非数检验法进行多重比较检验；如果Kruskal-wallis检验结果不显著（$P\geq0.05$），则统计结束。

临床症状观察、大体病理学检查结果、组织病理学检查结果（如果有）则无需进行统计学处理，直接列出观察结果。

5 结果

5.1 对动物临床症状的影响

给药后连续观察动物2周，小鼠进食、进水、活动、毛色、粪便姿势、躯体运动、呼吸频率、下腹及肛门周围有无污染、眼、鼻、口有无分泌物、体温等一切正常。

5.2 对动物体重的影响

试验期间，小鼠活动正常，健康活泼，小鼠无一死亡，无中毒反应，无其他异常现象。空白对照组和给药组小鼠体重比较，无显著性差异（$P>0.05$）。结果见表2-3。

表2 吉森·乌讷斯-25丸对雄性小鼠体重的影响（$n=10$, g, $\bar{x}\pm s$）

组别	给药第1天	给药第7天	给药第14天
空白对照组	18.26±1.86	25.27±4.65	33.85±3.71
供试品组	17.92±2.64	26.26±2.82	32.17±4.38

表3　吉森·乌讷斯-25丸对雌性小鼠体重的影响（$n=10$, g, $\bar{x}\pm s$）

组别	给药第1天	给药第7天	给药第14天
空白对照组	18.33±5.30	21.93±6.17	31.48±1.74
供试品组	17.52±3.96	22.17±4.84	30.23±3.61

5.3　对动物摄食量的影响

试验期间，各组动物的摄食量之间比较，无显著性差异（$P>0.05$）。结果见表4、表5。

表4　吉森·乌讷斯-25丸对雄性小鼠摄食量的影响（$n=10$, g, $\bar{x}\pm s$）

组别	给药第1天	给药第7天	给药第14天
空白对照组	5.86±1.37	6.10±0.28	5.56±1.74
供试品组	4.56±0.83	6.86±0.53	5.35±1.48

表5　吉森·乌讷斯-25丸对雌性小鼠摄食量的影响（$n=10$, g, $\bar{x}\pm s$）

组别	给药第1天	给药第7天	给药第14天
空白对照组	5.74±0.74	6.62±0.62	5.82±0.37
供试品组	5.57±1.33	5.66±0.46	6.57±0.14

5.4　对动物饮水量的影响

试验期间，各组动物的饮水量之间比较，无显著性差异（$P>0.05$）。结果见表6、表7。

表6　吉森·乌讷斯-25丸对雄性小鼠饮水量的影响（$n=10$, g, $\bar{x}\pm s$）

组别	给药第1天	给药第7天	给药第14天
空白对照组	5.39±1.92	5.91±2.49	6.02±2.47
供试品组	5.47±1.62	6.75±0.83	6.43±1.57

表7　吉森·乌讷斯-25丸对雌性小鼠饮水量的影响（$n=10$, g, $\bar{x}\pm s$）

组别	给药第1天	给药第7天	给药第14天
空白对照组	5.82±1.71	6.03±2.17	5.86±1.43
供试品组	6.54±1.24	5.89±0.31	6.62±1.39

5.5　病理学检查

大体病理学检查，肉眼观察组织、器官未发现异常或病变。

6　结论

本实验条件下，昆明种小鼠灌胃给予吉森·乌讷斯-25丸，小鼠按0.4ml/10g灌胃给药，一日内给药1次，小鼠总给药量为40ml/kg，为人临床给药剂量的95.12倍。在观察期间内（0~14天），饲养观察2周，无任何异常及中毒反应，小鼠体重增加，行为、活动、进食一切正常。

结果表明，吉森·乌讷斯-25丸口服给药为无毒或低毒药物。

起草单位: 内蒙古医科大学蒙医药学院　　　莲　花　邓·乌力吉

　　　　　　鄂尔多斯市检验检测中心　　　　杨　洋　李　珍　张　烨

　　　　　　锡林郭勒盟镶黄旗蒙医医院　　　刘百龙　花　拉　那松巴乙拉

　　　　　　内蒙古医科大学药学院　　　　　肖云峰　钱新宇　王　娜　韩运琪　王建民

　　　　　　　　　　　　　　　　　　　　　李建华　张双兰　程前　籍紫薇

扫龙嘎–15丸质量标准起草说明

【历史沿革】

本方来源于《拉他部》（内蒙古人民出版社1987年版，蒙古文，第789页）。

【处方来源】

本制剂由内蒙古自治区国际蒙医医院提供。

【名称】

扫龙嘎–15丸

【蒙药材和饮片的来源和执行标准】

1. 处方组成及药味排列顺序：连翘50g、麦冬40g、拳参34g、川木通30g、石膏70g、人工牛黄40g、人工麝香1g、没药42g、寒制红石膏100g、黑冰片26g、草乌叶40g、波棱瓜子34g、荜茇40g、光明盐10g、红花40g。

2. 处方中除了寒制红石膏、黑冰片、人工麝香、波棱瓜子和光明盐药材外，其余连翘等药味均收载于《中国药典》2020年版一部，其质量应符合该品种项下的有关规定。

寒制红石膏：为单斜晶系硫酸钙矿石族红石膏Gypsum的矿石红石膏（北寒水石）的炮制加工品。主含含水硫酸钙（$CaSO_4 \cdot 2H_2O$）。其标准应符合《内蒙古蒙药饮片炮制规范》2020年版第188页该品种项下的有关规定。

黑冰片：为猪科动物野猪*Sus scrofa* linnaeus的成形粪便野猪粪的炮制加工品。主含活性炭和微量元素。其标准应符合《内蒙古蒙药饮片炮制规范》2020年版第444页该品种项下的有关规定。

波棱瓜子：为葫芦科植物波棱瓜*Herpetospermum pedunculosum* (Sex.) Baill. 的干燥种子。其标准应符合《内蒙古蒙药饮片炮制规范》2020年版第277页该品种项下的有关规定。

人工麝香：应符合卫生部标准（试行）WS–210（Z–32）–93标准的有关规定。

光明盐：为天然石盐Halite结晶体。主含氯化钙（NaCl）。其标准应符合《内蒙古蒙药饮片炮制规范》2020年版第160页该品种项下的有关规定。

【制法】

以上十五味，除人工牛黄、人工麝香外，其余连翘等十三味，粉碎成细粉，将人工牛黄、人工麝香与上述细粉配研，过筛，混匀，用水泛丸，打光，干燥，分装，即得。

【性状】

本品为棕褐色至墨褐色的水丸；气微，味苦、辛、咸。

【鉴别】

本品为原药材细粉制成的水丸，方中连翘、拳参、红花的显微特征较明显，故建立显微鉴别，并对处方中人工牛黄建立了薄层鉴别。

1. 试剂与试药

供试品：供试品（批号20191001、20191002、20191003）由内蒙古自治区国际蒙医医院提供，模拟样品（批号

20191210）模拟。

对照品：胆酸对照品（批号100078-201415）、猪去氧胆酸对照品（批号100087-201411）均购于中国食品药品检定研究院。

薄层板：硅胶G板，购于青岛海洋化工有限公司。

所用其他试剂均为分析纯，水为离子交换高纯水。

2. 试验方法与结果

（1）显微鉴别

连翘：内果皮纤维上下层纵横交错，纤维短梭形；拳参：草酸钙簇晶甚多，直径15~65μm，淀粉粒单粒椭圆形、卵形或类圆形，直径5~12μm；红花：花粉粒圆球形或椭圆形，直径约至60μm，外壁有刺，具3个萌发孔。

（2）人工牛黄的薄层鉴别

参照《中国药典》2020年版一部"人工牛黄"项下薄层条件，制定出正文所述的鉴别方法。通过阴性对照试验观察，方中其他药材对人工牛黄的检出无干扰，证明此方法具有专属性。

【检查】

按照丸剂（《中国药典》2020年版四部通则0108）项下的规定，对三批供试品及模拟样品的水分、重量差异、溶散时限、重金属、砷盐和微生物限度进行了检查。具体方法及测定数据如下：

1. 水分：取供试品照水分测定法（《中国药典》2020年版四部通则0832）测定。三批供试品及模拟样品测定结果见表1。

表1　水分测定结果

序号	批号	水分（%）
1	20191001	5.10
2	20191002	5.04
3	20191003	5.17
4	20191210	5.21

药典规定丸剂水分含量不得大于9.0%。由表1结果可见，三批供试品和模拟样品的水分含量均符合要求。

2. 重量差异：取以上三批供试品，每批供试品取10份，10丸为1份，分别称定重量，再与每份标示重量（2g）相比较，求每一份的重量差异（%）。药典规定每份标示装量的限度为±8%，并规定超出重量差异限度的不得多于2份，并不得有1份超出限度1倍。本品的重量差异检查结果均符合规定。

3. 溶散时限：取本品按照片剂崩解时限检查法（《中国药典》2020年版四部通则0921）项下加挡板进行测定。三批供试品测定结果见表2。

表2　溶散时限测定结果

序号	批号	溶散时间（min）
1	20191001	45
2	20191002	42
3	20191003	47

药典规定水丸应在1小时内全部溶散。表2的结果显示，本品的溶散时限符合规定。

4. 对三批供试品及模拟样品进行了重金属和砷盐考察。方法与结果如下：

重金属：分别取每个批号样品0.5g、0.67g、1.0g、2.0g，按《中国药典》2020年版四部0821第二法检查。

供试品溶液的制备：取本品0.5g、0.67g、1.0g、2.0g，分别缓缓炽灼至完全炭化，放冷，加硫酸0.5ml，使湿润，

低温加热至硫酸除尽后,加硝酸0.5ml,蒸干,至氧化氮蒸气除尽后,放冷,于600℃炽灼至完全灰化,放冷。加盐酸2ml,置水浴上蒸干后加水15ml,滴加氨试液至对酚酞指示液显中性,再加醋酸盐缓冲液(pH3.5)2ml,微热溶解后,移置纳氏比色管中,加水稀释至25ml,作为供试品溶液。

标准铅对照管的制备:另取配制供试品溶液的试剂两份,分别置瓷皿中蒸干后,加醋酸盐缓冲液(pH3.5)2ml,加水15ml微热溶解后,移至两支纳氏比色管中,分别加标准铅溶液(10μg/mlPb)2ml,再加水稀释至25ml,作为标准铅对照管。

检视:于上述供试品溶液和标准铅对照管中分别加硫代乙酰胺试液各2ml,摇匀,放置2分钟,同置白色背景上,从上向下进行观察。试验结果见表3。

表3 重金属检查结果

序号	批号	重金属含量(ppm)			
1	20191001	<10	<20	<30	<40
2	20191002	<10	<20	<30	<40
3	20191003	<10	<20	<30	<40
4	20191210	<10	<20	<30	<40

结果显示,供试品溶液的颜色明显浅于2ml的标准铅对照溶液。经过3批供试品及模拟样品的检查,含重金属均未超过百万分之十,故未列入正文。

砷盐:取本品1g和标准砷溶液(1μg/mlAS)2ml,分别加无砷氢氧化钙1g,加少量水,搅匀,烘干,用小火缓缓炽灼至炭化,再在600℃炽灼至完全灰化,放冷。分别加盐酸7ml使溶解,再加水21ml,按《中国药典》2020年版四部通则0822第一法(古蔡氏法)检查砷盐含量。

结果:供试品砷斑浅于标准砷斑的颜色,表明本品含砷量未超过百万分之二(小于2ppm)。故砷盐检查项目未列入正文。

5. 微生物限度:照微生物计数法(《中国药典》2020年版四部通则1105)、控制菌检查法(《中国药典》2020年版四部通则1106)及《内蒙古蒙药制剂规范》(第三册)附录Ⅲ微生物限度标准,进行检查。结果均符合规定。

【含量测定】

本品是由连翘、麦冬、拳参、川木通、石膏、人工牛黄、人工麝香、没药、寒制红石膏、黑冰片、草乌叶、波棱瓜子、荜茇、光明盐、红花等十五味药组成的复方制剂。临床功效为杀黏,清腑热,止泻。用于大小肠等腑热,肠刺痛,聚合型瘟疫,血痢,热泻等。方中红花具有活血通经,散瘀止痛的功效。红花主含红花苷类、红花多糖和有机酸。其中查尔酮类成分羟基红花黄色素A是红花的主要活性成分,故参照《中国药典》2020年版一部"红花"项下的含量测定方法,选择羟基红花黄色素A作为指标成分,对本制剂中的红花进行含量测定方法的研究。经分析方法验证,表明该方法重现性好、专属性强,方中其他组分对羟基红花黄色素A的测定无干扰。

1 仪器与试剂试药

1.1 仪器

Waters e2695型高效液相色谱仪,Mettler-Toledo MS105DU型百万分之一电子天平,Mettler-Toledo XPR10型万分之一电子天平,SBL-22DT型超声波清洗器(宁波新芝生物科技股份有限公司,40kHz),Heal Force NW15UV型超纯水系统,FW400A型多功能粉碎机(材茂科技有限公司)。

1.2 试剂与试药

供试品(批号20191001、20191002、20191003)由内蒙古自治区国际蒙医医院提供,模拟样品(批号20191210)模拟;羟基红花黄色素A对照品(批号111637-201810),购于中国食品药品检定研究院;甲醇、乙腈、三乙胺为色谱纯,水为超纯水,其他试剂均为分析纯。

2 方法学考察

2.1 色谱条件

2.1.1 色谱柱:色谱柱填充剂为十八烷基硅烷键合硅胶,本实验采用Tnature C$_{18}$（250mm×4.6mm,5μm）色谱柱。

2.1.2 流动相的选择:参照《中国药典》2020年版一部"红花"含量测定项下的测定方法,以甲醇–乙腈–0.7%磷酸溶液（26∶2∶72）为流动相进行条件摸索。结果羟基红花黄色素A峰型不对称,拖尾严重,加三乙胺调节0.7%磷酸溶液pH值至6.0后,供试品色谱图中的羟基红花黄色素A峰的对称性在0.95～1.05之间,与其他成分达到较好的分离,理论板数较高,并具有适宜的保留时间,故选择以甲醇–乙腈–0.7%磷酸溶液（22∶2∶76）用三乙胺调pH值至6.0为流动相。

2.1.3 柱温:35℃可以保证柱压较低且分离效果好,故选择柱温为35℃。

2.1.4 检测波长的选择:参照《中国药典》2020年版一部"红花"含量测定项下羟基红花黄色素A的测定方法,选用403nm处作为检测波长。

2.1.5 理论板数的确定:从对三批数据的测定结果可见,羟基红花黄色素A峰理论板数在3000以上即能达到较好的分离效果,故规定理论板数按羟基红花黄色素A峰计不低于3000。

2.2 提取溶剂及提取效率的考察

参考《中国药典》2020年版一部"红花"含量测定项下的方法,以25%甲醇作为提取溶剂进行超声提取,为保证被测成分提取完全,在供试品的细度一致、提取溶剂为25%甲醇、超声功率250W（频率40kHz）的条件下,试验中考察了30分钟、40分钟和50分钟等不同提取时间对提取效率的影响。结果见表4。

表4 羟基红花黄色素A提取时间考察

提取时间（min）	称样量（g）	峰面积平均值	含量（mg/g）
30	1.0033	1055538	0.98
40	1.0035	1031744	0.96
50	1.0042	1026740	0.96

从表4数据可见,超声提取40分钟和50分钟供试品中羟基红花黄色素A的含量基本一致,故将提取时间定为40分钟,与《中国药典》2020年版一部"红花"含量测定项下的提取时间一致。

2.3 专属性考察

2.3.1 对照品溶液的制备:取羟基红花黄色素A对照品适量,精密称定,加25%甲醇制成每1ml含70μg的溶液,作为对照品溶液。

2.3.2 供试品溶液的制备:取本品适量,研细,取约1.0g,精密称定,置具塞锥形瓶中,精密加入25%甲醇50ml,称定重量,超声处理(功率250W,频率40kHz)40分钟,放冷,再次称定重量,用25%甲醇补足减失的重量,摇匀,离心(转速为每分钟5000转)5分钟,取上清液,作为供试品溶液。

2.3.3 阴性对照溶液的制备:按本品处方配比制备不含红花的阴性供试品,取约1.0g,精密称定,从"置具塞锥形瓶中……"起操作同"供试品溶液的制备",取上清液,作为阴性对照溶液。

2.3.4 测定:分别精密吸取上述三种溶液各10μl,注入液相色谱仪,记录各自的色谱图。

试验结果显示,供试品色谱中在与对照品色谱保留时间相同的位置上有色谱峰出现,而阴性对照在与对照品色谱保留时间相同的位置上无色谱峰出现,表明共存组分对处方中羟基红花黄色素A的测定无干扰。

2.4 线性关系考察

取羟基红花黄色素A对照品约3.0mg，精密称定，置25ml量瓶中，加25%甲醇使溶解，并稀释至刻度，摇匀，作为对照品溶液（对照品溶液实际浓度为0.126mg/ml）；分别精密吸取上述对照品溶液2μl、3μl、5μl、10μl、15μl、20μl、25μl注入液相色谱仪，按上述色谱条件进行测定，以峰面积对对照品进样量进行回归分析。结果见表5。

表5　标准曲线数据及回归分析结果

序号	进样量（μg）	峰面积值	回归方程	回归系数（r）
1	0.2522	322501		
2	0.3783	491681		
3	0.6305	866209		
4	1.2610	1783979	$y=1451253.23x-49052.80$	1.0000
5	1.8915	2695720		
6	2.522	3612454		
7	3.1525	4524329		

从表5数据可见，羟基红花黄色素A在0.2522~3.153μg范围内与峰面积呈良好的线性关系。

2.5　精密度试验

取同一份供试品（批号20191210）溶液，连续进样6针，记录色谱图。羟基红花黄色素A峰面积的精密度计算结果见表6。

表6　精密度试验结果

序号	峰面积值	平均值	RSD（%）
1	1021089		
2	1019898		
3	1016603	1018943	0.35
4	1013648		
5	1018705		
6	1023713		

从表6数据可见，符合《中国药典》2020年版四部通则0512中规定的RSD值小于2.0%的要求。

2.6　稳定性试验

取同一份供试品（批号20191210）溶液，分别于制备溶液后的0小时、2小时、4小时、6小时、8小时进样测定。结果见表7。

表7　溶液的稳定性试验结果

序号	时间（h）	峰面积值	RSD（%）
1	0	1021685	
2	2	1028883	
3	4	1024947	0.48
4	6	1025833	
5	8	1034670	

从表7数据可见，羟基红花黄色素A在8小时内峰面积值基本稳定不变。

2.7　重复性试验

取同一供试品（批号20191210）6份，各约1.0g，精密称定，置具塞锥形瓶中，精密加入25%甲醇50ml，称定重量，超声处理（功率250W，频率40kHz）40分钟，放冷，再次称定重量，用25%甲醇补足减失的重量，摇匀，离心（转速为每分钟5000转）5分钟，取上清液，作为供试品溶液。另取羟基红花黄色素A对照品适量，精密称定，加25%甲醇制成每1ml含70μg的溶液，作为对照品溶液。分别精密吸取以上两种溶液各10μl，注入液相色谱仪，记录各自的色谱图，用外标法以峰面积计算含量。结果见表8。

表8　羟基红花黄色素A重复性试验结果

称样量（g）	峰面积值	含量（mg/g）	平均含量（mg/g）	RSD（%）
1.0041	1041906	1.00		
1.0018	1006452	0.97		
1.0035	1014708	0.97		
1.0009	1011777	0.97	0.98	1.16
1.0014	1025742	0.98		
1.0036	1020494	0.98		

从表8数据可见，在相同的细度、提取溶剂和色谱条件下，6份供试品含量测定结果的均值为0.98mg/g，RSD为1.16%，表明该方法的重复性好。

2.8　加样回收试验

取已知含量（批号20191210，羟基红花黄色素A含量为0.98mg/g）的供试品9份，各约0.4g，精密称定，分别置9个具塞锥形瓶中，再分别在其中3个具塞锥形瓶中精密加入浓度为0.222mg/ml的羟基红花黄色素A对照品溶液1ml（约相当于供试品含有量的50%）及25%甲醇24ml，另3个具塞锥形瓶中各精密加入上述对照品溶液2ml（约相当于供试品含有量的100%）及25%甲醇23ml，其余3个具塞锥形瓶中各精密加入上述对照品溶液3ml（约相当于供试品含有量的150%）及25%甲醇22ml，分别称定重量，超声处理40分钟，取出，再称重，用25%甲醇补足减失重量，摇匀，离心（转速为每分钟5000转）5分钟，取上清液，作为供试品溶液。分别精密吸取各溶液10μl进样测定，按外标法以峰面积计算含量并计算回收率。结果见表9。

表9　加样回收试验结果

称样量（g）	供试品含量（mg）	对照品加入量（mg）	测得总量（mg）	回收率（%）	平均回收率（%）	RSD（%）
0.4089	0.4007	0.222	0.6233	100.3		
0.4022	0.3942	0.222	0.6111	97.7		
0.4087	0.4005	0.222	0.6211	99.4		
0.4013	0.3933	0.444	0.8243	97.1		
0.4019	0.3939	0.444	0.8212	96.2	98.7	1.84
0.4018	0.3938	0.444	0.8376	100.0		
0.4013	0.3933	0.666	1.0395	97.0		
0.4028	0.3947	0.666	1.0719	101.7		
0.4070	0.3989	0.666	1.0570	98.8		

从表9数据可见，本方法的平均回收率为98.7%，RSD为1.84%。该方法准确度好。

2.9　耐用性试验

取供试品（批号20191210）2份，各约1.0g，精密称定，按重复性试验项下的方法处理，换不同厂家、不同型号的色谱柱，分别测定供试品的含量。结果见表10。

表10　色谱柱耐用性试验

序号	称样量（g）	柱型号	峰面积值	含量（mg/g）
1	1.0041	Tnature C$_{18}$柱	1041906	1.00
		WondaSil C$_{18}$柱	1059041	0.99
2	1.0014	Tnature C$_{18}$柱	1025742	0.98
		WondaSil C$_{18}$柱	1048815	0.99

从表10数据可见，在使用不同型号或厂家的色谱柱时，对测定结果影响较小。

3　样品含量测定

取三批样品（批号20191001、20191002、20191003）及模拟样品（批号20191210），每批各2份，各约1.0g，精密称定，按重复性试验项下的方法处理并测定含量。结果见表11。

表11　样品中羟基红花黄色素A的含量测定结果

批号	称样量（g）	峰面积平均值	含量（mg/g）	平均含量（mg/g）
20191001	1.0028	1054224	0.88	0.88
	1.0033	1057288	0.89	
20191002	1.0038	1054176	0.88	0.88
	1.0033	1057323	0.89	
20191003	1.0031	1051150	0.88	0.89
	1.0087	1068174	0.89	
20191210	1.0035	1158639	0.97	0.98
	1.0084	1188303	0.99	

从表11数据可见，三批样品和模拟样品中羟基红花黄色素A含量最低为0.88mg/g，最高为0.98mg/g。

4　红花药材含量测定

采用同法对上述三批样品生产用红花药材进行了含量测定。测定结果见表12。

表12　红花药材中羟基红花黄色素A的含量测定结果

序号	称样量（g）	测得峰面积值	平均峰面积值	含量（mg/g）	平均含量（mg/g）
1	0.2049	3550298　3537788	3544043	16.42	16.47
2	0.2041	3573231　3549769	3561500	16.56	
3	0.2023	3509289　3495800	3502545	16.43	

从表12数据可见，红花药材中羟基红花黄色素A含量为16.47mg/g（1.65%）。根据本品处方量折算，理论上每1g供试品含红花药材66.22mg，羟基红花黄色素A含量为66.22×1.65%=1.0926mg/g，即1.09mg/g。因此，转移率为0.98（mg/g）/1.09（mg/g）×100%=89.9%。

5　本制剂含量限度的确定

从表中数据可见，三批样品中羟基红花黄色素A最低含量在0.88mg/g，红花药材中羟基红花黄色素A含量为16.47mg/g（1.65%），模拟样品中羟基红花黄色素A含量为0.98mg/g。

按理论值折算，样品应含羟基红花黄色素A为40÷597×16.47=1.1035mg/g，即1.10mg/g。可见，羟基红花黄色素A转移率为0.98（mg/g）÷1.10（mg/g）×100%=89.09%。

参照《中国药典》2020年版一部"红花"药材项下规定的羟基红花黄色素A含量限度不得少于1.0%,转移率为89.09%,考虑不同产地药材的质量差异,并结合其他影响因素及三批样品的测定结果,下浮15%,按此限度折算本品含羟基红花黄色素A的理论量应不低于$40 \div 597 \times 1000 \times 1.0\% \times 89.09\% \times 85\% = 0.507$mg/g。

标准正文暂定为:本品每1g含红花以羟基红花黄色素A($C_{27}H_{32}O_{16}$)计,不得少于0.50mg。

【功能与主治】

杀黏,清腑热,止泻。主治大小肠等腑热,肠刺痛,聚合型瘟疫,血痢,热泻等。

【用法与用量】

口服。一次11~15丸,一日1~2次,温开水送服。

【规格】

每10丸重2g。

【贮藏】

密封,防潮。

起草单位:内蒙古盛唐国际蒙医药研究院　　张跃祥　崔圆圆　王　伟
　　　　　鄂尔多斯市检验检测中心　　　　李　珍　杨　洋　张　烨
　　　　　内蒙古医科大学附属医院　　　　王秋桐

扫布德·乌日勒质量标准起草说明

【历史沿革】

本方来源于《四部医典》（内蒙古人民出版社1978年版，蒙古文，第617页）。

【处方来源】

本制剂由锡林郭勒盟蒙医医院提供。

【名称】

扫布德·乌日勒

【蒙药材和饮片的来源和执行标准】

1. 处方组成及药味排列顺序：炒珍珠30g、天竺黄30g、红花30g、丁香30g、肉豆蔻30g、豆蔻30g、生草果仁30g、黑种草子30g、檀香30g、紫檀30g、山沉香30g、肋柱花30g、方海30g、香旱芹30g、木香30g、荜茇30g、肉桂30g、诃子30g、川楝子30g、栀子30g、海金沙30g、冬葵果30g、羚羊角15g、人工牛黄5g、人工麝香1g。

2. 处方中除了紫檀、方海、人工麝香、肋柱花、山沉香和香旱芹等药材外，其余红花等药味均收载于《中国药典》2020年版一部，其质量应符合该品种项下的有关规定

方海：为方蟹科中华绒螯蟹*Eriocheir sinensis* H.Milne-Edwards的干燥全体。其标准应符合《内蒙古蒙药饮片炮制规范》2020年版第88页该品种项下的有关规定。

人工麝香：应符合卫生部标准（试行）WS-210（Z-32）-93标准的有关规定。

紫檀：为豆科植物紫檀*Pterocarpus sindicus* Willd.的干燥心材。其标准应符合《内蒙古蒙药饮片炮制规范》2020年版第440页该品种项下的有关规定。

香旱芹：为伞形科植物香旱芹*Cuminum cyminum* L.的干燥成熟果实。其标准应符合《内蒙古蒙药饮片炮制规范》2020年版第334页该品种项下的有关规定。

山沉香：为木犀科植物贺兰山丁香*Syringa pinnatifolia* Hemsl. var. *alashanensis* Ma.et S.Q.Zhou削去外皮的干燥枝。其标准应符合《中华人民共和国卫生部药品标准》（蒙药分册）1998年版第4页该品种项下的有关规定。

肋柱花：龙胆科植物肋柱花*Lomatogonium rotatum*（L.）Fries ex Nym. 的干燥全草。其标准应符合《中华人民共和国卫生部药品标准》（蒙药分册）1998年版第15页该品种项下的有关规定。

【制法】

以上二十五味，除人工牛黄、人工麝香、羚羊角、炒珍珠外，其余石膏等二十一味，粉碎成细粉，将炒珍珠和羚羊角研细，与人工麝香、人工牛黄和上述细粉配研，过筛，混匀，用水泛丸，打光，干燥，分装，即得。

【性状】

本品为黄棕色至棕色的水丸；气香，味苦、辛、涩。

【鉴别】

本品为原药材细粉制成的水丸，方中海金沙、檀香、诃子、珍珠、红花的显微特征较明显，故建立显微鉴别，并对处方栀子和木香建立了薄层鉴别。

1. 试剂与试药

供试品：供试品（批号20080141、1586741、1586745）由锡林郭勒盟蒙医医院提供，模拟样品（批号20200059）模拟。

对照品：栀子苷对照品（批号110749-200714）、木香烃内酯对照品（批号111524-201208）、去氢木香内酯对照品（111525-200505）、木香对照药材（批号120921-202010），均购于中国食品药品检定研究院。

薄层板：硅胶G板，购于青岛海洋化工有限公司。

所用其他试剂均为分析纯，水为离子交换高纯水。

2. 试验方法与结果

（1）显微鉴别

海金沙：孢子为四面体，三角状圆锥形，直径60~85μm，外壁有颗粒状雕纹。檀香：含晶细胞方形或长方形，壁厚，木化，层纹明显，胞腔含草酸钙方晶。诃子：石细胞成群，呈类圆形、长卵形、长方形或长条形，孔沟细密而明显。珍珠：不规则碎块无色或淡绿色，半透明，有光泽，有时可见细密波状纹理。红花：花粉粒圆球形或椭圆形，直径约60μm，外壁有刺，具三个萌发孔。

（2）栀子薄层鉴别

参照《中国药典》2020年版一部"栀子"项下的薄层鉴别方法以栀子苷为对照进行条件摸索。制定出正文所述的鉴别方法。通过阴性对照试验观察，方中其他药材对栀子的检出无干扰，证明此方法具有专属性。

（3）木香薄层鉴别

参照《中国药典》2020年版一部"木香"项下的薄层鉴别方法以木香对照药材及特征性成分木香烃内酯、去氢木香内酯为对照进行条件摸索。制定出正文所述的鉴别方法。通过阴性对照试验观察，方中其他药材对木香的检出无干扰，证明此方法具有专属性。

【检查】

按照丸剂（《中国药典》2020年版四部通则0108）项下的规定，对三批供试品及模拟样品的水分、重量差异、溶散时限、重金属、砷盐和微生物限度进行了检查。具体方法及测定数据如下：

1. 水分：取供试品照水分测定法（《中国药典》2020年版四部通则0832）测定，三批供试品及模拟样品测定结果见表1。

表1 水分测定结果表

序号	批号	水分（%）
1	20080141	5.6
2	1586741	5.9
3	1586745	5.7
4	20200059	5.7

药典规定丸剂水分含量不得大于9.0%。从表1数据可见，三批供试品和模拟样品的水分含量均符合要求。

2. 重量差异：取以上三批供试品，每批供试品取10份，10丸为1份，分别称定重量，再与每份标示重量（2g）相比较，求每一份的重量差异（%）。药典规定每份标示装量的限度为±8%，并规定超出重量差异限度的不得多于2份，并不得有1份超出限度1倍。本品的重量差异检查结果均符合规定。

3. 溶散时限：取本品按照片剂项下崩解时限检查法（《中国药典》2020年版四部通则0921）加挡板进行测定。三批供试品测定结果见表2。

表2　溶散时限测定结果

序号	批号	溶散时间（min）
1	20080141	48
2	1586741	52
3	1586745	53

药典规定水丸应在1小时内全部溶散。从表2数据可见，本品的溶散时限符合规定。

4. 对三批供试品及模拟样品进行了重金属和砷盐考察。方法与结果如下：

重金属：分别取每个批号供试品0.5g、0.67g、1.0g、2.0g，按《中国药典》2020年版四部0821第二法检查。

供试品溶液的制备：取本品0.5g、0.67g、1.0g、2.0g，分别缓缓炽灼至完全炭化，放冷，加硫酸0.5ml，使湿润，低温加热至硫酸除尽后，加硝酸0.5ml，蒸干，至氧化氮蒸气除尽后，放冷，于600℃炽灼至完全灰化，放冷。加盐酸2ml，置水浴上蒸干后加水15ml，滴加氨试液至对酚酞指示液显中性，再加醋酸盐缓冲液（pH3.5）2ml，微热溶解后，移置纳氏比色管中，加水稀释至25ml，作为供试品溶液。

标准铅对照溶液的制备：另取配制供试品溶液的试剂两份，分别置瓷皿中蒸干后，加醋酸盐缓冲液（pH3.5）2ml，加水15ml微热溶解后，移置两支纳氏比色管中，分别加标准铅溶液（10μg/mlPb）2ml，再加水稀释至25ml，作为标准铅对照溶液。

检视：于上述供试品溶液和标准铅对照溶液中分别加硫代乙酰胺试液各2ml，摇匀，放置2分钟，同置白色背景上，从上向下进行观察。试验结果见表3。

表3　重金属检查结果

序号	批号	重金属含量（ppm）			
1	20080141	<10	<20	<30	<40
2	1586741	<10	<20	<30	<40
3	1586745	<10	<20	<30	<40
4	20200059	<10	<20	<30	<40

结果显示，供试品溶液的颜色明显浅于2ml的标准铅对照管。经过三批供试品及模拟样品的检查，含重金属均未超过百万分之十，故未收入正文。

砷盐：取本品1g和标准砷溶液（1μg/mlAS）2ml，分别加无砷氢氧化钙1g，加少量水，搅匀，烘干，用小火缓缓炽灼至炭化，再在600℃炽灼至完全灰化，放冷。分别加盐酸7ml使溶解，再加水21ml，按《中国药典》2020年版四部通则0822第一法（古蔡氏法）做砷盐限量检查。

结果：供试品砷斑浅于标准砷斑的颜色，表明本品含砷量未超过百万分之二（小于2ppm），故砷盐检查项目未列入正文。

5. 微生物限度：照微生物计数法（《中国药典》2020年版四部通则1105）、控制菌检查法（《中国药典》2020年版四部通则1106）及《内蒙古蒙药制剂规范》（第三册）附录Ⅲ微生物限度标准，进行检查。结果均符合规定。

【含量测定】

扫布德·乌日勒是由炒珍珠、石膏、红花、丁香、肉豆蔻、豆蔻、栀子等二十五味药组成的蒙药制剂，具有愈白脉病，燥协日乌素，清热，舒筋活络的功效。参照《中国药典》2020年版一部"红花"项下的含量测定方法，以羟基红花黄色素A为指标，采用高效液相色谱法，建立含量测定方法。经方法学考察和对三批样品的测定结果表明，该方法操作简单、重复性好、准确度高、专属性强。

1 仪器与试剂试药

1.1 仪器

高效液相色谱仪（日本岛津），LC–20ATVP泵，SPD–20AVP检测器，SCL–20AVP色谱工作站，Sartorius ME5型电子天平，Mettler AE–100电子分析天平，JD200–2型电子天平，AS 5150A超声清洗仪。

1.2 试剂与试药

供试品（批号20080141、1586741、1586745）由锡林郭勒盟蒙医医院提供，模拟样品（批号20200059）模拟；羟基红花黄色素A对照品（批号111637–200905），购于中国食品药品检定研究院；乙腈为色谱纯，甲醇为分析纯和色谱纯；其他试剂均为分析纯。

2 方法学考察

2.1 色谱条件

2.1.1 色谱柱：色谱柱填充剂为十八烷基硅烷键合硅胶，本试验研究采用Diamonsil C_{18}柱（250mm×4.6mm，5μm）和Shim–pack C_{18}柱（250mm×4.6mm，5μm）。

2.1.2 流动相的选择：参照《中国药典》2020年版一部"红花"项下含量测定方法，以甲醇–乙腈–0.7%磷酸溶液（26:2:72）为流动相。

2.1.3 柱温：试验中对30℃和40℃柱温进行了比较，结果保留时间略有差异，但分离度及理论板数没有变化，本试验研究选择柱温为30℃。

2.1.4 检测波长的选择：取羟基红花黄色素A对照品适量，加25%甲醇制成每1ml含0.03mg的溶液，通过二极管阵列检测器，自190～800nm进行光谱扫描，结果羟基红花黄色素A在403nm处有最大吸收，结合《中国药典》2010年版一部"红花"项下选择403nm作为测定波长。

2.1.5 理论板数的确定：对多批供试品测定结果表明，羟基红花黄色素A峰的理论板数在3000以上能达到与相邻峰分开，并符合《中国药典》规定R>1.5的要求，故确定羟基红花黄色素A峰的理论板数应不低于3000。

2.2 提取方法的选择及提取效率的考察

2.2.1 提取溶剂的选择

参照《中国药典》2010年版一部"红花"项下含量测定方法，选择25%甲醇作为提取溶剂。

2.2.2 提取效率的考察

取本品（批号2008141）适量，研细，分取5份，各约1.5g，精密称定，分别置具塞锥形瓶中，精密加入25%甲醇25ml，密塞，称定重量，分别超声20分钟、30分钟、40分钟、60分钟、90分钟，取出，放冷，再称定重量，用甲醇补足减失的重量，摇匀，滤过，即得。按上述色谱条件测定，测得结果见表4。

表4 提取效率考察表

提取时间（min）	峰面积值（n=2）	含量（mg/g）
20	869456	0.461
30	972927	0.515
40	1009487	0.534
60	1001072	0.530
90	991216	0.525

从表4数据可见，超声提取40分钟，羟基红花黄色素A的含量最高，故确定超声时间为40分钟。

2.3 专属性考察

2.3.1 对照品溶液的制备：取羟基红花黄色素A对照品适量，精密称定，加25%甲醇制成每1ml含30μg的溶液，作为对照品溶液。

2.3.2 供试品溶液的制备：取本品适量，研细，精密称取1.5g，置具塞锥形瓶中，精密加入25%甲醇25ml，密塞，称定重量，超声处理（250W，40kHz）40分钟，放冷，再称定重量，用25%甲醇补足减失的重量，摇匀，滤过，取续滤液，作为供试品溶液。

2.3.3 阴性对照溶液的制备：按本品处方工艺制备不含红花的阴性样品，按供试品溶液的制备方法制备阴性对照溶液（缺红花）。

2.3.4 测定：分别精密吸取以上三种溶液各10μl，注入色谱仪，记录各自的色谱图。

试验结果显示：供试品色谱中在与对照品色谱保留时间相同的位置上有色谱峰出现，而阴性对照在与对照品色谱保留时间相同的位置上无色谱峰出现，表明该含量测定方法阴性无干扰，专属性好。

2.4 峰纯度检查

精密吸取2.3项下的对照品溶液和供试品溶液各10μl，注入液相色谱仪，以二极管阵列检测对被测成分羟基红花黄色素A峰进行纯度验证。结果表明被测供试品中羟基红花黄色素A峰为单一成分。

2.5 线性关系考察

取羟基红花黄色素A对照品2.646mg，置25ml量瓶中，加25%甲醇使溶解，并稀释至刻度，摇匀，精密吸取3ml，置10ml量瓶中，加25%甲醇并稀释至刻度，摇匀（相当于每1ml含羟基红花黄色素A 0.029148mg），精密吸取2μl、5μl、10μl、15μl、20μl、30μl注入液相色谱仪，按上述色谱条件测定，以峰面积对注入量进行回归分析，结果见表5。

表5 标准曲线数据及回归分析结果

对照品量（ng）	峰面积值	回归方程	r
58.296	165589		
145.740	430068		
291.480	905675	$y=3199.87x-28219.6$	0.9999
437.220	1369187		
582.960	1837033		
874.440	2771243		

从表5数据可见，羟基红花黄色素A在58.296~874.440ng范围内与峰面积值呈良好的线性关系。

2.6 稳定性试验

取同一供试品溶液（批号20080141），分别在溶液制备后的0小时、2小时、4小时、6小时、8小时、10小时进行测定，结果见表6。

表6 不同时间测定羟基红花黄色素A的峰面积值

时间（h）	峰面积值	RSD（%）
0	1008470	
2	1009198	
4	1009249	0.04
8	1008448	
12	1008821	
24	1009575	

从表6数据可见，羟基红花黄色素A在24小时内的峰面积值基本稳定。

2.7 重复性试验

取同一供试品（批号20080141）6份，每份约1.5g，精密称定，置具塞锥形瓶中，精密加入25%甲醇25ml，密塞，称定重量,超声处理(400W,40kHz)40分钟,放冷,再称定重量,用25%甲醇补足减失的重量,摇匀,滤过,取续滤液,作为供试品溶液。取羟基红花黄色素A对照品适量,精密称定,加25%甲醇制成每1ml含30μg的溶液,作为对照品溶液。分别精密吸取以上两种溶液各10μl,注入液相色谱仪,记录各自的色谱图,用外标法以峰面积计算含量。结果见表7。

表7 重复性试验结果

取样品量(g)	峰面积值(n=2)	含量(mg/g)	平均值(mg/g)	RSD(%)
1.5053	1009539	0.534		
1.5064	1000643	0.529		
1.5047	978979	0.518	0.528	1.35
1.5060	984936	0.521		
1.5071	1009576	0.534		
1.5058	1009486	0.534		

从表7数据可见,在相同的提取溶剂和色谱条件下,6份供试品含量测定结果的均值为0.528mg/g,RSD为1.35%,表明该方法的重复性良好。

2.8 加样回收率试验

取供试品(批号20080141,含量0.528mg/g)6份,每份约0.75g,精密称定,分别置具塞锥形瓶中,各精密加入羟基红花黄色素A对照品溶液(浓度为0.4070mg/g)1ml,再用滴定管加入25%甲醇24ml,摇匀,称定重量,分别按上述供试品溶液制备方法和色谱条件测定每份含量,结果见表8。

表8 加样回收试验结果

取样量(g)	供试品含量(mg)	对照品加入量(mg)	测得总含量(mg)	回收率(%)	平均回收率(%)	RSD(%)
0.7500	0.3960	0.3978	0.7705	94.14		
0.7506	0.3963	0.3978	0.7727	94.62		
0.7501	0.3960	0.3978	0.7712	94.31	94.18	0.47
0.7503	0.3961	0.3978	0.7722	94.54		
0.7504	0.3962	0.3978	0.7708	94.16		
0.7505	0.3962	0.3978	0.7676	93.36		

从表8数据可见,本方法的平均回收率为94.18%,RSD为0.47%。该方法准确度好。

2.9 范围

按加样回收试验方法,取供试品(批号20080141,含羟基红花黄色素A 0.528 mg/g)约0.25g,各6份,精密称定,分别精密加入羟基红花黄色素A对照品溶液1ml(浓度为0.1201mg/ml),再分别精密加25%甲醇24ml,作为低浓度加样供试品。分别按准确度项下方法操作,计算回收率及低浓度点6份供试品的RSD,结果见表9。(以2.8加样回收率试验的结果作为高浓度点)

表9 范围考察结果表(低浓度)

取样量(g)	供试品含量(mg)	对照品加入量(mg)	测得总量(mg)	回收率(%)	平均回收率(%)	RSD(%)
0.2504	0.1322		0.2443	93.26		
0.2501	0.1320		0.2446	93.75		
0.2500	0.1320	0.1201	0.2455	94.50	93.91	0.75
0.2507	0.1323		0.2440	93.00		
0.2511	0.1325		0.2464	94.83		
0.2504	0.1322		0.2453	94.17		

从表8、表9数据可见,在高低浓度两个点(含量限度2倍和70%),均达到了精密度、准确度和线性的要求。

2.10 耐用性试验

换不同厂家、不同型号的色谱柱,取重复性试验中的1号供试品及对照品溶液分别进样,测定含量,结果见表10。

表10 不同色谱柱的耐用性试验

色谱柱型号	分离度	含量(mg/g)	相对偏差(%)
Diamonsil	>1.5	0.534	0.55
Shim-Pack	>1.5	0.540	

从表10数据可见,使用不同型号或厂家的色谱柱,对测定结果影响较小,具有较好的耐用性。

3 样品含量测定

取本品按供试品溶液的制备方法及色谱条件进行测定。三批样品的测定结果见表11。

表11 三批样品中羟基红花黄色素A的含量测定

批号	取样量(g)	峰面积平均值	含量(mg/g)	平均含量(mg/g)
20080141	1.5018	1021485	0.541	0.541
	1.5004	1019886	0.541	
1586741	1.5014	571839	0.303	0.303
	1.5020	572759	0.303	
1586745	1.5009	577916	0.306	0.306
	1.5008	578726	0.307	

从表11数据可见,有三批样品中羟基红花黄色素A的含量在0.30mg/g以上。

4 红花药材含量测定

试验中采用同法对上述三批样品生产用红花药材进行了含量测定。测定结果见表12。

表12 红花药材中羟基红花黄色素A含量测定结果

取样量(g)	测得峰面积值	含量(mg/g)	平均含量(mg/g)	RSD(%)
0.2096	480925	2.202	2.20	0.45
0.2123	488203	2.203		
0.2189	507466	2.220		

从表12数据可见,红花中羟基红花黄色素A含量为2.2mg/g。

5 本制剂含量限度的确定

有三批样品中羟基红花黄色素A的含量在0.30mg/g以上,红花药材中羟基红花黄色素A含量为22mg/g(2.2%)。

按理论值折算,样品应含羟基红花黄色素A为2.2%×30÷687=0.960mg/g,可见,羟基红花黄色素A的转移率为0.541÷0.960×100%=56.35%。

参照《中国药典》2020年版一部"红花"项下规定含羟基红花黄色素A量不得少于1.0%,其转移率为56.35%,考虑不同产地药材的质量差异,并结合其他影响因素及三批样品的测定结果,按此限度折算本品含羟基红花黄色素A的理论量应不低于30÷687×1.0%×1000×56.35%=0.246mg/g。

标准正文暂定为:本品每1g含红花以羟基红花黄色素A($C_{27}H_{32}O_{16}$)计,不得少于0.24mg。

【功能与主治】

愈白脉损伤,燥协日乌素,清热。用于白脉病,中风,半身不遂,陈旧热,浊热。

【用法与用量】

口服。一次11~15丸，一日1~2次，温开水送服。

【规格】

每10丸重2g。

【贮藏】

密闭，防潮。

起草单位: 内蒙古自治区国际蒙医医院　　乌日古木拉　乌恩其　宝　山　那松巴乙拉

赤峰市药品检验所　　　　　　吕　颖　郭莘莘　张学英

锡林郭勒盟蒙医医院　　　　　包力尔　胡斯乐　金　宝

芍沙-17丸质量标准起草说明

【历史沿革】

处方来源于内蒙古自治区国际蒙医医院杭盖巴特尔大夫经验方。

【处方来源】

本制剂由内蒙古自治区国际蒙医医院提供。

【名称】

芍沙-17丸

【蒙药材和饮片的来源和执行标准】

1. 处方组成及药味排列顺序：广枣225g、丹参90g、山沉香60g、肉豆蔻60g、牦牛心70g、牛心干65g、丁香60g、当归60g、炒马钱子30g、苦参27g、没药15g、川楝子15g、栀子15g、诃子15g、刀豆15g、木香15g、旋覆花15g。

2. 处方中除了山沉香、牛心干和牦牛心药材外，其余广枣等药材均收载于《中国药典》2020年版一部，其质量应符合该品种项下的有关规定。

山沉香：为木犀科植物贺兰山丁香*Syringa pinnatifolia* Hemsl.var.*alashanensis* Ma.et S.Q.Zhou削去外皮的干燥枝。其标准应符合《中华人民共和国卫生部药品标准》（蒙药分册）1998年版第4页该品种项下的有关规定。

牛心干：牛科动物牛*Bos taurus domesticus* Gmelin的干燥心脏。其标准符合《内蒙古蒙药饮片炮制标准》2020年版第74页该品种项下的有关规定。

牦牛心：为牛科动物牦牛*Bos grunniens* L.的干燥心脏。其质量应符合《内蒙古蒙药饮片炮制规范》2020年版第247页该品种项下的有关规定。

【制法】

以上十七味，粉碎成细粉，过筛，混匀，用水泛丸，打光，干燥，分装，即得。

【性状】

本品为内服水丸，性状应为水丸。本品为药材细粉以水为黏合剂泛制成的水丸，表面呈灰棕色，正文确定为黄棕色至棕色的水丸；气微，味苦、咸。

【鉴别】

本品方中药材经显微鉴别观察，显微特征不明显，专属性不强，故未建立显微鉴别。对处方中栀子建立了薄层色谱鉴别。

1 仪器与试剂试药

1.1 仪器

K5200DE型超声波清洗器（昆山市超声仪器有限公司），BP211D、BS224S型电子分析天平（Sartorius），202型电热恒温干燥箱（北京市永光明医疗仪器厂）。

1.2 试剂与试药

供试品（批号20190522、20200605、20190729）由内蒙古自治区国际蒙医医院提供，模拟样品（批号20200062）

模拟。栀子苷对照品（批号110749-200714），购于中国食品药品检定研究院；甲醇为色谱纯，水为超纯水，所用其他试剂均为分析纯。

薄层板：硅胶G板，购于青岛海洋化工有限公司。

2. 试验方法与结果

栀子薄层鉴别：

参照《中国药典》2020年版一部"栀子"项下薄层条件，制定出正文所述的鉴别方法。通过阴性对照试验观察，方中其他药材对栀子苷的检出无干扰。证明此法具专属性。

【检查】

按照丸剂（《中国药典》2020年版四部通则0108）项下的规定，对三批供试品及模拟样品的水分、重量差异、溶散时限、重金属、砷盐和微生物限度进行了检查。具体方法及测定数据如下：

1. 水分：取供试品照水分测定法（《中国药典》2020年版四部通则0832）测定，三批供试品及模拟样品测定结果见表1。

表1　水分测定结果

序号	批号	水分（%）
1	20190522	4.1
2	20200605	4.1
3	20190729	4.0
4	20200062	4.1

药典规定丸剂水分含量不得大于9.0%。从表1数据可见，三批供试品和模拟样品的水分含量均符合要求。

2. 重量差异：取以上三批供试品，每批供试品取10份，10丸为1份，分别称定重量，再与每份标示重量（2g）相比较，求每一份的重量差异（%）。药典规定每份标示装量的限度为±8%，并规定超出重量差异限度的不得多于2份，并不得有1份超出限度1倍。本品的重量差异检查结果均符合规定。

3. 溶散时限：取供试品照片剂项下崩解时限检查法（《中国药典》2020年版四部通则0921）加挡板进行测定。三批供试品测定结果见表2。

表2　溶散时限测定结果

序号	批号	溶散时间（min）
1	20190522	40
2	20200605	59
3	20190729	42

药典规定水丸应在1小时内全部溶散。从表2数据可见，本品的溶散时限符合规定。

4. 对三批供试品及模拟样品进行了重金属、砷盐考察，方法与结果如下：

重金属：分别取每个批号供试品0.5g、0.67g、1.0g、2.0g，按《中国药典》2020年版四部0821第二法检查。

供试品溶液的制备：取本品0.5g、0.67g、1.0g、2.0g，分别缓缓炽灼至完全炭化，放冷，加硫酸0.5ml，使湿润，低温加热至硫酸除尽后，加硝酸0.5ml，蒸干，至氧化氮蒸气除尽后，放冷，于600℃炽灼至完全灰化，放冷。加盐酸2ml，置水浴上蒸干后加水15ml，滴加氨试液至对酚酞指示液显中性，再加醋酸盐缓冲液（pH3.5）2ml，微热溶解后，移置纳氏比色管中，加水稀释至25ml，作为供试品溶液。

标准铅对照溶液的制备：另取配制供试品溶液的试剂两份，分别置瓷皿中蒸干后，加醋酸盐缓冲液（pH3.5）2ml，加水15ml微热溶解后，移置两支纳氏比色管中，分别加标准铅溶液（10μg/mlPb）2ml，再加水稀释至25ml，作为标准铅对照溶液。

检视：于上述供试品溶液和标准铅对照溶液中分别加硫代乙酰胺试液各2ml，摇匀，放置2分钟，同置白色背景上，从上向下进行观察。试验结果见表4。

表3　重金属检查结果

序号	批号	重金属含量（ppm）			
1	20190522	<10	<20	<30	<40
2	20200605	<10	<20	<30	<40
3	20190729	<10	<20	<30	<40
4	20200062	<10	<20	<30	<40

结果显示，供试品溶液的颜色明显浅于2ml的标准铅对照溶液。经过三批供试品及模拟样品的检查，含重金属均未超过百万分之十，故未收入正文。

砷盐：取本品1g和标准砷溶液（1μg/mlAS）2ml，分别加无砷氢氧化钙1g，加少量水，搅匀，烘干，用小火缓缓炽灼至炭化，再在600℃炽灼至完全灰化，放冷。分别加盐酸7ml使溶解，再加水21ml，按《中国药典》2020年版四部通则0822第一法（古蔡氏法）做砷盐限量检查。

结果：供试品砷斑浅于标准砷斑的颜色，表明本品含砷量未超过百万分之二（小于2ppm），故砷盐检查项目未列入正文。

5. 微生物限度：照微生物计数法（《中国药典》2020年版四部通则1105）、控制菌检查法（《中国药典》2020年版四部通则1106）及《内蒙古蒙药制剂规范》（第三册）附录Ⅲ微生物限度标准，进行检查。结果均符合规定。

【含量测定】

芍沙-17丸是由广枣、山沉香、炒马钱子、肉豆蔻、苦参、旋覆花、没药、牛心干、诃子、刀豆、当归、川楝子、木香、丹参、栀子、丁香等十七味药组成的复方制剂。具有开窍，通赫依血，祛赫依热，止痛，增心脏供血作用。用于治疗心赫依热，心刺痛，心痛，心悸，关节疼痛等症，方中的广枣为主药，具有行气活血，养心，安神功效。其与诃子都含有没食子酸成分，参照《中国药典》2020年版一部中"健民咽喉片"项下的含量测定方法，选择没食子酸作为指标成分，采用高效液相色谱法对处方中的广枣与诃子所含的没食子酸进行测定，通过试验分析，结果表明该方法重复性好、专属性强，方中其他组分对没食子酸的测定无干扰。

1　仪器与试剂试药

1.1　仪器

Waters e2695高效液相色谱仪，Waters 2998 Photodiode Array Detector型检测器，Empower色谱工作站，岛津UV-2450型紫外-可见分光光度计，Sartorius BSA124S（0.1mg）、BT125D（0.01mg）电子天平。

1.2　试剂与试药

供试品（批号20190522、20200605、20190729）由内蒙古自治区国际蒙医医院提供，模拟样品（批号20200062）模拟；没食子酸对照品（批号110831-201605），购于中国食品药品检定研究院；甲醇为色谱纯，水为超纯水，所用其他试剂均为分析纯。

2　方法学考察

2.1　色谱条件

2.1.1　色谱柱：色谱柱填充剂为十八烷基硅烷键合硅胶，本试验采用SHISEIDO（资生堂）CAPCELL PAK C$_{18}$色谱柱（250mm×4.6mm，5μm）。

2.1.2　流动相的选择：参照《中国药典》2020年版一部"健民咽喉片"项下的含量测定方法，以乙腈-0.1%三乙胺的0.1%磷酸溶液（1∶99）为流动相。

2.1.3 柱温：30℃可以保证柱压较低，分离效果稳定，保留时间变化小。

2.1.4 检测波长的选择：参照《中国药典》2020年版一部"健民咽喉片"含量测定项下没食子酸的测定方法，选择273nm作为检测波长。

2.1.5 理论板数的确定：从对多批数据的测定结果可见，没食子酸的理论板数在3000以上即能达到较好的分离效果，故规定理论板数按没食子酸峰计算应不低于3000。

2.1.6 流速的选择：本次试验选取流速为0.8ml/min，原因在于考察提取条件时，选择1.0ml/min的流速，随着试验的进行，虽然持续清洗色谱柱，但发现柱压仍然偏高，故考察了0.8ml/min流速，柱压相对理想，且含量无明显差异，故本次试验选择流速为0.8ml/min。

2.2 提取方法的选择及提取效率的考察

2.2.1 提取方法的选择

参照《中国药典》2020年版一部"健民咽喉片"含量测定项下的方法，以70%甲醇作为提取溶剂进行加热回流提取。为保证被测成分提取完全，在供试品的细度一致、提取溶剂为70%甲醇的条件下，分别考察了加热回流20分钟、30分钟、40分钟的提取效率的影响，含量测定结果见表4。

表4 没食子酸提取效率的考察

序号	提取时间（min）	含量（mg/g）
1	20	0.9805
2	30	0.9989
3	40	0.9942

从表4数据可见，加热回流30分钟时，供试品中没食子酸的含量基本稳定，故将提取时间定为30分钟。

2.2.2 提取溶剂的考察

参照《中国药典》2020年版一部"健民咽喉片"含量测定项下的方法，以30分钟作为加热回流的提取时间。为保证被测成分的完全提取，在供试品的细度一致、30分钟加热回流提取的条件下，分别考察了25%甲醇、50%甲醇、70%甲醇、100%甲醇对提取效率的影响，含量测定结果见表5。

表5 没食子酸提取溶剂的考察

序号	提取溶剂	含量（mg/g）
1	25%甲醇	0.9340
2	50%甲醇	0.9320
3	70%甲醇	1.0224
4	100%甲醇	0.9816

从表5数据可见，用70%甲醇作为提取溶剂，供试品中没食子酸的含量最高，故将提取溶剂定为70%甲醇。

2.3 专属性考察

2.3.1 对照品溶液的制备：取没食子酸对照品适量，精密称定，加甲醇制成每1ml约含40μg的溶液，作为对照品溶液。

2.3.2 供试品溶液的制备：取本品适量，研细，取约1g，精密称定，置具塞锥形瓶中，精密加入70%甲醇20ml，密塞，称定重量，加热回流30分钟，放冷，再称定重量，用70%甲醇补足减失的重量，摇匀，滤过，取续滤液，作为供试品溶液。

2.3.3 阴性对照溶液的制备：按本品处方工艺制备不含广枣与诃子的阴性供试品，按供试品溶液的制备方法制备阴性对照溶液(缺广枣与诃子)。

2.3.4 测定:分别精密吸取以上三种溶液各10μl,注入色谱仪,记录各自的色谱图。

试验结果显示:供试品色谱中在与对照品色谱保留时间相同的位置上有色谱峰出现,而阴性对照在与对照品色谱保留时间相同的位置上无色谱峰出现,表明该含量测定方法阴性无干扰,专属性好。

2.4 线性关系考察

取没食子酸对照品约3.19mg,精密称定,置50ml量瓶中,加甲醇使溶解并稀释至刻度,摇匀,作为对照品溶液(没食子酸实际浓度为63.8μg/ml);分别精密吸取上述对照溶液1μl、2μl、4μl、8μl、12μl和16μl注入液相色谱仪,按上述色谱条件测定,以峰面积对进样量进行回归分析。结果见表6。

表6 标准曲线数据及回归分析结果

进样量(μg)	峰面积值	回归方程	r
0.0638	283834		
0.1276	538221		
0.2552	1059075		
0.5104	2129303	$y=3972951x+46563$	0.9998
0.7656	3096804		
1.0208	4071539		

从表6数据可见,没食子酸在 0.0638~1.0208μg范围内与峰面积值呈良好的线性关系。

2.5 稳定性试验

取同一供试品(批号20190522)溶液,分别于制备溶液后的0小时、2小时、4小时、8小时、12小时进行测定。结果见表7。

表7 不同时间测得溶液中没食子酸峰面积值

时间(h)	峰面积值	RSD(%)
0	1724671	
2	1724942	
4	1709275	1.0
8	1686142	
12	1692791	

从表7数据可见,没食子酸在12小时内峰面积值基本稳定,能够满足测定所需的时间。

2.6 重复性试验

取同一供试品(批号20190522)6份,各约1g,精密称定,置具塞锥形瓶中,精密加入70%甲醇20ml,密塞,称定重量,加热回流30分钟,放冷,再称定重量,用70%甲醇补足减失的重量,摇匀,滤过,取续滤液,作为供试品溶液。取没食子酸对照品适量,精密称定,加甲醇制成每1ml约含40μg的溶液,作为对照品溶液。分别精密吸取以上两种溶液各10μl,注入液相色谱仪,记录各自的色谱图,用外标法以峰面积计算含量。结果见表8。

表8 没食子酸精密度试验结果

取样量(g)	峰面积值		含量(mg/g)	平均含量(mg/g)	RSD(%)
1.0016	1416124	1412220	0.8276		
1.0059	1418940	1418128	0.8266		
1.0034	1416358	1418555	0.8280	0.826	0.23
1.0024	1413069	1413202	0.8263		
1.0010	1406301	1407540	0.8238		
1.0065	1413036	1414637	0.8233		

从表8数据可见，在相同的提取溶剂和色谱条件下，6份供试品含量测定结果的均值为0.826mg/g，RSD为0.23%，表明该方法的精密度好。

2.7 加样回收试验

取已知含量（没食子酸含量为0.826mg/g）的供试品9份，各约0.5g，精密称定，分别置9个具塞锥形瓶中，分别在其中3个具塞锥形瓶中精密加入没食子酸对照品溶液0.9ml（浓度为0.2336mg/ml）（约相当于供试品含有量的50%）及70%甲醇20.0ml，另3个具塞锥形瓶中各加入上述对照品溶液1.8ml（约相当于供试品含有量的100%）及70%甲醇20.0ml，其余3个具塞锥形瓶中各加入上述对照品溶液2.7ml（约相当于供试品含有量的150%）及70%甲醇20.0ml，分别按重复性试验项下的色谱条件测定每份的含量，计算回收率。结果见表9。

表9 没食子酸加样回收试验结果

取样量（g）	供试品含有量（mg）	对照品加入量（mg）	测得总量（mg）	回收率（%）	平均回收率（%）	RSD（%）
0.5179	0.4277	0.2102	0.6264	94.52		
0.5130	0.4237	0.2102	0.6239	95.25		
0.5071	0.4188	0.2102	0.6145	93.10		
0.5198	0.4293	0.4205	0.8385	97.32		
0.5153	0.4256	0.4205	0.8220	94.26	94.1	1.84
0.5075	0.4191	0.4205	0.8197	95.26		
0.5009	0.4137	0.6307	1.0010	93.12		
0.5000	0.4130	0.6307	0.9919	91.78		
0.5005	0.4134	0.6307	0.9952	92.25		

从表9数据可见，本方法的平均回收率为94.1%，RSD为1.84%。该方法准确度好。

2.8 耐用性试验

取供试品（批号20190522）4份，各约1g，精密称定，按重复性试验项下的方法处理，换不同厂家、不同型号的色谱柱，分别测定供试品的含量。结果见表10。

表10 色谱柱耐用性试验

样品号	取样量（g）	柱型号	峰面积值	含量（mg/g）
1	1.0010	SHISEIDO CAPCELL PAK C₁₈	1414172	0.8274
	1.0010	SHIMADZU Wonda Cract ODS-2 C₁₈	1406921	0.8240
2	1.0055	SHISEIDO CAPCELL PAK C₁₈	1418534	0.8266
	1.0055	SHIMADZU Wonda Cract ODS-2 C₁₈	1413837	0.8239

从表10数据可见，不同型号或厂家的色谱柱对测定结果影响较小。

3 样品含量测定

取三批样品（批号20190522、20200605、20190729），模拟样品（批号20200062）模拟；各2份，各约3g，精密称定，按重复性试验项下的方法处理并测定。含量测定结果见表11。

表11 样品中没食子酸的含量测定结果

批号	取样量（g）	平均峰面积值	含量（mg/g）	平均含量（mg/g）
20190522	1.0013	1401222	0.8202	0.8214
	1.0058	1411536	0.8226	
20200605	1.0023	1415798	0.8279	0.9025
	1.0016	1669460	0.9770	
20190729	1.0034	1696621	0.9857	0.9894
	1.0016	1704497	0.9931	

续表

批号	取样量（g）	平均峰面积值	含量（mg/g）	平均含量（mg/g）
20200062	1.0073	1429212	0.8316	0.8302
	1.0069	1423675	0.8287	

从表11数据可见，三批样品和模拟样品中没食子酸含量最低为0.8214mg/g，最高为0.9894mg/g。含量之间无明显差异。

4　药材含量测定

试验中采用同法对上述三批样品生产用广枣和诃子药材进行了含量测定。测定结果见表12。

表12　广枣和诃子药材中没食子酸的含量测定结果

序号	取样量（g）	平均峰面积值（n=2）	含量（mg/g）	平均含量（mg/g）
广枣1	0.5088	673408	0.7758	
广枣2	0.5060	673588	0.7803	0.780
广枣3	0.5053	674780	0.7827	
诃子1	0.5092	6621329	7.6221	
诃子2	0.5049	6532885	7.5844	7.577
诃子3	0.5076	6516442	7.5250	

从表12数据可见，广枣药材中没食子酸含量为0.780mg/g，诃子药材中没食子酸含量为7.577mg/g。

5　本制剂含量限度的确定

从表中数据可见，三批样品和模拟样品中没食子酸含量最低为0.8214mg/g，最高为0.9894mg/g，广枣药材中没食子酸含量为0.780mg/g，诃子药材中没食子酸含量为7.577mg/g。

按理论值折算，样品应含没食子酸2.354mg/g，考虑转移率较低，转移率为0.880÷2.354×100%=37.3%。

由于《中国药典》2020年版一部"诃子"药材项下无该药材的含量测定标准，转移率为37.3%，转移率过低，故不计入含量限度计算里。考虑到不同产地药材的质量差异，并结合其他影响因素及三批样品的测定结果，下浮20%，按此限度折算本品含没食子酸的理论量应不低于0.880×80%=0.70mg/g。

标准正文暂定为：本品每1g含广枣和诃子以没食子酸（$C_7H_6O_5$）计，不得少于0.70mg。

【功能与主治】

开窍，通赫依血，祛赫依热，止痛，增心脏供血作用。用于治疗心赫依热，心刺痛，心痛，心悸，关节疼痛等症。

【用法与用量】

口服。一次11~15丸，一日1~2次，温开水送服。

【规格】

每10粒重2g。

【贮藏】密封，防潮。

起草单位：呼伦贝尔市食品药品检验所　　　穆　跃　郭司群　徐涵宇　席海娟

　　　　　赤峰市药品检验所　　　　　　　高丽梅　赵虎义　吕　颖

　　　　　内蒙古自治区国际蒙医医院　　　安鲁斯　高钰思　艾毅斯

亚玛–6丸质量标准起草说明

【历史沿革】

本方来源于《蒙医常用方剂选》（吉林人民出版社1975年版，蒙古文，第116页）。

【处方来源】

本制剂由内蒙古自治区国际蒙医医院提供。

【名称】

亚玛–6丸

【蒙药材和饮片的来源和执行标准】

1. 处方组成及药味排列顺序：诃子150g、红花150g、闹羊花75g、木香75g、没药75g、人工麝香1g。

2. 处方中除了人工麝香药材外，其余诃子等药味均收载于《中国药典》2020年版一部，其质量应符合该品种项下的有关规定。

人工麝香：应符合卫生部标准（试行）WS–210（Z–32）–93标准的有关规定。

【制法】

以上六味，除人工麝香外，其余诃子等五味，粉碎成细粉，将人工麝香与上述细粉配研，过筛，混匀，用水泛丸，打光，干燥，分装，即得。

【性状】

本品为棕褐色至黑褐色的水丸；气香，味苦、酸，性凉。

【鉴别】

本品为药材粉末制成的水丸，方中红花、木香的显微特征较明显，故建立显微鉴别。

1. 试剂与试药

供试品：供试品（批号20200319、20200413、20200438）由内蒙古自治区国际蒙医医院提供，模拟样品（批号20200092）模拟。

所用其他试剂均为分析纯，水为离子交换高纯水。

2. 试验方法与结果

显微鉴别：

红花：花粉粒类圆形、椭圆形或橄榄形，直径约至60μm，具3个萌发孔，外壁有齿状突起。木香：木纤维多成束，长梭形，直径16~24μm，纹孔口横裂缝状、十字状或人字状。

【检查】

按照丸剂（《中国药典》2020年版四部通则0108）项下的规定，对三批供试品及模拟样品的水分、重量差异、溶散时限、重金属、砷盐和微生物限度进行了检查。具体方法及测定数据如下：

1. 水分：取供试品照水分测定法（《中国药典》2020年版四部通则0832）测定，供试品及模拟样品测定结果见表1。

表1　水分测定结果

序号	批号	水分（%）
1	20200319	1.7
2	20200413	3.0
3	20200438	7.0
4	20200092	5.21

药典规定丸剂水分含量不得大于9.0%。从表1数据可见，三批供试品和模拟样品的水分含量均符合要求。

2. 重量差异：取以上三批供试品，每批供试品取10份，10丸为1份，分别称定重量，再与每份标示重量（2g）相比较，求每一份的重量差异（%）。药典规定每份标示装量的限度为±8%，并规定超出重量差异限度的不得多于2份，并不得有1份超出限度1倍。本品的重量差异检查结果均符合规定。

3. 溶散时限：取本品照片剂项下崩解时限检查法（《中国药典》2020年版四部通则0921）加挡板进行测定，结果见表2。

表2　溶散时限测定结果

序号	批号	溶散时间（min）
1	20200319	38
2	20200413	43
3	20200438	43

药典规定水丸应在1小时内全部溶散。从表2数据可见，本品的溶散时限符合规定。

4. 对三批供试品及模拟样品进行了重金属和砷盐考察。方法与结果如下：

重金属：分别取每个批号供试品0.5g、0.67g、1.0g、2.0g，按《中国药典》2020年版四部0821第二法检查。

供试品溶液的制备：取本品0.5g、0.67g、1.0g、2.0g，分别缓缓炽灼至完全炭化，放冷，加硫酸0.5ml，使湿润，低温加热至硫酸除尽后，加硝酸0.5ml，蒸干，至氧化氮蒸气除尽后，放冷，于600℃炽灼至完全灰化，放冷。加盐酸2ml，置水浴上蒸干后加水15ml，滴加氨试液至对酚酞指示液显中性，再加醋酸盐缓冲液（pH3.5）2ml，微热溶解后，移置纳氏比色管中，加水稀释至25ml，作为供试品溶液。

标准铅对照溶液的制备：另取配制供试品溶液的试剂两份，分别置瓷皿中蒸干后，加醋酸盐缓冲液（pH3.5）2ml，加水15ml微热溶解后，移置两支纳氏比色管中，分别加标准铅溶液（10μg/mlPb）2ml，再加水稀释至25ml，作为标准铅对照溶液。

检视：于上述供试品溶液和标准铅对照溶液中分别加硫代乙酰胺试液各2ml，摇匀，放置2分钟，同置白色背景上，从上向下进行观察。试验结果见表3。

表3　重金属检查结果

序号	批号	重金属含量（ppm）			
1	20200319	<10	<20	<30	<40
2	20200413	<10	<20	<30	<40
3	20200438	<10	<20	<30	<40
4	20200092	<10	<20	<30	<40

结果显示，供试品溶液的颜色明显浅于2ml的标准铅对照溶液。经过三批供试品及模拟样品的检查，含重金属均未超过百万分之十，故未收入正文。

砷盐：取本品1g和标准砷溶液（1μg/mlAS）2ml，分别加无砷氢氧化钙1g，加少量水，搅匀，烘干，用小火缓缓炽灼至炭化，再在600℃炽灼至完全灰化，放冷。分别加盐酸7ml使溶解，再加水21ml，按《中国药典》2020年版四部通则0822第一法（古蔡氏法）做砷盐限量检查。

结果：供试品砷斑浅于标准砷斑的颜色，表明本品含砷量未超过百万分之二（小于2ppm），故砷盐检查项目未列入正文。

5. 微生物限度：照微生物计数法（《中国药典》2020年版四部通则1105）、控制菌检查法（《中国药典》2020年版四部通则1106）及《内蒙古蒙药制剂规范》（第三册）附录Ⅲ微生物限度标准，进行检查。结果均符合规定。

【含量测定】

亚玛-6丸是由诃子、红花、闹羊花、木香、没药、人工麝香等六味药组成。主要用于杀黏，清希日，止痛。主治希日性头痛，目赤红肿，亚玛引起的偏、正头痛。红花中的黄色素和红色素成分是由黄酮类化合物组成，标准制定过程中，以羟基红花黄色素A作为测定指标，采用高效液相色谱法对本品中的红花建立了含量测定方法。通过试验摸索，确定了比较理想的色谱条件，并经过方法学考察及阴性对照试验，表明该方法操作简单，重复性好，专属性强，方中其他组分对羟基红花黄色素A的测定无干扰。

1 仪器与试剂试药

1.1 仪器

岛津LC-10AT泵，岛津SPD-10A检测器，岛津CLASS-VP色谱工作站，岛津uv-1700型紫外-分光光度仪，Sartorius BP211D型电子分析天平，Precisa 92SM-202A型电子分析天平。

1.2 试剂与试药

供试品（批号20200319、20200413、20200438）由内蒙古自治区国际蒙医医院提供，模拟样品（批号20200092）模拟；羟基红花黄色素A对照品（批号111637-201609），购于中国食品药品鉴定研究院；甲醇为色谱纯，水为超纯水，所用其他试剂均为分析纯。

2 方法学验证

2.1 色谱条件

2.1.1 色谱柱：色谱柱填充剂为十八烷基硅烷键合硅胶，本试验研究采用Phenomenex C_{18}柱（250mm×4.6mm，5μm）及Kromasil ODS柱（250mm×4.6mm，5μm）。

2.1.2 流动相的选择：参照《中国药典》2020年版一部"红花"项下含量测定方法中的流动相即甲醇-乙腈-0.7%磷酸溶液（26：2：72）为流动相，结果分离度不好，流动相调整为甲醇-0.7%磷酸溶液（30：70），结果羟基红花黄色素A峰有较好的保留时间，理论板数也较高，样品中的羟基红花黄色素A与其他成分达到较好的分离度，故将流动相定为甲醇-0.7%磷酸溶液（30：70）。

2.1.3 柱温：采用40℃柱温，可降低流动相黏度，降低柱压，故将柱温定为40℃。

2.1.4 检测波长的选择：取羟基红花黄色素A对照品溶液，于紫外-可见分光光度仪上，自200~700nm做光谱扫描，结果羟基红花黄色素A在波长402nm与226nm处有最大吸收，参照《中国药典》2020年版一部"红花"项下的规定，选用403nm作为检测波长。

2.1.5 理论板数的确定：从对三批数据的测定结果可见，羟基红花黄色素A峰的理论板数在3000以上即能达到与相邻峰分开，并符合《中国药典》规定R>1.5的要求，故本标准规定理论板数按羟基红花黄色素A峰计不得低于3000。

2.2 提取方法的选择及提取效率的考察

参照《中国药典》2020年版一部"红花"项下，以25%甲醇作为提取溶剂进行超声处理，试验中考察了超声30分钟、45分钟、60分钟等不同提取时间对提取效率的影响，结果见表4。羟基红花黄色素A对照品溶液制备：精密称取羟基红花黄色素A对照品适量,加甲醇制成每1ml含88.4μg的溶液,即得。羟基红花黄色素A对照品峰面积分别为1894271、1892374、1894087、1891335、1886649,平均为1891374。

表4 羟基红花黄色素A提取时间考察

提取时间(min)	取样量(g)	平均峰面积	含量(mg/g)
30	1.5400	1392672	1.056
	1.5000	1360212	1.059
45	1.4902	1360778	1.067
	1.5032	1365630	1.061
60	1.4312	1289726	1.053
	1.4926	1349881	1.057

从表4数据可见,超声处理45分钟后,对供试品中羟基红花黄色素A的含量没有太大的影响,故将提取时间定为超声处理45分钟。

2.3 专属性考察

2.3.1 对照品溶液的制备:取羟基红花黄色素A对照品适量,精密称定,加25%甲醇制成每1ml含30μg的溶液,作为对照品溶液。

2.3.2 供试品溶液的制备:取本品适量,研细,取约1g,精密称定,置具塞锥形瓶中,精密加入25%甲醇25ml,称定重量,超声处理(功率400W,频率40kHz)40分钟,取出,放冷,再称定重量,用25%甲醇补足减失的重量,摇匀,滤过,取续滤液,作为供试品溶液。

2.3.3 阴性对照溶液的制备:按处方配比制备缺红花的阴性供试品,按"供试品溶液的制备"方法制备阴性对照溶液。

2.3.4 测定:分别精密吸取以上三种溶液各10μl,注入色谱仪,记录各自的色谱图。

试验结果显示:供试品色谱中在与对照品色谱保留时间相同的位置上有色谱峰出现,而阴性对照在与对照品色谱保留时间相同的位置上无色谱峰出现,表明该含量测定方法阴性无干扰,专属性好。

2.4 线性关系考察

取羟基红花黄色素A对照品约7mg,精密称定,置25ml量瓶中,加25%甲醇使溶解并稀释至刻度,摇匀,滤过,精密量取续滤液1ml,置10ml量瓶中,加25%甲醇稀释至刻度,摇匀(含羟基红花黄色素A 55.6μg/ml),然后吸取上述溶液2μl、4μl、8μl、12μl、16μl、20μl分别进样,按上述色谱条件测定,以峰面积对羟基红花黄色素A的进样量进行回归分析,结果见表5。

表5 标准曲线数据及回归分析结果

进样量(μg)	峰面积值	回归方程	r
0.1112	341776		
0.2224	670542		
0.4448	1374140	$y=2523078x-22169$	0.9999
0.6672	2078957		
0.8896	2807018		
1.112	3482143		

从表5数据可见,羟基红花黄色素A在0.1112~1.1120μg范围内与峰面积值呈良好的线性关系。

2.5 稳定性试验

取同一供试品(批号20200319)溶液,分别在溶液制备后的0小时、2小时、4小时、6小时、8小时、24小时进样测定, 结果见表6。

表6 不同时间测得溶液中羟基红花黄色素A的峰面积值

时间 (h)	峰面积值	RSD (%)
0	1612066	
2	1621333	
4	1606949	0.92
6	1603762	
8	1590892	
24	1580349	

从表6数据可见, 羟基红花黄色素A在24小时内的峰面积值基本稳定, 能够满足测定所需要的时间。

2.6 重复性试验

取同一批号供试品 (批号20200319) 6份, 各约1.5g, 精密称定, 置具塞锥形瓶中, 精密加入25%甲醇25ml, 称定重量, 超声处理 (功率400W, 频率40kHz) 40分钟, 取出, 放冷, 再称定重量, 用25%甲醇补足减失的重量, 摇匀, 滤过, 取续滤液, 作为供试品溶液。另取羟基红花黄色素A对照品适量, 精密称定, 加25%甲醇制成每1ml含30μg的溶液, 作为对照品溶液。分别精密吸取以上两种溶液各10μl, 注入液相色谱仪, 记录各自的色谱图, 用外标法以峰面积计算含量。结果见表7。

表7 羟基红花黄色素A重复性试验结果

取样量 (g)	峰面积值	含量 (mg/g)	平均含量 (mg/g)	RSD (%)
1.5401	1391898	1.056		
1.5562	1424139	1.069		
1.5347	1403331	1.068	1.065	0.44
1.5056	1374256	1.066		
1.5321	1399258	1.067		
1.5389	1402202	1.064		

从表7数据可见, 在相同的提取溶剂和色谱条件下, 6份供试品含量测定结果的均值为1.065mg/g, RSD为0.44%, 表明该方法的重复性良好。

2.7 加样回收试验

取已知含量 (批号20200319, 羟基红花黄色素A含量1.065mg/g) 的供试品9份, 各约0.75g, 精密称定, 分别置9个具塞锥形瓶中, 分别在其中3个具塞锥形瓶中加入25%甲醇0.5ml (羟基红花黄色素A浓度0.4102mg/ml), 另3个具塞锥形瓶中各精密加入上述对照品溶液1.5ml分别按重复性试验项下方法操作, 测定每份供试品含量, 计算回收率, 结果见表8。

表8 羟基红花黄色素A加样回收试验结果

取样量 (g)	供试品含量 (mg)	对照品加入量 (mg)	测得总量 (mg)	回收率 (%)	平均回收率 (%)	RSD (%)
0.7499	0.799	0.4102	1.199	97.51		
0.7545	0.804	0.4102	1.204	97.51		
0.7385	0.787	0.4102	1.190	98.24		
0.7551	0.804	0.8204	1.624	99.95		
0.7562	0.805	0.8204	1.639	101.66	99.84	1.74
0.7546	0.804	0.8204	1.637	101.54		
0.7488	0.797	1.2306	2.022	99.54		
0.7514	0.800	1.2306	2.044	101.09		
0.7526	0.802	1.2306	2.051	101.50		

从表8数据可见，本方法的平均回收率为99.84%，RSD为1.74%。该方法准确度好。

2.8 耐用性试验

取供试品（批号20200319）4份，各约1.5g，精密称定，按重复性试验项下的方法处理，换不同厂家、不同型号的色谱柱，分别测定供试品的含量。结果见表9。

表9 色谱柱的耐用性试验

取样量（g）	柱型号	峰面积值	含量（mg/g）
1.5022	Tnature C$_{18}$柱	1359872	1.058
1.5022	phenomenex C$_{18}$柱	1390770	1.063
1.5016	Tnature C$_{18}$柱	1358400	1.072
1.5016	phenomenex C$_{18}$柱	1391121	1.082

从表9数据可见，不同型号或厂家的色谱柱对测定结果影响较小。

3 样品含量测定

取三批样品（批号20200319、20200413、20200438）及模拟样品（批号20200092）各2份，各约1.5g，精密称定，按重复性试验项下的方法处理并测定。含量测定结果见表10。

表10 样品中羟基红花黄色素A的含量测定结果

批号	取样量（g）	平均峰面积值	含量（mg/g）	平均含量（mg/g）
20200319	1.5022	1359872	1.058	1.08
	1.5056	1400402	1.087	
	1.5063	1390770	1.079	
20200413	1.5043	1374867	1.068	1.07
	1.5000	1358400	1.058	
	1.5016	1391121	1.082	
20200438	1.5008	1375286	1.071	1.06
	1.5012	1357968	1.057	
	1.4100	1280750	1.061	
20200092	1.5035	2404632	1.868	1.86
	1.5038	2372958	1.84	
	1.5089	2402449	1.86	

从表10数据可见，三批样品中羟基红花黄色素A含量最低为1.06mg/g，最高为1.08mg/g。模拟样品中羟基红花黄色素A含量为1.86mg/g，含量之间无明显差异。

4 红花药材的含量考察

取6批不同的红花药材粉末（过三号筛），各约0.4g，精密称定，按《中国药典》2020年一部"红花"项下的方法处理并测定，6批红花药材中羟基红花黄色素A的含量测定结果见表11。羟基红花黄色素A对照品制备：①精密称取羟基红花黄色素A对照品2.85mg，加25%甲醇溶解并稀释至25ml。三次测定的对照品溶液峰面积分别为3100437、3125156、3098930，对照品溶液的响应因子F1分别为27196818、27413649、27183596。②精密称取羟基红花黄色素A对照品2.559mg，加25%甲醇溶解并稀释至25ml。三次测定的对照品溶液峰面积分别为2808123、2805913、2826801，对照品溶液的响应因子F2分别为27433792、27412202、27616266；响应因子的平均值F为27376054。

表11 红花药材中羟基红花黄色素A的含量测定结果

药材编号	取样量（g）	峰面积值			含量（mg/g）	平均含量（mg/g）
		A	B	平均		
1	0.4069	1176103	1166710	1171406	5.258	5.224
	0.4051	1154666	1148221	1151444	5.191	
2	0.4250	4623157	4607340	4615248	19.834	19.690
	0.4190	4481997	4486590	4484294	19.547	
3	0.4065	3019350	3031657	3025504	13.594	13.561
	0.4076	3015371	3022513	3018942	13.528	
4	0.4036	2332507	2163427	2346967	10.621	10.714
	0.4083	2420542	2411125	2415834	10.807	
5	0.4046	3943307	3944634	3943970	17.804	17.886
	0.4029	3965058	3961789	3963424	17.967	
6	0.4087	3928262	3902694	3915478	17.498	17.574
	0.4097	3952065	3965908	3958986	17.649	

从表11数据可见，模拟样品所用红花药材5的含量为17.886mg/g。

5 本制剂含量限度的确定

从表中数据可见，模拟样品中的羟基红花黄色素A含量为1.857mg/g，测得红花原料的羟基红花黄色素A含量为17.886mg/g。

按理论值折算，样品应含羟基红花黄色素A为17.886×150÷526=5.1mg/g，可见，羟基红花黄色素A的转移率为1.857÷5.1×100%=36.41%。

参照《中国药典》2020年版一部"红花"药材的羟基红花黄色素A含量限度不得少于1.0%，转移率为36.41%，考虑不同产地药材的质量差异，并结合其他影响因素及三批样品的测定结果，按此限度折算本品含羟基红花黄色素A的理论量应不低于150÷526×1000×1.0%×36.41%=1.038mg/g。

标准正文暂定为：本品每1g含红花以羟基红花黄色素A（$C_{27}H_{32}O_{16}$）计，不得少于1.0mg。

【功能与主治】

杀黏，清希日，止痛。主治希日性头痛，目赤红肿，亚玛引起的偏、正头痛。

【用法与用量】

口服。一次9~13丸，一日1次，温开水送服。

【注意事项】

孕妇忌服。

【规格】

每10丸重2g。

【贮藏】

密闭，防潮。

起草单位：内蒙古自治区国际蒙医医院　　　斯琴塔娜　青　松　那松巴乙拉
　　　　　赤峰市药品检验所　　　　　　　高丽梅　高嘉琦　曹　月
　　　　　赤峰市巴林右旗蒙医医院　　　　努恩达古拉　查干莲花　新图亚　旺其格

亚森·图乐吉勒质量标准起草说明

【历史沿革】

本方来源于内蒙古自治区国际蒙医医院巴虎山大夫经验方。

【处方来源】

本制剂由内蒙古自治区国际蒙医医院提供。

【名称】

亚森·图乐吉勒（润骨灵）

【蒙药材和饮片的来源和执行标准】

1. 处方组成及药味排列顺序：苏木40g、天冬25g、手参25g、黄精25g、肉豆蔻25g、丁香25g、山沉香25g、豆蔻15g、槟榔15g、高良姜15g、生草果仁10g、木香10g。

2. 处方中除了手参和山沉香药材外，其余苏木等十药味均收载于《中国药典》2020年版一部，其质量应符合该品种项下的有关规定。

手参：为兰科植物手参 Gymnadenia conopsea (L.) R. Br. 的干燥块茎。其标准应符合《内蒙古蒙药饮片炮制标准》2020年版第71页该品种项下有关规定。

山沉香：为木犀科植物贺兰山丁香 Syringa pinnatifolia Hemsl. var. alashanensis Ma. et S. Q. Zhou削去外皮的干燥枝。其标准应符合《中华人民共和国卫生部药品标准》（蒙药分册）1998年版第4页该品种项下的有关规定。

【制法】

以上十二味粉碎成细粉，混匀后，过筛，制丸，低温（室温）干燥，即得。

【性状】

本品为浅黄色至棕黄色的丸剂；气香，味苦、涩。

【鉴别】

本品为药材细粉制成的水丸。处方中木香、丁香的显微特征比较明显，故建立显微鉴别，并对处方中的苏木建立了薄层鉴别。

1. 试剂与试药

供试品：供试品（批号20180219、20200136、20200190）由内蒙古自治区国际蒙医医院提供，模拟样品（批号20200008）模拟。

对照品：苏木对照药材（批号121067—201606），购于中国食品药品检定研究院。

薄层板：硅胶G板，购于青岛海洋化工有限公司。

所用其他试剂均为分析纯，水为离子交换高纯水。

2. 试验方法与结果

（1）显微鉴别

丁香：花粉粒众多，极面观三角形，赤道表面观双凸镜形，具3副合沟。木香：木纤维多成束，长梭形。见显微特征图。

（2）苏木薄层鉴别

参照《中国药典》2020年版一部"苏木"项下薄层条件，制定出正文所述的鉴别方法。通过阴性对照试验观察，方中其他药材对苏木的检出无干扰，证明此方法具有专属性。

【检查】

按照丸剂（《中国药典》2020年版四部通则0108）项下的规定，对三批供试品及模拟样品的水分、重量差异、溶散时限、重金属、砷盐进行了检查。具体方法及测定数据如下：

1. 水分：取供试品照水分测定法（《中国药典》2020年版四部通则0832）测定。三批供试品及模拟样品测定结果见表1。

表1　水分测定结果

序号	批号	水分（%）
1	20180219	4.03
2	20200136	4.10
3	20200190	4.11
4	20200008	4.21

药典规定丸剂水分含量不得大于9.0%。由表1的结果可见，三批供试品和一批模拟样品的水分含量均符合要求。

2. 重量差异：取以上三批供试品，每批供试品取10份，10丸为1份，分别称定重量，再与每份标示重量（2g）相比较，求每一份的重量差异（%）。药典规定每份标示装量的限度为±8%，并规定超出重量差异限度的不得多于2份，并不得有1份超出限度1倍。本品的重量差异检查结果均符合规定。

3. 溶散时限：取本品照崩解时限检查法（《中国药典》2020年版四部通则0921）片剂项下加挡板进行测定。三批供试品测定结果见表2。

表2　溶散时限测定结果

序号	批号	溶散时间（min）
1	20200190	16
2	20180219	17
3	20200136	15

药典规定水丸应在1小时内全部溶散。表2的结果显示，本品的溶散时限符合规定。

4. 对三批供试品及模拟样品进行了重金属、砷盐考察，方法与结果如下：

重金属：分别取每个批号样品0.5g、0.67g、1.0g、2.0g，按《中国药典》2020年版四部0821第二法检查。

供试品溶液的制备：取本品0.5g、0.67g、1.0g、2.0g，分别缓缓炽灼至完全炭化，放冷，加硫酸0.5ml，使湿润，低温加热至硫酸除尽后，加硝酸0.5ml，蒸干，至氧化氮蒸气除尽后，放冷，于600℃炽灼至完全灰化，放冷。加盐酸2ml，置水浴上蒸干后加水15ml，滴加氨试液至对酚酞指示液显中性，再加醋酸盐缓冲液（pH3.5）2ml，微热溶解后，移置纳氏比色管中，加水稀释至25ml，作为供试品溶液。

标准铅对照溶液的制备：另取配制供试品溶液的试剂两份，分别置瓷皿中蒸干后，加醋酸盐缓冲液（pH3.5）2ml，加水15ml微热溶解后，移至两支纳氏比色管中，分别加标准铅溶液（10μg/mlPb）1ml、2ml，再加水稀释至25ml，作为标准铅对照管。

检视：于上述供试品溶液和标准铅对照溶液中分别加硫代乙酰胺试液各2ml，摇匀，放置2分钟，同至白纸上，自上向下透视，供试品溶液的颜色明显浅于1ml的标准铅对照管。试验结果见表3。

表3　重金属检查结果

序号	批号	重金属含量（ppm）			
1	20200190	<10	<20	<30	<40
2	20180219	<10	<20	<30	<40
3	20200136	<10	<20	<30	<40
4	20200008	<10	<20	<30	<40

结果显示，供试品溶液的颜色明显浅于2ml的标准铅对照管。经过三批供试品及模拟样品的检查，含重金属均未超过百万分之十，故未收入正文。

砷盐：取本品1g和标准砷溶液（1μg/mlAS）2ml，分别加无砷氢氧化钙1g，加少量水，搅匀，烘干，用小火缓缓炽灼至炭化，再在600℃炽灼至完全灰化，放冷。分别加盐酸7ml使溶解，再加水21ml，按《中国药典》2020年版四部通则0822第一法（古蔡氏法）做砷盐限量检查。

结果：供试品砷斑浅于标准砷斑的颜色，表明本品含砷量未超过百万分之二（小于2ppm），故砷盐检查项目未列入正文。

【含量测定】

亚森·图乐吉勒是由苏木、天冬、手参、黄精、肉豆蔻、丁香、山沉香、豆蔻、槟榔、高良姜、生草果仁、木香等十二味药组成的复方制剂，丁香为处方中主要药味之一。参照《内蒙古蒙药制剂规范》2014年版（第二册）"匝迪-4汤"项下的含量测定方法，以丁香酚对照品作为指标成分，进行含量测定方法研究，经分析方法验证，该方法重现性好、专属性强，方法中其他成分对丁香酚对照品的测定无干扰。

1　仪器与试剂试药

1.1　仪器

岛津GC-2014气相色谱仪，Sartorius BT25S型电子天平，Sartorius BSA223S型电子天平，Sartorius BSA224S型电子天平。

1.2　试剂与试药

供试品（批号20180219、20200136、20200190）由内蒙古自治区国际蒙医医院提供，模拟样品（批号20200008）模拟；丁香酚对照品（批号110725-201716）购于中国食品药品检定研究院；丁香对照药材购自中国食品药品检定研究院；正己烷为分析纯。

2　方法学考察

2.1　色谱条件的选择

2.1.1　色谱柱：参照《中国药典》2020年版一部"丁香"药材项下含量测定方法，色谱柱为中等极性的（50%-苯基）-甲基聚硅氧烷毛细管柱，本实验研究采用毛细管柱db-17（长度30m，膜厚厚度0.25mm，粒度0.25μm）和毛细管柱innowax（长度30m，膜厚厚度0.25mm，粒度0.25μm）。

2.1.2　柱温：采用190℃柱温。

2.1.3　理论板数的确定：经对三批供试品测定的结果可见，丁香酚对照品的理论板数在1000以上时均能达到较好的分离效果，结合药典丁香含量测定项下的规定，故确定理论板数按丁香酚对照品峰计不得低于1500。

2.2　提取方法的选择及提取效率的考察

2.2.1　提取溶剂的选择：参照《中国药典》2020年版一部"丁香"项下的丁香酚对照品含量测定项下的方法，

以正己烷作提取溶剂。

2.2.2 提取效率的考察：以正己烷作提取溶剂进行超声处理，为了保证被测成分提取完全，试验中考察了10分钟、20分钟、30分钟、40分钟等不同超声时间对提取效率的影响。结果见表4。

表4 提取效率的考察表

序号	超声时间（min）	丁香酚（mg/g）
1	10	5.234
2	20	5.345
3	30	5.311
4	40	5.304

从表4数据可见，超声提取20分钟栀子苷的含量基本不再增加，故确定超声时间为20分钟。

2.3 专属性考察

2.3.1 对照品溶液的制备：取丁香酚对照品适量，精密称定，加正己烷制成每1ml含2mg的溶液，即得。

2.3.2 供试品溶液的制备：取本品粉末约3.0g（过二号筛），精密称定，置具塞锥形瓶中，精密加入正己烷20ml，密塞，称定重量，超声处理（功率250W，频率40kHz）20分钟，取出，放冷，再称定重量，用正己烷补足减失的重量，摇匀，滤过，取续滤液，即得。

2.3.3 阴性对照溶液的制备：按处方配比制备缺丁香的阴性供试品，按"供试品溶液的制备"方法制备阴性对照溶液。

2.3.4 测定：分别精密吸取对照品溶液、供试品溶液、阴性对照溶液各10μl，注入色谱仪，记录各自的色谱图。

测得结果为：阴性对照色谱图中在与丁香酚对照品及供试品色谱相对应的保留时间处无色谱峰出现，表明处方中其他组分对丁香酚对照品的测定无干扰。

2.4 线性关系考察

精密称取丁香酚对照品0.5005g，置25ml量瓶中，加正己烷使溶解，并稀释至刻度，摇匀，再精密量取1ml，置50ml量瓶中，加正己烷稀释至刻度，摇匀，即得。（丁香酚对照品0.3987mg/ml）分别取1μl、2μl、3μl、4μl、5μl、6μl进样，按上述色谱条件测定。以峰面积对进样量进行回归分析，结果见表5。

表5 标准曲线数值表

进样量（μl）	峰面积值	回归方程	r
1	55396.5		
2	110608.5		
3	161556.5		
4	214968	$y = 53949x+0.364$	0.9998
5	269335.5		
6	323584		

从表5数据可见，丁香酚在398.7~2392.2ng范围内与峰面积值呈良好的线性关系。

2.5 稳定性试验

取同一份供试品（批号20200190）溶液，分别在0小时、2小时、4小时、6小时、8小时、10小时、24小时进行测定。结果见表6。

表6 不同时间测定样品中栀子苷的峰面积值

时间（h）	峰面积值	RSD（%）
0	308601	
2	308338	
4	301147	
6	300772	1.0
8	302101	
10	302934	
24	302998	

从表6数据可见,丁香酚在24小时内的峰面积值基本稳定不变。

2.6 重复性试验

取同一批号样品（批号20200190）6份,各取约3.0g,按供试品溶液的制备方法操作,测定每份样品含量,按外标法计算含量。结果见表7。

表7 丁香酚含量重复性试验结果

样品号	取样量（g）	峰面积值（n=2）	含量（mg/g）	平均含量（mg/g）	RSD（%）
1	3.0891	282161	5.245		
2	3.0223	278712	5.295		
3	3.0087	272098	5.193	5.314	1.6
4	3.0248	282299	5.359		
5	3.0451	284651.5	5.368		
6	3.0452	287905.5	5.429		

从表7数据可见,在相同的提取溶剂和色谱条件下,6份供试品含量测定结果的均值为5.314mg/g,RSD为1.6%,表明该方法的重复性良好。

2.7 加样回收试验

称取同一批号供试品（批号20200190,含量5.314mg/g）6份,每份约1.5g,精密称定,分别置具塞锥形瓶中,分别依次精密加入丁香酚对照品溶液（浓度为7.975mg/ml）1ml,再加入正己烷19ml（用滴定管加入）,摇匀,称定重量,按上述供试品溶液的制备方法操作,测定每份含量,计算回收率。结果见表8。

表8 丁香酚加样回收试验结果

序号	样品量（g）	供试品含量（mg）	对照品加入量（mg）	测得总量（mg）	回收率（%）	平均（%）	RSD（%）
1	1.5038	7.992	7.975	15.788	97.75		
2	1.5014	7.979	7.975	15.568	95.15		
3	1.5020	7.982	7.975	15.618	95.74	96.48	1.6
4	1.5002	7.973	7.975	15.629	96.00		
5	1.5010	7.977	7.975	15.885	99.15		
6	1.5009	7.977	7.975	15.564	95.13		

从表8数据可见,试验结果的均值为96.48%,平均的RSD为1.6%。该方法准确度好。

2.8 耐用性试验

换不同厂家、不同型号的色谱柱,取含量测定中的20200190及对照品溶液分别进样,测定含量,结果见表9。

表9 不同色谱柱的耐用性试验

批号	色谱柱型号	理论板数	含量（mg/g）	RSD（%）
20200190	Db-17	>10000	5.314	0.51
20200190	Innowax	>10000	5.368	

从表9数据可见，在使用不同型号或厂家的色谱柱时，对测定结果影响较小，具有较好的耐用性。

3 样品含量测定及含量限度确定

取本品按重复性试验项下的方法处理并测定。三批样品的测定结果见表10。

表10 样品中丁香酚的含量测定结果

批号	取样量（g）	测得峰面积值（n=2）	含量（mg/g）	平均含量（mg/g）
20200190		见重复性数据，5.314mg/g		
20180219	3.0162	31243.5	0.5948	0.598
	3.0553	32011	0.6016	
20200136	3.0159	33413	0.6362	0.647
	3.0165	34602	0.6587	

从表10数据可见，供试品含量都在0.5mg/g以上，所以暂定含量限度为0.30mg/g。标准规定：本品每1g含丁香以丁香酚计不得少于0.30mg。由上述数据可见，现成的20200190丁香酚的含量在5.314mg/g。做了两批成药，丁香酚的含量都在0.5mg/g以上。按药典的方法测定丁香药材中丁香酚的含量测定结果符合规定（丁香药材含量在12.0mg/g左右）。

4 丁香药材含量测定

试验中采用同法对上述两批供试品及20200190生产用丁香药材进行了含量测定。测定结果见表11。

表11 丁香药材中丁香酚的含量测定结果

序号	取样量（g）	平均峰面积值（n=2）		含量（mg/g）	平均含量（mg/g）
1	0.3014	348232	350153.5	126.61	
		352075			126.765
2	0.3022	351612	351933	126.92	
		352254			

从表11数据可见，丁香药材中丁香酚的含量为126.765mg/g（12.67%）。

5 本制剂含量规定的确定

从表中数据可见，两批样品中丁香酚的含量最低为0.598mg/g，丁香药材中丁香酚含量为126.76mg/g（12.676%），模拟样品中丁香酚的含量为5.314mg/g。

按理论值折算，样品应含丁香酚为0.0980g×1000×12.67%=12.4166mg，即12.42mg/g。因此，转移率为5.314（mg/g）/12.42（mg/g）×100%=42.75%。

参照《中国药典》2020年版一部"丁香"药材的丁香酚含量限度不得少于11.0%，转移率为42.75%，考虑不同产地药材的质量差异，并结合其他影响因素及三批样品的测定结果，下浮35%，按此限度折算本品含丁香酚的理论量应不低于25÷255×1000×11.0%×42.75%×65%=2.99mg/g。

标准正文暂定为：本品每1g含丁香以丁香酚（$C_{10}H_{12}O_2$）计，不得少于3.0mg。

【功能与主治】

祛赫依,滋补骨,滋元,滋补体虚。主要用于体乏无力,腰腿疼,骨伤。

【用法与用量】

口服。一次11~15丸,一日1~2次,温水送服。

【规格】

每10丸重2g。

【贮藏】

密封,阴凉干燥处。

起草单位: 内蒙古自治区国际蒙医医院　　　巴虎山　青　松　那松巴乙拉

　　　　　　包头市药物警戒中心　　　　　格根塔娜

　　　　　　包头市检验检测中心　　　　　赵光远　朱学友　王鸿宇

毕日阳古-15丸质量标准起草说明

【历史沿革】

本处方来源于呼伦贝尔市蒙医医院经验方。

【处方来源】

本制剂由呼伦贝尔市蒙医医院提供。

【名称】

毕日阳古-15丸

【蒙药材和饮片的来源和执行标准】

1. 处方组成及药味排列顺序：黑冰片50g、石榴30g、花香青兰30g、制木鳖20g、土木香20g、天竺黄20g、煅贝齿20g、苦地丁15g、黄连15g、西红花15g、金钱草10g、人工牛黄10g、木香10g、朱砂粉10g、熊胆粉5g。

2. 处方中除了黑冰片、石榴、花香青兰、制木鳖、煅贝齿、熊胆粉药材外，其余土木香等药味均收载于《中国药典》2020年版一部，其质量应符合该品种项下的有关规定。

黑冰片：为猪科动物野猪*Sus scrofa* linnaeus的成形粪便野猪粪的炮制加工品。主含活性炭和微量元素。其质量应符合《内蒙古蒙药饮片炮制规范》2020年版第444页该品种项下的有关规定。

石榴：为石榴科植物石榴*Punica granatum* L.的干燥成熟果实。其标准应符合《内蒙古蒙药饮片炮制规范》2020年版第119页该品种项下的有关规定。

花香青兰：为唇形科植物香青兰 *Dracocephalum moldavica* L. 的干燥带花地上部分。其标准应符合《内蒙古蒙药饮片炮制规范》2020年版第201页该品种项下的有关规定。

制木鳖：为葫芦科植物木鳖*Momordica cochinchinensis*（Lour.）Spreng. 的干燥成熟种子。其质量应符合《内蒙古蒙药饮片炮制规范》2020年版第241页该品种项下的有关规定。

熊胆粉：为熊科动物黑熊*Selenarctos thibetanus* Cuvier经胆囊手术引流胆汁而得的干燥品。其标准应符合《中华人民共和国卫生部药品标准》新药转正标准第十一册第44页该品种项下的有关规定。

煅贝齿：为宝贝科动物货贝*Monetaria. monrta*（L.）、环纹货贝*Monetaria annulus*（L.）、阿拉伯绶贝*Mauritia arabica*（L.）等的贝壳贝齿，前二者为"白贝齿"，后者为"紫贝齿"，主含碳酸钙（CaCO$_3$）。其标准应符合《内蒙古蒙药饮片炮制规范》（2020年版）第70页该品种项下的有关规定。

【制法】

以上十五味，除人工牛黄、熊胆粉外，其余黑冰片等十三味，粉碎成细粉，将熊胆、人工牛黄与上述细粉配研，过筛，混匀，用水泛丸，打光，干燥，分装，即得。

【性状】

本品为棕褐色的水丸；气香，味甘、辛、微酸。

【鉴别】

本品为药材细粉以水为黏合剂泛制成的丸剂，方中大多数药味的显微特征都比较明显，故对处方中的石榴、黄连建立显微鉴别。并对处方中的人工牛黄建立了薄层鉴别。

1. 试剂与试药

供试品: 供试品 (批号1800321、1800322、1800323) 由呼伦贝尔市蒙医医院提供, 模拟样品 (批号20190903) 模拟。

对照品: 胆酸对照品 (批号100078-201415)、猪去氧胆酸对照品 (批号100087-201411), 均购于中国食品药品检定研究院。

薄层板: 硅胶G板, 购于青岛海洋化工有限公司。

所用其他试剂均为分析纯, 水为离子交换高纯水。

2. 试验方法与结果

(1) 显微鉴别

石榴: 石细胞无色, 椭圆形或类圆形, 壁厚, 孔沟细密; 黄连: 纤维束鲜黄色, 壁稍厚, 纹孔明显。

(2) 人工牛黄薄层鉴别

参照《中国药典》2020年版一部 "人工牛黄" 项下的薄层条件, 制定正文所述的鉴别方法。通过阴性对照实验观察, 方中其他药材对人工牛黄药材的检出无干扰, 证明此方法具有专属性。

【检查】

按照丸剂 (《中国药典》2020年版四部通则0108) 项下的规定, 对三批供试品及模拟样品的水分、重量差异、溶散时限、重金属、砷盐、微生物限度进行了检查。具体方法及测定数据如下:

1. 水分: 取供试品照水分测定法 (《中国药典》2020年版四部通则0832) 测定。三批供试品及模拟样品的测定结果见表1。

表1　水分测定结果

序号	批号	水分 (%)
1	1800321	6.34
2	1800322	6.06
3	1800323	6.12
4	20190903	7.00

药典规定丸剂水分含量不得大于9.0%。从表1中可见本品水分含量符合要求。

2. 重量差异: 取以上三批供试品, 每批供试品取10份, 10丸为1份, 分别称定重量, 再与每份标示重量 (2g) 相比较, 求每一份的重量差异 (%)。药典规定每份标示装量的限度为±8%, 并规定超出重量差异限度的不得多于2份, 并不得有1份超出限度1倍。本品的重量差异检查结果均符合规定。

3. 溶散时限: 取本品按照片剂项下崩解时限检查法 (《中国药典》2020年版四部通则0921) 加挡板进行测定。三批供试品测定结果见表2。

表2　溶散时限测定结果

序号	批号	溶散时间 (min)
1	1800321	30
2	1800322	35
3	1800323	31

药典规定水丸应在1小时内全部溶散。表2的结果显示, 本品的溶散时限符合规定。

4. 对三批供试品及模拟样品进行了重金属、砷盐考察, 方法与结果如下:

重金属：分别取每个批号供试品0.5g、0.67g、1.0g、2.0g，按《中国药典》2020年版四部0821第二法检查。

供试品溶液的制备：取本品0.5g、0.67g、1.0g、2.0g，分别缓缓炽灼至完全炭化，放冷，加硫酸0.5ml，使湿润，低温加热至硫酸除尽后，加硝酸0.5ml，蒸干，至氧化氮蒸气除尽后，放冷，于600℃炽灼至完全灰化，放冷。加盐酸2ml，置水浴上蒸干后加水15ml，滴加氨试液至对酚酞指示液显中性，再加醋酸盐缓冲液（pH3.5）2ml，微热溶解后，移置纳氏比色管中，加水稀释至25ml，作为供试品溶液。

标准铅对照溶液的制备：另取配制供试品溶液的试剂两份，分别置瓷皿中蒸干后，加醋酸盐缓冲液（pH3.5）2ml，加水15ml微热溶解后，移置两支纳氏比色管中，分别加标准铅溶液（10g/mlPb）2ml，再加水稀释至25ml，作为标准铅对照溶液。

检视：于上述供试品溶液和标准铅对照溶液中分别加硫代乙酰胺试液各2ml，摇匀，放置2分钟，同置白色背景上，从上向下进行观察。试验结果见表3。

表3　重金属检查结果

序号	供试品批号	重金属含量（ppm）			
1	1800321	<10	<20	<30	<40
2	1800322	<10	<20	<30	<40
3	1800323	<10	<20	<30	<40
4	20190903	<10	<20	<30	<40

结果显示，供试品溶液的颜色明显浅于2ml的标准铅对照溶液。经过三批供试品及模拟样品的检查，含重金属均未超过百万分之十，故未收入正文。

砷盐：取本品1g和标准砷溶液（1μg/mlAS）2ml，分别加无砷氢氧化钙1g，加少量水，搅匀，烘干，用小火缓缓炽灼至炭化，再在600℃炽灼至完全灰化，放冷。分别加盐酸7ml使溶解，再加水21ml，按《中国药典》2020年版四部通则0822第一法（古蔡氏法）做砷盐限量检查。

结果：供试品砷斑浅于标准砷斑的颜色，表明本品含砷量未超过百万分之二（小于2ppm），故砷盐检查项目未收入正文。

5. 微生物限度：照微生物计数法（《中国药典》2020年版四部通则1105）、控制菌检查法（《中国药典》2020年版四部通则1106）及《内蒙古蒙药制剂规范》（第三册）附录Ⅲ微生物限度标准，进行检查。结果均符合规定。

【含量测定】

本品由黑冰片、石榴、花香青兰、制木鳖、土木香、天竺黄、煅贝齿、苦地丁、黄连、西红花、金钱草、人工牛黄、木香、朱砂粉、熊胆粉十五味药组成。临床功效清希日。用于肝热，胆热，胆石症等。

木香功效行气止痛，健脾消食。木香烃内酯为木香中的主要成分，故选择木香烃内酯作为指标成分，对本制剂中的木香进行含量测定方法的研究。故参照《中国药典》2020年版一部"木香"项下的含量测定方法，选择木香烃内酯作为指标成分，对本制剂中的木香进行了HPLC含量测定方法研究。经分析方法验证，表明该方法重现性好、专属性强，方中其他组分对木香烃内酯的测定无干扰。

1　仪器与试剂试药

1.1　仪器

Waters e2695 型高效液相色谱仪，Mettler-Toledo MS105DU型百万分之一电子天平，Mettler-Toledo XPR10型万分之一电子天平，SBL-22DT型超声波清洗器（宁波新芝生物股份有限公司，40kHz），Heal Force NW15UV型超纯水系统，FW400A型多功能粉碎机（材茂科技有限公司）。

1.2　试剂与试药

供试品（批号1811321、1800322、1800323）由呼伦贝尔市蒙医医院提供，模拟样品（批号20190903）模拟；木香烃内酯对照品（批号111524-2019111），购于中国食品药品检定研究院；甲醇为色谱纯，水为超纯水，所用其他试剂均为分析纯。

2 方法学考察

2.1 色谱条件

2.1.1 色谱柱：色谱柱填充剂为十八烷基硅烷键合硅胶，本实验采用Pheomenex C$_{18}$（250mm×4.6mm，5μm）色谱柱。

2.1.2 流动相的选择：参照《中国药典》2020年版一部"木香"含量测定项下的测定方法，以甲醇–水（65∶35）为流动相，供试品中的木香烃内酯与其他成分能达到较好的分离，色谱峰具有比较好的保留时间、分离度和对称性。故选择以甲醇–水（65∶35）为流动相。

2.1.3 柱温：35℃可以保证柱压较低，分离效果稳定，保留时间变化小。

2.1.4 检测波长的选择：参照《中国药典》2020年版一部"木香"含量测定项下木香烃内酯的测定方法，选用225nm处作为检测波长。

2.1.5 理论板数的确定：从对三批供试品的测定结果可见，木香烃内酯峰理论板数在4000以上即能达到较好的分离效果，故规定理论板数按木香烃内酯峰计算应不低于4000。

2.2 提取溶剂及提取效率的考察

2.2.1 提取溶剂的选择：参照《中国药典》2020年版第一部"木香"含量测定项下方法采用甲醇作为提取溶剂。

2.2.2 提取效率的考察：以甲醇作为提取溶剂进行超声提取。为保证被测成分提取完全，在供试品的细度一致、提取溶剂为甲醇、超声功率为250W（频率40kHz）的条件下，分别考察了提取20分钟、30分钟和40分钟时的提取效率。结果见表4。

表4 木香烃内酯提取时间考察

提取时间（min）	取样量（g）	样品平均峰面积	含量（mg/g）
20	3.0013	1662990	0.53
30	3.0013	1699042	0.54
40	3.0002	1650854	0.52

从表4数据可见，超声提取20分钟、30分钟和40分钟时，供试品中木香烃内酯的含量基本一致，故将提取时间定为30分钟。这与《中国药典》2020年版一部"木香"含量测定项下的提取时间一致。

2.3 专属性考察

2.3.1 对照品溶液的制备：取木香烃内酯对照品适量，精密称定，加甲醇制成每1ml含木香烃内酯100μg的对照品溶液，作为对照品溶液。

2.3.2 供试品溶液的制备：取供试品粉末约3.0g，精密称定，置具塞锥形瓶中，精密加入甲醇25ml，密塞，称定重量，超声处理（功率250W，频率40kHz）30分钟，放冷至室温，再称定重量，用甲醇补足减失的重量，摇匀，滤过，取续滤液，作为供试品溶液。

2.3.3 阴性对照溶液的制备：按本品处方工艺制备不含木香的阴性供试品，按"供试品溶液的制备"方法制备阴性对照溶液。

2.3.4 测定：分别精密吸取以上三种溶液各10μl，分别注入液相色谱仪进行测定。记录各自的色谱图。

试验结果显示，供试品色谱中在与对照品色谱保留时间相同的位置上有色谱峰出现，而阴性对照在与对照品色谱保留时间相同的位置上无色谱峰出现,表明该含量测定方法阴性无干扰,专属性好。

2.4 线性关系考察

取木香烃内酯约2.5mg,精密称定,置25ml容量瓶中,用甲醇使溶解,并稀释至刻度,摇匀,作为对照品溶液(木香烃内酯浓度为0.1006mg/ml);精密吸取上述对照品溶液2μl、5μl、10μl、15μl、20μl和25μl注入液相色谱仪,按上述色谱条件进行测定,以峰面积对进样量进行回归分析。结果见表5。

表5 木香烃内酯标准曲线数据及回归方程结果表

序号	进样量(μg)	峰面积值	回归方程	回归系数(r)
1	0.2012	195342		
2	0.503	797776		
3	1.006	1728187	$y=1839267.6733x-146058.0418$	0.9999
4	1.509	2628803		
5	2.012	3540626		
6	2.515	4480091		

从表5数据可见,木香烃内酯在0.2012~2.515μg质量浓度范围内与峰面积呈良好的线性关系。

2.5 精密度试验

取同一份供试品(批号20190903)溶液,连续进样6针,记录色谱图。木香烃内酯峰面积的精密度计算结果见表6。

表6 供试品溶液中木香烃内酯精密度试验结果

序号	峰面积值	平均峰面积值	RSD(%)
1	1742265		
2	1770196		
3	1768516	1761754	0.80
4	1745308		
5	1771826		
6	1772410		

从表6数据可见,符合《中国药典》2020年版四部通则0512中规定的RSD值小于2.0%的要求。

2.6 稳定性试验

取同一份供试品(批号20190903)溶液,分别于制备溶液后的0小时、2小时、4小时、6小时、8小时、12小时进行测定。结果见表7。

表7 供试品溶液中木香烃内酯稳定性试验结果

序号	取样量(g)	峰面积值	RSD(%)
1	0	1773867	
2	2	1792154	
3	4	1803112	1.69
4	6	1826606	
5	8	1819428	
6	12	1862060	

从表7数据可见,供试品溶液木香烃内酯在12小时内的峰面积值基本稳定不变。

2.7　重复性试验

取同一批号供试品(批号20190903)6份,各约3.0g,精密称定,置具塞锥形瓶中,精密加入甲醇25ml,密塞,称定重量,超声处理(功率250W,频率40kHz)30分钟,放冷至室温,再称定重量,用甲醇补足减失的重量,摇匀,滤过,取续滤液,作为供试品溶液。精密吸取10μl注入液相色谱仪进行测定。记录色谱图及峰面积,按外标法计算含量。结果见表8。

表8　供试品溶液中木香烃内酯重复性试验结果

样品号	称样量(g)	平均峰面积值	含量(mg/g)	平均含量(mg/g)	RSD(%)
1	3.0003	1684589	0.53		
2	3.0035	1753222	0.56		
3	3.0009	1740959	0.55	0.54	1.90
4	3.0013	1687920	0.54		
5	3.002	1700010	0.54		
6	3.0023	1699043	0.54		

从表8数据可见,6份供试品含量测定结果的均值为0.54mg/g(RSD为1.90%),表明该方法的重复性好。

2.8　加样回收试验

取已知含量的(木香烃内酯含量为0.54mg/g)供试品9份,各约1.1g,精密称定,分别置9个具塞锥形瓶中,分别在其中3个具塞锥形瓶中精密加入木香烃内酯对照品溶液1ml(浓度为0.2532mg/ml)(约相当于供试品含有量的50%)及甲醇24ml,另3个具塞锥形瓶中各精密加入上述对照品溶液2ml(约相当于供试品含有量的100%)及甲醇23ml,其余3个具塞锥形瓶中各精密加入上述对照品溶液3ml(约相当于供试品含有量的150%)及甲醇22ml,分别称定重量,超声处理30分钟,取出,再称重,用甲醇补足减失重量,摇匀,滤过。精密吸取10μl注入液相色谱仪进行测定,记录色谱图及峰面积,按外标法计算含量。结果见表9。

表9　供试品溶液中木香烃内酯重复性试验结果

序号	称样量(g)	供试品含量(mg)	对照品加入量(mg)	测得总量(mg)	回收率(%)	平均回收率(%)	RSD(%)
1	1.1026	0.5954	0.2532	0.25	99.53		
2	1.1009	0.5945	0.2532	0.25	98.94		
3	1.1001	0.5941	0.2532	0.25	98.02		
4	1.1014	0.5948	0.5063	0.52	102.00		
5	1.1078	0.5982	0.5063	0.52	103.30	101.0	2.06
6	1.1031	0.5957	0.5063	0.50	99.14		
7	1.1021	0.5951	0.7595	0.77	101.90		
8	1.1026	0.5954	0.7595	0.78	102.92		
9	1.1087	0.5987	0.7595	0.78	103.29		

从表9数据可见,木香烃内酯的平均回收率为101.0%,RSD为2.06%。该方法准确度好。

2.9　耐用性试验

取供试品(批号20190903)2份,各约3.0g,精密称定,按重复性试验项下方法处理,换不同厂家、不同型号的色谱柱,分别测定供试品的含量。结果见表10。

表10　样品中木香烃内酯色谱柱耐用性试验

样品号	取样量（g）	柱型号	平均峰面积值	含量（mg/g）
1	3.0020	Pheomenex C$_{18}$	1700010	0.5518
	3.0020	Venusil XBP C$_{18}$	1792397	0.5500
2	3.0023	Pheomenex C$_{18}$	1699043	0.5515
	3.0023	Venusil XBP C$_{18}$	1791290	0.5496

从表10数据可见，不同型号或厂家的色谱柱对木香烃内酯的测定结果影响较小。

3　样品含量测定

取三批样品（批号1811321、1800322、1800323）及模拟样品（批号20190903）各2份，各约3.0g，精密称定，按重复性试验项下方法处理，分别测定并按外标法计算三批样品含量。含量测定结果见表11。

表11　样品中木香烃内酯的含量测定结果

批号	取样量（g）	样品峰面积 A	样品峰面积 B	样品峰面积 平均	含量（mg/g）	平均含量（mg/g）
1811321	3.0025	221864	225526	223695	0.09	
1800322	3.0022	228948	217891	223420	0.09	0.09
1800323	3.0018	220073	218962	219518	0.09	
20190903	3.0003	1720530	1648648	1684589	0.53	0.54
	3.0035	1776389	1730054	1753222	0.56	

从表11数据可见，三批样品和模拟样品中木香烃内酯含量最低为0.09mg/g，最高为0.56mg/g。模拟样品含量比较高。

4　木香药材含量测定

试验中采用同法对上述三批样品生产用木香药材进行了含量测定。测定结果见表12。

表12　木香药材中木香烃内酯的含量测定结果

序号	取样量（g）	平均峰面积值（n=2）	含量（mg/g）	平均含量（mg/g）
1	0.1013	1601383 1592769 1597090	14.90	
2	0.1017	1595853 1581181 1588517	14.76	14.97
3	0.1020	1641664 1646279 1643912	15.23	

从表12数据可见，木香药材中木香烃内酯的含量为14.97mg/g（1.50%）。

5　本制剂含量限度的确定

从表中数据可见，三批样品中木香烃内酯的含量最低为0.09mg/g，木香药材中木香烃内酯含量为14.97mg/g（1.50%），模拟样品中木香烃内酯的含量为0.54mg/g。

按理论值折算，样品应含木香烃内酯为0.0357g×1.50%×1000=0.534mg，即0.534mg/g。因此，转移率为0.54（mg/g）÷0.534（mg/g）×100%=101.12%。

参照《中国药典》2020年版一部"木香"药材的木香烃内酯和去氢木香内酯的总含量限度不得少于1.8%，转移率过高，故不计入含量限度计算里。考虑不同产地药材的质量差异，并结合其他影响因素及三批样品的测定结果，下浮50%，按此限度折算本品含木香烃内酯的理论量应不低于20÷560×1000×1.8%÷2×50%×100%=0.160mg/g。

标准正文暂定为：本品每1g含木香以木香烃内酯（$C_{15}H_{20}O_2$）计，不得少于0.15mg。

【功能与主治】

清希日。用于肝热，胆热，胆石症等。

【用法与用量】

口服。一次11~15丸，一日1~2次，温开水送服。

【规格】

每10丸重2g。

【贮藏】

密封，防潮。

起草单位：内蒙古医科大学药学院　　　　崔圆圆　张跃祥　王玉华

　　　　　赤峰市药品检验所　　　　　　张德瑞　赵虎义　吕　颖

　　　　　内蒙古食品药品审评查验中心　张　涛　孙培东

伊和·古日古木-13丸质量标准起草说明

【历史沿革】

本方来源于《蒙医验方》(内蒙古自治区人民医院编,1951年版,蒙古文,第117页)。

【处方来源】

本制剂由内蒙古自治区国际蒙医医院提供。

【名称】

伊和·古日古木-13丸

【蒙药材和饮片的来源和执行标准】

1. 处方组成及药味排列顺序:西红花120g、紫檀180g、麦冬180g、大托叶云实90g、木香90g、诃子90g、川楝子90g、栀子90g、丁香90g、熊胆粉60g、羚羊角60g、牛黄15g、麝香10g。

2. 处方中除了熊胆粉、大托叶云实、紫檀药材外,其余红花等药味均收载于《中国药典》2020年版一部,其质量应符合该品种项下的有关规定。

熊胆粉:为熊科动物黑熊*Selenarctos thibetanus* Cuvier经胆囊手术引流胆汁而得的干燥品。其标准应符合《中华人民共和国卫生部药品标准》新药转正标准第十一册第44页该品种项下的有关规定。

大托叶云实:为豆科植物大托叶云实*Caesalpinia crista* L.的干燥成熟种子。其标准应符合《内蒙古蒙药饮片炮制规范》2020年版第15页该品种项下的有关规定。

紫檀:为豆科植物紫檀*Pterocarpus sindicus* Willd的心材。其标准应符合《内蒙古蒙药饮片炮制规范》2020年版第440页该品种项下的有关规定。

【制法】

以上十三味,除西红花、牛黄、羚羊角、熊胆粉、麝香,其余丁香等八味粉碎成细粉,将西红花、羚羊角分别研细,与牛黄、熊胆粉、麝香细粉和上述细粉配研,过筛,混匀,用水泛丸,打光,干燥,分装,即得。

【性状】

本品为橙黄色至红棕色的水丸;气香,味苦。

【鉴别】

本品为原药材细粉制成的水丸,方中西红花、麦冬的显微特征较明显,故建立显微鉴别,并对处方中麦冬、木香建立了薄层鉴别。

1. 试剂与试药

供试品:供试品(批号20200226、20200305、20200308)由内蒙古自治区国际蒙医医院提供,模拟样品(批号20200079)模拟。

对照品:去氢木香内酯对照品(批号111525-201912)、木香烃内酯对照品(批号111524-201911)、木香对照药材(批号120921-201907)、麦冬对照药材(批号121013-201711),均购于中国食品药品检定研究院。

薄层板:硅胶G板,购于青岛海洋化工有限公司。

所用其他试剂均为分析纯,水为离子交换高纯水。

2. 试验方法与结果

(1)显微鉴别

西红花:表皮细胞表面观长条形,壁薄,微弯曲,有的外壁凸出呈乳头状或绒毛状,表面隐约可见纤细纹理。麦冬:草酸钙针晶成束或散在,长24~50μm,直径约3μm。

(2)麦冬薄层鉴别

参照《中国药典》2020年版一部"麦冬"项下的薄层条件,制定正文所述的鉴别方法。通过阴性对照试验观察,方中其他药材对麦冬药材的检出无干扰,证明此方法具有专属性。

(3)木香薄层鉴别

参照《中国药典》2020年版一部"木香"项下的薄层条件,制定正文所述的鉴别方法。通过阴性对照试验观察,方中其他药材对木香药材及主要成分去氢木香内酯、木香烃内酯薄层检验无干扰,证明此方法具专属性。

【检查】

按照丸剂(《中国药典》2020年版四部通则0108)项下规定,对三批供试品及模拟样品的水分、重量差异、溶散时限、重金属、砷盐和微生物限度进行了检查。具体方法及测定数据如下:

1. 水分:取供试品照水分测定法(《中国药典》2020年版四部通则0832)测定。三批供试品及模拟样品测定结果见表1。

表1　水分测定结果

序号	批号	水分(%)
1	20200226	2.5
2	20200305	2.8
3	20200308	2.6
4	20190001	2.7

药典规定丸剂水分含量不得大于9.0%。从表1数据可见,三批供试品和模拟样品的水分含量均符合要求。

2. 重量差异:取以上三批供试品,每批供试品取10份,10丸为1份,分别称定重量,再与每份标示重量(2g)相比较,求每一份的重量差异(%)。药典规定每份标示装量的限度为±8%,并规定超出重量差异限度的不得多于2份,并不得有1份超出限度1倍。本品的重量差异检查结果均符合规定。

3. 溶散时限:取本品照片剂项下崩解时限检查法(《中国药典》2020年版四部通则0921)加挡板进行测定。三批供试品测定结果见表2。

表2　溶散时限测定结果

序号	批号	溶散时间(min)
1	20200226	58
2	20200305	55
3	20200308	58

药典规定水丸应在1小时内全部溶散。从表2数据可见,本品的溶散时限符合规定。

4. 对三批供试品及模拟样品进行了重金属、砷盐考察,方法与结果如下:

重金属:分别取每个批号供试品0.5g、0.67g、1.0g、2.0g,按《中国药典》2020年版四部0821第二法检查。

供试品溶液的制备:取本品0.5g、0.67g、1.0g、2.0g,分别缓缓炽灼至完全炭化,放冷,加硫酸0.5ml,使湿润,低温加热至硫酸除尽后,加硝酸0.5ml,蒸干,至氧化氮蒸气除尽后,放冷,于600℃炽灼至完全灰化,放冷。加盐酸

2ml，置水浴上蒸干后加水15ml，滴加氨试液至对酚酞指示液显中性，再加醋酸盐缓冲液（pH3.5）2ml，微热溶解后，移置纳氏比色管中，加水稀释至25ml，作为供试品溶液。

标准铅对照溶液的制备：另取配制供试品溶液的试剂两份，分别置瓷皿中蒸干后，加醋酸盐缓冲液（pH3.5）2ml，加水15ml微热溶解后，移置两支纳氏比色管中，分别加标准铅溶液（10μg/mlPb）2ml，再加水稀释至25ml，作为标准铅对照溶液。

检视：于上述供试品溶液和标准铅对照溶液中分别加硫代乙酰胺试液各2ml，摇匀，放置2分钟，同置白色背景上，从上向下进行观察。试验结果见表3。

表3　重金属检查结果

序号	批号	重金属含量（ppm）			
1	20200226	<10	<20	<30	<40
2	20200305	<10	<20	<30	<40
3	20200308	<10	<20	<30	<40
4	20200079	<10	<20	<30	<40

结果显示，供试品溶液的颜色明显浅于2ml的标准铅对照溶液。经过三批供试品及模拟样品的检查，含重金属均未超过百万分之十，故未收入正文。

砷盐：取本品1g和标准砷溶液（1μg/mlAS）2ml，分别加无砷氢氧化钙1g，加少量水，搅匀，烘干，用小火缓缓炽灼至炭化，再在600℃炽灼至完全灰化，放冷。分别加盐酸7ml使溶解，再加水21ml，按《中国药典》2020年版四部通则0822第一法（古蔡氏法）做砷盐限量检查。

结果：供试品砷斑浅于标准砷斑的颜色，表明本品含砷量未超过百万分之二（小于2ppm），故砷盐检查项目未列入正文。

5. 微生物限度：照微生物计数法（《中国药典》2020年版四部通则1105）、控制菌检查法（《中国药典》2020年版四部通则1106）及《内蒙古蒙药制剂规范》（第三册）附录Ⅲ微生物限度标准，进行检查。结果均符合规定。

【含量测定】

伊和·古日古木-13丸是由西红花、丁香、大托叶云实、麦冬、木香、诃子、川楝子、栀子、紫檀、麝香、羚羊角、牛黄、熊胆粉等十三味药组成的复方制剂。参照《中国药典》2020年版一部"栀子"项下的含量测定方法，选择栀子苷作为指标成分，对本制剂中的栀子进行了HPLC含量测定方法研究。经分析方法验证，表明该方法重复性好，专属性强，方中其他组分对栀子苷的测定无干扰。

1　仪器与试剂试药

1.1　仪器

日本岛津LC-2010AHT高效液相色谱仪，LC-10ADVP输液泵，SPD-10AVP型检测器，美国Alltech高效液相色谱仪，M626输液泵，VIS-200型检测器，Precisa 92SM-202A天平。

1.2　试剂与试药

供试品（批号20200226、20200305、20200308）由内蒙古自治区国际蒙医医院提供，模拟样品（批号20200079）模拟；栀子苷对照品（批号110749-201919），购于中国药品生物制品检定所；甲醇为色谱纯，水为超纯水，所用其他试剂均为分析纯。

2　方法学考察

2.1　色谱条件

2.1.1　色谱柱：色谱柱填充剂为十八烷基硅烷键合硅胶，本试验采用Alltima C₁₈柱（250mm×4.6mm，5μm）色谱柱。

2.1.2 流动相的选择: 参照《中国药典》2020年版一部 "栀子" 含量测定项下的测定方法, 以乙腈–水 (15 : 85) 为流动相。

2.1.3 柱温: 30℃可以保证柱压较低, 分离效果稳定, 保留时间变化小。

2.1.4 检测波长的选择: 参照《中国药典》2020年版一部 "栀子" 含量测定项下栀子苷的测定方法, 选用 238nm处作为检测波长。

2.1.5 理论板数的确定: 从对三批数据的测定结果可见, 栀子苷峰的理论板数在5000以上即能达到较好的分离效果, 故规定理论板数按栀子苷峰计算应不低于5000。

2.2 提取方法的选择及提取时间的考察

参考《中国药典》2020年版一部 "栀子" 项下, 以甲醇作为提取溶剂进行超声处理 (功率90kHz), 试验中考察了超声10分钟、20分钟、30分钟、40分钟等不同提取时间对提取效率的影响, 结果见表4。

表4 栀子苷提取时间考察

提取时间 (min)	取样量 (g)	平均峰面积值	含量 (mg/g)
20	1.0017	406846	3.14
30	1.0020	423116	3.26
40	1.0046	447944	3.45

从表4数据可见, 超声处理40分钟时, 供试品中栀子苷的含量最高, 故将提取时间定为超声处理40分钟。

2.3 专属性考察

2.3.1 对照品溶液的制备: 取栀子苷对照品适量, 精密称定, 加甲醇制成每1ml含30μg的溶液, 作为对照品溶液。

2.3.2 供试品溶液的制备: 取本品适量, 研细, 取约1g, 精密称定, 置具塞锥形瓶中, 精密加入甲醇50ml, 称定重量, 超声处理40分钟, 放冷, 再称定重量, 用甲醇补足减失的重量, 摇匀, 滤过, 精密量取续滤液10ml, 置25ml量瓶中, 加甲醇至刻度, 摇匀, 作为供试品溶液。

2.3.3 阴性对照溶液的制备: 按处方配比制备缺栀子的阴性供试品, 按 "供试品溶液的制备" 方法制备阴性对照溶液。

2.3.4 测定: 分别精密吸取以上三种溶液各10μl, 注入色谱仪, 记录各自的色谱图。

试验结果显示: 供试品色谱中在与对照品色谱保留时间相同的位置上有色谱峰出现, 而阴性对照在与对照品色谱保留时间相同的位置上无色谱峰出现, 表明该含量测定方法阴性无干扰, 专属性好。

2.4 线性关系考察

取栀子苷对照品约3mg, 精密称定, 置25ml量瓶中, 加纯甲醇使溶解并稀释至刻度, 摇匀 (栀子苷实际浓度为 29.92μg/ml), 然后吸取上述溶液1μl、3μl、5μl、7μl、10μl、12μl、15μl、20μl分别进样, 按上述色谱条件测定, 以峰面积对注入量进行回归分析, 结果见表5。

表5 标准曲线数据及回归分析结果

进样量 (μg)	峰面积值	回归方程	r
0.0299	0.5285		
0.0898	1.5823		
0.1496	2.6150		
0.2094	3.6193	$y=0.5045x+0.0699$	0.9996
0.2992	5.0432		
0.3590	6.1897		

续表

进样量（μg）	峰面积值	回归方程	r
0.4488	7.7368	$y=0.5045x+0.0699$	0.9996
0.5984	10.0712		

从表5数据可见，栀子苷在0.0299~0.5984μg范围内与峰面积值呈良好的线性关系。

2.5 稳定性试验

取同一供试品（批号20200226）溶液，分别在溶液制备后的0小时、3小时、6小时、9小时、12小时、24小时进样测定。结果见表6。

表6 不同时间测得溶液中栀子苷峰面积值

序号	时间（h）	峰面积值
1	0	459641
2	3	459957
3	6	447551
4	9	447218
5	12	446886
6	24	445745

从表6数据可见，栀子苷在24小时内的峰面积值基本稳定。

2.6 重复性试验

取同一供试品（批号20200226）6份，取约1g，精密称定，置具塞锥形瓶中，精密加入甲醇50ml，称定重量，超声处理40分钟，放冷，再称定重量，用甲醇补足减失的重量，摇匀，滤过，精密量取续滤液10ml，置25ml量瓶中，加甲醇至刻度，摇匀，作为供试品溶液。另取栀子苷对照品适量，精密称定，加甲醇制成每1ml含30μg的溶液，作为对照品溶液。分别精密吸取以上两种溶液各10μl，注入液相色谱仪，记录各自的色谱图，用外标法以峰面积计算含量。结果见表7。

表7 栀子苷重复性试验结果

称样量（g）	峰面积值	含量（mg/g）	平均含量（mg/g）	RSD（%）
1.0084	461786	3.54		
1.0093	464828	3.56		
1.0047	462024.5	3.56		
10089	465281	3.57	3.56	0.34
1.0095	465233	3.56		
1.0031	458881.5	3.54		

从表7数据可见，在相同的提取溶剂和色谱条件下，6份供试品含量测定结果的均值为3.56mg/g，RSD为0.34%，表明该方法的重复性良好。

2.7 加样回收率试验

取已知栀子苷含量的供试品（批号20200226，含量3.56mg/g）9份，精密称定，置具塞锥形瓶中，分别在其中3份各精密加入浓度为1.0052mg/ml的栀子苷对照品溶液1ml（约相当于供试品含有量的50%），另3份各精密加入上述对照品溶液2ml（约相当于供试品含有量的100%），再3份各精密加入上述对照品溶液3ml（约相当于供试品含有量的150%），分别按重复性试验项下方法进行测定，计算回收率。结果见表8。

表8　栀子苷加样回收试验结果

称样量（g）	供试品含量（mg）	对照品加入量（mg）	测得总量（mg）	回收率（%）	平均回收率（%）	RSD（%）
0.6034	2.0697	1.0052	3.0548	98.00		
0.6040	2.0717	1.0052	3.0622	98.54		
0.6030	2.0683	1.0052	3.0577	98.43		
0.6020	2.0649	2.0104	4.0411	98.30		
0.6030	2.0683	2.0104	4.0379	97.97	98.81	0.81
0.6048	2.0744	2.0104	4.0861	100.06		
0.6026	2.0669	3.0156	5.0443	98.73		
0.6029	2.0679	3.0156	5.0848	100.04		
0.6021	2.0652	3.0156	5.0577	99.23		

从表8数据可见，本方法的平均回收率为98.81%，RSD为0.81%。该方法准确度好。

2.8　耐用性试验

换不同厂家、不同型号的色谱柱，取重复性试验中的1、2两份供试品及对照品溶液，按重复性试验项下方法操作并测定含量，结果见表9。

表9　不同色谱柱的耐用性试验

柱型号	分离度	平均含量（mg/g）	相对偏差（%）
Apollo C$_{18}$	4.02	3.54	
Alltima C$_{18}$	3.89	3.56	0.28

从表9数据可见，不同型号或厂家的色谱柱对测定结果影响较小。

3　样品含量测定

取本品按重复性试验项下的方法处理并测定，三批样品及模拟样品的测定结果见表10。

表10　样品中栀子苷的含量测定结果

批号	取样量（g）	平均峰面积值	含量（mg/g）	平均含量（mg/g）
20200226	1.0060	447777	3.44	3.43
	1.0059	446256	3.43	
20200305	1.0016	434141	3.35	3.39
	1.0060	445723	3.43	
20200308	1.0093	464828	3.56	3.56
	1.0095	465233	3.56	
20200079	1.0017	406846	3.14	/

从表10数据可见，模拟样含量为3.14mg/g。

4　栀子药材的含量考察

取栀子药材粉末约0.1g，精密称定，按《中国药典》2020年一部"栀子"项下的方法处理并测定，栀子药材中栀子苷的含量测定结果见表11。

表11　样品中栀子苷的含量限度的确定

取样量（g）	峰面积值	含量（mg/g）	平均含量（mg/g）
0.1031	559458	41.96	
0.1026	548300	41.32	41.60
0.1056	566816	41.51	0.79

从表11数据可见,栀子药材的栀子苷含量为41.60mg/g。

5 样品含量限度的确定

从表中数据可见,栀子药材的栀子苷含量为41.60mg/g,模拟样含量为3.14mg/g。

按理论值折算,样品应含栀子苷为 $41.60 \times 90 \div 1160 = 3.227mg/g$,可见,栀子苷的转移率为 $3.14 \div 3.227 \times 100\% = 97.3\%$。

参照《中国药典》2020年版一部"栀子"药材的栀子苷含量限度不得少于1.8%,转移率为97.3%,考虑不同产地药材的质量差异,并结合其他影响因素及三批样品的测定结果,下浮5%,按此限度折算本品含栀子苷的理论量应不低于 $1.8\% \times 1000 \times 90 \div 1160 \times 97.3\% \times 95\% = 1.29mg/g$。

标准正文暂定为:本品每1g含栀子以栀子苷($C_{17}H_{24}O_{10}$)计,不得少于1.3mg。

【功能与主治】

清肝热,解毒,杀黏。主治肝肿大,肝衰,配制毒,肝硬化,肝中毒,肾损伤,尿闭,热性亚玛症。

【用法与用量】

口服。一次11~15丸,每日1~2次,温开水送服。

【注意事项】

孕妇忌服,禁食辛辣、油腻。

【规格】

每10丸重2g。

【贮藏】

密闭,防潮。

起草单位: 内蒙古自治区国际蒙医医院 　　吴红升　苏日娜　那松巴乙拉

　　　　　　包头市检验检测中心 　　　　　段　羚　宋　超　赵艳霞

　　　　　　内蒙古自治区药品检验研究院 　　娜仁图雅　包顺茹　乌云索德

伊和·给旺-13丸质量标准起草说明

【历史沿革】

本处方来源于《蒙医金匮》（内蒙古人民出版社1978年版，蒙古文，第60页）。

【处方来源】

本制剂由内蒙古自治区国际蒙医医院提供。

【名称】

伊和·给旺-13丸

【蒙药材和饮片的来源和执行标准】

1. 处方组成及药味排列顺序：酸梨干35g、制木鳖25g、红花25g、人工牛黄20g、瞿麦20g、川木通10g、扁蕾10g、沙棘5g、花香青兰5g、芫荽子5g、五灵脂5g、蓝盆花5g、土木香5g。

2. 处方中除了酸梨干、制木鳖、扁蕾、花香青兰、五灵脂、蓝盆花药材外，其余红花等药味均收载于《中国药典》2020年版一部，其质量应符合该品种项下的有关规定。

酸梨干：为蔷薇科植物花盖梨 *Pyrus ussuriensis* Maxim的干燥成熟果实。其标准应符合《内蒙古蒙药饮片炮制规范》2020年版第498页该品种项下的有关规定。

制木鳖：为葫芦科植物木鳖 *Momordica cochinchinensis*（Lour.）Spreng. 的干燥成熟种子。其标准应符合《内蒙古蒙药饮片炮制规范》2020年版第241页该品种项下的有关规定。

扁蕾：为龙胆科植物扁蕾 *Gentianopsis barbata*（Froel.）Ma的干燥全草。其标准标准应符合《中华人民共和国卫生部药品标准》（蒙药分册）1998年版第36页该品种项下的有关规定。

花香青兰：为唇形科植物香青兰 *Dracocephalum moldavica* L.的干燥带花地上部分。其标准应符合《内蒙古蒙药饮片炮制规范》2020年版第201页该品种项下的有关规定。

五灵脂：为松鼠科动物灰鼯鼠 *Petaurista xanthotis*（Milne-Edwards）的干燥粪便。其质量应符合《内蒙古蒙药饮片炮制规范》2020年版第364页该品种项下的有关规定。

蓝盆花：为川续断科植物窄叶蓝盆花 *Scabiosa comosa* Fisch.ex Roem.et Schult和华北蓝盆花 *Scabiosa tschilliensis* Grunning的干燥花序。其标准应符合《中华人民共和国卫生部药品标准》（蒙药分册）1998年版第52页该品种项下的有关规定。

【制法】

以上十三味，除人工牛黄外，其余瞿麦等十二味，粉碎成细粉，将人工牛黄与上述细粉配研，过筛，混匀，用水泛丸，打光，干燥，分装，即得。

【性状】

本品为棕黄色至棕褐色的水丸；气微香，味甘、微涩。

【鉴别】

本品为药材细粉以水为黏合剂泛制成的丸剂，方中红花的显微特征比较明显，故对处方中的红花建立显微鉴别。并对处方中的人工牛黄建立了薄层鉴别。

1. 试剂与试药

供试品: 供试品(批号20190801、20190802、20190803)由内蒙古自治区国际蒙医医院提供, 模拟样品(批号20191217)模拟。

对照品: 胆酸对照品(批号100078-201415)、猪去氧胆酸对照品(批号100087-201411), 均购于中国食品药品检定研究院。

薄层板: 硅胶G板, 购于青岛海洋化工有限公司。

所用其他试剂均为分析纯, 水为离子交换高纯水。

2. 试验方法与结果

(1) 显微鉴别

红花: 花粉粒圆球形或椭圆形, 直径约至60μm, 外壁有刺, 具3个萌发孔。

(2) 人工牛黄薄层鉴别

参照《中国药典》2020年版一部"人工牛黄"项下的薄层条件, 制定正文所述的鉴别方法。通过阴性对照实验观察, 方中其他药材对人工牛黄药材的检出无干扰, 证明此方法具有专属性。

【检查】

按照丸剂(《中国药典》2020年版四部通则0108)项下的规定, 对三批供试品及模拟样品的水分、重量差异、溶散时限、重金属、砷盐、微生物限度进行了检查。具体方法及测定数据如下:

1. 水分: 取供试品照水分测定法(《中国药典》2020年版四部通则0832)测定。三批供试品及模拟样品的测定结果见表1。

表1 水分测定结果

序号	供试品批号	水分(%)
1	20190801	6.28
2	20190802	6.32
3	20190803	6.36
4	20191217	6.25

药典规定散剂水分含量不得大于9.0%。从表1中可见本品水分含量符合要求。

2. 重量差异: 取以上三批供试品, 每批供试品取10份, 10丸为1份, 分别称定重量, 再与每份标示重量(2g)相比较, 求每一份的重量差异(%)。药典规定每份标示装量的限度为±8%, 并规定超出重量差异限度的不得多于2份, 并不得有1份超出限度1倍。本品的重量差异检查结果均符合规定。

3. 溶散时限: 取本品按照片剂项下崩解时限检查法(《中国药典》2020年版四部通则0921)加挡板进行测定。三批供试品测定结果见表2。

表2 溶散时限测定结果

序号	批号	溶散时间(min)
1	20190801	40
2	20190802	42
3	20190803	36

药典规定水丸应在1小时内全部溶散。表2的结果显示, 本品的溶散时限符合规定。

4. 对三批供试品及模拟样品进行了重金属、砷盐考察,方法与结果如下:

重金属:分别取每个批号供试品0.5g、0.67g、1.0g、2.0g,按《中国药典》2020年版四部0821第二法检查。

供试品溶液的制备:取本品0.5g、0.67g、1.0g、2.0g,分别缓缓炽灼至完全炭化,放冷,加硫酸0.5ml,使湿润,低温加热至硫酸除尽后,加硝酸0.5ml,蒸干,至氧化氮蒸气除尽后,放冷,于600℃炽灼至完全灰化,放冷。加盐酸2ml,置水浴上蒸干后加水15ml,滴加氨试液至对酚酞指示液显中性,再加醋酸盐缓冲液(pH3.5)2ml,微热溶解后,移置纳氏比色管中,加水稀释至25ml,作为供试品溶液。

标准铅对照溶液的制备:另取配制供试品溶液的试剂两份,分别置瓷皿中蒸干后,加醋酸盐缓冲液(pH3.5)2ml,加水15ml微热溶解后,移置两支纳氏比色管中,分别加标准铅溶液(10g/mlPb)2ml,再加水稀释至25ml,作为标准铅对照溶液。

检视:于上述供试品溶液和标准铅对照溶液中分别加硫代乙酰胺试液各2ml,摇匀,放置2分钟,同置白色背景上,从上向下进行观察。试验结果见表3。

表3 重金属检查结果

序号	供试品批号	重金属含量(ppm)			
1	20190801	<10	<20	<30	<40
2	20190802	<10	<20	<30	<40
3	20190803	<10	<20	<30	<40
4	20191217	<10	<20	<30	<40

结果显示,供试品溶液的颜色明显浅于1ml的标准铅对照溶液。经过三批供试品及模拟样品的检查,含重金属均未超过百万分之十,故未收入正文。

砷盐:取本品1g和标准砷溶液(1μg/mlAS)2ml,分别加无砷氢氧化钙1g,加少量水,搅匀,烘干,用小火缓缓炽灼至炭化,再在600℃炽灼至完全灰化,放冷。分别加盐酸7ml使溶解,再加水21ml,按《中国药典》2020年版四部通则0822第一法(古蔡氏法)做砷盐限量检查。

结果:供试品砷斑浅于标准砷斑的颜色,表明本品含砷量未超过百万分之二(小于2ppm),故砷盐检查项目未收入正文。

5. 微生物限度:照微生物计数法(《中国药典》2020年版四部通则1105)、控制菌检查法(《中国药典》2020年版四部通则1106)及《内蒙古蒙药制剂规范》(第三册)附录Ⅲ微生物限度标准,进行检查。结果均符合规定。

【含量测定】

本品由酸梨干、制木鳖、红花、人工牛黄、瞿麦、川木通、扁蕾、沙棘、花香青兰、芫荽子、五灵脂、蓝盆花、土木香十三味药组成。临床功效清肝热,清希日热,解毒。用于肝宝日盛血热,肝损伤,肝盛血,肝热。

红花具有活血通经,散瘀止痛的功效。用于经闭,痛经,恶露不行,癥瘕痞块,胸痹心痛,瘀滞腹痛,胸胁刺痛,跌扑损伤,疮疡肿痛。红花主含红花苷类、红花多糖和有机酸。其中查尔酮类成分羟基红花黄色素A是红花的主要活性成分,故选择羟基红花黄色素A作为指标成分,对本制剂中的红花进行含量测定方法的研究。参照《中国药典》2020年版一部"红花"项下的含量测定方法,选择羟基红花黄色素A作为指标成分,对本制剂中的红花进行了HPLC含量测定方法研究。经分析方法验证,表明该方法重现性好、专属性强,方中其他组分对羟基红花黄色素A的测定无干扰。

1 仪器与试剂试药

1.1 仪器

Waters e2695型高效液相色谱仪,Mettler-Toledo MS105DU型百万分之一电子天平,Mettler-Toledo XPR10型万分

之一电子天平，SBL-22DT型超声波清洗器（宁波新芝生物科技股份有限公司，40kHz），Heal Force NW15UV型超纯水系统，FW400A型多功能粉碎机（材茂科技有限公司）。

1.2 试剂与试药

供试品（批号20190801、20190802、201908032）由内蒙古自治区国际蒙医医院提供，模拟样品（批号20191217）模拟；羟基红花黄色素A对照品（批号111637-201810），购于中国食品药品检定研究院；甲醇为色谱纯，水为超纯水，所用其他试剂均为分析纯。

2 方法学考察

2.1 色谱条件

2.1.1 色谱柱：色谱柱填充剂为十八烷基硅烷键合硅胶，本实验采用Tnature C$_{18}$（250mm×4.6mm，5μm）色谱柱。

2.1.2 流动相的选择：参照《中国药典》2020年版一部"红花"含量测定项下的测定方法，以甲醇-乙腈-0.7%磷酸溶液（26∶2∶72）为流动相，供试品中的羟基红花黄色素A与其他成分能达到较好的分离，色谱峰具有比较好的保留时间、分离度和对称性。故选择以甲醇-乙腈-0.7%磷酸溶液（26∶2∶72）为流动相。

2.1.3 柱温：35℃可以保证柱压较低，分离效果稳定，保留时间变化小。

2.1.4 检测波长的选择：参照《中国药典》2020年版一部"红花"含量测定项下羟基红花黄色素A的测定方法，选用403nm处作为检测波长。

2.1.5 理论板数的确定：从对三批样品的测定结果可见，羟基红花黄色素A峰理论板数在3000以上即能达到较好的分离效果，故规定理论板数按羟基红花黄色素A峰计算应不低于3000。

2.2 提取溶剂及提取效率的考察

2.2.1 提取溶剂的选择：参照《中国药典》2020年版第一部"红花"含量测定项下方法采用25%甲醇作为提取溶剂。

2.2.2 提取效率的考察：以25%甲醇作为提取溶剂进行超声提取。为保证被测成分提取完全，在供试品的细度一致、提取溶剂为甲醇、超声功率为250W（频率40kHz）的条件下，分别考察了提取30分钟、40分钟和50分钟时的提取效率。结果见表4。

表4 羟基红花黄色素A提取时间考察

提取时间（min）	取样量（g）	样品平均峰面积值	含量（mg/g）
30	0.8019	1635738	1.90
40	0.8014	1652175	1.92
50	0.8016	1629437	1.90

从表4数据可见，超声提取30分钟、40分钟和50分钟时，供试品中羟基红花黄色素A的含量基本一致，故将提取时间定为40分钟。这与《中国药典》2020年版一部"红花"含量测定项下的提取时间一致。

2.3 专属性考察

2.3.1 对照品溶液的制备：取羟基红花黄色素A对照品适量，精密称定，加25%甲醇制成每1ml含60μg的溶液，作为对照品溶液。

2.3.2 供试品溶液的制备：取本品适量，研细，取约0.8g，置具塞锥形瓶中，精密加入25%甲醇25ml，称定重量，超声处理（功率250W，频率40kHz）40分钟，放冷，再称定重量，用25%甲醇补足减失的重量，摇匀，离心（转速为每分钟5000转）5分钟，取上清液，作为供试品溶液。

2.3.3 阴性对照溶液的制备：按本品处方工艺制备不含红花的阴性供试品，按"供试品溶液的制备"方法制备阴性对照溶液。

2.3.4　测定：在上述色谱条件下，分别精密吸取以上三种溶液各10μl，分别注入液相色谱仪进行测定。记录各自的色谱图。

试验结果显示，供试品色谱中在与对照品色谱保留时间相同的位置上有色谱峰出现，而阴性对照在与对照品色谱保留时间相同的位置上无色谱峰出现，表明该含量测定方法阴性无干扰，专属性好。

2.4　线性关系考察

取羟基红花黄色素A对照品约3.4mg，精密称定，置50ml量瓶中，加25%甲醇使溶解，并稀释至刻度，摇匀，作为对照品溶液（对照品溶液实际浓度为0.1261mg/ml）；分别精密吸取上述对照品溶液2μl、5μl、10μl、15μl、20μl和25μl注入液相色谱仪，按上述色谱条件进行测定，以峰面积对进样量进行回归分析。结果见表5。

表5　羟基红花黄色素A标准曲线数据及回归方程结果表

序号	进样量（μg）	峰面积值	回归方程	回归系数（r）
1	0.2522	322501		
2	0.3783	491681		
3	0.6305	866209	$y=1451044.8498x-48959.7843$	1.0000
4	1.261	1783979		
5	1.892	2695720		
6	2.522	3612454		

从表5数据可见，羟基红花黄色素A在0.2522~2.522μg质量浓度范围内与峰面积呈良好的线性关系。

2.5　精密度试验

取同一份供试品（批号20191217）溶液，连续进样6针，记录色谱图。羟基红花黄色素A峰面积的精密度计算结果见表6。

表6　供试品溶液中羟基红花黄色素A精密度试验结果

序号	峰面积值	平均峰面积值	RSD（%）
1	1571615		
2	1572942		
3	1571229	1574008	1.80
4	1574953		
5	1574374		
6	1578937		

从表6数据可见，符合《中国药典》2020年版四部通则0512中规定的RSD值小于2.0%的要求。

2.6　稳定性试验

取同一份供试品（批号20191217）溶液，分别于制备溶液后的0小时、3小时、6小时、8小时、10小时、12小时进行测定。结果见表7。

表7　供试品溶液中羟基红花黄色素A稳定性试验结果

序号	取样量（g）	峰面积值	RSD（%）
1	0	1591095	
2	3	1601823	
3	6	1590998	0.35
4	8	1592063	
5	10	1600112	
6	12	1602680	

从表7数据可见，羟基红花黄色素A在8小时内的峰面积值RSD值基本稳定不变。

2.7　重复性试验

取同一批号供试品（批号20191217）6份，各约0.8g，精密称定，置具塞锥形瓶中，精密加入25%甲醇25ml，称定重量，超声处理（功率250W，频率40kHz）40分钟，放冷，再称定重量，用25%甲醇补足减失的重量，摇匀，离心（转速为每分钟5000转）5分钟，取上清液，作为供试品溶液。精密吸取10μl注入液相色谱仪进行测定，记录色谱图及峰面积，按外标法计算含量。结果见表8。

表8　供试品溶液中羟基红花黄色素A重复性试验结果

样品号	称样量（g）	平均峰面积值	含量（mg/g）	平均含量（mg/g）	RSD（%）
1	0.8035	1600704	1.90		
2	0.8033	1603873	1.91		
3	0.8037	1638902	1.95	1.91	1.62
4	0.8024	1571758	1.87		
5	0.8019	1582831	1.88		
6	0.8033	1572279	1.87		

从表8数据可见，6份供试品含量测定结果的均值为0.91mg/g，RSD为1.90%，表明该方法的精密度好。

2.8　加样回收试验

取已知含量（批号20191217，含量为1.91mg/g）的供试品9份，各约0.40g，精密称定，分别置9个具塞锥形瓶中，再分别在其中3个具塞锥形瓶中精密加入浓度为0.345mg/ml的羟基红花黄色素A对照品溶液1ml（约相当于供试品含有量的50%）及25%甲醇24ml，另3个具塞锥形瓶中各精密加入上述对照品溶液2ml（约相当于供试品含有量的100%）及25%甲醇23ml，其余3个具塞锥形瓶中各精密加入上述对照品溶液3ml（约相当于供试品含有量的150%）及25%甲醇22ml，分别称定重量，超声处理40分钟，取出，再称重，用25%甲醇补足减失重量，摇匀，离心（转速为每分钟5000转）5分钟，取上清液，即得。分别精密吸取各溶液10μl注入液相色谱仪进行测定，记录色谱图和峰面积，按外标法计算含量，再计算回收率。结果见表9。

表9　供试品溶液中羟基红花黄色素A加样回收试验结果

序号	样品量（g）	供试品含量（mg）	对照品加入量（mg）	测得总量（mg）	回收率（%）	平均回收率（%）	RSD（%）
1	0.4068	0.7770	0.345	1.1028	94.5		
2	0.4035	0.7707	0.345	1.0913	92.9		
3	0.4005	0.7650	0.345	1.0800	91.3		
4	0.4019	0.7676	0.690	1.4108	93.2		
5	0.4036	0.7709	0.690	1.4268	95.1	94.2	1.80
6	0.4028	0.7693	0.690	1.4083	92.6		
7	0.4055	0.7745	1.035	1.7660	95.8		
8	0.4072	0.7778	1.035	1.7642	95.3		
9	0.4086	0.7804	1.035	1.7804	96.6		

从表9数据可见，羟基红花黄色素A的平均回收率为94.2%，RSD为1.80%。该方法准确度好。

2.9　耐用性试验

取供试品（批号20191217）2份，各约0.8g，精密称定，按重复性试验项下方法处理，换不同厂家、不同型号的色谱柱，分别测定供试品的含量。结果见表10。

表10 羟基红花黄色素A色谱柱耐用性试验

样品号	取样量（g）	柱型号	平均峰面积值	含量（mg/g）
1	0.8033	Tnature C$_{18}$柱	1739647	1.91
	0.8033	Wondasil TMC$_{18}$柱	1764327	1.89
2	0.8024	Tnature C$_{18}$柱	1739647	1.87
	0.8024	WondasilTM C$_{18}$柱	1764327	1.86

从表10数据可见，不同型号或厂家的色谱柱对羟基红花黄色素A的测定结果影响较小。

3 样品含量测定

取三批样品（批号20190801、20190802、20190803）及模拟样品（批号20191217）各2份，各约0.8g，精密称定，按重复性试验项下方法处理，分别测定并按外标法计算三批样品含量。含量测定结果见表11。

表11 样品中羟基红花黄色素A的含量测定结果

批号	取样量（g）	样品平均峰面积值	含量（mg/g）	平均含量（mg/g）
20190801	0.8010	1098973	1.26	
20190802	0.8051	1092010	1.24	1.25
20190803	0.8019	1086565	1.24	
20191217	0.8035	1600704	1.90	1.90
	0.8033	1603873	1.91	

从表11数据可见，三批样品和模拟样品中羟基红花黄色素A含量最低为1.24mg/g，最高为1.91mg/g。模拟样品含量比较高。

4 红花药材含量测定

试验中采用同法对上述三批样品生产用红花药材进行了含量测定，测定结果见表12。

表12 红花药材中羟基红花黄色素A的含量测定结果

序号	取样量（g）	平均峰面积值（n=2）			含量（mg/g）	平均含量（mg/g）
1	0.2001	3550298	3537788	3544043	16.42	
2	0.2000	3573231	3549769	3561500	16.56	16.47
3	0.2000	3509289	3495800	3502545	16.43	

从表12数据可见，红花药材中羟基红花黄色素A的含量为16.47mg/g（1.65%）。

5 本制剂含量限度的确定

从表中数据可见，三批样品中羟基红花黄色素A的含量最低为1.24mg/g，模拟样品中羟基红花黄色素A的含量为1.90mg/g，红花药材中羟基红花黄色素A的含量为16.47mg/g（1.647%）。

按理论值折算，样品应含羟基红花黄色素A为0.1428g×1.65%×1000=2.35mg，即2.35mg/g。因此，转移率为1.90÷2.352×100%＝80.78%。

根据《中国药典》2020年版一部"红花"药材的羟基红花黄色素A含量限度不得少于1.0%，转移率为80.78%，考虑不同产地药材的质量差异，并结合其他影响因素及三批样品的测定结果，下浮20%，按此限度折算本品含羟基红花黄色素A的理论量应不低于50÷350×1.0%×1000×80.78%×80%＝0.92mg/g。

标准正文暂定为：本品每1g含红花以羟基红花黄色素A（C$_{27}$H$_{32}$O$_{16}$）计，不得少于0.90mg。

【功能与主治清】

清肝热, 清希日热, 解毒。用于肝宝日盛血热, 肝损伤, 肝盛血, 肝热。

【用法与用量】

口服。一次11~15丸, 一日1~2次, 温开水送服。

【规格】

每10丸重2g。

【贮藏】

密封, 防潮。

起草单位: 内蒙古医科大学　　　　　　　赵丽娜　崔丽敏　孙丽君

　　　　　　鄂尔多斯市检验检测中心　　杨　洋　李　珍　张　烨

　　　　　　内蒙古自治区药品检验研究院　籍学伟　郭宝凤

伊和·嘎如迪-13丸质量标准起草说明

【历史沿革】

本方来源于《蒙医药选编》（内蒙古人民出版社1999年版，蒙古文版，第874页）。

【处方来源】

本制剂由内蒙古自治区国际蒙医医院提供。

【名称】

伊和·嘎如迪-13丸

【蒙药材和饮片的来源和执行标准】

1. 处方组成及药味排列顺序：诃子100g、诃子汤泡草乌90g、石菖蒲90g、木香60g、甘草40g、山沉香60g、酒珊瑚30g、炒珍珠30g、禹粮土30g、丁香20g、肉豆蔻20g、淬磁石20g、麝香10g。

2. 处方中除了山沉香、酒珊瑚、炒珍珠、禹粮土、诃子汤泡草乌和淬磁石药材外，其余诃子等药味均收载于《中国药典》2020年版一部，其质量应符合该品种项下的有关规定。

禹粮土：为含铁黏土矿物。其标准应符合《内蒙古蒙药饮片炮制规范》2020年版第339页该品种项下有关规定。

炒珍珠：为珍珠贝科动物马氏珍珠贝*Pteria martensii*（Dunker）、蚌科动物三角帆蚌*Hyriopsis cumingii*（Lea）或褶纹冠蚌*Cristaria plicata*（Leach）等双壳类动物受刺激形成的珍珠。其标准应符合《内蒙古蒙药材炮制规范》2020年版第288页该品种项下的有关规定。

酒珊瑚：为矶花科动物桃色珊瑚*Corallium japonicum* Kishinouye等珊瑚虫分泌的石灰质骨骼。其标准应符合《内蒙古蒙药材炮制规范》2020年版第294页该品种项下的有关规定。

山沉香：为木犀科植物贺兰山丁香*Syringa pinnatifolia* Hemsl.var.*alashanensis* Ma.et S.Q.Zhou削去外皮的干燥枝。其标准应符合《中华人民共和国卫生部药品标准》（蒙药分册）1998年版第4页该品种项下的有关规定。

诃子汤泡草乌：毛茛科植物北乌头*Aconitum kusenzoffii* Reichb.的干燥块根。其标准应符合《内蒙古蒙药饮片炮制规范》2020年版第307页该品种项下有关规定。

淬磁石：为氧化物类矿物尖晶石族磁铁矿。其标准应符合《内蒙古蒙药饮片炮制规范》2020年版第411页该品种项下有关规定。

【制法】

以上十三味，除麝香外，其余诃子等十二味，粉碎成细粉，将麝香细分与上述细粉配研，过筛，混匀，用水泛丸，打光，干燥，分装，即得。

【性状】

本品为棕褐色至灰褐色的水丸；气微，味苦、辛、微涩。

【鉴别】

本品为药材粉末制成的水丸，方中珍珠、诃子、丁香、木香的显微特征较明显，故建立显微鉴别。

1. 试剂与试药

供试品: 供试品 (批号20191228、20191116、20200106) 由内蒙古自治区国际蒙医医院提供, 模拟样品 (批号20190824) 模拟。

所用其他试剂均为分析纯, 水为离子交换高纯水。

2. 试验方法与结果

显微鉴别:

诃子: 石细胞成群, 呈类圆形、长卵形、长方形或长条形, 孔沟细密而明显。木香: 菊糖多见, 表面现放射状纹理。珍珠: 不规则碎块, 半透明, 具彩虹样光泽, 可见极细密的微波状纹理。丁香: 花粉粒众多, 极面观三角形, 赤道表面观双凸镜形, 具3副合沟。

【检查】

按照丸剂 (《中国药典》2020年版四部通则0108) 项下的规定, 对三批供试品及模拟样品的水分、重量差异、溶散时限、重金属、砷盐、微生物限度、乌头碱限量和急性毒性试验进行了检查。具体方法及测定数据如下:

1. 水分: 取供试品照水分测定法 (《中国药典》2020年版四部通则0832) 测定。三批供试品及模拟样品的测定结果见表1。

表1 水分测定法结果

序号	批号	水分 (%)
1	20191228	6.21
2	20191116	6.32
3	20200106	6.32
4	20190824	6.24

药典规定丸剂水分含量不得大于9.0%。由表1的结果可见, 三批供试品和模拟样品的水分含量均符合要求。

2. 重量差异: 取以上三批供试品, 每批供试品取10份, 10丸为1份, 分别称定重量, 再与每份标示重量 (2g) 相比较, 求每一份的重量差异 (%)。药典规定每份标示装量的限度为±8%, 并规定超出重量差异限度的不得多于2份, 并不得有1份超出限度1倍。本品的重量差异检查结果均符合规定。

3. 溶散时限: 取本品照崩解时限检查法 (《中国药典》2020年版四部通则0921) 片剂项下加挡板进行测定。三批供试品测定结果见表2。

表2 溶散时限测定结果

序号	批号	溶散时间 (min)
1	20191228	26
2	20191116	25
3	20200106	25

药典规定水丸应在1小时内全部溶散。表2的结果显示, 本品的溶散时限符合规定。

4. 对三批供试品及模拟样品进行了重金属、砷盐考察。方法与结果如下:

重金属: 分别取每个批号供试品0.5g、0.67g、1.0g、2.0g, 按《中国药典》2020年版四部0821第二法检查。

供试品溶液的制备: 取本品0.5g、0.67g、1.0g、2.0g, 分别缓缓炽灼至完全炭化, 放冷, 加硫酸0.5ml, 使湿润, 低温加热至硫酸除尽后, 加硝酸0.5ml, 蒸干, 至氧化氮蒸气除尽后, 放冷, 于600℃炽灼至完全灰化, 放冷。加盐酸2ml, 置水浴上蒸干后加水15ml, 滴加氨试液至对酚酞指示液显中性, 再加醋酸盐缓冲液 (pH3.5) 2ml, 微热溶解后, 移置纳氏比色管中, 加水稀释至25ml, 作为供试品溶液。

标准铅对照溶液的制备：另取配制供试品溶液的试剂两份，分别置瓷皿中蒸干后，加醋酸盐缓冲液（pH3.5）2ml，加水15ml微热溶解后，移置两支纳氏比色管中，分别加标准铅溶液（10g/mlPb）2ml，再加水稀释至25ml，作为标准铅对照溶液。

检视：于上述供试品溶液和标准铅对照溶液中分别加硫代乙酰胺试液各2ml，摇匀，放置2分钟，同置白色背景上，从上向下进行观察。试验结果见表3。

表3　重金属检查结果

序号	批号	重金属含量（ppm）			
1	20191228	<10	<20	<30	<40
2	20191116	<10	<20	<30	<40
3	20200106	<10	<20	<30	<40
4	20190824	<10	<20	<30	<40

结果显示，供试品溶液的颜色明显浅于2ml的标准铅对照溶液。经过三批供试品及模拟样品的检查，含重金属均未超过百万分之十，故未收入正文。

砷盐：取本品1g和标准砷溶液（1μg/mlAS）2ml，分别加无砷氢氧化钙1g，加少量水，搅匀，烘干，用小火缓缓炽灼至炭化，再在600℃炽灼至完全灰化，放冷。分别加盐酸7ml使溶解，再加水21ml，按《中国药典》2020年版四部通则0822第一法（古蔡氏法）做砷盐限量检查。

结果：供试品砷斑浅于标准砷斑的颜色，表明本品含砷量未超过百万分之二（小于2ppm），故砷盐检查项目未列入正文。

5. 微生物限度：照微生物计数法（《中国药典》2020年版四部通则1105）、控制菌检查法（《中国药典》2020年版四部 通则1106）及《内蒙古蒙药制剂规范》（第三册）附录Ⅲ微生物限度标准，进行检查。结果均符合规定。

6. 乌头碱限量。

本处方中含有制草乌，因为制草乌中含有的乌头碱、次乌头碱和新乌头碱等双酯类生物碱具有很高的毒性，同时，还有一定的药效，所以，需对该制剂中双酯型乌头碱的限量进行控制，故参照《中国药典》2020年版一部"附子"项下乌头碱等的TLC鉴别方法和"附子理中丸"项下乌头碱限量检查方法，设计出本制剂乌头碱的限量检查方法及限度，以控制质量，确保安全、有效。供试品溶液的制备方法参照"附子理中丸"和"附子"项下的方法，并结合本处方实际情况，用氨试液碱化、乙醚作溶剂提取后，浓缩，无水乙醇溶解，结果既保证了被测成分全部提净，又可排除其他成分对实验结果的干扰，还可以避免供试品中乌头碱、次乌头碱和新乌头碱等双酯类生物碱在制备供试品溶液中的水解问题。

限度检查取样量确定：诃子汤泡草乌占处方量为90÷600×100%=15%，取供试品20g相当于取制草乌3g。

供试品溶液的制备：取本品20g（相当于取制草乌3g）置锥形瓶中，加氨试液5ml，拌匀，密塞，放置2小时，加乙醚50ml，振摇1小时，放置过夜，滤过，滤渣用乙醚洗涤2次，每次15ml，合并乙醚液，蒸干，残渣加无水乙醇溶解并转移至1ml量瓶中，稀释至刻度，摇匀，作为供试品溶液。

对照品溶液的制备：另取乌头碱对照品（110720-201710），加无水乙醇制成每1ml含1mg的溶液，作为对照品溶液。

阴性对照溶液的制备：按处方比例配制缺制草乌药材的阴性供试品。取阴性供试品粉末20g，制法同供试品溶液的制备，作为阴性对照溶液。

点样与展开：照薄层色谱法（《中国药典》2020年版四部通则0502）试验，吸取供试品溶液12μl、对照品溶液5μl，分别点于同一硅胶G薄层板上，以二氯甲烷（经无水硫酸钠脱水处理）-丙酮-甲醇（6:1:1）为展开剂，展开，取出, 晾干。

显色: 喷以稀碘化铋钾试液。

结果: 供试品色谱中, 在与对照品色谱相应的位置上, 显相同的橙红色斑点, Rf值为0.24。出现的斑点小于并颜色浅于对照品的斑点或不出现斑点, 即乌头碱限量小于20ppm。

注: L=1 (mg/ml) ×5 (μl) ÷ [20 (g/ml) ×12 (μl) ×1000] =20ppm。

7. 急性毒性试验: 试验研究及结果见本文后面的附件。

【含量测定】

伊和·嘎如迪-13丸由诃子、诃子汤泡草乌、石菖蒲、木香、甘草、山沉香、酒珊瑚、炒珍珠、禹粮土、丁香、肉豆蔻、淬磁石、麝香十三味药组成。临床功效通窍, 舒筋, 活血, 镇静安神, 除协日乌素。用于白脉病, 半身不遂, 左瘫右痪, 口舌歪斜, 四肢麻木, 腰腿不利, 言语不清, 筋骨疼痛, 神经麻痹, 风湿, 关节疼痛。

木香功效行气止痛, 健脾消食。故选择木香烃内酯和去氢木香内酯作为指标成分, 对本制剂中的木香进行含量测定方法的研究。参照《中国药典》2020年版一部"木香"项下高效液相色谱法对其进行含量测定, 通过实验分析, 结果分离效果和重现性好、专属性强。

1 仪器与试剂试药

1.1 仪器

Waters e2695高效液相色谱仪, 百万分之一电子天平 (Mettler-Toledo MS105DU), 万分之一电子天平 (Mettler-Toledo XPR10), 多功能粉碎机 (FW400A 材茂科技有限公司), 超纯水系统 (Heal Force NW15UV), 超声波恒温清洗器 (SBL-22DT 宁波新芝生物科技股份有限公司)。

1.2 试剂与试药

供试品 (批号20191228、20191116、20200106) 由内蒙古自治区国际蒙医医院提供, 模拟样品 (批号20190824) 模拟; 木香烃内酯对照品 (批号111524-201509), 购于中国食品药品检定研究院; 甲醇为色谱纯, 水为超纯水, 其他试剂均为分析纯。

2 方法学考察

2.1 色谱条件

2.1.1 色谱柱: 填充剂为十八烷基硅烷键合硅胶, 本实验采用Pheomenex C$_{18}$ (250mm×4.6mm, 5μm) 色谱柱。

2.1.2 流动相: 选择以甲醇-水 (65:35) 为流动相, 供试品中的木香烃内酯与其他成分能达到较好的分离, 色谱峰具有比较好的保留时间、分离度和对称性。

2.1.3 柱温: 比较了30℃和35℃的柱温, 结果在30℃的条件下, 木香烃内酯保留时间和峰型基本一致, 而且分离效果比较好, 因此, 选择柱温在30℃。

2.1.4 检测波长的选择: 参照《中国药典》2020年版一部木香的含量测定方法中的测定波长, 选用225nm处作为检测波长。

2.1.5 理论板数的确定: 从对三批数据的测定结果可见, 木香烃内酯理论板数在3000以上即能达到较好的分离效果, 故确定理论板数按木香烃内酯峰计算应不低于3000。

2.2 专属性考察

2.2.1 对照品溶液的制备: 取木香烃内酯对照品适量, 精密称定, 加甲醇制成每1ml含木香烃内酯0.1mg的对照品溶液, 即得。

2.2.2 供试品溶液的制备: 将本品研成粉末, 取粉末约4.0g, 精密称定, 置具塞锥形瓶中, 精密加入甲醇25ml,

密塞,称定重量,超声处理(功率250W,频率40kHz)30分钟,放冷至室温,再称定重量,用甲醇补足减失的重量,摇匀,滤过,取续滤液,即得。

2.2.3 阴性对照溶液的制备:按处方配比制备阴性对照,称取约4.0g,精密称定,从"置具塞锥形瓶中……"起操作同"供试品溶液的制备",取续滤液,作为阴性对照溶液。

2.2.4 测定:在上述色谱条件下,分别精密吸取对照品溶液、阴性对照溶液、供试品溶液各10μl,分别注入液相色谱仪。

结果阴性对照色谱中在与木香烃内酯对照品及供试品色谱相应的保留时间处无色谱峰出现,表明其他组分对木香烃内酯的测定无干扰。

2.3 线性关系考察

分别取木香烃内酯约2.5mg,精密称定,置25ml量瓶中,用甲醇使溶解,并稀释至刻度,摇匀(木香烃内酯浓度为0.10304mg/ml);分别精密吸取上述对照品溶液2μl、5μl、10μl、15μl、20μl和25μl注入液相色谱仪测定,记录色谱图,按上述色谱条件测定以峰面积对进样量进行回归分析,标准曲线数值见表4。

表4 木香烃内酯标准曲线数值表

序号	进样量(μg)	峰面积值	回归方程	回归系数(r)
1	0.2061	284959		
2	0.5152	910210		
3	1.0304	1890584	$y=199126.2x-96017.5$	0.9999
4	1.5456	2915857		
5	2.0608	3887613		
6	2.5760	4867393		

从表4数据可见,木香烃内酯在0.2061~2.5760μg范围内与峰面积值呈良好的线性关系。

2.4 提取时间的考察

将供试品研成粉末,取粉末,以甲醇25ml作为提取溶剂,取粉末约4.0g,精密称定,置具塞锥形瓶中,精密加入甲醇25ml,密塞,称定重量,超声处理(功率250W,频率40kHz)20分钟、30分钟、40分钟,放冷至室温,再称定重量,用甲醇补足减失的重量,摇匀,滤过,取续滤液,即得。另取木香烃内酯对照品适量,精密称定,加甲醇制成每1ml含木香烃内酯0.1mg的对照品溶液,即得。精密吸取10μl,注入液相色谱仪测定。含量测定结果见表5。

表5 木香烃内酯提取时间考察

时间(min)	称样量(g)	峰面积值			含量(mg/g)
		A	B	平均	
20	4.0028	2276154	2256560	2266357	0.64
30	4.0019	2272628	2260924	2266776	0.64
40	4.0054	2266062	2250467	2258264.5	0.64

从表5数据可见,超声提取20分钟、30分钟、40分钟供试品中木香烃内酯含量结果几乎无变化,同时,参照《中国药典》2020年版一部木香含量测定项下的超声时间,为超声30分钟,故本标准也将提取超声时间定为30分钟(功率250W,频率40kHz)。

2.5 溶液稳定性试验

取同一份供试品溶液(批号20191228),分别于0小时、2小时、4小时、10小时、12小时、14小时进行测定。结果见表6。

表6 溶液的稳定性试验结果

序号	时间 (h)	峰面积值	RSD (%)
1	0	2276234	
2	2	2276381	
3	4	2275968	
4	6	2276904	0.02
5	8	2276351	
6	10	2275337	
7	12	2276854	

从表6数据可见,木香烃内酯在12小时内的峰面积值基本稳定不变,能够满足测定所需要的时间。

2.6 精密度试验

取同一份供试品溶液(批号20191228)4.0032g,精密称定,置具塞锥形瓶中,精密加入甲醇25ml,密塞,称定重量,超声处理(功率250W,频率40kHz)30分钟,放冷至室温,再称定重量,用甲醇补足减失的重量,摇匀,滤过,取续滤液,即得。另取木香烃内酯对照品适量,精密称定,加甲醇制成每1ml含木香烃内酯0.1mg的对照品溶液,即得。精密吸取10μl,注入液相色谱仪测定。连续进样6次,测定木香烃内酯和去氢木香烃内酯面积积分值。结果见表7。

表7 木香烃内酯精密度试验结果

序号	峰面积值	平均值	RSD (%)
1	2275625		
2	2276258		
3	2275423	2275857	0.01
4	2275984		
5	2275857		
6	2275369		

从表7数据可见,符合《中国药典》2020年版四部通则0512中规定的RSD值小于2.0%的要求。

2.7 重复性试验

取同一批号供试品6份(批号20191228),各约2.0g,精密称定,置具塞锥形瓶中,精密加入甲醇25ml,密塞,称定重量,超声处理(功率250W,频率40kHz)30分钟,放冷至室温,再称定重量,用甲醇补足减失的重量,摇匀,滤过,取续滤液,即得。另取木香烃内酯对照品适量,精密称定,加甲醇制成每1ml含木香烃内酯0.1mg的对照品溶液,即得。精密吸取10μl,注入液相色谱仪测定每份供试品的含量。结果见表8。

表8 木香烃内酯含量重复性试验结果

称样量 (g)	样品峰面积		平均峰面积	含量 (mg/g)	平均含量 (mg/g)	RSD (%)
	A	B				
4.0028	2275638	2275867	2275753	0.6434		
4.0036	2276854	2276845	2276850	0.6436		
4.0014	2276857	2276985	2276921	0.6440	0.6435	0.04
4.0054	2277857	2277524	2277691	0.6435		
4.0033	2275425	2275368	2275397	0.6432		
4.0051	2276548	2276985	2276767	0.6433		

从表8数据可见,供试品在相同的细度、提取溶剂和色谱条件下,测定结果稳定。

2.8 加样回收试验

取已知含量的(木香烃内酯含量为0.64mg/g,去氢木香内酯含量)供试品9份置25ml容量瓶中,各4.0g,精密称定。分成三组,每组三份,每组分别精密加入木香烃内酯对照品(浓度为0.130mg/ml)溶液各5ml、10ml、15ml(约相当于供试品含有量的50%、100%、150%),用甲醇定容到刻度25ml,密塞,称定重量,超声处理(功率250W,频率40kHz)30分钟,放冷至室温,再称定重量,用甲醇补足减失的重量,摇匀,滤过,取续滤液,即得。另取木香烃内酯对照品适量,精密称定,加甲醇制成每1ml含木香烃内酯0.1mg的对照品溶液,即得。精密吸取10μl,注入液相色谱仪测定每份的含量,计算回收率。结果见表9。

表9　木香烃内酯加样回收试验结果

称样量(g)	供试品含量(mg)	对照品加入量(mg)	测得总量(mg)	回收率(%)	平均(%)	RSD(%)
2.0033	1.2821	0.65	1.9295	99.8		
2.0008	1.2805	0.65	1.9139	98.7		
2.0006	1.2804	0.65	1.9432	101.0		
2.0033	1.2821	1.30	2.5680	98.9		
2.0033	1.2821	1.30	2.6078	102.0	99.4	1.5
2.0006	1.2804	1.30	2.5765	99.7		
2.0033	1.2821	0.195	1.4361	96.8		
2.0008	1.2805	0.195	1.4576	98.6		
2.0006	1.2804	0.195	1.4690	99.5		

从表9数据可见,本方法的平均回收率为103.25%,符合《中国药典》2020年版通则9101"分析方法验证指导原则"中"表2样品中待测定成分含量和回收率限度"的要求。

2.9 耐用性试验

取不同厂家、不同型号的色谱柱,考察本实验方法是否具备耐用性。取重复性试验中的1、2号供试品及对照品分别进样,测定含量,结果见表10。

表10　不同色谱柱木香烃内酯的耐用性试验

样品号	柱型号	峰面积	含量(mg/g)	相对偏差(%)
1	Pheomenex C$_{18}$	2275867	0.6458	0.93
	Alltima C$_{18}$	2284521	0.6338	
2	Pheomenex C$_{18}$	2279861	0.6457	0.22
	Alltima C$_{18}$	2278510	0.6428	

从表10数据可见,在使用不同型号或厂家的色谱柱时,对测定结果影响较小,具有较好的耐用性。

3 样品含量测定

取样品粉末各约4.0g,每批2份,精密称定,置具塞锥形瓶中,精密加入甲醇25ml,密塞,称定重量,超声处理30分钟(功率:40kW),放冷至室温,再称定重量,用甲醇补足减失的重量,摇匀,滤过,取续滤液,即得。另取木香烃内酯对照品适量,精密称定,加甲醇制成每1ml含木香烃内酯0.1mg的对照品溶液,即得。在上述色谱条件下,吸取10μl,分别注入液相色谱仪,三批样的含量测定结果见表11。

表11 样品木香烃内酯的含量测定结果

批号	称样量（g）	样品峰面积			含量（mg/g）	平均含量（mg/g）
		A	B	平均		
20191228	4.006	2275859	2276857	2276358	0.6431	0.6431
	4.0059	2276851	2276338	2276594.5	0.6431	
20191116	4.0038	2276591	2276354	2276472.5	0.6434	0.6437
	4.0007	2276538	2276354	2276446	0.6439	
20200106	4.0066	2276358	2276413	2276385.5	0.6430	0.6434
	4.0013	2276425	2276854	2276639.5	0.6439	
20190824	4.0068	5065699	5120267	5092983	1.4384	1.4381
	4.0019	5085786	5082594	5084190	1.4377	

从表11数据可见，三批样品的木香烃内酯含量0.64mg/g以上。

4 木香药材含量测定

同法对上述三批样品生产用木香药材进行木香烃内酯含量测定，结果含量为16.11mg/g，测定结果见表12。

表12 木香药材的含量测定结果（木香烃内酯）

序号	称样量（g）	样品峰面积			含量（mg/g）	平均含量（mg/g）
		A	B	平均		
1	0.2028	2406508	2351108	2378808	16.18	16.11
2	0.2062	2404952	2390045	2397499	16.04	

从表12数据可见，木香药材中木香烃内酯的平均含量为16.11mg/g（1.611%）。

5 本制剂含量限度的确定

从表中数据可见，三批样品中木香烃内酯最低为0.64mg/g，模拟样品中木香烃内酯为1.43mg/g。试验中用相同方法对生产用相同木香药材进行了含量测定，测得木香烃内酯含量为16.11mg/g（1.61%）。

按理论值折算，样品应含木香烃内酯为60÷600×16.11＝1.611mg/g。因此，转移率为1.43÷1.611×100%=88.76%。

参照《中国药典》2020年版一部"木香"药材的木香烃内酯含量限度不得少于0.9%，转移率为88.76%，考虑不同产地药材的质量差异，并结合其他影响因素及三批样品的测定结果，下浮30%，按此限度折算本品含木香烃内酯的理论量应不低于60÷600×1.8%÷2×1000×88.76%×70%=0.559mg/g。

标准正文暂定为：本品每1g含木香以木香烃内酯（$C_{15}H_{20}O_2$）计，不得少于0.50mg。

【功能与主治】

祛风通窍，舒筋活血，镇静安神，杀黏，燥协日乌素。主治白脉病，中风，黏性刺痛，吾亚曼病，白喉，炭疽，瘟疫，转筋，关节协日乌素症，丹毒，亚玛症等。

【用法与用量】

口服。一次7～11丸，一日1次，晚睡前温开水送服。

【注意事项】

孕妇忌服，年老体弱者慎用。

【规格】

每10丸重2g。

【贮藏】

密封,防潮。

附件 昆明小鼠灌胃伊和·嘎如迪-13丸急性毒性试验研究报告

1 摘要

目的:

通过一天内大剂量(≥临床等效量的50倍)对昆明种小鼠灌胃伊和·嘎如迪-13丸,观察其产生的毒性反应及严重程度、主要毒性靶器官,为重复给药毒性研究计量设计和主要观察指标提供参考。

方法:

根据药物急性毒性预试验测定,无法测出LD_{50},故采用急性毒性限度试验测定方法。小鼠按0.4ml/10g灌胃给药,给药1次,总给药体积为40ml/kg。成人每日最大剂量1.8g/(60kg·d),换算成小鼠临床等效最大剂量为0.225g/(kg·d)。配制药物最大可混悬浓度为0.6030g/ml,灌胃给药1次,给药剂量为24.12g/(kg·d),经计算为临床给药量的107.20倍。故一天内给药1次,小鼠给药总量为临床等效量的107.20倍,给药后观察动物的临床症状,连续观察至第14天,每天进行体重、摄食量、饮水量测定。第15天解剖动物,并进行大体病理学检查,若发现病变,则对病变组织进行组织病理学检查。

结果:

(1)一般状态观察:给药后,供试品组动物自主活动减少,给药后第2天上述异常症状恢复。

(2)对动物体重的影响:试验期间,各组动物的体重增加之间比较,无显著性差异($P>0.05$),说明伊和·嘎如迪-13丸对实验动物的体重无显著性影响。

(3)对动物摄食量的影响:试验期间,给药当天伊和·嘎如迪-13丸组动物摄食量略有减少。从给药第2天开始,各组动物的摄食量之间比较,无显著性差异($P>0.05$),说明伊和·嘎如迪-13丸对实验动物的摄食量无显著性影响。

(4)病理学检查:大体病理学检查,肉眼观察组织、器官未发现异常或病变。

结论:

伊和·嘎如迪-13丸口服给药为无毒或低毒药物。

2 研究的一般信息

2.1 专题名称及研究目的

专题名称:昆明小鼠灌胃伊和·嘎如迪-13丸急性毒性试验研究报告

研究目的:采用昆明小鼠,单次灌胃伊和·嘎如迪-13丸,观察其产生的毒性反应及严重程度、主要毒性靶器官,为重复给药毒性研究计量设计和主要观察指标提供参考。

2.2 研究遵循的GLP法规性文件

《药物非临床研究质量规范》(国家食品药品监督管理局令第34号,原CFDA 2017.09.01)。

2.3 所用毒性研究指导原则的文件和名称及参考文献

2.3.1 所用毒性研究指导原则的文件和名称

《药物单次给药毒性研究技术指导原则》(原CFDA 2014.05)

《中药、天然药物急性毒性研究技术指导原则》（原CFDA 2005.03）

2.3.2 所用参考文献

[1] 陈奇. 中药药理研究方法学 [M]. 北京: 人民卫生出版社, 2000.

[2] 李仪奎. 中药药理试验方法学 [M]. 上海: 上海科学技术出版社, 2006.

[3] 魏伟, 吴希美, 李元建. 药理实验方法学 [M]（第四版）. 北京: 人民卫生出版社, 2010.

3 实验材料

3.1 受试物及剩余受试物的处理

3.1.1 供试品

名称: 伊和·嘎如迪-13丸。

提供单位: 内蒙古自治区国际蒙医医院国家蒙药制剂中心。

批号: 20180601。

3.1.2 剩余供试品的处理

对送样供试品留样60丸, 留样保存至有效期2022年12月31日废弃。

3.2 实验系统

3.2.1 实验动物

动物种系、级别: 小鼠, 昆明种, SPF级。

繁育单位: 内蒙古医科大学实验动物中心。

内蒙古医科大学实验动物中心实验动物生产许可证编号: SCXK（蒙）2015-0001。

发证机关: 内蒙古自治区科学技术厅。

3.2.2 动物选择理由

作为一般毒性研究, 昆明种小鼠是常用的啮齿类哺乳动物, 且此种动物的国内外背景资料丰富, 动物供应充足。

3.2.3 动物的饲养管理

3.2.3.1 动物的饲养环境

饲育环境: 屏障环境。

温度: 20℃~26℃, 日温差≤3℃。

相对湿度: 41%~64%。

换气次数: ≥15次/小时。

照明时间: 12/12明暗交替（150~300lx）。

动物笼具: PC材质小鼠饲养笼。

饲养密度: 5只/笼。

笼具的换新频率: 3次/周。

粪便的处理: 在更换饲养盒时, 随动物废弃垫料装入专用垃圾袋, 密封后统一处理。

清扫与消毒: 全部操作结束后清扫, 采用0.1%新洁尔灭和0.2% 84消毒液进行轮换消毒, 每周一次轮流交换消毒液的种类。

3.2.3.2 检疫

检疫与适应性饲养时程: 7天（含购入日）。

3.2.3.2.1 购入日检疫内容

动物外观健康检查：外表（有无外伤、卷尾、肿瘤、畸残等），体形（无消瘦、过肥），行动（有无倦怠、躁动），体温（有无发热、发冷），呼吸（有无呼吸不规律和异常呼吸音），被毛（有无竖毛、脱毛、脏污），鼻（有无流涕、出血、流脓），口腔（有无流涎、齿过长），眼（有无流泪、分泌物过多、眼球浑浊），耳（有无外伤、耳癣），生殖器（有无外伤、异常分泌物），尿（有无血尿），粪便（有无下痢、血便、脓便），其他异常。

3.2.3.2.2 第2~7天检疫驯化内容

每天上、下午对检疫动物进行观察各1次，检疫过程中，如出现外观、临床症状观察等任何异常现象以及对实验可能有影响的动物予以淘汰。

3.2.3.2.3 检疫驯化期体重测定

在检疫第1天（动物入室日）和第7天（分组前）称量动物体重。

3.2.3.3 饲料

饲料种类：^{60}Co放射灭菌鼠全价颗粒饲料。

生产单位：斯贝福（北京）实验动物科技有限公司。

斯贝福（北京）实验动物科技有限公司实验动物生产许可证编号：SCXK（京）2015-0015。

发证机关：北京市科学技术委员会。

给料方法：定时投饲，自由摄取。

饲料的保存：保存在专门的通风、清洁、干燥的饲料间里。

3.2.3.4 饮用水

种类：实验动物高压灭菌饮用水。

给水方法：饮水瓶不间断供水，自由摄取。

3.2.3.5 垫料

垫料名称：玉米芯垫料。

提供单位：北京凌云博际（北京）科技有限公司

北京凌云博际（北京）科技有限公司实验动物生产许可证编号：SCXK（京）2015-0014。

发证机关：北京市科学技术委员会。

灭菌方法：121℃、20分钟真空高压蒸汽灭菌。

3.2.4 动物的个体识别方法

分组前采用耳标记法；分组后采用躯体背部毛涂抹苦味酸溶液标记法。标记部位分别为头、背、尾、左前、左中、左后、右前、右中、右后和空白。鼠笼以笼卡标记组别、动物号、给药剂量及给药时间等信息。

3.3 药物剂量

成人临床每日用量为5~9粒。经测定药丸平均粒重，每10粒重2.02g，一日1次，所以成人每日最小剂量为1.01g/（60kg·d），最大剂量1.818g/（60kg·d），换算成小鼠临床等效最大剂量为0.225g/（kg·d），最大给药剂量为24.12g/（kg·d），为人临床给药剂量的107.20倍。

3.4 实验试剂

水合氯醛（天津市大茂化学试剂厂，批号20181124），羧甲基纤维素钠（天津市致远化学试剂有限公司，批号20190304）。

3.5 实验仪器

电子天平（北京塞多利斯仪器系统有限公司，型号BS2202S），电子天平（北京塞多利斯仪器系统有限公司，型号BS2402S），实体解剖显微镜（德国Leica公司，型号DFC 290）。

4 实验方法

4.1 实验分组

选取健康昆明小鼠40只，雌雄各半。适应性饲养7天后，按性别、体重将小鼠随机分为空白对照组（0.5%CMC-Na）、供试品组（伊和·嘎如迪-13丸），共2组，每组20只，雌雄各半。

4.2 临床症状观察

观察时间和次数：

检疫期：每天上、下午各1次对检疫动物进行观察。

实验期：给药日：给药前、给药开始至给药结束后30分钟连续观察，如无异常则停止观察，如果有异常则继续观察至恢复正常为止，但最长不超过给药后2小时。下午观察一次。

非给药日：每天上、下午各观测一次。

观察例数：全部实验动物。

观察方法：隔笼观察，观察内容包括是否死亡、濒死、活动状况、外观及被毛、有无外伤、分辨情况等。

观察指征：见表1。

表1 临床症状观察

观察	指征	可能涉及的组织、器官、系统
Ⅰ. 鼻孔呼吸阻塞，呼吸频率和深度改变，体表颜色改变	呼吸困难：呼吸困难或费力，喘息，通常呼吸频率减慢	
	1. 腹式呼吸：膈膜呼吸，吸气时膈膜向腹部偏移	CNS呼吸中枢，肋间肌麻痹，胆碱能神经麻痹
	2. 喘息：吸气很困难，伴随有喘息声	CNS呼吸中枢，肺水肿，呼吸道分泌物蓄积，胆碱能功能增强
	呼吸暂停：用力呼吸后出现短暂的呼吸停止	CNS呼吸中枢，肺心功能不全
	紫绀：尾部、口和足垫呈现青紫色	肺心功能不全，肺水肿
	呼吸急促：呼吸快而浅	呼吸中枢刺激，肺心功能不全
	鼻分泌物：红色或无色	肺水肿，出血
Ⅱ. 运动功能：运动频率和特征的改变	自发活动、探究、梳理、运动增加或减少	躯体运动，CNS
	嗜睡：动物嗜睡，但可被针刺唤醒而恢复正常活动	CNS睡眠中枢
	正位反射（翻正反射）消失：动物体处于异常体位时所产生的恢复正常体位的反射消失	CNS，感觉，神经肌肉
	麻痹：正位反射和疼痛反应消失	CNS，感觉
	僵住：保持原姿势不变	CNS，感觉，神经肌肉，自主神经
	共济失调：动物行走时无法控制和协调运动，但无痉挛、局部麻痹、轻瘫或僵直	CNS，感觉，自主神经
	异常运动：痉挛，足尖步态，踏步，忙碌，低伏	CNS，感觉，神经肌肉
	俯卧：不移动，腹部贴地	CNS，感觉，神经肌肉
	震颤：包括四肢和全身的颤抖和震颤	神经肌肉，CNS
	肌束震颤：包括背部、肩部、后肢和足趾肌肉的运动	神经肌肉，CNS，自主神经

续表

观察	指征	可能涉及的组织、器官、系统
III.惊厥（癫痫发作）：随意肌明显的不自主收缩或痉挛性收缩	阵挛性惊厥：肌肉收缩和松弛交替性痉挛	CNS,呼吸衰竭,神经肌肉,自主神经
	强直性惊厥：肌肉持续性收缩,后肢僵硬性伸展	CNS,呼吸衰竭,神经肌肉,自主神经
	强直性-阵挛性惊厥：两种惊厥类型交替出现	CNS,呼吸衰竭,神经肌肉,自主神经
	窒息性惊厥：通常是阵挛性惊厥并伴有喘息和紫绀	CNS,呼吸衰竭,神经肌肉,自主神经
	角弓反张：背部弓起、头向背部抬起的强直性痉挛	CNS,呼吸衰竭,神经肌肉,自主神经
IV.反射	角膜性眼睑闭合反射：接触角膜导致眼睑闭合	感觉,神经肌肉
	基本条件反射：轻轻敲击耳内表面,引起外耳抽搐	感觉,神经肌肉
	正位反射：翻正反射的能力	CNS,感觉,神经肌肉
	牵张反射：后肢被牵拉至从某一表面边缘掉下时缩回的能力	感觉,神经肌肉
	对光反射：瞳孔反射,见光瞳孔收缩	感觉,神经肌肉,自主神经
	惊跳反射：对外部刺激（如触摸、噪声）的反应	感觉,神经肌肉
V.眼检	流泪：眼泪过多,泪液清澈或有色	自主神经
	缩瞳：无论有无光线,瞳孔缩小	自主神经
	散瞳：无论有无光线,瞳孔扩大	自主神经
	眼球突出：眼眶内眼球异常突出	自主神经
	上睑下垂：上睑下垂,针刺后不能恢复正常	自主神经
	血泪症：眼泪呈红色	自主神经,出血,感染
	瞬膜松弛	自主神经
	角膜混浊,虹膜炎,结膜炎	眼睛
VI.心血管	心动过缓：心率减慢	自主神经,肺心功能不全
	心动过速：心率加快	自主神经,肺心功能不全
	血管舒张：皮肤、尾、舌、耳、足垫、结膜、阴囊发红,体热	自主神经、CNS、心输出量增加,环境温度高
	血管收缩：皮肤苍白,体凉	自主神经、CNS、心输出量降低,环境温度低
	心律不齐：心律异常	CNS、自主神经、肺心功能不全,心肌梗死
VII.流涎	唾液分泌过多：口周毛发潮湿	自主神经
VIII.竖毛	毛囊竖毛组织收缩导致毛发蓬乱	自主神经
IX.痛觉缺失	对痛觉刺激（如热板）反应性降低	感觉,CNS
X.肌张力	张力低下：肌张力全身性降低	自主神经
	张力过高：肌张力全身性增高	自主神经
XI.胃肠		
排便（粪）	干硬固体,干燥,量少	自主神经,便秘,胃肠动力
	体液丢失,水样便	自主神经,腹泻,胃肠动力
呕吐	呕吐或干呕	感觉,CNS, 自主神经（小鼠无呕吐）

续表

观察	指征	可能涉及的组织、器官、系统
多尿	红色尿	肾脏损伤
	尿失禁	自主感觉神经
XII.皮肤	水肿:液体充盈组织所致肿胀	刺激性,肾功能衰竭,组织损伤,长时间静止不动
	红斑:皮肤发红	刺激性,炎症,过敏

4.3 体重测定

测定次数:首次给药至给药后第14天,连续14天进行体重测定。

测定例数:全部实验动物。

测定方法:用电子天平进行体重测定。

4.4 摄食量测定

测定次数:首次给药至给药后第14天,连续14天进行摄食量测定。

测定例数:全部动物。

测定方法:第1天上午测定每个饲养笼所给饲料量,次日上午相同时间测定剩余饲料量,以二者差值计算每饲养笼动物的总进食量,并计算该笼每只动物每天的平均进食量。

4.5 饮水量测定

测定次数:首次给药至给药后第14天,连续14天进行摄食量测定。

测定例数:全部动物。

测定方法:第1天上午测定每个饲养笼所给水量,次日上午相同时间测定剩余水量,以二者差值计算每饲养笼动物的总饮水量,并计算该笼每只动物每天的平均饮水量。

4.6 病理学检查

4.6.1 剖检

剖检例数:全部预定解剖的动物,各组死亡或濒临死亡的动物。

剖检方法:对于全部预定解剖的动物和各组濒临死亡动物,腹腔注射20%水合氯醛进行麻醉。从腹腔后大静脉完全放血处死,然后进行解剖。如濒死动物,迅速解剖。

尸检:肉眼观察脑、脊髓、心脏、主动脉、肺(含支气管)、肝脏、肾脏、脾脏、胰脏、胃、十二指肠、空肠、回肠结肠、直肠、盲肠、睾丸、附睾、前列腺、卵巢、子宫、阴道、膀胱、脑垂体、甲状腺(含甲状旁腺)、颌下腺、肾上腺、坐骨神经、肌肉、肠系膜淋巴结、胸腺、乳腺(雌性)、胸骨,发现异常时对该组织脏器用10%的甲醛(睾丸、附睾和眼球用Davidson's液)进行固定保存,并进行组织病理学检查,如未发现异常,不进行固定保存。

4.6.2 组织病理学检查

检查方法:固定后的组织经修块取材,逐级酒精脱水,石蜡包埋,滑动切片机切片(厚度约3μm),经苏木精–伊红(HE)染色,光镜下进行检查。根据镜检结果,如果某些组织器官需用其他方法染色,以提供更多的组织病理学信息,则进一步进行特殊染色。

4.7 数据的统计与处理

对于体重、摄食量等数据均采用SPSS22.0按照以下方法进行统计,最终数据以$\bar{x}\pm s$表示:(1)首先用Barlett检验方法进行数据均一性检验,如有数据均一(检验$P\geqslant0.05$),则进行方差分析检验(F检验);如果Bartlett检验结果显著($P<0.05$),则进行Kruskal–wallis检验。(2)如果方差分析检验结果显著($P<0.05$),则进一步用

Dunett参数检验法进行多重比较检验；如果方差分析结果不显著（$P \geq 0.05$），则统计结束。（3）如果Kruskal-wallis检验结果显著（$P < 0.05$），则进一步用Dunett非数检验法进行多重比较检验；如果Kruskal-wallis检验结果不显著（$P \geq 0.05$），则统计结束。

如果有临床症状观察、大体病理学检查结果、组织病理学检查结果，则无须进行统计学处理，直接列出观察结果。

5 结果

5.1 对动物临床症状的影响

给药后连续观察动物2周，小鼠进食，进水，活动，毛色，粪便姿势，躯体运动，呼吸频率，下腹及肛门周围有无污染，眼、鼻、口有无分泌物，体温等一切正常。

5.2 对动物体重的影响

试验期间，小鼠活动正常，健康活泼，小鼠无一死亡，无中毒反应，无其他异常现象。空白对照组和给药组小鼠体重比较，无显著性差异（$P > 0.05$）。结果见表2、表3。

表2　伊和·嘎如迪-13丸对雄性小鼠体重的影响（$n=10$, g, $\bar{x} \pm s$）

组别	给药第1天	给药第7天	给药第14天
空白对照组	18.26 ± 1.86	25.27 ± 4.65	33.85 ± 3.71
供试品组	17.48 ± 3.92	26.45 ± 3.73	34.70 ± 4.11

表3　伊和·嘎如迪-13丸对雌性小鼠体重的影响（$n=10$, g, $\bar{x} \pm s$）

组别	给药第1天	给药第7天	给药第14天
空白对照组	18.33 ± 5.30	21.93 ± 6.17	31.48 ± 1.74
供试品组	18.45 ± 4.62	20.30 ± 2.91	31.77 ± 2.25

5.3 对动物摄食量的影响

试验期间，各组动物的摄食量之间比较，无显著性差异（$P > 0.05$）。结果见表4、表5。

表4　伊和·嘎如迪-13丸对雄性小鼠摄食量的影响（$n=10$, g, $\bar{x} \pm s$）

组别	给药第1天	给药第7天	给药第14天
空白对照组	5.86 ± 1.37	6.10 ± 0.28	5.56 ± 1.74
供试品组	4.96 ± 1.67	7.03 ± 1.94	6.66 ± 1.20

表5　伊和·嘎如迪-13丸对雌性小鼠摄食量的影响（$n=10$, g, $\bar{x} \pm s$）

组别	给药第1天	给药第7b天	给药第14天
空白对照组	5.74 ± 0.74	6.62 ± 0.62	5.82 ± 0.37
供试品组	2.87 ± 0.29	6.59 ± 1.47	6.27 ± 1.63

5.4 对动物饮水量的影响

试验期间，各组动物的饮水量之间进行比较，无显著性差异（$P > 0.05$）。结果见表6、表7。

表6　伊和·嘎如迪-13丸对雄性小鼠饮水量的影响（$n=10$, g, $\bar{x} \pm s$）

组别	给药第1天	给药第7天	给药第14天
空白对照组	5.39 ± 1.92	5.91 ± 2.49	6.02 ± 2.47
供试品组	6.86 ± 1.37	5.83 ± 1.15	5.16 ± 1.44

表7　伊和·嘎如迪-13丸对雌性小鼠饮水量的影响（$n=10$, g, $\bar{x}\pm s$）

组别	给药第1天	给药第7天	给药第14天
空白对照组	5.82 ± 1.71	6.03 ± 2.17	5.85 ± 1.26
供试品组	6.62 ± 1.69	4.54 ± 1.97	5.29 ± 1.61

5.5　病理学检查

大体病理学检查，肉眼观察组织、器官未发现异常或病变。

6　结论

本实验条件下，昆明种小鼠灌胃给予伊和·嘎如迪-13丸，小鼠按0.4ml/10g灌胃给药，一日内给药1次，小鼠总给药量为40ml/kg，为人临床给药剂量的107.20倍。在观察期间内（0~14天），饲养观察2周，无任何异常及中毒反应，小鼠体重增加，行为、活动、进食一切正常。

结果表明，伊和·嘎如迪-13丸口服药为无毒或低毒药物。

起草单位: 内蒙古盛唐国际蒙医药研究院　　张跃祥　　崔丽敏　　刘卫东

　　　　　　鄂尔多斯市检验检测中心　　　　孟美英　　吕彩莲　　张　烨

　　　　　　内蒙古医科大学药学院　　　　　肖云峰　　钱新宇　　王　娜　　韩运琪　　王建民　　李建华

　　　　　　　　　　　　　　　　　　　　　张双兰　　程　前　　籍紫薇

伊和·额日敦质量标准起草说明

【历史沿革】

本方来源于《蒙医金匮》（满阿格仁钦中乃）（内蒙古人民出版社1978年版，蒙古文，第874页）。

【处方来源】

本制剂由内蒙古自治区国际蒙医医院提供。

【名称】

伊和·额日敦

【蒙药材和饮片的来源和执行标准】

1. 处方组成及药味排列顺序：炒珍珠40g、紫檀40g、海金沙30g、诃子30g、檀香30g、豆蔻30g、石膏30g、枫香脂30g、川楝子30g、栀子30g、西红花30g、肉豆蔻30g、生草果仁30g、沉香30g、羚羊角30g、苘麻子20g、决明子20g、土木香20g、木香20g、甘草20g、肉桂20g、丁香20g、地锦草20g、香旱芹20g、黑种草子20g、方海20g、荜茇20g、麝香5g、牛黄5g。

2. 处方中除方海、香旱芹、紫檀、炒珍珠外，其余石膏等药味均收载于《中国药典》2020年版一部，其质量应符合该品种项下的有关规定。

方海：为方蟹科中华绒螯蟹*Eriocher sinensis* H. Milne-Edwards的干燥全体。其质量应符合《内蒙古蒙药饮片炮制规范》2020年版第431页该品种项下的有关规定。

香旱芹：为伞形科植物孜然芹*Cuminum cyminum* L. 的干燥成熟果实。其标准应符合《内蒙古蒙药饮片炮制规范》2020年版第334页该品种项下的有关规定。

紫檀：为豆科植物紫檀*Pterocarpus sindicus* Willd的心材。其标准应符合《内蒙古蒙药饮片炮制规范》2020年版第440页该品种项下的有关规定。

炒珍珠：为珍珠贝科动物马氏珍珠贝*Pteria martensii*（Dunker）蚌科动物三角帆蚌*Hyriopsis cumingii*（Lea）或褶纹冠蚌*Cristaria plicata*（Leach）等双壳类动物受刺激形成的珍珠。其标准应符合《内蒙古蒙药材炮制规范》2020年版第288页该品种项下的有关规定。

【制法】

以上二十九味，除牛黄、麝香、西红花、羚羊角外，其余石膏等二十五味，粉碎成细粉，与麝香、牛黄、西红花、羚羊角分别研细，与上述细粉配研，过筛，混匀，用水泛丸，打光，干燥，分装，即得。

【性状】

本品为黄棕色至黄褐色的水丸；气香，味微甘、涩、苦。

【鉴别】

本品为药材粉末制成的水丸，方中栀子、西红花、决明子、紫檀、海金沙的显微特征较明显，故建立显微鉴别，并对处方中荜茇、牛黄建立了薄层鉴别。

1. 试剂与试药

供试品：供试品（批号 20200319、20200413、20200438）由内蒙古自治区国际蒙医医院提供，模拟样品（批号20200078）模拟。

对照品：胡椒碱对照品（批号110775-201706）、胆酸对照品（批号100078-201415），均购于中国食品药品检定研究院。

薄层板：硅胶G板，购于青岛海洋化工有限公司。

所用其他试剂均为分析纯，水为超纯水。

2. 试验方法与结果

（1）显微鉴别

海金沙：孢子四面体，三角状圆锥形，顶面观三面锥形，可见三叉状裂隙，底面观类圆形，直径60~85μm，外壁有颗粒状雕纹。丁香：花粉粒三角形，直径约16μm。栀子：种皮石细胞黄色或淡黄色，多破碎，完整者长多角形或形状不规则，壁厚，有大的圆形纹孔，胞腔棕红色。檀香：纤维束周围薄壁细胞含草酸钙方晶，形成晶纤维；草酸钙方晶，呈多面形，板状、双晶状，直径22~42μm。珍珠：半透明碎块，有光泽，可见细密波状纹理，色白或淡粉色。

（2）荜茇薄层鉴别

荜茇具有温中散寒，行气止痛的调节作用。荜茇中含有胡椒碱，参照《中国药典》2020年版一部"荜茇"项下的薄层条件，制定出正文所述的鉴别方法。通过阴性对照试验观察，方中其他药材对荜茇药材及主要成分胡椒碱薄层检验无干扰，证明此方法具有专属性。

（3）牛黄薄层鉴别

参照《中国药典》2020年版一部"牛黄"项下胆酸鉴别的薄层条件，制定出正文所述的鉴别方法。通过阴性对照试验观察，方中其他药材对胆酸的检出无干扰，证明此方法具有专属性。

【检查】

按照丸剂（《中国药典》2020年版四部通则0108）项下规定，对三批供试品及模拟样品的水分、重量差异、溶散时限、重金属、砷盐、微生物限度进行了检查。具体方法及测定数据如下：

1. 水分：取供试品照水分测定法（《中国药典》2020年版四部通则0832）测定。三批供试品及模拟样品测定结果见表1。

表1　水分测定结果

序号	批号	水分（%）
1	20200319	1.7
2	20200413	3.0
3	20200438	7.0
4	20200078	5.21

药典规定丸剂水分含量不得大于9.0%。表1数据可见，三批供试品和模拟样品的水分含量均符合要求。

2. 重量差异：取以上三批供试品，每批供试品取10份，10丸为1份，分别称定重量，再与每份标示重量（2g）相比较，求每一份的重量差异（%）。药典规定每份标示装量的限度为±8%，并规定超出重量差异限度的不得多于2份，并不得有1份超出限度1倍。本品的重量差异检查结果均符合规定。

3. 溶散时限：取本品照片剂项下崩解时限检查法（《中国药典》2020年版四部通则0921）加挡板进行测定。三批供试品测定结果见表2。

表2 溶散时限测定结果

序号	批号	溶散时间（min）
1	20200319	38
2	20200413	43
3	20200438	43

药典规定水丸应在1小时内全部溶散。表2数据可见，本品的溶散时限符合规定。

4. 对三批供试品及模拟样品进行了重金属、砷盐考察，方法与结果如下：

重金属：分别取每个批号供试品0.5g、0.67g、1.0g、2.0g，按《中国药典》2020年版四部0821第二法检查。

供试品溶液的制备：取本品0.5g、0.67g、1.0g、2.0g，分别缓缓炽灼至完全炭化，放冷，加硫酸0.5ml，使湿润，低温加热至硫酸除尽后，加硝酸0.5ml，蒸干，至氧化氮蒸气除尽后，放冷，于600℃炽灼至完全灰化，放冷。加盐酸2ml，置水浴上蒸干后加水15ml，滴加氨试液至对酚酞指示液显中性，再加醋酸盐缓冲液（pH3.5）2ml，微热溶解后，移置纳氏比色管中，加水稀释至25ml，作为供试品溶液。

标准铅对照溶液的制备：另取配制供试品溶液的试剂两份，分别置瓷皿中蒸干后，加醋酸盐缓冲液（pH3.5）2ml，加水15ml微热溶解后，移置两支纳氏比色管中，分别加标准铅溶液（10μg/mlPb）2ml，再加水稀释至25ml，作为标准铅对照溶液。

检视：于上述供试品溶液和标准铅对照溶液中分别加硫代乙酰胺试液各2ml，摇匀，放置2分钟，同置白色背景上，从上向下进行观察。试验结果见表3。

表3 重金属检查结果

序号	批号	重金属含量（ppm）			
1	20200319	<10	<20	<30	<40
2	20200413	<10	<20	<30	<40
3	20200438	<10	<20	<30	<40
4	20200078	<10	<20	<30	<40

结果显示，供试品溶液的颜色明显浅于2ml的标准铅对照管。经过三批供试品及模拟样品的检查，含重金属均未超过百万分之十，故未收入正文。

砷盐：取本品1g和标准砷溶液（1μg/mlAS）2ml，分别加无砷氢氧化钙1g，加少量水，搅匀，烘干，用小火缓缓炽灼至炭化，再在600℃炽灼至完全灰化，放冷。分别加盐酸7ml使溶解，再加水21ml，按《中国药典》2020年版四部通则0822第一法（古蔡氏法）做砷盐限量检查。

结果：供试品砷斑浅于标准砷斑的颜色，表明本品含砷量未超过百万分之二（小于2ppm），故砷盐检查项目未列入正文。

5. 微生物限度：照微生物计数法（《中国药典》2020年版四部通则1105）和控制菌检查法（《中国药典》2020年版四部通则1106）及《内蒙古蒙药制剂规范》（第三册）附录Ⅲ微生物限度标准，进行检查。结果均符合规定。

【含量测定】

伊和·额日敦是由石膏、丁香、诃子、川楝子、栀子等二十九味药组成的蒙药制剂，具有清热，安神，舒筋活络的功效。为了保证该药品内在质量，确保其临床的有效性，对处方中主要药味之一栀子进行了含量测定试验研究。故参照《中国药典》2020年版一部"栀子"项下的含量测定方法，以栀子苷为指标，对本制剂中的栀子进行了HPLC含量测定方法研究。经分析方法验证，表明该方法重现性好、专属性强，方中其他组分对栀子苷的测定无干扰。

1 仪器与试剂试药

1.1 仪器

岛津LC-2030C型高效液相色谱仪, Sartorius BT25S型电子天平, Sartorius BSA223S型电子天平, Sartorius BSA224S型电子天平, MSA6.6S-.CE型电子天平, KQ-500DE型超声清洗仪。

1.2 试剂与试药

供试品(批号 20200319、20200413、20200438)由内蒙古自治区国际蒙医医院提供, 模拟样品(批号 20200078)模拟; 栀子苷对照品(批号110749-200714), 购于中国食品药品检定研究院; 乙腈为色谱纯, 水为超纯水, 其他试剂均为分析纯。

2 方法学验证

2.1 色谱条件

2.1.1 色谱柱: 色谱柱填充剂为十八烷基硅烷键合硅胶, 本试验研究采用kromasil C_{18} (250mm×4.6mm, 5μm)色谱柱和Shim-pack C_{18} (250mm×4.6mm, 5μm)色谱柱。

2.1.2 流动相的选择: 参照《中国药典》2020年版一部"栀子"含量测定项下的测定方法, 以乙腈-水(10∶90)为流动相。

2.1.3 柱温: 试验中对30℃和40℃柱温进行了比较, 结果保留时间略有差异, 但分离度及理论板数没有变化, 本试验研究选择柱温为30℃。

2.1.4 检测波长的选择: 取栀子苷对照品适量, 加甲醇制成每1ml含30μg的溶液, 通过二极管阵列检测器, 自190~800nm进行光谱扫描, 结果栀子苷在239nm处有最大吸收, 结合《中国药典》2020年版一部"栀子"项下选择238nm作为检测波长。

2.1.5 理论板数的确定: 从对多批数据的测定结果可见, 栀子苷峰的理论板数在2000以上能达到较好的分离效果, 故规定理论塔板数按栀子苷峰计算应不低于2000。

2.2 提取溶剂的选择及提取效率的考察

参照《中国药典》2020年版一部"栀子"含量测定项下的方法, 以甲醇作为提取溶剂进行超声提取。为保证被测成分提取完全, 在供试品的细度一致、提取溶剂为甲醇的条件下, 分别考察了提取10分钟、20分钟、30分钟、40分钟和50分钟的提取效率。结果见表4。

表4 提取效率考察表

提取时间(min)	取样量(g)	供试品平均峰面积	含量(mg/g)
10	1.0027	690073.5	1.206
20	1.0019	750694.5	1.311
30	1.0025	775866	1.354
40	1.0050	802583	1.402
50	1.0036	751159	1.312

从表4数据可见, 超声提取40分钟, 栀子苷的含量最高, 故将提取时间定为40分钟。

2.3 专属性考察

2.3.1 对照品溶液的制备: 取栀子苷对照品适量, 精密称定, 加甲醇制成每1ml含30μg的溶液, 作为对照品溶液。

2.3.2 供试品溶液的制备: 取本品适量, 研细, 取约1.0g, 精密称定, 置具塞锥形瓶中, 精密加入甲醇25ml, 密塞, 称定重量, 超声处理(功率250W, 频率40kHz)40分钟, 放冷, 再称定重量, 用甲醇补足减失的重量, 摇匀, 滤过, 取续滤液, 作为供试品溶液。

2.3.3 阴性对照溶液的制备：按本品处方工艺制备不含栀子的阴性样品，按供试品溶液的制备方法制备阴性对照溶液（缺栀子）。

2.3.4 测定：分别精密吸取以上三种溶液各10μl，注入色谱仪，记录各自的色谱图。

试验结果显示：供试品色谱中在与对照品色谱保留时间相同的位置上有色谱峰出现，而阴性对照在与对照品色谱保留时间相同的位置上无色谱峰出现，表明该含量测定方法阴性无干扰，专属性好。

2.4 线性关系考察

取栀子苷对照品约9mg，精密称定，置100ml量瓶中，加甲醇使溶解，并稀释至刻度，摇匀，作为对照品溶液，分别精密吸取1μl、2μl、4μl、6μl、8μl、10μl、12μl、14μl注入液相色谱仪，按上述色谱条件测定，以峰面积对注入量进行回归分析，结果见表5。

表5 标准曲线数据及回归分析结果

进样量（μg）	峰面积值	回归方程	r
0.09002	131461		
0.18004	259559		
0.36008	520918		
0.54012	782279	$y=1452297.9x-253.6$	0.9999
0.72016	1050740		
0.9002	1306271		
1.08024	1574906		
1.26028	1823781		

从表5数据可见，栀子苷在0.09002~1.26028μg范围内与峰面积值呈良好的线性关系。

2.5 稳定性试验

取同一供试品（批号20200319）溶液，分别于制备溶液后的0h、2h、4h、6h、8h、10h进行测定。结果见表6。

表6 不同时间测定溶液中栀子苷的峰面积值

序号	时间（h）	峰面积值
1	0	811075
2	2	807169
3	4	808824.5
4	6	808161.5
5	8	809136.5
6	10	811799

从表6数据可见，栀子苷在10小时内峰面积值基本稳定，能够满足测定所需的时间。

2.6 重复性试验

取同一供试品（批号20200319）6份，每份约1.0g，精密称定，置具塞锥形瓶中，精密加入甲醇25ml，密塞，称定重量，超声处理40分钟，放冷，再称定重量，用甲醇补足减失的重量，摇匀，滤过，取续滤液，作为供试品溶液。另取栀子苷对照品适量，精密称定，加甲醇制成每1ml含30μg的溶液，作为对照品溶液。分别精密吸取以上两种溶液各10μl，注入液相色谱仪，记录各自的色谱图，用外标法以峰面积计算含量。结果见表7。

表7　栀子苷重复性试验结果

取样量（g）	峰面积值（n=2）	含量（mg/g）	平均含量（mg/g）	RSD（%）
1.0005	800298	1.390		
1.0001	818741.5	1.423		
1.0002	803080	1.395	1.396	1.30
1.0004	793937	1.379		
1.0006	813985.5	1.414		
1.0003	793149.5	1.378		

从表7数据可见，在相同的提取溶剂和色谱条件下，6份供试品含量测定结果的均值为1.396mg/g，RSD为1.30%，表明该方法的重复性良好。

2.7　加样回收试验

取已知含量（批号20200319；栀子苷含量：1.396mg/g）的供试品6份，每份约0.5g，精密称定，分别置具塞锥形瓶中，分别精密加入栀子苷对照品溶液（浓度为0.09002mg/g）8ml及甲醇17ml，摇匀，称定重量，超声处理40分钟，取出，再称定重，用甲醇补足减失重量，摇匀，滤过。各取续滤液10μl进样，分别按重复性试验项下的色谱条件测定每份的含量，计算回收率。结果见表8。

表8　栀子苷加样回收试验结果

称样量（g）	供试品含量（mg）	对照品加入量（mg）	测得总量（mg）	回收率（%）	平均回收率（%）	RSD（%）
0.5001	0.6986	0.72016	1.4036	97.89		
0.5002	0.6984	0.72016	1.4048	98.08		
0.5001	0.6986	0.72016	1.4111	98.93	98.23	0.71
0.5002	0.6986	0.72016	1.4082	98.53		
0.5002	0.6984	0.72016	1.4106	98.89		
0.5001	0.6984	0.72016	1.3975	97.07		

从表8数据可见，本方法的平均回收率为98.23%，RSD为0.71%。该方法准确度好。

2.8　耐用性试验

换不同厂家、不同型号的色谱柱，取重复性试验中的1号供试品（批号20200319）及对照品溶液分别进样，测定含量，结果见表9。

表9　不同色谱柱的耐用试验

序号	色谱柱型号	分离度	含量（mg/g）
1	Shim-Pack	>1.5	1.390
2	Phenomenex	>1.5	1.396

从表9数据可见，不同型号或厂家的色谱柱对测定结果影响较小。

3　样品含量测定

取三批样品（批号20200319、20200413、20200438）及模拟样（批号20200078）各2份，各约1g，精密称定，按重复性试验项下的方法处理并测定。含量测定结果见表10。

表10　样品中栀子苷的含量测定结果

批号	取样量（g）	平均峰面积值	含量（mg/g）	平均含量（mg/g）
20200319	1.0016	811430	1.4025	1.403
	1.0020	813072	1.4054	

续表

批号	取样量（g）	平均峰面积值	含量（mg/g）	平均含量（mg/g）
20200413	1.0016	820451	1.4126	1.405
	1.0023	812099	1.3982	
20200438	1.0012	809289	1.3945	1.392
	1.0019	807015	1.3906	

从表10数据可见，三批样品中栀子苷平均含量最低为1.392mg/g，最高为1.405mg/g。三批次栀子苷含量均在1.0mg/g以上。

4　栀子药材含量测定

试验中采用同法对上述三批样品生产用栀子药材进行了含量测定。测定结果见表11。

表11　栀子药材中栀子苷含量测定结果

序号	含量（mg/g）	栀子药材含量（%）	平均含量（mg/g）	栀子苷转移率（%）	平均转移率（%）
1	0.966	3.8	3.84	61.94	71.13
2	1.049	3.8		67.26	
3	1.026	3.8		65.79	
4	1.172	3.7		77.18	
5	1.405	4.1		83.50	

从表11数据可见，本品中栀子苷的转移率有一定差异，平均转移率为71.13%，

5　本制剂含量限度的确定

参照《中国药典》2020年版一部"栀子"药材的栀子苷含量限度不得少于1.8%，转移率为71.13%，考虑不同产地药材的质量差异，并结合其他影响因素及三批样品的测定结果，下浮25%，按此限度折算本品含栀子苷的理论量应不低于30÷720×1.8%×1000×71.13%=0.533mg/g。

标准正文暂定为：本品每1g含栀子以栀子苷（$C_{17}H_{24}O_{10}$）计，不得少于0.50mg。

【功能与主治】

愈白脉损伤，清陈热，燥协日乌素。主治血脉、白脉，半身不遂，陶赖，赫如虎，吾亚曼，肾脉震伤，肾热，抽筋，热邪陈旧而扩散于脉，关节僵直，协日乌素症，疫热。

【用法与用量】

口服。一次11~15丸，一日1~2次，温开水送服。

【规格】

每10丸重2g。

【贮藏】

密闭，防潮。

起草单位：内蒙古自治区国际蒙医医院　　　包文亮　乌仁高娃　那松巴乙拉

　　　　　　包头市检验检测中心　　　　　成志平　杨莉　唐波

　　　　　　内蒙古自治区药品检验研究院　娜仁图雅　包顺茹　乌云索德

壮西-11丸质量标准起草说明

【历史沿革】

本方来源于内蒙古自治区国际蒙医医院杭盖巴特尔大夫经验方。

【处方来源】

本制剂由内蒙古自治区国际蒙医医院提供。

【名称】

壮西-11丸

【蒙药材和饮片的来源和执行标准】

1. 处方组成及药味排列顺序：寒制红石膏30g、碱面20g、大黄20g、光明盐15g、煨乌蛇15g、山奈10g、土木香10g、木香10g、诃子10g、赤瓟子10g、沙棘10g。

2. 处方中除了寒制红石膏、赤瓟子、碱面、光明盐等药材外，其余大黄等药味均收载于《中国药典》2020年版一部，其质量应符合该品种项下的有关规定。

寒制红石膏：为单斜晶系硫酸钙矿石族红石膏Gypsum的矿石红石膏（北寒水石）的炮制加工品。主含含水硫酸钙（$CaSO_4 \cdot 2H_2O$）。其标准应符合《内蒙古蒙药饮片炮制规范》2020年版第188页该品种项下的有关规定。

赤瓟子：为葫芦科植物赤瓟*Thladiantha dubia* Bge.的干燥成熟果实。其标准应符合《中华人民共和国卫生部药品标准》（蒙药分册）1998年版第17页该品种项下的有关规定。

碱面：为天然碱土Trona soil自然粗结晶，或经风化的产物。主含碳酸钠（Na_2CO_3）。其标准应符合《内蒙古蒙药饮片炮制规范》2020年版第502页该品种项下的有关规定。

光明盐：为天然石盐Halite结晶体。主含氯化钠（$NaCl$）。其标准应符合《内蒙古蒙药饮片炮制规范》2020年版第160页该品种项下的有关规定。

【制法】

以上十一味，粉碎成细粉，过筛，混匀，用水泛丸，打光，干燥，分装，即得。

【性状】

本品为棕黄色至棕褐色的水丸，气微，味咸。

【鉴别】

本品为药材粉末制成的水丸，方中大黄、沙棘显微特征明显，故建立了显微鉴别，并对处方中木香建立了薄层色谱鉴别。

1. 试剂与试药

供试品：供试品（批号20190523、20191125、20200325）由内蒙古自治区国际蒙医医院提供，模拟样品（批号20200083）模拟。

对照品：木香烃内酯对照品（批号111524-201208）、去氢木香内酯对照品（批号111525-200505），均购于中国食品药品检定研究院。

薄层板:硅胶G板,购于青岛海洋化工有限公司。

所用其他试剂均为分析纯,水为离子交换高纯水。

2. 试验方法与结果

(1)显微鉴别

大黄:草酸钙簇晶大,直径60~140μm。沙棘:盾状毛由多个单细胞非腺毛毗连而成,末端分离。

(2)木香薄层鉴别

木香具有行气止痛,健脾消食的功效。参照《中国药典》2020年版一部"木香"项下的薄层条件,制定出正文所述的鉴别方法。通过阴性对照试验观察,方中其他药材对木香的检出无干扰,此法具专属性。

【检查】

按照丸剂(《中国药典》2020年版四部通则0108)项下的规定,对三批供试品及模拟样品的水分、重量差异、溶散时限、重金属、砷盐和微生物限度进行了检查。具体方法及测定数据如下:

1. 水分:取供试品照水分测定法(《中国药典》2020年版四部 通则0832)测定,三批供试品及模拟样品测定结果见表1。

表1　水分测定结果

序号	批号	水分(%)
1	20190523	6.3
2	20191125	6.3
3	20200325	6.5
4	20200083	6.5

药典规定丸剂水分含量不得大于9.0%。从表数1据可见,三批供试品和1模拟样品的水分含量均符合要求。

2. 重量差异:取以上三批供试品,每批供试品取10份,10丸为1份,分别称定重量,再与每份标示重量(2克)相比较,求每一份的重量差异(%)。药典规定每份标示装量的限度为±8%,并规定超出重量差异限度的不得多于2份,并不得有1份超出限度1倍。本品的重量差异检查结果均符合规定。

3. 溶散时限:取本品照片剂项下崩解时限检查法(《中国药典》2020年版四部通则0921)加挡板进行测定。三批供试品测定结果见表2。

表2　溶散时限测定结果

序号	批号	溶散时间(min)
1	20190523	41
2	20191125	41
3	20200325	45

药典规定水丸应在1小时内全部溶散。从表2数据可见,本品的溶散时限符合规定。

4. 对三批供试品及模拟样品进行了重金属、砷盐考察,方法与结果如下:

重金属:分别取每个批号供试品0.5g、0.67g、1.0g、2.0g,按《中国药典》2020年版四部0821第二法检查。

供试品溶液的制备:取本品0.5g、0.67g、1.0g、2.0g,分别缓缓炽灼至完全炭化,放冷,加硫酸0.5ml,使湿润,低温加热至硫酸除尽后,加硝酸0.5ml,蒸干,至氧化氮蒸气除尽后,放冷,于600℃炽灼至完全灰化,放冷。加盐酸2ml,置水浴上蒸干后加水15ml,滴加氨试液至对酚酞指示液显中性,再加醋酸盐缓冲液(pH3.5)2ml,微热溶解后,移置纳氏比色管中,加水稀释至25ml,作为供试品溶液。

标准铅对照溶液的制备:另取配制供试品溶液的试剂两份,分别置瓷皿中蒸干后,加醋酸盐缓冲液(pH3.5)

2ml，加水15ml微热溶解后，移置两支纳氏比色管中，分别加标准铅溶液（10μg/mlPb）1ml、2ml，再加水稀释至25ml，作为标准铅对照溶液。

检视：于上述供试品溶液和标准铅对照溶液中分别加硫代乙酰胺试液各2ml，摇匀，放置2分钟，同置白色背景上，从上向下进行观察。结果显示，供试品溶液的颜色明显浅于1ml的标准铅对照溶液。经过三批供试品及模拟样品的检查，含重金属均未超过百万分之十，故未收入正文。试验结果见表3。

表3　重金属检查结果

序号	批号	重金属含量（ppm）			
1	20190523	<10	<20	<30	<40
2	20191125	<10	<20	<30	<40
3	20200325	<10	<20	<30	<40
4	20200083	<10	<20	<30	<40

结果显示，供试品溶液的颜色明显浅于2ml的标准铅对照管。经过3批供试品及模拟样品的检查，含重金属均未超过百万分之十，故未收入正文。

砷盐：取本品1g和标准砷溶液（1μg/mlAS）2ml，分别加无砷氢氧化钙1g，加少量水，搅匀，烘干，用小火缓缓炽灼至炭化，再在600℃炽灼至完全灰化，放冷。分别加盐酸7ml使溶解，再加水21ml，按《中国药典》2020年版四部通则0822第一法（古蔡氏法）做砷盐限量检查。

结果：供试品砷斑浅于标准砷斑的颜色，表明本品含砷量未超过百万分之二（小于2ppm）。故砷盐检查项目未收入正文。

5. 微生物限度：照微生物计数法（《中国药典》2020年版四部通则1105）和控制菌检查法（《中国药典》2020年版四部通则1106）及《内蒙古蒙药制剂规范》（第三册）附录Ⅲ微生物限度标准，进行检查。结果均符合规定。

【含量测定】

壮西-11丸是由大黄、沙棘、诃子、木香、土木香、煨乌蛇、赤爬子、山奈等十一味药组成的复方制剂。选择大黄进行含量测定方法研究，以有效控制制剂质量。大黄具泻下攻积，清热泻火，凉血解毒，逐瘀通经，利湿退黄的功能，用于实热便秘，积滞腹痛，泻痢不爽等症。参照《中国药典》2020年版一部中"大黄"项下的含量测定方法，对处方中大黄所含的大黄酚成分进行测定，进行了HPLC含量测定方法研究。通过试验分析，结果表明该方法重现性好，专属性强，方中其他组分对大黄酚的测定无干扰。

1　仪器与试剂试药

1.1　仪器

岛Waters e2695型液相色谱仪，2998 PDA Detector，UV-2450型紫外-可见分光光度，Sartorius BSA124S（0.1mg），BT125D（0.01mg）电子天平，Sartorius MSE3.6P-0CE-DM（0.001mg）。

1.2　试剂与试药

供试品（批号20190523、20191125、20200325）由内蒙古自治区国际蒙医医院提供，模拟样品（批号20200083）模拟；大黄酚对照品（批号110796-201621），购于中国食品药品检定研究院；甲醇为色谱纯，乙腈为色谱纯，水为超纯水，所用其他试剂均为分析纯。

2　方法学考察

2.1　色谱条件

2.1.1　色谱柱：色谱柱填充剂为十八烷基硅烷键合硅胶，本试验采用色谱柱为SHIMADZU Shim-pack GIST C18（250mm×4.6mm，5μm）。

2.1.2 流动相的选择：参照《中国药典》2020年版一部"大黄"项下的含量测定方法，以甲醇-0.1%磷酸溶液（85∶15）为流动相，进行试验分析，供试品中大黄酚与其他成分未达到较好的分离，故调整流动相比例为甲醇-0.1%磷酸溶液（90∶10），分离度高，理论塔板数较高，保留时间适宜，故作为检测流动相。

2.1.3 柱温：在30℃的条件下，大黄酚的保留时间一致，而且分离效果比较好，因此选择柱温在30℃。

2.1.4 检测波长的选择：精密称取大黄酚对照品适量，用甲醇制成每1ml含0.1mg的溶液，于紫外-可见分光光度计上，在200~700nm波长范围扫描。大黄酚在波长428.6nm、350.2nm、286.8nm、277.0nm、254.0nm、217.0nm处有最大吸收。参照《中国药典》2020版一部"大黄"含量测定项下的测定方法的检测波长为254nm，因此标准选择254nm作为检测波长。

2.1.5 理论板数的确定：从对多批数据的测定结果可见，大黄酚的理论板数在3000以上即能达到较好的分离效果，考虑到不同的色谱柱具不同的理论塔板数，故确定理论板数按大黄酚峰算应不低于3000。

2.1.6 流速的选择：本次试验选取0.8ml/min的流速，原因在于当考察提取条件时，选择的是1.0ml/min的流速，随着试验的进行，虽然进行相应清洗柱子，但发现柱压仍然偏高，故考察了0.8ml/min，柱压相对理想，且含量无明显差异，故本次试验选择0.8ml/min的流速。

2.2 提取方法的选择及提取效率的考察

2.2.1 提取溶剂的选择

参照《中国药典》2020年版一部"大黄"项下含量测定对大黄酚提取方法，选用甲醇作为提取溶剂。

2.2.2 提取效率的考察

参照《中国药典》2020年版一部"大黄"项下含量测定的方法，供试品中加甲醇回流提取蒽醌类化合物，挥去甲醇后，加盐酸酸化水解，使蒽醌化合物全部游离。试验中考察了甲醇加热回流30分钟、60分钟、90分钟不同提取时间对提取效率的影响，含量测定结果见表4。

表4 提取方式考察表

序号	加热回流时间（min）	大黄酚含量（mg/g）
1	30	0.2143
2	60	0.2355
3	90	0.1778

从表4数据可见，甲醇加热回流60分钟大黄酚的含量基本稳定，故将提取时间定为加热回流60分钟。

2.2.3 提取次数的考察

参照《中国药典》2020年版一部"大黄"项下含量测定的方法加三氯甲烷加热回流提取后，分取三氯甲烷层，酸液再用三氯甲烷萃取。为了使蒽醌化合物全部游离并使游离态蒽醌提取完全，试验中考察了三氯甲烷提取次数：2次、3次、4次、5次对提取效率的影响，含量测定结果见表5。

表5 大黄酚提取次数考察表

序号	提取次数	大黄酚含量（mg/g）
1	2	0.2186
2	3	0.2355
3	4	0.2664
4	5	0.2647

从表5数据可见，三氯甲烷提取5次与提取4次含量基本不变，将提取次数定为4次。

2.3 专属性考察

2.3.1 对照品溶液的制备：取大黄酚对照品（批号110796-201621，含量99.4%）约2.36mg，精密称定，置25ml量瓶中，加甲醇使溶解并稀释至刻度，摇匀，作为对照品溶液（大黄酚0.0938mg/ml）。

2.3.2 供试品溶液的制备：取本品适量，研细，取约1.2g，精密称定，置具塞锥形瓶中，精密加入甲醇50ml，密塞，称定重量，加热回流60分钟，放冷，再称定重量，用甲醇补足减失的重量，摇匀，滤过，取续滤液，作为供试品溶液。

2.3.3 阴性对照溶液的制备：按本品处方工艺制备不含大黄的阴性溶液，按供试品溶液的制备方法制备阴性对照溶液（缺大黄）。

2.3.4 测定：分别精密吸取以上三种溶液各10μl，注入色谱仪，记录各自的色谱图。

试验结果显示：供试品色谱中在与对照品色谱保留时间相同的位置上有色谱峰出现，而阴性对照在与对照品色谱保留时间相同的位置上无色谱峰出现，表明该含量测定方法阴性无干扰，专属性好。

2.4 线性关系考察

取大黄酚对照品（批号110796-201621）约2.36mg，精密称定，置25ml量瓶中，加甲醇使溶解并稀释至刻度，摇匀（0.0938mg/ml），精密吸取1.5ml、2ml、2.5ml、3ml、3.5ml、4ml，分别置50ml量瓶中，加甲醇稀释至刻度，摇匀，各取10μl进样，按上述色谱条件测定，以峰面积对注入量进行回归分析。结果见表6。

表6 标准曲线数据及回归分析结果

对照品浓度（μg/ml）	峰面积值	回归方程	回归系数（r）
2.814	199546		
3.752	274036		
4.690	351896	$y=73877x-3807.9$	0.9992
5.628	410232		
6.566	477114		
7.504	551106		

从表6数据可见，大黄酚在2.814~7.504μg/ml范围内与峰面积值呈良好的线性关系。

2.5 稳定性试验

取同一供试品溶液，分别在溶液制备后的0h、2.5h、5h、7.5h、10h、12.5h、15h进行测定。结果见表7。

表7 不同时间测得溶液中大黄酚峰面积值

时间（h）	峰面积值	RSD（%）
0	357011	
2.5	358976	
5	360616	
7.5	362148	0.74
10	363672	
12.5	363769	
15	363751	

从表7数据可见，供试品溶液在10小时内的峰面积值基本稳定。

2.6 重复性试验

取同一批号供试品6份，各约1.2g，精密称定，置具塞锥形瓶中，精密加入甲醇50ml，密塞，称定重量，加热回流60分钟，放冷，再称定重量，用甲醇补足减失的重量，摇匀，滤过，取续滤液，作为供试品溶液。另取大黄酚对照品约2.36mg，精密称定，置25ml量瓶中，加甲醇使溶解并稀释至刻度，摇匀，作为对照品溶液。分别精密吸取以上两种溶液各10μl,注入液相色谱仪,记录各自的色谱图,用外标法以峰面积计算含量。结果见表8。

表8　大黄酚重复性试验结果

取样量（g）	峰面积值	含量（mg/g）	平均含量（mg/g）	RSD（%）
1.1251	289602	0.2160		
1.1001	274749	0.2096		
1.2029	309915	0.2162	0.216	1.80
1.2023	309343	0.2159		
1.2095	319474	0.2216		
1.2098	313876	0.2177		

从表8数据可见,在相同的提取溶剂和色谱条件下,6份供试品含量测定结果的均值为0.216 mg/g,RSD为1.80%,表明该方法的重复性良好。

2.7　加样回收试验

取供试品(含量为0.216mg/g)9份,各约0.6g,精密称定,分别置9个具塞锥形瓶中,精密加入用甲醇配制的大黄酚对照品溶液(大黄酚浓度0.1014mg/ml)1ml、1ml、1ml、1.3ml、1.3ml、1.3ml、1.6ml、1.6ml、1.6ml,分别按重复性试验项下方法进行含量测定,计算回收率。结果见表9。

表9　大黄酚加样回收试验结果

取样量（g）	供试品含量（mg）	对照品加入量（mg）	测得总量（mg）	回收率（%）	平均回收率（%）	RSD（%）
0.6030	0.1302	0.1014	0.2192	87.77		
0.6030	0.1302	0.1014	0.2173	85.89		
0.6052	0.1307	0.1014	0.2167	84.81		
0.6022	0.1301	0.1318	0.2423	85.12		
0.6018	0.1300	0.1318	0.2400	83.46	85.8	2.60
0.6012	0.1299	0.1318	0.2393	83.00		
0.6099	0.1317	0.1630	0.2771	89.20		
0.6060	0.1309	0.1630	0.2737	87.61		
0.5950	0.1285	0.1630	0.2626	82.27		

从表9数据可见,本方法的平均回收率为85.8%,RSD为2.60%。该方法准确度好。

2.8　耐用性试验

换不同厂家、不同型号的色谱柱,取重复性试验中的供试品及对照品溶液分别进样,测定含量,结果见表10。

表10　色谱柱耐用性试验

序号	柱型号	含量（mg/g）
1	SHIMADZU Shim-pack GIST C$_{18}$	0.2400
2	SHIMADZU-GL WondaCract ODS-2	0.2454

从表10数据可见,不同型号或厂家的色谱柱对测定结果影响较小。

3　样品含量测定

取三批样品(批号20201023、20200517、20200144)及模拟样(批号20190001)各2份,各约0.5g,精密称定,分别按重复性试验项下进行含量测定。含量测定结果见表11。

表11 样品中大黄酚的含量测定结果

批号	取样量（g）	平均峰面积值	含量（mg/g）	平均含量（mg/g）
20190523	1.2033	363790	0.2537	0.2464
	1.2060	343687	0.2391	
20191125	1.2070	387914	0.2697	0.2359
	1.2025	289602	0.2021	
20200325	1.2029	309915	0.2162	0.2223
	1.2023	328333	0.2291	
20200083	1.2021	383356	0.2676	0.2664
	1.2015	379759	0.2652	

从表11数据可见，三批样品和模拟样品中姜黄素平均含量最低为0.2223mg/g，最高为0.2464mg/g，模拟样品含量结果为0.2664mg/g。

4 大黄药材含量测定

试验中采用同法对上述两批样品生产用大黄药材进行了含量测定。测定结果见表12。

表12 大黄药材中大黄酚的含量测定结果

取样量（g）	测得峰面积	含量（mg/g）	平均含量（mg/g）
0.1547	919330	5.1367	5.24
0.1506	957469	5.3356	

从表12数据可见，大黄药材中大黄酚的平均含量为5.24mg/g。

5 本制剂含量限度的确定

《中国药典》2020年版一部中，未单独规定大黄酚含量限度，根据样品的实测值下浮20%，

标准正文暂定为：本品每1g含大黄以大黄酚（$C_{15}H_{10}O_4$）计，不得少于0.20mg。

【功能与主治】

消瘀，散结，理气，通脉，消炎。用于月经不调，气瘀、血瘀症，盆腔炎，附件炎，膀胱炎等症。

【用法与用量】

口服，一次11~15丸，一日1~2次，温开水送服。

【注意事项】

孕妇忌服，年老体弱者慎用。

【规格】

每10丸重2g。

【贮藏】

密封，防潮。

起草单位：呼伦贝尔市食品药品检验所　　　秦 丹　郭司群　白 南　鄂文君

　　　　　赤峰市药品检验所　　　　　　　张学英　李彦铮　兰利军

　　　　　内蒙古自治区国际蒙医医院　　　艾毅斯　安鲁斯　高钰思

如达–10丸 质量标准起草说明

【历史沿革】

本方来源于《蒙药验方》(内蒙古自治区人民医院编,1971年版,蒙古文,第210页)。

【处方来源】

本制剂由锡林郭勒盟镶黄旗蒙医医院提供。

【名称】

如达–10丸

【蒙药材和饮片的来源和执行标准】

1. 处方组成及药味排列顺序: 木香50g、荜茇140g、人工牛黄30g、瞿麦20g、栀子20g、石榴20g、泡囊草膏20g、诃子20g、蔓荆子20g、豆蔻14g。

2. 处方中除了泡囊草和石榴外,其余的药味均收载于《中国药典》2020年版一部,其质量应符合该品种项下的有关规定。

泡囊草: 为茄科植物泡囊草*Physochlainaphysaloides*(L.)G.Don的干燥根。其标准应符合《中华人名共和国卫生部标准》(蒙药分册)1998年版第31页该品种项下的有关规定。

石榴: 为石榴科植物石榴*Punica granatum* L.的干燥成熟果实。其质量应符合《内蒙古蒙药饮片炮制规范》2020年版第119页该品种项下的有关规定。

【制法】

以上十味,除人工牛黄外,其余木香等九味,粉碎成细粉,将人工牛黄与上述细粉配研,过筛,混匀,用水泛丸,打光,干燥,分装,即得。

【性状】

本品为黄色至黄棕色的水丸;气微,味微苦、辛。

【鉴别】

本品为药材粉末制成的水丸剂,方中大多数药味的显微特征较为明显,故对处方中木香、荜茇、诃子、豆蔻建立了显微鉴别。同时对方中的荜茇、人工牛黄、栀子建立了薄层鉴别。

1. 试剂与试药

供试品: 供试品(批号20200425、20200621、20200227)由锡林郭勒盟镶黄旗蒙医医院提供,模拟样品(批号20200055)模拟。

对照品: 胆酸对照品(批号100078–201415)、栀子苷对照品(批号110749–200714)、胡椒碱对照品(批号110775–201706),均购于中国食品药品检定研究院。

薄层板: 硅胶G板,购于青岛海洋化工有限公司。

所用其他试剂均为分析纯,水为离子交换高纯水。

2. 试验方法与结果

（1）显微鉴别

木香：木纤维成束，长梭形，直径16~24μm，纹孔口横裂缝状、十字状或人字状。荜茇：种皮细胞红棕色，长多角形，壁连珠状增厚。诃子：石细胞成群或单个散在，呈类圆形、长卵形、长方形或长条形，孔沟细密而明显。豆蔻：内种皮细胞红棕色，表面观多角形，壁厚，胞腔内含硅质块。

（2）人工牛黄薄层鉴别

参照《中国药典》2020版一部"人工牛黄"项下的薄层条件，制定出正文所述的鉴别方法。通过阴性对照试验观察，方中其他药材对人工牛黄的检出无干扰，此法具专属性。

（3）栀子薄层鉴别

参照《中国药典》2020版一部"栀子"项下的薄层条件，制定出正文所述的鉴别方法。通过阴性对照试验观察，方中其他药材对栀子的检出无干扰，此法具专属性。

（4）荜茇薄层鉴别

参照《中国药典》2020版一部"荜茇"项下的薄层条件，制定出正文所述的鉴别方法。通过阴性对照试验观察，方中其他药材对荜茇的检出无干扰，此法具专属性。

【检查】

按照丸剂（《中国药典》2020年版四部通则0108）项下规定，对三批供试品的水分、溶散时限、重量差异、重金属、砷盐进行了检查，结果符合规定。具体方法及测定数据如下：

1. 水分：按照《中国药典》2020年版四部通则0832第二法进行测定。结果如表1。

表1 水分测定结果

序号	批号	水分（%）
1	20200425	6.5
2	20200621	6.6
3	20200227	6.4

药典规定水丸水分不得过9.0%。从表1数据可见，三批供试品水分含量在6.38%~6.68%之间，平均值为6.49%，均未过9.0%，故本品水分含量符合要求。

2. 重量差异：取以上三批供试品，每批供试品取10份，10丸为1份，分别称定重量，再与每份标示重量（2g）相比较，求每一份的重量差异（%）。药典规定每份标示装量的限度为±8%，并规定超出重量差异限度的不得多于2份，并不得有1份超出限度1倍。本品的重量差异检查结果均符合规定。

3. 溶散时限：取本品照片剂项下崩解时限检查法（《中国药典》2020年版四部通则0921）加挡板进行测定。三批供试品测定结果见表2。

表2 溶散时限测定结果

20200425（min）	20200621（min）	20200227（min）
23	23	24
23	23	24
24	26	25
27	26	26
27	26	27
27	27	27

药典规定水丸应在1小时内全部溶散。从表2数据可见，本品的溶散时限符合规定。

4. 对三批供试品及模拟样品进行了重金属、砷盐考察，方法与结果如下：

重金属：分别取每个批号供试品0.5g、0.67g、1.0g、2.0g，按《中国药典》2020年版四部0821第二法检查。

供试品溶液的制备：取本品0.5g、0.67g、1.0g、2.0g，分别缓缓炽灼至完全炭化，放冷，加硫酸0.5ml，使湿润，低温加热至硫酸除尽后，加硝酸0.5ml，蒸干，至氧化氮蒸气除尽后，放冷，于600℃炽灼至完全灰化，放冷。加盐酸2ml，置水浴上蒸干后加水15ml，滴加氨试液至对酚酞指示液显中性，再加醋酸盐缓冲液（pH3.5）2ml，微热溶解后，移置纳氏比色管中，加水稀释至25ml，作为供试品溶液。

标准铅对照溶液的制备：另取配制供试品溶液的试剂两份，分别置瓷皿中蒸干后，加醋酸盐缓冲液（pH3.5）2ml，加水15ml微热溶解后，移置两支纳氏比色管中，分别加标准铅溶液（10μg/mlPb）2ml，再加水稀释至25ml，作为标准铅对照溶液。

检视：于上述供试品溶液和标准铅对照溶液中分别加硫代乙酰胺试液各2ml，摇匀，放置2分钟，同置白色背景上，从上向下进行观察。试验结果见表3。

表3 重金属检查结果

序号	批号	重金属含量（ppm）			
1	20200425	<10	<20	<30	<40
2	20200621	<10	<20	<30	<40
3	20200227	<10	<20	<30	<40
4	20200055	<10	<20	<30	<40

表3数据可见，供试品溶液的颜色明显浅于2ml的标准铅对照管。经过3批供试品及模拟样品的检查，含重金属均未超过百万分之十，故未收入正文。

砷盐：取本品1g和标准砷溶液（1μg/mlAS）2ml，分别加无砷氢氧化钙1g，加少量水，搅匀，烘干，用小火缓缓炽灼至炭化，再在600℃炽灼至完全灰化，放冷。分别加盐酸7ml使溶解，再加水21ml，按《中国药典》2020年版四部通则0822第一法（古蔡氏法）做砷盐限量检查。

结果：供试品砷斑浅于标准砷斑的颜色，表明本品含砷量未超过百万分之二（小于2ppm），故砷盐检查项目未列入正文。

【含量测定】

如达-10丸是由木香、人工牛黄、栀子、荜茇等10味药组成的复方制剂。木香为本制剂主要药味，木香主要含去氢木香内酯、木香烯内酯，含量达50%，还含木香烃内酯、木香萜醛、4β-甲氧基去氢木香内酯、木香内酯、二氢木香内酯、α-环木香烯内酯、β-环木香烯内酯、土木香内酯、异土木香内酯等，其中木香烃内酯和去氢木香内酯为木香主要活性成分，历年《中国药典》作为"木香"含量测定指标。故正文以去氢木香内酯和木香烃内酯的含量作为其质量控制指标，按照《中国药典》（2020年版四部通则0512）高效液相色谱测定法进行测定。经分析方法验证，该方法重复性好、专属性强，方中其他组分对去氢木香内酯和木香烃内酯的测定无干扰。

1 仪器与试剂试药

1.1 仪器

UltiMate 3000超高效液相色谱仪（赛默飞），FA2004N型电子分析天平（上海菁海仪器有限公司），ULTRSONIC型超声波清洗机（巩义予华仪器厂）。

1.2 试剂与试药

供试品（批号20200425、20200621、20200227）由锡林郭勒盟镶黄旗蒙医医院提供，模拟样品（批号20200055）模拟；木香烃内酯（批号111524-201208）、去氢木香内酯（批号111525-200505），均购于中国食品药品检定研究院；甲醇为色谱纯，其他试剂均为分析纯。

2 方法学考察

2.1 色谱条件

2.1.1 色谱柱：色谱柱填充剂为十八烷基硅烷键合硅胶。本试验采用C₁₈柱Hypersil GOLD（250mm×4.6mm，5μm）色谱柱。

2.1.2 流动相的选择：参照《中国药典》2020年版一部"木香"项下测定方法，以甲醇-水（65∶35）作为流动相进行测定。

2.1.3 柱温：30℃。

2.1.4 检测波长：参照《中国药典》2020年版一部"木香"项下测定方法，确定检测波长为225nm。

2.1.5 理论板数的确定：对多批供试品的测定结果表明，木香烃内酯和去氢木香内酯的理论板数在9000以上即能达到与相峰分开，并符合《中国药典》规定的R>1.5的要求。故规定理论板数按木香烃内酯峰计算应不低于9000。

2.2 提取方法的选择

参照《中国药典》2020年版一部"木香"项下测定方法进行提取。在试验过程中发现放置过夜对含量影响不大，离心处理比滤过更便利，故规定以甲醇为提取溶剂，称定重量后直接超声处理，最后离心（转速为12000r/min）5分钟，取上清液。

2.3 专属性考察

2.3.1 对照品溶液的制备：取木香烃内酯对照品、去氢木香内酯对照品适量，精密称定，加甲醇制成每1ml各含100μg的混合溶液，作为对照品溶液。

2.3.2 供试品溶液的制备：取本品适量，研细，取约2g，精密称定，置具塞锥形瓶中，精密加入甲醇50ml，密塞，称定重量，超声处理（功率250W，频率40kHz）30分钟，放冷，再称定重量，用甲醇补足减失的重量，摇匀，离心（转速为5000r/min）5分钟，取上清液，作为供试品溶液。

2.3.3 阴性对照溶液的制备：按处方比例并以相同工艺制备的缺木香的阴性对照样品，按供试品溶液制备法制得阴性对照溶液。

2.3.4 测定：分别精密吸取以上三种溶液各10μl，注入色谱仪，记录各自的色谱图。

试验结果显示：供试品色谱中与对照品色谱保留时间相同的位置上有色谱峰出现，而阴性对照在与对照品色谱保留时间相同的位置上无色谱峰出现，表明该含量测定方法阴性无干扰，专属性好。

2.4 线性关系考察

木香烃内酯对照品溶液：精密称取木香烃内酯9.42mg于10ml容量瓶中，加甲醇溶解定容。精密吸取上述溶液1ml于10ml容量瓶中，加流动相定容即得。去氢木香内酯对照品溶液：精密称取去氢木香内酯8.21mg于5ml容量瓶中，加甲醇溶解定容。精密吸取上述溶液1ml于10ml容量瓶中，加流动相定容即得。

分别精密吸取木香烃内酯和去氢木香内酯对照品溶液1μl、2μl、4μl、8μl、16μl、24μl，注入色谱仪，按上述色谱条件测定，以峰面积对注入量进行回归分析，结果见表4、表5。

表4 木香烃内酯标准曲线数据及回归分析结果

浓度（μg/ml）	峰面积	回归方程	r
9.42	1.735		
18.84	3.476		
37.68	6.937		
75.36	13.89	$y=0.1796x+0.0537$	0.9999
150.7	27.84		
226.1	41.73		

表5　去氢木香内酯标准曲线数据及回归分析结果

浓度（μg/ml）	峰面积	回归方程	r
16.42	2.372		
32.84	4.687		
65.68	9.321	$y=0.1403x+0.0966$	0.9999
131.8	18.55		
263.5	36.97		
395.3	55.34		

从表4、表5数据可见，木香烃内酯在9.42~226.1μg/ml，去氢木香内酯在16.42~395.28μg/ml范围内与峰面积值呈良好的线性关系。

2.5　稳定性试验

取同一份供试品溶液，分别在溶液制备后的0小时、0.5小时、1小时、2小时、4小时、8小时、24小时进样测定。结果如表6、表7。

表6　木香烃内酯稳定性试验结果

时间（h）	峰面积	RSD（%）
0	20.22	
0.5	20.21	
1	20.62	
2	20.59	0.24
4	20.55	
8	20.60	
24	20.59	

表7　去氢木香内酯稳定性试验结果

时间（h）	峰面积	RSD（%）
0	19.53	
0.5	19.78	
1	20.03	
2	19.99	0.83
4	19.87	
8	19.89	
24	19.88	

从表6、表7数据可见，木香烃内酯、去氢木香内酯在24小时内的峰面积值基本稳定。

2.6　重复性试验

取同一批供试品6份，各约2g，精密称定，置具塞锥形瓶中，精密加入甲醇50ml，密塞，称定重量，超声处理（功率250W，频率40kHz）30分钟，放冷，再称定重量，用甲醇补足减失的重量，摇匀，离心（转速为5000r/min）5分钟，取上清液，作为供试品溶液。另取木香烃内酯对照品、去氢木香内酯对照品适量，精密称定，加甲醇制成每1ml各含100μg的混合溶液，作为对照品溶液。分别精密吸取以上两种溶液各10μl，注入液相色谱仪，记录各自的色谱图，用外标法以峰面积计算含量。结果见8、表9。

表8　木香烃内酯重复性试验

取样量（g）	峰面积（n=2）	含量（mg/g）	平均含量（mg/g）	RSD（%）
2.027	20.22	2.769		
2.033	20.45	2.793		
2.022	20.58	2.826	2.805	0.75
2.020	20.48	2.815		
2.030	20.61	2.819		
2.000	20.24	2.810		

表9　去氢木香内酯重复性试验

取样量（g）	峰面积（n=2）	含量（mg/g）	平均含量（mg/g）	RSD（%）
2.027	19.68	3.444		
2.033	19.95	3.480		
2.022	20.00	3.508	3.478	0.73
2.020	19.77	3.472		
2.030	19.79	3.458		
2.000	19.76	3.505		

从表8、表9数据可见，木香烃内酯平均含量2.805mg/g，RSD为0.75%；去氢木香内酯平均含量3.478mg/g，RSD为0.73%。表示该方法重复性良好。

2.7　加样回收试验

取供试品9份（木香烃内酯平均含量2.805mg/g，去氢木香内酯平均含量3.478mg/g），各约1g，精密称定，分别按含有量的50%、100%、150%加入木香烃内酯及去氢木香烃内酯对照品，按重复性试验项下的供试品溶液的制备从加入甲醇50ml开始制备，按上述色谱条件进样测定，并计算回收率。结果见表10、表11。

表10　木香烃内酯加样回收试验结果

取样量（g）	对照品加入量（mg）	供试品含有量（mg）	测得量（mg）	回收率（%）	平均回收率（%）	RSD（%）
1.007	1.70	2.825	4.496	98.33		
1.010	1.70	2.833	4.561	101.6		
1.004	1.70	2.816	4.538	101.3		
1.002	2.55	2.811	5.458	103.8		
1.003	2.55	2.813	5.389	101.0	101.3	1.9
1.009	2.55	2.830	5.442	102.4		
1.005	4.57	2.819	7.294	97.92		
1.001	4.57	2.808	7.473	102.1		
1.007	4.57	2.825	7.578	104.0		

表11　去氢木香内酯加样回收试验结果

取样量（g）	对照品加入量（mg）	供试品含有量（mg）	测得量（mg）	回收率（%）	平均回收率（%）	RSD（%）
1.007	1.90	3.502	5.452	102.6		
1.010	1.90	3.513	5.501	104.6		
1.004	1.90	3.492	5.485	104.9		
1.002	2.85	3.485	6.557	107.8		
1.003	2.85	3.488	6.443	103.7	103.3	2.4
1.009	2.85	3.509	6.505	105.1		
1.007	4.93	3.502	8.449	100.3		
1.002	4.93	3.485	8.483	101.4		
1.005	4.93	3.495	8.391	99.30		

从表10、表11数据可见，木香烃内酯平均回收率101.3%，RSD为1.9%；去氢木香内酯平均回收率为103.3%，RSD为2.4%。表示该方法准确度良好。

3 样品含量测定

取样品粉末2.0g，分别精密称定，按重复性试验项下的供试品溶液的制备进行制备，并在上述色谱条件下进行测定，各精密吸取10μl，注入液相色谱仪，测定。结果如表12。

表12 样品中木香烃内酯和去氢木香内酯含量测定结果

批号	取样量（g）	木香烃内酯峰面积	去氢木香烃内酯峰面积	测得含量（mg/g）	平均含量（mg/g）
20200425	2.001	10.4472	10.6963	3.334	
	2.003	10.5359	10.2431	3.262	3.27
	2.005	10.6062	9.9928	3.224	
20200621	2.006	10.1989	10.2047	3.203	
	2.003	10.3880	9.5637	3.137	3.17
	2.005	10.1639	10.0720	3.177	
20200227	2.016	10.5755	10.3068	3.258	
	2.018	10.4736	10.4851	3.272	3.27
	2.015	10.3960	10.4849	3.266	

从表12数据可见，三批样品中木香以木香烃内酯和去氢木香内酯的总量平均值最低为3.17mg/g。

4 木香药材的含量考察

取不同三批次药材粉末，各约0.3g，按《中国药典》2020年版一部"木香"项下的方法处理并测定。三批药材中木香烃内酯和去氢木香内酯的含量测定结果如表13。

表13 药材中木香烃内酯和去氢木香内酯含量测定结果

称样量（g）	木香烃内脂峰面积	去氢木香烃内脂峰面积	木香烃内脂含量（mg/g）	去木香烃内脂含量（mg/g）	总含量（mg/g）	平均值（mg/g）
0.3000	17.9390	18.9346	16.5971	22.3804	38.98	
0.3000	17.9382	18.9271	16.5963	22.3717	38.97	38.99
0.3000	18.0013	18.9114	16.6549	22.3530	39.01	

表13数据可见，木香药材中木香烃内酯和去氢木香内酯的总量平均值为38.99mg/g。

5 本制剂含量限度的确定

从表中数据可见，三批样品中木香以木香烃内酯和去氢木香内酯的总量最低为3.17mg/g，样品所用木香药材中木香烃内酯和去氢木香内酯的总量为38.99mg/g。

按理论值折算，样品应含木香烃内酯和去氢木香内酯为50÷354×38.99=5.507mg/g。可见，木香烃内酯和去氢木香内酯的转移率为3.17（mg/g）÷5.507（mg/g）×100%=57.56%。

参照《中国药典》2020年版一部"木香"药材的木香烃内酯和去氢木香内酯总含量限度不得少于1.8%，转移率57.59%，考虑不同产地药材的质量差异，并结合其他影响因素及三批样品的测定结果，下浮20%，按此限度折算本品含木香烃内酯和去氢木香内酯总的理论量应不低于1.8%×1000×50÷354×57.56%×80%=1.17mg/g。

标准正文暂定为：本品每1g含木香以木香烃内酯（$C_{15}H_{20}O_2$）和去氢木香内酯（$C_{15}H_{18}O_2$）的总量计，不得少于1.2mg。

【功能与主治】

平赫依血相讧，抑瘀，杀虫。主治宝日寒性兼杂期、黏瘀、虫瘀病。

【用法与用量】

口服。一次7~11丸,一日1次,温开水送服。

【注意事项】

孕妇慎用。

【规格】

每10丸重2g。

【贮藏】

密封,防潮。

起草单位: 内蒙古医科大学蒙医药学院   包勒朝鲁 莎础拉 邓·乌力吉

            赤峰市药品检验所   赵虎义 张海涛 吴 迪

苏斯–12丸质量标准起草说明

【历史沿革】

本方来源于内蒙古自治区国际蒙医医院杭盖巴特尔大夫经验方。

【处方来源】

本制剂由内蒙古自治区国际蒙医医院提供。

【名称】

苏斯–12丸

【蒙药材和饮片的来源和执行标准】

1. 处方组成及药味排列顺序：煅贝齿30g、寒制红石膏30g、黑冰片30g、五灵脂30g、木香20g、牛胆粉20g、诃子20g、石榴10g、制木鳖10g、胡黄连10g、红花10g、苦地丁10g。

2. 处方中除了石榴、五灵脂、黑冰片、寒制红石膏和煅贝齿药材以外，其余胡黄连等药味均收载于《中国药典》2020年版一部，其质量应符合该品种项下的有关规定。

石榴：为石榴科植物石榴*Punica granatum* L.的干燥成熟果实。其标准应符合《内蒙古蒙药饮片炮制规范》2020年版第119页该品种项下的有关规定。

黑冰片：为猪科动物野猪*Sus scrofa* linnaeus的成形粪便野猪粪的炮制加工品。主含活性炭和微量元素。其标准应符合《内蒙古蒙药饮片炮制规范》2020年版第444页该品种项下的有关规定。

寒制红石膏：为单斜晶系硫酸钙矿石族红石膏Gypsum的矿石红石膏（北寒水石）的炮制加工品。主含含水硫酸钙（$CaSO_4 \cdot 2H_2O$）。其标准应符合《内蒙古蒙药饮片炮制规范》2020年版第188页该品种项下的有关规定。

煅贝齿：为宝贝科动物货贝*Monetaria. monrta*（L.）、环纹货贝*Monetaria annulus*（L.）、阿拉伯绶贝*Mauritia arabica*（L.）等的贝壳贝齿的炮制加工品，前二者为"白贝齿"，后者为"紫贝齿"，主含碳酸钙（$CaCO_3$）。其标准应符合《内蒙古蒙药饮片炮制规范》2020年版第70页该品种项下的有关规定。

五灵脂：为松鼠科动物灰鼯鼠*Petaurista xanthotis*（Milne-Edwards）的干燥粪便。其质量应符合《内蒙古蒙药饮片炮制规范》2020年版第364页该品种项下的有关规定。

【制法】

以上十二味，除牛胆粉外，其余煅贝齿等十一味粉碎成细粉，将牛胆粉研细，与上述细粉配研，过筛，混匀，用水泛丸，打光，干燥，分装，即得。

【性状】

本品为灰黑色至黑色的水丸；气微，味极苦。

【鉴别】

本品为药材粉末制成的丸剂，方中大多数药味的显微特征都比较明显，故建立显微鉴别，并对处方中木香建立了薄层鉴别。

1. 试剂与试药

供试品: 供试品 (批号20191219、20200508、20200612) 由内蒙古自治区国际蒙医医院提供, 模拟样品 (批号20200063) 模拟。

对照品: 去氢木香内酯对照品 (批号111525-200505)、木香烃内酯对照品 (批号111524-201208), 均购于中国食品药品检定研究院。

薄层板: 硅胶G板, 购于青岛海洋化工有限公司。

所用其他试剂均为分析纯, 水为离子交换高纯水。

2. 试验方法与结果

(1) 显微鉴别

红花: 粉粒类圆形、椭圆形或橄榄形, 直径约至60μm, 具3个萌发孔, 外壁有齿状突起。石榴: 棕色块散在, 红棕色, 形状不规则。

(2) 木香薄层鉴别

参照《中国药典》2020版一部 "木香" 项下的薄层条件, 制定出正文所述的鉴别方法。通过阴性对照试验观察, 方中其他药材对木香的检出无干扰, 此法具专属性。

【检查】

按照丸剂 (《中国药典》2020年版四部通则0108) 项下规定, 对三批供试品及模拟样品的水分、重量差异、溶散时限、重金属、砷盐进行了检查。具体方法及测定数据如下:

1. 水分: 取供试品按照水分测定法 (《中国药典》2020年版四部通则0832) 测定。三批供试品及模拟样品测定结果见表1。

表1 水分测定结果

序号	批号	水分 (%)
1	20191219	3.7
2	20200508	4.0
3	20200612	4.2
4	20200063	4.1

药典规定丸剂水分含量不得大于9.0%。表1数据可见, 三批供试品和模拟样品的水分含量均符合要求。

2. 重量差异: 取以上三批供试品, 每批供试品取10份, 10丸为1份, 分别称定重量, 再与每份标示重量 (2g) 相比较, 求每一份的重量差异 (%)。药典规定每份标示装量的限度为±8%, 并规定超出重量差异限度的不得多于2份, 并不得有1份超出限度1倍。本品的重量差异检查结果均符合规定。

3. 溶散时限: 取本品照片剂项下崩解时限检查法 (《中国药典》2020年版四部通则0921) 加挡板进行测定, 三批供试品测定结果见表2。

表2 溶散时限测定结果

批号	溶散时间 (min)
20191219	57
20200508	56
20200612	54

药典规定水丸应在1小时内全部溶散。从表2数据可见, 本品的溶散时限符合规定。

4. 对三批供试品及模拟样品进行了重金属、砷盐考察, 方法与结果如下:

重金属: 分别取每个批号供试品0.5g、0.67g、1.0g、2.0g, 按《中国药典》2020年版四部0821第二法检查。

供试品溶液的制备：取本品0.5g、0.67g、1.0g、2.0g，分别缓缓炽灼至完全炭化，放冷，加硫酸0.5ml，使湿润，低温加热至硫酸除尽后，加硝酸0.5ml，蒸干，至氧化氮蒸气除尽后，放冷，于600℃炽灼至完全灰化，放冷。加盐酸2ml，置水浴上蒸干后加水15ml，滴加氨试液至对酚酞指示液显中性，再加醋酸盐缓冲液（pH3.5）2ml，微热溶解后，移置纳氏比色管中，加水稀释至25ml，作为供试品溶液。

标准铅对照溶液的制备：另取配制供试品溶液的试剂两份，分别置瓷皿中蒸干后，加醋酸盐缓冲液（pH3.5）2ml，加水15ml微热溶解后，移置两支纳氏比色管中，分别加标准铅溶液（10μg/mlPb）2ml，再加水稀释至25ml，作为标准铅对照溶液。

检视：于上述供试品溶液和标准铅对照溶液中分别加硫代乙酰胺试液各2ml，摇匀，放置2分钟，同置白色背景上，从上向下进行观察。试验结果见表3。

表3　重金属检查结果

序号	批号	重金属含量（ppm）			
1	20191219	<10	<20	<30	<40
2	20200508	<10	<20	<30	<40
3	20200612	<10	<20	<30	<40
4	20200063	<10	<20	<30	<40

结果显示，供试品溶液的颜色明显浅于2ml的标准铅对照管。经过三批供试品及模拟样品的检查，含重金属均未超过百万分之十，故未收入正文。

砷盐：取本品1g和标准砷溶液（1μg/mlAS）2ml，分别加无砷氢氧化钙1g，加少量水，搅匀，烘干，用小火缓缓炽灼至炭化，再在600℃炽灼至完全灰化，放冷。分别加盐酸7ml使溶解，再加水21ml，按《中国药典》2020年版四部通则0822第一法（古蔡氏法）做砷盐限量检查。

结果：供试品砷斑浅于标准砷斑的颜色，表明本品含砷量未超过百万分之二（小于2ppm），故砷盐检查项目未列入正文。

【含量测定】

苏斯-12丸是由煅贝齿、苦地丁、制木鳖、木香、五灵脂、胡黄连、诃子、红花、石榴、寒制红石膏、黑冰片、牛胆粉等十二味药组成的复方制剂。参照《中国药典》2020年版一部"胡黄连"项下的含量测定方法，选择胡黄连苷I、胡黄连苷Ⅱ作为指标成分，对本制剂中的胡黄连进行了HPLC含量测定方法研究。经方法学考察及阴性对照试验，处方中其他组分对胡黄连苷I与胡黄连苷Ⅱ的测定无干扰，但胡黄连苷I的含量过低，故选择胡黄连苷Ⅱ作为含量测定的指标性成分。

1　仪器与试剂试药

1.1　仪器

岛津LC-10ATVP泵，SPD-10A型检测器，CLAVP色谱工作站。

1.2　试剂与试药

供试品（批号20191219、20200508、20200612）由内蒙古自治区国际蒙医医院提供，模拟样品（批号20200063）模拟；胡黄连苷Ⅱ对照品（批号111596-200301），购于中国食品药品检定研究院；甲醇、乙腈为色谱纯，水为高纯水，其他试剂均为分析纯。

2　方法学考察

2.1　色谱条件

2.1.1　色谱柱：色谱柱填充剂为十八烷基硅烷键合硅胶，本试验研究采用 KromasiL C$_{18}$柱（4.6×250mm，

5μm）及DiamonsiL C₁₈柱（4.6mm×250mm，5μm）。

2.1.2　流动相的选择：曾参照《中国药典》2020年版一部"胡黄连"药材项下含量测定方法，以甲醇–水–磷酸（35∶65∶0.1）为流动相，进行条件摸索，但胡黄连苷Ⅱ色谱蜂的分离效果不好，故将流动相改为乙腈–1%冰醋酸溶液，经试验摸索，当乙腈–1%冰醋酸溶液比例为14∶86时，胡黄连苷Ⅱ能达到较好的分离效果，故将流动相定为乙腈–1%冰醋酸（14∶86）。

2.1.3　柱温：采用40℃柱温，可减小流动相黏度，降低柱压并改善分离效果。

2.1.4　检测波长的选择：采用TU–1901双光束紫外可见分光光度计检测器分别对胡黄连苷Ⅰ和胡黄连苷Ⅱ自190～900nm进行光谱扫描，结果胡黄连苷Ⅰ在275nm处有最大吸收，胡黄连苷Ⅱ在264nm处有最大吸收，但通过考察264nm下处方中其他组分对胡黄连苷Ⅰ与胡黄连苷Ⅱ的测定有干扰，而在275nm处都有吸收而其他组分无干扰。参照《中国药典》2020年版一部"胡黄连"药材项下含量测定方法，采用275nm作为检测波长。

2.1.5　理论板数的确定：经对多批样品测定的结果可见，胡黄连苷Ⅱ峰的理论板数在6000以上时，胡黄连苷Ⅱ均能达到较好的分离效果，故暂定为：本品的理论板数按胡黄连苷Ⅱ峰计不得低于5000。

2.2　提取方法的选择及提取效率的考察

2.2.1　提取溶剂的选择

胡黄连苷Ⅱ属于环烯醚萜苷类化合物，易溶于水、甲醇、丙酮等极性溶剂。试验中分别以水、甲醇、丙酮作为提取溶剂进行了考察，结果以水作为溶剂的试样过滤困难，而丙酮挥发性较强，操作复杂，测得结果重复性差。参照《中国药典》2020年版一部"胡黄连"含量测定项下的方法，以甲醇作提取溶剂，操作简单，但杂质峰比较多，分离效果差，改为收入正文项下的含量测定方法操作，分离效果好，有良好的重复性，故确定以正文含量测定项下的溶剂作为提取溶剂。

2.2.2　提取效率的考察

试验中考察了不同超声时间（功率为250W、频率为40KHz）对提取效率的影响，结果见表4。

表4　不同超声提取时间的考察结果

序号	超声时间（min）	胡黄连苷Ⅱ（mg/g）
1	15	1.11
2	30	1.37
3	45	1.09
4	60	1.20

从表4数据可见，超声处理30分钟后，胡黄连苷Ⅱ的含量基本不再增加，故确定超声时间为30分钟。

2.3　专属性考察

2.3.1　对照品溶液的制备：取胡黄连苷Ⅱ对照品适量，精密称定，加甲醇制成每1ml含40μg的溶液，作为对照品溶液。

2.3.2　供试品溶液的制备：取本品适量，研细，取约1.2g，精密称定，置具塞锥形瓶中，精密加入甲醇25ml，称定重量，超声处理（功率250W，频率40kHz）30分钟，放冷，再称定重量，用甲醇补足减失的重量，摇匀，滤过，精密量取续滤液10ml，蒸干，残渣加水10ml使溶解，用水饱和的正丁醇萃取三次，每次20ml，合并正丁醇液，蒸干。残渣加甲醇溶解，转移至10ml量瓶中，并稀释至刻度，摇匀，滤过，取续滤液，作为供试品溶液。

2.3.3　阴性对照溶液的制备：按处方比例并以相同工艺制备的缺胡黄连的阴性对照样品，按供试品溶液制备法制得阴性对照溶液。

2.3.4　测定：分别精密吸取以上三种溶液各10μl，注入色谱仪，记录各自的色谱图。

试验结果显示:供试品色谱中在与对照品色谱保留时间相同的位置上有色谱峰出现,而阴性对照在与对照品色谱保留时间相同的位置上无色谱峰出现,表明该含量测定方法阴性无干扰,专属性好。

2.4 线性关系考察

精密称取胡黄连苷Ⅱ对照品约1.4mg,置5ml量瓶中,加甲醇使溶解,并稀释至刻度,摇匀。再精密吸取1ml,加甲醇定容至10ml容量瓶中,摇匀,即得。胡黄连苷Ⅱ 0.02862mg/ml分别取5μl、10μl、15μl、20μl、25μl、30μl进样,按上述色谱条件测定,以峰面积对进样量进行回归分析。结果见表5。

表5 标准曲线数据及回归分析结果

对照品量(μg)	峰面积值	回归方程	r
0.1431	147217		
0.2862	291341		
0.4293	431260	$y=972.9235x+11581$	0.999505
0.5724	576855		
0.7155	698849		
0.8586	847685		

从表5数据可见,胡黄连苷Ⅱ在0.1431~0.8586μg范围内与峰面积值呈良好的线性关系。

2.5 稳定性试验

取同一供试品溶液,分别在溶液制备后的0小时、2小时、4小时、8小时、12小时、24小时、进样测定,结果见表6。

表6 不同时间测定供试品中胡黄连苷Ⅱ的峰面积值

时间(h)	峰面积值	RSD(%)
0	659609	
2	651584	
4	654177	0.77
8	645006	
12	653408	
24	657143	

从表6数据可见,胡黄连苷Ⅱ在24小时内的面积积分值基本稳定。

2.6 重复性试验

取同一批号(批号20191219)供试品6份,各取约1.2g,精密称定,置具塞锥形瓶中,精密加入甲醇25ml,称定重量,超声处理(功率250W,频率40kHz)30分钟,放冷,再称定重量,用甲醇补足减失的重量,摇匀,滤过,精密量取续滤液10ml,蒸干,残渣加水10ml使溶解,用水饱和的正丁醇萃取三次,每次20ml,合并正丁醇液,蒸干,残渣加甲醇溶解,转移至10 ml量瓶中,并稀释至刻度,摇匀,滤过,取续滤液,作为供试品溶液。另取胡黄连苷Ⅱ对照品适量,精密称定,加甲醇制成每1ml含40μg的溶液,作为对照品溶液。分别精密吸取以上两种溶液各10μl,注入液相色谱仪,记录各自的色谱图,用外标法以峰面积计算含量。结果见表7。

表7 重复性试验结果

取样量(g)	峰面积值(n=2)	含量(mg/g)	平均含量(mg/g)	RSD(%)
1.2611	658210	1.354		
1.2461	633479	1.319		
1.2678	648180	1.326	1.340	2.26
1.2773	669934	1.358		
1.2345	619545	1.302		
1.2681	677038	1.385		

从表7数据可见，在相同的提取溶剂和色谱条件下，6份供试品含量测定结果的均值为1.34mg/g，RSD为2.26%，表明该方法的重复性良好。

2.7 加样回收试验

取供试品（批号20191219，含量1.340mg/g）9份，各约0.6g，精密称定，置具塞锥形瓶中，分别依次精密加入胡黄连苷Ⅱ甲醇溶液（胡黄连苷Ⅱ 0.8402mg/ml）0.5ml、0.5ml、0.5ml、1.0ml、1.0ml、1.0ml、1.5ml、1.5ml、1.5ml，再分别精密加（用滴定管加入）甲醇至25ml，摇匀，按重复性试验项下方法操作，测定每份含量，计算回收率，结果见表8。

表8 胡黄连苷Ⅱ加样回收试验结果

称样量（g）	供试品含有量（mg）	对照品加入量（mg）	测得总量（mg）	回收率（%）	平均回收率（%）	RSD（%）
0.6001	0.8041	0.4201	1.2176	98.4	98.6	2.67
0.6605	0.8850	0.4201	1.3175	103.0		
0.6340	0.8495	0.4201	1.2533	96.1		
0.6438	0.8626	0.8402	1.7108	100.9		
0.6372	0.8538	0.8402	1.6957	100.2		
0.6298	0.8439	0.8402	1.6897	100.7		
0.5902	0.7908	1.2603	2.0068	96.5		
0.6036	0.8088	1.2603	2.0189	96.0		
0.6108	0.8184	1.2603	2.0274	95.9		

从表8数据可见，本方法的平均回收率为98.6%，RSD为2.67%。该方法准确度好。

2.8 耐用性试验

换不同厂家、不同型号的色谱柱，取重复性试验中的1号供试品及对照品分别进样测定含量。结果见表9。

表9 不同色谱柱的耐用试验

柱型号	分离度	测得平均含量（mg/g）	相对误差（%）
KromasiL C$_{18}$	4.8	1.36	1.30
DiamonsiL C$_{18}$	3.9	1.33	

从表9数据可见，在使用不同型号或厂家的色谱柱时，对测定结果影响较小，具有较好的耐用性。

3 样品含量测定

取本品按重复性试验项下的方法处理并测定。三批样品及模拟样品的测定结果见表10。

表10 样品中胡黄连苷Ⅱ含量测定结果

批号	取样量（g）	测得峰面积值	含量（mg/g）	平均含量（mg/g）	RSD（%）
20191219	1.2502	642143	1.332	1.33	0.04
	1.2517	642535	1.332		
	1.2603	647577	1.333		
	1.2605	646691	1.331		
20200508	1.2598	645539	1.329	1.34	0.82
	1.2704	660825	1.349		
	1.2361	639451	1.342		
20200612	1.2418	656908	1.372	1.36	1.18
	1.2398	653164	1.367		
	1.2610	996925	2.051		
20200063	1.2607	994785	2.047	2.05	0.09
	1.2604	995440	2.049		

从表10数据可见，苏斯–12丸中胡黄连苷Ⅱ的含量在1.33mg/g以上。

4　药材含量测定

试验中用相同方法对上述三批样品生产用胡黄连药材进行了含量测定，测得胡黄连苷Ⅱ平均含量为71.25mg/g。

5　本制剂含量限度的确定

从表中数据可见，模拟样品含量为2.05mg/g，胡黄连药材中胡黄连苷Ⅱ的平均含量为71.25mg/g。

按理论值折算，样品应含胡黄连苷Ⅱ为10÷230×71.25=3.097mg/g。可见，胡黄连苷Ⅱ转移率为2.05（mg/g）÷3.097（mg/g）×100%=66.19%。

参照《中国药典》2020年版一部"胡黄连"药材的胡黄连苷Ⅰ和胡黄连苷Ⅱ总含量限度不得少于9.0%，转移率为66.19%，考虑不同产地药材的质量差异，并结合其他影响因素及三批样品的测定结果，下浮20%，按此限度折算本品含胡黄连苷Ⅱ的理论量应不低于10÷230×1000×9.0%÷2×66.19%×80%=1.036mg/g。

标准正文暂定为：本品每1g含胡黄连以胡黄连苷Ⅱ（$C_{23}H_{28}O_{13}$）计，不得少于1.0mg。

【功能与主治】

清肝胆热，化瘀，消食。用于胆痞，胆热，胆息肉，胆石症，肝囊肿，肝损伤。

【用法与用量】

口服。一次11~15丸，一日1~2次，温开水送服。

【规格】

每10丸重2g。

【贮藏】

密闭，防潮。

起草单位：内蒙古自治区国际蒙医医院　　　　乌仁高娃　孙　刚　那松巴乙拉

　　　　　包头市检验检测中心　　　　　　　段　羚　宋　超　赵艳霞

　　　　　内蒙古自治区药品检验研究院　　　娜仁图雅　包顺茹　乌云索德

别木图-9丸 质量标准起草说明

【历史沿革】

本方来源于《蒙医药选编》（内蒙古人民出版社1975年版，蒙古文，第350页）。

【处方来源】

本制剂由内蒙古自治区国际蒙医医院提供。

【名称】

别木图-9丸

【蒙药材和饮片的来源和执行标准】

1. 处方组成及药味排列顺序：人工牛黄25g、寒制红石膏15g、瞿麦15g、红花15g、蓝盆花10g、波棱瓜子10g、苦地丁10g、木香10g、川木通10g。

2. 处方中除了寒制红石膏、蓝盆花、波棱瓜子药材外，其余瞿麦等药味均收载于《中国药典》2020年版一部，其质量应符合该品种项下的有关规定。

寒制红石膏：为单斜晶系硫酸钙矿石族红石膏Gypsum的矿石红石膏（北寒水石）的炮制加工品。 主含含水硫酸钙（$CaSO_4 \cdot 2H_2O$）。 其标准应符合《内蒙古蒙药饮片炮制规范》2020年版第188页该品种项下的有关规定。

蓝盆花：为川续断科植物窄叶蓝盆花*Scabiosa comosa* Fisch.ex Roem.et Schult和华北蓝盆花*Scabiosa tschilliensis* Grunning的干燥花序。其标准标准应符合《中华人民共和国卫生部药品标准》（蒙药分册）1998 年版第52 页该品种项下的有关规定。

波棱瓜子：为葫芦科植物波棱瓜*Herpetospermum pedunculosum*（Sex.） Baill. 的干燥种子。其质量应符合《内蒙古蒙药饮片炮制规范》2020年版第277页该品种项下有关规定。

【制法】

以上九味，除人工牛黄外，其余红花等八味，粉碎成细粉，将人工牛黄与上述细粉配研，过筛，混匀，用水泛丸，打光，干燥，分装，即得。

【性状】

本品为黄棕色至棕色的水丸；气香，味苦。

【鉴别】

本品为原药材细粉制成的水丸，方中瞿麦、红花、木香的显微特征较明显，故建立显微鉴别，并对处方中木香建立了薄层鉴别。

1. 试剂与试药

供试品：供试品（批号20190932、20190927、20191216），由内蒙古自治区国际蒙医医院提供，模拟样品（批号20200013）模拟。

对照品：红花对照药材（批号120907-201412），胆酸对照品（批号100078-201415），牛胆粉对照药材（批号121095-200502），猪去氧胆酸对照品（批号100087-201411），牛磺酸对照品（批号111616-201605），去氢木香内酯对照品(批号111525-200505),木香烃内酯对照品(批号111524-201208),均购于中国食品药品检定研究院。

薄层板:模拟硅胶G板、模拟硅胶H板,预制硅胶H板、预制硅胶G板(青岛海洋化工厂、批号071013)。

所用其他试剂均为分析纯,水为离子交换高纯水。

2.试验方法与结果

(1)显微鉴别

瞿麦:纤维多成束,边缘平直或波状,直径10~38μm;有的纤维束外侧的细胞含有草酸钙簇晶,形成晶纤维。红花:长管状分泌细胞常位于导管旁,直径约至66μm,含黄色至红棕色分泌物。木香:菊糖多见,表面现放射状纹理。

(2)人工牛黄薄层鉴别

参照《中国药典》2020年版一部"人工牛黄"项下薄层条件,制定出正文所述的鉴别方法。通过阴性对照试验观察,方中其他药材对人工牛黄的检出无干扰。此法具专属性。

(3)红花薄层鉴别

参照《中国药典》2020年版一部"红花"项下薄层条件,制定出正文所述的鉴别方法。通过阴性对照试验观察,方中其他药材对红花的检出有干扰。故未列入正文。

(4)木香薄层鉴别

参照《中国药典》2020年版一部"木香"项下的薄层条件,制定出正文所述的鉴别方法。通过阴性对照试验观察,方中其他药材对红花的检出有干扰。故未列入正文。

【检查】

按照丸剂(《中国药典》2020年版四部通则0108)项下的规定,对三批供试品及模拟样品的水分、重量差异、溶散时限、重金属和砷盐、微生物限度进行了检查。具体方法及测定数据如下:

1.水分:取供试品照水分测定法(《中国药典》2020年版四部通则0832)测定。三批供试品及模拟样品测定结果见表1。

表1 水分测定结果

序号	批号	水分(%)
1	20190932	2.5
2	20190927	2.7
3	20191216	3.0
4	20200013	3.2

药典规定丸剂水分含量不得大于9.0%。从表1中可见本品水分含量均符合要求。

2.重量差异:取以上三批供试品,每批供试品取10份,10丸为1份,分别称定重量,再与每份标示重量(2g)相比较,求每一份的重量差异(%)。药典规定每份标示装量的限度为±8%,并规定超出重量差异限度的不得多于2份,并不得有1份超出限度1倍。本品的重量差异检查结果均符合规定。

3.溶散时限:取本品按照片剂项下崩解时限检查法(《中国药典》2020年版四部通则0921)加挡板进行测定。三批供试品测定结果见表2。

表2 溶散时限测定结果

序号	批号	溶散时间(min)
1	20190932	34
2	20190927	40
3	20191216	36

药典规定水丸应在1小时内全部溶散。表2的结果显示，本品的溶散时限符合规定。

4. 对三批供试品及模拟样品进行了重金属、砷盐考察。方法与结果如下：

重金属：分别取每个批号供试品0.5g、0.67g、1.0g、2.0g，按《中国药典》2020年版四部0821第二法检查。

供试品溶液的制备：取本品0.5g、0.67g、1.0g、2.0g，分别缓缓炽灼至完全炭化，放冷，加硫酸0.5ml，使其湿润，低温加热至硫酸除尽后，加硝酸0.5ml，蒸干，至氧化氮蒸气除尽后，放冷，于600℃炽灼至完全灰化，放冷。加盐酸2ml，置水浴上蒸干后加水15ml，滴加氨试液至对酚酞指示液显中性，再加醋酸盐缓冲液（pH3.5）2ml，微热溶解后，移置纳氏比色管中，加水稀释至25ml，作为供试品溶液。

标准铅对照溶液的制备：另取配制供试品溶液的试剂两份，分别置瓷皿中蒸干后，加醋酸盐缓冲液（pH3.5）2ml，加水15ml微热溶解后，移置两支纳氏比色管中，分别加标准铅溶液（10μg/mlPb）2ml，再加水稀释至25ml，作为标准铅对照溶液。

检视：于上述供试品溶液和标准铅对照溶液中分别加硫代乙酰胺试液各2ml，摇匀，放置2分钟，同置白色背景上，从上向下进行观察。试验结果见表3。

表3　重金属检查结果

序号	批号	重金属含量（ppm）			
1	20190932	<10	<20	<30	<40
2	20190927	<10	<20	<30	<40
3	20191216	<10	<20	<30	<40
4	20200013	<10	<20	<30	<40

结果显示，供试品溶液的颜色明显浅于2ml的标准铅对照溶液。经过3批供试品及模拟样品的检查，含重金属均未超过百万分之十，故未收入正文

砷盐：取本品1g和标准砷溶液（1μg/mlAS）2ml，分别加无砷氢氧化钙1g，加少量水，搅匀，烘干，用小火缓缓炽灼至炭化，再在600℃炽灼至完全灰化，放冷。分别加盐酸7ml使溶解，再加水21ml，按《中国药典》2020年版四部通则0822第一法（古蔡氏法）做砷盐限量检查。

结果：供试品砷斑浅于标准砷斑的颜色，表明本品含砷量未超过百万分之二（小于2ppm），故砷盐检查项目未收入正文。

5. 微生物限度：照微生物计数法（《中国药典》2020年版四部通则1105）和控制菌检查法（《中国药典》2020年版四部通则1106）及《内蒙古蒙药制剂规范》（第三册）附录Ⅲ微生物限度标准，进行检查。结果均符合规定。

【含量测定】

别木图-9丸是由人工牛黄、红花、蓝盆花、川木通、苦地丁、寒制红石膏、木香、瞿麦、波棱瓜子等九味药组成的复方制剂，故参照《中国药典》2020年版一部"红花"项下的含量测定方法，对红花中羟基红花黄色素A的含量进行了试验条件摸索。经分析方法验证，该方法重现性好，专属性强，方法中其他成分对羟基红花黄色素A测定无干扰。

1　仪器与试剂试药

1.1　仪器

日本岛津LC-20AT型高效液相色谱仪（带SPD-M20A型二极管阵列检测器）和LC-10ATvp型高效液相色谱仪（带SPD-10Avp型紫外检测器），Sartorius ME5型电子天平，Mettler AE-100电子天平，JD200-2型电子天平，AS5150A超声清洗仪。

1.2　试剂与试药

供试品(批号20190932、20190927、20191216)由内蒙古自治区国际蒙医医院提供,模拟样品(批号20200013)模拟;羟基红花黄花素A对照品(批号111637-201810),购于中国食品药品检定研究院;甲醇为色谱纯,乙腈为色谱纯,水为超纯水,所用其他试剂均为分析纯。

2 方法学考察

2.1 色谱条件

2.1.1 色谱柱:以十八烷基硅烷键合硅胶为填充剂,本试验研究用岛津C_{18}柱(250mm×4.6mm 5μm)、Phenomenex C_{18}柱(250mm×4.6mm 5μm)。

2.1.2 流动相的选择:《中国药典》2020年版一部"红花"含量测定项下方法,采用甲醇-乙腈-0.7%磷酸溶液(26:2:72)作为流动相,结果分离效果好、保留时间适中,故确定为甲醇-乙腈-0.7%磷酸溶液(26:2:72)为流动相。

2.1.3 柱温:试验中对30℃和40℃柱温进行了比较,结果保留时间略有差异,但分离度及理论板数没有变化,故本试验研究采用柱温30℃。

2.1.4 检测波长的选择:通过二极管阵列检测器对羟基红花黄花素A自200~800nm进行光谱扫描,结果羟基红花黄花素A在401nm处有吸收峰,结合《中国药典》2020年版一部"红花"含量测定项下方法选择403nm作为检测波长。

2.1.5 理论板数的确定:对供试品测定结果表明,羟基红花黄花素A的理论板数在6000以上能达到与相邻峰分开,结合《中国药典》2020年版一部"红花"含量测定项下要求,本标准规定理论板数按羟基红花黄花素A峰计应不低于5000。

2.2 供试品溶液制备方法的选择

2.2.1 提取溶剂的选择:参照《中国药典》2020年版一部"红花"项下选用甲醇作为提取溶剂,同时与25%甲醇作溶剂进行提取效率考察,结果25%甲醇作溶剂,测得含量高于甲醇提出量,且干扰成分少,供试品分离效果好,故确定以25%甲醇作为提取溶剂。

2.2.2 提取方法的选择:《中国药典》2020年版一部"红花"项下超声提取,方法比较成熟,故选择超声提取。

2.2.3 提取效率考察:取本品粉末3份,各约2g,精密称定,置具塞锥形瓶中,精密加25%甲醇50ml,密塞,称定重量,分别超声处理(功率为300w,频率为50KHZ)20分钟、30分钟、40分钟,取出放冷,再称定重量,用25%甲醇补足减失的重量,摇匀,滤过,取续滤液,按上述色谱条件测定。结果见表4。

表4 提取效率的考察表

序号	超声时间(min)	羟基红花黄花素A含量(mg/g)
1	20	1.39
2	30	1.43
3	40	1.42

从表4数据可见,超声处理30分钟后,羟基红花黄花素A含量基本不再增加,故确定超声时间为30分钟。

2.4 专属性考察

2.4.1 对照品溶液的制备:精密称取羟基红花黄花素A对照品适量,加25%甲醇制成每1ml含0.05mg的溶液,即得。

2.4.2 供试品溶液的制备:取本品约2g,精密称定,置具塞锥形瓶中,精密加入25%甲醇50ml,密塞,称定重量,超声处理(功率250W,频率40kHz)30分钟,取出,放冷,再称定重量,用25%甲醇补足减失的重量,摇匀,滤过，取续滤液，即得。

2.4.3　阴性对照溶液的制备：按本品处方工艺制备不含大黄的阴性样品，按"供试品溶液的制备"方法制备阴性对照溶液（缺大黄）。

2.4.4　测定：分别精密吸取以上三种溶液各10μl，分别注入液相色谱仪，记录各自的色谱图。

结果显示，供试品色谱中在与对照品色谱保留时间相同的位置上有色谱峰出现，而阴性对照在与对照品色谱保留时间相同的位置上无色谱峰出现，表明该含量测定方法阴性无干扰，专属性好。

2.5　线性关系考察

取羟基红花黄花素A对照品2.485mg，置50ml量瓶中，加25%甲醇使溶解，并稀释至刻度，摇匀，精密吸取1μl、3μl、5μl、10μl、15μl、20μl，注入液相色谱仪，按上述色谱条件测定。以峰面积对进样量进行回归分析，结果见表5。

表5　羟基红花黄花素A标准曲线数值表

序号	对照品浓度（μg/ml）	峰面积值	回归方程	回归系数（r）
1	0.0497	148813		
2	0.1491	482308		
3	0.2485	808298	$y=3396871.7x-25821.89$	0.9999
4	0.4970	1662386		
5	0.7455	2508918		
6	0.994	3350870		

从表5数据可见，羟基红花黄花素A在0.0497~0.994μg/ml范围内分别呈良好的线性关系。

2.6　重复性试验

取同一批号供试品（批号20190932）6份，各约2.0g，精密称定，具塞锥形瓶中，精密加入25%甲醇50ml，密塞，称定重量，超声处理（功率300W，频率50kHz）30分钟，取出，放冷，再称定重量，用25%甲醇补足减失的重量，摇匀，滤过，取续滤液，作为供试品溶液。另精密称取羟基红花黄花素A对照品适量，加25%甲醇制成每1ml含0.05mg的溶液，作为对照品溶液。分别精密吸取供试品溶液和对照品溶液各10μl，注入色谱仪，记录色谱图。按外标法以峰面积计算含量，结果见表6。

表6　羟基红花黄花素A重复性试验结果

取样量（g）	峰面积值	含量（mg/g）	平均含量（mg/g）	RSD（%）
2.0008	1909330	1.434		
2.0008	1957656	1.470		
2.0012	1936136	1.453	1.45	1.44
2.0007	1882335	1.413		
2.0004	1930621	1.450		
2.0011	1930622	1.464		

从表6数据可见，在相同的提取溶剂和色谱条件下，6份供试品含量测定结果的均值为1.45mg/g，RSD为1.44%。表明该方法的重复性良好。

2.7　加样回收率试验

取同一批号供试品（批号20190932，含羟基红花黄花素A 1.45mg/g）6份，各约1g，精密称定，置具塞锥形瓶中，分别精密加入对照品溶液50ml（羟基红花黄花素A浓度为0.029mg/ml），精密加入25%甲醇50ml，密塞，称定重量，超声处理（功率300W，频率50kHz）30分钟，取出，放冷，再称定重量，用25%甲醇补足减失的重量，摇匀，滤过，取续滤液,作为供试品溶液。另精密称取羟基红花黄花素A对照品适量,加25%甲醇制成每1ml含0.05mg的溶液,作为对照品溶液。分别精密吸取供试品溶液和对照品溶液各10μl,注入色谱仪,记录色谱图。按外标法以峰面积计算含量,结果见表7。

表7 羟基红花黄花素A加样回收试验结果

取样量(g)	供试品含量(mg)	对照品加入量(mg)	测得总量(mg)	回收率(%)	平均回收率(%)	RSD(%)
1.0013	1.4519	1.444	2.8794	98.85		
1.0011	1.4516	1.444	2.8886	99.51		
1.0009	1.4513	1.444	2.8631	97.77	98.95	0.74
1.0012	1.4517	1.444	2.8792	98.85		
1.0009	1.4513	1.444	2.8941	99.91		
1.0005	1.4507	1.444	2.8777	98.82		

从表7数据可见,本方法的平均回收率为98.95%,RSD为0.74%。该方法准确度好。

2.8 稳定性试验

取同一份供试品(批号20190932)溶液,分别在0小时、2小时、4小时、12小时、24小时进行测定,结果见表8。

表8 不同时间测得溶液中羟基红花黄花素A峰面积值

序号	时间(h)	峰面积值	RSD(%)
1	0	1902456	
2	2	1902382	
3	4	1902948	0.04
4	12	1901078	
5	24	1901180	

从表8数据可见,羟基红花黄花素A在24小时内峰面积值基本稳定不变,能够满足测定所需的时间。

2.9 耐用性试验

取同一批号供试品4份,各约1.2g,精密称定,具塞锥形瓶中,精密加入25%甲醇50ml,密塞,称定重量,超声处理(功率300W,频率50kHz)30分钟,取出,放冷,再称定重量,用25%甲醇补足减失的重量,摇匀,滤过,取续滤液,作为供试品溶液。另精密称取羟基红花黄花素A对照品适量,加25%甲醇制成每1ml含0.05mg的溶液,作为对照品溶液。分别精密吸取供试品溶液和对照品溶液各10μl,注入色谱仪,记录色谱图。按外标法以峰面积计算含量,换不同厂家、不同型号的色谱柱,结果见表9。

表9 色谱柱耐用性试验

样品号	柱型号	分离度	含量(mg/g)
1	岛津 C_{18}	4.7	1.43
2	Phenomenex C_{18}	8.7	1.41

从表9数据可见,不同型号或厂家的色谱柱对测定结果影响较小。

3 样品含量测定

取样品(批号20190932、20191216)2份及模拟样(批号20200013)1份,各约2.0g,精密称定,具塞锥形瓶中,精密加入25%甲醇50ml,密塞,称定重量,超声处理(功率300W,频率50kHz)30分钟,取出,放冷,再称定重量,用25%甲醇补足减失的重量,摇匀,滤过,取续滤液,作为供试品溶液。另精密称取羟基红花黄花素A对照品适量,加25%甲醇制成每1ml含0.05mg的溶液,作为对照品溶液。分别精密吸取供试品溶液和对照品溶液各10μl,注入色谱仪,记录色谱图。按外标法以峰面积计算含量,结果见表10。

表10　样品中羟基红花黄花素A的含量测定结果

批号	取样量（g）	平均峰面积值	含量（mg/g）	平均含量（mg/g）
20190932	2.0008	1909330	1.4335	1.44
	2.0012	1936136	1.4533	
20191216	2.0082	1572635.5	1.7391	1.74
	2.0059	1577717	1.7467	
20200013	2.0009	2410746	1.809	1.81

从表10数据可见，三批样品和模拟样品中羟基红花黄花素A平均含量最低为1.44mg/g，最高为1.74mg/g，模拟样品含量结果为1.81mg/g。

4　红花药材含量测定

试验中采用同法对上述批次样品（20190932）生产相应批次红花原料药材的含量数据，计算出成品中羟基红花黄花素A的转移率为76.8%，红花药材含量为1.5%。

5　本制剂含量限度的确定

从表10数据可见，三批样品中羟基红花黄花素A的含量最低为1.44mg/g，红花药材中羟基红花黄花素A含量为15mg/g（1.5%）。

按理论值折算，样品应含羟基红花黄花素A为15×15÷120=1.875mg/g，可见，羟基红花黄花素A的转移率为1.44÷1.875×100%=76.8%。

参照据《中国药典》2020年版一部"红花"药材的羟基红花黄花素A含量限度不得少于1.0%，转移率为76.8%，考虑不同产地药材的质量差异，并结合其他影响因素及三批样品的测定结果，下浮10%，按此限度折算本品含羟基红花黄色素A的理论量应不低于15÷120×1000×1.0%×76.8%×90%=0.864mg/g。

标准正文暂定为：本品每1g含红花以羟基红花黄花素A（$C_{27}H_{32}O_{16}$）计，不得少于0.90mg。

【功能与主治】

清肝热。主治肝热，肝血增盛，肝损伤，肝热，肝肿大，肝宝如症。

【用法与用量】

口服。一次11～15丸，一日1～2次，温开水送服。

【规格】

每10丸重2g。

【贮藏】

密闭，防潮。

起草单位：内蒙古自治区国际蒙医医院　　　孙　刚　乌恩奇　那松巴乙拉　宝　山
　　　　　包头市检验检测中心　　　　　　马　静　赵　欣　王　丽

别嘎日-10丸质量标准起草说明

【历史沿革】

本处方来源于《蒙医药选编》（内蒙古人民出版社1999年版，蒙古文，第356页）。

【处方来源】

本制剂由内蒙古自治区国际蒙医医院提供。

【名称】

别嘎日-10丸

【蒙药材和饮片的来源和执行标准】

1. 处方组成及药味排列顺序：枫香脂120g、党参30g、诃子30g、苦参60g、决明子90g、木香60g、川楝子90g、苘麻子90g、瞿麦30g、栀子30g。

2. 处方中药味均收载于《中国药典》2020年版一部，其质量应符合该品种项下的有关规定。

【制法】

以上十味，粉碎成细粉，过筛，混匀，用水泛丸，打光，干燥，分装，即得。

【性状】

本品为黄棕色至深棕色的水丸；气微，味微苦、微涩。

【鉴别】

本品为药材细粉以水为黏合剂泛制成的丸剂，方中川楝子的显微特征比较明显，故对处方中的川楝子建立显微鉴别；并对处方中的木香建立了薄层鉴别。

1. 试剂与试药

供试品：供试品（批号 20201901、20201902、20201903）由内蒙古自治区国际蒙医医院提供，模拟样品（批号 20191016）模拟。

对照品：木香烃内酯对照品（批号 111524-2019111），购于中国食品药品检定研究院。

薄层板：硅胶G板，购于青岛海洋化工有限公司。

所用其他试剂均为分析纯，水为离子交换高纯水。

2. 试验方法与结果

（1）显微鉴别

川楝子：果皮纤维成束，无色或淡黄色，纤维长短不一，稍弯曲，末端钝圆，壁极厚，有时不规则纵列成须束状，孔沟不明显或偶见，有的胞腔含黄棕色颗粒状物。

（2）木香薄层鉴别

参照《中国药典》2020年版一部"木香"项下的薄层条件，制定正文所述的鉴别方法。通过阴性对照实验观察，方中其他药材对木香药材的检出无干扰，证明此方法具有专属性。

【检查】

按照丸剂（《中国药典》2020年版四部通则0108）项下的规定，对三批供试品及模拟样品的水分、重量差异、溶散时限、重金属、砷盐、微生物限度进行了检查。具体方法及测定数据如下：

1. 水分：取供试品照水分测定法（《中国药典》2020年版四部通则0832）测定。三批供试品及模拟样品的测定结果见表1。

表1　水分测定结果

序号	供试品批号	水分（%）
1	20201901	4.39
2	20201902	4.78
3	20201903	4.60
4	20191016	4.89

药典规定散剂水分含量不得大于9.0%。从表1中可见本品水分含量符合要求。

2. 重量差异：取以上三批供试品，每批供试品取10份，10丸为1份，分别称定重量，再与每份标示重量（2g）相比较，求每一份的重量差异（%）。药典规定每份标示装量的限度为±8%，并规定超出重量差异限度的不得多于2份，并不得有1份超出限度1倍。本品的重量差异检查结果均符合规定。

3. 溶散时限：取本品按照片剂项下崩解时限检查法（《中国药典》2020年版四部通则0921）加挡板进行测定。三批供试品测定结果见表2。

表2　溶散时限测定结果

序号	批号	溶散时间（min）
1	20201901	38
2	20201902	40
3	20201903	35

药典规定水丸应在1小时内全部溶散。表2的结果显示，本品的溶散时限符合规定。

4. 对三批供试品及模拟样品进行了重金属、砷盐考察，方法与结果如下：

重金属：分别取每个批号供试品0.5g、0.67g、1.0g、2.0g，按《中国药典》2020年版四部0821第二法检查。

供试品溶液的制备：取本品0.5g、0.67g、1.0g、2.0g，分别缓缓炽灼至完全炭化，放冷，加硫酸0.5ml，使湿润，低温加热至硫酸除尽后，加硝酸0.5ml，蒸干，至氧化氮蒸气除尽后，放冷，于600℃炽灼至完全灰化，放冷。加盐酸2ml，置水浴上蒸干后加水15ml，滴加氨试液至对酚酞指示液显中性，再加醋酸盐缓冲液（pH3.5）2ml，微热溶解后，移置纳氏比色管中，加水稀释至25ml，作为供试品溶液。

标准铅对照溶液的制备：另取配制供试品溶液的试剂两份，分别置瓷皿中蒸干后，加醋酸盐缓冲液（pH3.5）2ml，加水15ml微热溶解后，移置两支纳氏比色管中，分别加标准铅溶液（10g/mlPb）2ml，再加水稀释至25ml，作为标准铅对照溶液。

检视：于上述供试品溶液和标准铅对照溶液中分别加硫代乙酰胺试液各2ml，摇匀，放置2分钟，同置白色背景上，从上向下进行观察。试验结果见表3。

表3　重金属检查结果

序号	供试品批号	重金属含量（ppm）			
1	20201901	<10	<20	<30	<40
2	20201902	<10	<20	<30	<40
3	20201903	<10	<20	<30	<40
4	20191016	<10	<20	<30	<40

结果显示,供试品溶液的颜色明显浅于2ml的标准铅对照溶液。经过3批供试品及模拟样品的检查,含重金属均未超过百万分之十,故未收入正文。

砷盐:取本品1g和标准砷溶液(1μg/mlAS)2ml,分别加无砷氢氧化钙1g,加少量水,搅匀,烘干,用小火缓缓炽灼至炭化,再在600℃炽灼至完全灰化,放冷。分别加盐酸7ml使溶解,再加水21ml,按《中国药典》2020年版四部通则0822第一法(古蔡氏法)做砷盐限量检查。

结果:供试品砷斑浅于标准砷斑的颜色,表明本品含砷量未超过百万分之二(小于2ppm),故砷盐检查项目未收入正文。

5. 微生物限度:照微生物计数法(《中国药典》2020年版四部 通则 1105)和控制菌检查法(《中国药典》2020年版四部 通则1106)及《内蒙古蒙药制剂规范》(第三册)附录Ⅲ微生物限度标准,进行检查。结果均符合规定。

【含量测定】

本品由枫香脂、党参、诃子、苦参、决明子、木香、川楝子、苘麻子、瞿麦、栀子十味药组成。临床功效燥协日乌素,清热。用于陶赖,赫如虎,关节疼痛。

栀子功能为泻火除烦、清热利湿。栀子苷是栀子的主要化合物之一,故选择栀子苷作为指标成分,对本制剂中的栀子进行含量测定方法的研究。参照《中国药典》2020年版一部"栀子"项下的含量测定方法,选择栀子苷作为指标成分,对本制剂中的栀子进行了HPLC含量测定方法研究。经分析方法验证,表明该方法重现性好,专属性强,方中其他组分对栀子苷的测定无干扰。

1 仪器与试剂试药

1.1 仪器

Waters e2695 型高效液相色谱仪;Mettler-Toledo MS105DU型百万分之一电子天平;Mettler-Toledo XPR10型万分之一电子天平;SBL-22DT型超声波清洗器(宁波新芝生物科技股份有限公司,40KHZ);Heal Force NW15UV型超纯水系统; FW400A型多功能粉碎机(材茂科技有限公司)。

1.2 试剂与试药

供试品(批号 20201901、20201902、20201903)由内蒙古自治区国际蒙医医院提供,模拟样品(批号20191016)模拟;栀子苷对照品(批号 110749-201919),购于中国食品药品检定研究院;乙腈为色谱纯,水为超纯水,所用其他试剂均为分析纯。

2 方法学考察

2.1 色谱条件

2.1.1 色谱柱:色谱柱填充剂为十八烷基硅烷键合硅胶,本试验采用Dimonsi C$_{18}$(250mm×4.6mm,5μm)色谱柱。

2.1.2 流动相的选择:参照《中国药典》2020年版一部"栀子"含量测定项下的测定方法,以乙腈-水(15:85)为流动相,供试品中的栀子苷与其他成分能达到较好的分离,色谱峰具有比较好的保留时间、分离度和对称性。故选择以乙腈-水(15:85)为流动相。

2.1.3 柱温:30℃可以保证柱压较低,分离效果稳定,保留时间变化小。

2.1.4 检测波长的选择:参照《中国药典》2020年版一部"栀子"含量测定项下栀子苷的测定方法,选用238nm处作为检测波长。

2.1.5 理论板数的确定:从对三批样品的测定结果可见,栀子苷峰理论板数在3000以上即能达到较好的分离效果,故规定理论板数按栀子苷峰计算应不低于3000。

2.2 提取溶剂及提取效率的考察

2.2.1 提取溶剂的选择：参照《中国药典》2020年版第一部"栀子"含量测定项下方法采用甲醇作为提取溶剂。

2.2.2 提取效率的考察：以甲醇作为提取溶剂进行超声提取。为保证被测成分提取完全，在供试品的细度一致、提取溶剂为甲醇、超声功率为250W（频率40kHz）的条件下，分别考察了提取20分钟、30分钟和40分钟时的提取效率。结果见表4。

表4 栀子苷提取时间考察

时间（min）	取样量（g）	样品峰面积			含量（mg/g）
		A	B	平均	
20	2.0018	2709707	2692201	2700954	1.9460
30	2.0027	2740260	2724857	2732559	1.9679
40	2.0021	2602689	2686428	2644559	1.9051

从表4数据可见，超声提取30分钟时供试品中栀子苷的含量最高，故将提取时间定为30分钟。

2.3 专属性考察

2.3.1 对照品溶液的制备：取栀子苷对照品适量，精密称定，加甲醇制成每1ml含30μg的溶液，作为对照品溶液。

2.3.2 供试品溶液的制备：取本品细粉约2.0g，精密称定，置具塞锥形瓶中，精密加入甲醇25ml，称定重量，超声处理30分钟（功率250W，频率40kHz），放冷，再称定重量，用甲醇补足减失的重量，摇匀，滤过，取续滤液，作为供试品溶液。

2.3.3 阴性对照溶液的制备：按本品处方工艺制备不含栀子的阴性供试品，按"供试品溶液的制备"方法制备阴性对照溶液。

2.3.4 测定：在上述色谱条件下，分别精密吸取以上三种溶液各10μl，分别注入液相色谱仪进行测定。记录各自的色谱图。

结果显示，供试品色谱中在与对照品色谱保留时间相同的位置上有色谱峰出现，而阴性对照在与对照品色谱保留时间相同的位置上无色谱峰出现，表明该含量测定方法阴性无干扰，专属性好。

2.4 线性关系考察

取栀子苷对照品约7.3mg，精密称定，置100ml量瓶中，加甲醇使溶解，并稀释至刻度，摇匀，作为对照品溶液（对照品溶液实际浓度为0.0734mg/ml）；分别精密吸取上述对照品溶液1μl、5μl、10μl、12μl、15μl和20μl注入液相色谱仪，按上述色谱条件进行测定，以峰面积对进样量进行回归分析。结果见表5。

表5 栀子苷标准曲数据及回归方程结果表

序号	进样量（μg）	峰面积值	回归方程	回归系数（r）
1	0.0723	1.3260		
2	0.3670	6.8643		
3	0.7340	13.6120	$y=18.4532x-0.0618$	1.0000
4	0.8808	16.3485		
5	1.101	20.3931		
6	1.468	27.0542		

从表5数据可见，栀子苷在0.0723～1.468μg质量浓度范围内与峰面积呈良好的线性关系。

2.5 精密度试验

取同一份供试品（批号20201901）溶液，连续进样6针，记录色谱图。栀子苷峰面积的精密度计算结果见表6。

表6　供试品溶液中栀子苷精密度试验结果

序号	峰面积值	平均峰面积值	RSD（%）
1	2697292		
2	2749460		
3	2707077	2702373	1.09
4	2688931		
5	2660048		
6	2711432		

从表6数据可见，符合《中国药典》2020年版四部通则0512中规定的RSD值小于2.0%的要求。

2.6　稳定性试验

取同一份供试品（批号20201901）溶液，分别于制备溶液后的0小时、2小时、4小时、6小时、8小时、12小时进行测定。结果见表7。

表7　供试品溶液中栀子苷稳定性试验结果

序号	取样量（g）	峰面积值	RSD（%）
1	0	2628213	
2	2	2731158	
3	4	2724643	1.67
4	6	2654166	
5	8	2703541	
6	12	2640888	

表7数据可见，栀子苷在8小时内的峰面积值RSD值基本稳定不变。

2.7　重复性试验

取同一批号供试品（批号20190915）6份，各约2.0g，精密称定，置具塞锥形瓶中，精密加入甲醇25ml，称定重量，超声处理30分钟（功率250W，频率40kHz），放冷，再称定重量，用甲醇补足减失的重量，摇匀，滤过，取续滤液，作为供试品溶液。精密吸取10μl注入液相色谱仪进行测定，记录色谱图及峰面积，按外标法计算含量。结果见表8。

表8　供试品溶液中栀子苷重复性试验结果

样品号	称样量（g）	平均峰面积值	含量（mg/g）	平均含量（mg/g）	RSD（%）
1	2.0038	2612306	1.89		
2	2.0022	2611720	1.89		
3	2.0026	2538850	1.84	1.88	1.09
4	2.0017	2605836	1.89		
5	2.0023	2586159	1.87		
6	2.0023	2614714	1.89		

从表8数据可见，6份供试品含量测定结果的均值为1.88mg/g，RSD为1.09%，表明该方法的重复性好。

2.8　加样回收试验

取已知含量（批号20201901，含量为1.88mg/g）的供试品9份，各约0.5g，精密称定，分别置9个具塞锥形瓶中，再分别在其中3个具塞锥形瓶中精密加入浓度为0.4981mg/ml的栀子苷对照品溶液1ml（约相当于供试品含有量的50%）及甲醇24ml，另3个具塞锥形瓶中各精密加入上述对照品溶液2ml（约相当于供试品含有量的100%）及甲醇23ml，其余3个具塞锥形瓶中各精密加入上述对照品溶液3ml（约相当于供试品含有量的150%）及甲醇22ml，分别称定重量，超声处理30分钟，取出，再称重，用甲醇补足减失重量，摇匀，滤过，取续滤液，即得。各取上清液10μl

进样,分别精密吸取各溶液10μl注入液相色谱仪进行测定,记录色谱图和峰面积,按外标法计算含量,再计算回收率。结果见表9。

表9 栀子苷加样回收试验结果

序号	样品量(g)	供试品含量(mg)	对照品加入量(mg)	测得总量(mg)	回收率(%)	平均(%)	RSD(%)
1	0.5723	1.0759	0.4981	1.44	98.69		
2	0.5021	0.9439	0.4981	1.43	97.34		
3	0.5009	0.9417	0.4981	1.43	97.82		
4	0.5001	0.9402	0.9962	1.91	97.51		
5	0.5034	0.9464	0.9962	1.95	100.41	97.88	1.16
6	0.5029	0.9455	0.9962	1.91	96.39		
7	0.5015	0.9428	1.4943	2.40	97.16		
8	0.5024	0.9445	1.4943	2.42	98.16		
9	0.5002	0.9404	1.4943	2.40	97.47		

从表9数据可见,栀子苷的平均回收率为97.88%,RSD为1.16%。该方法准确度好。

2.9 耐用性试验

取供试品(批号20201901)1份,各约2.0g,精密称定,按重复性试验项下方法处理,换不同厂家、不同型号的色谱柱,分别测定供试品的含量。结果见表10。

表10 色谱柱耐用性试验

样品号	取样量(g)	柱型号	平均峰面积值	含量(mg/g)
1	2.0035	Dimonsi C₁₈	2612435	1.89
	2.0014	Alltima C₁₈	2601248	1.82

从表10数据可见,不同型号或厂家的色谱柱对栀子苷的测定结果影响较小。

3 样品含量测定

取三批样品(批号20201901、20201902、20201903)及模拟样品(批号20191016)各1份,各约2.0g,精密称定,按重复性试验项下方法处理,分别测定并按外标法计算三批样品含量。含量测定结果见表11。

表11 样品中栀子苷含量测定结果

批号	取样量(g)	样品峰面积			含量(mg/g)	平均含量(mg/g)
		A	B	平均		
20201901	2.0016	2671636	2648500	2660068	1.94	
20201902	2.0033	2703737	2741011	2722374	1.98	6.25
20201903	2.0086	2809259	2844855	2827057	2.05	
20191016	2.0012	2277357	2207433	2242395	1.62	

从表11数据可见,三批样品和模拟样品中栀子苷含量最低为1.62mg/g,最高为2.05mg/g。模拟样品含量比较低。

4 栀子药材含量测定

试验中采用同法对上述三批样品生产用栀子药材进行了含量测定。测定结果见表12。

表12 栀子药材含量测定结果

序号	取样量(g)	平均峰面积值(n=2)		含量(mg/g)	平均含量(mg/g)
1	0.0546	12.7810	12.7877	33.17	
		12.7945			33.16
2	0.0522	12.2219	12.2219	33.16	
		12.2219			

从表12数据可见，栀子药材中栀子苷的含量为33.16mg/g（3.316%）。

5 本制剂含量限度的确定

从表中数据可见，三批样品中栀子苷的含量最低为1.94mg/g，模拟样品中栀子苷的含量为1.62mg/g，栀子药材中栀子苷的含量为33.16mg/g（3.316%）。

按理论值折算，样品应含栀子苷为0.0476g×3.316%×1000＝1.58mg，即1.58mg/g。因此，转移率为1.62/1.58×100%＝102.5%，此转移率高于100%，怀疑所用的栀子药材不是制作本品的同一批次药材。故暂不考虑转移率。

参照《中国药典》2020年版一部"栀子"药材的栀子苷含量限度不得少于1.8%，考虑不同产地药材的质量差异，并结合其他影响因素及三批样品的测定结果，下浮20%，按此限度折算本品含栀子苷的理论量应不低于10÷210×1000×1.8%×100%×80%＝0.703mg/g。

标准正文暂定为：本品每1g含栀子以栀子苷（$C_{17}H_{24}O_{10}$）计，不得少于0.70mg。

【功能与主治】

燥协日乌素，清热。用于陶赖，赫如虎，关节疼痛。

【用法与用量】

口服。一次11~15丸，一日1~2次，温开水送服。

【规格】

每10丸重2g。

【贮藏】

密封，防潮。

起草单位：内蒙古盛唐国际蒙医药研究院　　赵丽娜　崔丽敏　王　伟
　　　　　包头市检验检测中心　　　　　　　张　欣　陈媛媛
　　　　　内蒙古食品药品审评查验中心　　　张　涛　孙培东

沏其日甘-17丸质量标准起草说明

【历史沿革】

本方来源于内蒙古自治区国际蒙医医院苏嘎尔大夫经验方。

【处方来源】

本制剂由内蒙古自治区国际蒙医医院提供。

【名称】

沏其日甘-17丸

【蒙药材和饮片的来源和执行标准】

1. 处方组成及药味排列顺序: 沙棘50g、大黄40g、干姜40g、石榴子40g、煅贝齿20g、诃子10g、紫茉莉10g、海金沙10g、赤瓟子10g、红花10g、光明盐10g、炒硇砂10g、炒火硝10g、芒硝10g、寒制红石膏10g、滑石粉10g、制硼砂10g。

2. 处方中除石榴子、赤瓟子、光明盐、白硇砂、紫茉莉、炒火硝、寒制红石膏、制硼砂药材外, 其余沙棘等药味均收载于《中国药典》2020年版一部, 其质量应符合该品种项下的有关规定。

石榴子: 本品为安石榴科植物安石榴*Punica granatum* L.的干燥种子。其标准应符合《卫生部药品标准》(藏药第一册) 1995 年版第26 页该品种项下的有关规定。

炒火硝: 为斜方晶系硝酸盐类矿物硝石Nitrokalite, 经加工炼制而成的结晶体。主含硝酸钾 (KNO_3)。其标准应符合《内蒙古蒙药饮片炮制规范》2020年版第95页该品种项下的有关规定。

寒制红石膏: 为单斜晶系硫酸钙矿石族红石膏Gypsum的矿石红石膏(北寒水石)的炮制加工品。主含含水硫酸钙($CaSO_4 \cdot 2H_2O$)。 其标准应符合《内蒙古蒙药饮片炮制规范》2020年版第188页该品种项下的有关规定。

光明盐: 为天然石盐 Halite 结晶体。主含氯化钠 ($NaCl$)。其标准应符合《内蒙古蒙药饮片炮制规范》2020年版第160页该品种项下的有关规定。

赤瓟子: 为葫芦科植物赤瓟*Thladiantha dubia* Bge.的干燥成熟果实。其标准应符合《中华人民共和国卫生部药品标准》(蒙药分册) 1998 年版第17页该品种项下的有关规定。

炒硇砂: 为卤化物类矿物硇砂Sal Ammoniac的晶体。主含氯化铵 (NH_4Cl)。其标准应符合《内蒙古蒙药饮片炮制规范》2020年版第144页该品种项下的有关规定。

制硼砂: 为天然矿物硼砂Borax精制而成的结晶体。主含含水四硼酸钠 ($Na_2B_4O_7 \cdot 10H_2O$)。其标准应符合《内蒙古蒙药饮片炮制规范》2020年版第478页该品种项下的有关规定。

【制法】

以上十七味, 粉碎成细粉, 过筛, 混匀, 用水泛丸, 打光, 干燥, 分装, 即得。

【性状】

本品为棕黄色至棕褐色的水丸; 气香, 味苦、酸、涩、咸而微刺舌。

【鉴别】

本品为药材粉末制成的丸剂, 方中沙棘、大黄、红花、诃子的显微特征都比较明显, 故建立显微鉴别, 并对处方中诃子、石榴、大黄建立了薄层鉴别。

1. 试剂与试药

供试品：供试品（批号20190411、20200521、20201022）由内蒙古自治区国际蒙医医院提供，模拟样品（批号20200052）模拟。

对照品：没食子酸对照品（批号110831-201605），购于中国食品药品检定研究院。

薄层板：硅胶G板，购于青岛海洋化工有限公司。

所用其他试剂均为分析纯，水为离子交换高纯水。

2. 试验方法与结果

（1）显微鉴别

沙棘：表皮鳞毛较多，由100多个单细胞毛毗连而成，末端分离，单个细胞长80~220μm，直径约5μm，毛脱落后的疤痕由7~8个圆形细胞聚集而成，细胞壁稍厚。大黄：草酸钙簇晶直径20~160μm，淀粉粒单粒，圆形、椭圆形或类三角形，多数扁平，直径5~30μm，脐点、层纹均不明显。红花：花粉粒类圆形、椭圆形或橄榄形，直径约至60μm，具3个萌发孔，外壁有齿状突起。诃子：石细胞成群或单个散在，淡黄色或鲜黄色，呈类圆形、类方形、长方形或长条形，长可达200μm，孔沟细密而清晰，不规则分叉。

（2）大黄薄层鉴别

参照《中国药典》2020年版一部"大黄"项下的薄层条件，制定出正文所述的鉴别方法。通过阴性对照供试品试验观察，方中其他药材对大黄的检出无干扰，此法具专属性，因大黄进行了含量测定，故未列入正文。

（3）诃子、石榴薄层鉴别

参照《中国药典》2020年版一部"诃子"项下的薄层条件，制定出正文所述的鉴别方法。通过阴性对照供试品试验观察，方中其他药材对诃子、石榴的检出无干扰，此法具专属性。

【检查】

按照丸剂（《中国药典》2020年版四部 通则0108）项下规定，对三批供试品及模拟样品的水分、重量差异、溶散时限、重金属、砷盐和微生物限度和浸出物进行了检查。检查结果均符合规定。具体方法及测定数据如下：

1. 水分：取供试品照水分测定法（《中国药典》2020年版四部通则0832）测定。三批供试品及模拟样品测定结果见表1。

表1　水分测定结果

序号	批号	水分（%）
1	20190411	7.35
2	20200521	7.28
3	20201022	7.42
4	20200052	7.33

药典规定丸剂水分含量不得大于9.0%。由表1的结果可见，三批供试品和模拟样品的水分含量均符合要求。

2. 重量差异：取以上三批供试品，每批供试品取10份，10丸为1份，分别称定重量，再与每份标示重量（2g）相比较，求每一份的重量差异（%）。药典规定每份标示装量的限度为±8%，并规定超出重量差异限度的不得多于2份，并不得有1份超出限度1倍。本品的重量差异检查结果均符合规定。

3. 溶散时限：取本品照片剂项下崩解时限检查法（《中国药典》2020年版四部通则0921）加挡板进行测定。三批供试品测定结果见表2。

表2 溶散时限测定结果

序号	批号	溶散时间（min）
1	20190411	28
2	20200521	25
3	20201022	27

药典规定水丸应在1小时内全部溶散。从表2数据可见，本品的溶散时限符合规定。

4. 重金属：对三批供试品及模拟样品进行了重金属、砷盐考察，方法与结果如下：分别取每个批号供试品0.5g、0.67g、1.0g、2.0g，按《中国药典》2020年版四部0821第二法检查。

供试品溶液的制备：取本品0.5g、0.67g、1.0g、2.0g，分别缓缓炽灼至完全炭化，放冷，加硫酸0.5ml，使湿润，低温加热至硫酸除尽后，加硝酸0.5ml，蒸干，至氧化氮蒸气除尽后，放冷，于600℃炽灼至完全灰化，放冷。加盐酸2ml，置水浴上蒸干后加水15ml，滴加氨试液至对酚酞指示液显中性，再加醋酸盐缓冲液（pH3.5）2ml，微热溶解后，移置纳氏比色管中，加水稀释至25ml，作为供试品溶液。

标准铅对照溶液的制备：另取配制供试品溶液的试剂两份，分别置瓷皿中蒸干后，加醋酸盐缓冲液（pH3.5）2ml，加水15ml微热溶解后，移置两支纳氏比色管中，分别加标准铅溶液（10μg/mlPb）2ml，再加水稀释至25ml，作为标准铅对照溶液。

检视：于上述供试品溶液和标准铅对照溶液中分别加硫代乙酰胺试液各2ml，摇匀，放置2分钟，同置白色背景上，从上向下进行观察。结果显示，供试品溶液的颜色明显浅于1ml的标准铅对照溶液。经过三批供试品及模拟样品的检查，含重金属均未超过百万分之十，故未收入正文。试验结果见表3。

表3 重金属检查结果

序号	批号	重金属含量（ppm）			
1	20190411	<10	<20	<30	<40
2	20200521	<10	<20	<30	<40
3	20201022	<10	<20	<30	<40
4	20200052	<10	<20	<30	<40

结果显示，供试品溶液的颜色明显浅于2ml标准铅对照溶液。经过3批供试品及模拟样品的检查，含重金属均未超过百万分之十，故未收入正文。

砷盐：取本品1g和标准砷溶液（1μg/mlAS）2ml，分别加无砷氢氧化钙1g，加少量水，搅匀，烘干，用小火缓缓炽灼至炭化，再在600℃炽灼至完全灰化，放冷。分别加盐酸7ml使溶解，再加水21ml，按《中国药典》2020年版四部通则0822第一法（古蔡氏法）做砷盐限量检查。

结果：供试品砷斑浅于标准砷斑的颜色，表明本品含砷量未超过百万分之二（小于2ppm），故砷盐检查项目未收入正文。

5. 微生物限度：照微生物计数法（《中国药典》2020年版四部通则1105）和控制菌检查法（《中国药典》2020年版四部通则1106）及《内蒙古蒙药制剂规范》（第三册）附录Ⅲ微生物限度标准，进行检查。结果均符合规定。

6. 浸出物：取本品，精密称定，照醇溶性浸出物测定法项下的热浸法（《中国药典》2020年版一部附录ⅩA）测定，用乙醇作溶剂。结果见表4。

表4　浸出物测定结果（按干燥品计算）

批号	浸出物（%）	
	1	2
20190411	20.19	19.49
20200521	19.68	19.10
20201022	20.15	19.64
20200052	19.67	20.44

从表4数据可见，三批供试品及模拟样品中浸出物的含量均在19%左右，考虑到不同产地的药材浸出物含量有所不同，故未收入正文。

【含量测定】

沏其日甘-17丸是由沙棘、诃子等十七味药组成，其中沙棘为主药，异鼠李素为沙棘的主要有效成分，曾对其进行了含量测定的摸索。参照《中国药典》2020年版一部"沙棘"项下的含量测定条件进行测定，结果分离效果差、重复性不好，故未选择测沙棘中的异鼠李素含量。方中另一主药为大黄，主要有效成分为游离蒽醌（大黄素、大黄酚等）、结合型蒽醌（蒽酚和蒽酮类化合物等）。通过试验条件摸索，阴性对照供试品试验结果显示，与大黄素对照品相同保留时间处有色谱峰干扰，而与大黄酚对照品相同保留时间处未出现色谱峰，认为阴性对照供试品无干扰，故未建立大黄素的含量测定，建立了大黄酚的含量测定。

1　仪器与试剂试药

1.1　仪器

LC-10ATVP型泵，SCL-10AVP型控制器，SPD-10AVP型检测器，SLASS-VP色谱工作站，普析通用TU-1901型紫外-可见分光光度仪，HR-200型万分之一天平，Presia型十万分之一天平。

1.2　试剂与试药

供试品（批号20190411、20200521、20201022）由内蒙古自治区国际蒙医医院提供，模拟样品（批号20200052）模拟；大黄酚对照品（批号110796-201621），由中国药品生物制品检定研究院提供；甲醇为色谱纯，水为超纯水，其他试剂为分析纯。

2　方法学考察

2.1　色谱条件

2.1.1　色谱柱：色谱柱填充剂为十八烷基硅烷键合硅胶，本试验研究采用Dikma Technologies迪玛公司-色谱配件专家Diamonsil钻石C$_{18}$（250mm×4.6mm，5μm）色谱柱。

2.1.2　流动相的选择：参照《中国药典》2020年版一部"大黄"项下，以甲醇-0.1%磷酸溶液（85∶15）为流动相，流速为1.0ml/min，进行流动相条件摸索，结果大黄酚保留时间为16分钟，分离度大于1.5，符合要求。峰形对称性较好。理论板数大于2500，故将流动相的比例定为甲醇-0.1%磷酸溶液（85∶15）。

2.1.3　柱温：由于在室温条件下，大黄酚峰的保留时间一致，且分离效果较好，故未选择用柱温调节。

2.1.4　检测波长的选择：于紫外可见分光光度仪上，自200~700nm做光谱扫描，结果大黄酚在波长为255nm和430nm处有最大吸收，参照《中国药典》2020年版一部"大黄"项下和"三黄片"项下选用254nm作为检测波长。

2.1.5　理论板数的确定：从对多批数据的测定结果可见，大黄酚峰的理论板数在2500以上即能达到较好的分离效果，故确定理论板数按大黄酚峰计算应不低于2500。

2.2　提取溶剂及提取次数的选择

2.2.1　提取溶剂的选择

大黄酚略溶于冷乙醇，易溶于沸乙醇，溶于苯、三氯甲烷、乙醚、冰醋酸及丙酮等。故选择用乙醇加热回流提取,然后用三氯甲烷萃取,除去极性较大的杂质。由于苯、乙醚等有机溶剂的毒性较大,且萃取时在分液漏斗中溶液的上层,萃取分离时较麻烦,故选择用三氯甲烷萃取;为使溶剂与流动相相匹配,用无水乙醇-乙酸乙酯(2:1)溶解转移,且溶剂峰无干扰,故选择无水乙醇-乙酸乙酯(2:1)定溶后进行测定。

2.2.2 提取次数的考察

用三氯甲烷强力振摇提取,试验中考察了提取3次、4次、5次、6次等不同提取次数对提取效率的影响,含量测定结果见表5。

表5 大黄酚提取效率考察

提取次数	体积(ml)	平均峰面积	称样量(g)	含量(mg/g)
3	20、20、15	1380739	1.2668	0.9655
4	20、20、15、15	1726396	1.3124	1.1652
5	20、20、15、15、15	1720266	1.2934	1.1781
6	20、20、15、15、15、15	1722319	1.2933	1.1822

从表5数据可见,提取4次后供试品中大黄酚的含量基本稳定,故将提取次数定为4次。

2.3 专属性考察

2.3.1 对照品溶液的制备:取大黄酚对照品适量,精密称定,加无水乙醇-乙酸乙酯(2:1)混合溶液制成每1ml含20μg的溶液,作为对照品溶液。

2.3.2 供试品溶液的制备:取本品适量,研细,取约1.5g,精密称定,置具塞锥形瓶中,精密加乙醇25ml,密塞,称定重量,置水浴上加热回流1小时,放冷,用乙醇补足减失的重量,摇匀,滤过,精密量续滤液10ml,置烧杯中,水浴蒸干,加30%乙醇-盐酸(10:1)混合溶液15ml,置水浴上加热回流1小时,立即冷却,置分液漏斗中,用少量三氯甲烷洗涤容器,并入分液漏斗中,用三氯甲烷强力振摇提取4次(20ml、20ml、15ml、15ml),合并三氯甲烷液,挥干,残渣用无水乙醇-乙酸乙酯(2:1)混合溶液溶解,置25ml量瓶中,并稀释至刻度,摇匀,滤过,取续滤液,作为供试品溶液。

2.3.3 阴性对照溶液的制备:按本品处方工艺制备不含大黄的阴性供试品,按供试品溶液的制备方法制备阴性对照溶液。

2.3.4 测定:分别精密吸取以上三种溶液各10μl,注入色谱仪,记录各自的色谱图。

试验结果显示:供试品色谱中在与对照品色谱保留时间相同的位置上有色谱峰出现,而阴性对照在与对照品色谱保留时间相同的位置上无色谱峰出现,表明该含量测定方法阴性无干扰,专属性好。

2.4 线性关系考察

取大黄酚对照品约10mg,精密称定,置100ml量瓶中,加无水乙醇-乙酸乙酯(2:1)混合溶液使溶解,并稀释至刻度,摇匀(C=0.1093mg/ml),然后分别精密吸取0.5ml、1ml、2ml、3ml、4ml、5ml溶液置10ml量瓶中,加无水乙醇-乙酸乙酯(2:1)混合溶液至刻度,摇匀,各取10μl进样(10μl定量环),按上述色谱条件测定,以峰面积对进样量进行回归分析。结果见表6。

表6 标准曲线数据及回归分析结果

对照品量(μg)	峰面积值(n=2)	回归方程	r
0.05465	383516		
0.1093	789691		
0.2186	1584307		
0.3279	2376598	$y=7085096x+22196$	0.9993
0.4372	3161563		
0.5465	3840717		

从表6数据可见，大黄酚在0.05465～0.5465μg范围内与峰面积值呈良好的线性关系。

2.5 稳定性试验

取同一供试品溶液（批号20190411），分别于制备溶液后的0小时、2小时、4小时、8小时、12小时、16小时进样测定。结果见表7。

表7 不同时间测定供试品中大黄酚的峰面积值

时间（h）	峰面积值	RSD（%）
0	1686408	
2	1704073	
4	1704698	
8	1703284	1.0
12	1671600	
16	1720393	

表7数据可见，大黄酚在16小时内的峰面积值基本稳定。

2.6 重复性试验

取同一供试品（批号20190411）6份，各约1.3g，精密称定，置具塞锥形瓶中，精密加乙醇25ml，密塞，称定重量，置水浴上加热回流1小时，放冷，用乙醇补足减失的重量，摇匀，滤过，精密量续滤液10ml，置烧杯中，水浴蒸干，加30%乙醇-盐酸（10:1）混合溶液15ml，置水浴上加热回流1小时，立即冷却，置分液漏斗中，用少量三氯甲烷洗涤容器，并入分液漏斗中，用三氯甲烷强力振摇提取4次（20ml、20ml、15ml、15ml），合并三氯甲烷液，挥干，残渣用无水乙醇-乙酸乙酯（2:1）混合溶液溶解，置25ml量瓶中，并稀释至刻度，摇匀，滤过，取续滤液，作为供试品溶液。另取大黄酚对照品适量，精密称定，加无水乙醇-乙酸乙酯（2:1）混合溶液制成每1ml含20μg的溶液，作为对照品溶液。分别精密吸取以上两种溶液各10μl，注入液相色谱仪，记录各自的色谱图，用外标法以峰面积计算含量。结果见表8。

表8 重复性试验结果

取样量（g）	峰面积值		含量（mg/g）	平均含量（mg/g）	RSD（%）
1.3002	1723871	1713346	1.1863		
1.3027	1711698	1712179	1.1794		
1.2954	1711603	1710968	1.1856	1.207	2.4
1.3039	1710953	1818485	1.2150		
1.3100	1812501	1823540	1.2506		
1.3047	1826457	1752187	1.2272		

从表8数据可见，在相同的提取溶剂和色谱条件下，6份供试品含量测定结果的均值为1.207mg/g，RSD为2.3%，表明该方法的重复性好。

2.7 加样回收试验

取置五氧化二磷减压干燥器中干燥12小时以上的大黄酚（批号110796-200513），精密称定9.29g，置50ml量瓶中，加无水乙醇-乙酸乙酯（2:1）混合溶液使溶解，并稀释至刻度，摇匀（0.1858mg/ml）。再精密吸取上溶液1ml置10ml量瓶中，加无水乙醇-乙酸乙酯（2:1）混合溶液稀释至刻度，摇匀，作为对照品溶液（C=18.58μg/ml）。

精密吸取上述大黄酚对照品原溶液（0.1858mg/ml）2ml三份分别置1、2、3号3个回流瓶中，于水浴上低温蒸干溶剂。作为第一组供试品瓶。

精密吸取上述大黄酚对照品原溶液（0.1858mg/ml）4ml三份分别置4、5、6号3个回流瓶中，于水浴上低温蒸干溶剂。作为第二组供试品瓶。

精密吸取上述大黄酚对照品原溶液（0.1858mg/ml）25ml置100ml量瓶中，加无水乙醇–乙酸乙酯（2∶1）混合溶液稀释至刻度，摇匀。精密吸取上述对照品溶液（0.04645mg/ml）25ml三份分别置7、8、9号3个回流瓶中，于水浴上低温蒸干溶剂。作为第三组供试品瓶。

然后取与重复性同一批号的供试品（批号20190411，含量1.2074mg/g）9份，各约0.65g，精密称定，分别置上述9个回流瓶中，按重复性试验项下的方法，测定每份供试品的含量，计算回收率。结果见表9。

表9　大黄酚加样回收试验结果

供试品取样量（g）	供试品含有量（mg）	对照品加入量（mg）	测得总量（mg）	回收率（%）	平均回收率（%）	RSD（%）
0.6518	0.7870	0.3716	1.1458	96.6		
0.6450	0.7788	0.3716	1.1326	95.2		
0.6461	0.7801	0.3716	1.1388	96.5		
0.6517	0.7869	0.7432	1.5477	102.4		
0.6545	0.7902	0.7432	1.5332	100.0	99.0	2.4
0.6563	0.7924	0.7432	1.5254	98.6		
0.6588	0.7954	1.1612	1.9553	99.9		
0.6507	0.7857	1.1612	1.9573	100.9		
0.6612	0.7983	1.1612	1.9678	100.7		

从表9数据可见，本方法的平均回收率为99%，RSD为2.4%。该方法准确度好。

3　样品含量测定

取模拟样品及三批样品按重复性试验项下的方法处理并测定。结果见表10。

表10　样品中大黄酚含量测定结果

批号	取样量（g）	测得峰面积	平均峰面积	含量（mg/g）	平均含量（mg/g）	RSD（%）
20200052	1.3118	1382479 1387127	1384803	0.9351	0.919	2.7
	1.3110	1382479 1373058	1377768	0.9309		
	1.3023	1312860 1304674	1308767	0.8902		
20201022	1.3146	1805122 1763753	1784438	1.2293	1.204	2.0
	1.3028	1728942 1700426	1714684	1.1812		
	1.3045	1707286 1783411	1745348	1.2008		
20200521	1.3155	1779115 1749561	1764338	1.2037	1.217	1.2
	1.3107	1748707 1793871	1771289	1.2129		
	1.3101	1808208 1791778	1799993	1.2331		
20190411		见重复性数据			1.207	2.4

从表10数据可见，三批沏其日甘-17丸中大黄酚的含量最低为1.204mg/g。

4　大黄药材含量测定

4.1 用本试验方法测定了大黄药材（生产三批样品用大黄）的含量：取本品混匀，取约0.15g，精密称定，置锥形瓶中，精密加乙醇25ml，密塞，称定重量，置水浴上加热回流1小时，放冷，用乙醇补足减失的重量，摇匀，滤过，精密量取续滤液5ml，置烧瓶中，水浴蒸干，加30%乙醇-盐酸（10∶1）混合溶液15ml，置水浴上加热回流1小时，立即冷却，置分液漏斗中，用少量三氯甲烷洗涤容器，并入分液漏斗中，用三氯甲烷强力振摇提取4次（20ml、20ml、15ml、15ml），合并三氯甲烷液，置水浴上低温蒸干，残渣用无水乙醇-乙酸乙酯（2∶1）混合溶液溶解，移置10ml量瓶中，并稀释至刻度，摇匀，滤过，取续滤液，作为供试品溶液。分别精密吸取对照品溶液（C=21.86μg/ml）与供试品溶液各10μl，注入液相色谱仪，记录色谱图，计算含量。结果见表11。

表11 药材中大黄酚含量测定结果（用本试验方法）

取样量（g）	峰面积值	峰面积平均值	含量（mg/g）	平均含量（mg/g）	按干燥品计算（mg/g）	RSD（%）
0.1482	1101361	1099004	5.3243	5.322	5.666	0.90
	1096647					
0.1491	1096916	1095134	5.2735			
	1093353					
0.1495	1122628	1117886	5.3687			
	1113144					

4.2 用《中国药典》2020年版一部"大黄"项下的方法测定了大黄药材（生产三批样品用大黄）的含量。结果见表12。

表12 药材中大黄酚含量测定结果（用药典方法）

取样量（g）	峰面积值	峰面积平均值	含量（mg/g）	平均含量（mg/g）	按干燥品计算（mg/g）	RSD（%）
0.1489	1128621	1127416	5.3655	5.302	5.645	1.05
	1126211					
0.1476	1127304	1095888	5.2613			
	1064471					
0.1465	1056740	1091538	5.2798			
	1126336					

从表11、表12数据可见，用本试验方法测定的结果与《中国药典》2020年版一部"大黄"项下的方法测定的结果比较，无明显差异。

5 本制剂含量限度的确定

从表中数据可见，三批沏其日甘-17丸中大黄酚的含量最低为1.2038mg/g，模拟样品中大黄酚含量为0.9187mg/g，试验中用相同方法对上述三批样品生产用大黄药材进行了含量测定，测得大黄酚含量为5.6661mg/g（0.5666%）。

按理论值折算，样品应含大黄酚为 $5.6661 \times 40 \div 310 = 0.7311 mg/g$，可见，大黄酚的转移率为 $0.9187 \div 0.7311 \times 100\% = 125.7\%$。此转移率高于100%，怀疑所用的栀子药材不是制作本品的同一批次药材，故暂不考虑转移率。

参照《中国药典》2020年版一部"大黄"药材的芦荟大黄素（$C_{15}H_{10}O_5$）、大黄酸（$C_{15}H_8O_6$）、大黄素（$C_{15}H_{10}O_5$）、大黄酚（$C_{15}H_{10}O_4$）、大黄素甲醚（$C_{16}H_{12}O_5$）的总含量限度不得少于1.5%，以5个对照品溶液浓度的比值，考虑不同产地药材的质量差异，并结合其他影响因素及三批样品的测定结果，下浮10%，按此限度折算本品含大黄酚的理论量应不低于 $1.5\% \times 1000 \div 5 \times 90\% \times 40 \div 310 \times 100\% = 0.348 mg/g$。

标准正文暂定为：本品每1g含大黄以大黄酚（$C_{15}H_{10}O_4$）计，不得少于0.4mg。

【功能与主治】

活血化瘀, 通经。主治闭经, 血寒陷于肝、肾、胃血瘀, 血痞, 胎衣滞留。

【用法与用量】

口服。一次11~15丸, 一日1~2次, 温开水送服。

【注意事项】

孕妇忌服。

【规格】

每10丸重2g。

【贮藏】

密闭, 防潮。

起草单位: 内蒙古自治区国际蒙医医院　　　苏嘎尔　斯琴塔娜　那松巴乙拉

　　　　　　包头市检验检测中心　　　　　　马　静　赵　欣　王　丽

　　　　　　包头市药物警戒中心　　　　　　格根塔娜

沙日·毛都-9丸质量标准起草说明

【历史沿革】

本方来源于《医疗手册》（内蒙古人民出版社编1973年版，蒙古文，第1317页）。

【处方来源】

本制剂由内蒙古自治区国际蒙医医院提供。

【名称】

沙日·毛都-9丸

【蒙药材和饮片的来源和执行标准】

1. 处方组成及药味排列顺序：黄柏40g、香墨30g、牛胆粉30g、荜茇16g、甘草16g、海金沙10g、栀子10g、红花10g、人工麝香1g。

2. 处方中除牛胆粉、人工麝香和香墨药材外，其余黄柏等药味均收载于《中国药典》2020年版一部，其质量应符合该品种项下的有关规定。

牛胆粉：为牛科动物牛*Bos Taurus domesticus* Gmelin的干燥胆汁粉。其标准应符合《内蒙古蒙药饮片炮制规范》2020年增补版第74页该品种项下的有关规定。

香墨：为松烟、胶汁、冰片和香料等加工制成的墨。其标准应符合《内蒙古蒙药饮片炮制规范》2020年增补版第337页该品种项下的有关规定。

人工麝香：应符合卫生部标准（试行）WS-210（Z-32）-93标准的有关规定。

【制法】

以上九味，除人工麝香、牛胆粉外，其余黄柏等七味，粉碎成细粉，将人工麝香、牛胆粉与上述细粉配研，过筛，混匀，用水泛丸，打光，干燥，分装，即得。

【性状】

应为黑绿色至黑色的水丸；气微臭，味苦。

【鉴别】

本品为原药材细粉制成的水丸，方中荜茇、甘草、红花、海金沙的显微特征较明显，故建立显微鉴别，并对处方中红花建立了薄层鉴别。

1. 试剂与试药

供试品：供试品（批号20190513、20190817、20200136）由内蒙古自治区国际蒙医医院提供，模拟样品（批号20200060）模拟。

对照品：红花对照药材（批号120907-201412），购于中国食品药品检定研究院。

薄层板：硅胶H板，购于青岛海洋化工有限公司。

所用其他试剂均为分析纯，水为离子交换高纯水。

2. 试验方法与结果

（1）显微鉴别

荜茇：种皮细胞红棕色，表面观呈长多角形。甘草：纤维束周围薄壁细胞含草酸钙方晶，形成晶纤维。红花：花粉粒类圆形、椭圆形或橄榄形，直径约至60μm，具3个萌发孔，外壁有齿状突起。海金沙：孢子为四面体、三角状圆锥形，直径60~80μm，外壁有颗粒状雕纹。

（2）红花薄层鉴别

红花具有活血通络，散瘀止痛的功效。参照《中国药典》2020年版一部"红花"药材项下的薄层条件，制定出正文所述的鉴别方法。通过阴性对照试验观察，方中其他药材对红花的检出无干扰，证明此方法具专属性。

【检查】

按照丸剂（《中国药典》2020年版四部通则0108）项下规定，对三批供试品及模拟样品的水分、重量差异、溶散时限、重金属、砷盐和微生物限度进行了检查。具体方法及测定数据如下：

1. 水分：取供试品照水分测定法（《中国药典》2020年版四部通则0832）测定，三批供试品及模拟样品测定结果见表1。

表1　水分测定结果

序号	批号	水分（%）
1	20190513	4.7
2	20190817	4.8
3	20200136	4.6
4	20200060	4.7

药典规定丸剂水分含量不得大于9.0%。从表1数据可见，三批供试品和模拟样品的水分含量均符合要求。

2. 重量差异：取以上三批供试品，每批供试品取10份，10丸为1份，分别称定重量，再与每份标示重量（2g）相比较，求每一份的重量差异（%）。药典规定每份标示装量的限度为±8%，并规定超出重量差异限度的不得多于2份，并不得有1份超出限度1倍。本品的重量差异检查结果均符合规定。

3. 溶散时限：取本品照片剂项下崩解时限检查法（《中国药典》2020年版四部通则0921）加挡板进行测定。三批供试品测定结果见表2。

表2　溶散时限测定结果

序号	批号	溶散时间（min）
1	20190513	38
2	20190817	43
3	20200136	43

药典规定水丸应在1小时内全部溶散。从表2数据可见，本品的溶散时限符合规定。

4. 对三批供试品及模拟样品进行了重金属、砷盐考察，方法与结果如下：

重金属：分别取每个批号供试品0.5g、0.67g、1.0g、2.0g，按《中国药典》2020年版四部0821第二法检查。

供试品溶液的制备：取本品0.5g、0.67g、1.0g、2.0g，分别缓缓炽灼至完全炭化，放冷，加硫酸0.5ml，使湿润，低温加热至硫酸除尽后，加硝酸0.5ml，蒸干，至氧化氮蒸气除尽后，放冷，于600℃炽灼至完全灰化，放冷。加盐酸2ml，置水浴上蒸干后加水15ml，滴加氨试液至对酚酞指示液显中性，再加醋酸盐缓冲液（pH3.5）2ml，微热溶解后，移置纳氏比色管中，加水稀释至25ml，作为供试品溶液。

标准铅对照溶液的制备：另取配制供试品溶液的试剂两份，分别置瓷皿中蒸干后，加醋酸盐缓冲液（pH3.5）2ml，加水15ml微热溶解后，移置两支纳氏比色管中，分别加标准铅溶液（10μg/mlPb）2ml，再加水稀释至25ml，作为标准铅对照溶液。

检视：于上述供试品溶液和标准铅对照溶液中分别加硫代乙酰胺试液各2ml，摇匀，放置2分钟，同置白色背景上，从上向下进行观察。试验结果见表3。

表3 重金属检查结果

序号	批号	重金属含量（ppm）			
1	20190513	<10	<20	<30	<40
2	20190817	<10	<20	<30	<40
3	20200136	<10	<20	<30	<40
4	20200060	<10	<20	<30	<40

结果显示，供试品溶液的颜色明显浅于2ml的标准铅对照管。经过3批供试品及模拟样品的检查，含重金属均未超过百万分之十，故未收入正文。

砷盐：取本品1g和标准砷溶液（1μg/mlAS）2ml，分别加无砷氢氧化钙1g，加少量水，搅匀，烘干，用小火缓缓炽灼至炭化，再在600℃炽灼至完全灰化，放冷。分别加盐酸7ml使溶解，再加水21ml，按《中国药典》2020年版四部通则0822第一法（古蔡氏法）做砷盐限量检查。

结果：供试品砷斑浅于标准砷斑的颜色，表明本品含砷量未超过百万分之二（小于2ppm），故砷盐检查项目未列入正文。

5. 微生物限度：照微生物计数法（《中国药典》2020年版四部通则1105）和控制菌检查法（《中国药典》2020年版四部 通则1106）及《内蒙古蒙药制剂规范》（第三册）附录Ⅲ微生物限度标准，进行检查。结果均符合规定。

【含量测定】

沙日·毛都-9丸是由黄柏、香墨、牛胆粉、荜茇、甘草、人工麝香、栀子、红花、海金沙等九味药材组成的复方制剂。其中黄柏为方中主要药。黄柏的主要活性成分为盐酸小檗碱。标准制定过程中，采用高效液相色谱法测定盐酸小檗碱的含量，对本品中黄柏建立了含量测定方法。通过试验摸索，确定了较理想的色谱条件，并经过方法学考察及阴性对照试验，表明该方法操作简单，重复性好，专属性强，方中其他组分对盐酸小檗碱的测定无干扰。

1 仪器和试剂试药

1.1 仪器

LC-10ATvp泵，SCL-10ATvp型控制器，SPA-10Avp型检测器，CLASS-VP色谱工作站，普析通过UV-260型紫外分光光度仪。

1.2 试剂与试药

供试品（批号20190513、20190817、20200136）由内蒙古自治区国际蒙医医院提供，模拟样品（批号20200060）模拟；盐酸小檗碱对照品（批号110713-200911），购于中国食品药品检定研究院；乙腈为色谱纯，水为高纯水，磷酸为分析纯，十二烷基磺酸钠为化学纯。

2 方法学考察

2.1 色谱条件

2.1.1 色谱柱：色谱柱填充剂为十八烷基硅烷键合硅胶，本试验研究采用Phenomenexlun C_{18}柱（250mm×4.60mm，5μm）。

2.1.2 流动相的选择：参照《中国药典》2020年版一部"黄柏"含量测定方法项下，以乙腈-0.1%磷酸溶液（50:50）（每100ml加十二烷基磺酸钠0.05g）为流动相。

2.1.3 柱温：30℃。

2.1.4 检测波长的选择: 参照《中国药典》2020年版一部"黄柏"含量测定方法项下, 选用265nm作为检测波长。

2.1.5 理论板数的确定: 多批数据的测定结果可见, 盐酸小檗碱峰的理论板数在4000以上, 即能达到较好的分离效果, 故确定理论板数按盐酸小檗碱峰计不得低于4000。

2.2 提取方法的选择及提取效率的考察

以流动相进行超声提取, 试验中考察了超声20分钟、30分钟和40分钟不同提取时间对提取效率的影响, 含量测定结果见表4。

表4 盐酸小檗碱提取效率考察

序号	提取时间 (min)	含量 (mg/g)
1	20	2.4208
2	30	2.4517
3	40	2.4246

从表4数据可见, 超声处理30分钟后对供试品中盐酸小檗碱的含量没有太大的影响, 故将提取时间定为超声处理30分钟。

2.3 专属性考察

2.3.1 对照品溶液的制备: 取盐酸小檗碱对照品适量, 精密称定, 加甲醇制成每1ml含60μg的溶液, 作为对照品溶液。

2.3.2 供试品溶液的制备: 取本品适量, 研细, 取约1.1g, 精密称定, 置具塞锥形瓶中, 精密加入甲醇和盐酸 (100:1)的混合溶液25ml, 称定重量, 超声处理(功率250W, 频率40kHz)30分钟, 放冷, 再称定重量, 用甲醇-盐酸 (100:1)的混合溶液补足减失的重量, 摇匀, 滤过, 取续滤液, 作为供试品溶液。

2.3.3 阴性对照溶液的制备: 按处方比例并以相同工艺制备的缺黄柏的阴性对照, 按供试品溶液制备法制得阴性对照品溶液。

2.3.4 测定: 分别精密吸取以上三种溶液各10μl, 注入色谱仪, 记录各自的色谱图。

试验结果显示: 供试品色谱中在与对照品色谱保留时间相同的位置上有色谱峰出现, 而阴性对照在与对照品色谱保留时间相同的位置上无色谱峰出现, 表明该含量测定方法阴性无干扰, 专属性好。

2.4 线性关系考察

取盐酸小檗碱对照品0.0048g, 精密称定, 置50ml量瓶中, 加流动相使溶解, 并稀释至刻度, 摇匀(相当于含盐酸小檗碱0.096mg/ml), 精密吸取0.5ml、1ml、2ml、3ml、4 ml、5 ml溶液分别置10ml量瓶中, 加流动相至刻度, 摇匀, 分别精密吸取20μl进样, 按上述色谱条件测定, 以峰面积对注入量进行回归分析, 结果见表5。

表5 标准曲线数据及回归分析结果

对照品量 (μg)	峰面积值	回归方程	回归系数 (r)
0.096	379494		
0.192	755495		
0.384	1502612	$y=3910499x+4478.414$	0.9998
0.576	2279675		
0.768	2973699		
0.960	3773540		

从表5数据可见, 盐酸小檗碱在0.096~0.960μg范围内与峰面积呈良好的线性关系。

2.5 溶液稳定性试验

取同一供试品溶液, 分别在溶液制备后的0小时、2小时、4小时、6小时、8小时、12小时进样测定, 结果见表6。

表6 不同时间测定盐酸小檗碱的峰面积值

时间（h）	峰面积值	RSD（%）
0	2854344	
4	2821322	
8	2822869	0.49
16	2831573	
24	2842003	

从表6数据可见，盐酸小檗碱在24小时内的峰面积值基本稳定不变。

2.6 重复性试验

取同一供试品（批号20190513）6份，各约0.5g，精密称定，置具塞锥形瓶中，精密加入甲醇和盐酸（100：1）的混合溶液25ml，称定重量，超声处理（功率250W，频率40kHz）30分钟，放冷，再称定重量，用甲醇-盐酸（100：1）的混合溶液补足减失的重量，摇匀，滤过，取续滤液，作为供试品溶液。另取盐酸小檗碱对照品适量，精密称定，加甲醇制成每1ml含60μg的溶液，作为对照品溶液。分别精密吸取以上两种溶液各10μl，注入液相色谱仪，记录各自的色谱图，用外标法以峰面积计算含量。结果见表7。

表7 重复性试验结果

取样量（g）	峰面积值		含量（mg/g）	平均含量（mg/g）	RSD（%）
1.1012	2818587	2850512	2.908		
1.1115	2883961	2897459	2.938		
1.1111	2901516	2877676	2.938	2.93	0.39
1.1065	2881791	2848193	2.925		
1.1165	2909437	2890934	2.934		
1.1105	2877463	2871741	2.924		

从表7数据可见，在相同的提取溶剂和色谱条件下，6份供试品含量测定结果的均值为2.93mg/g，RSD为0.39%，表明该方法的重复性良好。

2.7 加样回收试验

取盐酸小檗碱对照品适量，精密称定，加甲醇制成每1ml含0.25mg的溶液，即得，作为对照品溶液。然后取同一批号的供试品（批号20190513，含量 2.93mg/g）9份，各0.55g，精密称定，分别置9个具塞锥形瓶中，分为3组，其中1组中精密加入上述对照品溶液3.2ml，另1组中精密加入上述对照品溶液6.4ml，剩余1组中精密加入上述对照品溶液9.6ml。每个浓度各三份，分别按重复性试验项下，加甲醇-盐酸（100：1）至50ml，通法操作，测定每份供试品的含量，计算回收率。结果见表8。

表8 盐酸小檗碱加样回收试验结果

取样量（g）	供试品含量（mg）	对照品加入量（mg）	测得总量（mg）	回收率（%）	平均回收率（%）	RSD（%）
0.5568	1.5863	0.7832	2.3858	102.08		
0.5876	1.6741	0.7832	2.4844	103.29		
0.5803	1.6533	0.7852	2.4540	102.23		
0.5421	1.5444	1.5664	3.1335	101.45		
0.5624	1.6023	1.5664	3.2006	102.04	101.7	1.32
0.5549	1.5809	1.5664	3.2065	103.78		
0.5443	1.5507	2.3496	3.9028	100.11		
0.5442	1.5504	2.3496	3.8966	100.17		
0.5446	1.5516	2.3496	3.9002	100.46		

表8数据可见，本方法的平均回收率为101.7%，RSD为1.32%。该方法准确度好。

3 样品含量测定

取本品按重复性试验项下的方法处理并测定。两批样品及模拟样品的测定结果见表9。

表9 样品中盐酸小檗碱含量测定结果

批号	取样量（g）	测得峰面积值	含量（mg/g）	平均含量（mg/g）	RSD（%）
20190513	1.5035	2776591	2.831	2.849	0.51
	1.5091	2864967	2.867		
20190817	1.5107	2851829	2.916	2.910	0.52
	1.5087	2846845	2.886		
20200060	1.5012	2834550	2.908	2.923	0.52
	1.5048	2890710	2.938		

从表9数据可见，样品中盐酸小檗碱平均含量的最低值为2.849mg/g，试验中用相同方法对上述模拟样品生产用黄柏药材进行了含量测定，测得盐酸小檗碱5.821%。

4 本制剂含量限度的确定

三批样品中盐酸小檗碱的含量最低值为2.849mg/g，试验中用相同方法对上述模拟样品生产用黄柏药材进行了含量测定，测得盐酸小檗碱5.821%。

按理论值折算，样品含盐酸小檗碱应为$40 \div 163 \times 58.21$mg/g=14.28mg/g，可见，盐酸小檗碱的转移率为$2.923 \div 14.28 \times 100\%=20.46\%$。

参照《中国药典》2020年版一部"黄柏"项下规定盐酸小檗碱含量不得少于3.0%，转移率为20.46%，转移率为太低，考虑不同产地药材的质量差异，并结合其他影响因素及三批样品的测定结果，按此限度折算本品含盐酸小檗碱的理论量应不低于$40 \div 163 \times 3.0\% \times 1000 \times 20.46\%=1.81$mg/g。

标准正文暂定为：本品每1g含黄柏以盐酸小檗碱（$C_{20}H_{17}NO_4 \cdot HCl$）计，不得少于2.0mg。

【功能与主治】

清热，锁脉，止遗精，止血。用于肾热，萨木色热，膀胱热，尿频，尿浊，遗精，腰酸痛，尿道灼痛，月经过多。

【用法与用量】

口服。一次11~15丸，一日1~2次，温开水口服。

【规格】

每10丸重2g。

【贮藏】

密闭，防潮。

起草单位：内蒙古自治区国际蒙医医院　　　　乌恩其　萨茹拉　那松巴乙拉

　　　　　赤峰市药品检验所　　　　　　　　张学英　高嘉琦　曹　月

沃森·萨乌日勒质量标准起草说明

【历史沿革】

处方来源于内蒙古自治区国际蒙医医院特木其乐大夫经验方。

【处方来源】

本制剂由内蒙古自治区国际蒙医医院提供。

【名称】

沃森·萨乌日勒

【蒙药材和饮片的来源和执行标准】

1. 处方组成及药味排列顺序: 诃子200g、石菖蒲180g、木香100g、枫香脂60g、山柰10g。

2. 处方中药味均收载于《中国药典》2020年版一部, 其质量应符合该品种项下的有关规定。

【制法】

以上五味, 粉碎成细粉, 过筛(80~100目), 混匀, 用水泛丸, 打光, 干燥, 分装, 即得。

【性状】

本品为深棕色的水丸; 气香, 味酸, 甘而苦、涩。

【鉴别】

本品为药材粉末制成的水丸, 方中大多数药味的显微特征都比较明显, 故对处方中诃子、木香、山柰建立显微鉴别, 并对处方中石菖蒲建立了薄层鉴别。

1. 试剂与试药

供试品: 供试品(批号20200223、20191221、20190512)由内蒙古自治区国际蒙医医院提供, 模拟样品(批号20200075)模拟。

对照: 石菖蒲对照药材(批号121098–201807), 购于中国食品药品检定研究院。

薄层板: 硅胶G板, 购于青岛海洋化工有限公司。

所用其他试剂均为分析纯, 水为离子交换高纯水。

2. 试验方法与结果

(1)显微鉴别

诃子: 石细胞成群或散在, 呈类圆形、长卵形、长方形或长条形, 孔沟细密而明显。木香: 菊糖表面现放射状纹理。山柰: 淀粉粒圆形、椭圆形或类三角形, 直径10~3μm, 脐点及层纹不明显。

(2)石菖蒲薄层鉴别

参照《中国药典》2020年版一部"石菖蒲"项下的薄层条件, 制定出正文所述的鉴别方法。通过阴性对照试验观察, 方中其他药材对石菖蒲的检出无干扰, 此法具专属性。

【检查】

按照丸剂(《中国药典》2020年版四部通则0108)项下规定, 对三批供试品及模拟样品的水分、重量差异、溶散时限、重金属、砷盐和微生物限度进行了检查。具体方法及测定数据如下：

1. 水分：取供试品照水分测定法（《中国药典》2020年版四部通则0832）测定，三批供试品及模拟样品测定结果见表1。

表1 水分测定结果

序号	批号	水分（%）
1	20200223	5.5
2	20191221	5.4
3	20190512	5.8
4	20200075	6.1

药典规定丸剂水分含量不得大于9.0%。从表1数据可见，三批供试品和模拟样品的水分含量均符合要求。

2. 重量差异：取以上三批供试品，每批供试品取10份，10丸为1份，分别称定重量，再与每份标示重量（2g）相比较，求每一份的重量差异（%）。药典规定每份标示装量的限度为±8%，并规定超出重量差异限度的不得多于2份，并不得有1份超出限度1倍。本品的重量差异检查结果均符合规定。

3. 溶散时限：取本品照片剂项下崩解时限检查法（《中国药典》2020年版四部通则0921）加挡板进行测定，三批供试品测定结果见表2。

表2 溶散时限测定结果

序号	批号	溶散时间（min）
1	20200223	35
2	20191221	36
3	20190512	50

药典规定水丸应在1小时内全部溶散。从表2数据可见，本品的溶散时限符合规定。

4. 对三批供试品及模拟样品进行了重金属、砷盐考察，方法与结果如下：

重金属：分别取每个批号供试品0.5g、0.67g、1.0g、2.0g，按《中国药典》2020年版四部0821第二法检查。

供试品溶液的制备：取本品0.5g、0.67g、1.0g、2.0g，分别缓缓炽灼至完全炭化，放冷，加硫酸0.5ml，使湿润，低温加热至硫酸除尽后，加硝酸0.5ml，蒸干，至氧化氮蒸气除尽后，放冷，于600℃炽灼至完全灰化，放冷。加盐酸2ml，置水浴上蒸干后加水15ml，滴加氨试液至对酚酞指示液显中性，再加醋酸盐缓冲液（pH3.5）2ml，微热溶解后，移置纳氏比色管中，加水稀释至25ml，作为供试品溶液。

标准铅对照溶液的制备：另取配制供试品溶液的试剂两份，分别置瓷皿中蒸干后，加醋酸盐缓冲液（pH3.5）2ml，加水15ml微热溶解后，移置两支纳氏比色管中，分别加标准铅溶液（10μg/mlPb）2ml，再加水稀释至25ml，作为标准铅对照溶液。

检视：于上述供试品溶液和标准铅对照溶液中分别加硫代乙酰胺试液各2ml，摇匀，放置2分钟，同置白色背景上，从上向下进行观察。试验结果见表3。

表3 重金属检查结果

批号	重金属含量（ppm）			
20200223	<10	<20	<30	<40
20191221	<10	<20	<30	<40
20190512	<10	<20	<30	<40
20200075	<10	<20	<30	<40

结果显示,供试品溶液的颜色明显浅于2ml的标准铅对照管。经过三批供试品及模拟样品的检查,含重金属均未超过百万分之十,故未收入正文。

砷盐:取本品1g和标准砷溶液(1μg/mlAS)2ml,分别加无砷氢氧化钙1g,加少量水,搅匀,烘干,用小火缓缓炽灼至炭化,再在600℃炽灼至完全灰化,放冷。分别加盐酸7ml使溶解,再加水21ml,按《中国药典》2020年版四部通则0822第一法(古蔡氏法)做砷盐限量检查。

结果:供试品砷斑浅于标准砷斑的颜色,表明本品含砷量未超过百万分之二(小于2ppm),故砷盐检查项目未列入正文。

5. 微生物限度:照微生物计数法(《中国药典》2020年版四部通则1105)和控制菌检查法(《中国药典》2020年版四部通则1106)及《内蒙古蒙药制剂规范》(第三册)附录Ⅲ微生物限度标准,进行检查。结果均符合规定。

【含量测定】

沃森·萨乌日勒是由诃子、石菖蒲、木香、枫香脂、山柰等五味药组成的复方制剂,诃子为处方中主要药味之一。参照《中国药典》2020年版一部"健民咽喉片"项下的含量测定方法,以没食子酸作为指标成分,进行含量测定方法研究。经分析方法验证,该方法重复性好,专属性强,方法中其他成分对没食子酸对照品的测定无干扰。

1 仪器与试剂试药

1.1 仪器

岛津LC-2014一体机,Labsolution色谱工作站,Sartorius BT25S型电子天平,Sartorius BSA223S型电子天平,Sartorius BSA224S型电子天平,MSA6.6S-OCE-DM型百万分之一电子天平。

1.2 试剂与试药

供试品(批号20200223、20191221、20190512)由内蒙古自治区国际蒙医医院提供,模拟样品(批号20200075)模拟;没食子酸对照品(批号110831-201605)、诃子对照药材(批号121015-201605),均购于中国食品药品检定研究院;甲醇、乙腈为色谱纯,水为高纯水,所用其他试剂均为分析纯。

2 方法学考察

2.1 色谱条件

2.1.1 色谱柱:色谱柱填充剂为十八烷基硅烷键合硅胶,本试验研究采用岛津C_{18}柱(4.6mm×250mm)。

2.1.2 流动相的选择:参照《中国药典》2020年版一部"健民咽喉片"项下含量测定方法,以乙腈-含0.1%三乙胺的0.1%磷酸溶液(1∶99)为流动相。

2.1.3 柱温:采用30℃柱温,可减小流动相黏度,降低柱压并改善分离效果。

2.1.4 检测波长的选择:参照《中国药典》2020年版一部"健民咽喉片"项下没食子酸含量测定方法,选择273nm作为检测波长。

2.1.5 理论板数的确定:经对三批供试品测定的结果可见,没食子酸对照品的理论板数在2000以上时均能达到较好的分离效果,结合药典"健民咽喉片"诃子含量测定项下的规定。故确定理论板数按没食子酸对照品峰计不得低于2000。

2.2 提取方法的选择及提取效率的考察

2.2.1 提取溶剂的选择

参照《中国药典》2020年版一部"健民咽喉片"项下含量测定方法,以50%甲醇作提取溶剂。

2.2.2 提取效率的考察

以50%甲醇作提取溶剂进行超声处理,为了保证被测成分提取完全,试验中考察了10分钟、20分钟、30分钟、40分钟等不同超声时间对提取效率的影响。结果见表4。

表4　提取效率的考察表

序号	超声时间（min）	没食子酸（mg/g）
1	10	1.3600
2	20	1.3613
3	30	1.3615
4	40	1.3514

从表4数据可见，超声提取30分钟没食子酸的含量基本不再增加，故确定超声时间为30分钟。

2.3　专属性考察

2.3.1　供试品溶液的制备：取本品粉末（过四号筛）约0.8g，精密称定，置具塞锥形瓶中，精密加入50%甲醇50ml，密塞，称定重量，超声处理（功率400W，频率40kHz）30分钟，取出，放冷，再称定重量，用50%甲醇补足减失的重量，摇匀，滤过，取续滤液，作为供试品溶液。

2.3.2　对照品溶液的制备：精密称取没食子酸对照品适量，加50%甲醇制成每1ml含20μg的溶液，作为对照品溶液。

2.3.3　阴性对照溶液的制备：按处方比例并以相同工艺制备的缺诃子的阴性样品，按供试品溶液制备法制得阴性对照溶液。

2.3.4　测定：分别精密吸取以上三种溶液各10μl，注入色谱仪，记录各自的色谱图。

试验结果显示：供试品色谱中在与对照品色谱保留时间相同的位置上有色谱峰出现，而阴性对照在与对照品色谱保留时间相同的位置上无色谱峰出现，表明该含量测定方法阴性无干扰，专属性好。

2.4　线性关系考察

精密称取没食子酸对照品2.353mg，置100ml量瓶中，加50%甲醇使溶解，并稀释至刻度，摇匀，即得。（没食子酸对照品0.02353mg/ml）分别取1μl、2μl、5μl、10μl、20μl、30μl进样，按上述色谱条件测定，以峰面积对进样量进行回归分析，结果见表5。

表5　标准曲线数值表

进样量（μl）	峰面积值	回归方程	r
1	69325		
2	125372		
5	313268	$y=64795x+0.105$	0.9999
10	646576		
20	1286138		
30	1952736		

从表5数据可见，没食子酸对照品在23.5~705.9ng范围内与峰面积值呈良好的线性关系。

2.5　精密度试验

取同一供试品（批号20191221）溶液，连续进样6针，记录色谱。没食子酸峰面积的精密度计算结果见表6。

表6　没食子酸精密度试验结果

峰面积值	平均值	RSD（%）
2647146		
2643817		
2641925	2644861	0.10
2645538		
2648428		
2642312		

从表6数据可见，符合《中国药典》2020年版四部通则0512中规定的RSD值小于2.0%的要求。

2.6 稳定性试验

取同一供试品（批号20191221）溶液，分别在溶液制备后的0小时、2小时、4小时、6小时、8小时、10小时、12小时进行测定，结果见表7。

表7 不同时间测定样品中没食子酸的峰面积值

时间（h）	峰面积值	RSD（%）
0	2658330	
2	2653918	
4	2653876	
6	2651091	0.10
8	2653008	
10	2651842	
12	2650172	

从表7数据可见，没食子酸在12小时内的面积积分值基本稳定不变，RSD值为0.10%，能够满足测定所需要的时间。

2.7 重复性试验

取同一样品（批号20191221）6份，各取约0.80g，精密称定，置具塞锥形瓶中，精密加入50%甲醇50ml，密塞，称定重量，超声处理（功率300W，频率40kHz）30分钟，取出，放冷，再称定重量，用50%甲醇补足减失的重量，摇匀，滤过，取续滤液，作为供试品溶液。精密称取没食子酸对照品适量，加50%甲醇制成每1ml含20μg的溶液，作为对照品溶液。分别精密吸取以上两种溶液各10μl，注入液相色谱仪，记录各自的色谱图，用外标法以峰面积计算含量。结果见表8。

表8 重复性试验结果

取样量（g）	峰面积值	含量（mg/g）	平均含量（mg/g）	RSD（%）
0.8123	2656492	5.9837		
0.8054	2645439	6.0098		
0.8024	2655247	6.0546	6.03	0.49
0.8032	2657556	6.0539		
0.8041	2657020	6.0459		
0.8054	2663583	6.0510		

从表8数据可见，在相同的提取溶剂和色谱条件下，6份供试品含量测定结果的均值为6.03mg/g，RSD为0.49%，表明该方法的重复性良好。

2.8 加样回收试验

称取同一供试品（批号20191221，含量6.0331mg/g）6份，每份约0.45g，精密称定，分别置具塞锥形瓶中，分别加入没食子酸对照品2.408mg，2.398mg，2.395mg，2.376mg，2.399mg，2.396mg，精密加入50%甲醇50ml，称定重量，按上述供试品溶液的制备方法操作，测定每份含量，计算回收率。结果见表9。

表9 没食子酸加样回收试验结果

取样量（g）	供试品含量（mg）	对照品加入量（mg）	测得总量（mg）	回收率（%）	平均回收率（%）	RSD（%）
0.4489	2.7083	2.408	5.1094	99.72		
0.4457	2.6889	2.398	5.1286	101.74	100.85	1.63
0.4491	2.7095	2.395	5.0866	99.25		

续表

取样量（g）	供试品含量（mg）	对照品加入量（mg）	测得总量（mg）	回收率（%）	平均回收率（%）	RSD（%）
0.4467	2.6950	2.376	5.0524	99.22		
0.4435	2.6757	2.399	5.1442	102.89	100.85	1.63
0.4411	2.6612	2.396	5.1111	102.25		

从表9数据可见，本方法的平均回收率为100.85%，RSD为1.63%。该方法准确度好。

2.9 耐用性试验

取供试品（批号20191221）4份，各约0.8g，精密称定，按重复性试验项下的方法处理，换不同厂家、不同型号的色谱柱，分别测定供试品的含量。结果见表10。

表10 色谱柱耐用性试验

序号	取样量（g）	柱型号	峰面积值	含量（mg/g）
1	0.8124	岛津C$_{18}$柱	2655164	5.95
	0.8212	Alltech C$_{18}$柱	2668341	5.91
2	0.8172	岛津C$_{18}$柱	2657703	5.92
	0.8152	Alltech C$_{18}$柱	2655816	5.93

从表10数据可见，不同型号或厂家的色谱柱对测定结果影响较小。

3 样品含量测定及含量限度确定

取三批样品（批号20200223、20191221、20190512）及模拟样品各2份，各约0.8g，精密称定，取本品按重复性试验项下的方法处理并测定。测定结果见表11。

表11 样品中没食子酸含量测定结果

批号	取样量（g）	峰面积值	含量（mg/g）	平均含量（mg/g）
20200223	0.8237	2658330	5.91	5.91
	0.8213	2658087	5.92	
20191221	0.8281	2661914	5.88	5.89
	0.8235	2662515	5.92	
20190512	0.8267	2673881	5.92	5.94
	0.8221	2675868	5.95	
20200075	0.8232	1851973	4.12	4.14
	0.8146	1857146	4.17	

从表11数据可见，三批样品中没食子酸平均含量最高是5.94mg/g，模拟样品是4.14mg/g。

4 诃子药材含量测定

试验中采用同法对上述三批样品生产用诃子药材进行了含量测定，测定结果见表12。

表12 诃子药材中没食子酸含量测定结果

取样量（g）	平均峰面积值		含量（mg/g）	平均含量（mg/g）
0.3245	3485248	3485205	16.39	
	3485162			
0.3328	3481535	3481499	16.34	16.38
	3481464			
0.3273	3487674	3487756	16.41	
	3487837			

从表12数据可见，诃子药材中没食子酸含量平均值为16.38mg/g。

5　本制剂含量规定的确定

从表中数据可见，模拟样品中没食子酸的含量为4.14mg/g，诃子药材中没食子酸含量平均值为16.38mg/g。

按理论值折算，样品应含没食子酸为200÷550×16.38=5.9564mg/g，可见，没食子酸的转移率为4.14（mg/g）÷5.9564（mg/g）×100%= 69.51%。

《中国药典》2020年版一部"诃子"药材项下没有没食子酸含量测定。因药材中没食子酸含量平均值作为成品含量低限，转移率为69.51%，考虑不同产地药材的质量差异，并结合其他影响因素及三批样品的测定结果，下浮20%，按此限度折算本品含没食子酸的理论量应不低于200÷550×16.38×69.51%×80%=3.31mg/g。

标准正文暂定为：本品每1g含诃子以没食子酸（$C_7H_6O_5$）计，不得少于3.0mg。

【功能与主治】

祛巴达干赫依，促血运。用于乌苏萨病所致机体活动障碍，言语不清，身体疲乏，食欲及消化功能减退，痰涎增多等症。同时可用于巴达干赫依性头疼，头晕症。

【用法与用量】

口服。一次11~15丸，一日1~2次，温开水送服。

【注意事项】

孕妇及儿童忌服。

【规格】

每10丸重2g。

【贮藏】

密闭，防潮。

起草单位：内蒙古自治区国际蒙医医院　　　唐吉思　那松巴乙拉　青　松　奥东塔娜
　　　　　　鄂尔多斯市检验检测中心　　　吕彩莲　孟美英　李　珍

阿木日-11丸质量标准起草说明

【历史沿革】

本处方来源于《蒙药验方》（内蒙古人民医院 1971年版，蒙古文，第278页）。

【处方来源】

本制剂由内蒙古自治区国际蒙医医院提供。

【名称】

阿木日-11丸

【蒙药材和饮片的来源和执行标准】

1. 处方组成及药味排列顺序：大黄50g、寒制红石膏40g、诃子30g、煨乌蛇20g、山奈20g、土木香20g、海金沙10g、碱面10g、炒硇砂10g、赤瓟子10g、沙棘10g。

2. 处方中除碱面、炒硇砂、寒制红石膏、赤瓟子和煨乌蛇药材外，其余大黄等药味均收载于《中国药典》2020年版一部，其质量应符合该品种项下的有关规定。

碱面：为天然碱土Trona soil自然粗结晶，或经风化的产物。主含碳酸钠（Na_2CO_3）。其标准应符合《内蒙古蒙药饮片炮制规范》2020年版第502页该品种项下的有关规定。

炒硇砂：为卤化物类矿物硇砂 Sal Ammoniac的晶体，主含氯化铵。其标准应符合《内蒙古蒙药饮片炮制规范》2020年版第144页该品种项下的有关规定。

煨乌蛇：为游蛇科动物乌梢蛇*Zaocys dhumnades*（Cantor）的干燥体。其标准应符合《内蒙古蒙药饮片炮制规范》2020年版第483页该品种项下的有关规定。

赤瓟子：为葫芦科植物赤瓟 *Thladiantha dubia* Bge.的干燥成熟果实。其标准应符合《中华人民共和国卫生部药品标准》（蒙药分册）1998年版第17页该品种项下有关规定。

寒制红石膏：为单斜晶系硫酸钙矿石族红石膏 Gypsum 的矿石红石膏（北寒水石）的炮制加工品。主含含水硫酸钙（$CaSO_4 \cdot 2H_2O$）。其标准应符合《内蒙古蒙药饮片炮制规范》2020年版第188页该品种项下的有关规定。

【制法】

以上十一味，粉碎成细粉，过筛，混匀，用水泛丸，打光，干燥，分装，即得。

【性状】

本品为棕褐色至黑褐色的水丸，气香，味酸，微咸。

【鉴别】

本品为药材细粉以水为黏合剂泛制成的丸剂，方中大多数药味的显微特征都比较明显，故对处方中的大黄、乌梢蛇、沙棘、山奈建立显微鉴别，并对处方中的山奈建立了薄层鉴别。

1. 试剂与试药

供试品：供试品（批号 2020001、2020002、2020003）由内蒙古自治区国际蒙医医院提供，模拟样品（批号20200608）模拟。

对照药材: 山奈对照药材(批号121504-201203),购于中国食品药品检定研究院。

所用其他试剂均为分析纯,水为离子交换高纯水。

2. 试验方法与结果

(1)显微鉴别

大黄: 草酸钙簇晶大,直径20~140μm;乌梢蛇: 横纹肌纤维淡黄色或近无色,有明暗相间的细密横纹;沙棘: 盾状毛由多个单细胞毛毗连而成,末端分离,单个细胞长80~220μm,直径约5μm;山奈: 淀粉粒圆形、椭圆形或类三角形,直径 10~30μm,脐点及层纹不明显。

(2)山奈薄层鉴别

参照《中国药典》2020年版一部"山奈"项下的薄层条件,制定出正文所述的鉴别方法。通过阴性对照试验观察,方中其他药材对处方中山奈的检出无干扰,此法具专属性。

【检查】

按照丸剂(《中国药典》2020年版四部通则0108)项下的规定,对三批供试品及模拟样品的水分、重量差异、溶散时限、重金属、砷盐、微生物限度进行了检查。具体方法及测定数据如下:

1. 水分: 取供试品照水分测定法(《中国药典》2020年版四部通则0832)测定。三批供试品及模拟样品的测定结果见表1。

表1 水分测定结果

序号	供试品批号	水分(%)
1	2020001	5.97
2	2020002	5.79
3	2020003	5.80
4	20200608	5.74

药典规定丸剂水分含量不得大于9.0%。从表1中可见本品水分含量符合要求。

2. 重量差异: 取以上三批供试品,每批供试品取10份,10丸为1份,分别称定重量,再与每份标示重量(2g)相比较,求每一份的重量差异(%)。药典规定每份标示装量的限度为±8%,并规定超出重量差异限度的不得多于2份,并不得有1份超出限度1倍。本品的重量差异检查结果均符合规定。

3. 溶散时限: 取本品按照片剂项下崩解时限检查法(《中国药典》2020年版四部通则0921)加挡板进行测定。三批供试品测定结果见表2。

表2 溶散时限测定结果

序号	批号	溶散时间(min)
1	2020001	25
2	2020002	29
3	2020003	28

药典规定水丸应在1小时内全部溶散。表2的结果显示,本品的溶散时限符合规定。

4. 对三批供试品及模拟样品进行了重金属、砷盐考察,方法与结果如下:

重金属: 分别取每个批号供试品0.5g、0.67g、1.0g、2.0g,按《中国药典》2020年版四部0821第二法检查。

供试品溶液的制备: 取本品0.5g、0.67g、1.0g、2.0g,分别缓缓炽灼至完全炭化,放冷,加硫酸0.5ml,使湿润,低温加热至硫酸除尽后,加硝酸0.5ml,蒸干,至氧化氮蒸气除尽后,放冷,于600℃炽灼至完全灰化,放冷。加盐酸2ml,置水浴上蒸干后加水15ml,滴加氨试液至对酚酞指示液显中性,再加醋酸盐缓冲液(pH3.5)2ml,微热溶解后, 移置纳氏比色管中, 加水稀释至25ml, 作为供试品溶液。

标准铅对照溶液的制备: 另取配制供试品溶液的试剂两份, 分别置瓷皿中蒸干后, 加醋酸盐缓冲液(pH3.5)2ml, 加水15ml微热溶解后, 移置两支纳氏比色管中, 分别加标准铅溶液(10g/mlPb)2ml, 再加水稀释至25ml, 作为标准铅对照溶液。

检视: 于上述供试品溶液和标准铅对照溶液中分别加硫代乙酰胺试液各2ml, 摇匀, 放置2分钟, 同置白色背景上, 从上向下进行观察。试验结果见表3。

表3 重金属检查结果

序号	供试品批号	重金属含量(ppm)			
1	2020001	<10	<20	<30	<40
2	2020002	<10	<20	<30	<40
3	2020003	<10	<20	<30	<40
4	20200608	<10	<20	<30	<40

结果显示, 供试品溶液的颜色明显浅于2ml的标准铅对照溶液。经过3批供试品及模拟样品的检查, 含重金属均未超过百万分之十, 故未收入正文。

砷盐: 取本品1g和标准砷溶液(1μg/mlAS)2ml, 分别加无砷氢氧化钙1g, 加少量水, 搅匀, 烘干, 用小火缓缓炽灼至炭化, 再在600℃炽灼至完全灰化, 放冷。分别加盐酸7ml使溶解, 再加水21ml, 按《中国药典》2020年版四部通则0822第一法(古蔡氏法)做砷盐限量检查。

结果: 供试品砷斑浅于标准砷斑的颜色, 表明本品含砷量未超过百万分之二(小于2ppm), 故砷盐检查项目未收入正文。

5. 微生物限度: 照微生物计数法(《中国药典》2020年版四部通则1105)和控制菌检查法(《中国药典》2020年版四部通则1106)及《内蒙古蒙药制剂规范》(第三册)附录Ⅲ微生物限度标准, 进行检查。结果均符合规定。

【功能与主治】

缩宫, 止痛。用于子宫脱垂, 胎盘滞留, 小腹坠痛, 尿频, 腰腿痛。

【用法与用量】

口服。一次11~15丸, 一日1~2次, 温开水送服。

【规格】

每10丸重2g。

【贮藏】

密封, 防潮。

起草单位: 内蒙古盛唐国际蒙医药研究院　　崔圆圆　张跃祥　田志杰

　　　　　　赤峰市药品检验所　　　　　　　李彦铮　兰利军　王静宝　姜明慧

　　　　　　内蒙古食品药品审评查验中心　　张　涛　王小宁

阿米·巴日格其–18丸质量标准起草说明

【历史沿革】

本方来源于《蒙医传统验方》(内蒙古人民出版社1975年版,蒙古文,第200页)。

【处方来源】

本制剂由内蒙古自治区国际蒙医医院提供。

【名称】

阿米·巴日格其–18丸

【蒙药材和饮片的来源和执行标准】

1. 处方组成及药味排列顺序:山沉香60g、木棉花42g、牦牛心42g、没药30g、诃子30g、檀香30g、枫香脂30g、肉豆蔻30g、胡黄连30g、草乌叶30g、木香30g、石膏30g、旋覆花30g、拳参30g、北沙参30g、人工牛黄30g、炒马钱子30g、丁香16g。

2. 处方中除牦牛心和山沉香药材外,其余檀香等药味均收载于《中国药典》2020年版一部,其质量应符合该品种项下的有关规定。

山沉香:为木犀科植物贺兰山丁香*Syringa pinnatifolia* Hemsl.var.*alashanensis* Ma.et S.Q.Zhou削去外皮的干燥枝。其标准应符合《中华人民共和国卫生部药品标准》(蒙药分册)1998年版第4页该品种项下的有关规定。

牦牛心:为牛科动物牦牛 *Bos grunniens* L. 的干燥心脏。其质量应符合《内蒙古蒙药饮片炮制规范》2020年版第247页该品种项下的有关规定。

【制法】

以上十八味,除人工牛黄外,其余山沉香等十七味,粉碎成细粉,将人工牛黄与上述细粉配研,过筛,混匀,用水泛丸,打光,干燥,分装,即得。

【性状】

本品为黄棕色之棕褐色的水丸;气香,味苦、涩。

【鉴别】

本品为原药材细粉制成的水丸,方中肉豆蔻、木香、丁香、拳参的显微特征较明显,故建立显微鉴别,并对处方中人工牛黄建立了薄层鉴别。

1. 试剂与试药

供试品:供试品(批号191012001、191012002、191012003)由内蒙古自治区国际蒙医医院提供,模拟样品(批号201909050)模拟。

对照品:胆酸对照品(批号100078–201415)、猪去氧胆酸对照品(批号100087–201411)均购于中国食品药品检定研究院。

薄层板:硅胶G板,购于青岛海洋化工有限公司。

所用其他试剂均为分析纯,水为离子交换高纯水。

2. 试验方法与结果

（1）显微鉴别

肉豆蔻：脂肪油滴众多，加水合氯醛试液加热后渐形成针簇状结晶；木香：菊糖多见，有时可见微细放射状纹理；丁香：花粉粒众多，极面观三角形，赤道表面观双凸镜形，具3副合沟；拳参：草酸钙簇晶甚多，直径15～65μm。

（2）人工牛黄薄层鉴别

参照《中国药典》2020年版一部"人工牛黄"项下薄层条件，制定出正文所述的鉴别方法。通过阴性对照试验观察，方中其他药材对人工牛黄的检出无干扰，证明此方法具有专属性。

【检查】

按照丸剂（《中国药典》2020年版四部通则0108）项下规定，对三批供试品及模拟样品的水分、重量差异、溶散时限、重金属、砷盐和微生物限度进行了检查。检查结果均符合规定。具体方法及测定数据如下：

1. 水分：取供试品照水分测定法（《中国药典》2020年版四部通则0832）测定。三批供试品及模拟样品测定结果见表1。

表1　水分测定结果

序号	批号	水分（%）
1	191012001	5.29
2	191012002	5.54
3	191012003	5.33
4	201909050	6.12

药典规定丸剂水分含量不得大于9.0%。由表1的结果可见，3批供试品和1批模拟样品的水分含量均符合要求。

2. 重量差异：取以上三批供试品，每批供试品取10份，10丸为1份，分别称定重量，再与每份标示重量（2g）相比较，求每一份的重量差异（%）。药典规定每份标示装量的限度为±8%，并规定超出重量差异限度的不得多于2份，并不得有1份超出限度1倍。本品的重量差异检查结果均符合规定。

3. 溶散时限：取本品按照片剂崩解时限检查法（《中国药典》2020年版四部通则0921）项下加挡板进行测定，三批供试品测定结果见表2。

表2　溶散时限测定结果

序号	批号	溶散时间（min）
1	191012001	28
2	191012002	25
3	191012003	27

药典规定水丸应在1小时内全部溶散。表2的结果显示，本品的溶散时限符合规定。

4. 对三批供试品及模拟样品进行了重金属、砷盐考察，方法与结果如下：

重金属：分别取每个批号样品0.5g、0.67g、1.0g、2.0g，按《中国药典》2020年版四部0821第二法检查。

供试品溶液的制备：取本品0.5g、0.67g、1.0g、2.0g，分别缓缓炽灼至完全炭化，放冷，加硫酸0.5ml，使湿润，低温加热至硫酸除尽后，加硝酸0.5ml，蒸干，至氧化氮蒸气除尽后，放冷，于600℃炽灼至完全灰化，放冷。加盐酸2ml，置水浴上蒸干后加水15ml，滴加氨试液至对酚酞指示液显中性，再加醋酸盐缓冲液（pH3.5）2ml，微热溶解后，移置纳氏比色管中，加水稀释至25ml，作为供试品溶液。

标准铅对照管的制备：另取配制供试品溶液的试剂两份，分别置瓷皿中蒸干后，加醋酸盐缓冲液（pH3.5）2ml，加水15ml微热溶解后，移至两支纳氏比色管中，分别加标准铅溶液（10μg/ml Pb）2ml，再加水稀释至25ml，作为标准铅对照管。

检视：于上述供试品溶液和标准铅对照管中分别加硫代乙酰胺试液各2ml，摇匀，放置2分钟，同置白色背景上，从上向下进行观察。试验结果见表3。

表3　重金属检查结果

序号	批号	重金属含量（ppm）			
1	191012001	<10	<20	<30	<40
2	191012002	<10	<20	<30	<40
3	191012003	<10	<20	<30	<40
4	201909050	<10	<20	<30	<40

结果显示，供试品溶液的颜色明显浅于2ml的标准铅对照溶液。经过3批供试品及模拟样品的检查，含重金属均未超过百万分之十，故未列入正文。

砷盐：取本品1g和标准砷溶液（1μg/mlAS）2ml，分别加无砷氢氧化钙1g，加少量水，搅匀，烘干，用小火缓缓炽灼至炭化，再在600℃炽灼至完全灰化，放冷。分别加盐酸7ml使溶解，再加水21ml，按《中国药典》2020年版四部通则0822第一法（古蔡氏法）检查砷盐含量。

结果：供试品砷斑浅于标准砷斑的颜色，表明本品含砷量未超过百万分之二（小于2ppm），故砷盐检查项目未列入正文。

5. 微生物限度：照微生物计数法（《中国药典》2020年版四部通则1105）和控制菌检查法（《中国药典》2020年版四部通则1106）及《内蒙古蒙药制剂规范》（第三册）附录Ⅲ微生物限度标准，进行检查。结果均符合规定。

【含量测定】

本品是由山沉香、檀香、枫香脂、肉豆蔻、木棉花、诃子、丁香、草乌叶、胡黄连、牛心、木香、石膏、旋覆花、拳参、北沙参、人工牛黄、炒马钱子、没药等十八味药组成的复方制剂。临床功效为调节黏、赫依、热相讧，止刺痛。用于黏、赫依、热相讧症，山川间赫依热，虚热，未成熟热，司命赫依病，癫狂，晕厥，心神不安，心悸气促，赫依刺痛症，白脉病，巴达干希日隐伏症。方中木香具有行气止痛，健脾消食的功效。用于胸胁、脘腹胀痛，泻痢后重，食积不消，不思饮食。木香的主要活性成分为倍半萜内酯类化合物木香烃内酯和去氢木香内酯。文献研究常采用高效液相色谱法测定木香中木香烃内酯的含量，故参照《中国药典》2020年版一部"木香"项下的含量测定方法，选择木香烃内酯作为指标成分，对本制剂中的木香进行了HPLC含量测定方法研究。经分析方法验证，表明该方法重现性好，专属性强，方中其他组分对木香烃内酯的测定无干扰。

1　仪器与试剂试药

1.1　仪器

Waters e2695型高效液相色谱仪，Mettler-TOledo MS105DU型百万分之一电子天平，Mettler-TOledo XPR10型万分之一电子天平，SBL-22DT型超声波清洗器（宁波新芝生物科技股份有限公司，40KHZ），Heal Force NW15UV型超纯水系统，FW400A型多功能粉碎机（材茂科技有限公司）。

1.2　试剂与试药

供试品（批号191012001、191012002、191012003）由内蒙古自治区国际蒙医医院提供，模拟样品（批号201909050）模拟；木香烃内酯对照品（批号111524-201809）购于中国食品药品检定研究院；甲醇为色谱纯，水为超纯水，其他试剂均为分析纯。

2 方法学考察

2.1 色谱条件

2.1.1 色谱柱：色谱柱填充剂为十八烷基硅烷键合硅胶，本实验采用Tnature C$_{18}$（250mm×4.6mm，5μm）色谱柱。

2.1.2 流动相的选择：参照《中国药典》2020年版一部"木香"含量测定项下的测定方法，以甲醇–水（65∶35）为流动相，供试品中的木香烃内酯与其他成分能达到较好的分离，色谱峰具有比较好的保留时间、分离度和对称性。故选择以甲醇–水（65∶35）为流动相。

2.1.3 柱温：30℃可以保证柱压较低，分离效果稳定，故选择柱温为30℃。

2.1.4 检测波长的选择：参照《中国药典》2020年版一部"木香"含量测定项下木香烃内酯的测定方法，选用225nm处作为检测波长。

2.1.5 理论板数的确定：从对三批供试品的测定结果可见，木香烃内酯峰理论板数在3000以上即能达到较好的分离效果，故规定理论板数按木香烃内酯峰计不低于3000。

2.2 提取溶剂及提取效率的考察

参考《中国药典》2020年版一部"木香"含量测定项下的方法，以甲醇作为提取溶剂进行超声提取，为保证被测成分提取完全，在供试品的细度一致、提取溶剂确定、超声功率250W（频率40kHz）的条件下，试验中考察了20分钟、30分钟和40分钟等不同提取时间对提取效率的影响。结果见表4。

表4 木香烃内酯提取时间考察

提取时间（min）	称样量（g）	平均峰面积	含量（mg/g）
20	3.0019	1472394	0.51
30	3.0025	1495710	0.53
40	3.0050	1499376	0.53

表4数据可见，超声提取30分钟和40分钟供试品中木香烃内酯的含量基本一致，故将提取时间定为30分钟，与《中国药典》2020年版一部"木香"含量测定项下的提取时间一致。

2.3 专属性考察

2.3.1 对照品溶液的制备：取木香烃内酯对照品适量，精密称定，加甲醇制成每1ml含100μg的溶液，作为对照品溶液。

2.3.2 供试品溶液的制备：取本品适量，研细，取约3.0g，精密称定，置具塞锥形瓶中，精密加入甲醇25ml，密塞，称定重量，超声处理（功率250W，频率40kHz）30分钟，放冷，再称定重量，用甲醇补足减失的重量，摇匀，滤过，取续滤液，作为供试品溶液。

2.3.3 阴性对照溶液的制备：按本品处方配比制备缺木香的阴性供试品，取约3.0g，精密称定，从"置具塞锥形瓶中……"起操作同"供试品溶液的制备"，取续滤液，作为阴性对照溶液。

2.3.4 测定：分别精密吸取上述三种溶液各10μl，注入液相色谱仪测定，记录各自的色谱图。

试验结果显示，供试品色谱中在与对照品色谱保留时间相同的位置上有色谱峰出现，而阴性对照在与对照品色谱保留时间相同的位置上无色谱峰出现，表明共存组分对处方中木香烃内酯的测定无干扰。

2.4 线性关系考察

取木香烃内酯对照品约2.5mg，精密称定，置25ml量瓶中，加甲醇使溶解，并稀释至刻度，摇匀，作为对照品溶液（木香烃内酯实际浓度为0.112mg/ml）。分别精密吸取上述对照品溶液1μl、2μl、5μl、10μl、15μl、20μl、25μl注入液相色谱仪，按上述色谱条件进行测定，以峰面积对对照品进样量进行回归分析。结果见表5。

表5 标准曲线数据及回归分析结果

序号	进样量（μg）	峰面积值	回归方程	回归系数（r）
1	0.112	101201		
2	0.224	413072		
3	0.560	1332204		
4	1.12	2846143	y=2734544x−205527	1.0000
5	1.68	4377046		
6	2.24	5920193		
7	2.80	7460426		

从表5数据可见，木香烃内酯在0.112~2.80μg范围内与峰面积呈良好的线性关系。

2.5 精密度试验

取同一份供试品（批号191012001）溶液，连续进样6针，记录色谱图。木香烃内酯峰面积的精密度计算结果见表6。

表6 精密度试验结果

序号	峰面积值	平均值	RSD（%）
1	1496180		
2	1496860		
3	1492535		
4	1492875	1494994	0.16
5	1493291		
6	1498224		

从表6数据可见，符合《中国药典》2020年版四部通则0512中规定的RSD值小于2.0%的要求。

2.6 稳定性试验

取同一份供试品（批号191012001）溶液，分别在溶液制备后的0小时、2小时、4小时、6小时、8小时、10小时、12小时进样测定，结果见表7。

表7 溶液的稳定性试验结果

序号	时间（h）	峰面积值	RSD（%）
1	0	1480264	
2	2	1487821	
3	4	1480704	
4	6	1480984	0.38
5	8	1474267	
6	10	1472085	
7	12	1461954	

从表7数据可见，木香烃内酯在12小时内峰面积值基本稳定不变。

2.7 重复性试验

取同一供试品（批号191012001）6份，各约3.0g，精密称定，置具塞锥形瓶中，精密加入甲醇25ml，密塞，称定重量，超声处理（功率250W，频率40kHz）30分钟，放冷，再称定重量，用甲醇补足减失的重量，摇匀，滤过，取续滤液，作为供试品溶液。取木香烃内酯对照品适量，精密称定，加甲醇制成每1ml含100μg的溶液，作为对照品溶液。分别精密吸取以上两种溶液各10μl，注入液相色谱仪，记录各自的色谱图，用外标法以峰面积计算含量。结果见表8。

表8　木香烃内酯含量重复性试验结果

称样量（g）	峰面积值	含量（mg/g）	平均含量（mg/g）	RSD（%）
3.0014	1468168	0.54		
3.0028	1465628	0.53		
3.0060	1464069	0.53	0.53	0.29
3.0071	1462170	0.53		
3.0055	1469752	0.54		
3.0019	1460325	0.53		

从表8数据可见，在相同的细度、提取溶剂和色谱条件下，6份供试品含量测定结果的均值为0.53mg/g，RSD为0.29%，表明该方法的重复性好。

2.8 加样回收试验

取已知含量（批号11012001，木香烃内酯含量为0.53mg/g）的供试品9份，各约1.5g，精密称定，分别置9个具塞锥形瓶中，分别在其中3个具塞锥形瓶中精密加入木香烃内酯对照品溶液（浓度为0.3945mg/ml）1ml（约相当于供试品含有量的50%）及甲醇24ml，另3个具塞锥形瓶中各精密加入上述对照品溶液2ml（约相当于供试品含有量的100%）及甲醇23ml，其余3个具塞锥形瓶中各精密加入上述对照品溶液3ml（约相当于供试品含有量的150%）及甲醇22ml，分别称定重量，超声处理30分钟，取出，再称重，用甲醇补足减失重量，摇匀，滤过，取续滤液，作为供试品溶液。分别精密吸取各溶液10μl进样测定，按外标法以峰面积计算含量并计算回收。结果见表9。

表9　加样回收试验结果

供试品量（g）	供试品含量（mg）	对照品加入量（mg）	测得总量（mg）	回收率（%）	平均回收率（%）	RSD（%）
1.5009	0.7955	0.3945	1.1779	96.9		
1.5025	0.7963	0.3945	1.1808	97.5		
1.5045	0.7974	0.3945	1.1927	100.2		
1.5003	0.7952	0.7890	1.5751	98.9		
1.5071	0.7988	0.7890	1.5822	99.3	99.2	1.38
1.5055	0.7979	0.7890	1.5794	99.0		
1.5023	0.7962	1.1835	1.9708	99.2		
1.5049	0.7976	1.1835	1.9794	99.9		
1.5088	0.7997	1.1835	2.0013	101.5		

从表9数据可见，本方法的平均回收率为99.2%，RSD为1.38%。表明该方法准确度好。

2.9 耐用性试验

取供试品（批号191012001）2份，各约3.0g，精密称定，按重复性试验项下的方法处理，换不同厂家、不同型号的色谱柱，分别测定供试品的含量。结果见表10。

表10 色谱柱耐用性试验

序号	称样量（g）	柱型号	峰面积值	含量（mg/g）
1	3.0010	Tnature C$_{18}$柱	1470696	0.59
	3.0010	phenomenex C$_{18}$柱	1470648	0.57
2	3.0055	Tnature C$_{18}$柱	1473617	0.54
	3.0055	phenomenex C$_{18}$柱	1473424	0.53

从表10结果表明，在使用不同型号或厂家的色谱柱时，对测定结果影响较小。

3　样品含量测定

取三批样品（批号191012001、191012002、191012003）及模拟样品（批号201909050），每批各2份，各约3.0g，精密称定，按重复性试验项下的方法处理并测定含量。测定结果见表11。

表11　样品中木香烃内酯的含量测定结果

批号	称样量（g）	峰面积平均值	含量（mg/g）	平均含量（mg/g）
191012001	3.0034	1477301	0.53	0.53
	3.0067	1481396	0.53	
191012002	3.0046	1500041	0.54	0.54
	3.0033	1502335	0.54	
191012003	3.0036	1472817	0.53	0.53
	3.0027	1488523	0.53	
201909050	3.0047	1524251	0.55	0.55
	3.0056	1521919	0.54	

从表11数据可见，三批样品和模拟样品中木香烃内酯的平均含量最低为0.53mg/g，最高为0.55mg/g。

4　木香药材含量测定

采用同法对上述三批样品生产用木香药材进行了含量测定，测定结果见表12。

表12　木香药材中木香烃内酯的含量测定结果

序号	称样量（g）	测得峰面积值	峰面积平均值	含量（mg/g）	平均含量（mg/g）
1	0.1534	1748394　1744245	1746320	11.12	11.16
2	0.1518	1761869　1759945	1760907	11.34	
3	0.1530	1722765　1727796	1725281	11.02	

从表12数据可见，木香药材中木香烃内酯的平均含量为11.16mg/g（1.1%）。

5　本制剂含量限度的确定

从表中数据可见，三批样品中木香烃内酯的含量最低为0.53mg/g，木香药材中木香烃内酯含量为11.16mg/g（1.1%），模拟样品中木香烃内酯的含量为0.55mg/g。

按理论值折算，样品应含木香烃内酯为0.0517g×1000×1.1%=0.5687mg，即0.57mg/g。因此，转移率木香烃内酯为0.55（mg/g）÷0.57（mg/g）×100%=96.49%。

参照《中国药典》2020年版一部"木香"药材的木香烃内酯和去氢木香内酯总含量限度不得少于1.8%，转移率为96.49%，考虑不同产地药材的质量差异，并结合其他影响因素及三批样品的测定结果，下浮30%，按此限度折算本品含木香烃内酯的理论量应不低于$30 \div 580 \times 1000 \times 1.8\% \div 2 \times 96.49\% \times 70\%$ =0.31mg/g。

标准正文暂定为: 本品每1g含木香以木香烃内酯($C_{15}H_{20}O_2$)计, 不得少于0.30mg。

【功能与主治】

调节黏、赫依、热相讧, 止刺痛。主治黏、赫依、热相讧症, 山川间赫依热, 虚热, 未成熟热, 司命赫依病, 癫狂, 晕厥, 心神不安, 心悸气促, 赫依刺痛症, 白脉病, 巴达干希日隐伏症。

【用法与用量】

口服。一次11~15丸, 一日1~2次, 温开水送服。

【注意事项】

孕妇慎服。

【规格】

每10丸重2g。

【贮藏】

密封, 防潮。

起草单位: 内蒙古盛唐国际蒙医药研究院　　张跃祥　崔圆圆　王　伟

　　　　　鄂尔多斯市检验检测中心　　　　孟美英　吕彩莲　张　烨

　　　　　内蒙古医科大学附属医院　　　　王秋桐

阿纳嘎其·那日 质量标准起草说明

【历史沿革】

本处方来源于《蒙医常用方剂选》（吉林人民出版社1975年版，蒙古文，第100页）。

【处方来源】

本制剂由内蒙古自治区国际蒙医医院提供。

【名称】

阿纳嘎其·那日

【蒙药材和饮片的来源和执行标准】

1. 处方组成及药味排列顺序：石榴100g、炒菱角30g、豆蔻50g、荜茇40g、冬葵果30g、肉桂10g、黄精30g 、红花30g、天冬30g、玉竹40g、紫茉莉30g。

2. 处方中除石榴、炒菱角和紫茉莉药材外，其余豆蔻等药味均收载于《中国药典》2020年版一部，其质量应符合该品种项下的有关规定。

石榴：为石榴科植物石榴 *Punica granatum* L.的干燥成熟果实。其标准应符合《内蒙古蒙药饮片炮制规范》2020年版第119页该品种项下的有关规定。

菱角：为菱科植物乌菱 *Trapa bicornis* Osbeck.的干燥成熟果实。其标准应符合《中华人民共和国卫生部药品标准》（蒙药分册）1998年版第41页该品种项下的有关规定。

紫茉莉：为紫茉莉科植物喜马拉雅紫茉莉 *Mirabilis himalaica*（Edgew.）Heim.的干燥根。其标准应符合《中华人民共和国卫生部药品标准》（藏药第一册）1995年版第104页该品种项下的有关规定。

【制法】

以上十一味，粉碎成细粉，过筛，混匀，用水泛丸，打光，干燥，分装，即得。

【性状】

本品为黄棕色至棕色的水丸；气香，味辛、微涩。

【鉴别】

本品为药材细粉制成的水丸。方中大多数药味的显微特征比较明显，故对处方中石榴、豆蔻、红花、冬葵果建立显微鉴别，并对处方中的荜茇建立了薄层鉴别。

1. 试剂与试药

供试品：供试品（批号 20191222、20190811、20190604）由内蒙古自治区国际蒙医医院提供，模拟样品（批号20200002）模拟。

对照品：荜茇对照药材（批号121023-201103），胡椒碱对照品（批号110775-201706），均购于中国食品药品检定研究院。

薄层板：硅胶G板，购于青岛海洋化工有限公司。

所用其他试剂均为分析纯，水为离子交换高纯水。

2.试验方法与结果

（1）显微鉴别

石榴：石细胞无色、椭圆形或类圆形，壁厚，孔沟细密。豆蔻：内种皮厚壁细胞黄棕色或棕色，表面观多角形，壁厚，非木化，胞腔内含硅质块。红花：圆形或椭圆形，外壁有刺，有三个萌发孔。冬葵果：多细胞星状毛，多破碎。

（2）荜茇薄层鉴别

参照《中国药典》2020年版一部"荜茇"项下的薄层条件，制定出正文所述的鉴别方法。通过阴性对照试验观察，方中其他药材对处方中荜茇的检出无干扰，此法具专属性。

【检查】

按照丸剂（《中国药典》2020年版四部通则0108）项下的规定，对三批供试品及模拟样品的水分、重量差异、溶散时限、重金属、砷盐、微生物限度进行了检查。具体方法及测定数据如下。

1.水分：取供试品照水分测定法（《中国药典》2020年版四部通则0832）测定。三批供试品及模拟样品的测定结果见表1。

表1 水分测定结果

序号	批号	水分（%）
1	20191222	5.6
2	20190811	5.6
3	20190604	5.5
4	20200002	5.7

药典规定丸剂水分含量不得大于9.0%。从表1中可见本品水分含量均符合要求。

2.重量差异：取以上三批供试品，每批供试品取10份，10丸为1份，分别称定重量，再与每份标示重量（2g）相比较，求每一份的重量差异（%）。药典规定每份标示装量的限度为±8%，并规定超出重量差异限度的不得多于2份，并不得有1份超出限度1倍。本品的重量差异检查结果均符合规定。

3.溶散时限：取本品按照片剂项下崩解时限检查法（《中国药典》2020年版四部通则0921）加挡板进行测定。三批供试品测定结果见表2。

表2 溶散时限测定结果

序号	批号	溶散时间（min）
1	20191222	38
2	20190811	30
3	20190604	33

药典规定水丸应在1小时内全部溶散。表2的结果显示，本品的溶散时限符合规定。

4.对三批供试品及模拟样品进行了重金属、砷盐考察，方法与结果如下：

重金属：分别取每个批号供试品0.5g、0.67g、1.0g、2.0g，按《中国药典》2020年版四部0821第二法检查。

供试品溶液的制备：取本品0.5g、0.67g、1.0g、2.0g，分别缓缓炽灼至完全炭化，放冷，加硫酸0.5ml，使湿润，低温加热至硫酸除尽后，加硝酸0.5ml，蒸干，至氧化氮蒸气除尽后，放冷，于600℃炽灼至完全灰化，放冷。加盐酸2ml，置水浴上蒸干后加水15ml，滴加氨试液至对酚酞指示液显中性，再加醋酸盐缓冲液（pH3.5）2ml，微热溶解后，移置纳氏比色管中，加水稀释至25ml，作为供试品溶液。

标准铅对照溶液的制备：另取配制供试品溶液的试剂两份，分别置瓷皿中蒸干后，加醋酸盐缓冲液（pH3.5）

2ml, 加水15ml微热溶解后, 移置两支纳氏比色管中, 分别加标准铅溶液（10g/mlPb）2ml, 再加水稀释至25ml, 作为标准铅对照溶液。

检视: 于上述供试品溶液和标准铅对照溶液中分别加硫代乙酰胺试液各2ml, 摇匀, 放置2分钟, 同置白色背景上, 从上向下进行观察。试验结果见表3。

表3　重金属检查结果

序号	供试品批号	重金属含量（ppm）			
1	20191222	<10	<20	<30	<40
2	20190811	<10	<20	<30	<40
3	20190604	<10	<20	<30	<40
4	20200002	<10	<20	<30	<40

结果显示, 供试品溶液的颜色明显浅于1ml的标准铅对照溶液。经过3批供试品及模拟样品的检查, 含重金属均未超过百万分之十, 故未收入正文。

砷盐: 取本品1g和标准砷溶液（1μg/mlAS）2ml, 分别加无砷氢氧化钙1g, 加少量水, 搅匀, 烘干, 用小火缓缓炽灼至炭化, 再在600℃炽灼至完全灰化, 放冷。分别加盐酸7ml使溶解, 再加水21ml, 按《中国药典》2020年版四部通则0822第一法（古蔡氏法）做砷盐限量检查。

结果: 供试品砷斑浅于标准砷斑的颜色, 表明本品含砷量未超过百万分之二（小于2ppm）, 故砷盐检查项目未收入正文。

5. 微生物限度: 照微生物计数法（《中国药典》2020年版四部通则1105）和控制菌检查法（《中国药典》2020年版四部 通则1106）及《内蒙古蒙药制剂规范》（第三册）附录Ⅲ微生物限度标准, 进行检查。结果均符合规定。

【含量测定】

阿纳嘎其·那日是由石榴、炒菱角、豆蔻、荜茇、冬葵果、肉桂、黄精、红花、天冬、玉竹、紫茉莉等十一味药组成的复方制剂。石榴为处方中主要药味之一。参照《中国药典》2020年版一部"广枣"项下的含量测定方法, 以没食子酸对照品作为指标成分, 进行含量测定方法研究。经分析方法验证, 该方法重复性好、专属性强, 方法中其他成分对没食子酸的测定无干扰。

1　仪器与试剂试药

1.1　仪器

岛津LC-10AT泵, 岛津SPD-10A检测器, 岛津CLASS-VP色谱工作站, 岛津uv-1700型紫外分光光度仪, Sartorius BP211D型电子分析天平, Precisa 92SM-202A型电子分析天平。

1.2　试剂与试药

供试品（批号 20191222、20190811、20190604）由内蒙古自治区国际蒙医医院提供, 模拟样品（批号20200002）模拟; 没食子酸对照品（批号110831-201605）, 购于中国食品药品检定研究院; 乙腈为色谱纯, 水为高纯水, 其他试剂均为分析纯。

2　方法学考察

2.1　色谱条件

2.1.1　色谱柱: 色谱柱填充剂为十八烷基硅烷键合硅胶, 本试验研究采用岛津 C_{18}柱（250mm×4.6mm, 5μm）及Alltech C_{18}柱（250mm×4.6mm, 5μm）。

2.1.2　流动相的选择: 参照《中国药典》2020年版一部"广枣"项下的含量测定方法, 选择甲醇-水-冰醋酸（1∶99∶0.3）为流动相。没食子酸与其他成分达到较好的分离度, 并具合适的保留时间, 但拖尾现象较为严重, 换了磷酸溶液,解除了拖尾现象,故将流动相定为以甲醇–0.1%磷酸水溶液(5:95)。

2.1.3 柱温:常温。

2.1.4 检测波长的选择:参照《中国药典》2020年版第一部"广枣"项下没食子酸的含量测定波长为273nm。因此,采用273nm作为检测波长。

2.1.5 理论板数的确定:经多批检测数据结果可见,没食子酸的理论板数都大于4000,故理论板数定为不小于4000。

2.2 提取溶剂及提取效率的考察

2.2.1 提取溶剂的选择:参照文献没食子酸采用75%乙醇作为提取溶剂。

2.2.2 提取效率的考察:以75%乙醇作为提取溶剂进行超声提取,试验中考察了提取20分钟、30分钟和40分钟不同超声提取时间对提取效率的影响。含量测定结果见表4。

表4 提取效率的考察

序号	提取时间(分钟)	没食子酸的含量(mg/g)
1	20	0.9236
2	30	1.2201
3	40	1.2208

从表4数据可见,超声提取20分钟所得没食子酸含量较低,30分钟和40分钟的没食子酸的含量基本一致,故超声提取时间定为30分钟。

2.2.3 萃取次数的选择:该方由石榴等十味药组方,石榴为处方中主要药味之一,没食子酸又为其主要成分,故以没食子酸为指标性成分进行含量测定。但含量测定时干扰成分较多,故在前处理时增加了萃取步骤。选用乙酸乙酯进行萃取并对萃取次数进行考察,结果表明,随着萃取次数的增加,没食子酸含量增加;萃取5次与萃取4次的结果比较,前者的含量明显增高,但与萃取 6 次的结果比较时含量没有明显变化。故确定用乙酸乙酯萃取5次。

2.3 专属性考察

2.3.1 对照品溶液的制备:取没食子酸对照品适量,精密称定,加甲醇制成每1ml含27μg的溶液,作为对照品溶液。

2.3.2 供试品溶液的制备:取本品适量,研细,取约0.5g,精密称定,置具塞锥形瓶中,精密加入75%乙醇25ml,超声处理(功率250W,频率 40KHz)30分钟,滤过,用75%乙醇适量分次洗涤容器和残渣,洗液与滤液合并,蒸干。残渣用25ml水分次溶解并转入分液漏斗中,用乙酸乙酯振摇提取5次,每次15ml,合并乙酸乙酯液,回收溶剂至干,残渣用甲醇分次溶解并转移至25ml的量瓶中,加甲醇稀释至刻度,摇匀,滤过,取续滤液,即得。

2.3.3 按处方配比制备缺石榴的阴性供试品,按"供试品溶液的制备"方法制备阴性对照溶液。

2.3.4 测定:分别精密吸取以上三种溶液各10μl,注入色谱仪,记录各自的色谱图。

试验结果显示:供试品色谱中在与对照品色谱保留时间相同的位置上有色谱峰出现,而阴性对照在与对照品色谱保留时间相同的位置上无色谱峰出现,表明该含量测定方法阴性无干扰,专属性好。

2.4 线性关系考察

精密称取没食子酸对照品1.36mg,置50ml量瓶中,加甲醇使溶解,并稀释至刻度,摇匀,即得。(没食子酸对照品27.02μg/ml)分别精密吸取2μl、5μl、10μl、20μl,分别注入液相色谱仪进行测定,以峰面积对进样量进行回归分析,结果见表5。

表5　标准曲线数据及回归分析结果

对照品量（μg）	峰面积值	回归方程	回归系数（r）
54.04	997953		
135.1	1989173	y=12095x–797509	1.0
270.2	4894667		
540.4	9699292		

从表5数据可见，没食子酸在54.04～540.4ng范围内与峰面积值呈良好的线性关系。

2.5　溶液稳定性试验

取同一供试品溶液，分别在溶液制备后的0小时、2小时、4小时、8小时、12小时进行测定，结果见表6。

表6　稳定性试验结果

放置时间（小时）	峰面积值	RSD（%）
0	1276229	
2	1278521	
4	1280235	0.26
8	1272265	
12	1280621	

从表6数据可见，供试品在12小时内的峰面积值基本稳定。

2.6　重复性试验

取同一供试品（批号20191222）6份，各约0.5g，精密称定，置具塞锥形瓶中，精密加入75%乙醇25ml，超声处理（功率250W，频率40KHz）30分钟，滤过，用75%乙醇适量分次洗涤容器和残渣，洗液与滤液合并，蒸干。残渣用25ml水分次溶解并转入分液漏斗中，用乙酸乙酯振摇提取5次，每次15ml，合并乙酸乙酯液，回收溶剂至干，残渣用甲醇分次溶解并转移至25ml的量瓶中，加甲醇稀释至刻度，摇匀，滤过，取续滤液，作为供试品溶液。另精密称取没食子酸对照品适量，加甲醇制成1ml含27μg的溶液，作为对照品溶液。分别精密吸取供试品溶液和对照品溶液各10μl，注入色谱仪，记录色谱图。按外标法以峰面积计算含量。结果见表7。

表7　重复性试验结果

取样量（g）	峰面积值（n=2）	含量（mg/g）	平均含量（mg/g）	RSD（%）
0.5034	1273010.5	1.2336		
0.5021	1276229	1.2407		
0.5036	1297492	1.2528	1.246	1.46
0.5057	1271257	1.2244		
0.5022	1320805	1.2767		
0.5002	1288602.5	1.2511		

从表7数据可见，在相同的提取溶剂和色谱条件下，6份供试品含量测定结果的均值为1.246mg/g，RSD为1.46%，表明该方法的重复性良好。

2.7　加样回收率试验

取供试品（批号20191222，含量：1.246mg/g）9份，各约0.25g，精密称定，置具塞锥形瓶中，分别精密加入没食子酸对照品0.2594mg、0.3242mg和0.389mg，各3份。分别按"重复性试验"方法制备供试品溶液和对照品溶液。分别精密吸取各溶液10μl，注入液相色谱仪进行测定。按外标法以峰面积计算含量。结果见表8。

表8 加样回收率试验结果

样品量（g）	供试品含量（mg）	对照品加入量（mg）	测得总量（mg）	回收率（%）	平均回收率（%）	RSD（%）
0.2488	0.3204	0.2594	0.5784	99.46		
0.2491	0.3208	0.2594	0.5794	99.70		
0.2510	0.3233	0.2594	0.5847	100.80		
0.2507	0.3229	0.3242	0.6532	101.9		
0.2507	0.3229	0.3242	0.6443	99.14	99.50	1.73
0.2510	0.3233	0.3242	0.6523	101.50		
0.2511	0.3234	0.3891	0.6992	96.58		
0.2511	0.3233	0.3891	0.7045	97.97		
0.2513	0.3238	0.3891	0.7067	98.41		

从表8数据可见，本方法的平均回收率为99.50%，RSD为1.73%。该方法准确度好。

2.8 耐用性试验

取供试品（批号20191222）适量，各1份，分别称取约0.5g，精密称定，按重复性试验项下的方法处理，换不同厂家、不同型号的色谱柱，分别测定供试品的含量。结果见表9。

表9 不同色谱柱的耐用试验

取样量（g）	柱型号	峰面积值	含量（mg/g）
0.8123	岛津C_{18}柱	1234210	1.202
0.8136	Alltech C_{18}柱	1342121	1.289

从表9数据可见，不同型号或厂家的色谱柱对测定结果影响较小。

3 样品含量测定

三批样品，各2份，分别称取约0.5g，精密称定，置具塞锥形瓶中，精密加入75%乙醇25ml，超声处理（功率250W，频率40KHz）30分钟，滤过，用75%乙醇适量分次洗涤容器和残渣，洗液与滤液合并，蒸干。残渣用25ml水分次溶解并转入分液漏斗中，用乙酸乙酯振摇提取5次，每次15ml，合并乙酸乙酯液，回收溶剂至干，残渣用甲醇分次溶解并转移至25ml的量瓶中，加甲醇稀释至刻度，摇匀，滤过，取续滤液，作为供试品溶液。另精密称取没食子酸对照品适量，加甲醇制成1ml含27μg的溶液，作为对照品溶液。分别精密吸取供试品溶液和对照品溶液各10μl，注入色谱仪，记录色谱图。按外标法以峰面积计算含量。结果见表10。

表10 样品中没食子酸含量测定结果

批号	取样量（g）	含量（mg/g）	平均含量（mg/g）
20191222	0.4995	0.6620	0.6511
	0.4990	0.6402	
20190811	0.5001	1.2520	1.2240
	0.5000	1.1950	
20190604	0.5004	1.1920	1.2010
	0.5005	1.2090	

从表10数据可见，阿纳嘎其·那日中没食子酸平均含量最低为0.6511mg/g，最高含量为1.2240mg/g。

4 石榴药材含量测定

试验中采用同法对不同批次的5种石榴药材进行了含量测定，测定结果见表11。

表11　石榴药材中没食子酸含量测定结果

序号	含量（mg/g）	平均含量（mg/g）
1	1.7654	
2	0.8195	
3	1.8933	1.2344
4	0.8589	
5	0.8351	

从表11数据可见，5种石榴药材中没食子酸含量平均值为1.2344mg/g。

5　本制剂含量规定的确定

从表中数据可见，样品中没食子酸最高含量为1.2240mg/g，5种石榴药材中没食子酸含量平均值为1.2344mg/g［（1.7654+0.8195+1.8933+0.8589+0.8351）÷5=1.2344mg/g］。

由于《中国药典》2020年版一部"石榴"药材项下无该药材的含量测定标准，转移率为100%，考虑不同产地药材的质量差异，并结合其他影响因素及三批样品的测定结果，下浮30%，按此限度折算本品含没食子酸的理论量应不低于100÷420×1.2344×70%×1000=0.206mg/g。

标准正文暂定为：本品每1g含石榴以没食子酸（$C_7H_6O_5$）计，不得少于0.20mg。

【功能与主治】

温肾，利水，消食，燥协日乌素。用于胃寒，消化不良，浮肿，水肿，肾寒腰痛，遗精淋下，寒性腹泻，宫寒带多。

【用法与用量】

口服。一次 11~15粒，一日 1~2次，温开水送服。

【规格】

每10粒重2g。

【贮藏】

密封，防潮。

起草单位：内蒙古自治区国际蒙医医院　　　　乌仁高娃　乌恩奇　那松巴乙拉　宝　山

　　　　　鄂尔多斯市检验检测中心　　　　　郝继红　陈志忠　吕彩莲

阿如日阿-5丸质量标准起草说明

【历史沿革】

本处方来源于《蒙医验方》(内蒙古自治区人民医院编, 1971年版, 蒙古文, 第117页)。

【处方来源】

本制剂由内蒙古自治区国际蒙医医院提供。

【名称】

阿如日阿-5丸

【蒙药材和饮片的来源和执行标准】

1. 处方组成及药味排列顺序: 诃子200g、黑冰片155g、寒制红石膏75g、石榴50g、波棱瓜子20g。

2. 处方中除黑冰片、寒制红石膏、石榴和波棱瓜子药材外, 诃子药味收载于《中国药典》2020年版一部, 其质量应符合该品种项下的有关规定。

黑冰片: 为猪科动物野猪*Sus scrofa* linnaeus的成形粪便野猪粪的炮制加工品。主含活性炭和微量元素。其标准应符合《内蒙古蒙药饮片炮制规范》2020年版第444页该品种项下的有关规定。

寒制红石膏: 为单斜晶系硫酸钙矿石族红石膏Gypsum的矿石红石膏(北寒水石)的炮制加工品。 主含含水硫酸钙($CaSO_4 \cdot 2H_2O$)。其标准应符合《内蒙古蒙药饮片炮制规范》2020年版第188页该品种项下的有关规定。

石榴: 为石榴科植物石榴*Punicagranatum* L.的干燥成熟果实。其标准应符合《内蒙古蒙药饮片炮制规范》2020年版第119页该品种项下的有关规定。

波棱瓜了: 为葫芦科植物波棱瓜*Herpetospermum pedunculosum*(Scx.)Baill. 的干燥种子。其标准应符合《内蒙古蒙药饮片炮制规范》2020年版第277页该品种项下的有关规定。

【制法】

以上六味, 粉碎成细粉, 过筛, 混匀, 用水泛丸, 打光, 干燥, 分装, 即得。

【性状】

本品为灰黑色至黑色的水丸; 气微香、腥, 味苦、涩。

【鉴别】

本品为药材粉末制成的水丸, 方中黑冰片、诃子、石榴的显微特征较明显, 故建立显微鉴别, 并对处方中诃子建立了薄层鉴别。

1. 试剂与试药

供试品: 供试品(批号20190939、20190946、20200226)由内蒙古自治区国际蒙医医院提供, 模拟样品(批号20200004)模拟。

对照品: 诃子对照药材(批号121015-201605), 石榴对照药材(批号121043-201304), 均购于中国食品药品检定研究院。

薄层板: 硅胶GF_{254}板, 购于青岛海洋化工有限公司。

所用其他试剂均为分析纯,水为离子交换高纯水。

2. 试验方法与结果

(1)显微鉴别

黑冰片:黑色块片不规则形。诃子:石细胞淡黄色或鲜黄色,呈类圆形、长卵形、类方形、长方形或长条形,有的略分枝或一端稍尖突,直径18~54μm,壁厚8~20μm,孔沟细密而清晰,不规则分叉或数回分叉。石榴:石细胞类圆形、长方形或不规则形,直径27~102μm,壁较厚,孔沟细密,胞腔大,有的含棕色物。

(2)诃子薄层鉴别

参照《中国药典》2020年版一部"诃子"项下的薄层条件,制定出正文所述的鉴别方法。通过阴性对照试验观察,方中其他药材对处方中诃子的检出无干扰,此法具专属性。

(3)石榴薄层鉴别

参照《中国药典》2020年版一部"石榴"项下的薄层条件,制定出正文所述的鉴别方法。通过阴性对照试验观察,方中其他药材对处方中石榴的检出无干扰,此法具专属性。

【检查】

按照丸剂(《中国药典》2020年版四部通则0108)项下的规定,对三批供试品及模拟样品的水分、重量差异、溶散时限、重金属、砷盐进行了检查。具体方法及测定数据如下:

1. 水分:取供试品照水分测定法(《中国药典》2020年版四部 通则0832)测定,三批供试品及模拟样品的测定结果见表1。

表1　水分测定结果

序号	批号	水分(%)
1	20190939	3.2
2	20190946	3.2
3	20200226	3.2
4	20200004	4.6

药典规定丸剂水分含量不得大于9.0%。从表1中可见本品水分含量均符合要求。

2. 重量差异:取以上三批供试品,每批供试品取10份,10丸为1份,分别称定重量,再与每份标示重量(2g)相比较,求每一份的重量差异(%)。药典规定每份标示装量的限度为±8%,并规定超出重量差异限度的不得多于2份,并不得有1份超出限度1倍。本品的重量差异检查结果均符合规定。

3. 溶散时限:取本品按照片剂项下崩解时限检查法(《中国药典》2020年版四部通则0921)加挡板进行测定。三批供试品测定结果见表2。

表2　溶散时限测定结果

序号	批号	溶散时间(min)
1	20190939	55
2	20190946	58
3	20200226	58

药典规定水丸应在1小时内全部溶散。表2的结果显示,本品的溶散时限符合规定。

4. 对三批供试品及模拟样品进行了重金属、砷盐考察,方法与结果如下:

重金属:分别取每个批号供试品0.5g、0.67g、1.0g、2.0g,按《中国药典》2020年版四部0821第二法检查。

供试品溶液的制备:取本品0.5g、0.67g、1.0g、2.0g,分别缓缓炽灼至完全炭化,放冷,加硫酸0.5ml,使湿润,

低温加热至硫酸除尽后，加硝酸0.5ml，蒸干，至氧化氮蒸气除尽后，放冷，于600℃炽灼至完全灰化，放冷。加盐酸2ml，置水浴上蒸干后加水15ml，滴加氨试液至对酚酞指示液显中性，再加醋酸盐缓冲液（pH3.5）2ml，微热溶解后，移置纳氏比色管中，加水稀释至25ml，作为供试品溶液。

标准铅对照溶液的制备：另取配制供试品溶液的试剂两份，分别置瓷皿中蒸干后，加醋酸盐缓冲液（pH3.5）2ml，加水15ml微热溶解后，移置两支纳氏比色管中，分别加标准铅溶液（10μg/mlPb）2ml，再加水稀释至25ml，作为标准铅对照溶液。

检视：于上述供试品溶液和标准铅对照溶液中分别加硫代乙酰胺试液各2ml，摇匀，放置2分钟，同置白色背景上，从上向下进行观察。试验结果见表3。

表3　重金属检查结果

序号	批号	重金属含量（ppm）			
1	20190939	<10	<20	<30	<40
2	20190946	<10	<20	<3	<40
3	20200226	<10	<20	<30	<40
4	20200004	<10	<20	<30	<40

结果显示，供试品溶液的颜色明显浅于2ml的标准铅对照溶液。经过3批供试品及模拟样品的检查，含重金属均未超过百万分之十，故未收入正文

砷盐：取本品1g和标准砷溶液（1μg/mlAS）2ml，分别加无砷氢氧化钙1g，加少量水，搅匀，烘干，用小火缓缓炽灼至炭化，再在600℃炽灼至完全灰化，放冷。分别加盐酸7ml使溶解，再加水21ml，按《中国药典》2020年版四部通则0822第一法（古蔡氏法）做砷盐限量检查。

结果：供试品砷斑浅于标准砷斑的颜色，表明本品含砷量未超过百万分之二（小于2ppm），故砷盐检查项目未收入正文。

【含量测定】

阿如日阿-5丸由诃子、黑冰片、寒制红石膏、石榴、波棱瓜子等五味药组成，祛赫依希日、健胃、助消化。用于胃肠热盛，宿食不消，肝胆热症，黄疸。为控制药品的内在质量，本试验对处方中诃子、石榴进行薄层色谱鉴别，并采用高效液相色谱法（HPLC）测定制剂中没食子酸、鞣花酸的含量。

1　仪器与试剂试药

1.1　仪器

岛津LC-20A高效液相色谱仪，配备二极管阵列检测器（PDA），硅胶G预制板（烟台市化学工业研究所、青岛海洋化工厂分厂）。

1.2　试剂与试药

供试品（批号20190939、20190946、20200226）由内蒙古自治区国际蒙医医院提供，模拟样品（批号20200004）模拟；没食子酸对照品（批号110831-201605）、诃子对照品（批号121015-201605），均购于中国食品药品检定研究院；鞣花酸二水合物对照品（批号EPJ4101），日本产，105℃干燥4小时以除去结晶水，鞣花酸含量以88.47%计；在用80%甲醇配制鞣花酸对照品溶液时，应先以甲醇溶解鞣花酸对照品，再用水稀释定容。甲醇为色谱纯，水为超纯水，其他试剂均为分析纯。

2　方法学考察

2.1　色谱条件

2.1.1　色谱柱：Phenomenex Luna C$_{18}$（5μm，4.6mm×250mm）。

2.1.2 流动相的选择：以甲醇为流动相A，以0.1%磷酸溶液为流动相B。梯度洗脱程序：0~15分钟，5%A；15~40分钟，40%A。

2.1.3 柱温：30℃。

2.1.4 检测波长的选择：检测波长分别为没食子酸270nm，鞣花酸253nm。理论板数按没食子酸峰、鞣花酸峰计算均应不低于3000。

2.2 专属性考察

2.2.1 对照品溶液的制备：取没食子酸对照品、鞣花酸对照品适量，精密称定，分别加80%甲醇制成每1ml含没食子酸30μg、鞣花酸70μg的溶液，即得。

2.2.2 供试品溶液的制备：取本品，研细，称取约0.25g，精密称定，置具塞锥形瓶中，精密加入80%甲醇50mL，密塞，称定重量，加热回流60分钟，放冷，再称定重量，用80%甲醇补足减失的重量，摇匀，滤过，取续滤液，即得。

2.2.3 阴性对照溶液的制备：分别按处方比例并以相同工艺制备不含诃子、石榴的阴性样品，操作同"供试品溶液的制备"，取续滤液，作为阴性对照溶液。

2.2.4 测定：分别精密吸取以上三种溶液各10μl，注入色谱仪，记录各自的色谱图。

测得结果为：阴性对照色谱中在没食子酸，鞣花酸对照品以及供试品色谱相应的保留时间处无色谱峰出现，表明该阴性对照对检测无干扰。

2.3 线性关系考察

分别精密吸取没食子酸对照品溶液（0.05872mg/ml）1μl、3μl、6μl、9μl、12μl、15μl、18μl，鞣花酸对照品溶液（0.07964mg/ml）1μl、2μl、3μl、6μl、9μl、12μl、15μL，注入高效液相色谱仪，以进样量为横坐标，峰面积为纵坐标，没食子酸测定的回归方程为$y=3142384.826004x-2895.223844$（$r=1.0000$），表明其在0.05872~1.05696mg范围内线性关系良好；鞣花酸测定的回归方程为$y=11033005.47489x+27093.18729$（$r=1.0000$），表明其在0.07964~1.1946μg范围内线性关系良好。

2.4 溶液稳定性试验

取同一供试品溶液，分别在溶液制备后的0小时、4小时、8小时、12小时、16小时、20小时、24小时进样测定。结果显示，没食子酸峰面积值的RSD为0.24%，鞣花酸峰面积值的RSD为0.16%，表明供试品溶液在24小时内基本稳定。

2.5 重复性试验

取本品，研细，取约0.25g，精密称定，置具塞锥形瓶中，精密加入80%甲醇50ml，密塞，称定重量，加热回流60分钟，放冷，再称定重量，用80%甲醇补足减失的重量，摇匀，滤过，取续滤液，作为供试品溶液。另精密称取没食子酸对照品、鞣花酸对照品适量，精密称定，分别加80%甲醇制成每1ml含没食子酸30μg、鞣花酸70μg的溶液，作为对照品溶液。分别精密吸取供试品溶液和对照品溶液各10μl，注入色谱仪，记录色谱图。按外标法以峰面积计算含量。

结果显示，没食子酸含量测定结果的RSD为0.54%，鞣花酸含量测定结果的RSD为0.95%，表明方法重复性良好。

2.6 加样回收率试验

按照加样回收率测定的要求，设计3个浓度，每个浓度各制备3份供试品溶液。精密称取已知含量的同一批样品（批号20190939，没食子酸含量为5.3889mg/g，鞣花酸含量为11.9024mg/g），精密加入低、中、高浓度的相应对照品溶液，按重复性试验的方法操作并测定。结果见表4、表5。

表4 没食子酸加样回收率试验结果

取样量（g）	样品中含量（mg）	加入量（mg）	测得量（mg）	回收率（%）	平均回收率（%）	RSD（%）
0.0629	0.3389	0.3530	0.6869	98.59		
0.0623	0.3359	0.3530	0.6914	100.71		
0.0626	0.3376	0.3530	0.6873	99.09		
0.1252	0.6747	0.7060	1.3714	98.68		
0.1249	0.6731	0.7060	1.3760	99.56	99.15	1.3
0.1246	0.6715	0.7060	1.3783	100.12		
0.2501	1.3478	1.4120	2.7359	98.31		
0.2497	1.3456	1.4120	2.7327	98.24		
0.2503	1.3488	1.4120	2.7394	98.48		

表5 鞣花酸加样回收试验结果

取样量（g）	样品中含量（mg）	加入量（mg）	测得量（mg）	回收率（%）	平均回收率（%）	RSD（%）
0.1045	1.2438	1.1352	2.3941	101.33		
0.1012	1.2045	1.1352	2.3648	102.21		
0.1032	1.2283	1.1352	2.3650	100.14		
0.1259	1.4985	1.1904	2.7119	101.94		
0.1267	1.5080	1.1904	2.7192	101.75	100.02	2.3
0.1272	1.5140	1.1904	2.7244	101.68		
0.1497	1.7818	1.8163	3.5483	97.26		
0.1500	1.7854	1.8163	3.5472	97.00		
0.1502	1.7877	1.8163	3.5469	96.86		

从表4和表5数据可见，没食子酸平均回收率为99.15%（RSD＝1.3%），鞣花酸平均回收率为100.02%（RSD=2.3%）。该方法准确度好。

2.7 耐用性试验

分别采用不同品牌色谱柱Phenomenexluna C$_{18}$（5μm，250mm×4.6 mm）、TechMate C$_{18}$（5μm，250mm×4.6mm）、Kromasil 100-5 C$_{18}$（5μm，250mm×4.6mm）进行测定。结果没食子酸、鞣花酸分别在各种色谱柱均分离良好，空白无干扰，不同色谱柱间测定没食子酸含量RSD=2.5%，鞣花酸含量RSD=2.3%，表明本方法有较好的耐用性。

3 样品含量测定

按上述方法测定阿如日阿-5丸的三批样品及模拟样品中没食子酸和鞣花酸的含量，结果见表6。

表6 样品中没食子酸、鞣花酸含量测定结果（mg/g）

批号	没食子酸	鞣花酸
20190939	4.6411	5.4693
20190946	4.5140	8.5691
20200226	13.5484	9.2186
20200004	5.3889	11.9024

表6数据可见，没食子酸和鞣花酸的含量在样品中差异较大，可能为所投诃子及石榴的质量不同导致，生产单位应注意投料药材的有效成分含量问题。

4 诃子、石榴药材中没食子酸和鞣花酸含量测定对诃子及石榴药材中的没食子酸、鞣花酸含量进行了测定,结果见表7。

表7　诃子、石榴药材中没食子酸、鞣花酸含量测定结果(mg/g)

药材	序号	没食子酸	鞣花酸
诃子	1	21.3465	31.31199
	2	13.9788	17.91209
	3	10.9819	17.85147
	4	10.0656	13.22960
石榴	1	1.7654	31.67955
	2	0.8195	6.29868
	3	1.8933	13.48379
	4	0.8589	6.21105
	5	0.8351	18.08944

5　本制剂含量限度的确定

由于《中国药典》2020年版一部"诃子""石榴"药材项下无该药材的含量测定标准,故参考原起草单位所测定4批诃子药材、5批石榴药材的含量测定数据为依据,"诃子"药材中没食子酸平均含量:(21.3465+13.9788+10.9819+10.0656)÷4=14.0932mg/g,"石榴"药材中没食子酸平均含量:(1.7654+0.8195+1.8933+0.8589+0.8351)÷5=1.2344mg/g,按理论值计算两种药材中没食子酸总平均含量:14.0932+1.2344=15.3276mg/g;"诃子"药材中鞣花酸平均含量:(31.31199+17.91209+17.85147+13.22960)÷4=20.0763mg/g,"石榴"药材中鞣花酸平均含量:(31.67955+6.29868+13.48379+6.21105+18.08944)÷5=15.1525mg/g,按理论值计算两种药材中鞣花酸总平均含量:20.0763+15.1525=35.2288mg/g。依法计算本制剂中没食子酸含量低限=(200+50)÷500(处方量)×15.3276(药材平均含量)×50%(转移率下浮)×1000=3.83mg/g(没食子酸按50%的转移率),鞣花酸含量低限=(200+50)÷500(处方量)×35.2288(药材平均含量)×30%(转移率下浮)×1000=5.28mg/g(鞣花酸按30%的转移率),考虑不同产地药材的质量差异,并结合其他影响因素及三批样品的测定结果。

标准正文暂定为:本品每1g含诃子和石榴以没食子酸($C_7H_6O_5$)计,不得少于3.8mg;以鞣花酸($C_{14}H_6O_8$)计,不得少于3.5mg。

【功能与主治】

祛赫依希日,健胃、助消化。用于胃肠热盛,宿食不消,肝胆热症,黄疸。

【用法与用量】

口服。一次11~15丸,每日1~2次,温开水送服。

【规格】

每10丸重2g。

【贮藏】

密闭,防潮。

起草单位: 内蒙古自治区国际蒙医医院　　　　萨茹拉　松　来　那松巴乙拉　庆　日

　　　　　　鄂尔多斯市检验检测中心　　　　　郝继红　陈志忠　吕彩莲

　　　　　　内蒙古自治区药品检验研究院　　　娜仁图雅　包顺茹　乌云索德

阿敏-11丸质量标准起草说明

【历史沿革】

本方来源于《蒙医常用方剂选》(吉林人民出版社1975年版,蒙古文,第6页)。

【处方来源】

本制剂由内蒙古自治区国际蒙医医院提供。

【名称】

阿敏-11丸

【蒙药材和饮片的来源和执行标准】

1. 处方组成及药味排列顺序:广枣30g、山沉香25g、草阿魏25g、牦牛心25g、赤爮子25g、丁香20g、肉豆蔻20g、木香20g、木棉花15g、石膏15g、枫香脂10g。

2. 处方中除牦牛心、山沉香、赤爮子和草阿魏药材外,其余广枣等药味均收载于《中国药典》2020年版一部,其质量应符合该品种项下的有关规定。

赤爮子:为葫芦科植物赤爮*Thladiantha dubia* Bge.的干燥成熟果实。其标准应符合《中华人民共和国卫生部药品标准》(蒙药分册)1998年版第17页该品种项下的有关规定。

牦牛心:为牛科动物牦牛*Bos grunniens* L. 的干燥心脏。其质量应符合《内蒙古蒙药饮片炮制规范》2020年版第247页该品种项下的有关规定。

山沉香:为木犀科植物贺兰山丁香*Syringa pinnatifolia* Hemsl.var.*alashanensis* Ma.etS.Q.Zhou削去外皮的干燥枝。其标准应符合《中华人民共和国卫生部药品标准》(蒙药分册)1998年版第4页该品种项下的有关规定。

草阿魏:为伞形科植物新疆阿魏*Ferula sinkiangenises* K.M.Shen或阜康阿魏*Ferula fukanensis* K.M.Shen的干燥根。其标准应符合《内蒙古蒙药饮片炮制规范》2020年版第311页该品种项下的有关规定。

【制法】

以上十一味,粉碎成细粉,过筛,混匀,用水泛丸,打光,干燥,分装,即得。

【性状】

本品为棕色至棕褐色的水丸;气微香,味辛、苦。

【鉴别】

本品为药材粉末制成的水丸,方中广枣、丁香、肉豆蔻、木棉花的显微特征较明显,故建立显微鉴别,并对处方中枫香脂建立了薄层鉴别。

1. 试剂与试药

供试品:供试品(批号2020211、2020212、2020213)由内蒙古自治区国际蒙医医院提供,模拟样品(批号20191111)模拟。

对照品:枫香脂对照药材(批号121637-201201),购于中国食品药品检定研究院。

薄层板：硅胶GF$_{254}$板，购于青岛海洋化工有限公司。

所用其他试剂均为分析纯，水为离子交换高纯水。

2. 试验方法与结果

（1）显微鉴别

广枣：果皮表皮细胞成片，表面观类圆形或类多角形，胞腔内颗粒状物。丁香：花粉粒极面观三角形，赤道面观双凸镜形，具三副合沟，直径约16μm。肉豆蔻：脂肪油滴众多，加水合氯醛试液加热后渐形成针簇状结晶。木棉花：花粉粒类三角形，直径50～60μm，表面有网状纹理，具3个萌发孔。

（2）枫香脂薄层鉴别

参照《中国药典》2020年版一部"枫香脂"项下的薄层条件，制定出正文所述鉴别方法。通过阴性对照试验观察，方中其他药材对处方中枫香脂的检出无干扰。此法具专属性。

【检查】

按照丸剂（《中国药典》2020年版四部通则0108）项下的规定，对三批供试品及模拟样品的水分、重量差异、溶散时限、重金属、砷盐、微生物限度进行了检查。具体方法及测定数据如下：

1. 水分：取供试品照水分测定法（《中国药典》2020年版四部 通则0832）测定。三批供试品及模拟样品的测定结果见表1。

表1 水分测定法结果

序号	批号	水分（%）
1	2020211	5.39
2	2020212	5.08
3	2020213	5.20
4	20191111	5.16

药典规定丸剂水分含量不得大于9.0%。由表1的结果可见，3批供试品和1批模拟样品的水分含量均符合要求。

2. 重量差异：取以上三批供试品，每批供试品取10份，10丸为1份，分别称定重量，再与每份标示重量（2g）相比较，求每一份的重量差异（%）。药典规定每份标示装量的限度为±8%，并规定超出重量差异限度的不得多于2份，并不得有1份超出限度1倍。本品的重量差异检查结果均符合规定。

3. 溶散时限：取本品按照片剂项下崩解时限检查法（《中国药典》2020年版四部通则0921）加挡板进行测定。三批供试品测定结果见表2。

表2 溶散时限测定结果

序号	批号	溶散时间（min）
1	2020211	25
2	2020212	27
3	2020213	24

药典规定水丸应在1小时内全部溶散。表2的结果显示，本品的溶散时限符合规定

4. 对三批供试品及模拟样品进行了重金属、砷盐考察，方法与结果如下：

重金属：分别取每个批号供试品0.5g、0.67g、1.0g、2.0g，按《中国药典》2020年版四部0821第二法检查。

供试品溶液的制备：取本品0.5g、0.67g、1.0g、2.0g，分别缓缓炽灼至完全炭化，放冷，加硫酸0.5ml，使湿润，低温加热至硫酸除尽后，加硝酸0.5ml，蒸干，至氧化氮蒸气除尽后，放冷，于600℃炽灼至完全灰化，放冷。加盐酸2ml，置水浴上蒸干后加水15ml，滴加氨试液至对酚酞指示液显中性，再加醋酸盐缓冲液（pH3.5）2ml，微热溶解

后,移置纳氏比色管中,加水稀释至25ml,作为供试品溶液。

标准铅对照溶液的制备:另取配制供试品溶液的试剂两份,分别置瓷皿中蒸干后,加醋酸盐缓冲液(pH3.5)2ml,加水15ml微热溶解后,移置两支纳氏比色管中,分别加标准铅溶液(10g/mlPb)2ml,再加水稀释至25ml,作为标准铅对照溶液。

检视:于上述供试品溶液和标准铅对照溶液中分别加硫代乙酰胺试液各2ml,摇匀,放置2分钟,同置白色背景上,从上向下进行观察。试验结果见表3。

表3 重金属检查结果

序号	批号	重金属含量(ppm)			
1	2020211	<10	<20	<30	<40
2	2020212	<10	<20	<30	<40
3	2020213	<10	<20	<30	<40
4	20191111	<10	<20	<30	<40

结果显示,供试品溶液的颜色明显浅于2ml的标准铅对照溶液。经过3批供试品及模拟样品的检查,含重金属均未超过百万分之十,故未收入正文。

砷盐:取本品1g和标准砷溶液(1μg/mlAS)2ml,分别加无砷氢氧化钙1g,加少量水,搅匀,烘干,用小火缓缓炽灼至炭化,再在600℃炽灼至完全灰化,放冷。分别加盐酸7ml使溶解,再加水21ml,按《中国药典》2020年版四部通则0822第一法(古蔡氏法)做砷盐限量检查。

结果:供试品砷斑浅于标准砷斑的颜色,表明本品含砷量未超过百万分之二(小于2ppm),故砷盐检查项目未收入正文。

5. 微生物限度:照微生物计数法(《中国药典》2020年版四部通则1105)和控制菌检查法(《中国药典》2020年版四部通则1106)及《内蒙古蒙药制剂规范》(第三册)附录Ⅲ微生物限度标准,进行检查,结果均符合规定。

【含量测定】

阿敏–11丸由山沉香、木香、丁香、广枣、草阿魏、肉豆蔻、牦牛心、赤爬子、木棉花、石膏、枫香脂十一味药组成。临床功效镇赫依,镇痛,安静。用于胸肋刺痛,赫依性癫狂,言语不清。参照《中国药典》2020年版一部"木香"项下高效液相色谱法对其进行含量测定,通过试验分析,结果分离效果和重现性好,专属性强。

1 仪器与试剂试药

1.1 仪器

Waters e2695 高效液相色谱仪,百万分之一电子天平(Mettler–TOledo MS105DU),万分之一电子天平(Mettler–TOledo XPR10),多功能粉碎机(FW400A 材茂科技有限公司),超纯水系统(Heal Force NW15UV),超声波恒温清洗器(SBL–22DT 宁波新芝生物科技股份有限公司)。

1.2 试剂与试药

供试品(批号2020211,2020212,2020213)由内蒙古自治区国际蒙医医院提供,模拟样品(批号20191111)模拟;木香烃内酯照品(批号111524–201509),购于中国食品药品生检定研究院;甲醇为色谱纯,水为高纯水,其他试剂均为分析纯。

2 方法学考察

2.1 色谱条件

2.1.1 色谱柱:填充剂为十八烷基硅烷键合硅胶,本实验采用Tnature C₁₈(250mm×4.6mm,5μm)色谱柱。

2.1.2 流动相：参照《中国药典》2020年版一部"木香"项下的含量测定方法，选择以甲醇-水（65：35）为流动相，供试品中的木香烃内酯与其他成分能达到较好的分离，色谱峰具有比较好的保留时间、分离度和对称性。

2.1.3 柱温：比较了30℃和35℃的柱温，结果在30℃的条件下，木香烃内酯保留时间和峰型基本一致，而且分离效果比较好，因此，选择柱温在30℃。

2.1.4 检测波长的选择：参照《中国药典》2020年版一部木香的含量测定方法中的测定波长，选用225nm处作为检测波长。

2.1.5 理论板数的确定：从对三批数据的测定结果可见，木香烃内酯理论板数在4000以上即能达到较好的分离效果，故确定理论板数按木香烃内酯峰计算应不低于4000。

2.2 专属性考察

2.2.1 对照品溶液的制备：取木香烃内酯对照品适量，精密称定，加甲醇制成每1ml含木香烃内酯0.1mg的对照品溶液，即得。

2.2.2 供试品溶液的制备：将本品研成粉末，取粉末1.3g，精密称定，置具塞锥形瓶中，精密加入甲醇25ml，密塞，称定重量，超声处理（功率300W，频率40kHz）30分钟，放冷至室温，再称定重量，用甲醇补足减失的重量，摇匀，滤过，取续滤液，即得。

2.2.3 阴性对照溶液的制备：按处方比例并以相同工艺制备不含木香的阴性对照液，称取约1.3g，精密称定，从"置具塞锥形瓶中……"起操作同"供试品溶液的制备"，取续滤液，作为阴性对照溶液。

2.2.4 测定：分别精密吸取以上三种溶液各10μl，注入色谱仪，记录各自的色谱图。

结果阴性对照色谱中在与木香烃内酯对照品以及供试品色谱相应的保留时间处无色谱峰出现，表明其他组分对木香烃内酯的测定无干扰。

2.3 线性关系考察

取木香烃内酯约2.5mg精密称定，置25ml量瓶中，用甲醇使溶解，并稀释至刻度，摇匀（木香烃内酯浓度为0.1006mg/ml）；精密吸取上述对照品溶液2μl、5μl、10μl、15μl、20μl和25μl注入液相色谱仪测定，记录色谱图，按上述色谱条件测定，以峰面积对进样量进行回归分析。结果见表4。

表4 标准曲线数据及回归分析结果

序号	进样量（μg）	峰面积值	回归方程	回归系数（r）
1	0.2012	195342		
2	0.5030	797776		
3	1.0060	1728187	$y=1839267.6733x-146058.0418$	0.9999
4	1.5090	2628803		
5	2.0120	3540626		
6	2.5150	4480091		

从表4数据可见，木香烃内酯在0.2012~2.5150μg范围内，呈良好的线性关系。

2.4 提取效率的考察

将本品（批号2020211）研成粉末，取粉末，取粉末1.3g，精密称定，置具塞锥形瓶中，精密加入甲醇25ml，密塞，称定重量，超声处理（功率300W，频率40kHz）30分钟，放冷至室温，再称定重量，用甲醇补足减失的重量，摇匀，滤过，取续滤液，即得。取木香烃内酯对照品适量，精密称定，加甲醇制成每1ml含木香烃内酯0.1mg的对照品溶液，即得。精密吸取10μl，注入液相色谱仪测定。结果见表5。

表5 木香烃内酯提取效率考察表

时间（min）	称样量（g）	样品峰面积		平均	含量（mg/g）
		A	B		
20	1.3037	848444	850284	849364	0.66
30	1.3032	859630	856902	858266	0.67
40	1.3024	856908	851082	853995	0.66

从表5数据可见，超声提取20分钟、30分钟、40分钟供试品中木香烃内酯的含量结果几乎无变化，同时参照《中国药典》2020年版一部木香含量测定项下的超声时间，为超声30分钟，故本标准也将提取超声时间定为30分钟（功率300W，频率40kHz）。

2.5 溶液稳定性试验

取同一份供试品溶液（批号2020211），研成粉末，取粉末1.3g，精密称定，置具塞锥形瓶中，精密加入甲醇25ml，密塞，称定重量，超声处理（功率250W，频率40kHz）30分钟，放冷至室温，再称定重量，用甲醇补足减失的重量，摇匀，滤过，取续滤液，即得。取木香烃内酯对照品适量，精密称定，加甲醇制成每1ml含木香烃内酯0.1mg的对照品溶液，即得。精密吸取10μl，分别于0小时、2小时、4小时、10小时、12小时、14小时进行测定。结果见表6。

表6 溶液的稳定性试验结果

序号	时间（h）	峰面积值	RSD（%）
1	0	846740	
2	2	842915	
3	4	850768	
4	10	855328	0.78
5	12	859566	
6	14	843747	

表6数据可见，木香烃内酯在14小时内的峰面积值基本稳定不变，能够满足测定所需要的时间。

2.6 精密度试验

取同一份供试品溶液（批号2020211），研成粉末，取粉末1.3g，精密称定，置具塞锥形瓶中，精密加入甲醇25ml，密塞，称定重量，超声处理（功率300W，频率40kHz）30分钟，放冷至室温，再称定重量，用甲醇补足减失的重量，摇匀，滤过，取续滤液，即得。取木香烃内酯对照品适量，精密称定，加甲醇制成每1ml含木香烃内酯0.1mg的对照品溶液，即得。精密吸取10μl，注入液相色谱仪测定。连续进样6次，测定木香烃内酯面积积分值。结果见表7。

表7 木香烃内酯精密度试验结果

序号	峰面积值	平均值	RSD（%）
1	850232		
2	830886		
3	852076	841744	1.12
4	833159		
5	835866		
6	848246		

从表7数据可见，符合《中国药典》2020年版四部通则0512中规定的RSD值小于2.0%的要求。

2.7 重复性试验

取同一批号供试品6份（批号2020211），取粉末1.3g，精密称定，置具塞锥形瓶中，精密加入甲醇25ml，密塞，称定重量，超声处理（功率300W，频率40kHz）30分钟，放冷至室温，再称定重量，用甲醇补足减失的重量，摇匀，滤过，取续滤液，即得。取木香烃内酯对照品适量，精密称定，加甲醇制成每1ml含木香烃内酯0.1mg的对照品溶液，即得。分别精密吸取供试品溶液和对照品溶液各10μl，注入液相色谱仪测定。注入色谱仪，记录色谱图。按外标法以峰面积计算含量，结果见表8。

表8　木香烃内酯含量重复性试验结果

称样量（g）	样品峰面积			含量（mg/g）	平均含量（mg/g）	RSD（%）
	A	B	平均			
1.3053	846678	841402	844040	0.68		
1.3027	837871	844810	841341	0.68		
1.3027	838907	843038	840973	0.68	0.68	0.53
1.3028	839252	838284	838768	0.68		
1.3022	845954	846158	846056	0.68		
1.3065	856226	850927	853577	0.69		

从表8数据可见，供试品在相同的细度、提取溶剂和色谱条件下，测定结果稳定。

2.8　加样回收试验

取已知含量（木香烃内酯含量为0.68mg/g）的供试品9份，各0.5g，精密称定，置25ml具塞锥形瓶中，分成三组，每组三份，每组分别精密加入木香烃内酯对照品（浓度为0.1638mg/ml）溶液1ml、2ml、3ml（约相当于供试品含有量的50%、100%、150%），瓶补足甲醇至25ml，密塞，称定重量，超声处理（功率300W，频率40kHz）30分钟，放冷至室温，再称定重量，用甲醇补足减失的重量，摇匀，滤过，取续滤液，即得。取木香烃内酯对照品适量，精密称定，加甲醇制成每1ml含木香烃内酯0.1mg的对照品溶液，即得。测定每份供试品的含量，计算回收率，结果见表9。

表9　木香烃内酯加样回收试验结果

称样量（g）	供试品含量（mg）	对照品加入量（mg）	测得总量（mg）	回收率（%）	平均（%）	RSD（%）
0.5026	0.3418	0.1638	0.51	102.13		
0.5025	0.3417	0.1638	0.51	101.87		
0.5019	0.3413	0.1638	0.51	100.94		
0.5016	0.3411	0.3276	0.68	103.68		
0.5047	0.3432	0.3276	0.67	101.23	103.25	1.70
0.5015	0.3410	0.3276	0.68	104.20		
0.5027	0.3418	0.4914	0.86	105.77		
0.5038	0.3426	0.4914	0.86	105.21		
0.5024	0.3416	0.4914	0.85	104.17		

从表9数据可见，本方法的平均回收率为103.25%，符合《中国药典》2020年版通则9101"分析方法验证指导原则"中"表2 样品中待测定成分含量和回收率限度"的要求。

2.9　耐用性试验

取不同厂家、不同型号的色谱柱，考察本实验方法成败的关键影响因素，测定方法是否具备耐用性。取重复性试验中的1号、2号供试品及对照品分别进样，测定含量，结果见表10。

表10　不同色谱柱木香烃内酯的耐用性试验

样品号	称样量（g）	柱型号	峰面积	含量（mg/g）
1	1.3024	Pheomenex C₁₈	845024	0.68
	1.3022	Venusil XBP C₁₈	843981	0.67

续表

样品号	称样量（g）	柱型号	峰面积	含量（mg/g）
2	1.3020	Pheomenex C$_{18}$	845009	0.68
	1.3009	Venusil XBP C$_{18}$	850975	0.68

从表10数据可见，在使用不同型号或厂家的色谱柱时，对测定结果影响较小，具有较好的耐用性。

3 样品含量测定

取样品三批（批号2020211、2020212、2020213）粉末各约1.3g，每批2份，精密称定，置具塞锥形瓶中，精密加入甲醇25ml，密塞，称定重量，超声处理30分钟（功率250W，频率40kHz），放冷至室温，再称定重量，用甲醇补足减失的重量，摇匀，滤过，取续滤液，即得。取木香烃内酯对照品适量，精密称定，加甲醇制成每1ml含木香烃内酯0.1mg的对照品溶液，即得。在上述色谱条件下，吸取10μl，分别注入液相色谱仪，三批样品的含量测定结果见表11。

表11 样品木香烃内酯的含量测定结果

批号	称样量（g）	峰面积			含量（mg/g）	平均含量（mg/g）
		A	B	平均		
2020211	1.3042	821926	864497	843211.5	0.67	0.69
2020212	1.3049	871871	866789	869330	0.69	
2020213	1.3038	868602	886506	877554	0.70	0.89
20191111	1.3036	1128343	1090837	1109590	0.70	

从表11数据可见，木香烃内酯含量最低为0.67mg/g，最高为0.70mg/g，含量之间无明显差异。

4 木香药材含量测定

同法对上述三批样品生产用木香药材进行木香烃内酯含量测定，结果含量为12.48mg/g，测定结果见表12。

表12 木香药材的含量测定结果（木香烃内酯）

序号	取样量（g）	平均峰面积值（n=2）		含量（mg/g）	平均含量（mg/g）
1	0.1506	1659239	1654801	12.46	12.48
		1650363			
2	0.1514	1635168	1642199	12.30	
		1649230			
3	0.1515	1695618	1692376	12.67	
		1689134			

从表12数据可见，木香药材中木香烃内酯的平均含量为12.48mg/g（1.248%）。

5 本制剂含量限度的确定

从表中数据可见，三批样品中木香烃内酯的含量最低为0.67mg/g，模拟样品中木香烃内酯的平均含量为0.89mg/g，试验中用相同方法对生产用相同木香药材进行了含量测定。测得木香烃内酯的平均含量为12.48mg/g（1.248%）。

按理论值折算，样品应含木香烃内酯为20÷230×12.48=1.086mg/g。因此，木香烃内酯的转移率为0.89÷1.086×100%=81.95%。

参照《中国药典》2020年版一部"木香"药材的木香烃内酯和去氢木香内酯的总含量限度不得少于1.8%，转移率为81.95%，考虑不同产地药材的质量差异，并结合其他影响因素及三批样品的测定结果，下浮20%，按此限度折算本品含木香烃内酯的理论量应不低于20÷230×1000×1.8%÷2×81.95%×81.95%=0.513mg/g。

标准正文暂定为：本品每1g含木香以木香烃内酯（C$_{15}$H$_{20}$O$_2$）计，不得少于0.50mg。

【功能与主治】

镇赫依,止刺痛。用于胸、腋部刺痛,赫依哑结,癫狂病,心刺痛症。

【用法与用量】

口服。一次11~15丸,一日1~2次,温开水送服。

【规格】

每10丸重2g。

【贮藏】

密封,防潮。

起草单位:内蒙古盛唐国际蒙医药研究院　　　崔圆圆　张跃祥　李鹏帅

　　　　　赤峰市药品检验所　　　　　　　　周国立　姜明慧　陆　静　李海华

　　　　　内蒙古自治区药品检验研究院　　　籍学伟　郭宝凤

阿嘎如-19丸质量标准起草说明

【历史沿革】

本方来源于内蒙古民族大学附属医院经验方。

【处方来源】

本制剂由内蒙古民族大学附属医院提供。

【名称】

阿嘎如-19丸

【蒙药材和饮片的来源和执行标准】

1. 处方组成及药味排列顺序：栀子400g、山沉香125g、沉香125g、降香125g、毛连菜125g、木香100g、旋覆花100g、丁香100g、肉豆蔻100g、川楝子70g、苦参60、木棉花60g、悬钩子木60g、土木香60g、山奈60g、诃子60g、广枣60g、胡黄连60g、炒马钱子100g。

2. 处方中除山沉香、毛连菜、悬钩子木、炒马钱子药材外，其余栀子等药味均收载于《中国药典》2020年版一部，其质量应符合该品种项下的有关规定。

山沉香：为木犀科植物贺兰山丁香*Syringa pinnatifolia* Hemsl.var.*alashanensis* Ma.etS.Q.Zhou削去外皮的干燥枝。其标准应符合《中华人民共和国卫生部药品标准》（蒙药分册）1998年版第4页该品种项下的有关规定。

毛连菜：为菊科植物毛连菜*Picris japonica* Thunb.的干燥地上部分。其标准应符合《中华人民共和国卫生部蒙药分册》第6页该品种项下的规定。

炒马钱子：为马钱科植物马钱*Strychnos nux-vomica* L.的干燥成熟种子。其标准应符合《内蒙古蒙药饮片炮制规范》2020年版第261页该品种项下的有关规定。

悬钩子木：为蔷薇科植物库页悬钩子*Rubus sachalinensis* Leveille的干燥茎枝。其标准应符合《中华人民共和国卫生部药品标准》（蒙药分册）1998年版第43页该品种项下的规定。

【制法】

以上十九味，粉碎成细粉，过筛，混均，用水泛丸，打光，干燥，分装，即得。

【性状】

本品为浅黄色至黄棕色的水丸；气微，味微酸而苦。

【鉴别】

本品为药材粉末制成的水丸，方中大多数药味的显微特征比较明显，故对栀子、广枣、肉豆蔻、旋覆花、木棉花建立显微鉴别，并对处方中木香建立了薄层鉴别。

1. 试剂与试药

供试品：供试品（批号20191268、20191269、20200428）由内蒙古民族大学附属医院提供，模拟样品（批号20190921）模拟。

对照品：去氢木香内酯（批号111525-201711），购于中国食品药品检定研究院。

薄层板:硅胶G板,购于青岛海洋化工有限公司。

所用其他试剂均为分析纯,水为离子交换高纯水。

2. 试验方法与结果

(1)显微鉴别

栀子:种皮石细胞黄色或淡棕色,长多角形、长方形或形状不规则,直径60~112μm,长至230μm,壁厚,纹孔甚大,胞腔棕红色。广枣:内果皮石细胞呈类圆形、椭圆形、梭形、长方形或不规则形,有的延长呈纤维状或有分枝,直径14~72μm,长25~294μm,壁厚,孔沟明显,胞腔内含淡黄棕色或黄褐色物。肉豆蔻:脂肪油滴,用水合氯醛装置观察,脂肪油滴析出针簇状或羽毛状结晶。旋覆花:花粉粒类球形,直径22~33μm,外壁有刺,长约3μm,具3个萌发孔。木棉花:花粉粒类三角形,直径50~60μm,表面有网状纹理,具3个萌发孔。

(2)木香薄层鉴别

参照《中国药典》2020年版一部"木香"项下的薄层条件,制定出正文所述鉴别方法。通过阴性对照试验观察,方中其他药材对处方中木香的检出无干扰。此法具专属性。

【检查】

按照丸剂(《中国药典》2020年版四部通则0108)项下的规定,对三批供试品及模拟样品的水分、重量差异、溶散时限、重金属、砷盐、微生物限度进行了检查。具体方法及测定数据如下:

1. 水分:取供试品照水分测定法(《中国药典》2020年版四部通则0832)测定。三批供试品及模拟样品的测定结果见表1。

表1 水分测定法结果

序号	批号	水分(%)
1	20191268	7.38
2	20191269	7.22
3	20200428	7.03
4	20190921	7.32

药典规定丸剂水分含量不得大于9.0%。从表1中可见本品水分含量均符合要求。

2. 重量差异:取以上三批供试品,每批供试品取10份,10丸为1份,分别称定重量,再与每份标示重量(2g)相比较,求每一份的重量差异(%)。药典规定每份标示装量的限度为±8%,并规定超出重量差异限度的不得多于2份,并不得有1份超出限度1倍。本品的重量差异检查结果均符合规定。

3. 溶散时限:取本品按照片剂项下崩解时限检查法(《中国药典》2020年版四部通则0921)加挡板进行测定。三批供试品测定结果见表2。

表2 溶散时限测定结果

序号	批号	溶散时间(min)
1	20191268	25
2	20191269	27
3	20200428	24

药典规定水丸应在1小时内全部溶散。表2的结果显示,本品的溶散时限符合规定。

4. 对三批供试品及模拟样品进行了重金属、砷盐考察。方法与结果如下:

重金属:分别取每个批号供试品0.5g、0.67g、1.0g、2.0g,按《中国药典》2020年版四部0821第二法检查。

供试品溶液的制备:取本品0.5g、0.67g、1.0g、2.0g,分别缓缓炽灼至完全炭化,放冷,加硫酸0.5ml,使湿润,

低温加热至硫酸除尽后，加硝酸0.5ml，蒸干，至氧化氮蒸气除尽后，放冷，于600℃炽灼至完全灰化，放冷。加盐酸2ml，置水浴上蒸干后加水15ml，滴加氨试液至对酚酞指示液显中性，再加醋酸盐缓冲液（pH3.5）2ml，微热溶解后，移置纳氏比色管中，加水稀释至25ml，作为供试品溶液。

标准铅对照溶液的制备：另取配制供试品溶液的试剂两份，分别置瓷皿中蒸干后，加醋酸盐缓冲液（pH3.5）2ml，加水15ml微热溶解后，移置两支纳氏比色管中，分别加标准铅溶液（10g/mlPb）2ml，再加水稀释至25ml，作为标准铅对照溶液。

检视：于上述供试品溶液和标准铅对照溶液中分别加硫代乙酰胺试液各2ml，摇匀，放置2分钟，同置白色背景上，从上向下进行观察。试验结果见表3。

表3　重金属检查结果

序号	批号	重金属含量（ppm）			
1	20191268	<10	<20	<30	<40
2	20191269	<10	<20	<30	<40
3	20200428	<10	<20	<30	<40
4	20190921	<10	<20	<30	<40

结果显示，供试品溶液的颜色明显浅于2ml的标准铅对照溶液。经过3批供试品及模拟样品的检查，含重金属均未超过百万分之十，故未收入正文。

砷盐：取本品1g和标准砷溶液（1μg/mlAS）2ml，分别加无砷氢氧化钙1g，加少量水，搅匀，烘干，用小火缓缓炽灼至炭化，再在600℃炽灼至完全灰化，放冷。分别加盐酸7ml使溶解，再加水21ml，按《中国药典》2020年版四部通则0822第一法（古蔡氏法）做砷盐限量检查。

结果：供试品砷斑浅于标准砷斑的颜色，表明本品含砷量未超过百万分之二（小于2ppm），故砷盐检查项目未收入正文。

5. 微生物限度：照微生物计数法（《中国药典》2020年版四部通则1105）和控制菌检查法（《中国药典》2020年版四部通则1106）及《内蒙古蒙药制剂规范》（第三册）附录Ⅲ微生物限度标准，进行检查。结果均符合规定。

【含量测定】

阿嘎如-19丸是由栀子、山沉香、沉香、降香、毛连菜、木香、旋覆花、丁香、肉豆蔻、炒马钱子、川楝子、苦参、悬钩子木、土木香、山奈、诃子、广枣、胡黄连和木棉花等十九味药组成的复方制剂。临床功效抑赫依，平喘，止痛。用于哮喘，山滩际赫依热，主脉赫依病，胸刺痛等病。参照《中国药典》2020年版一部"栀子"项下高效液相色谱法对其进行含量测定，以栀子苷作为指标成分，进行含量测定方法研究。经分析方法验证，该方法重复性好、专属性强，方法中其他成分对没食子酸的测定无干扰。

1　仪器与试剂试药

1.1　仪器

U3000型高效液相色谱仪，隔膜真空泵（巩义市英峪仪器厂），KQ-250DB型超声波清洗器（昆山市超声仪器有限公司），Heal Force NW15UV型超纯水系统，ADVENTURERTM型电子天平（万分之一），Ohaus Discovery型电子天平（十万分之一），FW400A型多功能粉碎机（材茂科技有限公司）。

1.2　试剂与试药

供试品（批号20191268、20191269、20200428）由内蒙古民族大学附属医院提供，模拟样品（20190921）模拟；栀子苷对照品（批号110749-201919），购于中国食品药品检定研究院；乙腈为色谱纯；水为超纯水。其他试剂均为分析纯。

2 方法学考察

2.1 色谱条件

2.1.1 色谱柱：色谱柱填充剂为十八烷基硅烷键合硅胶，本试验研究采用Alltima C_{18}柱（250mm×4.6mm，5μm）。

2.1.2 流动相的选择：参照《中国药典》2020年版一部"栀子"项下的流动相比例进行流动相条件摸索，经试验验证，分离效果好，色谱峰对称，故将流动相定为以乙腈-水（10:90）。

2.1.3 柱温：33℃。

2.1.4 检测波长：参照《中国药典》2020版一部"栀子"项下规定，选择测定波长为238nm。

2.1.5 理论板数的确定：对多批供试品测定结果表明，栀子苷峰的理论板数在1500以上即能达到与相邻峰分开，并符合《中国药典》2020版第一部规定R>1.5的要求，故本标准规定理论板数按栀子苷计不得低于2500。

2.2 专属性考察

2.2.1 对照品溶液的制备：取栀子苷对照品适量，精密称定，加甲醇制成每1ml含70μg的溶液，即得。

2.2.2 供试品溶液的制备：将本品适量研细，取约0.2g，精密称定，置具塞锥形瓶中，精密加入甲醇25ml，称定重量，超声处理（功率250W，频率40kHz）30分钟，放冷，再称定重量，用甲醇补足减失的重量，摇匀，滤过，取续滤液，即得。

2.2.3 阴性对照溶液的制备：按处方配比制备阴性对照，称取约1.8g，精密称定，从"置具塞锥形瓶中……"起操作同"供试品溶液的制备"，取续滤液，作为阴性对照溶液。

2.2.4 测定：分别精密吸取以上三种溶液各10μl，注入色谱仪，记录各自的色谱图。

结果：阴性对照色谱中在与栀子苷对照品以及供试品色谱相应的保留时间处无色谱峰出现，表明其他组分对栀子苷的测定无干扰。

2.3 线性关系考察

取栀子苷对照品约7.3mg，精密称定，置100ml量瓶中，加甲醇使溶解并稀释至刻度，摇匀，然后吸取上述溶液1μL、3μL、5μL、7μL、10μL、12μL分别进样，按上述色谱条件测定，以峰面积对栀子苷的进样量进行回归分析。标准曲线数值见表4。

表4 标准曲线数据及回归分析结果

对照品量（μg）	峰面积值	回归方程	回归系数（r）
0.0734	1.326		
0.2202	4.1818		
0.3670	6.8643	$y=0.135223x-0.07817$	0.9999
0.5138	9.5585		
0.7340	13.612		
0.8808	16.3485		

从表4数据可见，栀子苷在0.0734~0.8808μg范围内与峰面积呈良好的线性关系。

2.4 提取效率的考察

取本品适量，研细，取约0.2g，精密称定，置具塞锥形瓶中，精密加入甲醇25ml，称定重量，超声处理（功率250W，频率40kHz）30分钟，放冷，再称定重量，用甲醇补足减失的重量，摇匀，滤过，取续滤液，即得。取栀子苷对照品适量，精密称定，加甲醇制成每1ml含70μg的溶液，作为对照品溶液。分别精密吸取供试品溶液和对照品溶液各10μl，注入色谱仪，记录色谱图。结果见表5。

表5 栀子苷提取时间考察

时间（min）	称样量（g）	样品峰面积		平均峰面积	含量（mg/g）	平均含量（mg/g）
		A	B			
20	0.2040	10.8690	10.5829	10.7259	7.3230	7.0438
20	0.2078	10.5829	16.0186	10.0926	6.7646	
30	0.2030	10.1013	17.8410	11.8539	8.1330	8.0889
30	0.2034	11.7461	11.7512	11.7487	8.0449	
40	0.2026	11.3552	11.1789	11.2671	7.7456	7.8393
40	0.2004	11.3748	11.4541	11.4145	7.9330	
50	0.2054	10.8703	10.9146	10.8933	7.3866	7.4745
50	0.2048	11.1230	11.1174	11.1202	7.5625	

从表5数据可见，超声处理30分钟时，在供试品中提取栀子苷的含量最高，故将提取时间定为30分钟。

2.5 溶液稳定性试验

取同一份供试品溶液，分别于制备后0小时、2小时、4小时、6小时、7小时、8小时进样测定，结果见表6。

表6 溶液的稳定性试验结果

序号	放置时间（h）	峰面积值	RSD（%）
1	0	12.435	
2	2	12.5052	
3	4	12.3113	0.99
4	6	12.2743	
5	7	12.2649	
6	8	12.5532	

从表6数据可见，栀子苷在8小时内的峰面积值基本稳定不变。

2.6 精密度试验

取同一份供试品（批号20190921）0.2089g，精密称定，置具塞锥形瓶中，精密加入甲醇25ml，称定重量，超声处理（功率250W，频率40kHz）30分钟，放冷，再称定重量，用甲醇补足减失的重量，摇匀，滤过，取续滤液，即得。取栀子苷对照品适量，精密称定，加甲醇制成每1ml含70μg的溶液，作为对照品溶液。分别精密吸取供试品溶液和对照品溶液各10μl，注入液相色谱仪测定。注入色谱仪，记录色谱图。按外标法以峰面积计算含量，结果见表7。

表7 精密度试验结果

序号	峰面积值	平均值	RSD（%）
1	11.9407		
2	12.2474		
3	12.1927	12.	1.14
4	11.9273		
5	12.1814		
6	12.1701		

从表7数据可见，符合《中国药典》2020年版四部通则0512中规定的RSD值小于2.0%的要求。

2.7 重复性试验

取同一批号供试品（批号20190921）6份，各约0.2g，精密称定，置具塞锥形瓶中，精密加入甲醇25ml，称定重量，超声处理（功率250W，频率40kHz）30分钟，放冷，再称定重量，用甲醇补足减失的重量，摇匀，滤过，取续滤液,即得。取栀子苷对照品适量,精密称定,加甲醇制成每1ml含70μg的溶液,作为对照品溶液。分别精密吸取供试品溶液和对照品溶液各10μl,注入液相色谱仪测定。注入色谱仪,记录色谱图。按外标法以峰面积计算含量,结果见表8。

表8　栀子苷含量重复性试验结果

称样量（g）	样品峰面积	含量（mg/g）	平均含量（mg/g）	RSD（%）
0.2089	12.0874	7.9072		
0.2058	12.0707	8.0152		
0.2086	11.9804	7.8485	7.8500	1.20
0.2068	11.7548	7.7677		
0.2056	11.6635	7.7524		
0.2032	11.6118	7.8092		

从表8数据可见,在相同的提取溶剂和色谱条件下,6份供试品含量测定结果的均值为7.8500mg/g,RSD为1.20%,表明该方法的重复性良好。

2.8　加样回收率试验

取供试品(批号20190921,含量7.8500mg/g)9份,均约0.10g,精密称定,置具塞锥形瓶中,其中1号、2号、3号各精密加入用甲醇配制的栀子苷对照品溶液(栀子苷浓度0.0734mg/ml)5ml,4号、5号、6号各精密加入上述对照品溶液10ml,7号、8号、9号各精密加入上述对照品溶液15ml,各瓶补足甲醇至25ml,称定重量,超声处理(功率250W,频率40kHz)30分钟,放冷,再称定重量,用甲醇补足减失的重量,摇匀,滤过,取续滤液,即得。取栀子苷对照品适量,精密称定,加甲醇制成每1ml含70μg的溶液,作为对照品溶液。分别精密吸取供试品溶液和对照品溶液各10μl,注入液相色谱仪测定。注入色谱仪,记录色谱图。按外标法以峰面积计算含量,并计算回收率。结果见表9。

表9　栀子苷加样回收试验结果

称样量（g）	供试品含量（mg）	对照品加入量（mg）	测得总量（mg）	回收率（%）	平均回收率（%）	RSD（%）
0.1046	0.8201	0.3670	1.2048	104.83		
0.1065	0.8350	0.3670	1.2099	102.17		
0.1028	0.8059	0.3670	1.1976	103.72		
0.1033	0.8099	0.7340	1.6024	102.45		
0.1056	0.8279	0.7340	1.5944	104.43	102.40	1.60
0.1032	0.8091	0.7340	1.6119	102.34		
0.1023	0.8020	1.1010	1.9057	100.25		
0.1025	0.8036	1.1010	1.9100	100.49		
0.1039	0.8146	1.1010	1.9256	100.91		

从表9数据可见,本方法的平均回收率为102.40%,符合《中国药典》2020年版通则9101"分析方法验证指导原则"中"表2样品中待测定成分含量和回收率限度"的要求。

2.9　耐用性试验

换不同厂家、不同型号的色谱柱,取供试品(批号20190921)约0.2g,精密称定,置具塞锥形瓶中,精密加入甲醇25ml,称定重量,超声处理(功率250W,频率40kHz)30分钟,放冷,再称定重量,用甲醇补足减失的重量,摇匀,滤过,取续滤液,即得。取栀子苷对照品适量,精密称定,加甲醇制成每1ml含70μg的溶液,作为对照品溶液。分别精密吸取供试品溶液和对照品溶液各10μl,注入液相色谱仪测定。注入色谱仪,记录色谱图。按外标法以峰面积计算含量。结果见表10。

表10 不同色谱柱的耐用性试验

样品号	称样量（g）	柱型号	峰面积	含量（mg/g）
1	0.2035	Apollo C$_{18}$	13.2142	8.1239
	0.2013	Alltima C$_{18}$	13.2154	8.0976
2	0.2014	Apollo C$_{18}$	13.2230	8.2109
	0.2032	Alltima C$_{18}$	13.3028	8.3233

从表10数据可见，在使用不同型号或厂家的色谱柱时，对测定结果影响较小，具有较好的耐用性。

3 样品含量测定

取样品适量，研细，取约0.2g，精密称定，置具塞锥形瓶中，精密加入甲醇25ml，称定重量，超声处理（功率250W，频率40kHz）30分钟，放冷，再称定重量，用甲醇补足减失的重量，摇匀，滤过，取续滤液，即得。取栀子苷对照品适量，精密称定，加甲醇制成每1ml含70μg的溶液，作为对照品溶液。分别精密吸取供试品溶液和对照品溶液各10μl，注入色谱仪，记录色谱图。结果见表11。

表11 样品中栀子苷的含量测定结果

批号	称样量（g）	峰面积 A	峰面积 B	峰面积 平均	含量（mg/g）	平均含量（mg/g）
20191268	0.2037	11.3493	11.3528	11.3511	6.80	6.815
20191269	0.2085	11.3834	11.3976	11.3905	6.83	
20200428	0.20869	11.3963	11.4037	11.4000	6.93	7.34
20190921	0.2056	11.7301	11.5970	11.6335	7.75	

从表11数据可见，栀子苷平均含量最低为6.815mg/g，最高为7.34mg/g。含量之间差异可能来自药材来源不同以及制作方法的差异。

4 栀子药材的含量考察

取栀子药材粉末约0.05g，精密称定，按《中国药典》2020年一部"栀子"项下的方法处理并测定。栀子药材中栀子苷的含量测定结果见表12。

表12 栀子药材中栀子苷的含量测定结果

序号	取样量（g）	平均峰面积值（$n=2$）		含量（mg/g）	平均含量（mg/g）
1	0.1506	12.7810	12.7877	33.1667	33.1620
		12.7945			
2	0.1514	12.2219	12.2219	33.1566	
		12.2219			
3	0.1515	12.2221	12.2227	33.1628	
		12.2234			

从表12数据可见，栀子药材中栀子苷平均含量为33.1620mg/g。

5 本制剂含量限度的确定

从表中数据可见，三批供试品中栀子苷的含量最低为6.815mg/g，模拟样品中栀子苷的含量为7.34mg/g。实验中用相同方法对生产用相同栀子药材进行了含量测定，测得栀子苷的含量为33.16mg/g（3.316%）。

理论上每1g供试品含栀子药材0.2051g，含栀子苷的量6.815mg。因此，转移率为114.4%。此转移率过高，怀疑所用的栀子药材不是制作本品的同一批次药材，故暂不考虑转移率。

参照《中国药典》2020年版一部"栀子"药材的栀子苷的含量限度不得少于1.8%，转移率为114.4%，转移率过高, 故暂不考虑转移率。考虑不同产地药材的质量差异, 并结合其他影响因素及三批样品的测定结果, 下浮20%, 按此限度折算本品含栀子苷的理论量应不低于80÷390×1000×1.8%×100%×80%=2.95mg/g。

标准正文暂定为: 本品每1g含栀子以栀子苷 ($C_{17}H_{24}O_{10}$) 计, 不得少于3.0mg。

【功能与主治】

镇赫依, 平喘, 止痛。用于哮喘, 山川间赫依热, 主脉赫依病, 胸刺痛症。

【用法与用量】

口服。一次11~15丸, 一日1~2次, 温开水送服。

【规格】

每10丸重2g。

【贮藏】

密闭, 防潮

起草单位: 内蒙古盛唐国际蒙医药研究院　　崔丽敏　崔圆圆　田志杰

　　　　　包头市检验检测中心　　　　　　吴　博　贺　鹏　王　皓

　　　　　内蒙古自治区药品检验研究院　　籍学伟　郭宝凤

旺拉格-15丸质量标准起草说明

【历史沿革】

本方来源于《蒙药方剂》（于庆祥著，内蒙古人民出版社1986年版，蒙古文，第409页）。

【处方来源】

本制剂由内蒙古自治区国际蒙医医院提供。

【名称】

旺拉格-15丸

【蒙药材和饮片的来源和执行标准】

1. 处方组成及药味排列顺序：手参80g、玉竹40g、天冬40g、黄精40g、肉桂40g、荜茇40g、紫茉莉40g、芒果核40g、大托叶云实40g、蒲桃40g、豆蔻40g、刀豆40g、石榴40g、炒菱角40g、冬虫夏草10g。

2. 处方中除石榴、大托叶运实、炒菱角、蒲桃和手参药材外，其余玉竹等药味均收载于《中国药典》2020年版一部，其质量应符合该品种项下的有关规定。

石榴：为石榴科植物石榴*Punica granatum* L.的干燥成熟果实。其标准应符合《内蒙古蒙药材炮制规范》2020年版第119页该品种项下的有关规定。

大托叶云实：为豆科植物大托叶云实*Caesalpinia crista* L.的干燥成熟种子。冬、春间果实成熟时采收，除去杂质，干燥。其标准应符合《内蒙古蒙药材标准》1986年版第356页"大托叶云实"项下的有关规定。

蒲桃：为桃金娘科植物海南蒲桃*Syzygium cumi* L. Skeels的干燥成熟果实。其质量标准应符合《内蒙古蒙药材标准》（1987年版）第469页该品种项下的有关规定。

炒菱角：为菱科植物乌菱*Trapa bicornis* Osbeck.的干燥成熟果实。其标准标准应符合《中华人民共和国卫生部药品标准》（蒙药分册）1998年版第41页该品种项下的有关规定。

手参：为兰科植物手参*Gymnadenia conopsea* L. R. Br. 的干燥块茎。其标准应符合《内蒙古蒙药饮片炮制标准》2020年版第71页该品种项下有关规定。

【制法】

以上十五味，除冬虫夏草外，其余石榴等十四味，粉碎成细粉，将冬虫夏草研细，与上述细粉配研，过筛，混匀，用水泛丸，打光，干燥，分装，即得。

【性状】

本品为棕黄色至棕褐色的水丸，性状为墨绿色；味苦、辛、咸。

【鉴别】

本品方中药材经显微鉴别观察，显微特征不明显，专属性不强，故未建立显微鉴别。对处方中荜茇建立了薄层色谱鉴别。

1. 试剂与试药

供试品：供试品（批号20191205、20190734、20200312）由内蒙古自治区国际蒙医医院提供，模拟样品（批号

20200074）模拟。

对照品：胡椒碱对照品（批号110775-201706）、荜茇对照药材（批号121023-201103），均购于中国食品药品检定研究院。

薄层板：硅胶G板，购于烟台江友硅胶开发有限公司。

所用其他试剂均为分析纯，水为离子交换高纯水。

2. 试验方法与结果

荜茇薄层鉴别：

参照《中国药典》2020年版一部"荜茇"项下薄层鉴别条件，制定出正文所述的鉴别方法（胡椒碱的Rf值为0.5）。通过阴性对照试验观察，方中其他药材对荜茇的检出无干扰，此法具有专属性。

【检查】

按照丸剂（《中国药典》2020年版四部通则0108）项下规定，对三批供试品及模拟样品的水分、重量差异、溶散时限、重金属、砷盐和微生物限度进行了检查。具体方法及测定数据如下：

1. 水分：取供试品照水分测定法（《中国药典》2020年版四部 通则0832）测定。三批供试品及模拟样品测定结果见表1。

表1　水分测定结果

序号	批号	水分（%）
1	20190734	2.78
2	20191205	2.58
3	20200312	2.97
4	20200074	3.32

药典规定丸剂水分含量不得大于9.0%。由表1的结果可见，三批供试品和模拟样品的水分含量均符合要求。

2. 重量差异：取以上三批供试品，每批供试品取10份，10丸为1份，分别称定重量，再与每份标示重量（2g）相比较，求每一份的重量差异（%）。药典规定每份标示装量的限度为±8%，并规定超出重量差异限度的不得多于2份，并不得有1份超出限度1倍。本品的重量差异检查结果均符合规定。

3. 溶散时限：取本品照片剂项下崩解时限检查法（《中国药典》2020年版四部通则0921）加挡板进行测定。三批供试品测定结果见表2。

表2　溶散时限测定结果

序号	批号	溶散时间（min）
1	20191205	28
2	20190734	30
3	20200312	26

药典规定水丸应在1小时内全部溶散。表2数据可见，本品的溶散时限符合规定。

4. 对三批供试品及模拟样品进行了重金属、砷盐考察，方法与结果如下：

重金属：分别取每个批号供试品0.5g、0.67g、1.0g、2.0g，按《中国药典》2020年版四部0821第二法检查。

供试品溶液的制备：取本品0.5g、0.67g、1.0g、2.0g，分别缓缓炽灼至完全炭化，放冷，加硫酸0.5ml，使湿润，低温加热至硫酸除尽后，加硝酸0.5ml，蒸干，至氧化氮蒸气除尽后，放冷，于600℃炽灼至完全灰化，放冷。加盐酸2ml，置水浴上蒸干后加水15ml，滴加氨试液至对酚酞指示液显中性，再加醋酸盐缓冲液（pH3.5）2ml，微热溶解后，移置纳氏比色管中，加水稀释至25ml，作为供试品溶液。

标准铅对照溶液的制备：另取配制供试品溶液的试剂两份，分别置瓷皿中蒸干后，加醋酸盐缓冲液（pH3.5）2ml，加水15ml微热溶解后，移置两支纳氏比色管中，分别加标准铅溶液（10μg/mlPb）2ml，再加水稀释至25ml，作为标准铅对照溶液。

检视：于上述供试品溶液和标准铅对照溶液中分别加硫代乙酰胺试液各2ml，摇匀，放置2分钟，同置白色背景上，从上向下进行观察。试验结果见表3。

表3　重金属检查结果

序号	批号	重金属含量（ppm）			
1	20191205	<10	<20	<30	<40
2	20190734	<10	<20	<30	<40
3	20200312	<10	<20	<30	<40
4	20200074	<10	<20	<30	<40

结果显示，供试品溶液的颜色明显浅于2ml的标准铅对照溶液。经过3批供试品及模拟样品的检查，含重金属均未超过百万分之十，故未收入正文。

砷盐：取本品1g和标准砷溶液（1μg/mlAS）2ml，分别加无砷氢氧化钙1g，加少量水，搅匀，烘干，用小火缓缓炽灼至炭化，再在600℃炽灼至完全灰化，放冷。分别加盐酸7ml使溶解，再加水21ml，按《中国药典》2020年版四部通则0822第一法（古蔡氏法）做砷盐限量检查。

结果：供试品砷斑浅于标准砷斑的颜色，表明本品含砷量未超过百万分之二（小于2ppm），故砷盐检查项目未列入正文。

5. 微生物限度：照微生物计数法（《中国药典》2020年版四部通则1105）和控制菌检查法（《中国药典》2020年版四部通则1106）及《内蒙古蒙药制剂规范》（第三册）附录Ⅲ微生物限度标准，进行检查。结果均符合规定。

【含量测定】

旺拉格-15由石榴、荜茇、肉桂、手参、黄精、冬虫夏草等十五味药组成。其中荜茇具温中散寒，下气止痛。参照《中国药典》2020年版一部中"荜茇"项下的含量测定方法，对处方中荜茇所含的胡椒碱进行测定，通过试验分析，结果表明该方法重复性好，专属性强，方中其他组分胡椒碱的测定无干扰。

1　仪器与试剂试药

1.1　仪器

岛津LC-20A SPD-M20A型检测器，E LC solution色谱工作站，Sartorius BSA124S（0.1mg）、BT125D（0.01mg）、MSE3.6P-0CE-DM 29116811（0.001mg）电子天平，KQ-500DE型数控超声波清洗器（500W，40kHz），Heal Force NW15UV型超纯水系统，FW400A型多功能粉碎机（材茂科技有限公司）。

1.2　试剂与试药

供试品（批号20191205、20190734、20200312）由内蒙古自治区国际蒙医医院提供，模拟样品（批号20200074）模拟；胡椒碱对照品（批号110775-201706）购于中国食品药品检定研究院；甲醇为色谱纯，水为超纯水，所用其他试剂均为分析纯。

2　方法学考察

2.1　色谱条件

2.1.1　色谱柱：色谱柱填充剂为十八烷基硅烷键合硅胶，本试验采用资生堂色谱柱（250mm×4.6mm，5μm）。

2.1.2　流动相的选择：参照《中国药典》2020年版一部"荜茇"项下的含量测定方法，以甲醇-水（77∶23）为流动相。

2.1.3 柱温：在40℃的条件下，胡椒碱的保留时间一致，而且分离效果比较好，因此选择柱温在40℃。

2.1.4 检测波长的选择：精密称取胡椒碱对照品适量，用无水乙醇制成每1ml含20μg的溶液，于紫外-可见分光光度计上，在200～400nm波长范围扫描，胡椒碱在波长243.2nm、263.4nm、311.2nm、342.2nm处有最大吸收。参照《中国药典》2020年版一部"荜茇"含量测定项下胡椒碱的测定方法，选择343nm作为检测波长。

2.1.5 理论板数的确定：从对多批数据的测定结果可见，胡椒碱的理论板数在1500以上即能达到较好的分离效果，考虑到不同的色谱柱具不同的理论塔板数，故确定理论板数按胡椒碱峰算应不低于1500。

2.2 提取溶剂的选择

参照《中国药典》2020年版一部"荜茇"项下对胡椒碱的提取方法，选用无水乙醇作为提取溶剂。

2.2.1 提取效率的考察

参照《中国药典》2020年版一部"荜茇"项下对胡椒碱的提取方法，精密称取供试品（批号20190734）约1.0g，以无水乙醇作为提取溶剂进行超声提取。为保证被测成分的提取完全，在供试品的细度一致、提取溶剂为无水乙醇、超声功率一致的条件下，分别考察了超声20分钟、30分钟、40分钟不同提取时间对提取效率的影响，含量测定结果见表4。

表4 胡椒碱提取时间考察

序号	提取时间（min）	含量（mg/g）
1	20	1.1283
2	30	1.1426
3	40	1.1546

从表4数据可见，超声30分钟供试品中胡椒碱的含量基本稳定，故将提取时间定为超声30分钟。

2.2.2 提取溶剂加入量考察

精密称取供试品（批号20190312）约1.0g，在提取过程中，对提取溶剂加入量进行考察，结果见表5。

表5 提取溶剂加入量考察

序号	取样量（g）	无水乙醇加入量（ml）	峰面积	含量（mg/g）
1	1.0433	25	2140114	1.0967
	1.0434		2142024	
2	1.0434	50	1104678	1.1292
	1.0436		1100280	
3	1.0445	75	755658	1.1553
	1.0449		749891	
4	1.0413	100	540268	1.1024
	1.0432		534754	

从表5数据可见，用25ml、50ml、75ml、100ml溶剂的样品胡椒碱的含量基本一致，提取完全，故确定提取溶剂加入量为50ml。

2.3 专属性考察

2.3.1 对照品溶液的制备：取胡椒碱对照品（批号110775-201706）约5mg，精密称定，置50ml量瓶中，加无水乙醇使溶解并稀释至刻度，摇匀，作为对照品溶液（胡椒碱含量为0.1076mg/ml）。

2.3.2 供试品溶液的制备：取本品适量，研细，取约1g，精密称定，置具塞锥形瓶中，精密加入无水乙醇50ml，密塞，称定重量，超声处理（功率250W，频率40kHz）30分钟，放冷，再称定重量，用无水乙醇补足减失的重量，摇匀，滤过，取续滤液，作为供试品溶液。

2.3.3 阴性对照溶液的制备：取按处方比例并以相同工艺制备的缺荜茇的阴性对照供试品溶液，按供试品溶液制备法制得的阴性对照溶液（缺荜茇）。

2.3.4 测定：分别精密吸取以上三种溶液各10μl，注入色谱仪，记录各自的色谱图。

试验结果显示：供试品色谱中在与对照品色谱保留时间相同的位置上有色谱峰出现，而阴性对照在与对照品色谱保留时间相同的位置上无色谱峰出现，表明该含量测定方法阴性无干扰，专属性好。

2.4 线性关系考察

取胡椒碱对照品（批号110775-201706）约5mg，精密称定，置50ml量瓶中，加无水乙醇使溶解并稀释至刻度，摇匀，即得。（胡椒碱含量为0.1076mg/ml）精密吸取0.2ml、0.5ml、1.0ml、2.0ml、5.0ml，分别置10 ml量瓶中，加无水乙醇稀释至刻度，摇匀，分别精密量取上述对照品溶液和系列浓度溶液各5μl，按上述色谱条件进行测定，以峰面积对进样量进行回归分析。结果见表6。

表6 标准曲线数据及回归分析结果

对照品浓度（μg/ml）	峰面积值	回归方程	回归系数（r）
2.152	87296		
5.380	169753		
10.76	458162	$y=45288x-41384$	0.9993
21.52	915722		
53.80	2401687		

从表6数据可见，胡椒碱在0.01076～0.269μg范围内与峰面积值呈良好的线性关系。

2.5 稳定性试验

取同一供试品（批号20190312）溶液，分别于制备溶液后的0小时、2小时、4小时、6小时、8小时、10小时、12小时进行测定。结果见表7。

表7 不同时间测得溶液中胡椒碱峰面积值

序号	时间（h）	峰面积值	RSD（%）
1	0	1065780	
2	2	1067434	
3	4	1068438	
4	6	1068533	1.00
5	8	1067113	
6	10	1066448	
7	12	1065979	

从表7数据可见，胡椒碱在12小时内峰面积值基本稳定，能够满足测定所需的时间。

2.6 重复性试验

取同一供试品（批号20190312）6份，各约1.0g，精密称定，置具塞锥形瓶中，精密加入无水乙醇50ml，密塞，称定重量，超声处理30分钟，放冷，再称定重量，用无水乙醇补足减失的重量，摇匀，滤过，取续滤液，作为供试品溶液。取胡椒碱对照品（批号110775-201706）约5mg，精密称定，置50ml量瓶中，加无水乙醇使溶解并稀释至刻度，摇匀，作为对照品溶液。分别精密吸取以上两种溶液各10μl，注入液相色谱仪，记录各自的色谱图，用外标法以峰面积计算含量。结果见表8。

表8 胡椒碱重复性试验结果

取样量（g）	峰面积值	含量（mg/g）	平均含量（mg/g）	RSD（%）
1.0066	1040414	1.1048		
1.0067	1054889	1.1200		
1.0063	1038524	1.1031	1.1091	0.60
1.0067	1045005	1.1095		
1.0066	1047727	1.1125		
1.0065	1040108	1.1045		

从表8数据可见，在相同的提取溶剂和色谱条件下，6份供试品含量测定结果的均值为1.1091mg/g，RSD为0.60%，表明该方法的重复性良好。

2.7 加样回收试验

取供试品（含量为1.1091mg/g）9份，各约0.5g，精密称定，分别置9个具塞锥形瓶中，精密加入用无水乙醇配制的胡椒碱对照品溶液（胡椒碱浓度0.1072mg/ml）4.0ml、5.0ml、6.0ml（相当于供试品含量的80%、100%、120%），再精密加入50ml无水乙醇，分别按重复性试验项下的方法操作，测定每份的含量，计算回收率。结果见表9。

表9 胡椒碱加样回收试验结果

取样量（g）	供试品含量（mg）	对照品加入量（mg）	测得总量（mg）	回收率（%）	平均回收率（%）	RSD（%）
0.5047	0.5765	0.4288	1.0016	99.14		
0.5045	0.5763	0.4288	1.0034	99.60		
0.5045	0.5763	0.4288	1.0064	100.30		
0.5046	0.5764	0.5360	1.1073	99.05		
0.5047	0.5765	0.5360	1.1173	100.90	100.32	0.8
0.5049	0.5767	0.5360	1.1176	100.91		
0.5047	0.5765	0.6432	1.2249	100.81		
0.5047	0.5765	0.6432	1.2267	101.09		
0.5045	0.5763	0.6432	1.2266	101.10		

从表9数据可见，本方法的平均回收率为100.32%，RSD为0.8%。该方法准确度好。

2.8 耐用性试验

换不同厂家、不同型号的色谱柱，取重复性试验中的供试品（批号20191205）及对照品溶液分别进样，计算含量，结果见表10。

表10 色谱柱耐用性试验

样品号	柱型号	含量（mg/g）
1	CAPCELL C_{18}	1.1426
2	SHIMADZU-GL C_{18}	1.1174

表10数据可见，不同型号或厂家的色谱柱对测定结果影响较小。

3 样品含量测定

取三批样品（批号20191205、20200312、20190734）各约1.0g，模拟样（批号20200074）2份，各约2.0g，精密称定，按重复性试验项下方法操作并计算含量。结果见表11。

表11　样品中胡椒碱的含量测定结果

批号	取样量（g）	平均峰面积值	含量（mg/g）	平均含量（mg/g）
20191205	1.0060	1066010	1.1326	1.1423
	1.0062	1084485	1.1520	
20200312	1.0054	1074839	1.1427	1.1426
	1.0057	1075052	1.1426	
20190734	1.0068	1022024	1.1039	1.1102
	1.0067	1033495	1.1164	
201900074	2.0036	1104678	1.4732	1.4934
	2.0024	1134170	1.5135	

从表11数据可见，三批样品和模拟样品中胡椒碱平均含量最低为1.1102mg/g，最高为1.4934mg/g。模拟样品含量结果为1.4934mg/g。

4　荜茇药材含量测定

试验中采用同法对上述两批样品生产用荜茇药材进行了含量测定，测定结果见表12。

表12　荜茇药材中胡椒碱的含量测定结果

序号	取样量（g）	平均峰面积值（$n=2$）	含量（mg/g）	平均含量（mg/g）
1	0.1003	882024	23.50	23.59
2	0.1001	887070	23.68	

从表12数据可见，试验中同法对上述三批样品生产的荜茇药材进行了含量测定，结果为23.59mg/g。

5　本制剂含量限度的确定

从表中数据可见，荜茇药材中胡椒碱含量为23.59mg/g，根据三批样品实测结果的平均含量为1.1317mg/g。

按理论值折算，样品应含胡椒碱为$40 \div 610 \times 23.59 = 1.5468 mg/g$。可见，胡椒碱的转移率$=1.1317 \div 1.5468 \times 100\% = 73.16\%$。

参照《中国药典》2020年版一部"荜茇"药材的胡椒碱含量限度不得少于2.5%，转移率为73.16%，考虑不同产地药材的质量差异，并结合其他影响因素及三批样品的测定结果，下浮10%，按此限度折算本品含胡椒碱的理论量应不低于$40 \div 610 \times 2.5\% \times 1000 \times 73.16\% \times 90\% = 1.079mg/g$。

标准正文暂定为：本品每1g含荜茇以胡椒碱（$C_{17}H_{19}NO_3$）计，不得少于1.0mg。

【功能与主治】

祛寒，强身，补肾，补气，燥协日乌素。用于肾寒肾虚，浮肿，耳鸣头痛，腰酸腿痛，遗精。

【用法与用量】

口服。一次11~15丸，一日1~2次，温开水送服。

【规格】

每10丸重2g。

【贮藏】

密封，防潮。

起草单位：呼伦贝尔市食品药品检验所　　　马　丽　王　佳　白　南　鄂文君

　　　　　赤峰市药品检验所　　　　　　　王静宝　会伟哲　周国立

　　　　　内蒙古自治区药品检验研究院　　娜仁图雅　包顺茹　乌云索德

图鲁吉古鲁其-7丸质量标准起草说明

【历史沿革】

本方来源于《蒙医传统验方》(内蒙古人民出版社1975年版,蒙古文,第363页)。

【处方来源】

本制剂由内蒙古自治区国际蒙医医院提供。

【名称】

图鲁吉古鲁其-7丸

【蒙药材和饮片的来源和执行标准】

1. 处方组成及药味排列顺序:益智仁60g、天冬10g、手参10g、山沉香10g、肉豆蔻10g、黄精10g、丁香10g。

2. 处方中除手参和山沉香药材外,其余天冬等药味均收载于《中国药典》2020年版一部,其质量应符合该品种项下的有关规定。

手参:为兰科植物手参*Gymnadenia conopsea*(L.)R. Br. 的干燥块茎。其标准应符合《内蒙古蒙药饮片炮制标准》2020年版第71页该品种项下有关规定。

山沉香:为木犀科植物贺兰山丁香*Syringa pinnatifolia* Hemsl. var. *alashanensis* Ma. et S. Q. Zhou削去外皮的干燥枝。其标准应符合《中华人民共和国卫生部药品标准》(蒙药分册)1998 年版第4 页该品种项下的有关规定。

【制法】

以上七味,粉碎成细粉,过筛,混匀,用水泛丸,打光,低温干燥,分装,即得。

【性状】

本品为黄白色至黄棕色的水丸;气芳香,味辛、甘。

【鉴别】

本品为药材细粉制成的水丸。方中丁香、天冬、益智仁药味的显微特征比较明显,故建立显微鉴别,并对处方中的丁香和肉豆蔻建立了薄层鉴别。

1. 试剂与试药

供试品:供试品(批号20190529、20190836、20191210)由内蒙古自治区国际蒙医医院提供,模拟样品(批号20200072)模拟。

对照品:丁香酚对照品(批号110725-201917)、肉豆蔻对照药材(批号120926-201307),均购于中国食品药品检定研究院。

薄层板:硅胶G板,购于青岛海洋化工有限公司。

2. 试验方法与结果

(1)显微鉴别

天冬:石细胞浅黄棕色,长条形、长椭圆形或类圆形,直径32～110μm,壁厚,纹孔及孔沟极细密。丁香:花粉粒众多,极面观三角形,赤道表面观双凸镜形,具3副合沟。益智仁:内种皮厚壁细胞黄棕色或棕色,表面观多角形,壁厚,非木化,胞腔内含硅质块。

（2）丁香薄层鉴别

参照《中国药典》2020年版一部"丁香"项下的薄层条件,制定出正文所述的鉴别方法。通过阴性对照试验观察,方中其他药材对丁香的检出无干扰,证明此法具有专属性。

（3）肉豆蔻薄层鉴别

参照《中国药典》2020年版一部"肉豆蔻"项下的薄层条件,制定出正文所述的鉴别方法。通过阴性对照试验观察,方中其他药材对肉豆蔻的检出无干扰,证明此法具有专属性。

【检查】

按照丸剂(《中国药典》2020年版四部通则0108)项下规定,对三批供试品及模拟样品的水分、重量差异、溶散时限、重金属、砷盐进行了检查。具体方法及测定数据如下:

1. 水分: 取供试品照水分测定法(《中国药典》2020年版四部通则0832)测定,三批供试品及模拟样品测定结果见表1。

表1　水分测定结果

序　号	批　　号	水分（%）
1	20190529	4.4
2	20190836	4.3
3	20191210	4.9
4	20200072	4.6

药典规定丸剂水分含量不得大于9.0%。从表1数据可见,三批供试品和模拟样品的水分含量均符合要求。

2. 重量差异: 取以上三批供试品,每批供试品取10份,10丸为1份,分别称定重量,再与每份标示重量(2g)相比较,求每一份的重量差异(%)。药典规定每份标示装量的限度为±8%,并规定超出重量差异限度的不得多于2份,并不得有1份超出限度1倍。本品的重量差异检查结果均符合规定。

3. 溶散时限: 取本品照片剂项下崩解时限检查法(《中国药典》2020年版四部通则0921)加挡板进行测定。三批供试品测定结果见表2。

表2　溶散时限测定结果

序号	批号	溶散时间（min）
1	20190529	12
2	20190836	13
3	20191210	12

药典规定水丸应在1小时内全部溶散。从表2数据可见,本品的溶散时限符合规定。

4. 对三批供试品及模拟样品进行了重金属、砷盐考察,方法与结果如下:

重金属: 分别取每个批号供试品0.5g、0.67g、1.0g、2.0g,按《中国药典》2020年版四部0821第二法检查。

供试品溶液的制备: 取本品0.5g、0.67g、1.0g、2.0g,分别缓缓炽灼至完全炭化,放冷,加硫酸0.5ml,使湿润,低温加热至硫酸除尽后,加硝酸0.5ml,蒸干,至氧化氮蒸气除尽后,放冷,于600℃炽灼至完全灰化,放冷。加盐酸2ml,置水浴上蒸干后加水15ml,滴加氨试液至对酚酞指示液显中性,再加醋酸盐缓冲液(pH3.5)2ml,微热溶解后,移置纳氏比色管中,加水稀释至25ml,作为供试品溶液。

标准铅对照溶液的制备: 另取配制供试品溶液的试剂两份,分别置瓷皿中蒸干后,加醋酸盐缓冲液(pH3.5)2ml,加水15 ml微热溶解后,移置两支纳氏比色管中,分别加标准铅溶液(10μg/mlPb)2ml,再加水稀释至25ml,作为标准铅对照溶液。

检视：于上述供试品溶液和标准铅对照溶液中分别加硫代乙酰胺试液各2ml，摇匀，放置2分钟，同置白色背景上，从上向下进行观察。试验结果见表3。

表3　重金属检查结果

批号	重金属含量（ppm）			
20190529	<10	<20	<30	<40
20190836	<10	<20	<30	<40
20191210	<10	<20	<30	<40
20200072	<10	<20	<30	<40

结果显示，供试品溶液的颜色明显浅于2ml的标准铅对照溶液。经过3批供试品及模拟样品的检查，含重金属均未超过百万分之十，故未收入正文。

砷盐：取本品1g和标准砷溶液（1μg/mlAS）2ml，分别加无砷氢氧化钙1g，加少量水，搅匀，烘干，用小火缓缓炽灼至炭化，再在600℃炽灼至完全灰化，放冷。分别加盐酸7ml使溶解，再加水21ml，按《中国药典》2020年版四部通则0822第一法（古蔡氏法）做砷盐限量检查。

结果：供试品砷斑浅于标准砷斑的颜色，表明本品含砷量未超过百万分之二（小于2ppm），故砷盐检查项目未列入正文。

【含量测定】

图鲁吉古鲁其-7丸是由益智仁、天冬、手参、山沉香、肉豆蔻、黄精、丁香等七味药组成的复方制剂，肉豆蔻、丁香为方中主药。参照《内蒙古蒙药制剂规范》2014年版（第二册）"匝迪-4汤"项下的含量测定方法，以丁香酚对照品作为指标成分，进行含量测定方法研究。经分析方法验证，该方法重复性好，专属性强，方法中其他成分对丁香酚对照品的测定无干扰。

1　仪器与试剂试药

1.1　仪器

LC-10A SPD-M10A VP型检测器，CLASS-VP色谱工作站，UV-2201紫外-可见分光光度仪，92SM-202A电子天平。

1.2　试剂与试药

供试品（批号20190529、20190836、20191210）由内蒙古自治区国际蒙医医院提供，模拟样品（批号20200072）模拟；丁香酚（批号110725-201917）购于中国食品药品检定研究院；甲醇、乙腈为色谱纯，水为超纯水，其他试剂均为分析纯。

2　分析方法验证

2.1　色谱条件

2.1.1　色谱柱：十八烷基硅烷键合硅胶为填充剂的色谱柱，本试验研究采用Unimicro DAISO-ODS C_{18}（250mm×4.6mm，5μm）及Thermo ODS-2HYPERSIL C_{18}柱（250mm×4.6mm，5μm）。

2.1.2　流动相的选择：参照《内蒙古蒙药制剂规范》2014年版（第二册）"匝迪-4汤"项下的含量测定方法，以甲醇-水（60:40）为流动相。

2.1.3　柱温：25℃。

2.1.4　检测波长的选择：取丁香酚对照品溶液，于紫外可见分光光度仪上，自190~700nm做光谱扫描，丁香酚波长为203nm处有最大吸收，参照药典方法选用280nm作为检测波长。

2.1.5 理论板数的确定：对多批样品测定结果表明，丁香酚的理论板数在3000以上即能达到较好的分离效果，故确定理论板数按丁香酚峰计不得低于3000。

2.2 提取方法的选择

丁香酚易溶于甲醇，根据丁香酚性质，结合本品剂型的特点，取本品0.5g，精密称定，选定加甲醇50ml超声处理（功率300W，频率40kHz）30分钟，放冷，再称定重量，用甲醇补足减失的重量，滤过，取续滤液，制备供试品溶液。

2.3 专属性考察

2.3.1 对照品溶液的制备：取丁香酚对照品适量，精密称定，加甲醇制成每1ml含35μg的溶液，作为对照品溶液。

2.3.2 供试品溶液的制备：取本品适量，研细，取约0.5g，精密称定，置具塞锥形瓶中，精密加入甲醇50ml，密塞，称定重量，超声处理（功率300W，频率40kHz）30分钟，放冷，再称定重量，用甲醇补足减失的重量，摇匀，滤过，取续滤液，作为供试品溶液。

2.3.3 阴性对照溶液的制备：按处方比例并以相同工艺制备的缺肉豆蔻和丁香的阴性对照供试品，按供试品溶液制备方法制得阴性对照供试品溶液。

2.3.4 测定：分别精密吸取以上三种溶液各10μl，注入色谱仪，记录各自的色谱图。

试验结果显示：供试品色谱中在与对照品色谱保留时间相同的位置上有色谱峰出现，而阴性对照在与对照品色谱保留时间相同的位置上无色谱峰出现，表明该含量测定方法阴性无干扰，专属性好。

2.4 线性关系考察

取丁香酚对照品约0.5g，精密称定，置100ml量瓶中，加甲醇溶液溶解并稀释至刻度，摇匀。精密量取上述溶液2ml置100ml量瓶中，加甲醇溶液稀释至刻度，再精密量取上述溶液5ml置25ml量瓶中，摇匀，作为对照品溶液（20.682μg/ml），精密吸取5μl、10μl、15μl、20μl、25μl、35μl、50μl进样，按上述色谱条件测定，以峰面积对进样量进行回归分析，结果见表4。

表4 标准曲线数据及回归分析结果

对照品量（μg）	峰面积值		平均峰面积	回归方程	r
0.10341	841344	830529	835936.5		
0.20682	1677106	1676999	1677052.5		
0.31023	2512314	2541642	2526978		
0.41364	3345758	3316160	3330959	$y=1.29993e{-}007 \times A{-}0.0140725$	0.9998
0.51705	4134836	4179517	4157176.5		
0.72387	5695166	5686471	5690818.5		
1.0341	8007405	7992167	7999786		

从表4数据可见，丁香酚在0.10341~1.0341μg范围内与峰面积值呈良好的线性关系。

2.5 稳定性试验

取同一份供试品溶液，分别在溶液制备后的0小时、2小时、4小时、7小时、9小时、24小时进样测定，结果见表5。

表5 不同时间测定样品中丁香酚的峰面积值

时间（h）	峰面积值	RSD%
0	1869853	
2	1838334	
4	1836026	
7	1828069	1.2
9	1827608	
24	1878902	

从表5数据可见，丁香酚在24小时内峰面积值基本稳定。

2.6 重复性试验

取同一供试品（批号20190529）6份，取0.25g，精密称定，取本品适量，研细，取约0.5g，精密称定，置具塞锥形瓶中，精密加入甲醇50ml，密塞，称定重量，超声处理（功率300W，频率40kHz）30分钟，放冷，再称定重量，用甲醇补足减失的重量，摇匀，滤过，取续滤液，作为供试品溶液。取丁香酚对照品适量，精密称定，加甲醇制成每1ml含35μg的溶液，作为对照品溶液。分别精密吸取以上两种溶液各10μl，注入液相色谱仪，记录各自的色谱图，用外标法以峰面积计算含量。结果见表6。

表6 丁香酚含量重复性试验结果

取样量（g）	峰面积	含量（mg/g）	平均含量（mg/g）	RSD（%）
0.2501	1866963	2.640		
0.2487	1864417	2.741		
0.2389	1756009	2.674	2.648	2.1
0.2358	1745606	2.631		
0.2413	1794505	2.552		
0.2409	1778405	2.654		

从表6数据可见，在相同的提取溶剂和色谱条件下，6份供试品含量测定结果的均值为2.648mg/g，RSD为2.1%，表明该方法的重复性良好。

2.7 加样回收试验

取供试品（批号20190529，含量2.648mg/g）9份，约0.13g，精密称定，置三角烧瓶中，分别依次精密加入浓度为0.25852mg/ml丁香酚对照2ml、2ml、2ml、5ml、5ml、5ml、10ml、10ml、10ml及甲醇48ml、48ml、48ml、45ml、45ml、45ml、40ml、40ml、40ml，超声处理（功率300W，频率50KHz）30分钟，放冷，滤过，取续滤2ml置5ml量瓶中，用甲醇稀释至刻度，摇匀，即得。分别按重复性试验项下方法操作，测定每份含量，计算回收率。结果见表7。

表7 丁香酚加样回收试验结果

取样量（g）	样品含量（mg）	对照品加入量（mg）	测得总量（mg）	回收率（%）	平均回收率（%）	RSD（%）
0.1231	0.3261	0.51704	0.8423	99.8		
0.1277	0.3382	0.51704	0.8534	99.6		
0.1241	0.3287	0.51704	0.8475	100.3		
0.1204	0.3189	1.2926	1.6006	99.1		
0.1202	0.3184	1.2926	1.6089	99.8	99.9	0.43
0.1208	0.3200	1.2926	1.6123	99.9		
0.1456	0.3856	2.5852	2.9801	100.3		
0.1352	0.3581	2.5852	2.9634	100.7		
0.1472	0.3899	2.5852	2.979	100.1		

从表7数据可见，本方法的平均回收率为99.9%，RSD为0.43%。该方法准确度好。

2.8 耐用性试验

换不同厂家、不同型号的色谱柱，取同一批号供试品两份及对照品分别进样，测定含量，结果见表8。

表8 不同色谱柱的耐用性试验

柱型号	分离度	测得平均含量（mg/g）	误差（%）
C₁₈-Daiso-ODS柱	5.94	2.6872	0.97
ODS-2HYPERSIL柱	1.93	2.6353	

从表8数据可见，不同型号或厂家的色谱柱对测定结果影响较小。

3 样品含量测定

取样品按重复性试验项下的方法处理并测定。三批样品的测定结果见表9。

表9 样品中丁香酚的含量测定结果

批号	取样量（g）	峰面积	平均（mg/g）	平均含量（mg/g）
20190529	0.2465	1832510	2.651	2.653
	0.2465	1809305		
	0.2402	1794252	2.655	
	0.2402	1779465		
20190836	0.2321	1712488	2.591	2.688
	0.2321	1758153		
	0.2312	1724922	2.785	
	0.2312	1731356		
20191210	0.2487	1827827	2.614	2.6485
	0.2487	1821384		
	0.2474	1822685	2.683	
	0.2474	1860187		

从表9数据可见，三批样品平均含量相差不大。

4 丁香药材的含量测定

丁香药材粉碎成细粉，取0.15g，精密称定，精密加入甲醇50ml，超声处理30分钟，滤过，精密量取续滤液2ml，置25ml量瓶中，加甲醇至刻度，摇匀，即得。测定结果见表10。

表10 丁香药材中丁香酚的含量测定结果

药材取样量（g）	峰面积	含量（%）	平均含量（%）
0.1521	2498533	12.73	12.76
	2484870		
0.1509	2485485	12.78	
	2480480		

从表10数据可见，三批样品生产用丁香药材丁香酚（$C_{10}H_{12}O_2$）的平均含量为12.76%。

5 本制剂含量限度的确定

从表中数据可见，图鲁吉古鲁其-7丸（20190836）中丁香酚含量为2.688mg/g，试验中，对生产图鲁吉古鲁其-7丸（20190836）的丁香药材进行了含量测定，丁香酚为127.6mg/g（12.76%）。

按理论值折算，样品应含丁香酚为127.6×10÷120＝10.6mg/g，可见，丁香酚的转移率为2.688÷10.6×100%=25.35%

参照《中国药典》2020年版一部"丁香"项下规定丁香酚的含量不得少于11.0%，转移率为25.35%，考虑不同产地药材的质量差异，并结合其他影响因素及三批样品的测定结果，下浮10%，按此限度折算本品含丁香酚的理论量应不低于11.0%×1000×10÷120×25.35%×90%=2.0mg/g。

标准正文暂定为: 本品每1g含丁香以丁香酚（$C_{10}H_{12}O_2$）计, 不得少于2.0mg。

【功能与主治】

调经养血, 暖宫, 祛寒, 止带。用于心、肾赫依瘀症, 气滞腰痛, 小腹寒凉, 由赫依引起的月经不调、白带过多、乏力身重。

【用法与用量】

口服。一次11~15丸, 一日1~2次, 温开水送服。

【规格】

每10丸重2g。

【贮藏】

密闭, 防潮。

起草单位: 内蒙古自治区国际蒙医医院　　　青　松　　那松巴乙拉　乌仁高娃

内蒙古自治区药品检验研究院　　娜仁图雅　乌云索德　包顺茹

包头市检验检测中心　　　　　　赵光远　朱学友　王鸿宇

图希莫勒-8丸 质量标准起草说明

【历史沿革】

本方来源于《四部医典》(内蒙古人民出版社1978年版,蒙古文,第1017页)。

【处方来源】

本制剂由锡林郭勒盟镶黄旗蒙医医院提供。

【名称】

图希莫勒-8丸

【蒙药材和饮片的来源和执行标准】

1. 处方组成及药味排列顺序:天竺黄100g、紫花高乌头100g、红花80g、拳参80g、北沙参80g、人工牛黄30g、胡黄连10g、檀香10g。

2. 方中除紫花高乌头药材外,其余天竺黄等药味均收载于《中国药典》2020年版一部,其质量应符合该品种项下的有关规定。

紫花高乌头:为毛茛科植物紫花高乌头*Aconitum excelsum* Reichb. 的干燥地上部分。其标准应符合《内蒙古蒙药饮片炮制规范》2020年版第431页该品种项下的有关规定。

【制法】

以上八味,除人工牛黄外,其余天竺黄等七味,粉碎成细粉,将人工牛黄与上述细粉配研,过筛,混匀,用水泛丸,打光,干燥,分装,即可。

【性状】

本品为浅黄色至棕黄色的水丸;气香,味苦、微甘。

【鉴别】

本品为药材粉末制成的丸剂,方中红花、拳参、檀香的显微特征都比较明显,故建立显微鉴别,并对处方中的胡黄连建立了薄层鉴别。

1. 试剂与试药

供试品:供试品(批号20190115、20190314、20190527)由锡林郭勒盟镶黄旗蒙医医院提供,模拟样品(批号20200073)模拟。

对照品:胡黄连对照药材(批号121073-201503),购于中国食品药品检定研究院。

薄层板:硅胶G板,购于青岛海洋化工有限公司。

2. 试验方法与结果

(1)显微鉴别

红花:花粉粒类圆形、椭圆形或橄榄形,直径约至60μm,具3个萌发孔,外壁有齿状突起。拳参:草酸钙簇晶直径约40μm。檀香:含晶厚壁细胞方形或长方形,壁厚,木化,胞腔内含草酸钙方晶。

(2)胡黄连薄层鉴别

参照《中国药典》2020年版一部"胡黄连"药材项下的薄层条件,制定出正文所述的鉴别方法。通过阴性对照试验观察,方中其他药材对胡黄连药材的检出无干扰,此法具专属性。

【检查】

按照丸剂(《中国药典》2020年版四部通则0108)项下规定,对三批供试品及模拟样品的水分、重量差异、溶散时限、重金属、砷盐进行了检查。具体方法及测定数据如下:

1. 水分:取供试品照水分测定法(《中国药典》2020年版四部通则0832)测定,三批供试品及模拟样品测定结果见表1。

表1　水分测定结果

序号	批号	水分(%)
1	20190115	4.0
2	20190314	4.2
3	20190527	4.2
4	20200073	4.0

药典规定丸剂水分含量不得大于9.0%。表1数据可见,三批供试品和模拟样品的水分含量均符合要求。

2. 重量差异:取以上三批供试品,每批供试品取10份,10丸为1份,分别称定重量,再与每份标示重量(2g)相比较,求每一份的重量差异(%)。药典规定每份标示装量的限度为±8%,并规定超出重量差异限度的不得多于2份,并不得有1份超出限度1倍。本品的重量差异检查结果均符合规定。

3. 溶散时限:取本品照片剂项下崩解时限检查法(《中国药典》2020年版四部通则0921)加挡板进行测定。三批供试品测定结果见表2。

表2　溶散时限测定结果

序号	批号	溶散时间(min)
1	20190115	28
2	20190314	25
3	20190527	27

药典规定水丸应在1小时内全部溶散。从表2数据可见,本品的溶散时限符合规定。

4. 对三批供试品及模拟样品进行了重金属、砷盐考察,方法与结果如下:

重金属:分别取每个批号供试品0.5g、0.67g、1.0g、2.0g,按《中国药典》2020年版四部0821第二法检查。

供试品溶液的制备:取本品0.5g、0.67g、1.0g、2.0g,分别缓缓炽灼至完全炭化,放冷,加硫酸0.5ml,使湿润,低温加热至硫酸除尽后,加硝酸0.5ml,蒸干,至氧化氮蒸气除尽后,放冷,于600℃炽灼至完全灰化,放冷。加盐酸2ml,置水浴上蒸干后加水15ml,滴加氨试液至对酚酞指示液显中性,再加醋酸盐缓冲液(pH3.5)2ml,微热溶解后,移置纳氏比色管中,加水稀释至25ml,作为供试品溶液。

标准铅对照溶液的制备:另取配制供试品溶液的试剂两份,分别置瓷皿中蒸干后,加醋酸盐缓冲液(pH3.5)2ml,加水15ml微热溶解后,移置两支纳氏比色管中,分别加标准铅溶液(10μg/mlPb)2ml,再加水稀释至25ml,作为标准铅对照溶液。

检视:于上述供试品溶液和标准铅对照溶液中分别加硫代乙酰胺试液各2ml,摇匀,放置2分钟,同置白色背景上,从上向下进行观察。试验结果见表3。

表3 重金属检查结果

序号	批号	重金属含量（ppm）			
1	20190115	<10	<20	<30	<40
2	20190314	<10	<20	<30	<40
3	20190527	<10	<20	<30	<40
4	20200073	<10	<20	<30	<40

结果显示，供试品溶液的颜色明显浅于2ml的标准铅对照管。经过3批供试品及模拟样品的检查，含重金属均未超过百万分之十，故未收入正文。

砷盐：取本品1g和标准砷溶液（1μg/mlAS）2ml，分别加无砷氢氧化钙1g，加少量水，搅匀，烘干，用小火缓缓炽灼至炭化，再在600℃炽灼至完全灰化，放冷。分别加盐酸7ml使溶解，再加水21ml，按《中国药典》2020年版四部通则0822第一法（古蔡氏法）做砷盐限量检查。

结果：供试品砷斑浅于标准砷斑的颜色，表明本品含砷量未超过百万分之二（小于2ppm），故砷盐检查项目未列入正文。

【含量测定】

图希莫勒-8丸是由天竺黄、紫花高乌头、红花、拳参、北沙参、人工牛黄、胡黄连、檀香等八味药组成的复方制剂。红花为处方中主药。参照《中国药典》2020年版一部"红花"项下的含量测定方法，选择羟基黄花黄色素A作为指标成分，对本制剂中的红花进行了HPLC含量测定方法研究。经分析方法验证，表明该方法重现性好，专属性强，方中其他组分对羟基红花黄色素A的测定无干扰。

1 仪器与试剂试药

1.1 仪器

岛津LC-10ATVP SPD-10AVP型检测器，SCL-10AVP色谱工作站，岛津UV-1700型紫外分光光度仪。

1.2 试剂与试药

供试品（批号 20190115、20190314、20190527）由锡林郭勒盟镶黄旗蒙医医院提供，模拟样品（批号20200073）模拟；羟基红花黄色素A照品（批号111637-201609）中国食品药品检定研究院；甲醇为色谱纯，水为高纯水，其他试剂均为分析纯。

2 方法学考察

2.1 色谱条件

2.1.1 色谱柱：色谱柱填充剂为十八烷基硅烷键合硅胶，本试验研究采用phennmenex C₁₈柱（250mm×4.6mm，5μm）。

2.1.2 流动相的选择：参照《中国药典》2020年版一部"红花"项下含量测定方法中的流动相即甲醇-乙腈-0.7%磷酸溶液（26：2：72）为流动相。

2.1.3 柱温：30℃

2.1.4 检测波长选择：取羟基红花色素A的对照品溶液，于紫外可见分光光度义上，自200~700nm做光谱扫描羟基红花色素A在波长为404nm处有最大吸收，再参考《中国药典》2020年版一部红花项下HPLC的波长为403nm，因此本标准规定403nm作为该供试品的检测波长。

2.1.5 理论板数的确定：对多批供试品测定结果表明，羟基红花色素A理论板数在3000以上即能达到与相邻峰分开并符合《中国药典》规定R>1.5的要求，故本标准规定理论板数按羟基红花色素A峰计不得低于3000。

2.2 提取方法的选择及提取效率的考察

参照《中国药典》2020年版一部"红花"项下含量测定方法,对本品进行超声处理(功率250W,频率40kHz),试验中考察了10分钟、20分钟、30分钟、40分钟等不同提取时间对提取效率的影响,含量测定结果见表4。

表4 羟基红花黄色素A提取效率考察

序号	时间(min)	含量(mg/g)
1	10	0.5112
2	20	0.5115
3	30	0.5211
4	40	0.5209

从表4数据可见,超声30分钟后供试品中羟基红花黄色素A的含量基本稳定,故将提取时间定为30分钟。

2.3 专属性考察

2.3.1 对照品溶液的制备:取羟基红花黄色素A对照品适量,精密称定,加25%甲醇制成每1ml含30μg的溶液,作为对照品溶液。

2.3.2 供试品溶液的制备:取本品适量,研细,取约1g,精密称定,置具塞锥形瓶中,精密加入25%甲醇25ml,密塞,称定重量,超声处理(功率250W,频率40kHz)40分钟,放冷,再称定重量,用25%甲醇补足减失的重量,摇匀,滤过,取续滤液,作为供试品溶液。

2.3.3 阴性对照溶液的制备:按处方比例并以相同工艺制备的缺红花的阴性对照样品,按供试品溶液制备法制得阴性对照溶液。

2.3.4 测定:分别精密吸取以上三种溶液各10μl,注入色谱仪,记录各自的色谱图。

试验结果显示:供试品色谱中在与对照品色谱保留时间相同的位置上有色谱峰出现,而阴性对照在与对照品色谱保留时间相同的位置上无色谱峰出现,表明该含量测定方法阴性无干扰,专属性好。

2.4 线性关系考察

取羟基红花黄色素A对照品约5mg,精密称定,置50ml棕色量瓶中,加25%甲醇使溶解,并稀释至刻度,摇匀(相当于含羟基红花黄色素A 0.1002mg/ml),然后精密吸取0.5ml、1ml、2ml、3ml、4ml、5ml溶液分别置10ml棕色量瓶中,加25%甲醇至刻度,摇匀,各取20μl进样,按上述色谱条件测定,以峰面积对注入量进行回归分析,结果见表5。

表5 标准曲线数据及回归分析结果

对照品量(μg)	峰面积值	回归方程	r
0.01001	270406		
0.02004	540473		
0.04008	1082152		
0.06012	1621838	$y=54609738x-9333.2575$	0.9999
0.08016	2170542		
0.1002	2739974		

从表5数据可见,羟基红花黄色素A在0.01001~0.1002μg范围内与峰面积值呈良好的线性关系。

2.5 稳定性试验

取同一份供试品溶液,分别在溶液制备后的0小时、2小时、4小时、8小时、12小时、24小时进样测定,结果见表6。

表6 不同时间测定样品中羟基红花黄色素A的峰面积值

时间（h）	峰面积值	RSD（%）
0	624354	
2	623133	
4	633372	
8	625353	0.75
12	622526	
24	632128	

从表6数据可见，羟基红花黄色素A在12小时内的面积积分值基本稳定。

2.6 重复性试验

取同一批号（20190115）供试品6份，各约1g，精密称定，置具塞锥形瓶中，精密加入25%甲醇25ml，密塞，称定重量，超声处理（功率250W，频率40kHz）40分钟，放冷，再称定重量，用25%甲醇补足减失的重量，摇匀，滤过，取续滤液，作为供试品溶液。另取羟基红花黄色素A对照品适量，精密称定，加25%甲醇制成每1ml含30μg的溶液，作为对照品溶液。分别精密吸取以上两种溶液各10μl，注入液相色谱仪，记录各自的色谱图，用外标法以峰面积计算含量。结果见表7。

表7 羟基红花黄色素A含量重现性试验结果

取样量（g）	峰面积	含量（mg/g）	平均含量（mg/g）	RSD（%）
1.0726	613535	1.5212		
1.0731	613773	1.5211		
1.0668	603266	1.5152	1.5208	0.77
1.0679	606470	1.5174		
1.0821	623623	1.5251		
1.0841	624847	1.5252		

从表7数据可见，在相同的提取溶剂和色谱条件下，6份供试品含量测定结果的均值为1.5208mg/g，RSD为0.77%，表明该方法的重复性良好。

2.7 加样回收试验

取本品（批号20190115，含量1.5208mg/g）9份，各约0.5g，精密称定，分别置50ml容量瓶中，再分别在其中3个容量瓶中精密加入浓度为0.128mg/ml羟基红花黄色素A对照品25%甲醇溶液1ml（约相当于供试品含有量的50%），另3个容量瓶中各精密加入上述对照品溶液2ml（约相当于供试品含有量的100%），其余3个容量瓶中各精密加入上述对照品3ml（约相当于供试品含量的150%），分别按重复性试验项下方法操作，测定每份含量，计算回收率。结果见表8。

表8 羟基红花黄色素A加样回收试验结果

取样量（g）	供试品含量（mg）	对照品加入量（mg）	测得总量（mg）	回收率（%）	平均回收率（%）	RSD（%）
0.5232	0.2724	0.128	0.3983	98.3		
0.5389	0.2806	0.128	0.4099	100.9		
0.5367	0.2795	0.128	0.4084	100.7		
0.5253	0.2735	0.256	0.5245	98.0		
0.5342	0.2782	0.256	0.5336	99.8	99.5	0.97
0.5326	0.2773	0.256	0.5323	99.6		
0.5381	0.2802	0.384	0.6638	99.9		
0.5330	0.2776	0.384	0.6591	99.4		
0.5302	0.2761	0.384	0.6574	99.3		

表8数据可见,本方法的平均回收率为99.5%,RSD为0.97%。该方法准确度好。

3 样品含量测定

取样品按重复性试验项下的方法处理,三批样品及模拟样的测定结果见表9。

表9 样品及模拟样中羟基红花黄色素A含量测定结果

批号	取样量	测得峰面积值	含量（mg/g）	平均含量（mg/g）	RSD（%）
20190115	1.0679	606471	1.5175	1.517	0.22
	1.0628	601302	1.5155		
	1.0649	604750	1.5174		
20190314	1.0951	634174	1.5276	1.528	0.27
	1.0953	636723	1.5296		
	1.0946	632831	1.5268		
20190527	1.0476	585753	1.5095	1.509	0.09
	1.0293	574868	1.5089		
	1.0681	597628	1.5098		
20200073	1.0403	726881	1.6366	1.644	1.02
	1.0496	747468	1.6488		
	1.0485	744774	1.6472		

从表9数据可见,三批样品及模拟样中羟基红花黄色素A的平均含量最低为1.509mg/g。

4 红花中羟基红花黄色素含量测定

在试验中用相同方法对上述三批样品生产用红花药材进行了含量测定,测定结果见表10。

表10 红花中羟基红花黄色素含量测定结果

取样量g	测得峰面积值	含量（mg/g）	平均含量（mg/g）	RSD（%）
0.4096	2409624	12.5123	12.54	0.48
0.4123	2441016	12.5163		
0.4189	2537330	12.6015		

从表10数据可见,三批样品生产用红花药材羟基红花黄色素A的平均含量为12.54mg/g。

5 本制剂含量限度的确定

从表9、表10数据可见,三批样品中羟基红花黄色素A的平均含量最低为1.509mg/g,红花药材羟基红花黄色素A平均含量为12.54mg/g（1.254%）。

按理论值折算,样品应含羟基红花黄色素A为12.54×80÷490=2.04mg/g,可见,羟基红花黄色素A的转移率为1.509÷2.04×100%=73.97%

参照《中国药典》2020年版一部"红花"项下规定羟基红花黄色素A的含量不得少于1.0%,转移率为73.97%,考虑不同产地药材的质量差异,并结合其他影响因素及三批样品的测定结果,下浮15%,按此限度折算本品含羟基红花黄色素A的理论量应不低于80÷490×1000×1.0%×73.97%×85%=1.02mg/g。

标准正文暂定为:本品每1g含红花以羟基红花黄色素A（$C_{27}H_{32}O_{16}$）计,不得少于1.0mg。

【功能与主治】

清热,止咳。用于肺热,感冒咳嗽,痰不利,发热,流感。

【用法与用量】

口服。周岁以内小儿,一次5~11丸,一日1~2次;满一周岁小儿,一次15~25丸,一日1~2次;两至六周岁儿童,一次30~40丸,一日1~2次,或遵医嘱。温开水送服。

【规格】

每10丸重0.5g。

【贮藏】

密闭, 防潮。

起草单位: 内蒙古自治区国际蒙医医院　　　那松巴乙拉　青　松　乌仁高娃

　　　　　赤峰市药品检验所　　　　　　　李海华　张德瑞　张　戈

　　　　　内蒙古自治区药品检验研究院　　娜仁图雅　包顺茹　乌云索德

孟根·沃斯–18丸 质量标准起草说明

【历史沿革】

本方来源于《蒙医药传统处方》(内蒙古人民出版社1975年版,蒙古文,第245页)。

【处方来源】

本制剂由内蒙古自治区国际蒙医医院、扎鲁特旗蒙医医院、锡林郭勒盟蒙医医院、库伦旗蒙医医院、兴安盟蒙医医院提供。

【名称】

孟根·沃斯–18丸

【蒙药材和饮片的来源和执行标准】

1. 处方组成及药味排列顺序:热制水银200g(水银100g+硫黄100g)、诃子100g、诃子汤泡草乌100g、苘麻子75g、文冠木75g、枫香脂75g、决明子75g、木香50g、石菖蒲35g、豆蔻 20g、肉豆蔻15g、石膏20g、生草果仁15g、红花15g、丁香15g、没药15g、甘松15g。

2. 处方中除热制水银、诃子汤泡草乌、文冠木药材外,其余诃子等药味均收载于《中国药典》2020年版一部,其质量应符合该品种项下的有关规定。

热制水银:为由砂矿冶炼生产的工业成品金属汞Hydrargyrum,主含单质汞(Hg)。其标准应符合《内蒙古蒙药饮片炮制规范》2020年版347页该品种项下有关规定。

药浸硫黄:为自然元素类矿物硫族自然硫 Native Sulfur 的提纯品,或为含硫矿物的加工制品。 主含单质硫(S)。其标准应符合《内蒙古蒙药饮片炮制规范》2020年版426页该品种项下有关规定。

诃子汤泡草乌:毛茛科植物北乌头 *Aconitum kusenzoffii* Reichb.的干燥块根。其标准应符合《内蒙古蒙药饮片炮制规范》2020年版第307页该品种项下有关规定。

文冠木:为无患子科植物文冠果*Xanthoceras sorbifolia* Bunge. 的细枝条干燥木部。其标准应符合《内蒙古蒙药饮片炮制标准》2020年版第85页有关规定。

【制法】

以上十八味,除热制水银外,其余诃子等十六味,粉碎成细粉,将热制水银研细,与上述细粉配研,过筛,混匀,用水泛丸,打光,干燥,分装,即得。

【性状】

本品为褐色至棕褐色的水丸;气香,味苦、涩。

【鉴别】

本品为药材粉末制成的水丸,方中诃子汤泡草乌、诃子、决明子、石膏、石菖蒲的显微特征比较明显,故建立显微鉴别,并对处方中大黄、木香建立了薄层鉴别。

1. 试剂与试药

供试品:供试品(批号20190707、20190408)由内蒙古自治区国际蒙医医院提供,批号M14050607供试品由扎鲁特旗蒙医医院提供, 批号M14090809供试品由锡林郭勒盟蒙医医院提供, 批号M14060837供试品由库伦旗蒙医医院提供, 批号M14070608供试品由兴安盟蒙医医院提供。

对照品: 大黄酚对照品 (批号110796-201621)、橙黄决明素对照品 (批号111900-201605)、木香烃内酯对照品 (批号1111524-201911)、去氢木香内酯对照品 (批号111525-201912), 均购于中国食品药品检定研究院。

薄层板: 硅胶H、G薄层板, 均购于青岛海洋化工有限公司。

所用其他试剂均为分析纯, 水为离子交换高纯水。

2. 试验方法与结果

(1) 显微鉴别

草乌: 后生皮层细胞棕色或深棕色, 形大, 呈类方形或长多角形, 直径25~133μm, 壁微弯曲, 不均匀增厚, 有的呈瘤状突入细胞腔; 诃子: 石细胞成群, 呈类圆形、长卵形、长方形或长条形, 孔沟细密而明显; 决明子: 种皮栅状细胞无色或淡黄色, 侧面观细胞1列, 呈长方形, 排列稍不平整, 长42~53μm, 壁较厚, 光辉带2条; 石膏: 石细胞类圆形、长卵形或多角形, 壁较厚, 有的层纹明显; 石菖蒲: 纤维束周围细胞中含草酸钙方晶, 形成晶纤维。

(2) 决明子薄层鉴别

参照《中国药典》2020版一部 "决明子" 项下的薄层条件, 制定出正文所述的鉴别方法。通过阴性对照试验观察, 方中其他药材对决明子的检出无干扰, 证明此法具专属性。

(3) 木香薄层鉴别

参照《中国药典》2020版一部 "木香" 项下的薄层条件, 制定出正文所述的鉴别方法。通过阴性对照试验观察, 方中其他药材对木香的检出无干扰。证明此法具专属性。

【检查】

按照丸剂 (《中国药典》2020年版四部通则0108) 项下规定, 对六批供试品的可溶性汞盐、乌头碱限量、水分、溶散时限、重量差异、浸出物和急性毒性试验进行了检查。具体方法及检测数据如下:

1. 可溶性汞盐: 按《中国药典》2020年版四部通则 (通则0301) 项下规定鉴别。取本品5g, 加水50ml, 搅匀, 滤过, 静置, 滤液未显汞盐的鉴别反应。

2. 乌头碱限量: 参照《中国药典》2020年版一部 "制草乌" 项下双酯型乌头碱的限量检查, 结果因受处方中其他药味的影响, 供试品溶液中双酯型乌头碱与其他杂质分不开。故参照《中国药典》2020年版一部 "制川乌" 和 "附子理中丸" 项下乌头碱限量检查方法, 拟定出本制剂乌头碱的限量检查方法及限度, 以控制质量, 确保安全、有效。供试品溶液的制备参照 "附子理中丸" 和 "制川乌" 限量检查项下的方法, 并结合本处方实际情况, 用氨试液碱化、乙醚作溶剂提取后, 浓缩, 无水乙醇溶解, 结果既保证了被测成分全部提净, 又可排除其他成分对试验结果的干扰 (具体方法见正文)。对三批供试品的检查结果表明, 供试品色谱中, 在与乌头碱对照品色谱相应位置上, 出现的斑点小于对照品的斑点。证明本品含乌头碱每1g小于18μg。说明本品中制草乌的炮制程度符合要求。

制草乌中乌头碱的限度值参照《中国药典》2020年版一部 "附子" 项下乌头碱限量检查计算, 乌头碱的限度为2mg/ml×5μl/6μl×2ml/20g≈0.167mg/g, 即每1g低于167μg。所以本制剂中乌头碱的理论限度应为: 100g/915g×0.167mg/g×1000≈18.2μg/g, 本标准草案设定的限度指标略低于理论限度, 说明方法可靠。《中国药典》2020年版一部规定制草乌用为1.5~3g。本品日最高服用量2g, 相当于制草乌100g/915g×2g=0.21g, 远远低于药典用量, 说明本品安全。本品含热制水银, 未收入正文。

3. 水分: 取供试品照水分测定法 (《中国药典》2020年版四部通则0832第一法) 测定, 6批供试品测得结果见表1。

表1 水分测定结果

序号	批号	水分（%）
1	20160707	5.3
2	M14090809	5.0
3	M14070608	6.1
4	M14060837	4.8
5	M14050607	4.4
6	20190408	5.4

《中国药典》（2020版）规定丸剂水分含量不得大于9.0%。从表1数据可见，6批供试品的水分含量均符合要求。

4. 溶散时限：取本品照片剂项下崩解时限检查法（《中国药典》2020年版四部通则0921）加挡板进行测定。六批供试品测得结果见表2。

表2 溶散时限测定结果

序号	批号	溶散时限（min）
1	20160707	36
2	M14090809	52
3	M14070608	49
4	M14060837	50
5	M14050607	31
6	20190408	31

《中国药典》（2020版）规定水丸应在1小时内全部溶散。表2数据可见，本品的溶散时限符合规定。

5. 重量差异：取以上六批供试品，每批供试品取10份，10丸为1份，分别称定重量，再与每份标示重量（2g）相比较，求每一份的重量差异（%）。药典规定每份标示装量的限度为±8%，并规定超出重量差异限度的不得多于2份，并不得有1份超出限度1倍。本品的重量差异检查结果均符合规定。

6. 浸出物：取本品照浸出物测定法（《中国药典》2020年版四部2201），分别按水浸出物的冷浸法测定。对三批供试品的测定结果见表3。

表3 浸出物测定结果

序号	批号	重量（g）	浸出物（%）
1	20160707	4.00	13.63
2	M14050607	4.00	20.10
3	20190408	4.00	15.38

从表3数据可见，本品的浸出物均符合规定。

7. 急性毒性试验：试验研究以及结果见本文后面的附件。

【含量测定】

孟根·沃斯-18丸是由热制水银、诃子、诃子汤泡草乌等十八味药组成。热制水银主要成分为硫化汞，且分析方法成熟，故选择硫化汞作为指标成分，对本制剂中的水银进行含量测定方法的研究。参照《中国药典》2020年版一部"朱砂"项下滴定法对其进行含量测定。通过试验分析，结果如下。

1 仪器与试剂试药

1.1 仪器

电子天平，电热套，滴定管，三角瓶，移液管。

1.2 试剂与试药

批号20190707供试品由内蒙古自治区国际蒙医医院提供,批号M14050607供试品由扎鲁特旗蒙医医院提供,批号M14090809供试品由锡林郭勒盟蒙医医院提供;高锰酸钾、硫酸亚铁、浓硫酸、浓盐酸、硫酸铁氨、硫化汞、硝酸钾、硫氰酸铵标准溶液。

2 样品含量测定

取样品粉末约0.3g,精密称定,置锥形瓶中,加硫酸10ml与硝酸钾1.5g,加热使溶解,放冷,加水50ml,并加1%高锰酸钾溶液至显粉红色,再滴加2%硫酸亚铁溶液至红色消失后,加硫酸铁铵指示液2ml,用硫氰酸铵滴定液(0.1mol/L)滴定。每1ml硫氰酸铵滴定液(0.1mol/L)相当于11.63mg的硫化汞(HgS)。三批供试品的含量测定结果见表4。

表4 硫化汞含量测定结果

批号	取药量(g)	加热时间(min)	滴定液体积(ml)	硫化汞含量(%)
20160707	0.3001	60	2.70	9.48
	0.3004	60	2.45	8.61
	0.3008	60	2.60	9.13
M14050607	0.3004	45	2.10	7.38
	0.3019	45	2.25	7.90
	0.3007	45	2.50	8.78
M14090809	0.3011	45	1.54	5.41
	0.3003	45	1.45	5.09
	0.3001	45	1.53	5.37

从表4数据可见,硫化汞含量在5.09%~9.48%范围内。未收入正文。

【功能与主治】

燥协日乌素,杀黏,愈合创伤。主治陶赖,赫如虎,巴木病,协日乌素病,关节疼痛,疱疹,疥疮等皮肤病和疮疡,疖痈等。

【用法与用量】

口服。一次7~11丸,一日1次,温开水送服。

【注意事项】

孕妇忌服,年老体弱者禁用;不易长期服用,使用一疗程后,应间断一疗程,定期检查肝、肾功能。

【规格】

每10丸重2g。

【贮藏】

密闭,防潮。

附件 昆明小鼠灌胃孟根·沃斯-18丸急性毒性试验研究报告

1 摘要

目的:

通过一天内大剂量(≥临床等效量的50倍)对昆明种小鼠灌胃孟根·沃斯-18丸,观察其产生的毒性反应及严重程度、主要毒性靶器官,为重复给药毒性研究计量设计和主要观察指标提供参考。

方法：

根据药物急性毒性预试验测定，无法测出LD_{50}，故采用急性毒性限度试验测定方法。小鼠按0.4ml/10g灌胃给药，给药1次，总给药体积为40ml/kg。成人每日最大剂量2.2g/（60kg·d），换算成小鼠临床等效最大剂量为0.275g/（kg·d）。配制药物最大可混悬浓度为0.6539g/ml，灌胃给药1次，给药剂量为26.1576g/（kg·d），经计算为临床给药量的95.12倍。故一天内给药1次，小鼠给药总量为临床等效量的95.12倍，给药后观察动物的临床症状，连续观察至第14天，每天进行体重、摄食量、饮水量测定。第15天解剖动物，并进行大体病理学检查，若发现病变，则对病变组织进行组织病理学检查。

结果：

（1）一般状态观察：给药后，供试品组动物自主活动减少，给药后第2天上述异常症状恢复。

（2）对动物体重的影响：试验期间，各组动物的体重增加之间比较，无显著性差异（$P>0.05$），说明孟根·沃斯–18丸对实验动物的体重无显著性影响。

（3）对动物摄食量的影响：试验期间，给药当天孟根·沃斯–18丸组动物摄食量略有减少。从给药第2天开始，各组动物的摄食量之间比较，无显著性差异（$P>0.05$），说明孟根·沃斯–18丸对实验动物的摄食量无显著性影响。

（4）病理学检查：大体病理学检查，肉眼观察组织、器官未发现异常或病变。

结论：

孟根·沃斯–18丸口服给药为无毒或低毒药物。

2 研究的一般信息

2.1 专题名称及研究目的

专题名称：昆明小鼠灌胃孟根·沃斯–18丸急性毒性试验研究报告。

研究目的：采用昆明小鼠，单次灌胃孟根·沃斯–18丸，观察其产生的毒性反应及严重程度、主要毒性靶器官，为重复给药毒性研究计量设计和主要观察指标提供参考。

2.2 研究遵循的GLP法规性文件

《药物非临床研究质量规范》（国家食品药品监督管理局令第34号，原CFDA 2017.09.01）。

2.3 所用毒性研究指导原则的文件和名称及参考文献

2.3.1 所用毒性研究指导原则的文件和名称

《药物单次给药毒性研究技术指导原则》（原CFDA 2014.05）。

《中药、天然药物急性毒性研究技术指导原则》（原CFDA 2005.03）。

2.3.2 所用参考文献

[1]陈奇. 中药药理研究方法学[M]. 北京：人民卫生出版社，2000.

[2]李仪奎. 中药药理试验方法学[M]. 上海：上海科学技术出版社，2006.

[3]魏伟，吴希美，李元建. 药理实验方法学[M]（第四版）. 北京：人民卫生出版社，2010.

3 实验材料

3.1 受试物及剩余受试物的处理

3.1.1 供试品

名称：孟根·沃斯–18丸。

提供单位：内蒙古自治区国际蒙医医院国家蒙药制剂中心。

批号：20140207。

3.1.2 剩余供试品的处理

对送样供试品留样60丸,留样保存至有效期2022年12月31日废弃。

3.2 实验系统

3.2.1 实验动物

动物种系、级别:小鼠,昆明种,SPF级。

繁育单位:内蒙古医科大学实验动物中心。

内蒙古医科大学实验动物中心实验动物生产许可证编号:SCXK(蒙)2015-0001。

发证机关:内蒙古自治区科学技术厅。

3.2.2 动物选择理由

作为一般毒性研究,昆明种小鼠是常用的啮齿类哺乳动物,且此种动物的国内外背景资料丰富,动物供应充足。

3.2.3 动物的饲养管理

3.2.3.1 动物的饲养环境

饲育环境:屏障环境。

温度:20~26℃,日温差≤3℃。

相对湿度:41%~64%。

换气次数:≥15次/小时。

照明时间:12/12明暗交替(150~300lx)。

动物笼具:PC材质小鼠饲养笼。

饲养密度:5只/笼。

笼具的换新频率:3次/周。

粪便的处理:在更换饲养盒时,随动物废弃垫料装入专用垃圾袋,密封后统一处理。

清扫与消毒:全部操作结束后清扫,采用0.1%新洁尔灭和0.2% 84消毒液进行轮换消毒,每周一次轮流交换消毒液的种类。

3.2.3.2 检疫

检疫与适应性饲养时程:7天(含购入日)。

3.2.3.2.1 购入日检疫内容:

动物外观健康检查:外表(有无外伤、卷尾、肿瘤、畸残等),体形(无消瘦、过肥),行动(有无倦怠、躁动),体温(有无发热、发冷),呼吸(有无呼吸不规律和异常呼吸音),被毛(有无竖毛、脱毛、脏污),鼻(有无流涕、出血、流脓),口腔(有无流涎、齿过长),眼(有无流泪、分泌物过多、眼球浑浊),耳(有无外伤、耳癣),生殖器(有无外伤、异常分泌物),尿(有无血尿),粪便(有无下痢、血便、脓便),其他异常。

3.2.3.2.2 第2~7天检疫驯化内容

每天上、下午对检疫动物进行观察各1次,检疫过程中,如出现外观、临床症状观察等任何异常现象以及对实验可能有影响的动物予以淘汰。

3.2.3.2.3 检疫驯化期体重测定

在检疫第1天(动物入室日)和第7天(分组前)称量动物体重。

3.2.3.3 饲料

饲料种类:^{60}Co放射灭菌鼠全价颗粒饲料。

生产单位:斯贝福(北京)实验动物科技有限公司。

斯贝福(北京)实验动物科技有限公司实验动物生产许可证编号:SCXK(京)2015-0015。

发证机关:北京市科学技术委员会。

给料方法:定时投饲,自由摄取。

饲料的保存:保存在专门的通风、清洁、干燥的饲料间里。

3.2.3.4　饮用水

种类:实验动物高压灭菌饮用水。

给水方法:饮水瓶不间断供水,自由摄取。

3.2.3.5　垫料

垫料名称:玉米芯垫料

提供单位:北京凌云博际(北京)科技有限公司。

北京凌云博际(北京)科技有限公司实验动物生产许可证编号:SCXK(京)2015-0014。

发证机关:北京市科学技术委员会。

灭菌方法:121℃、20分钟真空高压蒸汽灭菌。

3.2.4　动物的个体识别方法

分组前采用耳标记法;分组后采用躯体背部毛涂抹苦味酸溶液标记法。标记部位分别为头、背、尾、左前、左中、左后、右前、右中、右后和空白。鼠笼以笼卡标记组别、动物号、给药剂量及给药时间等信息。

3.3　药物剂量

成人临床每日用量为5~11粒。经测定药丸粒重,每10粒重约2.0g,一日1次,所以成人每日最小剂量为1.0g/(60kg·d),最大剂量为2.2g/(60kg·d),换算成小鼠临床等效最大剂量为0.275g/(kg·d),最大给药剂量为26.1576g/(kg·d),为人临床给药剂量的95.12倍。

3.4　实验试剂

水合氯醛(天津市大茂化学试剂厂,批号20181124),羧甲基纤维素钠(天津市致远化学试剂有限公司,批号20190304)。

3.5　实验仪器

电子天平(北京塞多利斯仪器系统有限公司,型号BS2202S),电子天平(北京塞多利斯仪器系统有限公司,型号BS2402S),实体解剖显微镜(德国Leica公司,型号DFC 290)。

4　实验方法

4.1　实验分组

选取健康昆明小鼠40只,雌雄各半。适应性饲养7天后,按性别、体重将小鼠随机分为空白对照组(0.5%CMC-Na)、供试品组(孟根·沃斯-18丸),共2组,每组20只,雌雄各半。

4.2　临床症状观察

观察时间和次数:

检疫期:每天上、下午各1次对检疫动物进行观察。

实验期:给药日:给药前、给药开始至给药结束后30分钟连续观察,如无异常则停止观察,如果有异常则继续观察至恢复正常为止,但最长不超过给药后2小时。下午观察一次。

非给药日:每天上、下午各观测一次;

观察例数:全部实验动物。

观察方法:隔笼观察,观察内容包括是否死亡、濒死、活动状况、外观及被毛、有无外伤、分辨情况等。

观察指征:见表1。

表1　临床症状观察

观察	指征	可能涉及的组织、器官、系统
I. 鼻孔呼吸阻塞, 呼吸频率和深度改变, 体表颜色改变	呼吸困难: 呼吸困难或费力, 喘息, 通常呼吸频率减慢	
	1. 腹式呼吸: 膈膜呼吸, 吸气时膈膜向腹部偏移	CNS呼吸中枢, 肋间肌麻痹, 胆碱能神经麻痹
	2. 喘息: 吸气很困难, 伴随有喘息声	CNS呼吸中枢, 肺水肿, 呼吸道分泌物蓄积, 胆碱能功能增强
	呼吸暂停: 用力呼吸后出现短暂的呼吸停止	CNS呼吸中枢, 肺心功能不全
	紫绀: 尾部、口和足垫呈现青紫色	肺心功能不全, 肺水肿
	呼吸急促: 呼吸快而浅	呼吸中枢刺激, 肺心功能不全
	鼻分泌物: 红色或无色	肺水肿, 出血
II. 运动功能: 运动频率和特征的改变	自发活动、探究、梳理、运动增加或减少	躯体运动, CNS
	嗜睡: 动物嗜睡, 但可被针刺唤醒而恢复正常活动	CNS睡眠中枢
	正位反射 (翻正反射) 消失: 动物体处于异常体位时所产生的恢复正常体位的反射消失	CNS, 感觉, 神经肌肉
	麻痹: 正位反射和疼痛反应消失	CNS, 感觉
	僵住: 保持原姿势不变	CNS, 感觉, 神经肌肉, 自主神经
	共济失调: 动物行走时无法控制和协调运动, 但无痉挛、局部麻痹、轻瘫或僵直	CNS, 感觉, 自主神经
	异常运动: 痉挛, 足尖步态, 踏步, 忙碌, 低伏	CNS, 感觉, 神经肌肉
	俯卧: 不移动, 腹部贴地	CNS, 感觉, 神经肌肉
	震颤: 包括四肢和全身的颤抖和震颤	神经肌肉, CNS
	肌束震颤: 包括背部、肩部、后肢和足趾肌肉的运动	神经肌肉, CNS, 自主神经
III. 惊厥 (癫痫发作): 随意肌明显的不自主收缩或痉挛性收缩	阵挛性惊厥: 肌肉收缩和松弛交替性痉挛	CNS, 呼吸衰竭, 神经肌肉, 自主神经
	强直性惊厥: 肌肉持续性收缩, 后肢僵硬性伸展	CNS, 呼吸衰竭, 神经肌肉, 自主神经
	强直性-阵挛性惊厥: 两种惊厥类型交替出现	CNS, 呼吸衰竭, 神经肌肉, 自主神经
	窒息性惊厥: 通常是阵挛性惊厥并伴有喘息和紫绀	CNS, 呼吸衰竭, 神经肌肉, 自主神经
	角弓反张:背部弓起、头向背部抬起的强直性痉挛	CNS, 呼吸衰竭, 神经肌肉, 自主神经
IV. 反射	角膜性眼睑闭合反射: 接触角膜导致眼睑闭合	感觉, 神经肌肉
	基本条件反射: 轻轻敲击耳内表面, 引起外耳抽搐	感觉, 神经肌肉
	正位反射: 翻正反射的能力	CNS, 感觉, 神经肌肉
	牵张反射: 后肢被牵拉至从某一表面边缘掉下时缩回的能力	感觉, 神经肌肉
	对光反射: 瞳孔反射, 见光瞳孔收缩	感觉, 神经肌肉, 自主神经
	惊跳反射: 对外部刺激 (如触摸、噪声) 的反应	感觉, 神经肌肉

续表

观察	指征	可能涉及的组织、器官、系统
V. 眼检	流泪: 眼泪过多, 泪液清澈或有色	自主神经
	缩瞳: 无论有无光线, 瞳孔缩小	自主神经
	散瞳: 无论有无光线, 瞳孔扩大	自主神经
	眼球突出: 眼眶内眼球异常突出	自主神经
	上睑下垂: 上睑下垂, 针刺后不能恢复正常	自主神经
	血泪症: 眼泪呈红色	自主神经, 出血, 感染
	瞬膜松弛	自主神经
	角膜混浊, 虹膜炎, 结膜炎	眼睛
VI. 心血管	心动过缓: 心率减慢	自主神经, 肺心功能不全
	心动过速: 心率加快	自主神经, 肺心功能不全
	血管舒张: 皮肤、尾、舌、耳、足垫、结膜、阴囊发红, 体热	自主神经、CNS、心输出量增加, 环境温度高
	血管收缩: 皮肤苍白, 体凉	自主神经、CNS、心输出量降低, 环境温度低
	心律不齐: 心律异常	CNS、自主神经、肺心功能不全, 心肌梗死
VII. 流涎	唾液分泌过多: 口周毛发潮湿	自主神经
VIII. 竖毛	毛囊竖毛组织收缩导致毛发蓬乱	自主神经
IX. 痛觉缺失	对痛觉刺激(如热板)反应性降低	感觉, CNS
X. 肌张力	张力低下: 肌张力全身性降低	自主神经
	张力过高: 肌张力全身性增高	自主神经
XI. 胃肠指征		
排便(粪)	干硬固体, 干燥, 量少	自主神经, 便秘, 胃肠动力
	体液丢失, 水样便	自主神经, 腹泻, 胃肠动力
呕吐	呕吐或干呕	感觉, CNS, 自主神经(小鼠无呕吐)
多尿	红色尿	肾脏损伤
	尿失禁	自主感觉神经
XII. 皮肤	水肿: 液体充盈组织所致肿胀	刺激性, 肾功能衰竭, 组织损伤, 长时间静止不动
	红斑: 皮肤发红	刺激性, 炎症, 过敏

4.3 体重测定

测定次数: 首次给药至给药后第14天, 连续14天进行体重测定。

测定例数: 全部实验动物。

测定方法: 用电子天平进行体重测定。

4.4 摄食量测定

测定次数: 首次给药至给药后第14天, 连续14天进行摄食量测定。

测定例数: 全部动物

测定方法: 第1天上午测定每个饲养笼所给饲料量, 次日上午相同时间测定剩余饲料量, 以二者差值计算每饲养笼动物的总进食量, 并计算该笼每只动物每天的平均进食量。

4.5 饮水量测定

测定次数: 首次给药至给药后第14天, 连续14天进行摄食量测定。

测定例数：全部动物

测定方法：第1天上午测定每个饲养笼所给水量，次日上午相同时间测定剩余水量，以二者差值计算每饲养笼动物的总饮水量，并计算该笼每只动物每天的平均饮水量。

4.6 病理学检查

4.6.1 剖检

剖检例数：全部预定解剖的动物，各组死亡或濒临死亡的动物。

剖检方法：对于全部预定解剖的动物和各组濒临死亡动物，腹腔注射20%水合氯醛进行麻醉。从腹腔后大静脉完全放血处死，然后进行解剖。如濒死动物，迅速解剖。

尸检：肉眼观察脑、脊髓、心脏、主动脉、肺（含支气管）、肝脏、肾脏、脾脏、胰脏、胃、十二指肠、空肠、回肠结肠、直肠、盲肠、睾丸、附睾、前列腺、卵巢、子宫、阴道、膀胱、脑垂体、甲状腺（含甲状旁腺）、颌下腺、肾上腺、坐骨神经、肌肉、肠系膜淋巴结、胸腺、乳腺（雌性）、胸骨，发现异常时对该组织脏器用10%的甲醛（睾丸、附睾和眼球用Davidson's液）进行固定保存，并进行组织病理学检查，如未发现异常，不进行固定保存。

4.6.2 组织病理学检查

检查方法：固定后的组织经修块取材，逐级酒精脱水，石蜡包埋，滑动切片机切片（厚度约3μm），经苏木精-伊红（HE）染色，光镜下进行检查。根据镜检结果，如果某些组织器官需用其他方法染色，以提供更多的组织病理学信息，则进一步进行特殊染色。

4.7 数据的统计与处理

对于体重、摄食量等数据均采用SPSS22.0按照以下方法进行统计，最终数据以$\bar{x}\pm s$表示：①首先用Barlett检验方法进行数据均一性检验，如有数据均一（检验$P\geq0.05$），则进行方差分析检验（F检验）；如果Barlett检验结果显著（$P<0.05$），则进行Kruskal-wallis检验。②如果方差分析检验结果显著（$P<0.05$），则进一步用Dunett参数检验法进行多重比较检验；如果方差分析结果不显著（$P\geq0.05$），则统计结束。③如果Kruskal-wallis检验结果显著（$P<0.05$），则进一步用Dunett非数检验法进行多重比较检验；如果Kruskal-wallis检验结果不显著（$P\geq0.05$），则统计结束。

如有临床症状观察、大体病理学检查结果、组织病理学检查结果，则无须进行统计学处理，直接列出观察结果。

5 结果

5.1 对动物临床症状的影响

给药后连续观察动物2周，小鼠进食，进水，活动，毛色，粪便姿势，躯体运动，呼吸频率，下腹及肛门周围有无污染，眼、鼻、口有无分泌物，体温等一切正常。

5.2 对动物体重的影响

试验期间，小鼠活动正常，健康活泼，小鼠无一死亡，无中毒反应，无其他异常现象。空白对照组和给药组小鼠体重比较，无显著性差异（$P>0.05$）。结果见表2、表3。

表2 孟根·沃斯-18丸对雄性小鼠体重的影响（$n=10$, g, $\bar{x}\pm s$）

组别	给药第1天	给药第7天	给药第14天
空白对照组	18.26±1.86	25.27±4.65	33.85±3.71
供试品组	17.92±2.64	26.26±2.82	32.17±4.38

表3 孟根·沃斯-18丸对雌性小鼠体重的影响（$n=10$, g, $\bar{x}\pm s$）

组别	给药第1天	给药第7天	给药第14天
空白对照组	18.33±5.30	21.93±6.17	31.48±1.74
供试品组	17.52±3.96	22.17±4.84	30.23±3.61

5.3 对动物摄食量的影响

试验期间,各组动物的摄食量之间比较,无显著性差异($P>0.05$)。结果见表4、表5。

表4 孟根·沃斯-18丸对雄性小鼠摄食量的影响($n=10$,g,$\bar{x}\pm s$)

组别	给药第1天	给药第7天	给药第14天
空白对照组	5.86±1.37	6.10±0.28	5.56±1.74
供试品组	4.56±0.83	6.86±0.53	5.35±1.48

表5 孟根·沃斯-18丸对雌性小鼠摄食量的影响($n=10$,g,$\bar{x}\pm s$)

组别	给药第1天	给药第7天	给药第14天
空白对照组	5.74±0.74	6.62±0.62	5.82±0.37
供试品组	5.57±1.33	5.66±0.46	6.57±0.14

5.4 对动物饮水量的影响

试验期间,各组动物的饮水量之间比较,无显著性差异($P>0.05$)。结果见表6、表7。

表6 孟根·沃斯-18丸对雄性小鼠饮水量的影响($n=10$,g,$\bar{x}\pm s$)

组别	给药第1天	给药第7天	给药第14天
空白对照组	5.39±1.92	5.91±2.49	6.02±2.47
供试品组	5.47±1.62	6.75±0.83	6.43±1.57

表7 孟根·沃斯-18丸对雌性小鼠饮水量的影响($n=10$,g,$x\pm s$)

组别	给药第1天	给药第7天	给药第14天
空白对照组	5.82±1.71	6.03±2.17	5.86±1.43
供试品组	6.54±1.24	5.89±0.31	6.62±1.39

5.5 病理学检查

大体病理学检查,肉眼观察组织、器官未发现异常或病变。

6 结论

本实验条件下,昆明种小鼠灌胃给予孟根·沃斯-18丸,小鼠按0.4ml/10g灌胃给药,一日内给药1次,小鼠总给药量为40ml/kg,为人临床给药剂量的95.12倍。在观察期间内(0~14天),饲养观察2周,无任何异常及中毒反应,小鼠体重增加,行为、活动、进食一切正常。

结果表明,孟根·沃斯-18丸口服药为无毒或低毒药物。

起草单位: 内蒙古医科大学蒙医药学院　　　　斯琴图雅　莎础拉　邓·乌力吉

　　　　　　赤峰市药品检验所　　　　　　　　张海涛　吴　迪　张德瑞

　　　　　　内蒙古医科大学药学院　　　　　　肖云峰　钱新宇　王　娜　韩运琪　王建民

　　　　　　　　　　　　　　　　　　　　　　李建华　张双兰　程　前　籍紫薇

胡鲁森·竹岗-4丸质量标准起草说明

【历史沿革】

本方来源于《蒙医药选编》(内蒙古人民出版社1975年版,蒙古文,第357页)。

【处方来源】

本制剂由内蒙古自治区国际蒙医医院提供。

【名称】

胡鲁森·竹岗-4丸

【蒙药材和饮片的来源和执行标准】

1. 处方组成及药味排列顺序:天竺黄50g、人工牛黄50g、红花40g、西红花10g。

2. 处方中药味均收载于《中国药典》2020年版一部,其质量应符合该品种项下的有关规定。

【制法】

以上四味,除人工牛黄、西红花外,其余红花等两味,粉碎成细粉,将西红花研细,与人工牛黄和上述细粉配研,过筛,混匀,用水泛丸,打光,干燥,分装,即得。

【性状】

本品为姜黄色至黄色的水丸;气香, 味苦、微甘。

【鉴别】

本品为原药材细粉制成的水丸,方中西红花、天竺黄的显微特征较明显,故建立显微鉴别,并对处方中人工牛黄建立了薄层鉴别。

1. 试剂与试药

供试品:供试品(20200223、20200430、20200602)由内蒙古自治区国际蒙医医院提供,模拟样品(20200086)模拟。

对照品:胆酸对照品(批号100078-201415)、猪去氧胆酸对照品(100087-201411)、牛磺酸对照品(批号111616-201605)、牛胆粉对照药材(批号121095-201804)、红花对照药材(批号120907-201412),均购于中国食品药品检定研究院。

薄层板:硅胶G板,购于青岛海洋化工有限公司。

其他试剂均为分析纯,水为离子交换高纯水。

2. 试验方法与结果

(1)显微鉴别

西红花:柱头顶端表皮细胞管状或绒毛状,直径26~56μm,表面有稀疏纹理。天竺黄:不规则块片无色透明,边缘多平直,有棱角,遇水合氯醛试液溶化。

(2)人工牛黄薄层鉴别

参照《中国药典》2020年版一部"人工牛黄"项下的薄层条件,制定出正文所述的鉴别方法。通过阴性对照试验观察,方中其他药材对人工牛黄的检出无干扰,证明此方法具有专属性。

（3）红花薄层鉴别

参照《中国药典》2020年版一部"红花"项下的薄层制条件,制定出正文所述的鉴别方法。通过阴性对照试验观察,方中其他药材对红花的检出无干扰,证明此方法具有专属性。因红花药材含量测定,故将红花薄层鉴别未收入正文。

【检查】

按照丸剂（《中国药典》2020年版四部通则0108）项下规定,对三批供试品及模拟样品的水分、重量差异、溶散时限、重金属、砷盐进行了检查。具体方法及测定数据如下:

1. 水分:取供试品照水分测定法（《中国药典》2020年版四部通则0832）测定。三批供试品及模拟样品测定结果见表1。

表1　水分测定结果

序号	批号	水分（%）
1	20200223	4.9
2	20200430	5.0
3	20200602	5.1
4	20200086	5.0

药典规定丸剂水分含量不得大于9.0%。从表1数据可见,三批供试品和模拟样品的水分含量均符合要求。

2. 重量差异:取以上三批供试品,每批供试品取10份,10丸为1份,分别称定重量,再与每份标示重量（2g）相比较,求每一份的重量差异（%）。药典规定每份标示装量的限度为±8%,并规定超出重量差异限度的不得多于2份,并不得有1份超出限度1倍。本品的重量差异检查结果均符合规定。

3. 溶散时限:取本品照片剂项下崩解时限检查法（《中国药典》2020年版四部通则0921）加挡板进行测定。三批供试品测定结果见表2。

表2　溶散时限测定结果

序号	批号	溶散时间（min）
1	20200223	38
2	20200430	43
3	20200602	43

药典规定水丸应在1小时内全部溶散。从表2数据可见,本品的溶散时限符合规定。

4. 对三批供试品及模拟样品进行了重金属、砷盐考察,方法与结果如下:

重金属:分别取每个批号供试品0.5g、0.67g、1.0g、2.0g,按《中国药典》2020年版四部0821第二法检查。

供试品溶液的制备:取本品0.5g、0.67g、1.0g、2.0g,分别缓缓炽灼至完全炭化,放冷,加硫酸0.5ml,使湿润,低温加热至硫酸除尽后,加硝酸0.5ml,蒸干,至氧化氮蒸气除尽后,放冷,于600℃炽灼至完全灰化,放冷。加盐酸2ml,置水浴上蒸干后加水15ml,滴加氨试液至对酚酞指示液显中性,再加醋酸盐缓冲液（pH3.5）2ml,微热溶解后,移置纳氏比色管中,加水稀释至25ml,作为供试品溶液。

标准铅对照溶液的制备:另取配制供试品溶液的试剂两份,分别置瓷皿中蒸干后,加醋酸盐缓冲液（pH3.5）2ml,加水15ml微热溶解后,移置两支纳氏比色管中,分别加标准铅溶液（10μg/mlPb）2ml,再加水稀释至25ml,作为标准铅对照溶液。

检视:于上述供试品溶液和标准铅对照溶液中分别加硫代乙酰胺试液各2ml,摇匀,放置2分钟,同置白色背景上,从上向下进行观察。结果显示,供试品溶液的颜色明显浅于1ml的标准铅对照溶液。经过三批供试品及模拟样品的检查, 含重金属均未超过百万分之十, 故未收入正文。试验结果见表3。

表3 重金属检查结果

序号	批号	重金属含量(ppm)			
1	20200223	<10	<20	<30	<40
2	20200430	<10	<20	<30	<40
3	20200602	<10	<20	<30	<40
4	20200086	<10	<20	<30	<40

结果显示, 供试品溶液的颜色明显浅于2ml的标准铅对照溶液。经过3批供试品及模拟样品的检查, 含重金属均未超过百万分之十, 故未收入正文。

砷盐: 取本品1g和标准砷溶液(1μg/mlAS)2ml, 分别加无砷氢氧化钙1g, 加少量水, 搅匀, 烘干, 用小火缓缓炽灼至炭化, 再在600℃炽灼至完全灰化, 放冷。分别加盐酸7ml使溶解, 再加水21ml, 按《中国药典》2020年版四部通则0822第一法(古蔡氏法)做砷盐限量检查。

结果: 供试品砷斑浅于标准砷斑的颜色, 表明本品含砷量未超过百万分之二(小于2ppm), 故砷盐检查项目未收入正文。

【含量测定】

胡鲁森·竹岗-4丸是由天竺黄、人工牛黄、红花、西红花四味药组成的蒙药制剂, 具有解热清肺的功效。参照《中国药典》2020年版一部"红花"项下的含量测定方法, 以羟基红花黄色素A为指标, 采用高效液相色谱法, 建立含量测定方法。经方法学考察和对三批供试品的测定结果表明, 该方法操作简单、重复性好、准确度高、专属性强。

1 仪器与试剂试药

1.1 仪器

高效液相色谱仪(日本岛津)、LC-20ATVP泵、SPD-20AVP检测器、SCL-20AVP色谱工作站、Sartorius ME5型电子天平、Mettler AE-100电子分析天平、JD200-2型电子天平、AS 5150A超声清洗仪。

1.2 试剂与试药

供试品(20200223、20200430、20200602)由内蒙古自治区国际蒙医医院提供, 模拟样品(20200086)模拟; 羟基红花黄色素A对照品(批号111637-201609), 购于中国食品药品检定研究院; 乙腈为色谱纯, 甲醇为分析纯和色谱纯, 其他试剂均为分析纯, 水为离子交换高纯水。

2 方法学考察

2.1 色谱条件

2.1.1 色谱柱: 色谱柱填充剂为十八烷基硅烷键合硅胶, 本试验研究采用Diamonsil C$_{18}$柱(250mm×4.6mm, 5μm)和Shim-pack C$_{18}$柱(250mm×4.6mm, 5μm)。

2.1.2 流动相的选择: 参照《中国药典》2020年版一部"红花"项下含量测定方法, 经试验摸索, 以甲醇-乙腈-0.7%磷酸溶液(26:2:72)为流动相, 样品分离效果较好, 保留时间适中, 故确定其作为本品含量测定的流动相。

2.1.3 柱温: 试验中对30℃和40℃柱温进行了比较, 结果保留时间略有差异, 但分离度及理论板数没有变化, 本试验研究选择柱温为30℃。

2.1.4 检测波长的选择: 取羟基红花黄色素A对照品适量, 加25%甲醇制成每1ml含0.03mg的溶液, 通过二极管阵列检测器, 自190~800nm进行光谱扫描, 结果羟基红花黄色素A在403nm处有最大吸收, 结合《中国药典》2020年版一部"红花"项下选择403nm作为测定波长。

2.1.5 理论板数的确定: 对多批样品测定结果表明, 羟基红花黄色素A峰的理论板数在3000以上能达到与相邻峰分开, 并符合《中国药典》规定R>1.5的要求, 故确定羟基红花黄色素A峰的理论板数应不低于3000。

2.2 提取溶剂的选择及提取效率的考察

2.2.1 提取溶剂的选择

参照《中国药典》2020年版一部"红花"项下含量测定方法, 选择25%甲醇作为提取溶剂。

2.2.2 提取效率的考察

取本品(批号20200223)5份, 各约0.3g, 精密称定, 分别置具塞锥形瓶中, 精密加入25%甲醇25ml, 密塞, 称定重量, 分别超声20分钟、30分钟、40分钟、60分钟、90分钟, 取出, 放冷, 再称定重量, 用甲醇补足减失的重量, 摇匀, 滤过, 即得。按上述色谱条件测定, 测得结果见表4。

表4 提取时间考察

提取时间(min)	平均峰面积(n=2)	含量(mg/g)
20	1002231	2.624
30	1022378	2.657
40	1025764	2.699
60	1019992	2.657
90	1016693	2.650

从表4数据可见, 超声提取40分钟, 羟基红花黄色素A的含量最高, 故确定超声时间为40分钟。

2.3 专属性考察

2.3.1 对照品溶液的制备: 取羟基红花黄色素A对照品适量, 加25%甲醇溶解, 制成每1ml含0.03mg的溶液, 作为对照品溶液。

2.3.2 供试品溶液的制备: 取本品约0.3g, 精密称定, 置具塞锥形瓶中, 精密加入25%甲醇25ml, 密塞, 称定重量, 超声处理(250W, 40kHz)40分钟, 放冷, 再称定重量, 用甲醇补足减失的重量, 摇匀, 滤过, 取续滤液, 作为供试品溶液。

2.3.3 阴性对照溶液的制备: 按处方比例并以相同工艺制备的缺红花的阴性对照样品, 按供试品溶液制备法制得阴性对照溶液。

2.3.4 测定: 分别精密吸取以上三种溶液各10μl, 注入色谱仪, 记录各自的色谱图。

试验结果显示: 供试品色谱中在与对照品色谱保留时间相同的位置上有色谱峰出现, 而阴性对照在与对照品色谱保留时间相同的位置上无色谱峰出现, 表明该含量测定方法阴性无干扰, 专属性好。

2.4 峰纯度检查

精密吸取2.3项下的对照品溶液和供试品溶液各10μl, 注入液相色谱仪, 以二极管阵列检测对被测成分羟基红花黄色素A峰进行纯度验证。结果表明被测供试品中羟基红花黄色素A峰为单一成分。

2.5 线性考察

取羟基红花黄色素A对照品2.646mg, 置25ml量瓶中, 加25%甲醇使溶解, 并稀释至刻度, 摇匀, 精密吸取3ml, 置10ml量瓶中, 加25%甲醇并稀释至刻度, 摇匀, 精密吸取2μl、5μl、10μl、15μl、20μl、30μl注入液相色谱仪, 按上述色谱条件测定, 以峰面积对进样量进行回归分析, 结果见表5。

表5 标准曲线数据及回归分析结果

对照品量(ng)	峰面积值	回归方程	回归系数(r)
58.296	165589		
145.740	430068	y=3199.87x−28219.6	0.9999
291.480	905675		

续表

对照品量（ng）	峰面积值	回归方程	回归系数（r）
437.220	1369187		
582.960	1837033	y=3199.87x−28219.6	0.9999
874.440	2771243		

从表5数据可见，羟基红花黄色素A在58.296~874.440ng范围内与峰面积值呈良好的线性关系。

2.6 稳定性试验

取同一供试品（批号20200223），分别在溶液制备后的0小时、2小时、4小时、6小时、8小时、10小时进行测定，结果见表6。

表6 不同时间测定供试品中羟基红花黄色素A的峰面积值

序号	时间（h）	峰面积值
1	0	1025642
2	2	1024173
3	4	1026218
4	8	1028596
5	12	1025349
6	24	1027237

从表6数据可见，羟基红花黄色素A在24小时内峰面积值基本稳定，能够满足测定所需要的时间。

2.7 重复性试验

取同一供试品（批号20200223）6份，每份约0.3g，精密称定，置具塞锥形瓶中，精密加入25%甲醇25ml，密塞，称定重量，超声处理（400W，50kHz）40分钟，放冷，再称定重量，用甲醇补足减失的重量，摇匀，滤过，取续滤液，作为供试品溶液。另取羟基红花黄色素A对照品适量，加25%甲醇溶解，制成每1ml含0.03mg的溶液，作为对照品溶液。分别精密吸取以上两种溶液各10μl，注入液相色谱仪，记录各自的色谱图，用外标法以峰面积计算含量。结果见表7。

表7 羟基红花黄色素A含量重复性试验结果

取样品量（g）	峰面积值（n=2）	含量（mg/g）	平均值（mg/g）	RSD（%）
0.3066	1028366	2.675		
0.3052	1027526	2.685		
0.3087	1029372	2.659	2.678	0.56
0.3040	1027525	2.695		
0.3078	1027456	2.662		
0.3043	1027303	2.692		

从表7数据可见，在相同的提取溶剂和色谱条件下，6份供试品含量测定结果的均值为2.678mg/g，RSD为0.56%，表明该方法的重复性良好。

2.8 回收率试验

取供试品（批号20200223，含量2.678mg/g）6份，每份约0.15g，精密称定，分别置具塞锥形瓶中，各精密加入羟基红花黄色素A对照品溶液（浓度为0.4558mg/g）1ml，再用滴定管加入25%甲醇24ml，摇匀，称定重量，分别按重复性试验项下色谱条件测定每份含量。结果见表8。

表8 羟基红花黄色素A加样回收试验结果

取样量（g）	供试品含量（mg）	对照品加入量（mg）	测得总量（mg）	回收率（%）	平均回收率（%）	RSD（%）
0.1507	0.4035		0.8585	99.82		
0.1503	0.4025		0.8595	100.26		
0.1505	0.4030	0.4558	0.8568	99.56	99.80	0.40
0.1500	0.4017		0.8548	99.40		
0.1502	0.4022		0.8595	100.32		
0.1505	0.4030		0.8564	99.47		

从表8数据可见，本方法的平均回收率为99.8%，RSD为0.4%。该方法准确度好。

2.9 加样回收率实验

取供试品（批号20200223，含羟基红花黄色素A 2.678mg/g）约0.07g，各6份，精密称定，分别精密加入羟基红花黄色素A对照品溶液1ml（浓度为0.2227mg/ml），再分别精密加25%甲醇24ml，作为低浓度加样供试品。另取供试品（批号20200223，含羟基红花黄色素A 2.678mg/g）约0.2g，各6份，精密称定，分别精密加入羟基红花黄色素A对照品溶液1ml（浓度为0.6706mg/ml），再分别精密加25%甲醇24ml，作为低浓度加样供试品。分别按准确度项下方法操作，计算回收率及低浓度、高浓度点各6份供试品的RSD，结果见表9、表10。

表9 加样回收试验结果（低浓度）

取样量（g）	供试品含量（mg）	对照品加入量（mg）	测得总量（mg）	回收率（%）	平均回收率（%）	RSD（%）
0.0706	0.1890		0.4137	100.89		
0.0703	0.1882		0.4138	101.30		
0.0704	0.1885	0.2227	0.4121	100.40	100.61	0.53
0.0706	0.1890		0.4136	100.85		
0.0701	0.1877		0.4098	99.73		
0.0702	0.1879		0.4118	100.53		

表10 加样回收试验结果（高浓度）

取样量（g）	供试品含量（mg）	对照品加入量（mg）	测得总量（mg）	回收率（%）	平均回收率（%）	RSD（%）
0.2072	0.5548		1.2349	101.41		
0.2069	0.5540		1.2170	98.86		
0.2066	0.5532	0.6706	1.2248	100.14	99.95	0.88
0.2081	0.5572		1.2225	99.20		
0.2095	0.5610		1.2316	100.00		
0.2087	0.5588		1.2303	100.13		

从表9、表10数据可见，在高低浓度两个点，均达到了重复性好、准确度和线性的要求。

2.10 耐用性试验

换不同厂家、不同型号的色谱柱，取重复性试验中的供试品及对照品溶液分别进样，测定含量，结果见表11。

表11 不同色谱柱的耐用试验

色谱柱型号	分离度	含量（mg/g）	相对偏差（%）
Diamonsil	>1.5	2.680	
Shim-pack C$_{18}$	>1.5	2.668	0.22

从表11数据可见，在使用不同型号或厂家的色谱柱时，对测定结果影响较小，具有较好的耐用性。

3 样品含量测定

取三批样品（20200223、20200430、20200602）及模拟样品（20200086），约1.0g，各两份，精密称定，按重复性试验项下的方法处理并测定，含量测定结果见表12。

表12 羟基红花黄色素A的含量测定

批号	取样量（g）	峰面积平均值	含量（mg/g）	平均含量（mg/g）
20200223	0.3017	1005117	2.692	2.680
	0.3008	993460	2.669	
20200430	0.3010	677283	1.818	1.825
	0.3014	683434	1.832	
20200602	0.3009	732543	1.967	1.958
	0.3003	724173	1.949	
20200086	0.3010	1758823	4.411	4.416
	0.3013	1764838	4.422	

从表12数据可见，样品中的羟基红花黄色素A含量均在1.8mg/g以上。

4 红花药材中的羟基红花黄色素A含量测定

在试验中用相同方法对上述两批样品生产用红花药材进行了含量测定，测定结果见表13。

表13 表13 红花中羟基红花黄色素含量测定结果

批号	含量（mg/g）	红花药材含量（%）
20200223	2.680	1.5
20200602	4.416	2.6

从表13数据可见，两批样品生产用红花药材羟基红花黄色素A的含量为15mg/g（1.5%）。

5 本制剂含量限度的确定

从表12数据可见，三批样品中羟基红花黄色素A的含量最高为2.680mg/g。红花药材羟基红花黄色素A含量为15mg/g（1.5%）。

按理论值折算，样品应含羟基红花黄色素A为15×40÷150＝4mg/g，可见，羟基红花黄色素A的转移率为2.680÷4×100%＝67%。

参照《中国药典》2020年版一部"红花"项下规定羟基红花黄色素A的含量限度不得少于1.0%，转移率为67%，考虑不同产地药材的质量差异，并结合其他影响因素及三批样品的测定结果，下浮20%，按此限度折算本品含羟基红花黄色素A的理论量应不低于40÷150×1000×1.0%×67%×80%＝1.42mg/g。

标准正文暂定为：本品每1g含红花以羟基红花黄色素A（$C_{27}H_{32}O_{16}$）计不得少于1.4mg。

【功能与主治】

清热，止咳。主治小儿肺热咳嗽，肝热黄疸，高热惊厥等小儿热性疾病。

【用法与用量】

口服。周岁以内小儿，一次5~11丸，一日1~2次；满一周岁小儿，一次15~25丸，一日1~2次；两至六周岁儿童，一次30~40丸，一日1~2次，或遵医嘱。温开水送服。

【规格】

每10丸重0.5g。

【贮藏】

密闭,防潮。

起草单位: 内蒙古自治区国际蒙医医院   阿木古楞   乌仁高娃   那松巴乙拉

　　　　　　赤峰市药品检验所   　　　　兰利军   王静宝   会伟哲

查干·哈日阿布日–16丸质量标准起草说明

【历史沿革】

本方来源于《医疗手册》（内蒙古人民出版社1973年版，蒙古文，第1265页）。

【处方来源】

本制剂由内蒙古自治区国际蒙医医院提供。

【名称】

查干·哈日阿布日–16丸

【药材和饮片的来源和执行标准】

1. 处方组成及药味排列顺序：照山白150g、白葡萄125g、石膏75g、山沉香75g、拳参75g、肉桂50g、广枣50g、海金沙50g、豆蔻50g、木香50g、丁香50g、甘草50g、肉豆蔻50g、荜茇50g、红花50g、石榴25g。

2. 方中除白葡萄、山沉香、照山白和石榴药材外，其余石膏等药味均收载于《中国药典》2020年版一部，其质量应符合该品种项下的有关规定。

照山白：为杜鹃花科植物照山白*Rhododendron micranthum* Turcz.的干燥叶。其标准应符合《中华人民共和国卫生部药品标准》（蒙药分册）1998年版第50页该品种项下的有关规定。

白葡萄：为葡萄科植物葡萄*Vitis vinifera* L.的干燥成熟果实。其标准应符合《中华人民共和国卫生部药品标准》（蒙药分册）1998年版第12页该品种项下的有关规定。

山沉香：为木犀科植物贺兰山丁香*Syringa pinnatifolia* Hemsl. var. *alashanensis* Ma. et S. Q. Zhou削去外皮的干燥枝。其标准应符合《中华人民共和国卫生部药品标准》（蒙药分册）1998年版第4页该品种项下的有关规定。

石榴：为石榴科植物石榴*Punicagranatum* L.的干燥成熟果实。其标准应符合《内蒙古蒙药材炮制规范》2020年版第119页该品种项下的有关规定。

【制法】

以上十六味，除白葡萄外，其余照山白等十五味，粉碎成粗粉，加白葡萄，粉碎，烘干，再粉碎成细粉，过筛，混匀，用水泛丸，打光，干燥，分装，即得。

【性状】

本品为浅黄色至棕黄色的水丸；气微香，味甘辛、微苦而涩。

【鉴别】

本品为药材粉末制成的水丸，方中甘草、丁香、广枣、红花的显微特征都比较明显，故建立显微鉴别，并对处方中木香、肉桂建立了薄层鉴别。

1. 试剂与试药

供试品：供试品（批号20200411、20200418、20200509）由内蒙古自治区国际蒙医医院提供，模拟样品（批号20200014）模拟。

对照品：桂皮醛对照品（批号110710–202022），木香对照药材（批号121011–201904），均购于中国食品药品检定研究院。

薄层板: 硅胶G板, 购于青岛海洋化工有限公司。模拟硅胶G板, 预制高效硅胶G板, 购于烟台化学工业研究所。

所用其他试剂均为分析纯, 水为离子交换高纯水。

2. 试验方法与结果

（1）显微鉴别

甘草: 纤维束周围薄壁细胞含草酸钙方晶, 形成晶纤维。丁香: 花粉粒三角形, 直径约16μm。红花: 花粉粒圆球形或椭圆形, 直径约60μm, 外壁有刺, 具3个萌发孔。广枣: 内果皮石细胞类圆形、椭圆形, 壁厚, 孔沟明显, 胞腔内充满淡黄棕色或棕红色颗粒状物。

（2）木香薄层鉴别

参照《中国药典》2020年版一部"木香"药材项下的薄层条件, 制定出正文所述的鉴别方法。通过阴性对照试验观察, 方中其他药材对木香的检出无干扰。证明此法具专属性。

（3）肉桂薄层鉴别

参照《中国药典》2020年版一部"肉桂"药材项下的薄层条件, 制定出正文所述的鉴别方法。通过阴性对照试验观察, 方中其他药材对肉桂的主要成分桂皮醛对照品的检出无干扰。证明此法具专属性。

【检查】

按照丸剂（《中国药典》2020年版四部通则0108）项下规定, 对三批供试品及模拟样品的水分、重量差异、溶散时限、重金属、砷盐和微生物限度进行了检查。具体方法及测定数据如下:

1. 水分: 取供试品照水分测定法（《中国药典》2020年版四部通则0832）测定。三批供试品及模拟样品测定结果见表1。

表1　水分测定结果

序号	批号	水分（%）
1	20200411	4.5
2	20200418	5.4
3	20200509	4.7
4	20200014	5.0

药典规定丸剂水分含量不得大于9.0%。从表1中可见本品水分含量均符合要求。

2. 重量差异: 取以上三批供试品, 每批供试品取10份, 10丸为1份, 分别称定重量, 再与每份标示重量（2g）相比较, 求每一份的重量差异（%）。药典规定每份标示装量的限度为±8%, 并规定超出重量差异限度的不得多于2份, 并不得有1份超出限度1倍。本品的重量差异检查结果均符合规定。

3. 溶散时限: 取本品按照片剂项下崩解时限检查法（《中国药典》2020年版四部通则0921）加挡板进行测定。三批供试品测定结果见表2。

表2　溶散时限测定结果

序号	批号	溶散时间（min）
1	20200411	25
2	20200418	27
3	20200509	22

药典规定水丸应在1小时内全部溶散。表2的结果显示, 本品的溶散时限符合规定。

4. 对三批供试品及模拟样品进行了重金属、砷盐考察。方法与结果如下:

重金属: 分别取每个批号供试品0.5g、0.67g、1.0g、2.0g, 按《中国药典》2020年版四部0821第二法检查。

供试品溶液的制备: 取本品0.5g、0.67g、1.0g、2.0g, 分别缓缓炽灼至完全炭化, 放冷, 加硫酸0.5ml, 使湿润, 低温加热至硫酸除尽后, 加硝酸0.5ml, 蒸干, 至氧化氮蒸气除尽后, 放冷, 于600℃炽灼至完全灰化, 放冷。加盐酸2ml, 置水浴上蒸干后加水15ml, 滴加氨试液至对酚酞指示液显中性, 再加醋酸盐缓冲液(pH3.5)2ml, 微热溶解后, 移置纳氏比色管中, 加水稀释至25ml, 作为供试品溶液。

标准铅对照溶液的制备: 另取配制供试品溶液的试剂两份, 分别置瓷皿中蒸干后, 加醋酸盐缓冲液(pH3.5)2ml, 加水15ml微热溶解后, 移置两支纳氏比色管中, 分别加标准铅溶液(10μg/mlPb)2ml, 再加水稀释至25ml, 作为标准铅对照溶液。

检视: 于上述供试品溶液和标准铅对照溶液中分别加硫代乙酰胺试液各2ml, 摇匀, 放置2分钟, 同置白色背景上, 从上向下进行观察。试验结果见表3。

表3 重金属检查结果

序号	批号	重金属含量(ppm)			
1	20200411	<10	<20	<30	<40
2	20200418	<10	<20	<30	<40
3	20200509	<10	<20	<30	<40
4	20200014	<10	<20	<30	<40

结果显示, 供试品溶液的颜色明显浅于2ml的标准铅对照溶液。经过3批供试品及模拟样品的检查, 含重金属均未超过百万分之十, 故未收入正文。

砷盐: 取本品1g和标准砷溶液(1μg/mlAS)2ml, 分别加无砷氢氧化钙1g, 加少量水, 搅匀, 烘干, 用小火缓缓炽灼至炭化, 再在600℃炽灼至完全灰化, 放冷。分别加盐酸7ml使溶解, 再加水21ml, 按《中国药典》2020年版四部通则0822第一法(古蔡氏法)做砷盐限量检查。

结果: 供试品砷斑浅于标准砷斑的颜色, 表明本品含砷量未超过百万分之二(小于2ppm), 故砷盐检查项目未收入正文。

5. 微生物限度: 照微生物计数法(《中国药典》2020年版四部通则1105)和控制菌检查法(《中国药典》2020年版四部通则1106)及《内蒙古蒙药制剂规范》(第三册)附录Ⅲ微生物限度标准, 进行检查, 结果均符合规定。

【含量测定】

查干·哈日阿布日-16丸是由照山白、肉桂、豆蔻、木香、丁香、荜茇、肉豆蔻、红花等十六味药组成的复方制剂。方中丁香比例较大, 故参照《中国药典》2020年版一部"丁香"项下的含量测定方法, 选择丁香酚作为指标成分, 对本制剂中的丁香进行了GC含量测定方法研究。经分析方法验证, 表明该方法重现性好, 专属性强, 方中其他组分对丁香酚的测定无干扰。

1 仪器与试剂试药

1.1 仪器

岛津GC-2014气相色谱仪, Sartorius BT25S型电子天平, Sartorius BSA223S型电子天平, Sartorius BSA224S型电子天平。

1.2 试剂与试药

供试品(批号20200411、20200418、20200509)由内蒙古自治区国际蒙医医院提供, 模拟样品(批号20200014)模拟; 丁香酚对照品(批号110725-201716)购于中国食品药品检定研究院; 丁香对照药材购于中国食品药品检定研究院;正己烷为分析纯。

2 方法学考察

2.1 色谱条件

2.1.1 色谱柱:参照《中国药典》2020年版一部"丁香"药材项下含量测定方法,色谱柱为以聚乙二醇(PEG-20M为固定相,涂布浓度为10%,担体ChromosorbWHP(60~80目),2.0~200mm玻璃柱;载气氮气50ml/min;燃气氢气30ml/min;空气40mV/min;柱温190℃;进样口温度220℃;检测器:DAD检测器,温度250℃。

2.1.2 柱温:采用190℃柱温。

2.1.3 理论板数的确定:经对三批样品测定的结果可见,色谱柱的理论板数按丁香酚峰计算,在1100~1200之间,即可达到较好的分离效果,故确定为不低于1000。

2.2 提取方法的选择及提取效率的考察

2.2.1 提取溶剂的选择:由于本品为丸剂,直接采用正己烷超声处理不易将被测成分提净,杂质干扰较大不适易,考虑到丁香酚在正己烷中易溶,丁香酚具有挥发性成分,直接采用挥发油提取的方法,使被测成分的杂质明显减少,又不影响色谱柱的使用寿命,正己烷与水分层效果好,故确定以正己烷作为提取溶剂。

2.2.2 提取效率的考察:本品为丸剂,需经直接采用提取挥发油。取本品6.5g,精密称定,置挥发油提取器中,加水300ml,并于测定管中加正己烷2ml,照挥发油测定法(《中国药典》2020年版通则2204二法)测定。提取5小时分取正己烷至10ml量瓶中,并稀释至刻度。5小时提取丁香酚的含量基本不再增加,为保证丁香酚提取完全,提取时间应不低于5小时,故确定使用挥发油提取的方法。

2.3 专属性考察

2.3.1 对照品溶液的制备:取丁香酚对照品适量,精密称定,加正己烷制成每1ml含2mg的溶液,即得。

2.3.2 供试品溶液的制备:取本品适量,研细,取约6.5g,精密称定,置1000ml圆底烧瓶中,加水300ml与玻璃珠数粒,连接挥发油测定器,自测定器上端加水使充满刻度部分,再加正己烷2ml,再连接回流冷凝管,加热回流5小时,放冷,分取正己烷液,测定器用正己烷洗涤3次,每次2ml,合并正己烷液于10ml量瓶中,加正己烷至刻度,摇匀,滤过,取续滤液,即得。

2.3.3 阴性对照溶液的制备:按处方配比制备不含丁香的阴性对照,称取约1.8g,精密称定,从"置具塞锥形瓶中……"起操作同"供试品溶液的制备",取续滤液,作为阴性对照溶液。

2.3.4 测定:分别精密吸取以上三种溶液各10μl,注入色谱仪,记录各自的色谱图。

结果为阴性对照色谱图中在与丁香酚对照品以及供试品色谱图相对应的保留时间处无色谱峰出现,表明其他组分对丁香酚的测定无干扰。

2.4 线性关系考察

取丁香酚对照品73.17mg,置25ml量瓶中,加正己烷使溶解,并稀释至刻度,摇匀(2.9268mg/ml),精密吸取0.5ml、1.0ml、2.0ml、3.0ml、4.0ml、5.0ml溶液分别置5ml量瓶中,加上己烷稀释至刻度,摇匀,各取1.0μl进样,按上述色谱条件测定。以峰面积对进样量进行回归分析,结果丁香酚在0.296~2.927μg范围内呈良好的线性关系。回归方程为:$y=3.27464x+17671.76998$($r=0.9999$)。

2.5 稳定性试验

取同一份供试品溶液,分别于0小时、2小时、4小时、8小时、12小时进样测定,在12小时内丁香酚峰面积值基本稳定不变。RSD为2.04%。

2.6 重复性试验

取同一批号供试品(批号20200411)5 各约6.5g,精密称定,分别按含量测定项下方法制备供试品溶液,测定含量。RSD为2.18%。

2.7 加样回收试验

取本品（批号20200411，含量2.3304mg/g）5份，各约3.50g，精密称定，置挥发油提取器中，各精密加入丁香酚对照品溶液（6.826mg/ml）1ml，再分别加入水适量，摇匀，精密加入正己烷20ml，密塞，称定重量，超声处理（功率500W，频率40kHz）20分钟，取出，放冷，再称定重量，用正己烷补足减失的重量，摇匀，滤过，取续滤液，作为供试品溶液。另精密称取丁香酚对照品适量，精密称定，加正己烷制成每1ml含2mg的溶液，作为对照品溶液。分别精密吸取各溶液10μl，注入液相色谱仪进行测定。按外标法以峰面积计算含量，结果见表4。

表4 丁香酚加样回收试验结果

序号	供试品量（g）	供试品含量（mg）	对照品加入量（mg）	测得总量（mg）	回收率（%）	平均回收率（%）	RSD（%）
1	3.6543	8.5159	6.8260	15.2057	98.00		
2	3.4767	8.1021	6.8260	14.8055	98.20		
3	3.6883	8.5952	6.8260	15.4535	100.47	99.23	1.39
4	3.5216	8.1857	6.8260	15.0784	100.97		
5	3.5326	8.2323	6.8260	14.9598	98.55		

从表4数据可见，本方法的平均回收率为99.23%，RSD为1.39%。该方法准确度好。

3 样品含量测定及含量限度确定

取样品（批号20200411、20200418、20200509）研细，称取约6.0g，精密称定，置1000ml圆底烧瓶中，加水300ml与玻璃珠数粒，连接挥发油测定器，自测定器上端加水使充满刻度部分，再加正己烷2ml，再连接回流冷凝管，加热回流5小时，放冷，分取正己烷液，测定器用正己烷洗涤3次，每次2ml，合并正己烷液于10ml量瓶中，加正己烷至刻度，摇匀，滤过，取续滤液，作为供试品溶液。另精密称取丁香酚对照品适量，精密称定，加正己烷制成每1ml含2mg的溶液，作为对照品溶液。分别精密吸取各溶液10μl，注入液相色谱仪进行测定。按外标法以峰面积计算含量，结果见表5。

表5 样品中丁香酚含量测定结果

批号	取样量（g）	测得峰面积值	含量（mg/g）	平均含量（mg/g）
20200411	6.5185	4895405	3.12	3.12
	6.5013	4871930	3.13	
20200418	6.5232	4012150	2.73	2.73
20200509	6.4102	4011985	2.56	2.57
	6.4005	4110490	2.58	

从表5数据可见，三批样品中丁香酚平均含量最高为3.12mg/g。

4 丁香药材含量测定

试验中采用《中国药典》2020年版一部"丁香"项下含量测定对上述三样品生产用丁香药材进行了含量测定，测定结果丁香药材含量为126.765mg/g（12.67%）。

5 本制剂含量限度的确定

从表中数据可见，三批样品中丁香酚的平均含量最高为3.12mg/g。丁香药材中丁香酚含量为126.76mg/g（12.676%）。

按理论值折算，样品应含丁香酚为50÷1025×126.76（mg/g）=6.18mg/g，可见，丁香酚的转移率为3.12（mg/g）÷6.18（mg/g）×100%=50.48%。

参照《中国药典》2020年版一部"丁香"药材的丁香酚含量限度不得少于11.0%，转移率为50.48%，考虑不同产地药材的质量差异,并结合其他影响因素及三批样品的测定结果,下浮25%,按此限度折算本品含丁香酚的理论量应不低于$50 \div 1025 \times 1000 \times 11.0\% \times 50.48\% \times 75\% = 2.03 \, mg/g$。

标准正文暂定为: 本品每1g含丁香以丁香酚($C_{10}H_{12}O_2$)计,不得少于2.0mg。

【功能与主治】

镇巴达干赫依,消肿,止咳平喘。用于巴达干赫依性头晕,气喘,慢性支气管炎,未消化症,浮肿,水肿,水臌。

【用法与用量】

口服。一次11~15丸,一日1~2次,温开水送服。

【规格】

每10丸重2g。

【贮藏】

密闭、防潮。

起草单位: 内蒙古自治区国际蒙医医院　　　格根图雅　松　来　青　松　那松巴乙拉
　　　　　包头市检验检测中心　　　　　　　赵光远　朱学友　王鸿宇

查干·嘎-9丸质量标准起草说明

【历史沿革】

处方来源于呼伦贝尔市蒙医医院经验方。

【处方来源】

本制剂由呼伦贝尔市蒙医医院提供。

【名称】

查干·嘎-9丸

【药材和饮片的来源和执行标准】

1. 处方组成及药味排列顺序：山柰60g、苏木60g、拳参60g、当归40g、沙棘40g、木香40g、大黄24g、芒硝24g、炒硇砂24g。

2. 处方中除炒硇砂药材外，其余山柰等药味均收载于《中国药典》2020年版一部，其质量应符合该品种项下的有关规定。

炒硇砂：为卤化物类矿物硇砂 *Sal Ammoniac* 的晶体，主含氯化铵。其标准应符合《内蒙古蒙药饮片炮制规范》2020年版第144页该品种项下的有关规定。

【制法】

以上九味，粉碎成细粉，过筛，混匀，用水泛丸，低温干燥，打光，分装，即得。

【性状】

本品为浅棕色至棕褐色的水丸；气香，味甘、苦、辛、微酸。

【鉴别】

本品为药材粉末制成的汤剂，方中山柰、苏木、大黄的显微特征较明显，故建立显微鉴别，并对处方中的山柰建立了薄层鉴别。

1. 试剂与试药

供试品：供试品（批号1810181、18101812、18101813）由呼伦贝尔市蒙医医院提供，模拟样品（批号20190828）模拟。

对照品：山柰对照药材（批号121504-201203），购于中国食品药品检定研究院。

薄层板：硅胶GF_{254}板，购于青岛海洋化工有限公司。

所用其他试剂均为分析纯，水为离子交换高纯水。

2. 试验方法与结果

（1）显微鉴别

苏木：纤维束橙黄色，周围薄壁细胞含草酸钙方晶，形成晶纤维。拳参：木栓细胞多角形，含棕红色物。当归：薄壁细胞纺锤形，壁略厚，表面有极微细的斜向交错纹理。沙棘：盾状毛由多个单细胞毛毗连而成，末端分离。

（2）山柰薄层鉴别

参照《中国药典》2020年版一部"山柰"项下薄层条件,制定出正文所述的鉴别方法。通过阴性对照试验观察,方中其他药材对山柰的检出无干扰。证明此法具专属性。

【检查】

按照丸剂(《中国药典》2020年版四部通则0108)项下的规定,对三批供试品及模拟样品的水分、重量差异、溶散时限、重金属、砷盐、微生物限度进行了检查。具体方法及测定数据如下:

1. 水分:取供试品照水分测定法(《中国药典》2020年版四部 通则0832)测定。三批供试品及模拟样品的测定结果见表1。

表1 水分测定法结果

序号	批号	水分(%)
1	1810181	5.87
2	1810182	5.79
3	1810183	5.80
4	20190828	5.82

药典规定丸剂水分含量不得大于9.0%。表1的结果显示,3批供试品和1批模拟样品的水分含量均符合要求。

2. 重量差异:取以上三批供试品,每批供试品取10份,10丸为1份,分别称定重量,再与每份标示重量(2g)相比较,求每一份的重量差异(%)。药典规定每份标示装量的限度为±8%,并规定超出重量差异限度的不得多于2份,并不得有1份超出限度1倍。本品的重量差异检查结果均符合规定。

3. 溶散时限:取本品照崩解时限检查法(《中国药典》2020年版四部通则0921)片剂项下加挡板进行测定。三批供试品测定结果见表2。

表2 溶散时限测定结果

序号	批号	溶散时间(min)
1	1810181	25
2	1810182	23
3	1810183	23

药典规定水丸应在1小时内全部溶散。表2的结果显示,本品的溶散时限符合规定。

4. 对三批供试品及模拟样品进行了重金属、砷盐考察。方法与结果如下:

重金属:分别取每个批号供试品0.5g、0.67g、1.0g、2.0g,按《中国药典》2020年版四部0821第二法检查。

供试品溶液的制备:取本品0.5g、0.67g、1.0g、2.0g,分别缓缓炽灼至完全炭化,放冷,加硫酸0.5ml,使湿润,低温加热至硫酸除尽后,加硝酸0.5ml,蒸干,至氧化氮蒸气除尽后,放冷,于600℃炽灼至完全灰化,放冷。加盐酸2ml,置水浴上蒸干后加水15ml,滴加氨试液至对酚酞指示液显中性,再加醋酸盐缓冲液(pH3.5)2ml,微热溶解后,移置纳氏比色管中,加水稀释至25ml,作为供试品溶液。

标准铅对照溶液的制备:另取配制供试品溶液的试剂两份,分别置瓷皿中蒸干后,加醋酸盐缓冲液(pH3.5)2ml,加水15ml微热溶解后,移置两支纳氏比色管中,分别加标准铅溶液(10g/mlPb)2ml,再加水稀释至25ml,作为标准铅对照溶液。

检视:于上述供试品溶液和标准铅对照溶液中分别加硫代乙酰胺试液各2ml,摇匀,放置2分钟,同置白色背景上,从上向下进行观察。试验结果见表3。

表3　重金属检查结果

序号	批号	重金属含量（ppm）			
1	1810181	<10	<20	<30	<40
2	1810182	<10	<20	<30	<40
3	1810183	<10	<20	<30	<40
4	20190828	<10	<20	<30	<40

结果显示，供试品溶液的颜色明显浅于2ml的标准铅对照溶液。经过3批供试品及模拟样品的检查，含重金属均未超过百万分之十，故未收入正文。

砷盐：取本品1g和标准砷溶液（1μg/mlAS）2ml，分别加无砷氢氧化钙1g，加少量水，搅匀，烘干，用小火缓缓炽灼至炭化，再在600℃炽灼至完全灰化，放冷。分别加盐酸7ml使溶解，再加水21ml，按《中国药典》2020年版四部通则0822第一法（古蔡氏法）做砷盐限量检查。

结果：供试品砷斑浅于标准砷斑的颜色，表明本品含砷量未超过百万分之二（小于2ppm），故砷盐检查项目未收入正文。

5. 微生物限度：照微生物计数法（《中国药典》2020年版四部通则1105）和控制菌检查法（《中国药典》2020年版四部 通则1106）及《内蒙古蒙药制剂规范》（第三册）附录Ⅲ微生物限度标准，进行检查，结果均符合规定。

【含量测定】

查干·嘎-9丸由山奈、苏木、拳参、当归、沙棘、木香、大黄、芒硝、炒硇砂九味药组成。临床功效化瘀，破痞；用于妇女血瘀，气血虚弱所致的闭经等症。参照《中国药典》2020年版一部"木香"项下高效液相色谱法对其进行含量测定，通过实验分析，结果分离效果和重现性好，专属性强，故收入正文中。

1　仪器与试剂试药

1.1　仪器

Waters e2695高效液相色谱仪，百万分之一电子天平（Mettler-TOledo MS105DU），万分之一电子天平（Mettler-TOledo XPR10），多功能粉碎机（FW400A 材茂科技有限公司），超纯水系统（Heal Force NW15UV），超声波恒温清洗器（SBL-22DT 宁波新芝生物科技股份有限公司）。

1.2　试剂与试药

供试品（批号1810181、1810182、1810183）由呼伦贝尔市蒙医医院提供，模拟样品（批号20190828）模拟；木香烃内酯照品（批号111524-201509），去氢木香内酯对照品（批号111525-201711），均购于中国食品药品检定研究院；甲醇为色谱纯，水为超纯水，其他试剂均为分析纯。

2　方法学考察

2.1　色谱条件

2.1.1　色谱柱：填充剂为十八烷基硅烷键合硅胶，本实验采用Pheomenex C₁₈（250mm*4.6mm，5μm）色谱柱。

2.1.2　流动相：选择以甲醇-水（65：35）为流动相，供试品中的木香烃内酯和去氢木香内酯与其他成分能达到较好的分离，色谱峰具有比较好的保留时间、分离度和对称性。

2.1.3　柱温：比较了30℃和35℃的柱温，结果在30℃的条件下，木香烃内酯和去氢木香内酯保留时间和峰型基本一致，而且分离效果比较好，因此，选择柱温35℃。

2.1.4　检测波长的选择：参照《中国药典》2020年版一部木香的含量测定方法中的测定波长，选用225nm处作为检测波长。

2.1.5　理论板数的确定：从对三批数据的测定结果可见，木香烃内酯和去氢木香内酯理论板数在4000以上即能达到较好的分离效果，故确定理论板数按木香烃内酯峰计算应不低于4000。

2.2 专属性考察

2.2.1 对照品溶液的制备：取木香烃内酯对照品、去氢木香内酯对照品适量，精密称定，加甲醇制成每1ml含木香烃内酯0.1mg、含去氢木香内酯0.08mg的混合对照品溶液，即得。

2.2.2 供试品溶液的制备：将本品研成粉末，取粉末约2.0g，精密称定，置具塞锥形瓶中，精密加入甲醇25ml，密塞，称定重量，超声处理（功率250W，频率40kHz）30分钟，放冷至室温，再称定重量，用甲醇补足减失的重量，摇匀，滤过，取续滤液，即得。

2.2.3 阴性对照溶液的制备：按处方配比制备阴性对照，称取约2.0g，精密称定，从"置具塞锥形瓶中……"起操作同"供试品溶液的制备"，取续滤液，作为阴性对照溶液。

2.2.4 测定：分别精密吸取以上三种溶液各10μl，注入液相色谱仪，记录各自的色谱图。

结果显示阴性对照色谱中在与木香烃内酯和去氢木香内酯对照品以及供试品色谱相应的保留时间处无色谱峰出现，表明其他组分对木香烃内酯和去氢木香内酯的测定无干扰。

2.3 线性关系考察

分别取木香烃内酯约2.5mg和去氢木香内酯对照品各约2.0mg，精密称定，置25ml量瓶中，用甲醇使溶解，并稀释至刻度，摇匀（木香烃内酯浓度为0.10304mg/ml，去氢木香内酯浓度为 0.0829mg/ml）；分别精密吸取上述对照品溶液2μl、5μl、10μl、15μl、20μl和25μl注入液相色谱仪测定，记录色谱图，按上述色谱条件测定以峰面积对进样量进行回归分析，标准曲线数值见表4和表5。

表4 木香烃内酯标准曲线数据及回归分析结果

进样量（μg）	峰面积值	回归方程	回归系数（r）
0.2061	284959		
0.5152	910210		
1.0304	1890584	$y=199126.2x-96017.5$	0.9999
1.5456	2915857		
2.0608	3887613		
2.5760	4867393		

表5 去氢木香内酯标准曲线数据及回归分析结果

进样量（μg）	峰面积值	回归方程	回归系数（r）
0.1658	133427		
0.4146	476744		
0.8292	1023804	$y=108779.0x-70131$	0.9999
1.2438	1578798		
1.6584	2105002		
2.0230	2637421		

从表4和表5数据可见，木香烃内酯在0.20608~2.576μg范围内呈良好的线性关系，去氢木香内酯在0.1658~2.073μg范围内呈良好的线性关系。

2.4 提取效率的考察

将供试品（批号20190828）研成粉末，取粉末约2.0g，精密称定，置具塞锥形瓶中，精密加入甲醇25ml，密塞，称定重量，超声20分钟、30分钟、40分钟放冷至室温，再称定重量，用甲醇补足减失的重量，摇匀，滤过，取续滤液，即得。另取木香烃内酯对照品、去氢木香内酯对照品适量，精密称定，加甲醇制成每1ml含木香烃内酯0.1mg、含去氢木香内酯0.08mg的混合对照品溶液，即得。含量测定结果见表6和表7。

表6 木香烃内酯提取效率考察表

时间（min）	称样量（g）	样品峰面积		平均	含量（mg/g）
		A	B		
20	1.4042	1158281	1188115	1173198	1.06
30	1.4053	1165417	1152367	1158892	1.04
40	1.4038	1162044	1227683	1194863.5	1.08

表7 去氢木香内酯提取效率考察表

时间（min）	称样量（g）	样品峰面积		平均	含量（mg/g）
		A	B		
20	1.4042	1198941	1203809	1201375	1.66
30	1.4053	1200299	1194113	1197206	1.66
40	1.4038	1221057	1270783	1245920	1.73

从表6和表7数据可见，超声提取20分钟、30分钟、40分钟供试品中木香烃内酯和去氢木香内酯的含量结果几乎无变化，同时，参照《中国药典》2020年版一部"木香"含量测定项下的超声时间，为超声30分钟，故本标准也将提取超声（功率250W，频率40kHz）时间定为30分钟。

2.5 溶液稳定性试验

取同一份供试品溶液（批号20190828），分别于0小时、2小时、4小时、6小时、8小时、10小时、12小时进行测定，结果见表8和表9。

表8 溶液的稳定性试验结果

序号	时间（h）	峰面积值	RSD（%）
1	0	1588243	
2	2	1543965	
3	4	1550405	
4	6	1545848	1.15
5	8	1579107	
6	10	1575905	
7	12	1573645	

表9 不同时间测定供试品中去氢木香内酯的峰面积值

序号	时间（h）	峰面积值	RSD（%）
1	0	1638755	
2	2	1621763	
3	4	1602255	
4	6	1652612	1.07
5	8	1617091	
6	10	1620092	
7	12	1642726	

从表8和表9数据可见，木香烃内酯和去氢木香内酯在12小时内的峰面积值基本稳定不变，能够满足测定所需要的时间。

2.6 精密度试验

取同一份供试品溶液（批号2191012001），取粉末约2.0g，精密称定，置具塞锥形瓶中，精密加入甲醇25ml，密塞，称定重量,超声处理(功率250W,频率40kHz)30分钟,放冷至室温,再称定重量,用甲醇补足减失的重量,摇匀,滤过,取续滤液,即得。连续进样6针,记录色谱图。测定木香烃内酯和去氢木香内酯面积的精密度计算结果见表10和表11。

表10 木香烃内酯精密度试验结果

序号	峰面积值	平均值	RSD(%)
1	1569937		
2	1562848		
3	1563219	1571671	0.92
4	1568715		
5	1564842		
6	1600467		

表11 去氢木香内酯精密度试验结果

序号	峰面积值	平均值	RSD(%)
1	1643754		
2	1595594		
3	1608208	1628267	1.53
4	1643640		
5	1617666		
6	1660737		

从表10和表11数据可见,符合《中国药典》2020年版四部通则0512中规定的RSD值小于2.0%的要求。

2.7 重复性试验

取同一批号供试品6份(批号20190828),取粉末约2.0g,精密称定,置具塞锥形瓶中,精密加入甲醇25ml,密塞,称定重量,超声处理(功率250W,频率40kHz)30分钟,放冷至室温,再称定重量,用甲醇补足减失的重量,摇匀,滤过,取续滤液,即得。另取木香烃内酯对照品、去氢木香内酯对照品适量,精密称定,加甲醇制成每1ml含木香烃内酯0.1mg、含去氢木香内酯0.08mg的混合对照品溶液,即得。测定每份供试品的含量。结果见表12和表13。

表12 木香烃内酯含量重复性试验结果

称样量(g)	样品峰面积		平均峰面积	含量(mg/g)	平均含量(mg/g)	RSD(%)
	A	B				
2.0033	1569285	1607228	1588256.5	1.05		
2.0008	1590951	1601373	1596162	1.06		
2.0006	1561009	1561422	1561215.5	1.03	1.05	0.75
2.003	1562860	1615873	1589366.5	1.05		
2.0026	1581891	1597656	1589773.5	1.05		
2.0039	1583708	1580852	1582280	1.05		

表13 去氢木香内酯含量重复性试验结果

称样量(g)	样品峰面积		平均峰面积	含量(mg/g)	平均含量(mg/g)	RSD(%)
	A	B				
2.0033	1638264	1639246	1638755	1.63	1.64	1.75
2.0008	1659937	1622779	1641358	1.64		
2.0006	1687007	1696905	1691956	1.69		
2.003	1632305	1688968	1660636.5	1.66		
2.0026	1613388	1616247	1614817.5	1.61		
2.0039	1627016	1616992	1622004	1.62		

从表12和表13数据可见，供试品在相同的细度、提取溶剂和色谱条件下，测定结果稳定。

2.8 加样回收试验

取已知含量（木香烃内酯含量：1.05mg/g，去氢木香内酯含量1.64mg/g）供试品3份，各2.0g，精密称定。分别从每份中分别取出1ml、2ml、3ml置9个5ml量瓶中，分成三组，每组三份，每组分别精密加入木香烃内酯对照品（浓度为0.084mg/ml）和去氢木香内酯对照品（浓度为0.13mg/ml）混合溶液各1ml、2ml、3ml（约相当于供试品含有量的50%、100%、150%），用甲醇定容到刻度，密塞，称定重量，超声处理（功率250W，频率40kHz）30分钟，放冷至室温，再称定重量，用甲醇补足减失的重量，摇匀，滤过，取续滤液，即得。另取木香烃内酯对照品、去氢木香内酯对照品适量，精密称定，加甲醇制成每1ml含木香烃内酯0.1mg、含去氢木香内酯0.08mg的混合对照品溶液，即得。测定每份的含量，计算回收率。结果见表14和表15。

表14 木香烃内酯加样回收试验结果

序号	称样量（g）	供试品含量（mg）	对照品加入量（mg）	测得总量（mg）	回收率（%）	平均回收率（%）	RSD（%）
1-1	2.0033	0.162	0.084	0.24	93.8		
2-1	2.0008	0.162	0.084	0.24	97.7		
3-1	2.0006	0.162	0.084	0.24	94.3		
1-2	2.0033	0.162	0.168	0.32	94.9		
2-2	2.0033	0.162	0.168	0.32	96.3	96.6	1.95
3-2	2.0006	0.162	0.168	0.32	96.6		
1-3	2.0033	0.162	0.252	0.41	98.7		
2-3	2.0008	0.162	0.252	0.41	98.1		
3-3	2.0006	0.162	0.252	0.41	96.8		

表15 去氢木香内酯加样回收试验结果

序号	样品量（g）	供试品含量（mg）	对照品加入量（mg）	测得总量（mg）	回收率（%）	平均回收率（%）	RSD（%）
1-1	2.0039	0.261	0.131	0.39	97.4		
2-1	2.0039	0.261	0.131	0.39	96.4		
3-1	2.0039	0.261	0.131	0.39	97.5		
1-2	2.0039	0.261	0.263	0.51	93.9		
2-2	2.0039	0.261	0.263	0.52	97.3	95.7	1.96
3-2	2.0039	0.261	0.263	0.50	81.5		
1-3	2.0039	0.261	0.394	0.63	94.7		
2-3	2.0039	0.261	0.394	0.64	96.6		
3-3	2.0039	0.261	0.3294	0.64	95.9		

从表14和表15数据可见，本方法的平均回收率为96.6%和95.7%，符合《中国药典》2020年版通则9101"分析方法验证指导原则"中"表2样品中待测定成分含量和回收率限度"的要求。

2.9 耐用性试验

取不同厂家、不同型号的色谱柱，考察本实验方法是否具备耐用性。取重复性试验中的1、2号供试品及对照品分别进样，测定含量，结果见表16和表17。

表16 不同色谱柱木香烃内酯的耐用性试验

样品号	柱型号	分离度	含量（mg/g）	相对偏差（%）
1	Pheomenex C₁₈	6.35	1.16	1.19
	Alltima C₁₈	3.51	1.23	
2	Pheomenex C₁₈	6.29	1.04	1.06
	Alltima C₁₈	3.55	1.09	

表17 不同色谱柱去氢木香内酯的耐用性试验

样品号	柱型号	分离度	含量（mg/g）	相对偏差（%）
1	Pheomenex C₁₈	4.93	1.88	1.90
	Alltima C₁₈	5.60	1.92	
2	Pheomenex C₁₈	4.89	1.70	1.73
	Alltima C₁₈	5.74	1.77	

从表16和表17数据可见，在使用不同型号或厂家的色谱柱时，对测定结果影响较小，具有较好的耐用性。

3 样品含量测定

取样品粉末各约2.0g，每批2份，精密称定，置具塞锥形瓶中，精密加入甲醇25ml，密塞，称定重量，超声处理（功率250W，频率40kHz）30分钟，放冷至室温，再称定重量，用甲醇补足减失的重量，摇匀，滤过，取续滤液，即得。另取木香烃内酯对照品、去氢木香内酯对照品适量，精密称定，加甲醇制成每1ml含木香烃内酯0.1mg、含去氢木香内酯0.08mg的混合对照品溶液，即得。在上述色谱条件下，吸取10μl，分别注入液相色谱仪，三批样品的含量测定结果见表18和表19。

表18 样品木香烃内酯的含量测定结果

批号	称样量（g）	样品峰面积 A	B	平均	含量（mg/g）	平均含量（mg/g）
1810181	2.006	1520652	1555950	1538301	1.06	1.07
1810181	2.0059	1562704	1594967	1578836	1.09	
1810182	2.0038	1614322	1642234	1628278	1.12	1.12
1810182	2.0007	1625914	1623621	1624768	1.12	
1810183	2.0066	1665898	1670600	1668249	1.15	1.80
1810183	2.0013	1635460	1627962	1631711	1.12	
20190828	2.0060	2365699	2520267	2442983	1.50	1.49
20190828	2.0010	2385786	2382594	2384190	1.47	

表19 样品去氢木香内酯的含量测定结果

批号	称样量（g）	样品峰面积 A	B	平均	含量（mg/g）	平均含量（mg/g）
1810181	2.006	1626681	1608822	1617752	1.69	1.72
1810181	2.0059	1638973	1687820	1663397	1.74	
1810182	2.0038	1698750	1731757	1715254	1.80	1.80
1810182	2.0007	1694286	1741779	1718033	1.80	
1810183	2.0066	1751548	1727184	1739366	1.82	1.80
1810183	2.0013	1713751	1689599	1701675	1.79	
20190828	2.006	2094591	2174262	2134427	2.12	2.09
20190828	2.001	2056562	2057684	2057123	2.05	

从表18和表19数据可见，木香烃内酯和去氢木香内酯总含量在3.61mg/g以上。

4 木香药材含量测定

同法对上述三批样品生产用木香药材进行木香烃内酯和去氢木香内酯含量测定，结果总含量为37.04mg/g，测定结果分别见表20和表21。

表20 木香药材的含量测定结果（木香烃内酯）

批号	取样量（g）	样品峰面积			含量（mg/g）	平均含量（mg/g）
		A	B	平均		
1	0.2028	2406508	2351108	2378808	16.18	16.11
2	0.2062	2404952	2390045	2397499	16.04	

表21 木香药材的含量测定结果（去氢木香内酯）

批号	取样量（g）	样品峰面积			含量（mg/g）	平均含量（mg/g）
		A	B	平均		
1	0.2028	2023051	2032099	2027575	20.99	20.93
2	0.2062	2045731	2050993	2048362	20.86	

从表20和表21数据可见，测得木香药材中木香烃内酯平均含量为16.11mg/g，去氢木香内酯平均含量为20.93mg/g。

5 本制剂含量限度的确定

从表中数据可见，三批样品中木香烃内酯和去氢木香内酯的总含量最低为3.61mg/g，模拟样品中木香烃内酯和去氢木香内酯的总含量为3.58mg/g。试验中用相同方法对生产用相同木香药材进行了含量测定，测得木香烃内酯和去氢木香内酯的总含量为37.04mg/g（3.7%）。

根据本品处方量折算，理论上每1g供试品含木香药材0.1075g，含木香烃内酯和去氢木香内酯的总量3.98mg。因此，转移率为90.7%到89.9%，平均转移率为90.3%。

参照《中国药典》2020年版一部"木香"药材的木香烃内酯和去氢木香内酯的总含量限度不得少于1.8%，转移率为90.3%，考虑不同产地药材的质量差异，并结合其他影响因素及三批样品的测定结果，下浮20%，按此限度折算本品含木香烃内酯和去氢木香内酯总的理论量应不低于20÷186×1.8%×1000×90.3%×80%=1.39mg/g。

标准正文暂定为：本品每1g含木香烃内酯（$C_{15}H_{20}O_2$）和去氢木香内酯（$C_{15}H_{18}O_2$）的总量计，不得少于1.4mg。

【功能与主治】

化瘀，破痞。用于妇女血瘀，气血虚弱所致的闭经等症。

【用法与用量】

口服。一次11~15丸，一日1~2次，温开水送服。

【注意事项】

孕妇慎用。

【规格】

每10丸重2g。

【贮藏】

密封，防潮。

起草单位：内蒙古医科大学附属医院 王秋桐

　　　　　　赤峰市药品检验所　　　张海涛 吴 迪 高丽梅 郭莘莘

　　　　　　内蒙古医科大学药学院　张跃祥 崔丽敏 孙丽君

查森·塔拉哈–25丸质量标准起草说明

【历史沿革】

本方来源于锡林郭勒盟蒙医医院经验方。

【处方来源】

本制剂由锡林郭勒盟蒙医医院提供。

【名称】

查森·塔拉哈–25丸

【蒙药材和饮片的来源和执行标准】

1. 处方组成及药味排列顺序：合成冰片20g、木棉花90g（木棉花萼30g +木棉花蕊30g+木棉花瓣30g）、石灰华40g、豆蔻40g、生草果仁36g、甘草36g、炒石花36g、香旱芹36g、余甘子26g、卷柏26g、射干26g、紫檀24g、檀香24g、木通24g、肉豆蔻24g、甘松22g、蓝盆花20g、木香20g、诃子20g、苦楝子20g、花苜蓿20g、红花18g、丁香16g。

2. 处方中除蓝盆花、石灰华、苦楝子、紫檀、香旱芹、炒石花、花苜蓿、木棉花（木棉花萼、木棉花蕊和木棉花瓣）药材外，其余冰片等药味均收载于《中国药典》2020年版一部，其质量应符合该品种项下的有关规定。

蓝盆花：为川续断科植物窄叶蓝盆花*Scabiosa comosa* Fisch.ex Roem.et Schult和华北蓝盆花*Scabiosa tschilliensis* Grunning的干燥花序。其标准应符合《中华人民共和国卫生部药品标准》（蒙药分册）1998年版第52页该品种项下有关规定。

苦楝子：为楝科植物楝*Melia azedarach* L.的果实。苦楝分布北至河北，南至广西、江西、云南，西至四川等地。川楝分布于甘肃、河南、湖北、湖南、广西、四川、贵州、云南等地。

石灰华：为碳酸盐类矿物，主含碳酸钙（$CaCO_3$）。其标准应符合《中华人民共和国卫生部药品标准》（藏药第一册）1995年版第25页该品种项下有关规定。

炒石花：为梅花衣科植物藻纹梅花衣*Parmelia saxatilis*（L.）Ach. 的干燥地衣体。其标准应符合《内蒙古蒙药饮片炮制规范》2020年版第116页该品种项下的有关规定。

紫檀：为豆科植物紫檀*Pterocarpus sindicus* Willd的干燥新材。其标准应符合《内蒙古蒙药饮片炮制规范》2020年版第440页该品种项下的有关规定。

香旱芹：为伞形科植物孜然芹*Cuminum cyminum* L. 的干燥成熟果实。其标准应符合《内蒙古蒙药饮片炮制规范》2020年版第334页该品种项下的有关规定。

花苜蓿：为豆科植物花苜蓿*Medicago ruthenica*（Linn）Trautv.的干燥全草。其标准应符合《中华人民共和国卫生部药品标准》（藏药第一册）1995年版第44页该品种项下有关规定。炮制方法见《青海省藏药炮制规范》2010年版第77页该品种项下有关规定。

木棉花：为木棉科植物木棉*Gossampinus malabarica*（DC.）Merr. 的干燥花（木棉花萼、木棉花蕊、木棉花瓣）。其标准应符合《内蒙古蒙药饮片炮制规范》2020年版第334页该品种项下的有关规定。

【制法】

以上二十五味,粉碎成细粉,过筛,混匀,用水泛丸,打光,干燥,分装,即得。

【性状】

本品为黄褐色至棕褐色的水丸;气微,味甘、苦、微涩。

【鉴别】

本品为原药材细粉制成的水丸,方中诃子、红花、肉豆蔻、甘草的显微特征较明显,故建立显微鉴别,并对处方中紫檀香建立了薄层鉴别。

1. 试剂与试药

供试品:供试品(批号201909101、201909102、201909103)由锡林郭勒盟蒙医医院提供,模拟样品(批号201909110)模拟。

对照品:紫檀香对照药材(批号121310–201302)购于中国食品药品检定研究院。

薄层板:硅胶G板,购于青岛海洋化工有限公司。

所用其他试剂均为分析纯,水为离子交换高纯水。

2. 试验方法与结果

(1)显微鉴别

诃子:石细胞成群,呈类圆形、长卵形、长方形或长条形,孔沟细密而明显;红花:花粉粒圆球形或椭圆形,直径约至60μm,外壁有刺,具3个萌发孔;肉豆蔻:脂肪油滴众多,加水合氯醛试液加热后渐形成针簇状结晶;甘草:纤维束周围薄壁细胞含草酸钙方晶,形成晶纤维。

(2)紫檀薄层鉴别

参考文献报道的紫檀薄层鉴别方法,制定出正文所述的鉴别方法。通过阴性对照试验观察,方中其他药材对紫檀的检出无干扰,证明此方法具有专属性。

【检查】

按照丸剂(《中国药典》2020年版四部通则0108)项下规定,对三批供试品及模拟样品的水分、重量差异、溶散时限、重金属、砷盐和微生物限度进行了检查。检查结果均符合规定。具体方法及测定数据如下:

1. 水分:取供试品照水分测定法(《中国药典》2020年版四部 通则0832)测定,三批供试品及模拟样品测定结果见表1。

表1 水分测定结果

序号	批号	水分(%)
1	201909101	4.88
2	201909102	4.92
3	201909103	4.90
4	201909110	4.57

药典规定丸剂水分含量不得大于9.0%。由表1的结果可见,3批供试品和1批模拟样品的水分含量均符合要求。

2. 重量差异:取以上三批供试品,每批供试品取10份,10丸为1份,分别称定重量,再与每份标示重量(2g)相比较,求每一份的重量差异(%)。药典规定每份标示装量的限度为±8%,并规定超出重量差异限度的不得多于2份,并不得有1份超出限度1倍。本品的重量差异检查结果均符合规定。

3. 溶散时限:取本品按照片剂崩解时限检查法(《中国药典》2020年版四部通则0921)项下加挡板进行测定。

三批供试品测定结果见表2。

表2 溶散时限测定结果

序号	批号	溶散时间（min）
1	201909101	31
2	201909102	29
3	201909103	35

药典规定水丸应在1小时内全部溶散。表2的结果显示，本品的溶散时限符合规定。

4. 对三批供试品及模拟样品进行了重金属、砷盐考察，方法与结果如下：

重金属：分别取每个批号样品0.5g、0.67g、1.0g、2.0g，按《中国药典》2020年版四部0821第二法检查。

供试品溶液的制备：取本品0.5g、0.67g、1.0g、2.0g，分别缓缓炽灼至完全炭化，放冷，加硫酸0.5ml，使湿润，低温加热至硫酸除尽后，加硝酸0.5ml，蒸干，至氧化氮蒸气除尽后，放冷，于600℃炽灼至完全灰化，放冷。加盐酸2ml，置水浴上蒸干后加水15ml，滴加氨试液至对酚酞指示液显中性，再加醋酸盐缓冲液（pH3.5）2ml，微热溶解后，移置纳氏比色管中，加水稀释至25ml，作为供试品溶液。

标准铅对照管的制备：另取配制供试品溶液的试剂两份，分别置瓷皿中蒸干后，加醋酸盐缓冲液（pH3.5）2ml，加水15 ml微热溶解后，移至两支纳氏比色管中，分别加标准铅溶液（10μg/mlPb）2ml，再加水稀释至25ml，作为标准铅对照管。

检视：于上述供试品溶液和标准铅对照管中分别加硫代乙酰胺试液各2ml，摇匀，放置2分钟，同置白色背景上，从上向下进行观察。试验结果见表3。

表3 重金属检查结果

序号	批号	重金属含量（ppm）			
1	201909101	<10	<20	<30	<40
2	201909102	<10	<20	<30	<40
3	201909103	<10	<20	<30	<40
4	201909110	<10	<20	<30	<40

结果显示，供试品溶液的颜色明显浅于2ml的标准铅对照溶液。经过3批供试品及模拟样品的检查，含重金属均未超过百万分之十，故未列入正文。

砷盐：取本品1g和标准砷溶液（1μg/mlAS）2ml，分别加无砷氢氧化钙1g，加少量水，搅匀，烘干，用小火缓缓炽灼至炭化，再在600℃炽灼至完全灰化，放冷。分别加盐酸7ml使溶解，再加水21ml，按《中国药典》2020年版四部通则0822第一法（古蔡氏法）检查砷盐含量。

结果：供试品砷斑浅于标准砷斑的颜色，表明本品含砷量未超过百万分之二（小于2ppm），故砷盐检查项目未列入正文。

5. 微生物限度：照微生物计数法（《中国药典》2020年版四部通则1105）和控制菌检查法（《中国药典》2020年版四部通则1106）及《内蒙古蒙药制剂规范》（第三册）附录Ⅲ微生物限度标准，进行检查。结果均符合规定。

【含量测定】

查森·塔拉哈–25丸是由蓝盆花、木香、诃子、豆蔻、丁香、红花、甘松、肉豆蔻等二十五味药组成的复方制剂。临床功效为清热；用于盛热，陈旧热，扩散于肉、皮、脉、骨之热，讧热，疫热，毒热等诸热病。方中红花具有活血通经，散瘀止痛的功效。用于经闭，痛经，恶露不行，癥瘕痞块，胸痹心痛，瘀滞腹痛，胸胁刺痛，跌扑损伤，疮疡肿痛。红花主含红花苷类，红花多糖和有机酸。其中查尔酮类成分羟基红花黄色素A是红花的主要活性成分，故选择羟基红花黄色素A作为指标成分,对本制剂中的红花进行含量测定方法的研究。经分析方法验证,表明该方法重现性好,专属性强,方中其他组分对羟基红花黄色素A的测定无干扰。

1　仪器与试剂试药

1.1　仪器

Waters e2695型高效液相色谱仪,Mettler-TOledo MS105DU型百万分之一电子天平,Mettler-TOledo XPR10型万分之一电子天平,SBL-22DT型超声波清洗器(宁波新芝生物科技股份有限公司,40kHz),Heal Force NW15UV型超纯水系统,FW400A型多功能粉碎机(材茂科技有限公司)。

1.2　试剂与试药

供试品(批号201909101、201909102、201909103)由锡林郭勒盟蒙医医院提供,模拟样品(批号201909110)模拟;羟基红花黄色素A对照品(批号111637-201810)购于中国食品药品检定研究院;甲醇、乙腈、三乙胺为色谱纯,水为超纯水,其他试剂均为分析纯。

2　方法学考察

2.1　色谱条件

2.1.1　色谱柱:色谱柱填充剂为十八烷基硅烷键合硅胶,本实验采用Agela Venusil XBP C$_{18}$(250mm×4.6mm,5μm)色谱柱。

2.1.2　流动相的选择:参照《中国药典》2020年版一部"红花"含量测定项下的测定方法,以甲醇-乙腈-0.7%磷酸溶液(26∶2∶72)为流动相进行条件摸索。结果羟基红花黄色素A峰型不对称,拖尾严重,加三乙胺调节0.7%磷酸溶液pH值至6.0后,供试品色谱图中的羟基红花黄色素A峰的对称性在0.95~1.05之间,与其他成分达到较好的分离,理论板数较高,并具有适宜的保留时间,故选择以甲醇-乙腈-0.7%磷酸溶液(26∶2∶72)用三乙胺调pH值为6.0为流动相。

2.1.3　柱温:35℃可以保证柱压较低,分离效果稳定,故选择柱温为35℃。

2.1.4　检测波长的选择:参照《中国药典》2020年版一部"红花"含量测定项下羟基红花黄色素A的测定方法,选用403nm处作为检测波长。

2.1.5　理论板数的确定:从对三批供试品的测定结果可见,羟基红花黄色素A峰理论板数在3000以上即能达到较好的分离效果,故规定理论板数按羟基红花黄色素A峰计不低于3000。

2.2　提取溶剂及提取效率的考察

参考《中国药典》2020年版一部"红花"含量测定项下的方法,以25%甲醇作为提取溶剂进行超声提取。为保证被测成分提取完全,在供试品的细度一致、提取溶剂一致、超声功率250W(频率40kHz)的条件下,实验中考察了30分钟、40分钟和50分钟等不同提取时间对提取效率的影响,结果见表4。

表4　提取时间考察

提取时间(min)	称样量(g)	峰面积平均值	含量(mg/g)
30	4.0089	1803325	0.38
40	4.0034	1788904	0.38
50	4.0060	1810128	0.38

从表4数据可见,超声提取30分钟、40分钟和50分钟供试品中羟基红花黄色素A的含量一致,参照《中国药典》2020年版一部"红花"含量测定项下的提取时间,将提取时间定为40分钟。

2.3　专属性考察

2.3.1　对照品溶液的制备:取羟基红花黄色素A对照品适量,精密称定,加25%甲醇制成每1ml含60μg的溶液,作为对照品溶液。

2.3.2 供试品溶液的制备: 取本品适量, 研细, 取约4.0g, 精密称定, 置具塞锥形瓶中, 精密加入25%甲醇25ml, 称定重量, 超声处理(功率250W, 频率40kHz)40分钟, 放冷, 再次称定重量, 用25%甲醇补足减失的重量, 摇匀, 滤过, 取续滤液, 作为供试品溶液。

2.3.3 阴性对照溶液的制备: 按本品处方配比制备不含红花的阴性供试品, 取约4.0g, 精密称定, 从"置具塞锥形瓶中……"起操作同"供试品溶液的制备", 取续滤液, 作为阴性对照溶液。

2.3.4 测定: 分别精密吸取上述三种溶液各10μl, 注入液相色谱仪, 记录各自的色谱图。

试验结果显示, 供试品色谱中在与对照品色谱保留时间相同的位置上有色谱峰出现, 而阴性对照在与对照品色谱保留时间相同的位置上无色谱峰出现, 表明该含量测定方法阴性无干扰。

2.4 线性关系考察

取羟基红花黄色素A对照品约3mg, 精密称定, 置50ml量瓶中, 加25%甲醇使溶解, 并稀释至刻度, 摇匀, 作为对照品溶液(对照品溶液实际浓度为56.79μg/ml); 分别精密吸取上述对照品溶液1μl、2μl、5μl、10μl、15μl、20μl、25μl注入液相色谱仪, 按上述色谱条件进行测定。以峰面积对对照品进样量进行回归分析, 结果见表5。

表5 标准曲线数据及回归分析结果

序号	进样量(μg)	峰面积值	回归方程	回归系数(r)
1	0.0570	138838		
2	0.114	316618		
3	0.284	854708		
4	0.568	1772222	$y=3248821.62x-58988.52$	1.0000
5	0.852	2697624		
6	1.14	3635448		
7	1.42	4562921		

从表5数据可见, 羟基红花黄色素A在0.0570~1.42μg范围内与峰面积呈良好的线性关系。

2.5 精密度试验

取同一份供试品(批号201909101)溶液, 连续进样6针, 记录色谱。羟基红花黄色素A峰面积的精密度计算结果见表6。

表6 精密度试验结果

序号	峰面积值	平均值	RSD(%)
1	1751302		
2	1753495		
3	1756934	1756596	0.25
4	1756435		
5	1764250		
6	1757161		

从表6数据可见, 符合《中国药典》2020年版四部通则0512中规定的RSD值小于2.0%的要求。

2.6 稳定性试验

取同一份供试品(批号201909101)溶液, 分别于制备溶液后的0小时、2小时、4小时、6小时、8小时、12小时进样测定, 结果见表7。

表7 溶液的稳定性试验结果

序号	时间（h）	峰面积值	RSD（%）
1	0	1782018	
2	2	1798127	
3	4	1817199	
4	6	1829021	1.18
5	8	1831017	
6	12	1836501	

从表7数据可见，羟基红花黄色素A在12小时内峰面积值基本稳定。

2.7 重复性试验

取同一供试品（批号201909101）6份，各约4.0g，精密称定，置具塞锥形瓶中，精密加入25%甲醇25ml，称定重量，超声处理（功率250W，频率40kHz）40分钟，放冷，再次称定重量，用25%甲醇补足减失的重量，摇匀，滤过，取续滤液，作为供试品溶液。取羟基红花黄色素A对照品适量，精密称定，加25%甲醇制成每1ml含60μg的溶液，作为对照品溶液。分别精密吸取以上两种溶液各10μl，注入液相色谱仪，记录各自的色谱图，用外标法以峰面积计算含量。结果见表8。

表8 羟基红花黄色素A重复性试验结果

称样量（g）	峰面积值	含量（mg/g）	平均含量（mg/g）	RSD（%）
4.0055	1782018	0.37		
4.0033	1789711	0.38		
4.0073	1752122	0.37	0.37	1.12
4.0076	1746231	0.37		
4.0037	1758122	0.37		
4.0023	1752399	0.37		

从表8数据可见，在相同的细度、提取溶剂和色谱条件下，6份供试品含量测定结果的均值为0.37mg/g，RSD为1.12%，表明该方法的重复性好。

2.8 加样回收试验

取已知含量（批号201909101；羟基红花黄色素A含量为0.37mg/g）的供试品9份，各约4.0g，精密称定，分别置9个具塞锥形瓶中，精密加入25%甲醇25ml，称定重量，超声处理40分钟，取出，再称重，用25%甲醇补足减失重量，分别从每份供试品溶液中精密取出3ml置9个10ml容量瓶中，分成三组，每组三份，再分别在其中3个容量瓶中精密加入浓度为56.79μg/ml的羟基红花黄色素A对照品溶液1.5ml（约相当于供试品含有量的50%），另3个容量瓶中各精密加入上述对照品溶液3ml（约相当于供试品含有量的100%），其余3个容量瓶中各精密加入上述对照品溶液4.5ml（约相当于供试品含有量的150%），9个容量瓶均用25%甲醇定容到刻度，摇匀，滤过，取续滤液，作为供试品溶液。分别精密吸取各溶液10μl进样测定，按外标法以峰面积计算含量并计算回收率。结果见表9。

表9 加样回收试验结果

称样量（g）	供试品含量（mg）	对照品加入量（mg）	测得总量（mg）	回收率（%）	平均回收率（%）	RSD（%）
4.0033	0.1777	0.0852	0.2586	94.9		
4.0002	0.1776	0.0852	0.2545	90.2		
4.0076	0.1779	0.0852	0.2557	91.3		
4.0064	0.1779	0.1704	0.3382	94.1	93.9	2.03
4.0079	0.1780	0.1704	0.3384	94.2		
4.0055	0.1778	0.1704	0.3382	94.1		

续表

称样量（g）	供试品含量（mg）	对照品加入量（mg）	测得总量（mg）	回收率（%）	平均回收率（%）	RSD（%）
4.0037	0.1778	0.2556	0.4242	96.4		
4.0022	0.1777	0.2556	0.4198	94.7	93.9	2.03
4.0031	0.1777	0.2556	0.4196	94.6		

从表9数据可见，本方法的平均回收率为93.9%，RSD为2.03%。该方法准确度好。

2.9 耐用性试验

取供试品（批号201909101）2份，各约4.0g，精密称定，按重复性试验项下的方法处理，换不同厂家、不同型号的色谱柱，分别测定供试品的含量。结果见表10。

表10 色谱柱耐用性试验

序号	称样量（g）	柱型号	峰面积值	含量（mg/g）
1	4.0055	Agela Venusil XBP C$_{18}$柱	1604743	0.33
		Phenomenex C$_{18}$柱	1560855	0.33
2	4.0033	Agela Venusil XBP C$_{18}$柱	1594516	0.33
		Phenomenex C$_{18}$柱	1559179	0.33

从表10数据可见，在使用不同型号或厂家的色谱柱时，对测定结果影响较小。

3 样品含量测定

取三批样品（批号201909101、201909102、201909103）及模拟样品（批号201909110），每批各2份，各约4.0g，精密称定，按重复性试验项下的方法处理并测定含量。测定结果见表11。

表11 样品中羟基红花黄色素A的含量测定结果

批号	称样量（g）	供试品峰面积值	峰面积平均值	含量（mg/g）	平均含量（mg/g）
201909101	4.0033	1788909 1804585	1801747	0.38	0.38
	4.0073	1764351 1769781	1767066	0.37	
201909102	4.0040	1814939 1821789	1818364	0.38	0.37
	4.0046	1732157 1732019	1732088	0.36	
201909103	4.0031	1800195 1800392	1800294	0.38	0.38
	4.0057	1791688 1784655	1788172	0.38	
201909110	4.0030	907402 903489	905446	0.18	0.19
	4.0076	983273 981817	982545	0.20	

从表11数据可见，三批样品和模拟样品中羟基红花黄色素A平均含量最低为0.19mg/g，最高为0.38mg/g。

4 红花药材含量测定

试验中采用同法对上述三批样品生产用红花药材进行了含量测定，测定结果见表12。

表12 红花药材中羟基红花黄色素A的含量测定结果

序号	称样量（g）	测得峰面积值	峰面积平均值	含量（mg/g）	平均含量（mg/g）
1	0.4043	5329309 5374511	5351910	10.82	
2	0.4040	5323322 5337663	5330493	10.78	10.80
3	0.4082	5391650 5392869	5392260	10.80	

从表12数据可见，红花药材中羟基红花黄色素A平均含量为10.80mg/g（1.08%）。

5 本制剂含量限度的确定

从表中数据可见，三批样品中羟基红花黄色素A最低含量在0.37mg/g，红花药材中羟基红花黄色素A含量为10.80mg/g（1.08%），模拟样品中羟基红花黄色素A含量为0.19 mg/g。

根据本品处方量折算，理论上每1g供试品含红花药材23.08mg，羟基红花黄色素A含量=23.08mg×1.08%=0.2493mg，即0.25mg/g。因此，转移率为0.19（mg/g）÷0.25（mg/g）×100%=76.21%。

参照《中国药典》2020年版一部"红花"药材项下规定的羟基红花黄色素A含量限度不得少于1.0%，转移率为76.21%，考虑不同产地药材的质量差异，并结合其他影响因素及三批样品的测定结果，下浮20%，按此限度折算本品含羟基红花黄色素A的理论量应不低于18÷664×1000×1.0%×76.21%×80%=0.165mg/g。

标准正文暂定为：本品每1g含红花以羟基红花黄色素A（$C_{27}H_{32}O_{16}$）计，不得少于0.15mg。

【功能与主治】

清热。主治盛热，陈旧热，扩散于肉、皮、脉、骨之热，讧热，疫热，毒热等诸热病。

【用法与用量】

口服。一次11~15丸，一日1~2次，温开水送服。

【规格】

每10丸重2g。

【贮藏】

密封，防潮。

起草单位： 内蒙古医科大学药学院　　　　张跃祥　崔圆圆　孙丽君
　　　　　　鄂尔多斯市检验检测中心　　　张　烨　杨　洋　孟美英
　　　　　　内蒙古自治区药品检验研究院　籍学伟　郭宝凤

查格德日质量标准起草说明

【历史沿革】

本方来源于《蒙医验方》（内蒙古自治区人民医院编，1971年版，蒙古文，第110页）。

【处方来源】

本制剂由内蒙古自治区国际蒙医医院提供。

【名称】

查格德日

【蒙药材和饮片的来源和执行标准】

1. 处方组成及药味排列顺序：煅羊颅40g、草乌叶40g、奶商陆40g、热制水银40g、山茶花20g、炒石花20g、石菖蒲20g、麦冬20g、枫香脂20g、制炉甘石20g、制木鳖20g、红花20g、煅龙骨20g、通经草20g、苦地丁20g、旋覆花20g、牛胆粉20g、没药20g、文冠木20g、决明子20g、苘麻子20g、多叶棘豆20g、甘松10g。

2. 处方中除煅羊颅、奶商陆、制炉甘石、山茶花、炒石花、煅龙骨、通经草、热制水银、牛胆粉、文冠木和多叶棘豆药材外，其余草乌叶等药味均收载于《中国药典》2020年版一部，其质量应符合该品种项下的有关规定。

煅羊颅：为牛科动物绵羊 *Ovis aries* Linnaeus的颅骨。其标准应符合《内蒙古蒙药饮片炮制规范》2020年版第488页该品种项下的有关规定。

奶商陆：为商陆科植物商陆 *Phytolacca acinosa* Roxb. 或垂序商陆 *Phytolacca americana* L. 的干燥根。其标准应符合《内蒙古蒙药饮片炮制规范》2020年版第128页该品种项下的有关规定。

山茶花：为山茶科植物山茶 *Camellia japonica* L.的干燥花。其标准应符合《内蒙古蒙药饮片炮制规范》2020年版第34页该品种项下的有关规定。

炒石花：为梅花衣科植物藻纹花衣 *Parmelia saxatilis* (L.) Ach.的干燥地衣体。其标准应符合《内蒙古蒙药饮片炮制规范》2020年版第116页该品种项下的有关规定。

制炉甘石：为碳酸盐类矿物方解石族菱锌矿 Smithsonito的石块。主含碳酸锌（$ZnCO_3$）。其标准应符合《内蒙古蒙药饮片炮制规范》2020年版第269页该品种项下的有关规定。

煅龙骨：为古代哺乳动物象类、犀类、三趾马、牛类、鹿类的骨骼化石。其标准应符合《内蒙古蒙药饮片炮制规范》2020年版第122页该品种项下的有关规定。

通经草：为中国蕨科植物银粉背蕨 *Aleuritopteris argentea* (Gmel.) Fee的干燥全草。其标准应符合《中华人民共和国卫生部药品标准》（蒙药分册）1998年版本第40页通经草项下的有关规定。

热制水银：为由砂矿冶炼生产的工业成品金属汞 Hydrargyrum，主含单质汞（Hg）。其标准应符合《内蒙古蒙药饮片炮制规范》2020年版347页该品种项下有关规定。

牛胆粉：为牛科动物牛 *Bos taurus domesticus* Gmelin的干燥胆汁。其标准应符合《内蒙古蒙药饮片炮制规范》2020年版第74页该品种项下的有关规定。

文冠木：为无患子科植物文冠木 *Xanthoceras sorbifolia* Bunge的干燥茎干。其标准应符合《内蒙古蒙药饮片炮制规范》2020年版第85页该品种项下的有关规定。

多叶棘豆: 为豆科植物多叶棘豆*Oxytropis myriophylla*（Pall.） DC.的干燥全草。其标准应符合《中华人民共和国卫生部药品标准》（蒙药分册）1998年版第14页该品种项下的有关规定。

【制法】

以上二十三味, 粉碎成细粉, 过筛, 混匀, 用水泛丸, 打光, 干燥, 分装, 即得。

【性状】

本品为棕色至棕褐色的水丸; 气微香, 味苦。

【鉴别】

本品为药材细粉制成的水丸。方中红花、旋覆花的显微特征比较明显, 故建立显微鉴别, 并对处方中牛胆粉建立薄层鉴别。

1. 试剂与试药

供试品: 供试品（批号20171011, 内蒙古自治区国际蒙医医院; 批号20180231, 锡林郭勒盟蒙医医院; 批号20170901, 扎赉特旗蒙医医院）提供, 模拟样品（批号20200014）模拟。

对照品: 牛胆粉对照药材（批号121197-201204）、胆酸对照品（批号100078-201415）均购于中国食品药品检定研究院。

薄层板: 硅胶G薄层板, 购于青岛海洋化工厂分厂生产（批号20191019）。

所用其他试剂均为分析纯, 水为离子交换高纯水。

2. 试验方法与结果

（1）显微鉴别

红花显微特征: 花粉粒类圆形、椭圆形或橄榄形, 外壁有齿状突起; 旋覆花显微特征: 花粉粒类球形, 外壁有刺, 具3个萌发孔。

（2）牛胆粉薄层鉴别

参照《内蒙古蒙药材标准（增补本）》2015年版第19页"牛胆粉"项下的薄层条件, 制定出正文所述的鉴别方法。通过阴性对照试验观察, 方中其他药材对牛胆粉的检出无干扰, 证明此方法具专属性。

【检查】

按照丸剂（《中国药典》2020年版四部通则0108）项下的规定, 对三批供试品及模拟样品的水分、重量差异、溶散时限、可溶性汞盐、微生物限度和急性毒性试验进行了检查。具体方法及测定数据如下:

1. 水分: 取供试品照水分测定法（《中国药典》2020年版四部 通则0832）测定。三批供试品及模拟样品的测定结果见表1。

表1 水分测定结果

序号	批号	水分（%）
1	20171011	4.8
2	20180231	4.3
3	20170901	4.4
4	20200014	4.5

药典规定丸剂水分含量不得大于9.0%。从表1中可见本品水分含量均符合要求。

2. 重量差异: 取以上三批供试品, 每批供试品取10份, 10丸为1份, 分别称定重量, 再与每份标示重量（2g）相比较, 求每一份的重量差异（%）。药典规定每份标示装量的限度为±8%, 并规定超出重量差异限度的不得多于2份,并不得有1份超出限度1倍。本品的重量差异检查结果均符合规定。

3. 溶散时限：取本品按照片剂项下崩解时限检查法（《中国药典》2020年版四部通则0921）加挡板进行测定。三批供试品测定结果见表2。

表2　溶散时限测定结果

序号	批号	溶散时间（min）
1	20171011	45
2	20180231	40
3	20170901	42

药典规定水丸应在1小时内全部溶散。表2的结果显示，本品的溶散时限符合规定。

4. 对三批供试品及模拟样品进行了汞限量检查考察，方法与结果如下：

汞限量检查：取本品粉末约0.30g，精密称定，置锥形瓶中，加硫酸10ml与硝酸钾1.5g，加热使溶解，放冷，加水50ml，并加1%高锰酸钾溶液至显粉红色，再滴加2%硫酸亚铁溶液至红色消失后，加硫酸铁铵指示液2ml，用硫氰酸铵滴定液（0.lmol/L）滴定。结果见表3。

表3　汞限量测定结果

批号	取样量（g）	汞含量（%）	平均含量（%）
20171011	0.3043	2.04	
20180231	0.3001	2.07	1.94
20170901	0.3006	1.73	

试验结果表明，本品最高汞含量为2.07%，最低汞含量为1.73%，平均汞含量为1.94%，因此规定，本品按干燥品计算，汞含量不得超过2.30%。

5. 微生物限度：照微生物计数法（《中国药典》2020年版四部通则1105）和控制菌检查法（《中国药典》2020年版四部通则1106）及《内蒙古蒙药制剂规范》（第三册）附录Ⅲ微生物限度标准，进行检查，结果均符合规定。

6. 急性毒性试验：试验研究以及结果见本文后面的附件。

【含量测定】

查格德日是由煅羊颅、草乌叶、奶商陆、苦地丁、山茶花、炒石花、石菖蒲、麦冬、枫香脂、制炉甘石、制木鳖子、红花、煅龙骨、通经草、热制水银、旋覆花、牛胆粉、没药、文冠木、决明子、茼麻子、甘松、多叶棘豆等二十三味药组成的复方制剂。红花为本方中的佐药，故选择了处方中红花中的对羟基红花黄色素A作为指标性成分，参照《中国药典》2020年版一部"红花"项下的含量测定方法，对本制剂中的木香进行了HPLC含量测定方法研究。经分析方法验证，表明该方法重现性好、专属性强，方中其他组分对木香烃内酯的测定无干扰。

1　仪器与试剂试药

1.1　仪器

Agilent Technologies 1260 Infinity II，AB135-S型电子分析天平（梅特勒-托利多），KQ-250型超声波清洗机（巩义予华仪器厂）。

1.2　试剂与试药

供试品（批号20171011，内蒙古自治区国际蒙医医院；批号20180231，锡林郭勒盟蒙医医院；批号20170901，扎赉特旗蒙医医院）提供，模拟样品（批号20200014）模拟；羟基红花黄色素A（批号111637-201609，供含量测定）购于中国食品药品检定研究院；甲醇为色谱纯（Fisher）；其他试剂均为分析纯。

2　方法学考察

2.1 色谱条件

2.1.1 色谱柱: 色谱柱填充剂为十八烷基硅烷键合硅胶, 本实验研究采用Agilent ZORBAX Eclipse XDB–C$_{18}$柱（250mm×4.6mm, 5μm）。

2.1.2 流动相的选择: 参照《中国药典》2020年版一部"红花"含量测定项下羟基红花黄色素A的测定方法, 以甲醇–乙腈–0.7%磷酸溶液（26∶2∶72）为流动相进行流动相条件摸索。结果供试品色谱中的羟基红花黄色素A具有较好的分离度, 理论板数较高, 并具有较适宜的保留时间, 故作为检测流动相。

2.1.3 柱温: 室温。

2.1.4 检测波长: 参照《中国药典》2020年版一部"红花"含量测定项下羟基红花黄色素A的测定方法, 选用403nm处作为检测波长。

2.1.5 理论板数的确定: 从对三批供试品的测定结果可见, 羟基红花黄色素A峰理论板数在3000以上即能达到较好的分离效果, 故规定理论板数按羟基红花黄色素A峰计不低于3000。

2.2 专属性考察

2.2.1 对照品溶液的制备: 取羟基红花黄色素A对照品适量, 精密称定, 加25%甲醇制成每1ml含1.0mg的溶液, 即得。

2.2.2 供试品溶液的制备: 取本品适量, 研细, 取约1g, 精密称定, 置具塞锥形瓶中, 精密加入25%甲醇50ml, 称定重量, 超声处理（功率250W, 频率40kHz）40分钟, 放冷, 再称定重量, 用25%甲醇补足减失的重量, 摇匀, 滤过, 取续滤液, 即得。

2.2.3 阴性对照溶液的制备: 按处方配比制备缺红花的阴性对照, 称取约1.8g, 精密称定, 从"置具塞锥形瓶中……"起操作同"供试品溶液的制备", 取续滤液, 作为阴性对照溶液。

2.2.4 测定: 分别精密吸取以上三种溶液各10μl, 注入色谱仪, 记录各自的色谱图。

结果阴性对照色谱图中在与羟基红花黄色素A对照品以及供试品色谱图相对应的保留时间处无色谱峰出现, 表明其他组分对羟基红花黄色素A的测定无干扰。

2.3 线性关系考察

精密称取羟基红花黄色素A对照品适量, 加甲醇制成每1ml含0.8mg的溶液（0.816mg/ml）, 作为对照品溶液, 精密吸取上述对照品溶液, 得到浓度分别为0.0025mg/ml, 0.0051mg/ml, 0.0102mg/ml, 0.0204mg/ml, 0.0408mg/ml, 0.0816mg/ml的系列对照品溶液。精密吸取10μl, 分别注入液相色谱仪测定。以峰面积对浓度进行回归分析, 标准曲线见表4。

表4 羟基红花黄色素A的标准曲线

序号	浓度C（mg/ml）	峰面积A	回归方程	回归系数（r）
1	0.0025	47		
2	0.0051	96.4		
3	0.0102	197.5	$y=26753x-46.656$	0.9995
4	0.0204	496.1		
5	0.0408	1038		
6	0.0816	2143		

从表4数据可见, 羟基红花黄色素A在63.75~2040μg范围内与峰面积值呈良好的线性关系。

2.4 精密度试验

取同一浓度对照品溶液（0.0102mg/ml）10μl, 重复进样5次, 测定。结果见表5。

表5 精密度考察结果

序号	峰面积	均值	RSD（%）
1	197.5		
2	193.2		
3	196.1	195.26	0.99
4	197.8		
5	193.5		

从表5数据可见，符合《中国药典》2020年版四部通则0512中规定的RSD值小于2.0%的要求。

2.5 加样回收率试验

取供试品（含量0.27mg/g）6份，各1.0g，精密称定，置具塞锥形瓶中，再精密加入羟基红花黄色素A对照品0.27mg，精密加入25%甲醇50ml，称定重量，超声处理（功率250W，频率40kHz）40分钟，放冷，再称定重量，用25%甲醇补足减失的重量，摇匀，滤过，取续滤液，作为供试品溶液。另精密称取羟基红花黄色素A对照品适量，精密称定，加25%甲醇制成每1ml含1.0mg的溶液，作为对照品溶液。分别精密吸取各溶液10μl，注入液相色谱仪进行测定。按外标法以峰面积计算含量，结果见表6。

表6 羟基红花黄色素A加样回收率试验结果

取样量（g）	样品含有量（mg）	对照品加入量（mg）	测得峰面积	测得总量（mg）	加样回收率（%）	平均回收率及RSD（%）
1.0037	0.2778	0.27	542	0.5576	103.6	
1.0058	0.2785	0.27	575	0.5576	103.4	
1.002	0.2808	0.27	614	0.5734	108.4	104.1
1.0001	0.2793	0.27	593	0.5463	98.9	3.8
1.0005	0.2783	0.27	571	0.5501	100.7	
1.0006	0.2784	0.27	608	0.5744	109.6	

从表6数据可见，平均回收率为104.1%，RSD为3.8%。准确度良好。

3 样品含量测定

取本品研细，称取约1.0g，精密称定，置具塞锥形瓶中，精密加入25%甲醇50ml，称定重量，超声处理（功率250W，频率40Hz）40分钟，放冷，再称定重量，用25%甲醇补足减失的重量，摇匀，滤过，取续滤液，作为供试品溶液。另精密称取羟基红花黄色素A对照品适量，精密称定，加25%甲醇制成每1ml含1.0mg的溶液，作为对照品溶液。分别精密吸取各溶液10μl，注入液相色谱仪进行测定。按外标法以峰面积计算含量，结果见表7。

表7 羟基红花黄色素A的含量测定结果

药材来源	取样量（g）	峰面积	测得含量（mg/g）	平均含量（mg/g）
	1.0443	243	0.2592	
20181108	1.0041	183	0.2137	0.2609
	1.0005	285	0.3098	
	1.0023	265	0.2906	
20180231	1.0051	285	0.3084	0.3012
	1.0201	286	0.3047	
	1.0181	195	0.2218	
20170901	1.0569	153	0.1765	0.1896
	1.0060	137	0.1706	

从表7数据可见, 三批样品中羟基红花黄色素A平均含量0.2506mg/g, 最高为0.3012mg/g, 最低为0.1896mg/g。

4　红花药材含量测定

无法提供三批样品生产相应批次的红花药材, 故按《中国药典》2020年版一部 "红花" 药材以羟基红花黄色素A($C_{27}H_{32}O_{16}$)计, 不得少于1.0%。

5　本制剂含量限度的确定

按《中国药典》2020年版一部 "红花" 药材的羟基红花黄色素A含量限度不得少于1.0%。考虑不同产地药材的质量差异, 并结合其他影响因素及三批样品的测定结果, 转移率下浮50%, 按此限度折算本品含羟基红花黄色素A的理论量应不低于$20 \div 530 \times 1.0\% \times 50\% \times 1000 = 0.188$mg/g。

标准正文暂定为: 本品每1g含红花以羟基红花黄色素A($C_{27}H_{32}O_{16}$)计, 不得少于0.20mg。

【功能与主治】

杀黏, 清热, 燥协日乌素, 止痛。主治血希日性头痛, 脑刺痛, 三种亚玛症, 偏头痛, 陶赖, 赫如虎, 巴木病, 关节痛, 吾亚曼, 协日乌素症, 半身不遂, 白脉病, 梅毒。

【用法与用量】

口服。一次7~11丸, 一日1次, 温开水送服。

【注意事项】

孕妇忌服, 年老体弱者慎用; 不易长期服用, 使用一疗程后, 应间断一疗程, 定期检查肝、肾功能。

【规格】

每10丸重2g。

【贮藏】

密封, 防潮。

附件　昆明小鼠灌胃查格德日急性毒性试验研究报告

1　摘要

目的:

通过一天内大剂量(≥临床等效量的50倍)对昆明种小鼠灌胃查格德日, 观察其产生的毒性反应及严重程度、主要毒性靶器官, 为重复给药毒性研究计量设计和主要观察指标提供参考。

方法:

根据药物急性毒性预试验测定, 无法测出LD_{50}, 故采用急性毒性限度试验测定方法。小鼠按0.4ml/10g灌胃给药, 给药2次, 总给药体积为80ml/kg。成人每日最大剂量6.0g/(60kg·d), 换算成小鼠临床等效最大剂量为0.75g/(kg·d)。配制药物最大可混悬浓度为0.704g/ml, 灌胃给药2次, 给药剂量为56.32g/(kg·d), 经计算为临床给药量的75.09倍。故一天内给药2次, 小鼠给药总量为临床等效量的75.09倍, 给药后观察动物的临床症状, 连续观察至第14天, 每天进行体重、摄食量、饮水量测定。第15天解剖动物, 并进行大体病理学检查, 若发现病变, 则对病变组织进行组织病理学检查。

结果:

(1)一般状态观察: 给药后, 供试品组动物自主活动减少, 给药后第2天上述异常症状恢复。

（2）对动物体重的影响：试验期间，各组动物的体重增加之间比较，无显著性差异（$P>0.05$），说明查格德日对实验动物的体重无显著性影响。

（3）对动物摄食量的影响：试验期间，给药当天查格德日组动物摄食量略有减少。从给药第2天开始，各组动物的摄食量之间比较，无显著性差异（$P>0.05$），说明查格德日对实验动物的摄食量无显著性影响。

（4）病理学检查：大体病理学检查，肉眼观察组织、器官未发现异常或病变。

结论：

查格德日口服给药为无毒或低毒药物。

2 研究的一般信息

2.1 专题名称及研究目的

专题名称：昆明小鼠灌胃查格德日急性毒性试验研究报告。

研究目的：采用昆明小鼠，单次灌胃查格德日，观察其产生的毒性反应及严重程度、主要毒性靶器官，为重复给药毒性研究计量设计和主要观察指标提供参考。

2.2 研究遵循的GLP法规性文件

《药物非临床研究质量规范》（国家食品药品监督管理局令第34号，原CFDA 2017.09.01）。

2.3 所用毒性研究指导原则的文件和名称及参考文献

2.3.1 所用毒性研究指导原则的文件和名称

《药物单次给药毒性研究技术指导原则》（原CFDA 2014.05）。

《中药、天然药物急性毒性研究技术指导原则》（原CFDA 2005.03）。

2.3.2 所用参考文献

[1]陈奇.中药药理研究方法学[M].北京：人民卫生出版社，2000.

[2]李仪奎.中药药理试验方法学[M].上海：上海科学技术出版社，2006.

[3]魏伟，吴希美，李元建.药理实验方法学[M]（第四版）.北京：人民卫生出版社，2010.

3 实验材料

3.1 受试物及剩余受试物的处理

3.1.1 供试品

名称：查格德日。

提供单位：内蒙古自治区国际蒙医医院国家蒙药制剂中心。

批号：20160516。

3.1.2 剩余供试品的处理

对送样供试品留样60丸，留样保存至有效期2022年12月31日废弃。

3.2 实验系统

3.2.1 实验动物

动物种系、级别：小鼠，昆明种，SPF级。

繁育单位：内蒙古医科大学实验动物中心。

内蒙古医科大学实验动物中心实验动物生产许可证编号：SCXK（蒙）2015-0001。

发证机关：内蒙古自治区科学技术厅。

3.2.2 动物选择理由

作为一般毒性研究，昆明种小鼠是常用的啮齿类哺乳动物，且此种动物的国内外背景资料丰富，动物供应充足。

3.2.3 动物的饲养管理

3.2.3.1 动物的饲养环境

饲育环境：屏障环境。

温度：20~26℃，日温差≤3℃。

相对湿度：41%~64%。

换气次数：≥15次/小时。

照明时间：12/12明暗交替（150~300lx）。

动物笼具：PC材质小鼠饲养笼。

饲养密度：5只/笼。

笼具的换新频率：3次/周。

粪便的处理：在更换饲养盒时，随动物废弃垫料装入专用垃圾袋，密封后统一处理。

清扫与消毒：全部操作结束后清扫，采用0.1%新洁尔灭和0.2% 84消毒液进行轮换消毒，每周一次轮流交换消毒液的种类。

3.2.3.2 检疫

检疫与适应性饲养时程：7天（含购入日）。

3.2.3.2.1 购入日检疫内容：

动物外观健康检查：外表（有无外伤、卷尾、肿瘤、畸残等），体形（无消瘦、过肥），行动（有无倦怠、躁动），体温（有无发热、发冷），呼吸（有无呼吸不规律和异常呼吸音），被毛（有无竖毛、脱毛、脏污），鼻（有无流涕、出血、流脓），口腔（有无流涎、齿过长），眼（有无流泪、分泌物过多、眼球浑浊），耳（有无外伤、耳癣），生殖器（有无外伤、异常分泌物），尿（有无血尿），粪便（有无下痢、血便、脓便），其他异常。

3.2.3.2.2 第2~7天检疫驯化内容

每天上、下午各1次对检疫动物进行观察。检疫过程中，如出现外观、临床症状观察等任何异常现象，对实验可能有影响的动物予以淘汰。

3.2.3.2.3 检疫驯化期体重测定

在检疫第1天（动物入室日）和第7天（分组前）称量动物体重。

3.2.3.3 饲料

饲料种类：^{60}Co放射灭菌鼠全价颗粒饲料。

生产单位：斯贝福（北京）实验动物科技有限公司。

斯贝福（北京）实验动物科技有限公司实验动物生产许可证编号：SCXK（京）2015-0015。

发证机关：北京市科学技术委员会。

给料方法：定时投饲，自由摄取。

饲料的保存：保存在专门的通风、清洁、干燥的饲料间里。

3.2.3.4 饮用水

种类：实验动物高压灭菌饮用水。

给水方法：饮水瓶不间断供水，自由摄取。

3.2.3.5 垫料

垫料名称：玉米芯垫料。

提供单位:北京凌云博际(北京)科技有限公司。

北京凌云博际(北京)科技有限公司实验动物生产许可证编号:SCXK(京)2015-0014。

发证机关:北京市科学技术委员会。

灭菌方法:121℃、20分钟真空高压蒸汽灭菌。

3.2.4 动物的个体识别方法

分组前采用耳标记法,分组后采用躯体背部毛涂抹苦味酸溶液标记法。标记部位分别为头、背、尾、左前、左中、左后、右前、右中、右后和空白。鼠笼有笼卡标记组别、动物号、给药剂量及给药时间等信息。

3.3 药物剂量

成人临床每日用量为11~15粒,经测定药丸粒重,每10粒重约2g,一日1~2次,所以成人每日最小剂量为2.2 g/(60kg·d),最大剂量6.0g/(60kg·d),换算成小鼠临床等效最大剂量为0.75g/(kg·d),最大给药剂量为56.32g/(kg·d),为人临床给药剂量的75.09倍。

3.4 实验试剂

水合氯醛(天津市大茂化学试剂厂,批号20181124),羧甲基纤维素钠(天津市致远化学试剂有限公司,批号20190304)。

3.5 实验仪器

电子天平(北京塞多利斯仪器系统有限公司,型号BS2202S),电子天平(北京塞多利斯仪器系统有限公司,型号BS2402S),实体解剖显微镜(德国Leica公司,型号DFC 290)。

4 实验方法

4.1 实验分组

选取健康昆明小鼠40只,雌雄各半。适应性饲养7天后,按性别、体重将小鼠随机分为空白对照组(0.5%CMC-Na)、供试品组(查格德日),共2组,每组20只,雌雄各半。

4.2 临床症状观察

观察时间和次数:

检疫期:每天上、下午各1次对检疫动物进行观察。

实验期:给药日:给药前、给药开始至给药结束后30分钟连续观察,如无异常则停止观察,如果有异常则继续观察至恢复正常为止,但最长不超过给药后2小时。下午观察一次。

非给药日:每天上、下午各观测一次。

观察例数:全部实验动物。

观察方法:隔笼观察,观察内容包括是否死亡、濒死、活动状况、外观及被毛、有无外伤、分辨情况等。

观察指征:见表1

表1 临床症状观察

观察	指征	可能涉及的组织、器官、系统
I.鼻孔呼吸阻塞,呼吸频率和深度改变,体表颜色改变	呼吸困难:呼吸困难或费力,喘息,通常呼吸频率减慢	
	1.腹式呼吸:膈膜呼吸,吸气时膈膜向腹部偏移	CNS呼吸中枢,肋间肌麻痹,胆碱能神经麻痹
	2.喘息:吸气很困难,伴随有喘息声	CNS呼吸中枢,肺水肿,呼吸道分泌物蓄积,胆碱能功能增强
	呼吸暂停:用力呼吸后出现短暂的呼吸停止	CNS呼吸中枢,肺心功能不全
	紫绀:尾部、口和足垫呈现青紫色	肺心功能不全,肺水肿

续表

观察	指征	可能涉及的组织、器官、系统
Ⅰ.鼻孔呼吸阻塞,呼吸频率和深度改变,体表颜色改变	呼吸急促:呼吸快而浅	呼吸中枢刺激,肺心功能不全
	鼻分泌物:红色或无色	肺水肿,出血
Ⅱ.运动功能:运动频率和特征的改变	自发活动、探究、梳理、运动增加或减少	躯体运动,CNS
	嗜睡:动物嗜睡,但可被针刺唤醒而恢复正常活动	CNS睡眠中枢
	正位反射(翻正反射)消失:动物体处于异常体位时所产生的恢复正常体位的反射消失	CNS,感觉,神经肌肉
	麻痹:正位反射和疼痛反应消失	CNS,感觉
	僵住:保持原姿势不变	CNS,感觉,神经肌肉,自主神经
	共济失调:动物行走时无法控制和协调运动,但无疼挛、局部麻痹、轻瘫或僵直	CNS,感觉,自主神经
	异常运动:疼挛,足尖步态,踏步,忙碌,低伏	CNS,感觉,神经肌肉
	俯卧:不移动,腹部贴地	CNS,感觉,神经肌肉
	震颤:包括四肢和全身的颤抖和震颤	神经肌肉,CNS
	肌束震颤:包括背部、肩部、后肢和足趾肌肉的运动	神经肌肉,CNS,自主神经
Ⅲ.惊厥(癫痫发作):随意肌明显的不自主收缩或疼挛性收缩	阵挛性惊厥:肌肉收缩和松弛交替性疼挛	CNS,呼吸衰竭,神经肌肉,自主神经
	强直性惊厥:肌肉持续性收缩,后肢僵硬性伸展	CNS,呼吸衰竭,神经肌肉,自主神经
	强直性-阵挛性惊厥:两种惊厥类型交替出现	CNS,呼吸衰竭,神经肌肉,自主神经
	窒息性惊厥:通常是阵挛性惊厥并伴有喘息和紫绀	CNS,呼吸衰竭,神经肌肉,自主神经
	角弓反张:背部弓起、头向背部抬起的强直性疼挛	CNS,呼吸衰竭,神经肌肉,自主神经
Ⅳ.反射	角膜性眼睑闭合反射:接触角膜导致眼睑闭合	感觉,神经肌肉
	基本条件反射:轻轻敲击耳内表面,引起外耳抽搐	感觉,神经肌肉
	正位反射:翻正反射的能力	CNS,感觉,神经肌肉
	牵张反射:后肢被牵拉至从某一表面边缘掉下时缩回的能力	感觉,神经肌肉
	对光反射:瞳孔反射,见光瞳孔收缩	感觉,神经肌肉,自主神经
	惊跳反射:对外部刺激(如触摸、噪声)的反应	感觉,神经肌肉
Ⅴ.眼检	流泪:眼泪过多,泪液清澈或有色	自主神经
	缩瞳:无论有无光线,瞳孔缩小	自主神经
	散瞳:无论有无光线,瞳孔扩大	自主神经
	眼球突出:眼眶内眼球异常突出	自主神经
	上睑下垂:上睑下垂,针刺后不能恢复正常	自主神经
	血泪症:眼泪呈红色	自主神经,出血,感染
	瞬膜松弛	自主神经
	角膜混浊,虹膜炎,结膜炎	眼睛刺激

续表

观察	指征	可能涉及的组织、器官、系统
Ⅵ.心血管	心动过缓:心率减慢	自主神经,肺心功能不全
	心动过速:心率加快	自主神经,肺心功能不全
	血管舒张:皮肤、尾、舌、耳、足垫、结膜、阴囊发红,体热	自主神经,CNS,心输出量增加,环境温度高
	血管收缩:皮肤苍白,体凉	自主神经,CNS,心输出量降低,环境温度低
	心律不齐:心律异常	CNS,自主神经,肺心功能不全,心肌梗死
Ⅶ.流涎	唾液分泌过多:口周毛发潮湿	自主神经
Ⅷ.竖毛	毛囊竖毛组织收缩导致毛发蓬乱	自主神经
Ⅸ.痛觉缺失	对痛觉刺激(如热板)反应性降低	感觉,CNS
Ⅹ.肌张力	张力低下:肌张力全身性降低	自主神经
	张力过高:肌张力全身性增高	自主神经
Ⅺ.胃肠指征		
排便(粪)	干硬固体,干燥,量少	自主神经,便秘,胃肠动力
	体液丢失,水样便	自主神经,腹泻,胃肠动力
呕吐	呕吐或干呕	感觉,CNS,自主神经(小鼠无呕吐)
多尿	红色尿	肾脏损伤
	尿失禁	自主感觉神经
Ⅻ.皮肤	水肿:液体充盈组织所致肿胀	刺激性,肾功能衰竭,组织损伤,长时间静止不动
	红斑:皮肤发红	刺激性,炎症,过敏

4.3 体重测定

测定次数:首次给药至给药后第14天,连续14天进行体重测定。

测定例数:全部实验动物。

测定方法:用电子天平进行体重测定。

4.4 摄食量测定

测定次数:首次给药至给药后第14天,连续14天进行摄食量测定。

测定例数:全部动物。

测定方法:第1天上午测定每个饲养笼所给饲料量,次日上午相同时间测定剩余饲料量,以二者差值计算每饲养笼动物的总进食量,并计算该笼每只动物每天的平均进食量。

4.5 饮水量测定

测定次数:首次给药至给药后第14天,连续14天进行摄食量测定。

测定例数:全部动物。

测定方法:第1天上午测定每个饲养笼所给水量,次日上午相同时间测定剩余水量,以二者差值计算每饲养笼动物的总饮水量,并计算该笼每只动物每天的平均饮水量。

4.6 病理学检查

4.6.1 剖检

剖检例数:全部预定解剖的动物、各组死亡或濒临死亡的动物。

剖检方法:对于全部预定解剖的动物和各组濒临死亡动物,腹腔注射20%水合氯醛进行麻醉。从腹腔后大静脉完全放血处死,然后进行解剖。如濒死动物,迅速解剖。

尸检：肉眼观察脑、脊髓、心脏、主动脉、肺（含支气管）、肝脏、肾脏、脾脏、胰脏、胃、十二指肠、空肠、回肠结肠、直肠、盲肠、睾丸、附睾、前列腺、卵巢、子宫、阴道、膀胱、脑垂体、甲状腺（含甲状旁腺）、颌下腺、肾上腺、坐骨神经、肌肉、肠系膜淋巴结、胸腺、乳腺（雌性）、胸骨，发现异常时对该组织脏器用10%的甲醛（睾丸、附睾和眼球用Davidson's液）进行固定保存，并进行组织病理学检查，如未发现异常，不进行固定保存。

4.6.2 组织病理学检查

检查方法：固定后的组织经修块取材，逐级酒精脱水，石蜡包埋，滑动切片机切片（厚度约$3\mu m$），经苏木精-伊红（HE）染色，光镜下进行检查。根据镜检结果，如果某些组织器官需用其他方法染色，以提供更多的组织病理学信息，则进一步进行特殊染色。

4.7 数据的统计与处理

对于体重、摄食量等数据均采用SPSS22.0按照以下方法进行统计，最终数据以$\bar{x}\pm s$表示：①首先用Barlett检验方法进行数据均一性检验，如有数据均一（检验$P\geq 0.05$），则进行方差分析检验（F检验）；如果Bartlett检验结果显著（$P<0.05$），则进行Kruskal-wallis检验。②如果方差分析检验结果显示（$P<0.05$），则进一步用Dunett参数检验法进行多重比较检验；如果方差分析结果不显著（$P\geq 0.05$），则统计结束。③如果Kruskal-wallis检验结果显著（$P<0.05$），则进一步用Dunett非数检验法进行多重比较检验；如果Kruskal-wallis检验结果不显著（$P\geq 0.05$），则统计结束。

如果有临床症状观察、大体病理学检查结果、组织病理学检查结果，则无须进行统计学处理，直接列出观察结果。

5 结果

5.1 对动物临床症状的影响

给药后连续观察动物2周，小鼠进食，进水，活动，毛色，粪便姿势，躯体运动，呼吸频率，下腹及肛门周围有无污染，眼、鼻、口有无分泌物，体温等一切正常。

5.2 对动物体重的影响

试验期间，小鼠活动正常，健康活泼，小鼠无一死亡，无中毒反应，无其他异常现象。空白对照组和给药组小鼠体重比较，无显著性差异（$P>0.05$）。结果见表2、表3。

表2 查格德日对雄性小鼠体重的影响（$n=10$, g, $\bar{x}\pm s$）

组别	给药第1天	给药第7天	给药第14天
空白对照组	18.26±1.86	25.27±4.65	33.85±3.71
供试品组	17.82±1.24	25.79±2.48	32.51±3.26

表3 查格德日对雌性小鼠体重的影响（$n=10$, g, $\bar{x}\pm s$）

组别	给药第1天	给药第7天	给药第14天
空白对照组	18.33±5.30	21.93±6.17	31.48±1.74
供试品组	17.13±2.62	23.09±4.41	30.63±2.15

5.3 对动物摄食量的影响

试验期间，各组动物的摄食量之间比较，无显著性差异（$P>0.05$）。结果见表4、表5。

表4 查格德日对雄性小鼠摄食量的影响（$n=10$, g, $\bar{x}\pm s$）

组别	给药第1天	给药第7天	给药第14天
空白对照组	5.86±1.37	6.10±0.28	5.56±1.74
供试品组	3.78±1.86	5.16±1.60	5.24±1.01

表5　查格德日对雌性小鼠摄食量的影响（n=10, g, $\bar{x}\pm s$）

组别	给药第1天	给药第7天	给药第14天
空白对照组	5.74±0.74	6.62±0.62	5.82±0.37
供试品组	3.84±1.19	5.54±1.71	5.69±2.74

5.4　对动物饮水量的影响

试验期间，各组动物的饮水量之间比较，无显著性差异（$P>0.05$），结果见表6、表7。

表6　查格德日对雄性小鼠饮水量的影响（n=10, g, $\bar{x}\pm s$）

组别	给药第1天	给药第7天	给药第14天
空白对照组	5.39±1.92	5.91±2.49	6.02±2.47
供试品组	3.81±1.32	6.27±2.97	5.94±1.33

表7　查格德日对雌性小鼠饮水量的影响（n=10, g, $\bar{x}\pm s$）

组别	给药第1天	给药第7天	给药第14天
空白对照组	5.82±1.71	6.03±2.17	5.85±1.26
供试品组	4.24±1.27	5.54±2.16	4.89±2.51

5.5　病理学检查

大体病理学检查，肉眼观察组织、器官未发现异常或病变。

6　结论

本实验条件下，昆明种小鼠灌胃给予查格德日，小鼠按0.4ml/10g灌胃给药，一日内给药2次，小鼠总给药量为80ml/kg，为人临床给药剂量的75.09倍。在观察期间内（0~14天），饲养观察2周，无任何异常及中毒反应，小鼠体重增加，行为、活动、进食一切正常。

结果表明，查格德日口服给药为无毒或低毒药物。

起草单位： 内蒙古医科大蒙医药学院　　阿拉坦敖日格勒　莎础拉　邓·乌力吉

鄂尔多斯市检验检测中心　　张　烨　杨　洋　孟美英

内蒙古医科大学药学院　　肖云峰　钱新宇　王　娜　韩运琪　王建民

李建华　张双兰　程　前　籍紫薇

泵阿-4丸质量标准起草说明

【历史沿革】

处方来源于《蒙医药选编》（内蒙古人民出版社1999年版，蒙古文，第368页）。

【处方来源】

本制剂由内蒙古自治区国际蒙医医院提供。

【名称】

泵阿-4丸

【蒙药材和饮片的来源和执行标准】

1. 处方组成及药味排列顺序：诃子60g、诃子汤泡草乌24g、荜茇18g、草乌叶10g。

2. 处方中除诃子汤泡草乌药材外，其余的诃子等药味均收载于《中国药典》2020年版一部，其质量应符合该品种项下的有关规定。

诃子汤泡草乌：毛茛科植物北乌头*Aconitum kusenzoffii* Reichb.的干燥块根。其标准应符合《内蒙古蒙药饮片炮制规范》2020年版第307页该品种项下有关规定。

【制法】

以上四味，粉碎成细粉，过筛，混匀，用水泛丸，打光，干燥，即得。

【性状】

本品为棕黄色至棕褐色的水丸；味微酸，苦。

【鉴别】

本品为药材细粉制成的水丸。方中大多数药味的显微特征比较明显，故对处方中草乌叶、荜茇建立显微鉴别，并对处方中的荜茇建立了薄层鉴别。

1. 试剂与试药

供试品：供试品（批号20190901、20190902、20190903）由内蒙古自治区国际蒙医医院提供，模拟样品（批号20200617）模拟。

对照品：胡椒碱对照品（批号110775-201706）购于中国食品药品检定研究院提供。

薄层板：硅胶G板，购入青岛海洋化工有限公司。

所用其他试剂均为分析纯，水为离子交换高纯水。

2. 试验方法与结果

（1）显微鉴别

荜茇：种皮细胞红棕色，长多角形，壁连珠状增厚。草乌叶：非腺毛单细胞，多呈镰刀状弯曲，长约至468μm，直径44μm，壁具疣状突起。

（2）荜茇薄层鉴别

参照《中国药典》2020年版一部"荜茇"项下的薄层条件，制定出正文所述的鉴别方法。通过阴性对照实验观察,处方中其他药材对荜茇的检出无干扰,证明此方法具专属性。

【检查】

按照丸剂(《中国药典》2020年版四部通则0108)项下的规定,对三批供试品及模拟样品的水分、重量差异、溶散时限、重金属、砷盐和微生物限度进行了检查。具体方法及测定数据如下:

1. 水分:取供试品照水分测定法(《中国药典》2020年版四部通则0832)测定。三批供试品及模拟样品的测定结果见表1。

表1 水分测定法结果

序号	批号	水分(%)
1	20190901	6.38
2	20190902	6.33
3	20190903	6.28
4	20200617	6.12

药典规定丸剂水分含量不得大于9.0%。从表1中可见本品水分含量均符合要求。

2. 重量差异:取以上三批供试品,每批供试品取10份,10丸为1份,分别称定重量,再与每份标示重量(2g)相比较,求每一份的重量差异(%)。药典规定每份标示装量的限度为±8%,并规定超出重量差异限度的不得多于2份,并不得有1份超出限度1倍。本品的重量差异检查结果均符合规定。

3. 溶散时限:取本品照崩解时限检查法(《中国药典》2020年版四部通则0921)片剂项下加挡板进行测定。三批供试品测定结果见表2。

表2 溶散时限测定结果

序号	批号	溶散时间(min)
1	20190901	25
2	20190902	29
3	20190903	24

药典规定水丸应在1小时内全部溶散。表2的结果显示,本品的溶散时限符合规定。

4. 对三批供试品及模拟样品进行了重金属和砷盐考察。方法与结果如下:

重金属:分别取每个批号供试品0.5g、0.67g、1.0g、2.0g,按《中国药典》2020年版四部0821第二法检查。

供试品溶液的制备:取本品0.5g、0.67g、1.0g、2.0g,分别缓缓炽灼至完全炭化,放冷,加硫酸0.5ml,使湿润,低温加热至硫酸除尽后,加硝酸0.5ml,蒸干,至氧化氮蒸气除尽后,放冷,于600℃炽灼至完全灰化,放冷。加盐酸2ml,置水浴上蒸干后加水15ml,滴加氨试液至对酚酞指示液显中性,再加醋酸盐缓冲液(pH3.5)2ml,微热溶解后,移置纳氏比色管中,加水稀释至25ml,作为供试品溶液。

标准铅对照溶液的制备:另取配制供试品溶液的试剂两份,分别置瓷皿中蒸干后,加醋酸盐缓冲液(pH3.5)2ml,加水15ml微热溶解后,移置两支纳氏比色管中,分别加标准铅溶液(10g/mlPb)2ml,再加水稀释至25ml,作为标准铅对照溶液。

检视:于上述供试品溶液和标准铅对照溶液中分别加硫代乙酰胺试液各2ml,摇匀,放置2分钟,同置白色背景上,从上向下进行观察。试验结果见表3。

表3 重金属检查结果

序号	供试品	重金属比色比浊			
1	20190901	<10	<20	<30	<40
2	20190902	<10	<20	<30	<40
3	20190903	<10	<20	<30	<40
4	20200617	<10	<20	<30	<40

结果显示,供试品溶液的颜色明显浅于2ml的标准铅对照溶液。经过3批供试品及模拟样品的检查,含重金属均未超过百万分之十,故未收入正文。

砷盐:取本品1g和标准砷溶液(1μg/mlAS)2ml,分别加无砷氢氧化钙1g,加少量水,搅匀,烘干,用小火缓缓炽灼至炭化,再在600℃炽灼至完全灰化,放冷。分别加盐酸7ml使溶解,再加水21ml,按《中国药典》2020年版四部通则0822第一法(古蔡氏法)做砷盐限量检查。

结果:供试品砷斑浅于标准砷斑的颜色,表明本品含砷量未超过百万分之二(小于2ppm),故砷盐检查项目未收入正文。

5. 微生物限度:照微生物计数法(《中国药典》2020年版四部通则1105)和控制菌检查法(《中国药典》2020年版四部通则1106)及《内蒙古蒙药制剂规范》(第三册)附录Ⅲ微生物限度标准,进行检查。结果均符合规定。

6. 乌头碱限量:参照《中国药典》2020年版一部"制草乌"项下双酯型乌头碱的限量检查,结果因受处方中其他药味的影响,供试品溶液中双酯型乌头碱与其他杂质分不开。故参照《中国药典》2020年版一部"制川乌"和"附子理中丸"项下乌头碱限量检查方法,拟定出本制剂乌头碱的限量检查方法及限度,以控制质量,确保安全、有效。供试品溶液的制备参照"附子理中丸"和"制川乌"限量检查项下的方法,并结合本处方实际情况,用氨试液碱化、乙醚作溶剂提取后,浓缩,无水乙醇溶解,结果既保证了被测成分全部提净,又可排除其他成分对试验结果的干扰(具体方法见正文)。对三批供试品的检查结果表明,供试品色谱中,在与乌头碱对照品色谱相应位置上,出现的斑点小于对照品的斑点。证明本品含乌头碱每1g小于36μg。说明本品中制草乌的炮制程度符合要求。

制草乌中乌头碱的限度值参照《中国药典》2020年版一部"附子"项下乌头碱限量检查计算,乌头碱的限度为2mg/ml×5μl/6μl×2ml/20g≈0.167mg/g,即每1g低于167μg。所以本制剂中乌头碱的理论限度应为:24g/112g×0.167mg/g×1000≈35.78μg/g,本标准草案设定的限度指标略低于理论限度,说明方法可靠。《中国药典》2020年版一部规定制草乌用量为1.5~3g。本品日最高服用量2g,相当于制草乌24g/112g×2g=0.42g,远远低于药典用量,说明本品安全。

【含量测定】

泵阿-4丸是由诃子、荜茇、诃子汤泡草乌、草乌叶等四味药组成。临床功效清黏,除协日乌素,祛风,止痛,散寒。用于风湿,关节疼痛等。荜茇功能为温中散寒,下气止痛,主治脘腹冷痛,呕吐,泄泻,寒凝气滞,胸痹心痛,头痛,牙痛。故选择胡椒碱作为指标成分,对本制剂中的荜茇进行含量测定方法的研究。参照《中国药典》2020年版一部"荜茇"项下高效液相色谱法对其进行含量测定,通过实验分析,结果分离效果和重现性好,专属性强。

1 仪器与试剂试药

1.1 仪器

Waters e2695高效液相色谱仪,百万分之一电子天平(Mettler-TOledo MS105DU),万分之一电子天平(Mettler-TOledo XPR10),多功能粉碎机(FW400A 材茂科技有限公司),超纯水系统(Heal Force NW15UV),超声波恒温清洗器(SBL-22DT宁波新芝生物科技股份有限公司)。

1.2 试剂与试药

供试品(批号20190901、20190902、20190903)由内蒙古自治区国际蒙医医院提供,模拟样品(批号20200617)模拟;胡椒碱对照品(批号110775-201706)购于中国食品药品检定研究院;甲醇为色谱纯,水为超纯水,其他试剂均为分析纯。

2 方法学考察

2.1 色谱条件

2.1.1 色谱柱:色谱柱填充剂为十八烷基硅烷键合硅胶,本实验采用Ultimate LP-C$_{18}$(250mm×4.6mm,5μm)色谱柱。

2.1.2 流动相的选择:以甲醇-水(77∶23)为流动相进行试验分析,样品中的胡椒碱与其他成分达到较好的分离,并具有比较好的保留时间和分离度。

2.1.3 柱温:在30℃的条件下,胡椒碱的保留时间一致,而且分离效果比较好,因此选择柱温在30℃。

2.1.4 检测波长的选择:参照《中国药典》2020年版一部"荜茇"项下高效液相色谱法中的测定波长,定为343nm。

2.1.5 理论板数的确定:从对多批数据的测定结果可见,胡椒碱理论板数在1500以上即能达到较好的分离效果,故确定理论板数按胡椒碱峰计算应不低于1500。

2.2 专属性考察

2.2.1 对照品溶液的制备:取胡椒碱对照品适量,精密称定,置棕色量瓶中,加无水乙醇制成每1ml含20μg的溶液,即得。

2.2.2 供试品溶液的制备:将本品研成粉末,取粉末0.3g,精密称定,置具塞锥形瓶中,精密加入无水乙醇60ml,密塞,称定重量,超声处理(功率250W,频率40kHz)30分钟,放冷至室温,再称定重量,用无水乙醇补足减失的重量,摇匀,滤过,取续滤液,即得。

2.2.3 阴性对照溶液的制备:另取按处方比例并以相同工艺制备的缺荜茇的阴性对照供试品,按供试品溶液制备法制得的阴性对照溶液。

2.2.4 测定:分别精密吸取以上三种溶液各10μl,注入液相色谱仪,记录各自的色谱图。

结果显示,阴性对照色谱中在与胡椒碱对照品以及供试品色谱相应的保留时间处无色谱峰出现,表明其他组分对胡椒碱的测定无干扰。

2.3 线性关系考察

取胡椒碱对照品(批号110775-201706)2mg,精出称定,置100ml量瓶中,用无水乙醇使溶解,并稀释至刻度,摇匀(20.22μg/ml);分别精密吸取上述对照品溶液1μl、5μl、10μl、15μl、20μl、25μl注入液相色谱仪测定,记录色谱图,按上述色谱条件测定以峰面积对进样量进行回归分析,标准曲线数值见表4。

表4 标准曲线数据及回归分析结果

序号	进样量(μg)	峰面积值	回归方程	回归系数(r)
1	0.2061	284959		
2	0.5152	910210		
3	1.0304	1890584		
4	1.5456	2915857	$y=12931x+3002$	0.9998
5	2.0608	3887613		
6	2.5760	4867393		

从表4数据可见,胡椒碱在0.206~2.576μg范围内与峰面积值呈良好的线性关系。

2.4 提取效率的考察

取本品(批号20191222),研细,取粉末0.3g,精密称定,置具塞锥形瓶中,精密加入无水乙醇60ml,密塞,称定重量,超声处理(功率250W,频率40kHz)30分钟,放冷至室温,再称定重量,用无水乙醇补足减失的重量,摇匀,滤过,取续滤液,即得。另取胡椒碱对照品适量,精密称定,置棕色量瓶中,加无水乙醇制成每1ml含20μg的溶液,即得。精密吸取10μl,注入液相色谱仪测定。试验中考察了超声20分钟、30分钟、40分钟对提取效率的影响,含量测定结果见表5。

表5 胡椒碱提取效率考察表

时间(min)	称样量(g)	样品峰面积		平均	含量(mg/g)
		A	B		
20	0.3027	889650	872231	880941	2.2886
30	0.3047	891265	890112	890689	2.2988
40	0.3013	872566	889504	881035	2.2995

从表5数据可见,超声提取20分钟、30分钟、40分钟供试品中含量基本稳定不变,故将提取超声时间定为30分钟。

2.5 溶液稳定性试验

取同一份供试品溶液(批号20190901),分别于0小时、2小时、4小时、8小时、10小时、12小时进行测定,结果见表6。

表6 溶液稳定性试验结果

序号	时间(h)	峰面积值	RSD(%)
1	0	891451	
2	2	873739	
3	4	895832	
4	8	887312	1.31
5	10	871616	
6	12	899742	

从表6数据可见,胡椒碱在12小时内的峰面积值基本稳定不变。

2.6 精密度试验

取份供试品(批号20190901),取粉末0.3g,精密称定,置具塞锥形瓶中,精密加入无水乙醇60ml,密塞,称定重量,超声处理(功率250W,频率40kHz)30分钟,放冷至室温,再称定重量,用无水乙醇补足减失的重量,摇匀,滤过,取续滤液,即得。另取胡椒碱对照品适量,精密称定,置棕色量瓶中,加无水乙醇制成每1ml含20μg的溶液,即得。精密吸取10μl,注入液相色谱仪测定。连续进样6次,测定胡椒碱峰面积值。结果见表7。

表7 胡椒碱精密度试验结果

序号	峰面积值	平均值	RSD(%)
1	886760		
2	883875		
3	881084		
4	882198	882868	0.56
5	888785		
6	874505		

从表7数据可见，精密度符合《中国药典》2020年版四部通则0512中规定的RSD值小于2.0%的要求。

2.7 重复性试验

取同一批号供试品6份（批号20190901），各约0.3g，精密称定，置具塞锥形瓶中，精密加入无水乙醇60ml，密塞，称定重量，超声处理（功率250W，频率40kHz）30分钟，放冷至室温，再称定重量，用无水乙醇补足减失的重量，摇匀，滤过，取续滤液，即得。另取胡椒碱对照品适量，精密称定，置棕色量瓶中，加无水乙醇制成每1ml含20μg的溶液，即得。精密吸取10μl，注入液相色谱仪测定。测定每份供试品的含量，结果见表8。

表8 胡椒碱含量重复性试验结果

称样量（g）	峰面积			含量（mg/g）	平均含量（mg/g）	RSD（%）
	A	B	平均			
0.3017	963060	924171	943616	2.48		
0.3016	944947	993003	968975	2.55		
0.3056	925366	946998	936182	2.43	2.48	1.96
0.3006	977749	888970	933360	2.46		
0.3033	964419	977205	970812	2.54		
0.3019	946497	916359	931428	2.45		

从表8数据可见，供试品在相同的细度、提取溶剂和色谱条件下，测定结果稳定。

2.8 加样回收试验

取已知含量（含量为2.48mg/g）供试品9份，各0.2g，精密称定。分别置9个具塞锥形瓶中，分成三组，每组三份，每组分别精密加入浓度为0.2527mg/ml的胡椒碱对照品溶液各0.2ml、0.4ml、0.6ml（约相当于供试品含有量的50%、100%、150%），加入甲醇使每瓶体积为60ml，密塞，称定重量，超声处理（功率250W，频率40kHz）30分钟，放冷至室温，再称定重量，用无水乙醇补足减失的重量，摇匀，滤过，取续滤液，即得。另取胡椒碱对照品适量，精密称定，置棕色量瓶中，加无水乙醇制成每1ml含20μg的溶液，即得。精密吸取10μl，注入液相色谱仪。测定每份的含量，计算回收率，结果见表9。

表9 胡椒碱加样回收试验结果

称样量（g）	供试品含量（mg）	对照品加入量（mg）	测得总量（mg）	回收率（%）	平均（%）	RSD（%）
0.3003	0.7447	0.2527	1.00	100.71		
0.3018	0.7485	0.2527	1.00	99.35		
0.3037	0.7532	0.2527	1.01	100.64		
0.3017	0.7482	0.5054	1.26	100.96		
0.3035	0.7527	0.5054	1.27	103.18	102.14	1.75
0.3009	0.7462	0.5054	1.28	104.80		
0.3005	0.7452	0.7581	1.53	103.46		
0.3004	0.7450	0.7581	1.52	102.66		
0.3015	0.7477	0.7581	1.53	103.51		

从表9数据可见，本方法的平均回收率为102.14%，符合《中国药典》2020年版通则9101"分析方法验证指导原则"中"表2 样品中待测定成分含量和回收率限度"的要求。

2.9 耐用性试验

取供试品（批号20190901）4份，各约0.3g，精密称定，置具塞锥形瓶中，精密加入无水乙醇60ml，密塞，称定重量，超声处理（功率250W，频率40kHz）30分钟，放冷至室温，再称定重量，用无水乙醇补足减失的重量，摇匀, 滤过, 取续滤液, 即得。另取胡椒碱对照品适量, 精密称定, 置棕色量瓶中, 加无水乙醇制成每1ml含20μg的溶液, 即得。精密吸取10μl, 注入液相色谱仪测定。换不同厂家、不同型号的色谱柱, 分别测定供试品的含量。结果见表10。

表10 不同色谱柱胡椒碱的耐用性试验

样品号	取样量 (g)	柱型号	峰面积值	含量 (mg/g)
1	0.3025	Pheomenex C$_{18}$	1470696	2.45
	0.3024	Alltima C$_{18}$	1470648	2.38
2	0.3009	Pheomenex C$_{18}$	1473617	2.50
	0.3021	Alltima C$_{18}$	1473424	2.39

从表10数据可见, 在使用不同型号或厂家的色谱柱时, 对测定结果影响较小, 具有较好的耐用性。

3 样品含量测定

取样品三批 (批号20190901、20190902、20190903) 粉末各约0.3g, 精密称定, 置具塞锥形瓶中, 精密加入无水乙醇60ml, 密塞, 称定重量, 超声处理 (功率250W, 频率40kHz) 30分钟, 放冷至室温, 再称定重量, 用无水乙醇补足减失的重量, 摇匀, 滤过, 取续滤液, 即得。另取胡椒碱对照品适量, 精密称定, 置棕色量瓶中, 加无水乙醇制成每1ml含20μg的溶液, 即得。精密吸取10μl, 注入液相色谱仪测定三批样品的含量, 测定结果见表11。

表11 样品胡椒碱的含量测定结果

批号	取样量 (g)	样品峰面积 A	样品峰面积 B	样品峰面积 平均	含量 (mg/g)	平均含量 (mg/g)
20190901	0.3081	860719	894890	877804.5	2.25	
20190902	0.3082	881166	887847	884506.5	2.27	2.27
20190903	0.3095	883845	900326	892085.5	2.28	
20200617	0.3008	936534	929467	933000.5	2.46	

从表11数据可见, 三批样品的胡椒碱含量在2.25mg/g以上。

4 荜茇药材含量测定

同法对上述三批样品生产用的荜茇药材进行胡椒碱含量测定, 结果平均含量为31.15mg/g (3.12%), 测定结果见表12。

表12 荜茇药材的含量测定结果

序号	称样量 (g)	平均峰面积值 (n=2)		含量 (mg/g)	平均含量 (mg/g)
1	0.1034	4371904 4466534	4420719	31.27	
2	0.1037	4467832 4332360	4400096	31.03	31.15
3	0.1032	4419234 4417420	4418327	31.15	

从表12数据可见, 荜茇药材中胡椒碱的含量为31.15mg/g (3.115%)。

5 本制剂含量限度的确定

三批样品中胡椒碱的含量最低为2.25mg/g, 模拟样品中胡椒碱的含量平均为4.04mg/g, 试验中用相同方法对生产用的荜茇药材进行了含量测定, 测得荜茇药材中胡椒碱的含量为31.15mg/g (3.12%)。

　　根据本品处方量折算, 理论上每1g供试品含荜茇药材0.1667g, 含胡椒碱的含量5.201mg, 因此, 转移率为77.68%。

　　参照《中国药典》2020年版一部 "荜茇" 药材的胡椒碱的总含量限度不得少于2.5%, 转移率为94.62%, 考虑不同产地药材的质量差异, 并结合其他影响因素及三批样品的测定结果, 下浮45%, 按此限度折算本品含胡椒碱的理论量应不低于$18÷112×2.5\%×1000×94.62\%×55\%=2.09mg/g$。

　　标准正文暂定为: 本品每1g含荜茇以胡椒碱($C_{17}H_{19}NO_3$)计, 不得少于2.0mg。

【功能与主治】

　　杀黏, 除协日乌素, 祛巴达干赫依, 消肿, 止痛。用于寒性协日乌素病, 关节肿痛, 腰腿冷痛, 牙痛, 白喉, 虫疾症。

【用法与用量】

　　口服。一次5~9丸, 一日1次, 温开水送服。

【注意事项】

　　孕妇禁服, 年老体弱者及幼儿慎用。

【规格】

　　每10丸重2g。

【贮藏】

　　密封, 防潮。

起草单位: 内蒙古盛唐国际蒙医药研究院　　张跃祥　崔圆圆　王　伟
　　　　　鄂尔多斯市检验检测中心　　　　吕彩莲　孟美英　杨　洋
　　　　　内蒙古食品药品审评查验中心　　张　涛　郝　智

泵阿-5丸 质量标准起草说明

【历史沿革】

本方来源于《医疗手册》（内蒙古人民出版社1973年版，蒙古文，第1282页）。

【处方来源】

本制剂由内蒙古自治区国际蒙医医院提供。

【名称】

泵阿-5丸

【蒙药材和饮片的来源和执行标准】

1. 处方组成及药味排列顺序：诃子汤泡草乌120g、诃子 120g、木香 30g、石菖蒲 20g、人工麝香 1g。

2. 处方中除诃子汤泡草乌和人工麝香药材外，其余诃子等药味均收载于《中国药典》2020年版一部，其质量应符合该品种项下的有关规定。

诃子汤泡草乌：毛茛科植物北乌头*Aconitum kusenzoffii* Reichb.的干燥块根。其标准应符合《内蒙古蒙药饮片炮制规范》2020年版第307页该品种项下有关规定。

人工麝香：应符合卫生部标准（试行）WS-210（Z-32）-93标准的有关规定。

【制法】

以上五味，除人工麝香外，其余诃子等四味，粉碎成细粉，将人工麝香与上述细粉配研，过筛，混匀，用水泛丸，打光，干燥，分装，即得。

【性状】

本品为黄棕色至黄褐色的水丸；气香，味微苦、麻、涩。

【鉴别】

本品为药材粉末制成的水丸，方中草乌、诃子、石菖蒲的显微特征较明显，故建立显微鉴别，并对处方中诃子建立了薄层鉴别。

1. 试剂与试药

供试品：供试品（批号20190931、20190514、20200225）由内蒙古自治区国际蒙医医院提供，模拟样品（批号20200012）模拟。

对照品：诃子对照药材（批号121015-201605），没食子酸对照品（批号110831-201605），乌头碱对照品（批号110720-201710），次乌头碱对照品（批号110798-201704），新乌头碱对照品（批号110799-201704），均购于中国食品药品检定研究院。

薄层板：硅胶G板，购于青岛海洋化工有限公司。

所用其他试剂均为分析纯，水为离子交换高纯水。

2. 试验方法与结果

（1）显微鉴别

草乌:石细胞呈类方形、长方形或梭形,壁稍厚,有的胞腔含棕色物或淀粉粒。诃子:石细胞成群或单个散在,呈类圆形、长卵形、长方形或长条形,孔沟细密而明显。石菖蒲:纤维束周围细胞中含草酸钙方晶,形成晶纤维。

（2）诃子薄层鉴别

参照《中国药典》2020年版一部"诃子"项下薄层条件,制定出正文所述的鉴别方法。通过阴性对照试验观察,方中其他药材对诃子的检出无干扰。证明此法具专属性。

【检查】

乌头碱限量:制草乌为方中的主药之一,具有杀黏,止痛等作用。因其所含双酯型生物碱毒性较强,故需对乌头碱类进行限量检查。参照《中国药典》2020年版"骨刺丸"项下乌头碱限量检查,以薄层色谱法制定本品的乌头碱的限量检查,以控制其乌头碱的限量。

乌头碱限度值的制定:制草乌中乌头碱的限度值参照《中国药典》2020年版一部"骨刺丸"项下乌头碱限量检查计算,乌头碱的限度为$1mg/ml \times 5\mu l/12\mu l \times 1ml/(1000/18700 \times 48g) \approx 0.162mg/g$,即每1g制草乌中含乌头碱应低于$162\mu g$。所以本制剂中乌头碱的理论限度应为$120g/290.1g \times 0.162mg/g \times 1000 \approx 67.01\mu g/g$,本标准草案设定的限度指标为$66.66\mu g/g$,略低于理论限度,说明方法合理。《中国药典》2020年版一部规定"制草乌"用量为1.5~3g。本品日最高服用量为2g,相当于制草乌$120g \div 291g \times 2g = 0.82g$,远远低于药典用量,说明本品安全。

其他:按照丸剂(《中国药典》2020年版四部通则0108)项下规定,对三批供试品及模拟样品的水分、重量差异、溶散时限、重金属、砷盐进行了检查。具体方法及测定数据如下:

1. 水分:取供试品照水分测定法(《中国药典》2020年版四部通则0832)测定。三批供试品及模拟样品测定结果见表1。

表1　水分测定结果

样品批号	水分（%）
20190931	7.4
20190514	7.5
20200225	7.8
20200012	7.9

药典规定丸剂水分含量不得大于9.0%。从表1中可见,本品水分含量均符合要求。

2. 重量差异:取以上三批供试品,每批供试品取10份,10丸为1份,分别称定重量,再与每份标示重量(2g)相比较,求每一份的重量差异(%)。药典规定每份标示装量的限度为±8%,并规定超出重量差异限度的不得多于2份,并不得有1份超出限度1倍。本品的重量差异检查结果均符合规定。

3. 溶散时限:取本品按照片剂项下崩解时限检查法(《中国药典》2020年版四部通则0921)加挡板进行测定。三批供试品测定结果见表2。

表2　溶散时限测定结果

批号	溶散时限（min）
20190931	33
20190514	34
20200225	36
20200012	32

药典规定水丸应在1小时内全部溶散。表2的结果显示,本品的溶散时限符合规定。

4. 对三批供试品及模拟样品进行了重金属、砷盐考察,方法与结果如下:

重金属：分别取每个批号供试品0.5g、0.67g、1.0g、2.0g，按《中国药典》2020年版四部0821第二法检查。

供试品溶液的制备：取本品0.5g、0.67g、1.0g、2.0g，分别缓缓炽灼至完全炭化，放冷，加硫酸0.5ml，使湿润，低温加热至硫酸除尽后，加硝酸0.5ml，蒸干，至氧化氮蒸气除尽后，放冷，于600℃炽灼至完全灰化，放冷。加盐酸2ml，置水浴上蒸干后加水15ml，滴加氨试液至对酚酞指示液显中性，再加醋酸盐缓冲液（pH3.5）2ml，微热溶解后，移置纳氏比色管中，加水稀释至25ml，作为供试品溶液。

标准铅对照溶液的制备：另取配制供试品溶液的试剂两份，分别置瓷皿中蒸干后，加醋酸盐缓冲液（pH3.5）2ml，加水15 ml微热溶解后，移置两支纳氏比色管中，分别加标准铅溶液（10μg/mlPb）2ml，再加水稀释至25ml，作为标准铅对照溶液。

检视：于上述供试品溶液和标准铅对照溶液中分别加硫代乙酰胺试液各2ml，摇匀，放置2分钟，同置白色背景上，从上向下进行观察。试验结果见表3。

表3　重金属检查结果

序号	批号	重金属含量（ppm）			
1	20190931	<10	<20	<30	<40
2	20190514	<10	<20	<30	<40
3	20200225	<10	<20	<30	<40
4	20200012	<10	<20	<30	<40

结果显示，供试品溶液的颜色明显浅于2ml的标准铅对照溶液。经过3批供试品及模拟样品的检查，含重金属均未超过百万分之十，故未收入正文。

砷盐：取本品1g和标准砷溶液（1μg/mlAS）2ml，分别加无砷氢氧化钙1g，加少量水，搅匀，烘干，用小火缓缓炽灼至炭化，再在600℃炽灼至完全灰化，放冷。分别加盐酸7ml使溶解，再加水21ml，按《中国药典》2020年版四部通则0822第一法（古蔡氏法）做砷盐限量检查。

结果：供试品砷斑浅于标准砷斑的颜色，表明本品含砷量未超过百万分之二（小于2ppm），故砷盐检查项目未收入正文。

【含量测定】

泵阿-5丸是由诃子汤泡草乌、诃子、木香、石菖蒲、人工麝香等五味药组成的复方制剂。诃子在本方中为主药之一，但蒙药中制草乌常用诃子汤炮制，对诃子的测定有干扰，因此按要求以木香为指标建立含量测定项，参照《中国药典》2020年版一部"木香"项下含量测定方法，经试验条件摸索，结果达到了较好的分离效果，且阴性对照（缺木香）无干扰。

1　仪器与试剂试药

1.1　仪器

日本岛津LC-20AT型高效液相色谱仪（带SPD-M20A型二极管阵列检测器）和LC-10ATvp型高效液相色谱仪（带SPD-10Avp型紫外检测器），Sartorius ME5型电子天平，Mettler AE-100电子天平，JD200-2型电子天平，AS 5150A超声清洗仪。

1.2　试剂与试药

供试品（批号20190931、20190514、20200225）由内蒙古自治区国际蒙医医院提供，模拟样品（批号20200012）模拟；木香烃内酯、去氢木香内酯对照品（批号111524-201208、111525-200505），均购于中国食品药品检定研究院；甲醇为色谱纯，其他均为分析纯试剂，水为离子交换高纯水。

2　方法学考察

2.1 色谱条件

2.1.1 色谱柱：十八烷基硅烷键合硅胶为填充剂，本实验采用SHMADZU C_{18}（250mm×4.6mm，5μm）、phenomenex C_{18}（250mm×4.6mm，5μm）。

2.1.2 流动相的选择：参照《中国药典》2020年版一部"木香"含量测定项下方法，采用甲醇–水（65∶35）作为流动相，结果分离效果好、保留时间适中，故确定为甲醇–水（65∶35）。

2.1.3 柱温：试验中对30℃和40℃柱温进行了比较，结果保留时间略有差异，但分离度及理论板数没有变化，本试验研究选择柱温为30℃。

2.1.4 检测波长的选择：通过二极管阵列检测器分别对木香烃内酯和去氢木香内酯自190～800nm进行光谱扫描，结果木香烃内酯在203nm处有吸收峰，去氢木香内酯在200nm处有吸收峰，在225nm木香烃内酯和去氢木香内酯均有吸收，选择200nm作为检测波长时干扰峰过多，故结合《中国药典》2020年版一部"木香"项下选择225nm作为检测波长。

2.1.5 理论板数的确定：对多批供试品测定结果表明，木香烃内酯峰的理论板数在3000以上即能达到与相邻峰分开，并符合《中国药典》规定R>1.5的要求，故本标准规定理论板数按木香烃内酯峰计应不低于3000。

2.2 供试品溶液制备方法的选择

2.2.1 提取溶剂的选择：参照《中国药典》2020年版一部"木香"项下选用甲醇作为提取溶剂，试验中分别以三氯甲烷和甲醇作为提取溶剂进行了比较，结果以三氯甲烷为溶剂的供试品中干扰峰较多，而以甲醇为溶剂的供试品得到了较好的分离效果，故选择甲醇作为提取溶剂。

2.2.2 提取方法的选择：《中国药典》2020年版一部"木香"项下采用甲醇浸泡过夜，然后超声提取，方法比较完善，故参照药典选择甲醇浸泡过夜，然后超声提取。

2.2.3 提取效率考察：取本品粉末5份，各约3g，精密称定，置具塞锥形瓶中，精密加甲醇50ml，密塞，称定重量，放置过夜，分别超声处理（功率为250W，频率40kHz）10分钟、20分钟、30分钟、40分钟、60分钟，取出放冷，再称定重量，用甲醇补足减失的重量，摇匀，滤过，取续滤液，按上述色谱条件测定。结果见表4。

表4 不同超声提取时间的考察结果

超声时间（分钟）	木香烃内酯（mg/g）	去氢木香内酯（mg/g）	含量总和（mg/g）
10	1.154	1.898	3.052
20	1.179	1.859	3.038
30	1.164	1.959	3.125
40	1.191	1.858	3.055
60	1.199	1.891	3.09

从表4数据可见，超声处理30分钟，木香烃内酯和去氢木香内酯的含量总和最高，故确定超声时间为30分钟。

2.3 专属性考察

2.3.1 对照品溶液的制备：精密称取木香烃内酯对照品、去氢木香内酯对照品适量，加甲醇制成每1ml各含0.1mg的混合溶液，即得。

2.3.2 供试品溶液的制备：取本品约3g，精密称定，置具塞锥形瓶中，精密加入甲醇50ml，密塞，称定重量，放置过夜，超声处理（250W，频率40kHz）30分钟，取出，放冷，再称定重量，用甲醇补足减失的重量，摇匀，滤过，取续滤液，即得。

2.3.3 阴性对照溶液的制备：按处方配比制备缺木香的阴性对照，起操作同"供试品溶液的制备"，取续滤液，作为阴性对照溶液。

2.3.4 测定：分别精密吸取以上三种溶液各10μl，注入色谱仪，记录各自的色谱图。

结果: 供试品色谱中在与对照品色谱保留时间相同的位置上有色谱峰出现, 且分离效果较好, 而阴性对照在与对照品色谱保留时间相同的位置上无色谱峰出现, 表明该含量测定方法阴性无干扰, 专属性好。

2.4 峰纯度检查

精密吸取 "2.3" 项下的对照品溶液和供试品溶液各10μl, 注入液相色谱仪, 以二极管阵列检测对被测成分木香烃内酯和去氢木香内酯峰进行纯度验证。结果表明被测样品中木香烃内酯和去氢木香内酯峰为单一成分。

2.5 线性考察

取木香烃内酯对照品2.613mg (含量99.4%)、去氢木香内酯对照品2.774mg, 置25ml量瓶中, 加甲醇使溶解, 并稀释至刻度, 摇匀 (含木香烃内酯0.10389mg/ml, 去氢木香内酯0.11096mg/ml), 精密吸取1μl、2μl、5μl、10μl、20μl、40μl注入液相色谱仪, 按上述色谱条件测定。以峰面积对进样量进行回归分析, 标准曲线见表5和表6。

表5 标准曲线数值表

序号	木香烃内酯量 (ng)	木香烃内酯峰面积	回归方程	回归系数 (r)
1	103.89	207529		
2	207.78	423963		
3	519.46	1073216	$y=2061.2x+310.0$	0.9999
4	1038.90	2148854		
5	2077.80	4290868		
6	4155.70	8560596		

表6 标准曲线数值表

序号	去氢木香内酯量 (ng)	去氢木香内酯峰面积	回归方程	回归系数 (r)
1	110.96	141101		
2	221.92	283153		
3	554.80	717555	$y=1314.8x-12932.8$	0.9999
4	1109.60	1443767		
5	2219.20	2882507		
6	4438.40	5834083		

从表5和表6数据可见, 木香烃内酯在103.89~4155.70ng、去氢木香内酯在110.96~4438.40ng范围内与峰面积值呈良好的线性关系。

2.6 重复性试验

取同一批号供试品 (批号20200225) 6份, 各约3g, 精密称定, 置具塞锥形瓶中, 精密加入甲醇50ml, 密塞, 称定重量, 放置过夜, 超声处理 (250W, 频率40kHz) 30分钟, 取出, 放冷, 再称定重量, 用甲醇补足减失的重量, 摇匀, 滤过, 取续滤液, 作为供试品溶液。另精密称取木香烃内酯对照品、去氢木香内酯对照品适量, 加甲醇制成每1ml各含0.1mg的混合溶液, 作为对照品溶液。分别精密吸取供试品溶液和对照品溶液各10μl, 注入色谱仪, 记录色谱图。按外标法以峰面积计算含量, 结果见表7。

表7 木香烃内酯、去氢木香内酯重复性试验结果

取样量 (g)	峰面积值		含量 (mg/g)		平均含量 (mg/g)		RSD (%)	
	A (n=2)	B (n=2)	A	B	A	B	A	B
3.0066	1460016	1474014	1.184	1.908				
3.0060	1411201	1474640.5	1.145	1.909				
3.0025	1442329.5	1498622	1.171	1.942	1.173	1.920	1.52	1.13
3.0142	1452564	1507280.5	1.175	1.946				
3.0042	1426796	1486378	1.165	1.926				
3.0049	1477465	1459554.5	1.198	1.890				

注: A为木香烃内酯, B为去氢木香内酯。

从表7数据可见，在相同的提取溶剂和色谱条件下，6份供试品含量测定结果的木香烃内酯均值为1.173mg/g，RSD为1.52%；去氢木香内酯均值为1.920mg/g，RSD为1.13%。表明该方法的重复性良好。

2.7 加样回收试验

取同一批号供试品（批号20200225，含木香烃内酯1.173mg/g、去氢木香内酯1.920 mg/g）6份，各约1.5 g，精密称定，置具塞锥形瓶中，精密加入甲醇50ml，密塞，称定重量，放置过夜，超声处理（250W，频率40kHz）30分钟，取出，放冷，再称定重量，用甲醇补足减失的重量，摇匀，滤过，取续滤液，作为供试品溶液。另精密称取木香烃内酯对照品、去氢木香内酯对照品适量，精密加甲醇49ml，制成混合溶液（木香烃内酯浓度为1.5879mg/ml，去氢木香内酯浓度为2.8863mg/ml），作为对照品溶液。分别精密吸取供试品溶液和对照品溶液各10μl，注入色谱仪，记录色谱图。按外标法以峰面积计算含量，结果见表8。

表8 木香烃内酯、去氢木香内酯加样回收试验

取样量（g）	对照品加入量（mg）		供试品含有量（mg）		测得总量（mg）		回收率（%）		平均回收率（%）		RSD（%）	
	A	B	A	B	A	B	A	B	A	B	A	B
1.5022	1.5879	2.8863	1.762	2.878	3.353	5.722	100.19	99.71	99.96	99.99	0.48	0.90
1.5059	1.5879	2.8863	1.766	2.891	3.358	5.734	100.25	98.50				
1.5015	1.5879	2.8863	1.761	2.883	3.341	5.786	99.50	100.57				
1.5011	1.5879	2.8863	1.760	2.882	3.359	5.796	100.69	100.95				
1.5008	1.5879	2.8863	1.760	2.881	3.341	5.786	99.56	100.64				
1.5013	1.5879	2.8863	1.761	2.882	3.343	5.757	99.62	99.60				

注：A为木香烃内酯，B为去氢木香内酯。

从表8数据可见，本方法A的平均回收率为99.96%，RSD为0.48%；B的平均回收率为99.99%，RSD为0.90%。该方法准确度好。

2.8 范围

按准确度试验方法，取供试品（批号20200225，含木香烃内酯1.173mg/g、去氢木香内酯1.920mg/g）6份，各约0.37g，精密称定，分别精密加入对照品溶液（木香烃内酯浓度为0.4154mg/ml、去氢木香内酯浓度为0.7666mg/ml）1ml；另取供试品6份，各约1.5g，精密称定，分别精密加入对照品溶液（木香烃内酯浓度为1.5879mg/ml、去氢木香内酯浓度为2.8863mg/ml）1ml，再分别按准确度项下方法操作并测定。计算回收率及高、低浓度点6份样品的RSD%，结果见表9、表10。

表9 范围考察结果表（低浓度）

取样量（g）	对照品加入量（mg）		供试品含有量（mg）		测得总量（mg）		回收率（%）		平均回收率（%）		RSD（%）	
	A	B	A	B	A	B	A	B	A	B	A	B
0.3680	0.4154	0.7666	0.431	0.706	0.828	1.452	95.57	97.31	98.89	100.00	2.5	2.4
0.3764	0.4154	0.7666	0.442	0.722	0.858	1.504	100.14	102.00				
0.3768	0.4154	0.7666	0.442	0.723	0.853	1.496	98.94	100.83				
0.3761	0.4154	0.7666	0.441	0.722	0.842	1.496	96.53	100.96				
0.3755	0.4154	0.7666	0.440	0.721	0.855	1.505	99.90	102.26				
0.3650	0.4154	0.7666	0.428	0.700	0.853	1.441	102.31	96.66				

注：A为木香烃内酯，B为去氢木香内酯。

表10 范围考察结果表（高浓度）

取样量（g）	对照品加入量（mg）		供试品含有量（mg）		测得总量（mg）		回收率（%）		平均回收率（%）		RSD（%）	
	A	B	A	B	A	B	A	B	A	B	A	B
1.5022	1.5879	2.8863	1.762	2.878	3.353	5.722	100.19	99.71	99.96	99.99	0.48	0.90
1.5059	1.5879	2.8863	1.766	2.891	3.358	5.734	100.25	98.50				
1.5015	1.5879	2.8863	1.761	2.883	3.341	5.786	99.50	100.57				

续表

取样量（g）	对照品加入量（mg）		供试品含有量（mg）		测得总量（mg）		回收率（%）		平均回收率（%）		RSD（%）	
	A	B	A	B	A	B	A	B	A	B	A	B
1.5011	1.5879	2.8863	1.760	2.882	3.359	5.796	100.69	100.95				
1.5008	1.5879	2.8863	1.760	2.881	3.341	5.786	99.56	100.64	99.96	99.99	0.48	0.90
1.5013	1.5879	2.8863	1.761	2.882	3.343	5.757	99.62	99.60				

注：A为木香烃内酯，B为去氢木香内酯。

从表9和表10数据可见，在相当于含量限度的约70%和含量限度的2倍两个点处，均达到了精密度、准确度和线性的要求。

2.9 稳定性试验

取同一供试品溶液（批号20200225），分别于2小时、4小时、6小时、8小时、12小时、24小时进行测定，结果见表11。

表11 不同时间测定木香烃内酯、去氢木香内酯的峰面积值

时间（h）	木香烃内酯峰面积值	去氢木香内酯峰面积值	RSD（%）
2	1422250	1457990	
4	1429199	1469473	0.74
6	1445000	1421146	
8	1442638	1425980	
12	1443401	1472316	1.49
24	1450559	1451136	

从表11数据可见，在24小时内木香烃内酯、去氢木香内酯峰面积值基本稳定不变。

2.10 耐用性试验

换不同厂家、不同型号的色谱柱，按确定的色谱条件，取重复试验中的1号、2号样品进行测定，结果见表12。

表12 不同色谱柱的耐用试验

样品号	柱型号	分离度	测得平均含量（mg/g）	相对偏差（%）
1	SHMADZU C$_{18}$	5.8	3.092	1.06
	Phenomenex C$_{18}$	6.0	3.027	
2	SHMADZU C$_{18}$	5.8	3.054	0.51
	Phenomenex C$_{18}$	6.3	3.023	

从表12数据可见，不同型号或厂家的色谱柱对测定结果影响较小。

3 样品含量测定

取本品研细，称取约3.0g，精密称定，置具塞锥形瓶中，精密加入甲醇50ml，密塞，称定重量，放置过夜，超声处理（250W，频率40kHz）30分钟，取出，放冷，再称定重量，用甲醇补足减失的重量，摇匀，滤过，取续滤液，作为供试品溶液。另精密称取木香烃内酯对照品、去氢木香内酯对照品适量，加甲醇制成每1ml各含0.1mg的混合溶液，作为对照品溶液。分别精密吸取供试品溶液和对照品溶液各10μl，注入色谱仪，记录色谱图。按外标法以峰面积计算含量，结果见表13。

表13 样品中木香烃内酯、去氢木香内酯含量测定结果

批号（g）	取样量mg/g	峰面积值		含量（mg/g）		平均含量（mg/g）		总量
		A（n=2）	B（n=2）	A	B	A	B	
091229	3.0311	1654933	1474390	1.328	1.893	1.3195	1.8785	3.198
	3.0241	1626678.5	1449166	1.311	1.864			

续表

批号（g）	取样量mg/g	峰面积值		含量（mg/g）		平均含量（mg/g）		总量
		A（n=2）	B（n=2）	A	B	A	B	
100110	3.0066	1460016	1474014	1.184	1.908	1.1645	1.9085	3.073
	3.0060	1411201	1474640.5	1.145	1.909			
090915-063	2.9973	1395441.5	1541115.5	1.135	2.001	1.143	2.004	3.146
	3.0044	1417229	1548933.5	1.150	2.006			
090915-054	3.0288	1353758	1384525	1.090	1.106	1.098	1.951	3.048
	3.0533	1520551.5	1527197.5	1.954	1.947			

注：A为木香烃内酯，B为去氢木香内酯。

表13数据可见，阿-5丸（批号10010）中木香烃内酯、去氢木香内酯的总量为3.073mg/g以上。

4 木香药材含量测定

试验中，采用相同方法对生产泵阿-5丸相应批次的木香药材进行了含量测定，含木香烃内酯、去氢木香内酯的总量为4.9%。

5 本制剂含量限度确定

从表中数据可见，泵阿-5丸中木香烃内酯、去氢木香内酯的总量在3.073mg/g以上。试验中，采用相同方法对生产泵阿-5丸（批号100110）的木香药材进行了含量测定，含木香烃内酯、去氢木香内酯的总量为4.9%。

按理论值折算，样品应含木香烃内酯和去氢木香内酯为30÷291×49mg/g=5.051mg/g，可见，木香烃内酯和去氢木香内酯的转移率为3.073（mg/g）÷5.051（mg/g）×100%＝60.83%。

参照《中国药典》2020年版一部"木香"项下规定含木香烃内酯、去氢木香内酯的总量不得少于1.8%，转移率为60.83%，考虑不同产地药材的质量差异，并结合其他影响因素及三批样品的测定结果，按此限度折算本品含木香烃内酯和去氢木香内酯总的理论量应不低于30÷291×1.8%×1000×60.83%=1.128mg/g。

标准正文暂定为：本品每1g含木香以木香烃内酯（$C_{15}H_{20}O_2$）和去氢木香内酯（$C_{15}H_{18}O_2$）的总量计，不得少于1.2mg。

【功能与主治】

杀黏，燥协日乌素，止痛，消肿。用于黏刺痛，白喉，炭疽，黏疹，胃胀，黏疫，丹毒，陶赖，赫如虎，吾亚曼，协日乌素症，肿胀。

【用法与用量】

口服。一次5～9丸，一日1次，晚睡前温开水送服。

【注意事项】

孕妇忌服，年老体弱者和幼儿慎用。

【规格】

每10丸重2g。

【贮藏】

密闭，防潮。

起草单位：内蒙古自治区国际蒙医医院　　　松　来　曹山虎　青　松　那松巴乙拉

　　　　　赤峰市药品检验所　　　　　　　张　戈　高丽梅　赵虎义

哈日-10丸 质量标准起草说明

【历史沿革】

本方来源于《蒙医常用方剂选》(吉林人民出版社1975年版, 蒙古文, 第15页)。

【处方来源】

本制剂由内蒙古自治区国际蒙医医院提供。

【名称】

哈日-10丸

【蒙药材和饮片的来源和执行标准】

1. 处方组成及药味排列顺序: 黑冰片100g、石榴80g、止泻木50g、波棱瓜子50g、豆蔻40g、诃子40g、光明盐30g、牛胆粉20g、荜茇20g、肉桂9g。

2. 处方中除黑冰片、石榴、牛胆粉、止泻木和波棱瓜子药材外, 其余豆蔻等药味均收载于《中国药典》2020年版一部, 其质量应符合该品种项下的有关规定。

石榴: 为石榴科植物石榴 *Punicagranatum* L.的干燥成熟果实。其质量应符合《内蒙古蒙药材炮制规范》2020年版第119页该品种项下的有关规定。

止泻木: 为夹竹桃科植物止泻木 *Holarrhena antidysenterica* Wall. ex A. DC.的干燥种子。其质量应符合《内蒙古蒙药材炮制规范》2020年版第64页该品种项下的有关规定。

波棱瓜子: 为葫芦科植物波棱瓜 *Herpetospermum pedunculosum* (Sex.) Baill. 的干燥种子。其标准应符合《内蒙古蒙药饮片炮制规范》2020年版第277页该品种项下的有关规定。

黑冰片: 为猪科动物野猪 *Sus scrofa linnaeus* 的成形粪便野猪粪的炮制加工品。主含活性炭和微量元素。其质量应符合《内蒙古蒙药饮片炮制规范》2020年版第444页该品种项下的有关规定。

牛胆粉: 为牛科动物牛 *Bos taurus domesticus* Gmelin的干燥胆汁粉。其标准应符合《内蒙古蒙药饮片炮制规范》2020年版第74页该品种项下的有关规定。

【制法】

以上十味, 除牛胆粉外, 其余黑冰片等九味, 粉碎成细粉, 将牛胆粉与上述细粉配研, 过筛, 混匀, 用水泛丸, 打光, 干燥, 分装, 即得。

【性状】

本品为灰黑色至黑色的水丸, 味辛、苦。

【鉴别】

本品为药材粉末制成的水丸。方中大多数药味的显微特征比较明显, 故对处方中黑冰片、豆蔻建立显微鉴别, 并对处方中的荜茇建立了薄层鉴别。

1. 试剂与试药

供试品: 供试品(批号20190611、20191008、20200225)由内蒙古自治区国际蒙医医院提供, 模拟样品(批号

20200036）模拟。

对照品：胡椒碱对照品（批号110775-201706），购于中国食品药品检定研究院。

薄层板：硅胶G板，购于青岛海洋化工有限公司。

所用其他试剂均为分析纯，水为离子交换高纯水。

2. 试验方法与结果

（1）显微鉴别

黑冰片：不规则片块状物，大小不一，黑色或棕黑色。豆蔻：内种皮厚壁细胞黄棕色或棕红色，表面观类多角形，壁厚，胞腔含硅质块。

（2）荜茇薄层鉴别

参照《中国药典》2020年版一部"荜茇"药材项下的薄层条件，制定出正文所述的鉴别方法。通过阴性对照试验观察，方中其他药材对荜茇药材的检出无干扰。因制定了荜茇的含量测定，故未列入正文。

【检查】

按照丸剂（《中国药典》2020年版四部通则0108）项下的规定，对三批供试品及模拟样品的水分、重量差异、溶散时限、重金属、砷盐进行了检查。具体方法及测定数据如下：

1. 水分：取供试品照水分测定法（《中国药典》2020年版四部 通则0832）测定。三批供试品及模拟样品的测定结果见表1。

表1　水分测定结果

批号	水分（%）
20190611	4.5
20191008	4.4
20200225	3.0
20200036	4.2

药典规定丸剂水分含量不得大于9.0%。从表1中可见本品水分含量均符合要求。

2. 重量差异：取以上三批供试品，每批供试品取10份，10丸为1份，分别称定重量，再与每份标示重量（2g）相比较，求每一份的重量差异（%）。药典规定每份标示装量的限度为±8%，并规定超出重量差异限度的不得多于2份，并不得有1份超出限度1倍。本品的重量差异检查结果均符合规定。

3. 溶散时限：取本品按照片剂项下崩解时限检查法（《中国药典》2020年版四部通则0921）加挡板进行测定。三批供试品测定结果见表2。

表2　溶散时限测定结果

批号	溶散时间（min）
20190611	45
20191008	47
20200225	47

药典规定水丸应在1小时内全部溶散。表2的结果显示，本品的溶散时限符合规定。

4. 对三批供试品及模拟样品进行了重金属、砷盐考察。方法与结果如下：

重金属：分别取每个批号供试品0.5g、0.67g、1.0g、2.0g，按《中国药典》2020年版四部0821第二法检查。

供试品溶液的制备：取本品0.5g、0.67g、1.0g、2.0g，分别缓缓炽灼至完全炭化，放冷，加硫酸0.5ml，使湿润，低温加热至硫酸除尽后，加硝酸0.5ml，蒸干，至氧化氮蒸气除尽后，放冷，于600℃炽灼至完全灰化，放冷。加盐酸

2ml，置水浴上蒸干后加水15ml，滴加氨试液至对酚酞指示液显中性，再加醋酸盐缓冲液（pH3.5）2ml，微热溶解后，移置纳氏比色管中，加水稀释至25ml，作为供试品溶液。

标准铅对照溶液的制备：另取配制供试品溶液的试剂两份，分别置瓷皿中蒸干后，加醋酸盐缓冲液（pH3.5）2ml，加水15ml微热溶解后，移置两支纳氏比色管中，分别加标准铅溶液（10μg/mlPb）2ml，再加水稀释至25ml，作为标准铅对照溶液。

检视：于上述供试品溶液和标准铅对照溶液中分别加硫代乙酰胺试液各2ml，摇匀，放置2分钟，同置白色背景上，从上向下进行观察。试验结果见表3。

表3 重金属检查结果

序号	批号	重金属含量（ppm）			
1	20190611	<10	<20	<30	<40
2	20191008	<10	<20	<30	<40
3	20200225	<10	<20	<30	<40
4	20200036	<10	<20	<30	<40

结果显示，供试品溶液的颜色明显浅于2ml的标准铅对照溶液。经过3批供试品及模拟样品的检查，含重金属均未超过百万分之十，故未收入正文。

砷盐：取本品1g和标准砷溶液（1μg/mlAS）2ml，分别加无砷氢氧化钙1g，加少量水，搅匀，烘干，用小火缓缓炽灼至炭化，再在600℃炽灼至完全灰化，放冷。分别加盐酸7ml使溶解，再加水21ml，按《中国药典》2020年版四部通则0822第一法（古蔡氏法）做砷盐限量检查。

结果：供试品砷斑浅于标准砷斑的颜色，表明本品含砷量未超过百万分之二（小于2ppm），故砷盐检查项目未收入正文。

【含量测定】

本品哈日-10是由黑冰片、石榴、止泻木、波棱瓜子、豆蔻、诃子、光明盐、牛胆粉、荜茇、肉桂等十味药组成的复方制剂，荜茇为处方中的臣药。参照《中国药典》2020年版一部"荜茇"项下的含量测定方法，选择胡椒碱作为指标成分，对本制剂中的荜茇进行了HPLC含量测定方法研究。经分析方法验证，表明该方法重现性好，专属性强，方中其他组分对胡椒碱的测定无干扰。

1 仪器与试剂试药

1.1 仪器

SPECTRA SERIES P100泵，Spectra SERIES UV100型检测器，中北工作站，sartorious BP211D型电子天平，HS6150D超声波清洗器。

1.2 试剂与试药

供试品（批号20190611、20191008、20200225）由内蒙古自治区国际蒙医医院提供，模拟样品（批号20200036）模拟；胡椒碱对照品（批号110775-201706，供含量测定用），购于中国食品药品检定研究院；无水乙醇为色谱纯，水为高纯水，其他试剂均为分析纯。

2 方法学考察

2.1 色谱条件

2.1.1 色谱柱：色谱柱填充剂为十八烷基硅烷键合硅胶，本试验研究采用Accusil-C$_{18}$柱（250mm×4.6mm，5μm）。

2.1.2 流动相的选择：参照《中国药典》2020年版一部第163页"荜茇"项下胡椒碱的含量测定方法，以甲醇-

［水-磷酸(90∶0.01)］(65∶35)为流动相进行流动相条件摸索。在该流动相条件下,胡椒碱具有较好的分离度,并具有较适合的保留时间,理论板数较高,为3000以上。该流动相可作为检测流动相。

2.1.3 柱温:室温。

2.1.4 检测波长的选择:取胡椒碱对照品溶液,于紫外可见分光光度仪上,自210~500nm波长做光谱扫描。结果:胡椒碱在342.0nm处有最大吸收。参照《中国药典》2020年版一部第163页"荜茇"项下HPLC胡椒碱的含量测定波长为343nm,因此采用343nm作为检测波长。

2.1.5 理论板数的确定:经多批检测数据结果可见,胡椒碱的理论板数都大于3000。考虑到不同的色谱柱具不同的理论板数,故理论板数定为不小于1500。

2.2 提取溶剂及提取效率的考察

2.2.1 提取溶剂的选择:参照《中国药典》2020年版一部第163页"荜茇"项下胡椒碱采用无水乙醇作为提取溶剂。本法采用无水乙醇提取,结果显示所得峰的分离度好。故本法采用无水乙醇作为提取溶剂。

2.2.2 提取效率的考察:以无水乙醇作为提取溶剂进行超声提取,试验中考察了提取20分钟、30分钟和40分钟不同超声提取时间对提取效率的影响,含量测定结果见表4。

表4 提取效率的考察

序号	提取时间(min)	胡椒碱的含量(mg/g)
1	20	1.96
2	30	2.17
3	40	2.18

从表4数据可见,超声提取20分钟所得胡椒碱含量较低,30分钟和40分钟的胡椒碱的含量基本一致,故超声提取时间定为30分钟。

2.3 专属性考察

2.3.1 对照品溶液的制备:取胡椒碱对照品适量,精密称定,置棕色量瓶中,加无水乙醇制成每1ml含24μg的溶液,即得。

2.3.2 供试品溶液的制备:取本品适量,研细,取约0.5g,精密称定,置100ml棕色量瓶中,加无水乙醇70ml,静置30分钟,超声处理(功率250W,频率40kHz)30分钟,放冷,加无水乙醇至刻度,摇匀,滤过,取续滤液,即得。

2.3.3 阴性对照溶液的制备:按处方配比制备缺荜茇的阴性对照品,起操作同"供试品溶液的制备",取续滤液,作为阴性对照溶液。

2.3.4 测定:分别精密吸取以上三种溶液各10μl,注入液相色谱仪测定。记录各自的色谱图。

试验结果显示,供试品色谱中在与对照品色谱保留时间相同的位置上有色谱峰出现,而阴性对照在与对照品色谱保留时间相同的位置上无色谱峰出现,表明该含量测定方法阴性无干扰,专属性好。

2.4 线性关系考察

取胡椒碱对照品(批号110775-201706)约5mg,精密称定,置50ml量瓶中,加无水乙醇使溶解并稀释至刻度,摇匀,即得(胡椒碱含量为0.1076mg/ml)。精密吸取0.2ml、0.5ml、1.0ml、2.0ml、5.0ml,分别置10ml量瓶中,加无水乙醇稀释至刻度,摇匀,分别精密量取上述对照品溶液和系列浓度溶液各5μl按上述色谱条件进行测定。以峰面积对进样量进行回归分析。结果见表5。

表5　标准曲线数据及回归分析结果

对照品浓度（μg/ml）	峰面积值	回归方程	回归系数（r）
2.152	87296		
5.380	169753		
10.76	458162	$y=45288x-41384$	0.9993
21.52	915722		
53.80	2401687		

从表5数据可见，胡椒碱在0.01076～0.269μg范围内与峰面积值呈良好的线性关系。

2.5　稳定性试验

取同一份供试品溶液，分别在0小时、2小时、4小时、8小时、12小时进行测定，结果见表6。

表6　不同时间测定样品中胡椒碱的峰面积值

放置时间（h）	峰面积值	RSD（%）
0	1070486	
2	1070236	
4	1069952	0.1
8	1069562	
12	1072390	

从表6数据可见，胡椒碱在12小时内的峰面积值基本稳定不变。

2.6　重复性试验

取同一供试品（批号20190611）6份，各约0.5g，精密称定，置具塞锥形瓶中，精密加入无水乙醇100ml，密塞，称定重量，超声处理（功率250W，频率40kHz）30分钟，取出，放冷，再称定重量，用无水乙醇补足减失的重量，摇匀，滤过，取续滤液，作为供试品溶液。另精密称取胡椒碱对照品10mg，精密称定，置25ml量瓶中，加无水乙醇溶解并稀释至刻度，摇匀，滤过，取续滤液，作为对照品溶液。分别精密吸取供试品溶液和对照品溶液各10μl，注入色谱仪，记录色谱图。按外标法以峰面积计算含量，结果见表7。

表7　胡椒碱含量重现性试验结果

取样量（g）	峰面积值	含量（mg/g）	平均含量（mg/g）	RSD（%）
0.5005	1040414	1.1048		
0.5028	1054889	1.1200		
0.5038	1038524	1.1031	1.1091	0.60
0.4998	1045005	1.1095		
0.5154	1047727	1.1125		
0.5001	1040108	1.1045		

从表7数据可见，在相同的提取溶剂和色谱条件下，6份供试品含量测定结果的均值为1.1091mg/g，RSD为0.60%，表明该方法的重复性良好。

2.7　加样回收率试验

取同一供试品（批号20190611，胡椒碱含量为1.1423mg/mg）9份，研细，各约0.25g，精密称定，分别置9个具塞锥形瓶中，精密加入用无水乙醇配制的胡椒碱对照品溶液（胡椒碱浓度0.1072mg/ml）4.0 ml、5.0ml、6.0ml（约相当于供试品含量的80%、100%、120%），再精密加入100ml无水乙醇，分别按重复性试验项下的方法操作，测定每份的含量，计算回收率。结果见表8。

表8 胡椒碱加样回收率试验结果

取样量（g）	供试品含量（mg）	对照品加入量（mg）	测得总量（mg）	回收率（%）	平均回收率（%）	RSD（%）
0.2504	0.5765	0.4288	1.0016	99.14		
0.2504	0.5763	0.4288	1.0034	99.60		
0.2504	0.5763	0.4288	1.0064	100.30		
0.2504	0.5764	0.5360	1.1073	99.05		
0.2504	0.5765	0.5360	1.1173	100.90	100.32	0.8
0.2504	0.5767	0.5360	1.1176	100.91		
0.2504	0.5765	0.6432	1.2249	100.81		
0.2504	0.5765	0.6432	1.2267	101.09		
0.2504	0.5763	0.6432	1.2266	101.10		

从表8数据可见，本方法的平均回收率为100.32%，RSD为0.8%。该方法准确度好。

3 样品的含量测定

取三批样品及模拟样品，每批各2份，研细，取本品细粉约0.5g，精密称定，置100ml棕色量瓶中，加无水乙醇70ml，静置30分钟，超声处理（功率250W，频率40kHz）30分钟，放冷，加无水乙醇至刻度，摇匀，滤过，取续滤液，即得，作为供试品溶液。另取胡椒碱对照品适量，精密称定，置棕色量瓶中，加无水乙醇制成每1ml含24μg的溶液，作为对照品溶液。分别精密吸取各溶液10μl，注入液相色谱仪测定。按外标法计算含量。结果见表9。

表9 样品中胡椒碱含量测定结果

批号	取样量（g）	平均峰面积值	含量（mg/g）	平均含量（mg/g）
20190611	0.5005	1066010	1.1326	1.1423
	05038	1084485	1.1520	
20191008	0.5028	1074839	1.1427	1.1426
	0.5019	1075052	1.1426	
20200225	0.5006	1022024	1.1039	1.0726
	0.4985	1033495	1.1164	
20200036	0.5045	1104678	1.4732	1.1317
	0.5052	1134170	1.5135	

从表9数据可见，三批样品中胡椒碱平均含量最低为1.0726mg/g。模拟样品平均含量结果为1.1317mg/g。

4 荜茇药材含量测定

试验中采用同法对上述两批样品生产用荜茇药材进行了含量测定，测定结果见表10。

表10 荜茇药材中胡椒碱的含量测定结果

序号	取样量（g）	平均峰面积值（n=2）	含量（mg/g）	平均含量（mg/g）
1	0.1003	882024	23.50	23.59
2	0.1001	887070	23.68	

从表10数据可见，试验中同法对上述三批样品生产的荜茇药材进行了含量测定，结果为23.59mg/g。

5 本制剂含量限度的确定

从表10和表9数据可见，胡椒药材中胡椒碱平均含量为23.59mg/g，模拟样品中胡椒碱平均含量为1.1317mg/g。

按理论值折算，样品应含胡椒碱为50÷898×23.59mg/g=1.31mg/g，可见，胡椒碱的转移率=1.1317÷1.31×100%=86.38%。

参照《中国药典》2020年版一部"荜茇"药材的胡椒碱含量限度不得少于2.5%，转移率86.38%，考虑不同产地药材的质量差异, 并结合其他影响因素及三批样品的测定结果, 下浮30%, 按此限度折算本品含胡椒碱的理论量应不低于$50 \div 898 \times 2.5\% \times 1000 \times 86.38\% \times 70\% = 0.84$mg/g。

标准正文暂定为: 本品每1g含荜茇以胡椒碱($C_{17}H_{19}NO_3$)计, 不得少于0.80mg。

【功能与主治】

消食, 祛寒性希日。主治食积不消, 赫依、巴达干、痞症等合并其他病症而引起的寒性希日症, 口苦, 嗳气, 胃胀痛, 泛酸等。

【用法与用量】

口服。一次11~15丸, 一日1~2次, 温开水送服。

【规格】

每10丸重2g。

【贮藏】

密闭, 防潮。

起草单位: 内蒙古自治区国际蒙医医院 苏日娜 莫日根 那松巴乙拉 青 松
      包头市检验检测中心   周智臣 杨宇慧 王晓东

哈登·细莫-9丸质量标准起草说明

【历史沿革】

本方来源于《蒙医常用方剂选》（吉林人民出版社1975年版, 蒙汉对照版, 第17页）。

【处方来源】

本制剂由内蒙古自治区国际蒙医医院提供。

【名称】

哈登·细莫-9丸

【蒙药材和饮片的来源和执行标准】

1. 处方组成及药味排列顺序: 五灵脂150g、甘松90g、红花90g、诃子90g、砂仁75g、花香青兰75g、麦冬75g、拳参75g、牛胆粉60g。

2. 处方中除五灵脂、花香青兰和牛胆粉药材外, 其余甘松等药味均收载于《中国药典》2020年版一部, 其质量应符合该品种项下的有关规定。

五灵脂: 为松鼠科动物灰鼯鼠*Petaurista xanthotis*（ Milne -Edwards）的干燥粪便。其质量应符合《内蒙古蒙药饮片炮制规范》2020年版第364页该品种项下的有关规定。

花香青兰: 为唇形科植物香青兰*Dracocephalum moldavica* L. 的干燥带花地上部分。其标准应符合《内蒙古蒙药饮片炮制规范》2020年版第201页该品种项下的有关规定。

牛胆粉: 为牛科动物牛*Bos taurus domesticus* Gmelin的干燥胆汁粉。其标准应符合《内蒙古蒙药饮片炮制规范》2020年版第74页该品种项下的有关规定。

【制法】

以上九味, 除牛胆粉外, 其余五灵脂等八味, 粉碎成细粉, 将牛胆粉与上述细粉配研, 过筛, 混匀, 用水泛丸, 打光, 干燥, 分装, 即得。

【性状】

本品为口服制剂水丸, 性状为棕色至棕褐色; 气香, 味苦。

【鉴别】

本品为药材细粉制成的水丸, 方中红花、诃子、拳参的显微特征较明显, 故建立显微鉴别, 并对处方中的甘松建立了薄层鉴别。

1. 试剂与试药

供试品: 供试品（批号202001101、202001102、202001103）由内蒙古自治区国际蒙医医院提供, 模拟样品（批号202001110）模拟。

对照品: 甘松对照药材（批号121402-200602）购于中国食品药品检定研究院。

薄层板: 硅胶GF$_{254}$板, 购于青岛海洋化工有限公司。

所用其他试剂均为分析纯, 水为离子交换高纯水。

2. 试验方法与结果

（1）显微鉴别

红花：花粉粒圆球形或椭圆形，直径约至60μm，外壁有刺，具3个萌发孔；诃子：木化细胞呈类长方形、类多角形、类三角形，纹孔圆点状、斜裂缝状或人字状，少数胞腔内含草酸钙簇晶；拳参：草酸钙簇晶，直径15~65μm。

（2）甘松薄层鉴别

甘松味辛、甘，性温，具有理气止痛，开郁醒脾的功效。参照《中国药典》2020年版一部"甘松"项下薄层条件，制定出正文所述的鉴别方法。通过阴性对照试验观察，方中其他药材对甘松的检出无干扰，证明此方法具有专属性。

【检查】

按照丸剂（《中国药典》2020年版四部通则0108）项下规定，对三批供试品及模拟样品的水分、重量差异、溶散时限、重金属、砷盐和微生物限度进行了检查，检查结果均符合规定。具体方法及测定数据如下：

1. 水分：取供试品照水分测定法（《中国药典》2020年版四部通则0832）测定，三批供试品及模拟样品测定结果见表1。

表1　水分测定结果

序号	批号	水分（%）
1	202001101	5.90
2	202001102	5.77
3	202001103	5.83
4	202001110	5.99

药典规定丸剂水分含量不得大于9.0%。由表1的结果可见，3批供试品和1批模拟样品的水分含量均符合要求。

2. 重量差异：取以上三批供试品，每批供试品取10份，10丸为1份，分别称定重量，再与每份标示重量（2g）相比较，求每一份的重量差异（%）。药典规定每份标示装量的限度为±8%，并规定超出重量差异限度的不得多于2份，并不得有1份超出限度1倍。本品的重量差异检查结果均符合规定。

3. 溶散时限：取本品按照片剂崩解时限检查法（《中国药典》2020年版四部通则0921）项下加挡板进行测定。三批供试品测定结果见表2。

表2　溶散时限测定结果

序号	批号	溶散时间（min）
1	202001101	47
2	202001102	43
3	202001103	40

药典规定水丸应在1小时内全部溶散。表2的结果显示，本品的溶散时限符合规定。

4. 对三批供试品及模拟样品进行了重金属、砷盐考察，方法与结果如下：

重金属：分别取每个批号样品0.5g、0.67g、1.0g、2.0g，按《中国药典》2020年版四部0821第二法检查。

供试品溶液的制备：取本品0.5g、0.67g、1.0g、2.0g，分别缓缓炽灼至完全炭化，放冷，加硫酸0.5ml，使湿润，低温加热至硫酸除尽后，加硝酸0.5ml，蒸干，至氧化氮蒸气除尽后，放冷，于600℃炽灼至完全灰化，放冷。加盐酸2ml，置水浴上蒸干后加水15ml，滴加氨试液至对酚酞指示液显中性，再加醋酸盐缓冲液（pH3.5）2ml，微热溶解后，移置纳氏比色管中，加水稀释至25ml，作为供试品溶液。

标准铅对照管的制备：另取配制供试品溶液的试剂两份，分别置瓷皿中蒸干后，加醋酸盐缓冲液（pH3.5）2ml，加水15ml微热溶解后, 移至两支纳氏比色管中, 分别加标准铅溶液 (10μg/mlPb) 2ml, 再加水稀释至25ml, 作为标准铅对照管。

检视: 于上述供试品溶液和标准铅对照管中分别加硫代乙酰胺试液各2ml, 摇匀, 放置2分钟, 同置白色背景上, 从上向下进行观察。试验结果见表3。

表3 重金属检查结果

序号	批号	重金属含量 (ppm)			
1	202001101	<10	<20	<30	<40
2	202001102	<10	<20	<30	<40
3	202001103	<10	<20	<30	<40
4	202001110	<10	<20	<30	<40

结果显示, 供试品溶液的颜色明显浅于2ml的标准铅对照溶液。经过3批供试品及模拟样品的检查, 含重金属均未超过百万分之十, 故未列入正文。

砷盐: 取本品1g和标准砷溶液 (1μg/mlAS) 2ml, 分别加无砷氢氧化钙1g, 加少量水, 搅匀, 烘干, 用小火缓缓炽灼至炭化, 再在600℃炽灼至完全灰化, 放冷。分别加盐酸7ml使溶解, 再加水21ml, 按《中国药典》2020年版四部通则0822第一法 (古蔡氏法) 检查砷盐含量。

结果: 供试品砷斑浅于标准砷斑的颜色, 表明本品含砷量未超过百万分之二 (小于2ppm), 故砷盐检查项目未列入正文。

5. 微生物限度: 照微生物计数法 (《中国药典》2020年版四部通则1105) 和控制菌检查法 (《中国药典》2020年版四部通则1106) 及《内蒙古蒙药制剂规范》(第三册) 附录Ⅲ微生物限度标准, 进行检查。结果均符合规定。

【含量测定】

本品是由五灵脂、甘松、红花、诃子、砂仁、花香青兰、麦冬、拳参、牛胆粉等九味药组成的复方制剂。临床功效为清胃血希日热, 止泻。用于胃血希日热, 胃、肠聚合疫热, 血热性上吐下泻。红花为方中的主药, 具有活血通经, 散瘀止痛的功效。用于经闭, 痛经, 恶露不行, 癥瘕痞块, 胸痹心痛, 瘀滞腹痛, 胸胁刺痛, 跌扑损伤, 疮疡肿痛。红花主含红花苷类, 红花多糖和有机酸。其中查尔酮类成分羟基红花黄色素A是红花的主要活性成分, 故参照《中国药典》2020年版一部 "红花" 项下的含量测定方法, 选择羟基红花黄色素A作为指标成分, 对本制剂中的红花进行含量测定方法的研究。经分析方法验证, 表明该方法重现性好, 专属性强, 方中其他组分对羟基红花黄色素A的测定无干扰。

1 仪器与试剂试药

1.1 仪器

Waters e2695型高效液相色谱仪, Mettler-TOledo MS105DU型百万分之一电子天平, Mettler-TOledo XPR10型万分之一电子天平, SBL-22DT型超声波清洗器 (宁波新芝生物科技股份有限公司, 40KHZ), Heal Force NW15UV型超纯水系统, FW400A型多功能粉碎机 (材茂科技有限公司)。

1.2 试剂与试药

供试品 (批号202001101、202001102、202001103) 由内蒙古自治区国际蒙医医院提供, 模拟样品 (批号202001110) 模拟; 羟基红花黄色素A对照品 (批号111637-201810) 购于中国食品药品检定研究院; 甲醇、乙腈、三乙胺为色谱纯, 水为超纯水, 其他试剂均为分析纯。

2 方法学考察

2.1 色谱条件

2.1.1 色谱柱：色谱柱填充剂为十八烷基硅烷键合硅胶，本实验采用Tnature C$_{18}$（250mm×4.6mm，5μm）色谱柱。

2.1.2 流动相的选择：参照《中国药典》2020年版一部"红花"含量测定项下的测定方法，以甲醇-乙腈-0.7%磷酸溶液（26∶2∶72）为流动相进行条件摸索。结果羟基红花黄色素A峰型不对称，拖尾严重，加三乙胺调节0.7%磷酸溶液pH值至6.0后，供试品色谱图中的羟基红花黄色素A峰的对称性在0.95～1.05之间，与其他成分达到较好的分离，理论板数较高，并具有适宜的保留时间，故选择以甲醇-乙腈-0.7%磷酸溶液（22∶2∶76）用三乙胺调pH值为6.0为流动相。

2.1.3 柱温：35℃可以保证柱压较低，分离效果稳定，故选择柱温为35℃。

2.1.4 检测波长的选择：参照《中国药典》2020年版一部"红花"含量测定项下羟基红花黄色素A的测定方法，选择403nm处作为检测波长。

2.1.5 理论板数的确定：从对三批供试品的测定结果可见，羟基红花黄色素A峰理论板数在3000以上即能达到较好的分离效果，故规定理论板数按羟基红花黄色素A峰计不低于3000。

2.2 提取溶剂及提取效率的考察

参考《中国药典》2020年版一部"红花"含量测定项下的方法，以25%甲醇作为提取溶剂进行超声提取，为保证被测成分提取完全，在供试品的细度一致、提取溶剂一致、超声（功率250W，频率40kHz）的条件下，实验中考察了30分钟、40分钟和50分钟等不同提取时间对提取效率的影响。结果见表4。

表4 羟基红花黄色素A提取时间考察

提取时间（min）	称样量（g）	峰面积平均值	含量（mg/g）
30	0.8033	1500624	1.74
40	0.8020	1540711	1.79
50	0.8016	1507968	1.75

从表4数据可见，超声提取40分钟供试品中羟基红花黄色素A的含量较高，故将提取时间定为40分钟，与《中国药典》2020年版一部"红花"含量测定项下的提取时间一致。

2.3 专属性考察

2.3.1 对照品溶液的制备：取羟基红花黄色素A对照品适量，精密称定，加25%甲醇制成每1ml含70μg的溶液，作为对照品溶液。

2.3.2 供试品溶液的制备：取本品适量，研细，取约0.8g，精密称定，置具塞锥形瓶中，精密加入25%甲醇50ml，称定重量，超声处理（功率250W，频率40kHz）40分钟，放冷，再次称定重量，用25%甲醇补足减失的重量，摇匀，离心（转速为每分钟5000转）5分钟，取上清液，作为供试品溶液。

2.3.3 阴性对照溶液的制备：按本品处方配比制备不含红花的阴性供试品，取约0.8g，精密称定，从"置具塞锥形瓶中……"起操作同"供试品溶液的制备"，取上清液，作为阴性对照溶液。

2.3.4 测定：分别精密吸取上述三种溶液各10μl，注入液相色谱仪，记录各自的色谱图。

试验结果显示，供试品色谱中在与对照品色谱保留时间相同的位置上有色谱峰出现，而阴性对照在与对照品色谱保留时间相同的位置上无色谱峰出现，表明共存组分对处方中羟基红花黄色素A的测定无干扰。

2.4 线性关系考察

取羟基红花黄色素A对照品约3.0mg，精密称定，置25ml量瓶中，加25%甲醇使溶解，并稀释至刻度，摇匀，作为对照品溶液（对照品溶液实际浓度为0.126mg/ml）。分别精密吸取上述对照品溶液2μl、3μl、5μl、10μl、15μl、20μl、25μl注入液相色谱仪，按上述色谱条件进行测定，以峰面积对对照品进样量进行回归分析。结果见表5。

表5 标准曲线数据及回归分析结果

序号	进样量（μg）	峰面积值	回归方程	回归系数（r）
1	0.2522	322501		
2	0.3783	491681		
3	0.6305	866209		
4	1.2610	1783979	$y=1451253.23x-49052.80$	1.0000
5	1.8915	2695720		
6	2.5220	3612454		
7	3.1525	4524329		

从表5数据可见，羟基红花黄色素A在0.2522~3.153μg范围内与峰面积呈良好的线性关系。

2.5 精密度试验

取同一份供试品（批号202001101）溶液，连续进样6针，记录色谱图。羟基红花黄色素A峰面积的精密度计算结果见表6。

表6 精密度试验结果

序号	峰面积值	平均值	RSD（%）
1	1424044		
2	1426683		
3	1432509		
4	1432509	1424062	0.58
5	1413184		
6	1415444		

从表6数据可见，符合《中国药典》2020年版四部通则0512中规定的RSD值小于2.0%的要求。

2.6 稳定性试验

取同一份供试品（批号202001101）溶液，分别于制备溶液后的0小时、2小时、4小时、6小时、8小时、10小时进样测定，结果见表7。

表7 溶液的稳定性试验结果

序号	时间（h）	峰面积值	RSD（%）
1	0	1411799	
2	2	1419253	
3	4	1415482	
4	6	1413053	0.22
5	8	1418477	
6	10	1418537	

从表7数据可见，羟基红花黄色素A在10小时内峰面积值基本稳定不变。

2.7 重复性试验

取同一供试品（批号202001101）6份，各约0.8g，精密称定，置具塞锥形瓶中，精密加入25%甲醇50ml，称定重量，超声处理（功率250W，频率40kHz）40分钟，放冷，再次称定重量，用25%甲醇补足减失的重量，摇匀，离心（转速为每分钟5000转）5分钟，取上清液，作为供试品溶液。取羟基红花黄色素A对照品适量，精密称定，加25%甲醇制成每1ml含70μg的溶液，作为对照品溶液。分别精密吸取以上两种溶液各10μl，注入液相色谱仪，记录各自的色谱图，用外标法以峰面积计算含量。结果见表8。

表8　羟基红花黄色素A重复性试验结果

称样量（g）	峰面积值	含量（mg/g）	平均含量（mg/g）	RSD（%）
0.8026	1481049	1.73		
0.8088	1505808	1.75		
0.8017	1501828	1.76	1.71	1.94
0.8035	1443349	1.68		
0.8033	1441431	1.68		
0.8012	1443861	1.69		

从表8数据可见，在相同的细度、提取溶剂和色谱条件下，6份供试品含量测定结果的均值为1.71mg/g，RSD为1.94%，表明该方法的重复性好。

2.8　加样回收试验

取已知含量（批号202001101，羟基红花黄色素A含量为1.71mg/g）的供试品9份，各约0.4g，精密称定，分别置9个具塞锥形瓶中，再分别在其中3个具塞锥形瓶中精密加入浓度为0.3449mg/ml的羟基红花黄色素A对照品溶液1ml（约相当于供试品含有量的50%）及25%甲醇24ml，另3个具塞锥形瓶中各精密加入上述对照品溶液2ml（约相当于供试品含有量的100%）及25%甲醇23ml，其余3个具塞锥形瓶中各精密加入上述对照品溶液3ml（约相当于供试品含有量的150%）及25%甲醇22ml，分别称定重量，超声处理40分钟，取出，再称重，用25%甲醇补足减失重量，摇匀，离心（转速为每分钟5000转）5分钟，取上清液，作为供试品溶液。分别精密吸取各溶液10μl进样测定，按外标法以峰面积计算含量并计算回收率。结果见表9。

表9　加样回收试验结果

称样量（g）	供试品含量（mg）	对照品加入量（mg）	测得总量（mg）	回收率（%）	平均回收率（%）	RSD（%）
0.4026	0.6884	0.3449	1.0320	99.6		
0.4068	0.6956	0.3449	1.0496	102.6		
0.4040	0.6908	0.3449	1.0438	102.3		
0.4041	0.6910	0.6898	1.3958	102.2		
0.4082	0.6980	0.6898	1.4044	102.4	101.0	1.72
0.4073	0.6965	0.6898	1.4063	102.9		
0.4068	0.6956	1.0347	1.7202	99.0		
0.4070	0.6960	1.0347	1.7219	99.2		
0.4021	0.6876	1.0347	1.7125	99.1		

从表9数据可见，本方法的平均回收率为101.0%，RSD为1.72%。该方法准确度好。

2.9　耐用性试验

取供试品（批号202001101）2份，各约0.8g，精密称定，按重复性试验项下的方法处理，换不同厂家、不同型号的色谱柱，分别测定供试品的含量。结果见表10。

表10 色谱柱耐用性试验

序号	称样量（g）	柱型号	峰面积值	含量（mg/g）
1	0.8035	Tnature C$_{18}$柱	1443349	1.68
		WondaSil C$_{18}$柱	1408495	1.65
2	0.8033	Tnature C$_{18}$柱	1441431	1.68
		WondaSil C$_{18}$柱	1401044	1.64

从表10数据可见，在使用不同型号或厂家的色谱柱时，对测定结果影响较小。

3 样品含量测定

取三批样品（批号202001101、202001102、202001103）及模拟样品（批号202001110），每批各1份，各约0.8g，精密称定，按重复性试验项下的方法处理并测定含量。测定结果见表11。

表11 样品中羟基红花黄色素A的含量测定结果

批号	称样量（g）	峰面积平均值	平均含量（mg/g）
202001101	0.8007	1365590	1.14
202001102	0.8005	1371660	1.18
202001103	0.8004	1374950	1.20
202001110	0.8026	1481049	1.73

表11数据可见，三批样品和模拟样品中羟基红花黄色素A平均含量最低为1.14mg/g，最高为1.73mg/g。

4 红花药材含量测定

采用同法对上述三批样品生产用红花药材进行了含量测定，测定结果见表12。

表12 红花药材中羟基红花黄色素A的含量测定结果

序号	称样量（g）	测得峰面积值	峰面积平均值	含量（mg/g）	平均含量（mg/g）
1	0.2049	3550298	3537788	3544043	16.42	
2	0.2041	3573231	3549769	3561500	16.56	16.47
3	0.2023	3509289	3495800	3502545	16.43	

从表12数据可见，红花药材中羟基红花黄色素A平均含量为16.47mg/g（1.65%）。

5 本制剂含量限度的确定

三批样品中羟基红花黄色素A最低含量在1.14mg/g，红花药材中羟基红花黄色素A含量为16.47mg/g（1.65%），模拟样品中羟基红花黄色素A含量为1.73mg/g。

按理论值折算，样品应含羟基红花黄色素A为18÷156×1.6.47mg/g=1.90mg/g，可见，羟基红花黄色素A的转移率=1.73÷1.90×100%=91.05%。

参照《中国药典》2020年版一部"红花"药材项下规定的羟基红花黄色素A含量限度不得少于1.0%，转移率为91.05%，考虑不同产地药材的质量差异，并结合其他影响因素及三批样品的测定结果，下浮20%，按此限度折算本品含羟基红花黄色素A的理论量应不低于18÷156×1000×1.0%×91.05%×80%=0.84mg/g。

标准正文暂定为：本品每1g含红花以羟基红花黄色素A（C$_{27}$H$_{32}$O$_{16}$）计，不得少于0.80mg。

【功能与主治】

清胃血希日热，止泻。用于胃血希日热，胃、肠聚合疫热，血热性上吐下泻。

【用法与用量】

口服。一次11~15丸，一日1~2次，温开水送服。

【规格】

每10丸重2g。

【贮藏】

密封，防潮。

起草单位： 内蒙古盛唐国际蒙医药研究院　　张跃祥　崔圆圆　王　伟

鄂尔多斯市检验检测中心　　　　李　珍　杨　洋　吕彩莲

内蒙古自治区药品检验研究院　　籍学伟　郭宝凤

洪高乐召日–12丸质量标准起草说明

【历史沿革】

本方来源于《蒙医药选编》(内蒙古人民出版社1999年版,蒙古文,第358页)。

【处方来源】

本制剂由内蒙古自治区国际蒙医医院提供。

【名称】

洪高乐召日–12丸

【蒙药材和饮片的来源和执行标准】

1. 处方组成及药味排列顺序:草乌叶120g、角茴香120g、漏芦花95g、没药85g、麦冬65g、多叶棘豆60g、石膏50g、红花50g、檀香50g、寒制红石膏50g、人工麝香1g、人工牛黄20g。

2. 处方中除漏芦花、多叶棘豆、人工麝香、寒制红石膏药材外,其余草乌叶等药味均收载于《中国药典》2020年版一部,其质量应符合该品种项下的有关规定。

漏芦花:为菊科植物祁州漏芦*Rhaponticum uniflorum*(L.)DC的干燥头状花序。其标准应符合《中华人民共和国卫生部药品标准》(蒙药分册)1998年版第54页该品种项下有关规定。

多叶棘豆:为豆科植物多叶棘豆*Oxytropis myriophylla*(Pall.)DC.的干燥全草。其标准应符合《中华人民共和国卫生部药品标准》蒙药分册1998年版第14页该品种项下有关规定。

寒制红石膏:为单斜晶系硫酸钙矿石族红石膏Gypsum的矿石红石膏(北寒水石)的炮制加工品。主含含水硫酸钙($CaSO_4 \cdot 2H_2O$)。其标准应符合《内蒙古蒙药饮片炮制规范》2020年版第188页该品种项下的有关规定。

人工麝香:应符合卫生部标准(试行)WS–210(Z–32)–93标准的有关规定。

【制法】

以上十二味,除人工牛黄、人工麝香外,其余草乌叶等十味,粉碎成细粉,将人工麝香、人工牛黄与上述细粉配研,过筛,混匀,用水泛丸,打光,干燥,分装,即得。

【性状】

本品为口服制剂水丸,性状为浅棕色至灰棕色;气微,味淡。

【鉴别】

本品为原药材细粉制成的水丸,方中角茴香、麦冬、檀香的显微特征较明显,故建立显微鉴别,方中人工牛黄具有清热解毒,化痰定惊的功效,故对处方中的人工牛黄建立了薄层鉴别。

1. 试剂与试药

供试品:供试品(批号20190701、20190918、20200317)由内蒙古自治区国际蒙医医院提供,模拟样品(批号20190801)模拟。

对照品:胆酸对照品(批号100078–201415)、猪去氧胆酸对照品(批号100087–201411)均购于中国食品药品检定研究院。

薄层板：硅胶G板，购于青岛海洋化工有限公司。

所用其他试剂均为分析纯，水为离子交换高纯水。

2. 试验方法与结果

（1）显微鉴别

角茴香：内胚乳细胞多角形，含脂肪油滴和糊粉粒。麦冬：皮层宽广，散有含草酸钙针晶束的黏液细胞，有的针晶直径至10μm。檀香：木薄壁细胞单个散在或数个联结，有的含草酸钙方晶。

（2）人工牛黄薄层鉴别

参照《中国药典》2020年版一部"人工牛黄"项下薄层条件，制定出正文所述的鉴别方法。通过阴性对照试验观察，方中其他药材对人工牛黄的检出无干扰，证明此方法具有专属性。

【检查】

按照丸剂（《中国药典》2020年版四部通则0108）项下规定，对三批供试品及模拟样品的水分、重量差异、溶散时限、重金属、砷盐和微生物限度进行了检查，检查结果均符合规定。具体方法及测定数据如下：

1. 水分：取供试品照水分测定法（《中国药典》2020年版四部通则0832）测定。三批供试品及模拟样品测定结果见表1。

表1　水分测定结果

序号	批号	水分（%）
1	20190701	6.25
2	20190918	6.41
3	20200317	6.33
4	20190801	6.54

药典规定丸剂水分含量不得大于9.0%。由表1的结果可见，3批供试品和1批模拟样品的水分含量均符合要求。

2. 重量差异：取以上三批供试品，每批供试品取10份，10丸为1份，分别称定重量，再与每份标示重量（2g）相比较，求每一份的重量差异（%）。药典规定每份标示装量的限度为±8%，并规定超出重量差异限度的不得多于2份，并不得有1份超出限度1倍。本品的重量差异检查结果均符合规定。

3. 溶散时限：取本品按照片剂崩解时限检查法（《中国药典》2020年版四部通则0921）项下加挡板进行测定。三批供试品测定结果见表2。

表2　溶散时限测定结果

序号	批号	溶散时间（min）
1	20190701	28
2	20190918	30
3	20200317	35

药典规定水丸应在1小时内全部溶散。表2的结果显示，本品的溶散时限符合规定。

4. 对三批供试品及模拟样品进行了重金属、砷盐考察，方法与结果如下：

重金属：分别取每个批号样品0.5g、0.67g、1.0g、2.0g，按《中国药典》2020年版四部0821第二法检查。

供试品溶液的制备：取本品0.5g、0.67g、1.0g、2.0g，分别缓缓炽灼至完全炭化，放冷，加硫酸0.5ml，使湿润，低温加热至硫酸除尽后，加硝酸0.5ml，蒸干，至氧化氮蒸气除尽后，放冷，于600℃炽灼至完全灰化，放冷。加盐酸2ml，置水浴上蒸干后加水15ml，滴加氨试液至对酚酞指示液显中性，再加醋酸盐缓冲液（pH3.5）2ml，微热溶解后，移置纳氏比色管中，加水稀释至25ml，作为供试品溶液。

标准铅对照管的制备：另取配制供试品溶液的试剂两份，分别置瓷皿中蒸干后，加醋酸盐缓冲液（pH3.5）2ml，加水15ml微热溶解后，移至两支纳氏比色管中，分别加标准铅溶液（10μg/mlPb）2ml，再加水稀释至25ml，作为标准铅对照管。

检视：于上述供试品溶液和标准铅对照管中分别加硫代乙酰胺试液各2ml，摇匀，放置2分钟，同置白色背景上，从上向下进行观察。试验结果见表3。

表3　重金属检查结果

序号	批号	重金属含量（ppm）			
1	20190701	<10	<20	<30	<40
2	20190918	<10	<20	<30	<40
3	20200317	<10	<20	<30	<40
4	20190801	<10	<20	<30	<40

结果显示，供试品溶液的颜色明显浅于2ml的标准铅对照溶液。经过3批供试品及模拟样品的检查，含重金属均未超过百万分之十，故未列入正文。

砷盐：取本品1g和标准砷溶液（1μg/mlAS）2ml，分别加无砷氢氧化钙1g，加少量水，搅匀，烘干，用小火缓缓炽灼至炭化，再在600℃炽灼至完全灰化，放冷。分别加盐酸7ml使溶解，再加水21ml，按《中国药典》2020年版四部通则0822第一法（古蔡氏法）检查砷盐含量。

结果：供试品砷斑浅于标准砷斑的颜色，表明本品含砷量未超过百万分之二（小于2ppm），故砷盐检查项目未列入正文。

5. 微生物限度：照微生物计数法（《中国药典》2020年版四部通则1105）和控制菌检查法（《中国药典》2020年版四部通则1106）及《内蒙古蒙药制剂规范》（第三册）附录Ⅲ微生物限度标准，进行检查，结果均符合规定。

【浸出物】

照醇溶性浸出物测定法（《中国药典》2020年版四部通则2201）项下的冷浸法测定，具体操作如下：

取本品4.0g，精密称定，置250ml锥形瓶中，精密加无水乙醇100ml，密塞，冷浸，前6小时内时时振摇，再静置18小时，用干燥滤器迅速滤过，精密量取续滤液20ml，置已干燥至恒重的蒸发皿中，在水浴上蒸干后，于105℃干燥3小时，置干燥器中冷却30分钟，迅速精密称定重量。除另有规定外，以干燥品计算供试品中醇溶性浸出物的含量。结果见表4。

表4　醇溶性浸出物结果

序号	批号	醇溶性浸出物（%）
1	20190701	9.5
2	20190918	9.9
3	20200317	9.3

从表4数据可见，3批供试品中醇溶性浸出物的含量均在9%以上，考虑到不同产地，不同批次药材的质量不同，下浮45%，标准正文暂定为：本品含醇溶性浸出物不得少于5.0%。

【含量测定】

处方中各药材均没有合适的含量测定标准，因此，本品无含量测定项。

【功能与主治】

杀黏，清热。用于黏热，疫热相讧，重症希日热，白喉，炭疽。

【用法与用量】

口服。一次11~15丸，一日1~2次，温开水送服。

【注意事项】

孕妇慎用。

【规格】

每10丸重2g。

【贮藏】

密封,防潮。

起草单位: 内蒙古盛唐国际蒙医药研究院　　张跃祥　崔圆圆　田志杰

　　　　　鄂尔多斯市检验检测中心　　　　李雨生　裴春梅　殷　乐

　　　　　内蒙古自治区国际蒙医医院　　　康晓娜

泰特古鲁其-17丸质量标准起草说明

【来源】

处方来源于内蒙古自治区国际蒙医医院杭盖巴特尔大夫经验方。

【处方来源】

本制剂由内蒙古自治区国际蒙医医院提供。

【名称】

泰特古鲁其-17丸

【蒙药材和饮片的来源和执行标准】

1. 处方组成及药味排列顺序: 诃子60g、生草果仁60g、丁香60g、草阿魏60g、丹参45g、木香45g、石菖蒲45g、诃子汤泡草乌30g、炒马钱子30g、山沉香30g、肉豆蔻30g、广枣30g、闹羊花30g、姜黄30g、盐飞雄黄20g、蟾酥粉6g、人工麝香1g。

2. 处方中除人工麝香、诃子汤泡草乌、草阿魏、山沉香和蟾酥粉药材外, 其余诃子等药味均收载于《中国药典》2020年版一部, 其质量应符合该品种项下的有关规定。

人工麝香: 应符合卫生部标准(试行)WS-210(Z-32)-93标准的有关规定。

诃子汤泡草乌: 毛茛科植物北乌头*Aconitum kusenzoffii* Reichb.的干燥块根。其标准应符合《内蒙古蒙药饮片炮制规范》2020年版第307页该品种项下有关规定。

草阿魏: 为伞形科植物新疆阿魏*Ferula sinkiangenises* K.M.Shen或阜康阿魏*Ferula fukanensis* K.M.Shen的干燥根。其标准应符合《内蒙古蒙药饮片炮制规范》2020年版第311页该品种项下的有关规定。

山沉香: 为木犀科植物贺兰山丁香*Syringa pinnatifolia* Hemsl.var.*alashanensis* Ma.etS.Q.Zhou削去外皮的干燥枝。其标准应符合《中华人民共和国卫生部药品标准》(蒙药分册)1998年版第4页该品种项下的有关规定。

蟾酥粉: 为蟾蜍科动物中华大蟾蜍*Bufo bufo gargarizans* Cantor或黑眶蟾蜍*Bufo melanostictus* Schnei-der的干燥分泌物。其标准应符合《内蒙古蒙药饮片炮制规范》2020年版第532页该品种项下的有关规定。

【制法】

以上十七味, 除人工麝香、蟾酥粉、盐飞雄黄外, 其余诃子等十四味, 粉碎成细粉, 将蟾酥粉、盐飞雄黄分别研细, 与人工麝香和上述细粉配研, 过筛, 混匀, 用水泛丸, 干燥, 打光, 分装, 即得。

【性状】

本品为灰棕色至黑棕色的水丸; 气微, 味苦。

【鉴别】

本品方中药材经显微鉴别观察, 显微特征不明显, 专属性不强, 故未建立显微鉴别。对处方中姜黄、丹参建立了薄层色谱鉴别。

1. 试剂与试药

供试品: 供试品(批号20200106、20190807、20201108)由内蒙古自治区国际蒙医医院提供, 模拟样品(批号

20200068）模拟。

对照品：姜黄素对照品（批号110823–201706）、丹参酮ⅡA对照品（批号110766–201721）、姜黄对照药材（批号121188–201605），均购于中国食品药品检定研究院；乌头碱对照品（批号DST200729–006），购于乐美天医药德思特生物研制。

薄层板：硅胶G板，购于青岛海洋化工有限公司。

所用其他试剂均为分析纯，水为离子交换高纯水。

2. 试验方法与结果

（1）姜黄薄层鉴别

姜黄具有破血行气，通经止痛的功效。参照《中国药典》2020年版一部"姜黄"项下的薄层条件，制定出正文所述的鉴别方法（姜黄素的Rf值为0.50）。即：取本品2g，研细，加无水乙醇30ml，振摇，放置30分钟，滤过，滤液蒸干，残渣加无水乙醇2ml使溶解，作为供试品溶液。另取姜黄对照药材0.2g，同法制成对照药材溶液。再取姜黄素对照品，加无水乙醇制成每1ml含0.5mg的溶液，作为对照品溶液。照薄层色谱法（《中国药典》2020年版四部通则0502）试验，吸取上述供试品溶液4μl，对照药材溶液及姜黄素和对照品各2μl，分别点于同一硅胶G薄层板上，以三氯甲烷–甲醇–甲酸（96∶4∶0.7）为展开剂，展开，取出，晾干，分别置日光下及紫外光灯（365nm）下检视。供试品色谱中，在与对照药材及对照品色谱相应的位置上，分别显相同颜色的斑点或荧光斑点。[注：前期通过探索性试验，供试品点样量4μl、姜黄对照药材及姜黄素对照品点样量2μl时，日光及紫外光灯（365nm）下薄层分离效果较好。通过阴性对照试验观察，方中其他药材对姜黄的检出无干扰，此方法专属性强，可用于供试品中姜黄的薄层色谱鉴别。

（2）丹参薄层鉴别

丹参具有活血祛瘀，通经止痛，清心除烦，凉血消痈的功效。参照《中国药典》2010年版一部"丹参"项下的薄层条件，制定出正文所述的鉴别方法（丹参酮ⅡA的Rf值为0.55）。即：取本品粉末3g，置棕色瓶内，加乙醚15ml，振摇，放置1小时，滤过，滤液挥干，残渣加乙酸乙酯1ml使溶解，作为供试品溶液。另取丹参酮ⅡA对照品，置棕色瓶内，加乙酸乙酯制成每1ml含2mg的溶液，作为对照品溶液。照薄层色谱法（《中国药典》2020年版四部通则0502）试验，吸取上述供试品溶液10μl，对照品溶液5μl，分别点于同一硅胶G薄层板上，以苯–乙酸乙酯（19∶1）为展开剂，展开，取出，晾干。供试品色谱中，在与对照品色谱相应的位置上，显相同的暗红色斑点。[注：前期通过探索性试验，供试品点样量10μl、丹参酮ⅡA对照品点样量5μl时，供试品与对照品相对应的斑点清晰，薄层分离效果较好。通过阴性对照试验观察，方中其他药材对丹参酮ⅡA的检出无干扰，此方法专属性强，可用于供试品中丹参的薄层色谱鉴别。

【检查】

按照丸剂（《中国药典》2020年版四部通则0108）项下的规定，对三批供试品及模拟样品的乌头碱限量、水分、重量差异、溶散时限、重金属、砷盐、微生物限度和急性毒性试验进行了检查。具体方法及测定数据如下：

1. 乌头碱限量：参照《中国药典》2020年版一部"附子"和"附子理中丸"项下乌头碱限量检查方法，拟定出本制剂乌头碱限量检查方法及限度，以控制质量，确保用药安全、有效。但展开剂系统及点样量做了改进，供试品溶液的制备参照"附子理中丸"和"制草乌"乌头碱限量检查法，制定出正文所述提取方法，既保证了被测成分全部提净，又可排除其他成分对试验结果的干扰。对三批供试品的检查结果显示，供试品色谱中，在与乌头碱对照品色谱相应位置，未出现斑点。（乌头碱对照品的Rf值为0.30）

展开剂系统为苯–乙酸乙酯–二乙胺（7∶2∶0.5），乌头碱对照品点样量为2μl时，对照品斑点不明显，并且展开剂中含有一类致癌毒性的苯，对人体及环境造成严重伤害与污染，通过改进的展开系统正己烷–乙酸乙酯–二乙胺

（5：2：1），并且乌头碱对照品点样量变为4μl时，对照品斑点清晰可见，并且替代了展开剂中一类致癌毒性的苯。改进后方法安全可靠。

制草乌中乌头碱的限度值参照《中国药典》2020年版一部"附子"项下乌头碱限量检查计算，乌头碱的限度为2mg/ml×5μl/6μl×2ml/20g≈0.167mg/g，即每1g低于167μg。所以本制剂中乌头碱的理论限度应为30g/612g×0.167mg/g×1000≈8.17μg/g，正文中设定的限度指标为8.00μg/g，低于理论限度，说明方法可靠。《中国药典》2020年版一部规定制草乌用量为1.5~3g。本品日最高服用量为9丸，按每10丸重2g规格计算，最高服用量为1.8g，相当于制草乌30g/612g×1.8g=0.088g，远远低于药典用量，说明本品安全。

2. 水分：取供试品照水分测定法（《中国药典》2020年版四部通则0832）测定，三批供试品及模拟样品测定结果见表1。

表1　水分测定结果

序号	批号	水分（%）
1	20200106	4.393
2	20190807	2.930
3	20201108	3.779
4	20200068	4.564

药典规定丸剂水分含量不得大于9.0%。由表1的结果可见，三批供试品和模拟样品的水分含量均符合要求。

3. 重量差异：取以上三批供试品，每批供试品取10份，10丸为1份，分别称定重量，再与每份标示重量（2g）相比较，求每一份的重量差异（%）。药典规定每份标示装量的限度为±8%，并规定超出重量差异限度的不得多于2份，并不得有1份超出限度1倍。本品的重量差异检查结果均符合规定。

4. 溶散时限：取本品照片剂项下崩解时限检查法（《中国药典》2020年版四部通则0921）加挡板进行测定。三批供试品测定结果见表2。

表2　溶散时限测定结果

序号	批号	溶散时间（min）
1	20200106	27
2	20190807	33
3	20201108	29

药典规定水丸应在1小时内全部溶散。表2数据可见，本品的溶散时限符合规定。

5. 对三批供试品及模拟样品进行了重金属和砷盐考察，方法与结果如下：

重金属：分别取每个批号供试品0.5g、0.67g、1.0g、2.0g，按《中国药典》2020年版四部0821第二法检查。

供试品溶液的制备：取本品0.5g、0.67g、1.0g、2.0g，分别缓缓炽灼至完全炭化，放冷，加硫酸0.5ml，使湿润，低温加热至硫酸除尽后，加硝酸0.5ml，蒸干，至氧化氮蒸气除尽后，放冷，于600℃炽灼至完全灰化，放冷。加盐酸2ml，置水浴上蒸干后加水15ml，滴加氨试液至对酚酞指示液显中性，再加醋酸盐缓冲液（pH3.5）2ml，微热溶解后，移置纳氏比色管中，加水稀释至25ml，作为供试品溶液。

标准铅对照溶液的制备：另取配制供试品溶液的试剂两份，分别置瓷皿中蒸干后，加醋酸盐缓冲液（pH3.5）2ml，加水15ml微热溶解后，移置两支纳氏比色管中，分别加标准铅溶液（10μg/mlPb）2ml，再加水稀释至25ml，作为标准铅对照溶液。

检视：于上述供试品溶液和标准铅对照溶液中分别加硫代乙酰胺试液各2ml，摇匀，放置2分钟，同置白色背景上，从上向下进行观察。试验结果见表3。

表3 重金属检查结果

序号	批号	重金属含量（ppm）			
1	20200106	<10	<20	<30	<40
2	20190807	<10	<20	<30	<40
3	20201108	<10	<20	<30	<40
4	20200068	<10	<20	<30	<40

结果显示，供试品溶液的颜色明显浅于2ml的标准铅对照管。经过3批供试品及模拟样品的检查，含重金属均未超过百万分之十，故未收入正文。

砷盐：取本品1g和标准砷溶液（1μg/mlAS）2ml，分别加无砷氢氧化钙1g，加少量水，搅匀，烘干，用小火缓缓炽灼至炭化，再在600℃炽灼至完全灰化，放冷。分别加盐酸7ml使溶解，再加水21ml，按《中国药典》2020年版四部通则0822第一法（古蔡氏法）做砷盐限量检查。

结果：供试品砷斑浅于标准砷斑的颜色，表明本品含砷量未超过百万分之二（小于2ppm），故砷盐检查项目未列入正文。

6. 微生物限度：照微生物计数法（《中国药典》2020年版四部通则1105）和控制菌检查法（《中国药典》2020年版四部通则1106）及《内蒙古蒙药制剂规范》（第三册）附录Ⅲ微生物限度标准，进行检查。结果均符合规定。

7. 急性毒性试验：试验研究以及结果见本文后面的附件。

【含量测定】

泰特古鲁其-17由诃子、木香、石菖蒲、诃子汤泡草乌、人工麝香、山沉香、肉豆蔻、广枣、闹羊花、丹参、丁香、阿魏、盐飞雄黄、蟾酥粉、炒马钱子、姜黄、草果仁等十七味药组成。具有清热，解毒，促"赫依"血运行，止痛，安神的功效，用于治疗"赫依"血紊乱引起的周身疼痛，肿痛，"其哈""博特黑"引起的疼痛，心悸，失眠，乏力，烦躁，郁闷，思绪紊乱，体衰病等。其中木香具行气止痛，调中导滞的功能，故参照《中国药典》2020年版一部"木香"项下的含量测定方法，选择木香烃内酯作为指标成分，对本制剂中的木香进行了HPLC含量测定方法研究。经分析方法验证，表明该方法重复性好、专属性强，方中其他组分对木香烃内酯的测定无干扰。

1 仪器与试剂试药

1.1 仪器

岛津LC-20AT, SIL-20A型控制器, SPD-M20A型检测器, LCsolution色谱工作站, BSA124S（0.1mg）、BT 125D（0.01mg）电子天平, KQ-500DE型数控超声波清洗器（500W, 40kHz）, Heal Force NW15UV型超纯水系统, FW400A型多功能粉碎机（材茂科技有限公司）。

1.2 试剂与试药

供试品（批号20200106、20190807、20201108）由内蒙古自治区国际蒙医医院提供，模拟样品（批号20200068）模拟；木香烃内酯对照品（批号111524-201208），购于中国食品药品检定研究院；甲醇为色谱纯，乙腈为色谱纯，水为高纯水，其他试剂均为分析纯。

2 方法学考察

2.1 色谱条件

2.1.1 色谱柱：色谱柱填充剂为十八烷基硅烷键合硅胶，本试验采用SHIMADZU-GL WondaCract ODS-2 C$_{18}$色谱柱（250mm×4.6mm, 5μm）。

2.1.2 流动相的选择：参照《中国药典》2020年版一部"木香"项下的含量测定方法，以甲醇-水（65：35）为流动相，进行试验发现干扰较大，分离度较差，通过试验分析，最终选定乙腈-水（50：50）为流动相，供试品中的木香烃内酯与其他成分能达到较好的分离,色谱峰具有比较好的保留时间、分离度和对称性。故选择以乙腈-水(50∶50)为流动相。

2.1.3 柱温:在35℃的条件下,木香烃内酯的保留时间一致,而且分离效果比较好,因此选择柱温在35℃。

2.1.4 检测波长的选择:参照《中国药典》2020年版一部"木香"含量测定项下木香烃内酯的测定方法,选用225nm处作为检测波长。

2.1.5 流速的选择:本次试验选取0.8ml/min的流速,原因在于当考察提取条件时,选择的是1.0ml/min的流速,随着试验的进行,虽然进行相应清洗柱子,但发现柱压仍然偏高,故考察了0.8ml/min,柱压相对理想,且含量无明显差异,故本次试验选择0.8ml/min的流速。

2.1.6 理论板数的确定:由三批数据的测定结果可见,木香烃内酯峰理论板数在3000以上即能达到较好的分离效果,故确定理论板数按木香烃内酯峰计算应不低于3000。

2.2 提取方法的选择及提取效率的考察

2.2.1 提取溶剂的选择

参照《中国药典》2020年版一部"木香"项下对木香烃内酯的提取方法,考察了甲醇和乙腈的提取效率,取供试品按重复性试验项下方法操作,结果见表4。

表4 提取溶剂考察表

提取溶剂种类	供试品(g)	峰面积	含量(mg/g)
乙腈	1.5044	482291	0.625
甲醇	1.5392	559563	0.709

从表4数据可见,甲醇提取量明显高于乙腈提取量,故选用甲醇作为提取溶剂。

2.2.2 提取方法的考察

参考《中国药典》2020年版一部"木香"项下对木香烃内酯的提取方法,以甲醇作为提取溶剂,考察了超声提取,回流提取和浸泡过夜超声提取方法,结果见表5。

表5 提取方式考察表

提取方式	取样量(g)	峰面积	木香含量(mg/g)
超声30min	1.5392	559563	0.709
浸泡过夜超声30min	1.5194	552497	0.709
回流提取30min	1.5123	547508	0.706

从表5数据可见,三种提取方法含量差异并不明显,考虑操作的简便性,最终选用超声作为提取方式。

2.2.3 提取效率的考察

参考《中国药典》2020年版一部"木香"含量测定项下的方法,以甲醇作为提取溶剂进行超声提取。为保证被测成分提取完全,在供试品的细度一致、提取溶剂为甲醇、超声(功率350W,频率40kHz)的条件下,分别考察了提取20分钟、30分钟和40分钟时的提取效率,结果见表6。

表6 木香烃内酯提取时间考察

提取时间(min)	取样量(g)	峰面积	含量(mg/g)
20	1.5110	527453	0.681
30	1.5392	559563	0.709
40	1.5083	549285	0.710

从表6数据可见,超声提取时间为20分钟、30分钟和40分钟时,供试品中木香烃内酯的含量基本一致,故将提

取时间定为30分钟。这与《中国药典》2020年版一部"木香"含量测定项下的提取时间一致。

2.2.4 提取溶剂用量的考察

取供试品粉末约1.5g,共3份,精密称定,按重复性试验项下方法操作,分别加入甲醇溶液的量为40ml、50ml和60ml,其他条件按重复性试验项下方法操作,结果见表7。

表7 木香烃内酯提取溶剂用量考察表

提取溶剂用量（ml）	取样量（g）	峰面积	含量（mg/g）
40ml	1.5357	683942	0.695
50ml	1.5392	559563	0.709
60ml	1.5217	460499	0.708

从表7数据可见,表明加入甲醇溶液的量为40ml的供试品中,木香烃内酯含量低于50ml和60ml样品中的木香烃内酯含量,且加入甲醇溶液50ml和60ml两份供试品中木香烃内酯的含量差异不大,故加入甲醇溶液的量确定为50ml。

2.3 专属性考察

2.3.1 对照品溶液的制备:取木香烃内酯对照品适量,精密称定,加甲醇制成每1ml含98.30μg的溶液,作为对照品溶液。

2.3.2 供试品溶液的制备:取本品适量,研细,取约1.5g,精密称定,置具塞锥形瓶中,精密加入甲醇50ml,密塞,称定重量,超声处理(功率350W,频率40kHz)30分钟,放冷,再称定重量,用甲醇补足减失的重量,摇匀,滤过,取续滤液,作为供试品溶液。

2.3.3 阴性对照溶液的制备:按本品处方工艺制备不含木香的阴性样品,按供试品溶液的制备方法制备阴性对照溶液(缺木香)。

2.3.4 测定:分别精密吸取以上三种溶液各10μl,注入色谱仪,记录各自的色谱图。

试验结果显示:供试品色谱中在与对照品色谱保留时间相同的位置上有色谱峰出现,而阴性对照在与对照品色谱保留时间相同的位置上无色谱峰出现,表明该含量测定方法阴性无干扰,专属性好。

2.4 线性关系考察

取木香烃内酯对照品约4.92mg,精密称定,置50ml量瓶中,加甲醇使溶解,并稀释至刻度,摇匀,作为对照品溶液(木香烃内酯实际浓度为98.30μg/ml);分别精密吸取上述对照品溶液1.0ml、2.5ml、5.0ml、7.5ml和10ml分别置于10ml量瓶中,加甲醇稀释至刻度,摇匀,制成木香烃内酯的9.83μg/ml、24.58μg/ml、49.15μg/ml、74.72μg/ml和98.30μg/ml系列浓度溶液。分别精密量取上述对照品溶液和系列浓度溶液各10μl按上述色谱条件进行测定,以峰面积对进样量进行回归分析。结果见表8。

表8 木香烃内酯标准曲线数值表

进样量（μg）	峰面积值	回归方程	回归系数（r）
9.83	256513		
24.58	634820		
49.15	1271587	$y=25849.70013x-216.211808$	0.9999
74.72	1919821		
98.30	2548694		

从表8数据可见,木香烃内酯在9.83～98.30μg/ml范围内与峰面积值呈良好的线性关系。

2.5 稳定性试验

取同一供试品（批号20200106）溶液，分别于制备溶液后的0小时、2小时、4小时、8小时、12小时、24小时进行测定，结果见表9。

表9　不同时间测得溶液中木香烃内酯峰面积值

时间（h）	峰面积值	RSD（%）
0	559418	
2	554216	
4	546060	1.46
8	542044	
12	555446	
24	563578	

从表9数据可见，木香烃内酯在24小时内峰面积值基本稳定，能够满足测定所需要的时间。

2.6　重复性试验

取同一供试品（批号20200106）6份，各约1.5g，精密称定，置具塞锥形瓶中，精密加入甲醇50ml，密塞，称定重量，超声处理（功率350W，频率40kHz）30分钟，放冷，再称定重量，用甲醇补足减失的重量，摇匀，滤过，取续滤液，作为供试品溶液。另取木香烃内酯对照品适量，精密称定，加甲醇制成每1ml含98.30μg的溶液，作为对照品溶液。分别精密吸取以上两种溶液各10μl，注入液相色谱仪，记录各自的色谱图，用外标法以峰面积计算含量。结果见表10。

表10　重复性试验结果

取样量（g）	峰面积值	含量（mg/g）	平均含量（mg/g）	RSD（%）
1.5392	559563	0.709		
1.5128	544140	0.702		
1.5091	544636	0.704	0.704	0.40
1.5098	545808	0.705		
1.5102	546101	0.705		
1.5281	549117	0.701		

从表10数据可见，在相同的提取溶剂和色谱条件下，6份供试品含量测定结果的均值为0.704mg/g，RSD为0.40%，表明该方法的重复性良好。

2.7　加样回收试验

取供试品（批号20200106，含量为0.70mg/g）9份，各约0.75g，精密称定，分别置9个具塞锥形瓶中，精密加入用甲醇配制的木香烃内酯对照品溶液（木香烃内酯浓度0.500mg/ml）0.8ml、0.8ml、0.8ml、1.0ml、1.0ml、1.0ml、1.2ml、1.2ml、1.2ml，分别按重复性试验项下方法操作，测定每份中木香烃内酯的含量，计算回收率。结果见表11。

表11　木香烃内酯加样回收试验结果

取样量（g）	供试品含量（mg）	对照品加入量（mg）	测得总量（mg）	回收率（%）	平均回收率（%）	RSD（%）
0.7621	0.5335	0.4000	0.9209	96.85		
0.7504	0.5253	0.4000	0.9076	95.58		
0.7403	0.5182	0.4000	0.8931	93.72		
0.7408	0.5186	0.5000	0.9851	93.30		
0.7417	0.5192	0.5000	0.9840	92.96	94.1	1.4
0.7431	0.5202	0.5000	0.9861	93.18		
0.7401	0.5181	0.6000	1.0744	92.72		
0.7412	0.5188	0.6000	1.0856	94.47		
0.7405	0.5184	0.6000	1.0824	94.00		

从表11数据可见，本方法的平均回收率为94.1%，RSD为1.4%。该方法准确度好。

2.8　耐用性试验

取同一供试品（批号20200106）4份，各约1.5g，精密称定，分别按重复性试验项下方法操作，换不同厂家、不同型号的色谱柱，分别测定供试品的含量。结果见表12。

表12　色谱柱耐用性试验

序号	柱型号	含量（mg/g）
1	Waters XBridge C$_{18}$	0.705
	SHIMADZU-GL Wonda CractODS-2 C$_{18}$	0.709
2	Waters XBridge C$_{18}$	0.700
	SHIMADZU-GL Wonda CractODS-2 C$_{18}$	0.702

从表12数据可见，不同型号或厂家的色谱柱对测定结果影响较小。

3　样品含量测定

取三批样品（批号20200106、20190807、20201108）及模拟样（批号20190001）各3份，各约1.5g，精密称定，按重复性试验项下的方法处理并测定。含量测定结果见表13。

表13　样品中木香烃内酯的含量测定结果

批号	取样量（g）	平均峰面积值	含量（mg/g）	平均含量（mg/g）
20200106	1.5392	559563	0.709	0.705
	1.5128	544140	0.702	
	1.5091	544636	0.704	
20190807	1.5043	546503	0.709	0.710
	1.5031	546094	0.709	
	1.5254	556680	0.712	
20201108	1.5064	548140	0.710	0.710
	1.5147	550120	0.708	
	1.5123	552209	0.712	
20200068	1.5071	562861	0.728	0.733
	1.5025	566027	0.735	
	1.5001	565214	0.735	

表13数据可见，三批样品和模拟样品中木香烃内酯平均含量最低为0.705mg/g，最高为0.710mg/g。含量之间无明显差异。模拟样品平均含量结果为0.733mg/g。

4　木香药材含量测定

试验中采用同法对上述两批样品生产用木香药材进行了含量测定，测定结果见表14。

表14　木香药材中木香烃内酯的含量测定结果

序号	取样量（g）	平均峰面积值（n=2）	含量（mg/g）	平均含量（mg/g）
1	0.5063	2849150	10.976	10.730
2	0.5070	2725560	10.485	

从表14数据可见，木香药材中木香烃内酯的平均含量为10.730mg/g。

5　本制剂含量限度的确定

按理论值折算，成品应含木香烃内酯为10.730mg/g×45÷612=0.788mg/g，转移率=0.733÷0.788×100%=93.0%。

《中国药典》2020年版一部中，未单独规定木香中木香烃内酯含量限度，考虑到药材质量差异，因此选择样品的实

测值下浮20%确定限度，

标准正文暂定为：本品每1g含木香以木香烃内酯（$C_{15}H_{20}O_2$）计，不得少于0.56mg。

【功能与主治】

清热、解毒，促赫依血运行，破瘀，止痛，安神。用于赫依血紊乱引起的周身疼痛，肿痛，奇哈、博特黑引起的疼痛，心悸，失眠，乏力，烦躁，郁闷，思绪紊乱，体衰病等。

【用法与用量】

口服。一次5~9丸，一日1次，温开水送服。

【注意事项】

孕妇忌服，年老体弱者慎用。

【规格】

每10丸重2g。

【贮藏】

密封，防潮。

附件　昆明小鼠灌胃泰特古鲁其-17丸急性毒性试验研究报告

1　摘要

目的：

通过一天内大剂量（≥临床等效量的50倍）对昆明种小鼠灌胃泰特古鲁其-17丸，观察其产生的毒性反应及严重程度、主要毒性靶器官，为重复给药毒性研究计量设计和主要观察指标提供参考。

方法：

根据药物急性毒性预试验测定，无法测出LD_{50}，故采用急性毒性限度试验测定方法。小鼠按0.4ml/10g灌胃给药，给药1次，总给药体积为40ml/kg。成人每日最大剂量2.2g/（60kg·d），换算成小鼠临床等效最大剂量为0.275g/（kg·d）。配制药物最大可混悬浓度为0.6539g/ml，灌胃给药1次，给药剂量为26.1576g/（kg·d），经计算为临床给药量的95.12倍。故一天内给药1次，小鼠给药总量为临床等效量的95.12倍，给药后观察动物的临床症状，连续观察至第14天，每天进行体重、摄食量、饮水量测定。第15天解剖动物，并进行大体病理学检查，若发现病变，则对病变组织进行组织病理学检查。

结果：

（1）一般状态观察：给药后，供试品组动物自主活动减少，给药后第2天上述异常症状恢复。

（2）对动物体重的影响：试验期间，各组动物的体重增加之间比较，无显著性差异（P＞0.05），说明泰特古鲁其-17丸对实验动物的体重无显著性影响。

（3）对动物摄食量的影响：试验期间，给药当天泰特古鲁其-17丸组动物摄食量略有减少。从给药第2天开始，各组动物的摄食量之间比较，无显著性差异（P＞0.05），说明泰特古鲁其-17丸对实验动物的摄食量无显著性影响。

（4）病理学检查：大体病理学检查，肉眼观察组织、器官未发现异常或病变。

结论：

泰特古鲁其-17丸口服给药为无毒或低毒药物。

2 研究的一般信息

2.1 专题名称及研究目的

专题名称: 昆明小鼠灌胃泰特古鲁其-17丸急性毒性试验研究报告。

研究目的: 采用昆明小鼠, 单次灌胃泰特古鲁其-17丸, 观察其产生的毒性反应及严重程度、主要毒性靶器官, 为重复给药毒性研究计量设计和主要观察指标提供参考。

2.2 研究遵循的GLP法规性文件

《药物非临床研究质量规范》(国家食品药品监督管理局令第34号, 原CFDA 2017.09.01)。

2.3 所用毒性研究指导原则的文件和名称及参考文献

2.3.1 所用毒性研究指导原则的文件和名称

《药物单次给药毒性研究技术指导原则》(原CFDA 2014.05)。

《中药、天然药物急性毒性研究技术指导原则》(原CFDA 2005.03)。

2.3.2 所用参考文献

[1] 陈奇. 中药药理研究方法学[M]. 北京: 人民卫生出版社, 2000.

[2] 李仪奎. 中药药理试验方法学[M]. 上海: 上海科学技术出版社, 2006.

[3] 魏伟, 吴希美, 李元建. 药理实验方法学[M](第四版). 北京: 人民卫生出版社, 2010.

3 实验材料

3.1 受试物及剩余受试物的处理

3.1.1 供试品

名称: 泰特古鲁其-17丸。

提供单位: 内蒙古自治区国际蒙医医院国家蒙药制剂中心。

批号: 20190807

3.1.2 剩余供试品的处理

对送样供试品留样60丸, 留样保存至有效期2022年12月31日废弃。

3.2 实验系统

3.2.1 实验动物

动物种系、级别: 小鼠, 昆明种, SPF级。

繁育单位: 内蒙古医科大学实验动物中心。

内蒙古医科大学实验动物中心实验动物生产许可证编号: SCXK(蒙)2015-0001。

发证机关: 内蒙古自治区科学技术厅。

3.2.2 动物选择理由

作为一般毒性研究, 昆明种小鼠是常用的啮齿类哺乳动物, 且此种动物的国内外背景资料丰富, 动物供应充足。

3.2.3 动物的饲养管理

3.2.3.1 动物的饲养环境

饲育环境: 屏障环境。

温度: 20~26℃, 日温差≤3℃。

相对湿度: 41%~64%。

换气次数:≥15次/小时。

照明时间:12/12明暗交替(150~300lx)。

动物笼具:PC材质小鼠饲养笼。

饲养密度:5只/笼。

笼具的换新频率:3次/周

粪便的处理:在更换饲养盒时,随动物废弃垫料装入专用垃圾袋,密封后统一处理。

清扫与消毒:全部操作结束后清扫,采用0.1%新洁尔灭和0.2% 84消毒液进行轮换消毒,每周一次轮流交换消毒液的种类。

3.2.3.2 检疫

检疫与适应性饲养时程:7天(含购入日)。

3.2.3.2.1 购入日检疫内容

动物外观健康检查:外表(有无外伤、卷尾、肿瘤、畸残等),体形(有无消瘦、过肥),行动(有无倦怠、躁动),体温(有无发热、发冷),呼吸(有无呼吸不规律和异常呼吸音),被毛(有无竖毛、脱毛、脏污),鼻(有无流涕、出血、流脓),口腔(有无流涎、齿过长),眼(有无流泪、分泌物过多、眼球浑浊),耳(有无外伤、耳癣),生殖器(有无外伤、异常分泌物),尿(有无血尿),粪便(有无下痢、血便、脓便),其他异常。

3.2.3.2.2 第2~7天检疫驯化内容

每天上、下午各1次对检疫动物进行观察。检疫过程中,如出现外观、临床症状观察等任何异常现象,对实验可能有影响的动物予以淘汰。

3.2.3.2.3 检 疫驯化期体重测定

在检疫第1天(动物入室日)和第7天(分组前)称量动物体重。

3.2.3.3 饲料

饲料种类:^{60}Co放射灭菌鼠全价颗粒饲料。

生产单位:斯贝福(北京)实验动物科技有限公司。

斯贝福(北京)实验动物科技有限公司实验动物生产许可证编号:SCXK(京)2015-0015。

发证机关:北京市科学技术委员会。

给料方法:定时投饲,自由摄取。

饲料的保存:保存在专门的通风、清洁、干燥的饲料间里。

3.2.3.4 饮用水

种类:实验动物高压灭菌饮用水

给水方法:饮水瓶不间断供水,自由摄取。

3.2.3.5 垫料

垫料名称:玉米芯垫料。

提供单位:北京凌云博际(北京)科技有限公司。

北京凌云博际(北京)科技有限公司实验动物生产许可证编号:SCXK(京)2015-0014。

发证机关:北京市科学技术委员会。

灭菌方法:121℃、20分钟真空高压蒸汽灭菌。

3.2.4 动物的个体识别方法

分组前采用耳标记法,分组后采用躯体背部毛涂抹苦味酸溶液标记法。标记部位分别为头、背、尾、左前、左中、左后、右前、右中、右后和空白。鼠笼以笼卡标记组别、动物号、给药剂量及给药时间等信息。

3.3 药物剂量

成人临床每日用量为5~11粒,经测定药丸粒重,每10粒重约2.0g,一日1次,所以成人每日最小剂量为1.0g/(60kg·d),最大剂量为2.2g/(60kg·d),换算成小鼠临床等效最大剂量为0.275g/(kg·d),最大给药剂量为26.1576g/(kg·d),为人临床给药剂量的95.12倍。

3.4 实验试剂

水合氯醛(天津市大茂化学试剂厂,批号20181124),羧甲基纤维素钠(天津市致远化学试剂有限公司,批号20190304)。

3.5 实验仪器

电子天平(北京塞多利斯仪器系统有限公司,型号BS2202S),电子天平(北京塞多利斯仪器系统有限公司,型号BS2402S),实体解剖显微镜(德国Leica公司,型号DFC 290)。

4 实验方法

4.1 实验分组

选取健康昆明小鼠40只,雌雄各半。适应性饲养7天后,按性别、体重将小鼠随机分为空白对照组(0.5%CMC-Na)、供试品组(泰特古鲁其-17丸),共2组,每组20只,雌雄各半。

4.2 临床症状观察

观察时间和次数:

检疫期:每天上、下午各1次对检疫动物进行观察。

实验期:给药日:给药前、给药开始至给药结束后30分钟连续观察,如无异常则停止观察,如果有异常则继续观察至恢复正常为止,但最长不超过给药后2小时。下午观察一次。

非给药日:每天上、下午各观测一次。

观察例数:全部实验动物。

观察方法:隔笼观察,观察内容包括是否死亡、濒死、活动状况、外观及被毛、有无外伤、分辨情况等。

观察指征:见表1。

表1 临床症状观察

观察	指征	可能涉及的组织、器官、系统
I.鼻孔呼吸阻塞,呼吸频率和深度改变,体表颜色改变	呼吸困难:呼吸困难或费力,喘息,通常呼吸频率减慢	
	1.腹式呼吸:膈膜呼吸,吸气时膈膜向腹部偏移	CNS呼吸中枢,肋间肌麻痹,胆碱能神经麻痹
	2.喘息:吸气很困难,伴随有喘息声	CNS呼吸中枢,肺水肿,呼吸道分泌物蓄积,胆碱能功能增强
	呼吸暂停:用力呼吸后出现短暂的呼吸停止	CNS呼吸中枢,肺心功能不全
	紫绀:尾部、口和足垫呈现青紫色	肺心功能不全,肺水肿
	呼吸急促:呼吸快而浅	呼吸中枢刺激,肺心功能不全
	鼻分泌物:红色或无色	肺水肿,出血

续表

观察	指征	可能涉及的组织、器官、系统
Ⅱ.运动功能: 运动频率和特征的改变	自发活动、探究、梳理、运动增加或减少	躯体运动, CNS
	嗜睡: 动物嗜睡, 但可被针刺唤醒而恢复正常活动	CNS, 睡眠中枢
	正位反射(翻正反射)消失: 动物体处于异常体位时所产生的恢复正常体位的反射消失	CNS, 感觉, 神经肌肉
	麻痹: 正位反射和疼痛反应消失	CNS, 感觉
	僵住: 保持原姿势不变	CNS, 感觉, 神经肌肉, 自主神经
	共济失调: 动物行走时无法控制和协调运动, 但无痉挛、局部麻痹、轻瘫或僵直	CNS, 感觉, 自主神经
	异常运动: 痉挛, 足尖步态, 踏步, 忙碌, 低伏	CNS, 感觉, 神经肌肉
	俯卧: 不移动, 腹部贴地	CNS, 感觉, 神经肌肉
	震颤: 包括四肢和全身的颤抖和震颤	神经肌肉, CNS
	肌束震颤: 包括背部、肩部、后肢和足趾肌肉的运动	神经肌肉, CNS, 自主神经
Ⅲ.惊厥(癫痫发作): 随意肌明显的不自主收缩或痉挛性收缩	阵挛性惊厥: 肌肉收缩和松弛交替性痉挛	CNS, 呼吸衰竭, 神经肌肉, 自主神经
	强直性惊厥: 肌肉持续性收缩, 后肢僵硬性伸展	CNS, 呼吸衰竭, 神经肌肉, 自主神经
	强直性-阵挛性惊厥: 两种惊厥类型交替出现	CNS, 呼吸衰竭, 神经肌肉, 自主神经
	窒息性惊厥: 通常是阵挛性惊厥并伴有喘息和紫绀	CNS, 呼吸衰竭, 神经肌肉, 自主神经
	角弓反张: 背部弓起、头向背部抬起的强直性痉挛	CNS, 呼吸衰竭, 神经肌肉, 自主神经
Ⅳ.反射	角膜性眼睑闭合反射: 接触角膜导致眼睑闭合	感觉, 神经肌肉
	基本条件反射: 轻轻敲击耳内表面, 引起外耳抽搐	感觉, 神经肌肉
	正位反射: 翻正反射的能力	CNS, 感觉, 神经肌肉
	牵张反射: 后肢被牵拉至从某一表面边缘掉下时缩回的能力	感觉, 神经肌肉
	对光反射: 瞳孔反射, 见光瞳孔收缩	感觉, 神经肌肉, 自主神经
	惊跳反射: 对外部刺激(如触摸、噪声)的反应	感觉, 神经肌肉
Ⅴ.眼检	流泪: 眼泪过多, 泪液清澈或有色	自主神经
	缩瞳: 无论有无光线, 瞳孔缩小	自主神经
	散瞳: 无论有无光线, 瞳孔扩大	自主神经
	眼球突出: 眼眶内眼球异常突出	自主神经
	上睑下垂: 上睑下垂, 针刺后不能恢复正常	自主神经
	血泪症: 眼泪呈红色	自主神经, 出血, 感染
	瞬膜松弛	自主神经
	角膜混浊, 虹膜炎, 结膜炎	眼睛刺激

续表

观察	指征	可能涉及的组织、器官、系统
Ⅵ.心血管	心动过缓：心率减慢	自主神经，肺心功能不全
	心动过速：心率加快	自主神经，肺心功能不全
	血管舒张：皮肤、尾、舌、耳、足垫、结膜、阴囊发红，体热	自主神经，CNS，心输出量增加，环境温度高
	血管收缩：皮肤苍白，体凉	自主神经，CNS，心输出量降低，环境温度低
	心律不齐：心律异常	CNS，自主神经，肺心功能不全，心肌梗死
Ⅶ.流涎	唾液分泌过多：口周毛发潮湿	自主神经
Ⅷ.竖毛	毛囊竖毛组织收缩导致毛发蓬乱	自主神经
Ⅸ.痛觉缺失	对痛觉刺激（如热板）反应性降低	感觉，CNS
Ⅹ.肌张力	张力低下：肌张力全身性降低	自主神经
	张力过高：肌张力全身性增高	自主神经
Ⅺ.胃肠		
排便（粪）	干硬固体，干燥，量少	自主神经，便秘，胃肠动力
	体液丢失，水样便	自主神经，腹泻，胃肠动力
呕吐	呕吐或干呕	感觉，CNS，自主神经（小鼠无呕吐）
多尿	红色尿	肾脏损伤
	尿失禁	自主感觉神经
Ⅻ.皮肤	水肿：液体充盈组织所致肿胀	刺激性，肾功能衰竭，组织损伤，长时间静止不动
	红斑：皮肤发红	刺激性，炎症，过敏

4.3 体重测定

测定次数：首次给药至给药后第14天，连续14天进行体重测定。

测定例数：全部实验动物。

测定方法：用电子天平进行体重测定。

4.4 摄食量测定

测定次数：首次给药至给药后第14天，连续14天进行摄食量测定。

测定例数：全部动物。

测定方法：第1天上午测定每个饲养笼所给饲料量，次日上午相同时间测定剩余饲料量，以二者差值计算每饲养笼动物的总进食量，并计算该笼每只动物每天的平均进食量。

4.5 饮水量测定

测定次数：首次给药至给药后第14天，连续14天进行摄食量测定。

测定例数：全部动物。

测定方法：第1天上午测定每个饲养笼所给水量，次日上午相同时间测定剩余水量，以二者差值计算每饲养笼动物的总饮水量，并计算该笼每只动物每天的平均饮水量。

4.6 病理学检查

4.6.1 剖检

剖检例数：全部预定解剖的动物、各组死亡或濒临死亡的动物。

剖检方法：对于全部预定解剖的动物和各组濒临死亡动物，腹腔注射20%水合氯醛进行麻醉。从腹腔后大静脉完全放血处死，然后进行解剖。如濒死动物，迅速解剖。

尸检：肉眼观察脑、脊髓、心脏、主动脉、肺（含支气管）、肝脏、肾脏、脾脏、胰脏、胃、十二指肠、空肠、回肠结肠、直肠、盲肠、睾丸、附睾、前列腺、卵巢、子宫、阴道、膀胱、脑垂体、甲状腺（含甲状旁腺）、颌下腺、肾上腺、坐骨神经、肌肉、肠系膜淋巴结、胸腺、乳腺（雌性）、胸骨，发现异常时对该组织脏器用10%的甲醛（睾丸、附睾和眼球用Davidson's液）进行固定保存，并进行组织病理学检查，如未发现异常，不进行固定保存。

4.6.2 组织病理学检查

检查方法：固定后的组织经修块取材，逐级酒精脱水，石蜡包埋，滑动切片机切片（厚度约3μm），经苏木精-伊红（HE）染色，光镜下进行检查。根据镜检结果，如果某些组织器官需用其他方法染色，以提供更多的组织病理学信息，则进一步进行特殊染色。

4.7 数据的统计与处理

对于体重、摄食量等数据均采用SPSS22.0按照以下方法进行统计，最终数据以$\bar{x} \pm s$表示：①首先用Barlett检验方法进行数据均一性检验，如有数据均一（检验$P \geq 0.05$），则进行方差分析检验（F检验）；如果Bartlett检验结果显著（$P < 0.05$），则进行Kruskal-wallis检验。②如果方差分析检验结果显示（$P < 0.05$），则进一步用Dunett参数检验法进行多重比较检验；如果方差分析结果不显著（$P \geq 0.05$），则统计结束。③如果Kruskal-wallis检验结果显著（$P < 0.05$），则进一步用Dunett非数检验法进行多重比较检验；如果Kruskal-wallis检验结果不显著（$P \geq 0.05$），则统计结束。

如果有临床症状观察、大体病理学检查结果、组织病理学检查结果，则无须进行统计学处理，直接列出观察结果。

5 结果

5.1 对动物临床症状的影响

给药后连续观察动物2周，小鼠进食，进水，活动，毛色，粪便姿势，躯体运动，呼吸频率，下腹及肛门周围有无污染，眼、鼻、口有无分泌物，体温等一切正常。

5.2 对动物体重的影响

试验期间，小鼠活动正常，健康活泼，小鼠无一死亡，无中毒反应，无其他异常现象。空白对照组和给药组小鼠体重比较，无显著性差异（$P > 0.05$）。结果见表2、表3。

表2 泰特古鲁其-17丸对雄性小鼠体重的影响（$n=10$, g, $\bar{x} \pm s$）

组别	给药第1天	给药第7天	给药第14天
空白对照组	18.26±1.86	25.27±4.65	33.85±3.71
供试品组	17.92±2.64	26.26±2.82	32.17±4.38

表3 泰特古鲁其-17丸对雌性小鼠体重的影响（$n=10$, g, $\bar{x} \pm s$）

组别	给药第1天	给药第7天	给药第14天
空白对照组	18.33±5.30	21.93±6.17	31.48±1.74
供试品组	17.52±3.96	22.17±4.84	30.23±3.61

5.3 对动物摄食量的影响

试验期间，各组动物的摄食量之间比较，无显著性差异（$P > 0.05$）。结果见表4、表5。

表4 泰特古鲁其-17丸对雄性小鼠摄食量的影响（n=10, g, $\bar{x}\pm s$）

组别	给药第1天	给药第7天	给药第14天
空白对照组	5.86±1.37	6.10±0.28	5.56±1.74
供试品组	4.56±0.83	6.86±0.53	5.35±1.48

表5 泰特古鲁其-17丸对雌性小鼠摄食量的影响（n=10, g, $\bar{x}\pm s$）

组别	给药第1天	给药第7天	给药第14天
空白对照组	5.74±0.74	6.62±0.62	5.82±0.37
供试品组	5.57±1.33	5.66±0.46	6.57±0.14

5.4 对动物饮水量的影响

试验期间，各组动物的饮水量之间比较，无显著性差异（$P>0.05$）。结果见表6、表7。

表6 泰特古鲁其-17丸对雄性小鼠饮水量的影响（n=10, g, $\bar{x}\pm s$）

组别	给药第1天	给药第7天	给药第14天
空白对照组	5.39±1.92	5.91±2.49	6.02±2.47
供试品组	5.47±1.62	6.75±0.83	6.43±1.57

表7 泰特古鲁其-17丸对雌性小鼠饮水量的影响（n=10, g, $\bar{x}\pm s$）

组别	给药第1天	给药第7天	给药第14天
空白对照组	5.82±1.71	6.03±2.17	5.86±1.43
供试品组	6.54±1.24	5.89±0.31	6.62±1.39

5.5 病理学检查

大体病理学检查，肉眼观察组织、器官未发现异常或病变。

6 结论

本实验条件下，昆明种小鼠灌胃给予泰特古鲁其-17丸，小鼠按0.4ml/10g灌胃给药，一日内给药1次，小鼠总给药量为40ml/kg，为人临床给药剂量的95.12倍。在观察期间内（0~14天），饲养观察2周，无任何异常及中毒反应，小鼠体重增加，行为、活动、进食一切正常。

结果表明，泰特古鲁其-17丸口服给药为无毒或低毒药物。

起草单位： 呼伦贝尔市食品药品检验所　　郭司群　白　南　王怀刚　徐涵宇

赤峰市药品检验所　　高嘉琦　曹　月　李彦铮

内蒙古自治区国际蒙医医院　　艾毅斯　安鲁斯　高钰思　那松巴乙拉

内蒙古医科大学药学院　　肖云峰　钱新宇　王　娜　韩运琪　王建民

李建华　张双兰　程　前　籍紫薇

敖必德斯-25丸 质量标准起草说明

【历史沿革】

本方来源于《蒙医验方》（内蒙古自治区人民医院编，1971年版，蒙古文，第67页）。

【处方来源】

本制剂由内蒙古自治区国际蒙医医院提供。

【名称】

敖必德斯-25丸

【蒙药材和饮片的来源和执行标准】

1. 处方组成及药味排列顺序：寒制红石膏150g、生草果仁150g、丁香150g、苦地丁150g、制炉甘石93g、蓝盆花75g、木香63g、制木鳖60g、石榴54g、栀子48g、诃子45g、人工牛黄45g、麦冬42g、檀香42g、止泻木39g、石膏30g、豆蔻30g、沉香24g、山沉香24g、降香24g、肉豆蔻21g、红花21g、紫檀12g、荜茇12g、人工麝香3g。

2. 处方中除寒制红石膏、生草果仁、蓝盆花、制木鳖、石榴、山沉香、紫檀和人工麝香药材外，其余丁香等药味均收载于《中国药典》2020年版一部，其质量应符合该品种项下的有关规定。

寒制红石膏：为单斜晶系硫酸钙矿石族红石膏Gypsum的矿石红石膏（北寒水石）的炮制加工品。主含含水硫酸钙（$CaSO_4 \cdot 2H_2O$）。其标准应符合《内蒙古蒙药饮片炮制规范》2020年版第188页该品种项下的有关规定。

生草果仁：为姜科植物草果*Amomum tsao-ko* Crevost et Lemaire的干燥成熟果实。其标准应符合《内蒙古蒙药饮片炮制规范》2020年版第313页该品种项下的有关规定。

蓝盆花：为川续断科植物窄叶蓝盆花*Scabiosa comosa* Fisch.ex Roem.et Schult和华北蓝盆花*Scabiosa tschilliensis* Grunning的干燥花序。其质量标准应符合《中华人民共和国卫生部药品标准》（蒙药分册）1998年版第52页该品种项下的有关规定。

制木鳖：为葫芦科植物木鳖*Momordica cochinchinensis*（Lour.）Spreng-的干燥成熟种子。其质量应符合《内蒙古蒙药饮片炮制规范》2020年版第241页该品种项下的有关规定。

石榴：为石榴科植物石榴*Punica granatum* L.的干燥成熟果实。其标准应符合《内蒙古蒙药饮片炮制规范》2020年版第119页该品种项下的有关规定。

山沉香：为木犀科植物贺兰山丁香*Syringa pinnatifolia* Hemsl.var.*alashanensis* Ma.etS.Q.Zhou削去外皮的干燥枝。其标准应符合《中华人民共和国卫生部药品标准》（蒙药分册）1998年版第4页该品种项下的有关规定。

紫檀：为豆科植物紫檀*Pterocarpus sindicus* Willd的干燥新材。其标准应符合《内蒙古蒙药饮片炮制规范》2020年版第440页该品种项下的有关规定。

人工麝香：应符合卫生部标准（试行）WS-210（Z-32）-93标准的有关规定。

【制法】

以上二十五味，除人工牛黄、人工麝香外，其余红石膏等二十三味，粉碎成细粉，将人工牛黄、人工麝香与上述细粉配研，过筛，混匀，用水泛丸，打光，干燥，分装，即得。

【性状】

本品为口服制剂水丸,性状为黄褐色至棕褐色;气芳香浓烈,味辛辣。

【鉴别】

本品为药材粉末制成的水丸,方中栀子、石膏、丁香、豆蔻的显微特征较明显,故建立显微鉴别,并对处方中人工牛黄建立了薄层鉴别。

1. 试剂与试药

供试品:供试品(批号20190928、20190938、20190948)由内蒙古自治区国际蒙医医院提供,模拟样品(批号20190917)模拟。

对照品:胆酸对照品(批号100078-201415)、猪去氧胆酸对照品(批号100087-201411)均购于中国食品药品检定研究院。

薄层板:硅胶G板,购于青岛海洋化工有限公司。

所用其他试剂均为分析纯,水为离子交换高纯水。

2. 试验方法与结果

(1)显微鉴别

栀子:种皮石细胞黄色或淡棕色,长多角形、长方形或形状不规则,直径60~112μm,长至230μm,壁厚,纹孔甚大,胞腔棕红色。石膏:不规则片状结晶,无色,有平直纹理。丁香:花粉粒极面观三角形,赤道表面观双凸镜形,具3副合沟。豆蔻:外胚乳细胞类长方形或不规则形,充满细小淀粉粒集结成的淀粉团,有的含细小草酸钙方晶。

(2)人工牛黄薄层鉴别

参照《中国药典》2020年版一部"人工牛黄"项下薄层条件,制定出正文所述的鉴别方法。通过阴性对照试验观察,方中其他药材对人工牛黄的检出无干扰,证明此方法具有专属性。

【检查】

按照丸剂(《中国药典》2020年版四部通则0108)项下规定,对三批供试品及模拟样品的水分、重量差异、溶散时限、重金属、砷盐和微生物限度进行了检查,检查结果均符合规定。具体方法及测定数据如下:

1. 水分:取供试品照水分测定法(《中国药典》2020年版四部通则0832)测定。三批供试品及模拟样品测定结果见表1。

表1 水分测定结果

序号	批号	水分(%)
1	20190928	7.12
2	20190938	7.08
3	20190948	7.24
4	20190917	7.45

药典规定丸剂水分含量不得大于9.0%。由表1的结果可见,3批供试品和1批模拟样品的水分含量均符合要求。

2. 重量差异:取以上三批供试品,每批供试品取10份,10丸为1份,分别称定重量,再与每份标示重量(2g)相比较,求每一份的重量差异(%)。药典规定每份标示装量的限度为±8%,并规定超出重量差异限度的不得多于2份,并不得有1份超出限度1倍。本品的重量差异检查结果均符合规定。

3. 溶散时限:取本品按照片剂崩解时限检查法(《中国药典》2020年版四部通则0921)项下加挡板进行测定。三批供试品测定结果见表2。

表2 溶散时限测定结果

序号	批号	溶散时间（min）
1	20190928	40
2	20190938	45
3	20190948	39

药典规定水丸应在1小时内全部溶散。表2的结果显示，本品的溶散时限符合规定。

4. 对三批供试品及模拟样品进行了重金属、砷盐考察，方法与结果如下：

重金属：分别取每个批号样品0.5g、0.67g、1.0g、2.0g，按《中国药典》2020年版四部0821第二法检查。

供试品溶液的制备：取本品0.5g、0.67g、1.0g、2.0g，分别缓缓炽灼至完全炭化，放冷，加硫酸0.5ml，使湿润，低温加热至硫酸除尽后，加硝酸0.5ml，蒸干，至氧化氮蒸气除尽后，放冷，于600℃炽灼至完全灰化，放冷。加盐酸2ml，置水浴上蒸干后加水15ml，滴加氨试液至对酚酞指示液显中性，再加醋酸盐缓冲液（pH3.5）2ml，微热溶解后，移置纳氏比色管中，加水稀释至25ml，作为供试品溶液。

标准铅对照管的制备：另取配制供试品溶液的试剂两份，分别置瓷皿中蒸干后，加醋酸盐缓冲液（pH3.5）2ml，加水15ml微热溶解后，移至两支纳氏比色管中，分别加标准铅溶液（10μg/mlPb）2ml，再加水稀释至25ml，作为标准铅对照管。

检视：于上述供试品溶液和标准铅对照管中分别加硫代乙酰胺试液各2ml，摇匀，放置2分钟，同置白色背景上，从上向下进行观察。试验结果见表3。

表3 重金属检查结果

序号	批号	重金属含量（ppm）			
1	20190928	<10	<20	<30	<40
2	20190938	<10	<20	<30	<40
3	20190948	<10	<20	<30	<40
4	20190917	<10	<20	<30	<40

结果显示，供试品溶液的颜色明显浅于2ml的标准铅对照溶液。经过3批供试品及模拟样品的检查，含重金属均未超过百万分之十，故未列入正文。

砷盐：取本品1g和标准砷溶液（1μg/mlAS）2ml，分别加无砷氢氧化钙1g，加少量水，搅匀，烘干，用小火缓缓炽灼至炭化，再在600℃炽灼至完全灰化，放冷。分别加盐酸7ml使溶解，再加水21ml，按《中国药典》2020年版四部通则0822第一法（古蔡氏法）检查砷盐含量。

结果：供试品砷斑浅于标准砷斑的颜色，表明本品含砷量未超过百万分之二（小于2ppm），故砷盐检查项目未列入正文。

5. 微生物限度：照微生物计数法（《中国药典》2020年版四部通则1105）和控制菌检查法（《中国药典》2020年版四部通则1106）及《内蒙古蒙药制剂规范》（第三册）附录Ⅲ微生物限度标准，进行检查，结果均符合规定。

【含量测定】

本品是由寒制红石膏、生果草仁、丁香等二十五味药材组成的复方制剂。临床功效为清瘟解毒，用于疫热侵脉，肝脾血盛，毒热，宝日热等热盛之合并症、聚合症，巴达干热，热病后遗症。方中栀子功能为泻火除烦、清热利湿。在标准制定过程中，以栀子苷作为测定指标，采用高效液相色谱法对本品中的栀子建立了含量测定方法。通过实验摸索，确定了比较理想的色谱条件。经分析方法验证，表明该方法重现性好，专属性强，方中其他组分对栀子苷的测定无干扰。

1 仪器与试剂试药

1.1 仪器

U3000型高效液相色谱仪，SCL–10AvP型控制器，SPD–10AvP型检测器，Class–vP色谱工作站，岛津UV–1700型紫外–可见分光光度仪，隔膜真空泵（巩义市英峪仪器厂），KQ–250DB型超声波清洗器（昆山市超声仪器有限公司），Heal Force NW15UV型超纯水系统，ADVENTURERTM型电子天平（万分之一），Ohaus Discovery型电子天平（十万分之一），FW400A型多功能粉碎机（材茂科技有限公司）。

1.2 试剂与试药

供试品（批号20190928、20190938、20190948）由内蒙古自治区国际蒙医医院提供，模拟样品（批号20190917）模拟；栀子苷对照品（批号110749–201617），购于中国食品药品检定研究院；乙腈为色谱纯，水为超纯水，其他试剂均为分析纯。

2 方法学考察

2.1 色谱条件

2.1.1 色谱柱：本试验采用Alltima C$_{18}$（250mm×4.6mm，5μm）色谱柱。

2.1.2 流动相的选择：参照《中国药典》2020年版一部"栀子"项下的流动相比例进行流动相条件摸索。结果栀子苷峰型不对称，拖尾严重，将流动相比例改为乙腈–水（10∶90）后，栀子苷峰的对称性在0.95～1.05之间，与其他成分达到较好的分离，故将流动相定为乙腈–水（10∶90）。

2.1.3 柱温：33℃可以保证柱压较低，分离效果稳定。

2.1.4 检测波长：按照《中国药典》2020版一部"栀子"项下规定，选择测定波长为238nm。

2.1.5 理论板数的确定：从对三批供试品的测定结果可见，栀子苷峰的理论板数在1500以上即能达到与相邻峰分开，故确定理论板数按栀子苷峰计算不低于1500。

2.2 提取溶剂及提取效率的考察

参考《中国药典》2020年版一部"栀子"含量测定项下的方法，以甲醇作为提取溶剂进行超声处理（功率250W，频率40kHz）。为保证被测成分提取完全，在供试品的细度一致、提取溶剂、超声功率一致的条件下，试验中考察了超声20分钟、30分钟、40分钟等不同提取时间对提取效率的影响。结果见表4。

表4 栀子苷提取时间考察

提取时间（min）	称样量（g）	供试品峰面积		平均峰面积	含量（mg/g）	平均含量（mg/g）
		A	B			
20–1	3.0030	11.9528	12.5295	12.2411	0.5959	0.62
20–2	3.0030	13.0623	13.1378	13.1001	0.6377	
30–1	3.0067	15.9271	15.7175	15.8223	0.7692	0.77
30–2	3.0017	15.7669	16.0015	15.8842	0.7735	
40–1	3.0018	16.3327	16.2239	16.2783	0.7927	0.79
40–2	3.0045	15.9104	16.0949	16.0027	0.7786	

从表4数据可见，超声提取30分钟之后，供试品中栀子苷基本提取完全，故将提取时间定为30分钟。

2.3 专属性考察

2.3.1 对照品溶液的制备：取栀子苷对照品适量，精密称定，加甲醇制成每1ml含30μg的溶液，作为对照品溶液。

2.3.2 供试品溶液的制备：取本品适量，研细，取约1.0g，精密称定，置具塞锥形瓶中，精密加入甲醇25ml，称定重量，超声处理（功率250W，频率40kHz）30分钟，放冷，再称定重量，用甲醇补足减失的重量，摇匀，滤过，取续滤液,作为供试品溶液。

2.3.3 阴性对照溶液的制备:按本品处方配比制备缺栀子的阴性供试品,取约1.0g,精密称定,从"置具塞锥形瓶中……"起操作同"供试品溶液的制备",取续滤液,作为阴性对照溶液。

2.3.4 测定:分别精密吸取上述三种溶液各10μl,注入液相色谱仪,记录各自的色谱图。

试验结果显示,供试品色谱中在与对照品色谱保留时间相同的位置上有色谱峰出现,而阴性对照在与对照品色谱保留时间相同的位置上无色谱峰出现,表明共存组分对处方中栀子苷的测定无干扰。

2.4 线性关系考察

取栀子苷对照品约6.0mg,精密称定,置100ml量瓶中,加甲醇使溶解并稀释至刻度,摇匀,作为对照品溶液(栀子苷实际浓度为0.0643mg/ml),精密吸取上述溶液1μl、3μl、5μl、7μl、10μl、12μl、15μl、20μl注入液相色谱仪,按上述色谱条件进行测定,以峰面积对对照品进样量进行回归分析。结果见表5。

表5 标准曲线数据及回归分析结果

序号	进样量(μg)	峰面积值	回归方程	r
1	0.0643	1.1293		
2	0.1929	3.3611		
3	0.3215	5.5809		
4	0.4501	7.7413	$y=16.9957x+0.0829$	0.9999
5	0.6430	11.0496		
6	0.7716	13.2465		
7	0.9645	16.3727		
8	1.2860	21.9582		

从表5数据可见,栀子苷在0.0643~1.286μg范围内与峰面积呈良好的线性关系。

2.5 稳定性试验

取同一份供试品(批号20190917)溶液,分别在溶液制备后的0小时、1小时、2小时、3小时、4小时、5小时、6小时、7小时、8小时进样测定,结果见表6。

表6 溶液的稳定性试验结果

序号	时间(h)	峰面积值	RSD(%)
1	0	5.5103	
2	1	5.6574	
3	2	5.4855	
4	3	5.5486	
5	4	5.3109	2.26
6	5	5.7597	
7	6	5.5504	
8	7	5.6397	
9	8	5.5543	

从表6数据可见,栀子苷在8小时内峰面积值基本稳定不变,能够满足测定所需要的时间。

2.6 精密度试验

取同一份供试品(批号20190917)溶液,连续进样6针,记录色谱图。栀子苷峰面积的精密度计算结果见表7。

表7　栀子苷精密度试验结果

序号	峰面积值	平均值	RSD（%）
1	5.0547		
2	5.0368		
3	5.0587	5.0605	0.30
4	5.0825		
5	5.0605		
6	5.0697		

从表7数据可见，符合《中国药典》2020年版四部通则0512中规定的RSD值小于2.0%的要求。

2.7　重复性试验

取同一供试品（批号20190917）6份，各约1.0g，精密称定，置具塞锥形瓶中，精密加入甲醇25ml，称定重量，超声处理（功率250W，频率40kHz）30分钟，放冷，再称定重量，用甲醇补足减失的重量，摇匀，滤过，取续滤液，作为供试品溶液。另取栀子苷对照品适量，精密称定，加甲醇制成每1ml含30μg的溶液，作为对照品溶液。分别精密吸取以上两种溶液各10μl，注入液相色谱仪，记录各自的色谱图，用外标法以峰面积计算含量。结果见表8。

表8　栀子苷重复性试验结果

称样量（g）	峰面积平均值	含量（mg/g）	平均含量（mg/g）	RSD（%）
1.0015	5.0651	0.7268		
1.0248	5.1686	0.7248		
1.0241	5.1401	0.7212	0.72	0.75
1.0073	5.1155	0.7298		
1.0000	4.9691	0.7141		
1.0159	5.1036	0.7219		

从表8数据可见，在相同的细度、提取溶剂和色谱条件下，6份供试品含量测定结果的均值为0.72mg/g，RSD为0.75%，表明该方法的重复性好。

2.8　加样回收试验

取已知含量（批号20190917，栀子苷含量为0.72mg/g）的供试品9份，每份约0.5g，精密称定，分别置9个具塞锥形瓶中，其中1、2、3号各精密加入栀子苷对照品溶液（栀子苷浓度0.0362mg/ml）5ml及甲醇20ml，4、5、6号各精密加入上述对照品溶液10ml及甲醇15ml，7、8、9号各精密加入上述对照品溶液15ml及甲醇10ml，分别称定重量，超声处理（功率250W，频率40kHz）30分钟，放冷，再称定重量，用甲醇补足减失的重量，摇匀，滤过，取续滤液，作为供试品溶液。分别精密吸取各溶液10μl进样测定，按外标法以峰面积计算含量并计算回收率。结果见表9。

表9　加样回收试验结果

称样量（g）	供试品含量（mg）	对照品加入量（mg）	测得总量（mg）	回收率（%）	平均回收率（%）	RSD（%）
0.5089	0.3680	0.1811	0.5565	104.08		
0.5045	0.3648	0.1811	0.5526	103.67		
0.5051	0.3652	0.1811	0.5533	103.85		
0.5098	0.3686	0.3622	0.7478	104.70		
0.5031	0.3638	0.3622	0.7413	104.21	104.1	1.20
0.5043	0.3647	0.3622	0.7447	104.93		
0.5081	0.3674	0.5433	0.9365	104.74		
0.5041	0.3651	0.5433	0.9149	101.20		
0.5070	0.3666	0.5433	0.9404	105.60		

从表9数据可见，本方法的平均回收率为104.1%，RSD为1.20%。该方法准确度好。

2.9 耐用性试验

取供试品（批号20190917）2份，各约1.0g，精密称定，按重复性试验项下的方法处理，换不同厂家、不同型号的色谱柱，分别测定供试品的含量。结果见表10。

表10 色谱柱耐用性试验

序号	称样量（g）	柱型号	峰面积值	含量（mg/g）
1	1.0025	Apollo C$_{18}$柱	5.7718	0.72
		Alltima C$_{18}$柱	5.2469	0.71
2	1.0049	Apollo C$_{18}$柱	5.7205	0.72
		Alltima C$_{18}$柱	5.1947	0.71

从表10数据可见，在使用不同型号或厂家的色谱柱时，对测定结果影响较小。

3 样品含量测定

取三批样品（批号20190928、20190938、20190948）及模拟样品（批号20190917），每批各2份，各约1.0g，精密称定，重复性试验项下的方法处理并测定含量。含量测定结果见表11。

表11 样品中栀子苷的含量测定结果

批号	称样量（g）	峰面积平均值	含量（mg/g）	平均含量（mg/g）
20190928	1.0045	6.1021	0.7541	0.75
	1.0062	6.0659	0.7483	
20190938	1.0021	6.2329	0.7721	0.77
	1.0079	6.2412	0.7687	
20190948	1.0055	6.0479	0.7466	0.75
	1.0023	6.0064	0.7439	
20190917	1.0073	5.9105	0.7284	0.72
	1.0024	5.6917	0.7048	

从表11数据可见，三批样品和模拟样品中栀子苷含量最低为0.72mg/g，最高为0.77mg/g，含量之间无明显差异。

4 栀子药材含量测定

取三批样品生产用栀子药材粉末约0.05g，精密称定，按《中国药典》2020年一部"栀子"含量测定项下的方法处理并测定。测定结果见表12。

表12 栀子药材中栀子苷的含量测定结果

序号	称样量（g）	平均峰面积值（n=2）	含量（mg/g）	平均含量（mg/g）
1	0.0528	11.5315	28.3115	29.19
2	0.0535	12.4105	30.0708	

从表12数据可见，栀子药材中栀子苷含量为29.19mg/g（2.92%）。

5 本制剂含量限度的确定

表11数据可见，三批样品中栀子苷最低含量为0.75mg/g，模拟样品中栀子苷的含量为0.72mg/g，栀子药材中栀子苷含量为29.19mg/g（2.92%）。

按理论值折算，样品应含栀子苷为48÷1407×29.19mg/g=0.99mg/g，可见，栀子苷的转移率=0.72÷0.99×100%=72.72%。

　　参照《中国药典》2020年版一部"栀子"药材项下规定的栀子苷含量限度不得少于1.8%,转移率为72.73%,考虑不同产地药材的质量差异,并结合其他影响因素及三批样品的测定结果,下浮20%,按此限度折算本品含栀子苷的理论量应不低于$48 \div 1407 \times 1000 \times 1.8\% \times 72.72\% \times 80\% = 0.357mg/g$。

　　标准正文暂定为:本品每1g含栀子以栀子苷($C_{17}H_{24}O_{10}$)计,不得少于0.35mg。

【功能与主治】

　　清瘟,解毒。用于疫热侵脉,肝脾血盛,毒热,宝日热等热盛之合并症、聚合症,巴达干热,热病后遗症。

【用法与用量】

　　口服。一次11～15丸,一日1～2次,温开水送服。

【规格】

　　每10丸重2g。

【贮藏】

　　密封,防潮。

<table>
<tr><td>起草单位:内蒙古盛唐国际蒙医药研究院</td><td>张跃祥　崔圆圆　王　伟</td></tr>
<tr><td>包头市检验检测中心</td><td>吴　博　贺　鹏　王　皓</td></tr>
<tr><td>内蒙古自治区国际蒙医医院</td><td>康晓娜</td></tr>
</table>

敖西根·哈伦-18丸 质量标准起草说明

【历史沿革】

本方来源于《蒙医药选编》（内蒙古人民出版社1975年版，蒙古文，第361页）。

【处方来源】

本制剂由内蒙古自治区国际蒙医医院提供。

【名称】

敖西根·哈伦-18丸

【蒙药材和饮片的来源和执行标准】

1. 处方组成及药味排列顺序：诃子88g、石膏87g、拳参72g、甘草50g、山沉香50g、北沙参48g、木香47g、肉豆蔻45g、蒜炭45g、没药45g、苦参45g、草乌叶36g、红花27g、紫檀23g、檀香23g、朱砂粉23g、人工牛黄23g、人工麝香2g。

2. 处方中除紫檀、山沉香、蒜炭和人工麝香药材外，其余石膏等药味均收载于《中国药典》2020年版一部，其质量应符合该品种项下的有关规定。

紫檀：为豆科植物紫檀*Pterocarpus sindicus* Willd的干燥新材。其标准应符合《内蒙古蒙药饮片炮制规范》2020年版第440页该品种项下的有关规定。

山沉香：为木犀科植物贺兰山丁香*Syringa pinnatifolia* Hemsl.var.*alashanensis* Ma.etS.Q.Zhou削去外皮的干燥枝。其标准应符合《中华人民共和国卫生部药品标准》（蒙药分册）1998年版第4页该品种项下的有关规定。

人工麝香：应符合卫生部标准（试行）WS-210（Z-32）-93标准的有关规定。

蒜炭：为百合科植物蒜*Allium sativum* L. 的干燥鳞茎。其标准应符合《内蒙古蒙药饮片炮制规范》2020年版第22页该品种项下的有关规定。

【制法】

以上十八味，除人工麝香、人工牛黄外，其余石膏等十六味，粉碎成细粉，将人工麝香、人工牛黄与上述细粉配研，过筛，混匀，用水泛丸，打光，干燥，分装，即得。

【性状】

本品为口服制剂水丸，性状为黄褐色至棕褐色；气香，味苦。

【鉴别】

本品为原药材细粉制成的水丸，处方中木香、拳参、甘草、肉豆蔻的显微特征较明显，故建立显微鉴别，并对处方中人工牛黄建立了薄层鉴别。

1. 试剂与试药

供试品：供试品（批号20200520、20190725、20200327）由内蒙古自治区国际蒙医医院提供，模拟样品（批号20190824）模拟。

对照品：胆酸对照品（批号100078-201415）、猪去氧胆酸对照品（批号100087-201411）均购于中国食品药品检定研究院。

薄层板: 硅胶G板, 购于青岛海洋化工有限公司。

所用其他试剂均为分析纯, 水为离子交换高纯水。

2. 试验方法与结果

（1）显微鉴别

木香: 菊糖多见, 表面现放射状纹理。拳参: 草酸钙簇晶甚多, 直径15~65μm。甘草: 纤维束周围含草酸钙方晶, 形成晶纤维。肉豆蔻: 脂肪油滴众多, 加水合氯醛试液加热后渐形成针簇状结晶。

（2）人工牛黄的薄层鉴别

参照《中国药典》2020年版一部 "人工牛黄" 项下薄层条件, 制定出正文所述的鉴别方法。通过阴性对照试验观察, 方中其他药材对人工牛黄的检出无干扰, 证明此方法具有专属性。

【检查】

按照丸剂（《中国药典》2020年版四部通则0108）项下规定, 对三批供试品及模拟样品的水分、重量差异、溶散时限、重金属、砷盐和微生物限度进行了检查, 检查结果均符合规定。具体方法及测定数据如下:

1. 水分: 取供试品照水分测定法（《中国药典》2020年版四部通则0832）测定, 三批供试品及模拟样品测定结果见表1。

表1　水分测定结果

序号	批号	水分（%）
1	20200520	6.87
2	20190725	6.59
3	20200327	6.80
4	20190824	6.50

药典规定丸剂水分含量不得大于9.0%。由表1的结果可见, 3批供试品和1批模拟样品的水分含量均符合要求。

2. 重量差异: 取以上三批供试品, 每批供试品取10份, 10丸为1份, 分别称定重量, 再与每份标示重量（2g）相比较, 求每一份的重量差异（%）。药典规定每份标示装量的限度为±8%, 并规定超出重量差异限度的不得多丁2份, 并不得有1份超出限度1倍。本品的重量差异检查结果均符合规定。

3. 溶散时限: 取本品照片剂项下崩解时限检查法（《中国药典》2020年版四部通则0921）加挡板进行测定。三批供试品测定结果见表2。

表2　溶散时限测定结果

序号	批号	溶散时间（min）
1	20200520	20
2	20190725	25
3	20200327	22

药典规定水丸应在1小时内全部溶散。表2的结果显示, 本品的溶散时限符合规定。

4. 对三批供试品及模拟样品进行了重金属、砷盐考察, 方法与结果如下:

重金属: 分别取每个批号样品0.5g、0.67g、1.0g、2.0g, 按《中国药典》2020年版四部0821第二法检查。

供试品溶液的制备: 取本品0.5g、0.67g、1.0g、2.0g, 分别缓缓炽灼至完全炭化, 放冷, 加硫酸0.5ml, 使湿润, 低温加热至硫酸除尽后, 加硝酸0.5ml, 蒸干, 至氧化氮蒸气除尽后, 放冷, 于600℃炽灼至完全灰化, 放冷。加盐酸2ml, 置水浴上蒸干后加水15ml, 滴加氨试液至对酚酞指示液显中性, 再加醋酸盐缓冲液（pH3.5）2ml, 微热溶解后, 移置纳氏比色管中, 加水稀释至25ml, 作为供试品溶液。

标准铅对照管的制备: 另取配制供试品溶液的试剂两份, 分别置瓷皿中蒸干后, 加醋酸盐缓冲液 (pH3.5) 2ml, 加水15 ml微热溶解后, 移至两支纳氏比色管中, 分别加标准铅溶液 (10μg/mlPb) 2ml, 再加水稀释至25ml, 作为标准铅对照管。

检视: 于上述供试品溶液和标准铅对照管中分别加硫代乙酰胺试液各2ml, 摇匀, 放置2分钟, 同置白色背景上, 从上向下进行观察。试验结果见表3。

表3　重金属检查结果

序号	批号	重金属含量 (ppm)			
1	20200520	<10	<20	<30	<40
2	20190725	<10	<20	<30	<40
3	20200327	<10	<20	<30	<40
4	20190824	<10	<20	<30	<40

结果显示, 供试品溶液的颜色明显浅于2ml的标准铅对照溶液。经过3批供试品及模拟样品的检查, 含重金属均未超过百万分之十, 故未列入正文。

砷盐: 取本品1g和标准砷溶液 (1μg/mlAS) 2ml, 分别加无砷氢氧化钙1g, 加少量水, 搅匀, 烘干, 用小火缓缓炽灼至炭化, 再在600℃炽灼至完全灰化, 放冷。分别加盐酸7ml使溶解, 再加水21ml, 按《中国药典》2020年版四部通则0822第一法 (古蔡氏法) 检查砷盐含量。

结果: 供试品砷斑浅于标准砷斑的颜色, 表明本品含砷量未超过百万分之二 (小于2ppm)。故砷盐检查项目未列入正文。

5. 微生物限度: 照微生物计数法 (《中国药典》2020年版四部通则1105) 和控制菌检查法 (《中国药典》2020年版四部通则1106) 及《内蒙古蒙药制剂规范》(第三册) 附录Ⅲ微生物限度标准, 进行检查。结果均符合规定。

【含量测定】

本品由石膏、人工牛黄、红花、檀香、紫檀、拳参、人工麝香、没药、草乌叶、诃子、木香、朱砂粉、甘草、北沙参、山沉香、肉豆蔻、苦参、蒜炭等十八味药组成。临床功效清黏热, 止咳。用于肺热咳嗽, 山川间赫依热, 旧咳不止, 痰呈赤黄、灰色带白沫, 小儿肺炎, 疫热咳嗽。木香功效行气止痛, 健脾消食。木香的主要活性成分为倍半萜内酯类化合物木香烃内酯和去氢木香内酯。文献研究常采用高效液相色谱法测定木香中木香烃内酯和去氢木香内酯的含量, 故参照《中国药典》2020年版一部"木香"项下的含量测定方法, 选择木香烃内酯作为指标成分, 对本制剂中的木香进行含量测定方法的研究。经分析方法验证, 表明该方法重现性好, 专属性强, 方中其他组分对木香烃内酯的测定无干扰。

1　仪器与试剂试药

1.1　仪器

Waters e2695 高效液相色谱仪, 百万分之一电子天平 (Mettler-TOledo MS105DU), 万分之一电子天平 (Mettler-TOledo XPR10), 多功能粉碎机 (FW400A 材茂科技有限公司), 超纯水系统 (Heal Force NW15UV), 超声波恒温清洗器 (SBL-22DT 宁波新芝生物科技股份有限公司)。

1.2　试剂与试药

供试品 (批号20200520、20190725、20200327) 由内蒙古自治区国际蒙医医院提供, 模拟样品 (批号20190824) 模拟; 木香烃内酯照品对照品 (批号111524-201509), 购于中国食品药品检定研究院; 甲醇为色谱纯, 水为超纯水, 其他试剂均为分析纯。

2 方法学考察

2.1 色谱条件

2.1.1 色谱柱：色谱柱填充剂为十八烷基硅烷键合硅胶，本实验采用Pheomenex C$_{18}$（250mm×4.6mm，5μm）色谱柱。

2.1.2 流动相的选择：选择以甲醇-水（65：35）为流动相，供试品中的木香烃内酯与其他成分能达到较好的分离，色谱峰具有比较好的保留时间、分离度和对称性。

2.1.3 柱温：比较了30℃和35℃的柱温，结果在30℃的条件下，木香烃内酯保留时间和峰型基本稳定，而且分离效果比较好，因此，选择柱温在30℃。

2.1.4 检测波长的选择：参照《中国药典》2020年版一部"木香"含量测定方法中的测定波长，选用225nm处作为检测波长。

2.1.5 理论板数的确定：从对三批供试品的测定结果可见，木香烃内酯峰理论板数在3000以上即能达到较好的分离效果，故确定理论板数按木香烃内酯峰计不低于3000。

2.2 提取溶剂及提取效率的考察

2.2.1 提取溶剂的选择：参照《中国药典》2020年版一部"木香"的含量测定方法中对木香药材的提取方法，选择甲醇作为提取溶剂。

2.2.2 提取效率的考察：为保证被测成分提取完全，在供试品的细度一致、提取溶剂、超声（功率250W，频率40kHz）的条件下，考察了超声20分钟、30分钟、40分钟三个不同提取时间对提取效率的影响。结果见表4。

表4 木香烃内酯提取时间考察

提取时间（min）	称样量（g）	峰面积平均值	含量（mg/g）
20	2.7041	964642	0.4037
30	2.7033	975823	0.4085
40	2.7042	969218	0.4056

从表4数据可见，超声提取20分钟、30分钟、40分钟供试品中木香烃内酯含量几乎无变化，故将提取时间定为30分钟，与《中国药典》2020年版一部"木香"含量测定项下的提取时间一致。

2.3 专属性考察

2.3.1 对照品溶液的制备：取木香烃内酯对照品适量，精密称定，加甲醇制成每1ml含100μg的溶液，作为对照品溶液。

2.3.2 供试品溶液的制备：取本品适量，研细，取约2.5g，精密称定，置具塞锥形瓶中，精密加入甲醇25ml，密塞，称定重量，超声处理（功率250W，频率40kHz）30分钟，放冷，再称定重量，用甲醇补足减失的重量，摇匀，滤过，取续滤液，作为供试品溶液。

2.3.3 阴性对照溶液的制备：按本品处方配比制备缺木香的阴性供试品，取约2.5g，精密称定，从"置具塞锥形瓶中……"起操作同"供试品溶液的制备"，取续滤液，作为阴性对照溶液。

2.3.4 测定：分别精密吸取上述三种溶液各10μl，注入液相色谱仪，记录各自的色谱图。

试验结果显示，供试品色谱中在与对照品色谱保留时间相同的位置上有色谱峰出现，而阴性对照在与对照品色谱保留时间相同的位置上无色谱峰出现，表明共存组分对处方中木香烃内酯的测定无干扰。

2.4 线性关系考察

取木香烃内酯对照品约2.5mg，精密称定，置25ml量瓶中，加甲醇使溶解，并稀释至刻度，摇匀，作为对照品溶液（木香烃内酯实际浓度为0.1030mg/ml）。分别精密吸取上述对照品溶液2μl、5μl、10μl、15μl、20μl、25μl注入液相色谱仪,按上述色谱条件测定,以峰面积对对照品进样量进行回归分析。结果见表5。

表5 标准曲线数据及回归分析结果

序号	进样量(μg)	峰面积值	回归方程	回归系数(r)
1	0.2061	284959		
2	0.5152	910210		
3	1.0304	1890584	$y=1932514.07x-96017.54$	0.9999
4	1.5456	2915857		
5	2.0608	3887613		
6	2.5760	4867393		

从表5数据可见,木香烃内酯在0.2061~2.576μg范围内与峰面积呈良好的线性关系。

2.5 稳定性试验

取同一份供试品(批号20200520)溶液,分别于溶液制备后的0小时、2小时、4小时、6小时、8小时、10小时、12小时进样测定,结果见表6。

表6 溶液的稳定性试验结果

序号	时间(h)	峰面积值	RSD(%)
1	0	967524	
2	2	968332	
3	4	967523	
4	6	968102	0.05
5	8	968771	
6	10	968533	
7	12	968421	

从表6数据可见,木香烃内酯在12小时内峰面积值基本稳定,能够满足测定所需要的时间。

2.6 精密度试验

取同一份供试品(批号20200520)溶液,连续进样6针,记录色谱图。木香烃内酯峰面积的精密度计算结果见表7。

表7 木香烃内酯精密度试验结果

序号	峰面积值	平均值	RSD(%)
1	968715		
2	968825		
3	968725	968548	0.04
4	968726		
5	968576		
6	967724		

从表7数据可见,符合《中国药典》2020年版四部通则0512中规定的RSD值小于2.0%的要求。

2.7 重复性试验

取同一供试品(批号20200520)6份,各约2.7g,精密称定,置具塞锥形瓶中,精密加入甲醇25ml,密塞,称定重量,超声处理(功率250W,频率40kHz)30分钟,放冷,再称定重量,用甲醇补足减失的重量,摇匀,滤过,取续滤液,作为供试品溶液。另取木香烃内酯对照品适量,精密称定,加甲醇制成每1ml含100μg的溶液,作为对照品溶液。分别精密吸取以上两种溶液各10μl,注入液相色谱仪,记录各自的色谱图,用外标法以峰面积计算含量。结果见表8。

表8　木香烃内酯重复性试验结果

称样量（g）	峰面积平均值	含量（mg/g）	平均含量（mg/g）	RSD（%）
2.7015	960846	0.4025		
2.7044	961161	0.4022		
2.7031	964520	0.4038	0.40	0.72
2.7036	958726	0.4013		
2.7045	957611	0.4007		
2.7014	975611	0.4087		

从表8数据可见，在相同的细度、提取溶剂和色谱条件下，6份供试品含量测定结果的均值为0.40mg/g，RSD为0.72%，表明该方法的重复性好。

2.8　加样回收试验

取已知含量（批号20200520，木香烃内酯含量为0.40mg/g）的供试品9份，各约1.35g，精密称定，分别置9个25ml容量瓶中，分成三组，每组三份，每组分别精密加入木香烃内酯对照品溶液（浓度为0.0543mg/ml）各5ml、10ml、15ml（约相当于供试品含有量的50%、100%、150%），用甲醇定容到刻度，密塞，称定重量，超声处理（功率250W，频率40kHz）30分钟，放冷，再称定重量，用甲醇补足减失的重量，摇匀，滤过，取续滤液，作为供试品溶液。分别精密吸取各溶液10μl进样测定，按外标法以峰面积计算含量并计算回收率。结果见表9。

表9　加样回收试验结果

称样量（g）	供试品含量（mg）	对照品加入量（mg）	测得总量（mg）	回收率（%）	平均回收率（%）	RSD（%）
1.3508	0.54032	0.2715	0.8110	99.85		
1.3522	0.54088	0.2715	0.7955	96.87		
1.3521	0.54084	0.2715	0.8081	99.21		
1.3506	0.54024	0.5430	1.0743	98.34		
1.3504	0.54016	0.5430	1.0784	99.11	98.9	1.01
1.3508	0.54032	0.5430	1.0768	98.79		
1.3522	0.54088	0.8145	1.3540	99.75		
1.3523	0.54092	0.8145	1.3445	97.99		
1.3503	0.54012	0.8145	1.3538	99.85		

从表9数据可见，本方法的平均回收率为98.9%，RSD为1.01%。该方法准确度好。

2.9　耐用性试验

取供试品（批号20200520）2份，各约2.7g，精密称定，按重复性试验项下的方法处理，换不同厂家、不同型号的色谱柱，分别测定供试品的含量。结果见表10。

表10　色谱柱耐用性试验

序号	称样量（g）	柱型号	含量（mg/g）
1	2.7015	Pheomenex C18	0.4062
		Alltima C18	0.4051
2	2.7044	Pheomenex C18	0.4021
		Alltima C18	0.4035

从表10数据可见，在使用不同型号或厂家的色谱柱时，对测定结果影响较小。

3　样品含量测定

取三批样品（批号20200520、20190725、20200327）及模拟样品（批号20190824），每批各2份，各约2.7g，精密称定，按重复性试验项下的方法处理并测定含量。测定结果见表11。

表11　样品木香烃内酯的含量测定结果

| 批号 | 称样量（g） | 供试品峰面积值 | | 峰面积平均值 | 含量（mg/g） | 平均含量（mg/g） |
		A	B			
20200520	2.7011	978204	978052	978128	0.4098	0.4101
	2.7025	958725	958425	958575	0.4104	
20190725	2.7032	963587	965047	964317	0.4037	0.4041
	2.7042	966702	966468	966585	0.4045	
20200327	2.7068	963458	964396	963927	0.4030	0.4038
	2.7031	965422	967440	966431	0.4046	
20190824	2.7021	3509028	3510428	3509718	1.4699	1.4810
	2.7008	3561070	3560952	3561011	1.4921	

从表11数据可见，三批样品和模拟样品中木香烃内酯的含量最低为0.4038mg/g，最高为1.4810mg/g。

4　木香药材含量测定

采用同法对上述三批样品生产用木香药材进行了含量测定，测定结果见表12。

表12　木香药材中木香烃内酯的含量测定结果

序号	称样量（g）	平均峰面积值（n=2）	含量（mg/g）	平均含量（mg/g）
1	0.2028	2378808	16.18	16.11
2	0.2062	2397499	16.04	

从表12数据可见，木香药材中木香烃内酯平均含量为16.11mg/g（1.61%）。

5　本制剂含量限度的确定

从表中数据可见，三批样品中木香烃内酯最低平均含量为0.4038mg/g，模拟样品中木香烃内酯含量为1.4810mg/g，木香药材中木香烃内酯平均含量为16.11mg/g（1.61%）。

根据本品处方量折算，理论上每1g供试品含木香药材0.0561g，含木香烃内酯量=0.0561g×1.61%×1000=0.9032mg。因此，转移率=1.4810÷0.9032×100%=163.97%，计算得到的转移率太高，因此规定含量限度时不考虑。

参照《中国药典》2020年版一部"木香"药材项下规定的木香烃内酯含量限度不得少于0.9%，考虑不同产地药材的质量差异，并结合其他影响因素及三批样品的测定结果，下浮45%，按此限度折算本品含木香烃内酯的理论量应不低于47÷779×1000×1.8%÷2×55%=0.298mg/g。

标准正文暂定为：本品每1g含木香以木香烃内酯（$C_{15}H_{20}O_2$）计，不得少于0.30mg。

【功能与主治】

清黏热，止咳。用于肺热咳嗽，山川间赫依热，旧咳不止，痰呈赤黄、灰色带白沫，小儿肺炎，疫热咳嗽。

【用法与用量】

口服。一次11~15丸，一日1~2次，温开水送服。

【注意事项】

孕妇慎服。

【规格】

每10丸重2g。

【贮藏】

密封,防潮。

起草单位: 内蒙古盛唐国际蒙医药研究院　　张跃祥　崔圆圆　王　伟

　　　　　　鄂尔多斯市检验检测中心　　　　孟美英　吕彩莲　陈羽涵

　　　　　　内蒙古自治区药品检验研究院　　籍学伟　郭宝凤

敖西根–5丸 质量标准起草说明

【历史沿革】

本方来源于《蒙医药处方集》(内蒙古科技出版社2004年版,蒙古文,第563页)。

【处方来源】

本制剂由内蒙古自治区国际蒙医医院提供。

【名称】

敖西根–5丸

【蒙药材和饮片的来源和执行标准】

1. 处方组成及药味排列顺序:寒制红石膏200g、天竺黄50g、川贝母25g、甘草25g、朱砂粉25g。

2. 处方中除寒制红石膏药材外,其余朱砂粉等药味均收载于《中国药典》2020年版一部,其质量应符合该品种项下的有关规定。

寒制红石膏:为单斜晶系硫酸钙矿石族红石膏Gypsum的矿石红石膏(北寒水石)的炮制加工品。主含含水硫酸钙(CaSO$_4$·2H$_2$O)。其标准应符合《内蒙古蒙药饮片炮制规范》2020年版第188页该品种项下的有关规定。

【制法】

以上五味药,粉碎成细粉,过筛(80~100目),混匀,用水泛丸,打光,干燥即得。

【性状】

本品为黄白色至淡黄色的水丸;气微,味辛。

【鉴别】

本品为药材粉末制成的水丸,方中朱砂、甘草显微特征比较明显,故对处方中朱砂和甘草建立显微鉴别,并对处方中甘草建立了薄层鉴别。

1. 试剂与试药

供试品:供试品(批号20190726、20190437、20190423)由内蒙古自治区国际蒙医医院提供,模拟样品(批号20200005)模拟。

对照药材:甘草对照药材(批号120904–201620),购于中国食品药品检定研究院。

薄层板:硅胶G板,购于青岛海洋化工有限公司。

所用其他试剂均为分析纯,水为离子交换高纯水。

2. 试验方法与结果

(1)显微鉴别

甘草:纤维束周围薄壁细胞含有草酸钙方晶,形成晶纤维。朱砂:不规则细小颗粒暗棕红色,有光泽,边缘暗黑色。

(2)甘草薄层鉴别

参照《中国药典》2020年版一部"甘草"项下的薄层条件,制定出正文所述的鉴别方法。通过阴性对照试验观察,方中其他药材对甘草的检出无干扰,证明此方法具有专属性。

【检查】

按照丸剂(《中国药典》2020年版四部通则0108)项下的规定,对三批供试品及模拟样品的水分、重量差异、溶散时限、可溶性汞盐、浸出物和急性毒性试验进行了检查。具体方法及测定数据如下:

1. 水分:取供试品照水分测定法(《中国药典》2020年版四部 通则0832)测定。三批供试品及模拟样品的测定结果见表1。

表1 水分测定结果

序号	批号	水分(%)
1	20190437	2.2
2	20190726	3.4
3	20190423	3.5
4	20200005	4.9

药典规定丸剂水分含量不得大于9.0%。从表1中可见本品水分含量均符合要求。

2. 重量差异:取以上三批供试品,每批供试品取10份,10丸为1份,分别称定重量,再与每份标示重量(2g)相比较,求每一份的重量差异(%)。药典规定每份标示装量的限度为±8%,并规定超出重量差异限度的不得多于2份,并不得有1份超出限度1倍。本品的重量差异检查结果均符合规定。

3. 溶散时限:取本品按照片剂项下崩解时限检查法(《中国药典》2020年版四部通则0921)加挡板进行测定。三批供试品测定结果见表2。

表2 容散时限测定结果

序号	批号	溶散时间(min)
1	20190437	45
2	20190726	46
3	20190423	46

药典规定水丸应在1小时内全部溶散。表2的结果显示,本品的溶散时限符合规定。

4. 对三批供试品进行了可溶性汞盐和浸出物考察,方法与结果如下:

可溶性汞盐:取本品5g,加水50ml,搅匀,滤过,静置,滤液照《中国药典》2020年版四部通则0301项下的方法检查,结果均没有出现汞盐的鉴别反应。不同批次供试品均有此特征。

浸出物:为了能全面考察制剂的内在质量,按《中国药典》2020年版四部通则2201醇溶性浸出物测定法项下的热浸法,对三批供试品进行测定。结果见表3。

表3 醇溶性浸出物测定结果

批号	重量(g)	蒸发皿重量	3(h)	浸出物(%)	浸出物均值(%)
20190437	2.1657	47.6160	48.0355	38.7404	
20190726	2.1427	45.9615.	46.3710	38.0641	37.2832
20190423	2.2862	44.3118	44.7124	35.0451	

从表3数据可见,三批供试品中醇溶性浸出物的含量35.05%~38.74%,均值为37.28,均在35.05%以上,考虑到不同产地、不同批次药材的质量不同,下浮20%,暂定为:本品含醇溶性浸出物不得少于30.0%。

5. 急性毒性试验:试验研究以及结果见本文后面的附件。

【含量测定】

敖西根-5丸是由寒制红石膏、天竺黄、川贝母、甘草、朱砂粉等五味药组成的复方制剂。朱砂为处方中主要药味之一。故选择了处方中朱砂作为指标性成分进行测定,朱砂主要含有硫化汞(HgS)。参照《中国药典》2020年版一部"朱砂"项下的含量测定方法,对硫化汞做了含量测定,经分析该方法重现性好,专属性强,方中其他组分对硫化汞的测定无干扰。

1. 试剂与试药

供试品(批号20190726、20190437、20190423)由内蒙古自治区国际蒙医医院提供,模拟样品(批号20200005)模拟;硝酸银滴定液(批号A4W1),购于北京海岸鸿蒙标准物质技术有限责任公司;所用其他试剂均为分析纯。

2. 硫氰酸铵滴定液的标定

精密量取硝酸银滴定液(0.1mol/L)25ml,加水50ml、硝酸2ml与硫酸铁铵指示液2ml,用本液滴定至溶液微显淡棕红色;经剧烈振摇后仍不褪色,即为终点。根据本液的消耗量算出本液的浓度,即得。

3. 样品含量测定

取本品适量,研细,取约0.3g,精密称定,置锥形瓶中,加硫酸10ml与硝酸钾1.5g,缓缓加热至无色,放冷,用水50ml,滴加1%高锰酸钾溶液至显粉红色,再滴加2%硫酸亚铁溶液至粉红色消失后,加硫酸铁铵指示液2ml,用硫氰酸铵滴定液(0.1mol/L)滴定。每1ml硫氰酸铵滴定液(0.1mol/L)相当于11.63mg的硫化汞(HgS)。测定结果见表4。

表4　硫化汞含量测定结果

批号	取样量（g）	所需硫氰酸铵体积（ml）	硫氰酸铵浓度（mol/L）	硫化汞含量（mg/g）	硫化汞含量均值（mg/g）
20190437	0.3026	0.26	0.1124	561.59	
20190726	0.3089	0.25	0.1124	528.97	541.34
20190423	0.3063	0.25	0.1124	533.46	

从表4数据可见,三批样品中硫化汞平均含量541.34mg/g,最高为561.59mg/g,最低为528.97mg/g。

4. 本制剂含量限度的确定

参照《中国药典》2020年版一部"朱砂"项下规定:含硫化汞(HgS)不得少于96.0%。含量低限=25÷325(处方量)×96%(药材最低限)×80%(转移率下浮)×1000=59.1mg/g。考虑到本品所测成分朱砂(HgS)的安全投料剂量,因此按照低限的200%规定了本制剂含量上限,并结合其他影响因素及2批样品的测定结果,故建议将标准含量测定结果限量值为"本品每1g含朱砂以硫化汞(HgS)计,应为60~120mg"。

【功能与主治】

清热,止咳。用于肺热,咳嗽,天花,麻疹引起的咳嗽等。

【用法与用量】

口服。周岁以内小儿,一次5~11丸,一日1~2次;满一周岁小儿,一次15~25丸,一日1~2次;两至六周岁儿童,一次30~40丸,一日1~2次,或遵医嘱,温开水送服。

【规格】

每10丸重0.5g。

【贮藏】

密封,防潮。

附件　昆明小鼠灌胃敖西根-5丸急性毒性试验研究报告

1　摘要

目的：

通过一天内大剂量（≥临床等效量的50倍）对昆明种小鼠灌胃敖西根-5丸，观察其产生的毒性反应及严重程度、主要毒性靶器官，为重复给药毒性研究计量设计和主要观察指标提供参考。

方法：

根据药物急性毒性预试验测定，无法测出LD_{50}，故采用急性毒性限度试验测定方法。小鼠按0.4ml/10g灌胃给药，给药1次，总给药体积为40ml/kg。成人每日最大剂量0.25g/（60kg·d），换算成小鼠临床等效最大剂量为0.031g/（kg·d）。配制药物最大可混悬浓度为0.7499g/ml，灌胃给药1次，给药剂量为30.00g/（kg·d），经计算为临床给药量的967.74倍。故一天内给药1次，小鼠给药总量为临床等效量的967.74倍，给药后观察动物的临床症状，连续观察至第14天，每天进行体重、摄食量、饮水量测定。第15天解剖动物，并进行大体病理学检查，若发现病变，则对病变组织进行组织病理学检查。

结果：

（1）一般状态观察：给药后，供试品组动物自主活动减少，给药后第2天上述异常症状恢复。

（2）对动物体重的影响：试验期间，各组动物的体重增加之间比较，无显著性差异（$P>0.05$），说明敖西根-5丸对实验动物的体重无显著性影响。

（3）对动物摄食量的影响：试验期间，给药当天敖西根-5丸组动物摄食量略有减少。从给药第2天开始，各组动物的摄食量之间比较，无显著性差异（$P>0.05$），说明敖西根-5丸对实验动物的摄食量无显著性影响。

（4）病理学检查：大体病理学检查，肉眼观察组织、器官未发现异常或病变。

结论：

敖西根-5丸口服给药为无毒或低毒药物。

2　研究的一般信息

2.1　专题名称及研究目的

专题名称：昆明小鼠灌胃敖西根-5丸急性毒性试验研究报告。

研究目的：采用昆明小鼠，单次灌胃敖西根-5丸，观察其产生的毒性反应及严重程度、主要毒性靶器官，为重复给药毒性研究计量设计和主要观察指标提供参考。

2.2　研究遵循的GLP法规性文件

《药物非临床研究质量规范》（国家食品药品监督管理局令第34号，原CFDA 2017.09.01）。

2.3　所用毒性研究指导原则的文件和名称及参考文献

2.3.1　所用毒性研究指导原则的文件和名称

《药物单次给药毒性研究技术指导原则》（原CFDA 2014.05）。

《中药、天然药物急性毒性研究技术指导原则》（原CFDA 2005.03）。

2.3.2　所用参考文献

[1]陈奇. 中药药理研究方法学[M]. 北京：人民卫生出版社，2000.

［2］李仪奎. 中药药理试验方法学［M］. 上海：上海科学技术出版社，2006.

［3］魏伟，吴希美，李元建. 药理实验方法学［M］（第四版）. 北京：人民卫生出版社，2010.

3 实验材料

3.1 受试物及剩余受试物的处理

3.1.1 供试品

名称：敖西根-5丸。

提供单位：内蒙古自治区国际蒙医医院国家蒙药制剂中心。

批号：20190423

3.1.2 剩余供试品的处理

对送样供试品留样60丸，留样保存至有效期2022年12月31日废弃。

3.2 实验系统

3.2.1 实验动物

动物种系、级别：小鼠，昆明种，SPF级。

繁育单位：内蒙古医科大学实验动物中心。

内蒙古医科大学实验动物中心实验动物生产许可证编号：SCXK（蒙）2015-0001。

发证机关：内蒙古自治区科学技术厅。

3.2.2 动物选择理由

作为一般毒性研究，昆明种小鼠是常用的啮齿类哺乳动物，且此种动物的国内外背景资料丰富，动物供应充足。

3.2.3 动物的饲养管理

3.2.3.1 动物的饲养环境

饲育环境：屏障环境。

温度：20~26℃，日温差≤3℃。

相对湿度：41%~64%。

换气次数：≥15次/小时。

照明时间：12/12明暗交替（150~300lx）。

动物笼具：PC材质小鼠饲养笼。

饲养密度：5只/笼。

笼具的换新频率：3次/周。

粪便的处理：在更换饲养盒时，随动物废弃垫料装入专用垃圾袋，密封后统一处理。

清扫与消毒：全部操作结束后清扫，采用0.1%新洁尔灭和0.2% 84消毒液进行轮换消毒，每周一次轮流交换消毒液的种类。

3.2.3.2 检疫

检疫与适应性饲养时程：7天（含购入日）。

3.2.3.2.1 购入日检疫内容：

动物外观健康检查：外表（有无外伤、卷尾、肿瘤、畸残等），体形（无消瘦、过肥），行动（有无倦怠、躁动），体温（有无发热、发冷），呼吸（有无呼吸不规律和异常呼吸音），被毛（有无竖毛、脱毛、脏污），鼻（有无流涕、出血、流脓），口腔（有无流涎、齿过长），眼（有无流泪、分泌物过多、眼球浑浊），耳（有无外伤、耳癣），生殖器(有无外伤、异常分泌物),尿(有无血尿),粪便(有无下痢、血便、脓便),其他异常。

3.2.3.2.2　第2~7天检疫驯化内容

每天上、下午各1次对检疫动物进行观察,检疫过程中,如出现外观、临床症状观察等任何异常现象,对实验可能有影响的动物予以淘汰。

3.2.3.2.3　检疫驯化期体重测定

在检疫第1天(动物入室日)和第7天(分组前)称量动物体重。

3.2.3.3　饲料

饲料种类:^{60}Co放射灭菌鼠全价颗粒饲料。

生产单位:斯贝福(北京)实验动物科技有限公司。

斯贝福(北京)实验动物科技有限公司实验动物生产许可证编号:SCXK(京)2015-0015。

发证机关:北京市科学技术委员会。

给料方法:定时投饲,自由摄取。

饲料的保存:保存在专门的通风、清洁、干燥的饲料间里。

3.2.3.4　饮用水

种类:实验动物高压灭菌饮用水。

给水方法:饮水瓶不间断供水,自由摄取。

3.2.3.5　垫料

垫料名称:玉米芯垫料。

提供单位:北京凌云博际(北京)科技有限公司。

北京凌云博际(北京)科技有限公司实验动物生产许可证编号:SCXK(京)2015-0014。

发证机关:北京市科学技术委员会。

灭菌方法:121℃、20分钟真空高压蒸汽灭菌

3.2.4　动物的个体识别方法

分组前采用耳标记法;分组后采用躯体背部毛涂抹苦味酸溶液标记法。标记部位分别为头、背、尾、左前、左中、左后、右前、右中、右后和空白。鼠笼以笼卡标记组别、动物号、给药剂量及给药时间等信息。

3.3　药物剂量

成人临床每日用量为3~5粒,经测定药丸粒重,每10粒重约0.5g,一日1次,所以成人每日最小剂量为0.15g/(60kg·d),最大剂量0.25g/(60kg·d),换算成小鼠临床等效最大剂量为0.031g/(kg·d),最大给药剂量为30g/(kg·d),为人临床给药剂量的967.74倍。

3.4　实验试剂

水合氯醛(天津市大茂化学试剂厂,批号20181124),羧甲基纤维素钠(天津市致远化学试剂有限公司,批号20190304)。

3.5　实验仪器

电子天平(北京塞多利斯仪器系统有限公司,型号BS2202S),电子天平(北京塞多利斯仪器系统有限公司,型号BS2402S),实体解剖显微镜(德国Leica公司,型号DFC 290)。

4　实验方法

4.1　实验分组

选取健康昆明小鼠40只,雌雄各半。适应性饲养7天后,按性别、体重将小鼠随机分为空白对照组

（0.5%CMC-Na）、供试品组（敖西根-5丸），共2组，每组20只，雌雄各半。

4.2 临床症状观察

观察时间和次数：

检疫期：每天上、下午各1次对检疫动物进行观察。

实验期：给药日：给药前、给药开始至给药结束后30分钟连续观察，如无异常则停止观察，如果有异常则继续观察至恢复正常为止，但最长不超过给药后2小时。下午观察一次。

非给药日：每天上、下午各观测一次；

观察例数：全部实验动物。

观察方法：隔笼观察，观察内容包括是否死亡、濒死、活动状况、外观及被毛、有无外伤、分辨情况等。

观察指征：见表1。

表1 临床症状观察

观察	指征	可能涉及的组织、器官、系统
Ⅰ. 鼻孔呼吸阻塞，呼吸频率和深度改变，体表颜色改变	呼吸困难：呼吸困难或费力，喘息，通常呼吸频率减慢	
	1. 腹式呼吸：膈膜呼吸，吸气时膈膜向腹部偏移	CNS呼吸中枢，肋间肌麻痹，胆碱能神经麻痹
	2. 喘息：吸气很困难，伴随有喘息声	CNS呼吸中枢，肺水肿，呼吸道分泌物蓄积，胆碱能功能增强
	呼吸暂停：用力呼吸后出现短暂的呼吸停止	CNS呼吸中枢，肺心功能不全
	紫绀：尾部、口和足垫呈现青紫色	肺心功能不全，肺水肿
	呼吸急促：呼吸快而浅	呼吸中枢刺激，肺心功能不全
	鼻分泌物：红色或无色	肺水肿，出血
Ⅱ. 运动功能：运动频率和特征的改变	自发活动、探究、梳理、运动增加或减少	躯体运动，CNS
	嗜睡：动物嗜睡，但可被针刺唤醒而恢复正常活动	CNS睡眠中枢
	正位反射（翻正反射）消失：动物体处于异常体位时所产生的恢复正常体位的反射消失	CNS，感觉，神经肌肉
	麻痹：正位反射和疼痛反应消失	CNS，感觉
	僵住：保持原姿势不变	CNS，感觉，神经肌肉，自主神经
	共济失调：动物行走时无法控制和协调运动，但无痉挛、局部麻痹、轻瘫或僵直	CNS，感觉，自主神经
	异常运动：痉挛，足尖步态，踏步，忙碌，低伏	CNS，感觉，神经肌肉
	俯卧：不移动，腹部贴地	CNS，感觉，神经肌肉
	震颤：包括四肢和全身的颤抖和震颤	神经肌肉，CNS
	肌束震颤：包括背部、肩部、后肢和足趾肌肉的运动	神经肌肉，CNS，自主神经
Ⅲ. 惊厥（癫痫发作）：随意肌明显的不自主收缩或痉挛性收缩	阵挛性惊厥：肌肉收缩和松弛交替性痉挛	CNS，呼吸衰竭，神经肌肉，自主神经
	强直性惊厥：肌肉持续性收缩，后肢僵硬性伸展	CNS，呼吸衰竭，神经肌肉，自主神经
	强直性-阵挛性惊厥：两种惊厥类型交替出现	CNS，呼吸衰竭，神经肌肉，自主神经
	窒息性惊厥：通常是阵挛性惊厥并伴有喘息和紫绀	CNS，呼吸衰竭，神经肌肉，自主神经

续表

观察	指征	可能涉及的组织、器官、系统
III.惊厥(癫痫发作):随意肌明显的不自主收缩或痉挛性收缩	角弓反张:背部弓起、头向背部抬起的强直性痉挛	CNS,呼吸衰竭,神经肌肉,自主神经
IV.反射	角膜性眼睑闭合反射:接触角膜导致眼睑闭合	感觉,神经肌肉
	基本条件反射:轻轻敲击耳内表面,引起外耳抽搐	感觉,神经肌肉
	正位反射:翻正反射的能力	CNS,感觉,神经肌肉
	牵张反射:后肢被牵拉至从某一表面边缘掉下时缩回的能力	感觉,神经肌肉
	对光反射:瞳孔反射,见光瞳孔收缩	感觉,神经肌肉,自主神经
	惊跳反射:对外部刺激(如触摸、噪声)的反应	感觉,神经肌肉
V.眼检	流泪:眼泪过多,泪液清澈或有色	自主神经
	缩瞳:无论有无光线,瞳孔缩小	自主神经
	散瞳:无论有无光线,瞳孔扩大	自主神经
	眼球突出:眼眶内眼球异常突出	自主神经
	上睑下垂:上睑下垂,针刺后不能恢复正常	自主神经
	血泪症:眼泪呈红色	自主神经,出血,感染
	瞬膜松弛	自主神经
	角膜混浊,虹膜炎,结膜炎	眼睛刺激
VI.心血管	心动过缓:心率减慢	自主神经,肺心功能不全
	心动过速:心率加快	自主神经,肺心功能不全
	血管舒张:皮肤、尾、舌、耳、足垫、结膜、阴囊发红,体热	自主神经,CNS,心输出量增加,环境温度高
	血管收缩:皮肤苍白,体凉	自主神经,CNS,心输出量降低,环境温度低
	心律不齐:心律异常	CNS,自主神经,肺心功能不全,心肌梗塞
VII.流涎	唾液分泌过多:口周毛发潮湿	自主神经
VIII.竖毛	毛囊竖毛组织收缩导致毛发蓬乱	自主神经
IX.痛觉缺失	对痛觉刺激(如热板)反应性降低	感觉,CNS
X.肌张力	张力低下:肌张力全身性降低	自主神经
	张力过高:肌张力全身性增高	自主神经
XI.胃肠指征		
排便(粪)	干硬固体,干燥,量少	自主神经,便秘,胃肠动力
	体液丢失,水样便	自主神经,腹泻,胃肠动力
呕吐	呕吐或干呕	感觉,CNS,自主神经(小鼠无呕吐)
多尿	红色尿	肾脏损伤
	尿失禁	自主感觉神经
XII.皮肤	水肿:液体充盈组织所致肿胀	刺激性,肾功能衰竭,组织损伤,长时间静止不动
	红斑:皮肤发红	刺激性,炎症,过敏

4.3 体重测定

测定次数：首次给药至给药后第14天，连续14天进行体重测定。

测定例数：全部实验动物。

测定方法：用电子天平进行体重测定。

4.4 摄食量测定

测定次数：首次给药至给药后第14天，连续14天进行摄食量测定。

测定例数：全部动物。

测定方法：第1天上午测定每个饲养笼所给饲料量，次日上午相同时间测定剩余饲料量，以二者差值计算每饲养笼动物的总进食量，并计算该笼每只动物每天的平均进食量。

4.5 饮水量测定

测定次数：首次给药至给药后第14天，连续14天进行摄食量测定。

测定例数：全部动物。

测定方法：第1天上午测定每个饲养笼所给水量，次日上午相同时间测定剩余水量，以二者差值计算每饲养笼动物的总饮水量，并计算该笼每只动物每天的平均饮水量。

4.6 病理学检查

4.6.1 剖检

剖检例数：全部预定解剖的动物、各组死亡或濒临死亡的动物。

剖检方法：对于全部预定解剖的动物和各组濒临死亡动物，腹腔注射20%水合氯醛进行麻醉。从腹腔后大静脉完全放血处死，然后进行解剖。如濒死动物，迅速解剖。

尸检：肉眼观察脑、脊髓、心脏、主动脉、肺（含支气管）、肝脏、肾脏、脾脏、胰脏、胃、十二指肠、空肠、回肠结肠、直肠、盲肠、睾丸、附睾、前列腺、卵巢、子宫、阴道、膀胱、脑垂体、甲状腺（含甲状旁腺）、颌下腺、肾上腺、坐骨神经、肌肉、肠系膜淋巴结、胸腺、乳腺（雌性）、胸骨，发现异常时对该组织脏器用10%的甲醛（睾丸、附睾和眼球用Davidson's液）进行固定保存，并进行组织病理学检查，如未发现异常，不进行固定保存。

4.6.2 组织病理学检查

检查方法：固定后的组织经修块取材，逐级酒精脱水，石蜡包埋，滑动切片机切片（厚度约3μm），经苏木精-伊红（HE）染色，光镜下进行检查。根据镜检结果，如果某些组织器官需用其他方法染色，以提供更多的组织病理学信息，则进一步进行特殊染色。

4.7 数据的统计与处理

对于体重、摄食量等数据均采用SPSS22.0按照以下方法进行统计，最终数据以$\bar{x} \pm s$表示：①首先用Barlett检验方法进行数据均一性检验，如有数据均一（检验$P \geq 0.05$），则进行方差分析检验（F检验）；如果Bartlett检验结果显著（$P < 0.05$），则进行Kruskal-wallis检验。②如果方差分析检验结果显示（$P < 0.05$），则进一步用Dunett参数检验法进行多重比较检验；如果方差分析结果不显著（$P \geq 0.05$），则统计结束。③如果Kruskal-wallis检验结果显著（$P < 0.05$），则进一步用Dunett非数检验法进行多重比较检验；如果Kruskal-wallis检验结果不显著（$P \geq 0.05$），则统计结束。

临床症状观察、大体病理学检查结果、组织病理学检查结果（如果有）则无须进行统计学处理，直接列出观察结果。

5 结果

5.1 对动物临床症状的影响

给药后连续观察动物2周,小鼠进食,进水,活动,毛色,粪便姿势,躯体运动,呼吸频率,下腹及肛门周围有无污染,眼、鼻、口有无分泌物,体温等一切正常。

5.2 对动物体重的影响

试验期间,小鼠活动正常,健康活泼,小鼠无一死亡,无中毒反应,无其他异常现象。空白对照组和给药组小鼠体重比较,无显著性差异($P > 0.05$)。结果见表1、表2。

表1 敖西根-5丸对雄性小鼠体重的影响($n=10$, g, $\bar{x} \pm s$)

组别	给药第1天	给药第7天	给药第14天
空白对照组	18.26±1.86	25.27±4.65	33.85±3.71
供试品组	18.39±1.38	27.35±3.07	34.96±3.35

表2 敖西根-5丸对雌性小鼠体重的影响($n=10$, g, $\bar{x} \pm s$)

组别	给药第1天	给药第7天	给药第14天
空白对照组	18.33±5.30	21.93±6.17	31.48±1.74
供试品组	17.37±2.95	21.62±1.84	31.74±2.83

5.3 对动物摄食量的影响

试验期间,各组动物的摄食量之间比较,无显著性差异($P > 0.05$)。结果见表3、表4。

表3 敖西根-5丸对雄性小鼠摄食量的影响($n=10$, g, $\bar{x} \pm s$)

组别	给药第1天	给药第7天	给药第14天
空白对照组	5.86±1.37	6.10±0.28	5.56±1.74
供试品组	5.19±0.93	7.94±1.98	6.45±0.56

表4 敖西根-5丸对雌性小鼠摄食量的影响($n=10$, g, $\bar{x} \pm s$)

组别	给药第1天	给药第7天	给药第14天
空白对照组	5.74±0.74	6.62±0.62	5.82±0.37
供试品组	6.72±0.83	5.66±1.54	5.94±0.17

5.4 对动物饮水量的影响

试验期间,各组动物的饮水量之间比较,无显著性差异($P > 0.05$)。结果见表5、表6。

表5 敖西根-5丸对雄性小鼠饮水量的影响($n=10$, g, $\bar{x} \pm s$)

组别	给药第1天	给药第7天	给药第14天
空白对照组	5.39±1.92	5.91±2.49	6.02±2.47
供试品组	4.96±0.62	5.26±0.83	5.42±2.57

表6 敖西根-5丸对雌性小鼠饮水量的影响($n=10$, g, $\bar{x} \pm s$)

组别	给药第1天	给药第7天	给药第14天
空白对照组	5.82±1.71	6.03±2.17	5.86±1.43
供试品组	5.29±0.72	5.26±0.79	5.82±2.34

5.5 病理学检查

大体病理学检查,肉眼观察组织、器官未发现异常或病变。

6 结论

本实验条件下，昆明种小鼠灌胃给予敖西根-5丸，小鼠按0.4ml/10g灌胃给药，一日内给药1次，小鼠总给药量为40ml/kg，为人临床给药剂量的967.74倍。在观察期间内（0~14天），饲养观察2周，无任何异常及中毒反应，小鼠体重增加，行为、活动、进食一切正常。

结果表明，敖西根-5丸口服给药为无毒或低毒药物。

起草单位： 内蒙古医科大学蒙医药学院　　　呼和木仁　萨础拉　邓·乌力吉

　　　　　　鄂尔多斯市检验检测中心　　　　刘亚萍　王艳霞　郭慧

　　　　　　内蒙古医科大学药学院　　　　　肖云峰　钱新宇　王娜　韩运琪　王建民　李建华

　　　　　　　　　　　　　　　　　　　　　张双兰　程前　籍紫薇

敖鲁盖·阿纳日–13丸 质量标准起草说明

【历史沿革】

本处方来源于《蒙药验方》(内蒙古自治区人民医院, 1971年版, 蒙古文, 第194页)。

【处方来源】

本制剂由内蒙古自治区国际蒙医医院提供。

【名称】

敖鲁盖·阿纳日–13丸

【蒙药材和饮片的来源和执行标准】

1. 处方组成及药味排列顺序: 石榴30g、豆蔻30g、荜茇20g、生草果仁20g、黑种草子20g、香旱芹20g、诃子20g、肉桂10g、胡椒10g、光明盐10g、红花10g、干姜10g、紫硇砂2g。

2. 处方中除光明盐、生草果仁、石榴、紫硇砂和香旱芹药材外, 其余豆蔻等药味均收载于《中国药典》2020年版一部, 其质量应符合该品种项下的有关规定。

生草果仁: 为姜科植物草果*Amomum tsao-ko* Crevost et Lemaire的干燥成熟果实。其标准应符合《内蒙古蒙药饮片炮制规范》2020年版第313页该品种项下的有关规定。

石榴: 为石榴科植物石榴*Punica granatum* L.的干燥成熟果实。其标准应符合《内蒙古蒙药饮片炮制规范》2020年版第119页该品种项下的有关规定。

光明盐: 为天然石盐Halite结晶体。主含氯化钙(NaCI)。其标准应符合《内蒙古蒙药饮片炮制规范》2020年版第160页该品种项下的有关规定。

紫硇砂: 为卤化物类矿物紫色石盐的晶体。主含氯化钙(NaCI)。其标准应符合《内蒙古蒙药饮片炮制规范》2020年版第438页该品种项下的有关规定。

香旱芹: 为伞形科植物孜然芹*Cuminum cyminum* L.的干燥成熟果实。其标准应符合《内蒙古蒙药饮片炮制规范》2020年版第334页该品种项下的有关规定。

【制法】

以上十三味, 粉碎成细粉, 过筛, 混匀, 用水泛丸, 打光, 干燥, 分装, 即得。

【性状】

本品为浅黄色至棕黄色的水丸; 气芳香, 味咸。

【鉴别】

本品为药材细粉以水为黏合剂泛制成的丸剂, 方中大多数药味的显微特征都比较明显, 故对处方中的豆蔻、诃子建立显微鉴别。

1. 试剂与试药

供试品: 供试品(批号 20190716、20190821、20191211), 由内蒙古自治区国际蒙医医院提供, 模拟样品(批号20200819)模拟。

所用其他试剂均为分析纯,水为离子交换高纯水。

2.试验方法与结果

显微鉴别:

豆蔻:内种皮厚壁细胞黄棕色或棕红色,表面观类多角形,壁厚,胞腔含硅质块。诃子:木化细胞长方形,纹孔斜裂缝状,胞腔内含草酸钙簇晶。

【检查】

按照丸剂(《中国药典》2020年版四部通则0108)项下的规定,对三批供试品及模拟样品的水分、重量差异、溶散时限、重金属、砷盐、微生物限度进行了检查。具体方法及测定数据如下:

1. 水分:取供试品照水分测定法(《中国药典》2020年版四部通则0832)测定。三批供试品及模拟样品的测定结果见表1。

表1 水分测定结果

序号	批号	水分(%)
1	20190716	6.20
2	20190821	6.39
3	20191211	6.10
4	20200819	6.25

药典规定丸剂水分含量不得大于9.0%。从表1中可见本品水分含量符合要求。

2. 重量差异:取以上三批供试品,每批供试品取10份,10丸为1份,分别称定重量,再与每份标示重量(2g)相比较,求每一份的重量差异(%)。药典规定每份标示装量的限度为±8%,并规定超出重量差异限度的不得多于2份,并不得有1份超出限度1倍。本品的重量差异检查结果均符合规定。

3. 溶散时限:取本品按照片剂项下崩解时限检查法(《中国药典》2020年版四部通则0921)加挡板进行测定。三批供试品测定结果见表2。

表2 溶散时限测定结果

序号	批号	溶散时间(min)
1	20190716	38
2	20190821	37
3	20191211	29

药典规定水丸应在1小时内全部溶散。表2的结果显示,本品的溶散时限符合规定。

4. 对三批供试品及模拟样品进行了重金属、砷盐考察,方法与结果如下:

重金属:分别取每个批号供试品0.5g、0.67g、1.0g、2.0g,按《中国药典》2020年版四部0821第二法检查。

供试品溶液的制备:取本品0.5g、0.67g、1.0g、2.0g,分别缓缓炽灼至完全炭化,放冷,加硫酸0.5ml,使湿润,低温加热至硫酸除尽后,加硝酸0.5ml,蒸干,至氧化氮蒸气除尽后,放冷,于600℃炽灼至完全灰化,放冷。加盐酸2ml,置水浴上蒸干后加水15ml,滴加氨试液至对酚酞指示液显中性,再加醋酸盐缓冲液(pH3.5)2ml,微热溶解后,移置纳氏比色管中,加水稀释至25ml,作为供试品溶液。

标准铅对照溶液的制备:另取配制供试品溶液的试剂两份,分别置瓷皿中蒸干后,加醋酸盐缓冲液(pH3.5)2ml,加水15ml微热溶解后,移置两支纳氏比色管中,分别加标准铅溶液(10g/mlPb)2ml,再加水稀释至25ml,作为标准铅对照溶液。

检视:于上述供试品溶液和标准铅对照溶液中分别加硫代乙酰胺试液各2ml,摇匀,放置2分钟,同置白色背景上,从上向下进行观察。试验结果见表3。

表3　重金属检查结果

序号	供试品批号	重金属含量（ppm）			
1	20190716	<10	<20	<30	<40
2	20190821	<10	<20	<30	<40
3	20191211	<10	<20	<30	<40
4	20200819	<10	<20	<30	<40

结果显示,供试品溶液的颜色明显浅于2ml的标准铅对照溶液。经过3批供试品及模拟样品的检查,含重金属均未超过百万分之十,故未收入正文。

砷盐:取本品1g和标准砷溶液（1μg/mlAS）2ml,分别加无砷氢氧化钙1g,加少量水,搅匀,烘干,用小火缓缓炽灼至炭化,再在600℃炽灼至完全灰化,放冷。分别加盐酸7ml使溶解,再加水21ml,按《中国药典》2020年版四部通则0822第一法（古蔡氏法）做砷盐限量检查。

结果:供试品砷斑浅于标准砷斑的颜色,表明本品含砷量未超过百万分之二（小于2ppm）,故砷盐检查项目未收入正文。

5. 微生物限度:照微生物计数法（《中国药典》2020年版四部通则1105）和控制菌检查法（《中国药典》2020年版四部通则1106）及《内蒙古蒙药制剂规范》（第三册）附录Ⅲ微生物限度标准,进行检查。结果均符合规定。

【含量测定】

敖鲁盖·阿纳日-13丸由豆蔻、紫硇砂、荜茇、诃子等十三味药组成。调胃火,通下行赫依。用于大肠之赫依所致的腹胀肠鸣,下行赫依受阻。

荜茇功能温中散寒,下气止痛。主治脘腹冷痛,呕吐,泄泻,寒凝气滞,胸痹心痛等。胡椒碱是荜茇的主要化合物之一,故选择胡椒碱作为指标成分,对本制剂中的荜茇进行含量测定方法的研究。参照《中国药典》2020年版一部"荜茇"项下的含量测定方法,选择胡椒碱作为指标成分,对本制剂中的荜茇进行了HPLC含量测定方法研究。经分析方法验证,表明该方法重现性好,专属性强,方中其他组分对胡椒碱的测定无干扰。

1　仪器与试剂试药

1.1　仪器

Waters e2695 型高效液相色谱仪,Mettler–Toledo MS105DU型百万分之一电子天平,Mettler–Toledo XPR10型万分之一电子天平,SBL–22DT型超声波清洗器（宁波新芝生物科技股份有限公司,40kHz）,Heal Force NW15UV型超纯水系统,FW400A型多功能粉碎机（材茂科技有限公司）。

1.2　试剂与试药

供试品（批号 20190716、20190821、20191211）由内蒙古自治区国际蒙医医院提供,模拟样品（批号20200819）模拟;胡椒碱对照品（批号 110775–201706）,购于中国食品药品检定研究院;甲醇为色谱纯,水为超纯水,所用其他试剂均为分析纯。

2　方法学考察

2.1　色谱条件

2.1.1　色谱柱:色谱柱填充剂为十八烷基硅烷键合硅胶,本试验采用Ultimate LP–C$_{18}$（250mm×4.6mm,5μm）色谱柱。

2.1.2　流动相的选择:参照《中国药典》2020年版一部"荜茇"含量测定项下的测定方法,以甲醇–水（77:23）为流动相,供试品中的胡椒碱与其他成分能达到较好的分离,色谱峰具有比较好的保留时间、分离度和对称性。故选择以甲醇-水（77：23）为流动相。

2.1.3 柱温：30℃可以保证柱压较低，分离效果稳定，保留时间变化小。

2.1.4 检测波长的选择：参照《中国药典》2020年版一部"荜茇"含量测定项下胡椒碱的测定方法，选用343nm处作为检测波长。

2.1.5 理论板数的确定：从对三批供试品的测定结果可见，胡椒碱峰理论板数在1500以上即能达到较好的分离效果，故确定理论板数按胡椒碱峰计算应不低于1500。

2.2 提取溶剂及提取效率的考察

2.2.1 提取溶剂的选择：参照《中国药典》2020年版第一部"荜茇"含量测定项下方法采用无水乙醇作为提取溶剂。

2.2.2 提取效率的考察：以无水乙醇作为提取溶剂进行超声提取。为保证被测成分提取完全，在供试品的细度一致、提取溶剂为甲醇、超声功率为250W（频率40kHz）的条件下，分别考察了提取20分钟、30分钟和40分钟时的提取效率，结果见表4。

表4 胡椒碱提取时间考察

时间（min）	取样量（g）	样品峰面积			含量（mg/g）
		A	B	平均	
20	0.3574	1627564	1611100	1619332	3.3870
30	0.3554	1634720	1615575	1625148	3.4183
40	0.3675	1612379	1638867	1625623	3.3067

从表4数据可见，超声提取20分钟、30分钟和40分钟时供试品中胡椒碱的含量基本一致，故将提取时间定为30分钟，这与《中国药典》2020年版一部"荜茇"含量测定项下的提取时间一致。

2.3 专属性考察

2.3.1 对照品溶液的制备：取胡椒碱对照品适量，精密称定，置棕色量瓶中，加无水乙醇制成每1ml含20μg的溶液，作为对照品溶液。

2.3.2 供试品溶液的制备：取本品适量，研细，取约0.35g，精密称定，置棕色量瓶中，精密加入无水乙醇50ml，称定重量，超声处理（功率250W，频率40kHz）30分钟，放冷，再称定重量，用无水乙醇补足减失的重量，摇匀，滤过，取续滤液，作为供试品溶液。

2.3.3 阴性对照溶液的制备：按本品处方工艺制备不含荜茇和胡椒阴性供试品，按"供试品溶液的制备"方法制备阴性对照溶液。

2.3.4 测定：分别精密吸取以上三种溶液各10μl，注入液相色谱仪进行测定，记录各自的色谱图。

结果显示，供试品色谱中在与对照品色谱保留时间相同的位置上有色谱峰出现，而阴性对照在与对照品色谱保留时间相同的位置上无色谱峰出现，表明该含量测定方法阴性无干扰，专属性好。

2.4 线性关系考察

取胡椒碱对照品约2.5mg，精密称定，置25ml量瓶中，加甲醇使溶解，并稀释至刻度，摇匀，作为对照品溶液（对照品溶液实际浓度为0.1017mg/ml）；分别精密吸取上述对照品溶液2μl、5μl、10μl、15μl、20μl和25μl注入液相色谱仪，按上述色谱条件进行测定，以峰面积对进样量进行回归分析。结果见表5。

表5 胡椒碱标准曲线数据及回归方程结果表

序号	进样量（μg）	峰面积值	回归方程	回归系数（r）
1	0.2034	284959	$y=1957625.0927x-95884.6606$	0.9999
2	0.5085	910210		

续表

序号	进样量（μg）	峰面积值	回归方程	回归系数（r）
3	1.017	1890584		
4	1.526	2915857	y=1957625.0927x–95884.6606	0.9999
5	2.034	3887613		
6	2.543	4867393		

从表5数据可见，胡椒碱在0.2034~2.543μg质量浓度范围内与峰面积呈良好的线性关系。

2.5 精密度试验

取同一份供试品（批号20190716）溶液，连续进样6针，记录色谱图。胡椒碱峰面积的精密度计算结果见表6。

表6 供试品溶液中胡椒碱精密度试验结果

序号	峰面积值	平均峰面积值	RSD（%）
1	1646189		
2	1606778		
3	1631283	1630638	0.83
4	1626016		
5	1636534		
6	1637025		

从表6数据可见，符合《中国药典》2020年版四部通则0512中规定的RSD值小于2.0%的要求。

2.6 稳定性试验

取同一份供试品（批号20190716）溶液，分别于制备溶液后的0小时、2小时、4小时、8小时、10小时、12小时进行测定，结果见表7。

表7 供试品溶液中胡椒碱稳定性试验结果

序号	取样量（g）	峰面积值	RSD（%）
1	0	1615066	
2	2	1638904	
3	4	1605130	0.81
4	8	1614990	
5	10	1635519	
6	12	1626635	

从表7数据可见，胡椒碱在12小时内的峰面积值RSD值基本稳定不变。

2.7 重复性试验

取同一批号供试品（批号20190716）6份，各约0.35g，精密称定，置棕色量瓶中，精密加入无水乙醇50ml，称定重量，超声处理（功率250W，频率40kHz）30分钟，放冷，再称定重量，用无水乙醇补足减失的重量，摇匀，滤过，取续滤液，作为供试品溶液。精密吸取10μl注入液相色谱仪进行测定，记录色谱图及峰面积，按外标法计算含量。结果见表8。

表8 供试品溶液中胡椒碱重复性试验结果

样品号	称样量（g）	平均峰面积值	含量（mg/g）	平均含量（mg/g）	RSD（%）
1	0.3526	1633534	3.39		
2	0.3533	1630791	3.38		
3	0.3501	1626637	3.40	3.37	0.70
4	0.3518	1611934	3.35		
5	0.3527	1608091	3.33		
6	0.3536	1626849	3.36		

从表8数据可见，6份供试品含量测定结果的均值为3.37mg/g，RSD为0.70%，表明该方法的重复性好。

2.8 加样回收试验

取已知含量（批号20190716，含量为3.37mg/g）的供试品9份，各约0.35g，精密称定，分别置9个具塞锥形瓶中，再分别在其中3个具塞锥形瓶中精密加入浓度为0.5736mg/ml的胡椒碱对照品溶液1ml（约相当于供试品含有量的50%）及无水乙醇24ml，另3个具塞锥形瓶中各精密加入上述对照品溶液2ml（约相当于供试品含有量的100%）及无水乙醇23ml，其余3个具塞锥形瓶中各精密加入上述对照品溶液3ml（约相当于供试品含有量的150%）及无水乙醇22ml，分别称定重量，超声处理30分钟，取出，再称重，用无水乙醇补足减失重量，摇匀，滤过，取续滤液，即得。各取上清液10μl进样，分别精密吸取各溶液10μl注入液相色谱仪进行测定，记录色谱图和峰面积，按外标法计算含量，再计算回收率。结果见表9。

表9 胡椒碱加样回收试验结果

序号	样品量（g）	供试品含量（mg）	对照品加入量（mg）	测得总量（mg）	回收率（%）	平均回收率（%）	RSD（%）
1	0.3503	1.1805	0.5736	1.76	100.67		
2	0.3526	1.1883	0.5736	1.74	96.95		
3	0.3508	1.1822	0.5736	1.76	100.01		
4	0.3527	1.1886	1.1472	2.30	96.76		
5	0.3516	1.1849	1.1472	2.30	97.11	98.63	1.98
6	0.3522	1.1869	1.1472	2.29	96.49		
7	0.3511	1.1832	1.7208	2.87	97.98		
8	0.3508	1.1822	1.7208	2.90	100.05		
9	0.3536	1.1916	1.7208	2.94	101.60		

从表9数据可见，胡椒碱的平均回收率为98.63%，RSD为1.98%。该方法准确度好。

2.9 耐用性试验

取供试品（批号20190716）2份，各约0.35g，精密称定，按重复性试验项下方法处理，换不同厂家、不同型号的色谱柱，分别测定供试品的含量。结果见表10。

表10 色谱柱耐用性试验（胡椒碱）

样品号	取样量（g）	柱型号	平均峰面积值	含量（mg/g）
1	0.3561	Pheomenex C_{18}	1624880	1.20
	0.3561	Alltima C_{18}	1619842	1.13
2	0.3521	Pheomenex C_{18}	1621521	1.28
	0.3521	Alltima C_{18}	1620182	1.19

从表10数据可见，不同型号或厂家的色谱柱对胡椒碱的测定结果影响较小。

3 样品含量测定

取三批样品（批号20190716、20190821、20191211）及模拟样品（批号20200819）各1份，各约0.35g，精密称定，按重复性试验项下方法处理，分别测定并按外标法计算三批样品含量。含量测定结果见表11。

表11 样品中胡椒碱的含量测定结果

批号	取样量（g）	样品峰面积			含量（mg/g）	平均含量（mg/g）
		A	B	平均		
20190901	0.3544	1614988	1617552	1616270	3.41	
20190902	0.3528	1620805	1621104	1620955	3.43	3.42
20190903	0.3521	1618885	1615466	1617176	3.43	
20200819	0.3533	2015633	2044536	2030085	4.20	

从表11数据可见，三批样品和模拟样品中胡椒碱含量最低为3.41mg/g，最高为4.20mg/g。模拟样品含量比较高。

4 荜茇和胡椒药材含量测定

同法对上述三批样品生产用荜茇和胡椒药材进行胡椒碱含量测定，结果总含量为31.15mg/g（3.12%），测定结果分别见表12和表13。

表12 荜茇药材的含量测定结果（胡椒碱）

批号	取样量（g）	样品峰面积			含量（mg/g）	平均含量（mg/g）
		A	B	平均		
荜茇1	0.1034	4374904	4466534	4420719	31.27	31.15
荜茇2	0.1037	4467832	4332360	4400096	31.03	

表13 胡椒药材的含量测定结果（胡椒碱）

批号	取样量（g）	样品峰面积			含量（mg/g）	平均含量（mg/g）
		A	B	平均		
荜茇1	0.1030	4882643	4813812	4848227.5	34.43	34.31
荜茇2	0.1027	4783673	4819364	4801518.5	34.19	

从表12和表13数据可见，荜茇药材中胡椒碱的平均含量为31.15mg/g（3.12%），胡椒药材中胡椒碱的平均含量为34.31mg/g（3.43%）。

5 本制剂含量限度的确定

从表中数据可见，三批样品中胡椒碱的含量最低为3.41mg/g，模拟样品中胡椒碱的含量为4.20mg/g，荜茇药材中胡椒碱的含量为31.15mg/g（3.12%），胡椒药材中胡椒碱的含量为34.31mg/g（3.43%）。

根据本品处方量折算，理论上每1g供试品含荜茇药材=20÷212=0.0943g，每1g供试品含胡椒药材=10÷212=0.0472g，含胡椒碱的含量=0.0943g×3.12%×1000+0.0472×3.43%×1000=4.56mg。因此，转移率为4.20÷4.56×100%=92.11%。

参照《中国药典》2020年版一部"荜茇"药材的胡椒碱含量限度不得少于2.5%，"胡椒"药材的胡椒碱的含量限度不得少于3.3%，转移率为92.11%，考虑不同产地药材的质量差异，并结合其他影响因素及三批样品的测定结果，下浮25%，按此限度折算本品含胡椒碱的理论量应不低于（100+50）÷1060×1000×2.5%×75%×92.11%=2.44mg/g。

标准正文暂定为：本品每1g含荜茇和胡椒以胡椒碱（$C_{17}H_{19}NO_3$）计，不得少于2.5mg。

【功能与主治】

调胃火，通下行赫依。用于大肠之赫依所致的腹胀肠鸣，下行赫依受阻。

【用法与用量】

口服。一次11～15丸，每日1～2次，温开水送服。

【规格】

每10丸重2g。

【贮藏】

密封，防潮。

起草单位：内蒙古盛唐国际蒙医药研究院　　崔圆圆　张跃祥　王　伟

　　　　　　包头市检验检测中心　　　　　周智臣　杨宇慧　王晓东

　　　　　　内蒙古食品药品审评查验中心　张　涛　郝　智

都日伯乐吉·乌日勒质量标准起草说明

【历史沿革】

本方来源于内蒙古民族大学附属医院经验方。

【处方来源】

本制剂由内蒙古民族大学附属医院提供。

【名称】

都日伯乐吉·乌日勒

【蒙药材和饮片的来源和执行标准】

1. 处方组成及药味排列顺序：益智仁110g、胆南星83g、豆蔻36g、莲子35g、沉香35g、丁香35g、肉豆蔻35g、天冬35g、手参35g、玉竹35g、木香30g、黄柏30g、当归30g、枫香脂30g、土木香30g、熊胆粉27g、茜草25g、姜黄25g、枇杷叶25g、光明盐25g、红花25g、燎鹿茸15g、益母草15g。

2. 处方中除光明盐、熊胆粉和燎鹿茸之外，沉香等药味均收载于《中国药典》2020年版一部，其质量应符合该品种项下的有关规定。

光明盐：为天然石盐Halite结晶体。主含氯化钠（NaCl）。其标准应符合《内蒙古蒙药饮片炮制规范》2020年版第160页该品种项下的有关规定。

熊胆粉：为熊科动物黑熊 *Selenarctos thibetanus* Cuvier经胆囊手术引流胆汁而得的干燥品。其标准应符合《中华人民共和国卫生部药品标准》新药转正标准第十一册第44页该品种项下的有关规定。

燎鹿茸：为鹿科动物梅花鹿 *Cervus nippon* Temminck或马鹿 *Cervus elaphus* Linnaeus的雄鹿未骨化密生茸毛的幼角。其标准应符合《内蒙古蒙药饮片炮制规范》2020年版第524页该品种项下的有关规定。

【制法】

以上二十三味，除熊胆粉、燎鹿茸外，其余沉香等二十一味，粉碎成细粉，将燎鹿茸研细，与熊胆粉和上述细粉配研，过筛，混均，每100g粉末加炼蜜120~150g，制成大蜜丸，分装，即得。

【性状】

本品为黄棕色至棕褐色的大蜜丸；气香，味辛辣。

【鉴别】

本品为药材粉末制成的大蜜丸，方中红花、黄柏、肉豆蔻、沉香的显微特征较明显，故建立显微鉴别，并对处方中茜草建立了薄层鉴别。

1. 试剂与试药

供试品：供试品（批号20200409、20191270、21091265）由内蒙古民族大学附属医院提供，模拟样品（批号20200617）模拟。

对照品：大叶茜草素（批号110884-201606），购于中国食品药品检定研究院。

薄层板：硅胶G板，购于青岛海洋化工有限公司。

所用其他试剂均为分析纯,水为离子交换高纯水。

2.试验方法与结果

（1）显微鉴别

红花:花粉粒圆球形或椭圆形,直径约至60μm,外壁有刺,具3个萌发孔。黄柏:纤维束鲜黄色,周围细胞含草酸钙方晶,形成晶纤维,含晶细胞壁木化增厚。肉豆蔻:脂肪油滴加水合氯醛试液加热后渐形成针簇状结晶。沉香:具缘纹孔导管纹孔密,内含淡黄色或黄棕色树脂状物。

（2）茜草薄层鉴别

参照《中国药典》2020年版一部"茜草"项下的薄层条件制定出正文所述鉴别方法。通过阴性对照试验观察,方中其他药材对茜草药材的检出无干扰,此法具专属性。

【检查】

按照丸剂（《中国药典》2020年版四部通则0108）项下规定,对三批供试品及模拟样品的水分、重量差异、溶散时限、重金属、砷盐和微生物限度进行了检查。具体方法及测定数据如下:

1.水分:取供试品照水分测定法（《中国药典》2020年版四部 通则0832）测定。三批供试品及模拟样品的测定结果见表1。

表1　水分测定法结果

序号	批号	水分（%）
1	20200409	8.2
2	20191270	7.4
3	20191265	7.6
4	20200617	8.5

药典规定丸剂水分含量不得大于9.0%。从表1数据可见,本品水分含量均符合要求。

2.重量差异:取以上三批供试品,每批供试品取10份,10丸为1份,分别称定重量,再与每份标示重量（2g）相比较,求每一份的重量差异（%）。药典规定每份标示装量的限度为±8%,并规定超出重量差异限度的不得多于2份,并不得有1份超出限度1倍。本品的重量差异检查结果均符合规定。

3.溶散时限:取本品照片剂项下崩解时限检查法（《中国药典》2020年版四部通则0921）加挡板进行测定。三批供试品测定结果见表2。

表2　溶散时限测定结果

序号	批号	溶散时间（min）
1	20200409	39
2	20191270	37
3	20191265	39

结果显示,药典规定水丸应在1小时内全部溶散。从表2数据可见,本品的溶散时限符合规定。

4.对三批供试品及模拟样品进行了重金属、砷盐考察,方法与结果如下:

重金属:分别取每个批号供试品0.5g、0.67g、1.0g、2.0g,按《中国药典》2020年版四部0821第二法检查。

供试品溶液的制备:取本品0.5g、0.67g、1.0g、2.0g,分别缓缓炽灼至完全炭化,放冷,加硫酸0.5ml,使湿润,低温加热至硫酸除尽后,加硝酸0.5ml,蒸干,至氧化氮蒸气除尽后,放冷,于600℃炽灼至完全灰化,放冷。加盐酸2ml,置水浴上蒸干后加水15ml,滴加氨试液至对酚酞指示液显中性,再加醋酸盐缓冲液（pH3.5）2ml,微热溶解后,移置纳氏比色管中,加水稀释至25ml,作为供试品溶液。

标准铅对照溶液的制备: 另取配制供试品溶液的试剂两份, 分别置瓷皿中蒸干后, 加醋酸盐缓冲液 (pH3.5) 2ml, 加水15ml微热溶解后, 移置两支纳氏比色管中, 分别加标准铅溶液 (10μg/mlPb) 2ml, 再加水稀释至25ml, 作为标准铅对照溶液。

检视: 于上述供试品溶液和标准铅对照溶液中分别加硫代乙酰胺试液各2ml, 摇匀, 放置2分钟, 同置白色背景上, 从上向下进行观察。试验结果见表3。

表3 重金属检查结果

序号	批号	重金属含量 (ppm)			
1	20200409	<10	<20	<30	<40
2	20191270	<10	<20	<30	<40
3	20191265	<10	<20	<30	<40
4	20200617	<10	<20	<30	<40

从表3数据可见, 经过3批供试品及模拟样品的检查, 含重金属均未超过百万分之十, 故重金属检查项目未列入正文。

砷盐: 取本品1g和标准砷溶液 (1μg/mlAS) 2ml, 分别加无砷氢氧化钙1g, 加少量水, 搅匀, 烘干, 用小火缓缓炽灼至炭化, 再在600℃炽灼至完全灰化, 放冷。分别加盐酸7ml使溶解, 再加水21ml, 按《中国药典》2020年版四部通则0822第一法 (古蔡氏法) 做砷盐限量检查。

结果: 供试品砷斑浅于标准砷斑的颜色, 表明本品含砷量未超过百万分之二 (小于2ppm), 故砷盐检查项目未收入正文。

5. 微生物限度: 照微生物计数法 (《中国药典》2020年版四部通则1105) 和控制菌检查法 (《中国药典》2020年版四部通则1106) 及《内蒙古蒙药制剂规范》(第三册) 附录Ⅲ微生物限度标准, 进行检查, 结果均符合规定。

【含量测定】

都日伯乐吉·乌日勒由益智仁、胆南星、木香等二十三味药材组成。临床用于心肾脏赫依病, 心神不宁, 腰膝无力, 小腹冷痛, 月经不调, 乳腺肿胀, 子宫肌瘤等疾病。木香功效行气止痛, 健脾消食。本文选择木香烃内酯作为指标成分, 对本制剂中的木香进行含量测定方法的研究。参照《中国药典》2020年版一部 "木香" 项下高效液相色谱法对其进行含量测定, 通过试验分析, 结果分离效果理想、重复性好、专属性强。

1 仪器与试剂试药

1.1 仪器

Waters e2695 高效液相色谱仪, 百万分之一电子天平 (Mettler-T0ledo MS105DU), 万分之一电子天平 (Mettler-T0ledo XPR10), 多功能粉碎机 (FW400A 材茂科技有限公司), 超纯水系统 (Heal Force NW15UV), 超声波恒温清洗器 (SBL-22DT 宁波新芝生物科技股份有限公司)。

1.2 试剂与试药

供试品 (批号20200409、20191270、20191265) 由内蒙古民族大学附属医院提供, 模拟样品 (批号20200617) 模拟; 木香烃内酯照品 (批号111524-201509), 购于中国食品药品检定研究院; 甲醇为色谱纯, 水为纯化水, 其他试剂均为分析纯。

2 方法学考察

2.1 色谱条件

2.1.1 色谱柱: 填充剂为十八烷基硅烷键合硅胶, 本试验采用Tnature C$_{18}$ (250mm×4.6mm, 5μm) 色谱柱。

2.1.2 流动相: 选择以甲醇-水 (65∶35) 为流动相, 供试品中的木香烃内酯与其他成分能达到较好的分离, 色谱峰具有比较好的保留时间、分离度、对称性。

2.1.3 柱温：比较了30℃和35℃的柱温，结果在30℃的条件下，木香烃内酯保留时间和峰型基本一致，而且分离效果比较好，因此，选择柱温在30℃。

2.1.4 检测波长的选择

参照《中国药典》2020年版一部"木香"的含量测定方法中的测定波长，选用225nm处作为检测波长。

2.1.5 理论板数的确定

从对三批数据的测定结果可见，木香烃内酯理论板数在3000以上即能达到较好的分离效果，故确定理论板数按木香烃内酯峰计算应不低于3000。

2.2 专属性考察

2.2.1 对照品溶液的制备：取木香烃内酯对照品适量，精密称定，加甲醇制成每1ml含木香烃内酯0.1mg的对照品溶液，作为对照品溶液。

2.2.2 供试品溶液的制备：取供试品剪碎，取约4.0g，精密称定，置具塞锥形瓶中，精密加入甲醇25ml，密塞，称定重量，超声处理（功率250W，频率40kHz）30分钟，放冷至室温，再称定重量，用甲醇补足减失的重量，摇匀，滤过，取续滤液，作为供试品溶液。

2.2.3 阴性对照溶液的制备：按处方配比制备阴性对照，称取约4.0g，精密称定，从"置具塞锥形瓶中……"起操作同"供试品溶液的制备"，取续滤液，作为阴性对照溶液。

2.2.4 测定：分别精密吸取以上三种溶液各10μl，注入色谱仪，记录各自的色谱图。

结果：阴性对照色谱中在与木香烃内酯对照品以及供试品色谱相应的保留时间处无色谱峰出现，表明其他组分对木香烃内酯的测定无干扰。

2.3 线性关系考察

取木香烃内酯约2.5mg精密称定，置25ml量瓶中，用甲醇使溶解，并稀释至刻度，摇匀（木香烃内酯浓度为0.1006mg/ml）；精密吸取上述对照品溶液2μl、5μl、10μl、15μl、20μl和25μl注入液相色谱仪测定，记录色谱图，按上述色谱条件测定，以峰面积对进样量进行回归分析，标准曲线数值见表4。

表4 标准曲线数据及回归分析结果

序号	进样量（μg）	峰面积值	回归方程	r
1	0.2012	195342		
2	0.503	797776		
3	1.006	1728187	$y=1839267.6733x-146058.0418$	0.9999
4	1.509	2628803		
5	2.012	3540626		
6	2.515	4480091		

从表4数据可见，木香烃内酯在0.2012~2.515μg范围内与峰面积呈良好的线性关系。

2.4 提取效率的考察

取供试品剪碎，取约4.0g，精密称定，置具塞锥形瓶中，精密加入甲醇25ml，密塞，称定重量，超声处理（功率250W，频率40kHz）20分钟、30分钟、40分钟，放冷至室温，再称定重量，用甲醇补足减失的重量，摇匀，滤过，取续滤液，即得。另取木香烃内酯对照品适量，精密称定，加甲醇制成每1ml含木香烃内酯0.1mg的对照品溶液，即得。精密吸取各溶液10μl，分别注入液相色谱仪。测定结果见表5。

表5　提取效率结果表

时间（min）	称样量（g）	峰面积		平均	含量（mg/g）
		A	B		
20	4.0036	454062	458269	456166	0.1299
30	4.0047	459535	460536	460036	0.1310
40	4.0019	448339	451539	449939	0.1282

从表5数据可见，超声提取20、30、40分钟供试品中木香烃内酯的含量结果几乎无变化，同时参照《中国药典》2020年版一部"木香"含量测定项下的超声时间，为超声30分钟，故本标准也将提取超声（功率250W，频率40kHz）时间定为30分钟。

2.5　溶液稳定性试验

取同一份供试品溶液（批号20200409），分别于制备溶液后的0小时、2小时、4小时、8小时、10小时、12小时进行测定，结果见表6。

表6　溶液的稳定性试验结果

序号	时间（h）	峰面积值	RSD（%）
1	0	450546	
2	2	454337	
3	4	467972	1.54
4	8	458789	
5	10	464445	
6	12	451721	

从表6数据可见，木香烃内酯在12小时内的峰面积值基本稳定，能够满足测定所需要的时间。

2.6　精密度试验

取同一供试品溶液（批号20200409），约4.0g，精密称定，置具塞锥形瓶中，精密加入甲醇25ml，密塞，称定重量，超声处理（功率250W，频率40kHz）30分钟，放冷至室温，再称定重量，用甲醇补足减失的重量，摇匀，滤过，取续滤液，即得。另取木香烃内酯对照品适量，精密称定，加甲醇制成每1ml含木香烃内酯0.1mg的对照品溶液，即得。精密吸取各溶液10μl，分别注入液相色谱仪。连续进样6次，测定木香烃内酯面积积分值。结果见表7。

表7　木香烃内酯精密度试验结果

序号	峰面积值	平均值	RSD（%）
1	459971		
2	456468		
3	451744	457341	1.46
4	469368		
5	451717		
6	454775		

从表7数据可见，符合《中国药典》2020年版四部通则0512中规定的RSD值小于2.0%的要求。

2.7　重复性试验

取同一供试品6份（批号20200409），各约4.0g，精密称定，置具塞锥形瓶中，精密加入甲醇25ml，密塞，称定重量，超声处理（功率250W，频率40kHz）30分钟，放冷至室温，再称定重量，用甲醇补足减失的重量，摇匀，滤过，取续滤液，即得。另取木香烃内酯对照品适量，精密称定，加甲醇制成每1ml含木香烃内酯0.1mg的对照品溶液，即得。精密吸取各溶液10μl，分别注入液相色谱仪。测定每份供试品的含量，结果见表8。

表8 木香烃内酯含量重复性试验结果

称样量（g）	峰面积		平均峰面积	含量（mg/g）	平均含量（mg/g）	RSD（%）
	A	B				
4.0037	449362	453856	451609	0.12		
4.0035	443713	459946	451830	0.12		
4.0051	441954	459073	450514	0.12	0.12	0.58
4.0023	441294	452715	447005	0.12		
4.0016	452584	453352	452968	0.12		
4.0038	455440	454117	454779	0.12		

从表8数据可见，在相同的提取溶剂和色谱条件下，6份供试品含量测定结果的均值为0.12mg/g，RSD为0.58%，表明该方法的重复性良好。

2.8 加样回收试验

取已知含量的（木香烃内酯含量为0.12mg/g）供试品9份，各3.0g，精密称定，置25ml具塞锥形瓶中，分成三组，每组三份，每组分别精密加入木香烃内酯对照品（浓度为0.1782mg/ml）溶液1ml、2ml、3ml（约相当于供试品含有量的50%、100%、150%），并用加入甲醇至25ml，密塞，称定重量，超声处理（功率250W，频率40kHz）30分钟，放冷至室温，再称定重量，用甲醇补足减失的重量，摇匀，滤过，取续滤液，即得。另取木香烃内酯对照品适量，精密称定，加甲醇制成每1ml含木香烃内酯0.1mg的对照品溶液，即得。精密吸取各溶液10μl，分别注入液相色谱仪，计算回收率。结果见表9。

表9 木香烃内酯加样回收试验结果

称样量（g）	供试品含量（mg）	对照品加入量（mg）	测得总量（mg）	回收率（%）	平均回收率（%）	RSD（%）
3.0017	0.3602	0.1782	0.53	97.39		
3.0027	0.3603	0.1782	0.54	100.92		
3.0043	0.3605	0.1782	0.54	99.55		
3.0024	0.3603	0.3564	0.71	97.59		
3.0021	0.3603	0.3564	0.71	98.55	98.37	1.36
3.0029	0.3603	0.3564	0.71	98.65		
3.0033	0.3604	0.5346	0.88	97.58		
3.0025	0.3603	0.5346	0.89	98.69		
3.0051	0.3606	0.5346	0.88	96.39		

从表9数据可见，本方法的平均回收率为98.37%，RSD为1.36%，该方法准确度好。

2.9 耐用性试验

取不同厂家、不同型号的色谱柱，考察本试验方法成败的关键影响因素，测定方法是否具备耐用性。取重复性试验中的1、2号供试品及对照品分别进样，测定含量，结果见表10。

表10 不同色谱柱木香烃内酯的耐用性试验

序号	称样量（g）	柱型号	峰面积	含量（mg/g）
1	4.0038	Pheomenex C$_{18}$	449362	0.12
	4.0038	Venusil XBP C$_{18}$	448369	0.12
2	4.0025	Pheomenex C$_{18}$	448652	0.11
	4.0021	Venusil XBP C$_{18}$	447529	0.12

从表10数据可见，在使用不同型号或厂家的色谱柱时，对测定结果影响较小，具有较好的耐用性。

3　样品含量测定

取三批样品（批号20200409、20191270、20191265），剪成小块，各取约4.0g，每批1份，精密称定，置具塞锥形瓶中，精密加入甲醇25ml，密塞，称定重量，超声处理30分钟（功率250W，频率40kHz），放冷至室温，再称定重量，用甲醇补足减失的重量，摇匀，滤过，取续滤液，即得。另取木香烃内酯对照品适量，精密称定，加甲醇制成每1ml含木香烃内酯0.1mg的对照品溶液，即得。在上述色谱条件下，吸取10μl，分别注入液相色谱仪，三批样品的含量测定结果见表11。

表11　样品木香烃内酯的含量测定结果

批号	取样量（g）	峰面积			含量（mg/g）	平均含量（mg/g）
		A	B	平均		
20200409	4.0073	444931	459346	452138.5	0.13	
20191270	4.0036	473951	471828	472889.5	0.13	0.13
20191265	4.0076	459411	455108	457259.5	0.13	
20200617	4.0031	937344	962846	950095	0.26	

从表11数据可见，木香烃内酯含量在0.13mg/g以上。

4　药材含量测定

同法对上述三批样品生产用木香药材进行木香烃内酯含量测定，结果含量为12.48mg/g，测定结果见表12。

表12　木香药材的含量测定结果

称样量（g）	峰面积			含量（mg/g）	平均含量（mg/g）
	A	B	平均		
0.1506	1659239	1650363	1654801	12.46	
0.1514	1635168	1649230	1642199	12.30	12.48
0.1515	1695618	1689134	1692376	12.67	

从表12数据可见，木香药材中木香烃内酯含量测得最低为12.30mg/g，最高为12.67mg/g，无明显差异。

5　制剂含量规定的确定

三批样品中木香烃内酯的含量最低为0.13mg/g，模拟样品中木香烃内酯的含量为0.26mg/g，试验中用相同方法对生产用相同木香药材进行了含量测定，测得木香烃内酯的含量为12.48mg/g（1.248%）。

根据本品处方量折算，理论上每1g供试品含木香药材0.0372g，本品木香烃内酯的含量0.464mg/g。因此，转移率为56.03%。

参照《中国药典》2020年版一部"木香"药材的木香烃内酯和去氢木香内酯的总含量限度不得少于1.8%，我们按一半的含量计算木香烃内酯，即0.9%，还考虑不同产地木香药材质量差异，下浮20%，木香烃内酯含量低限0.150mg/g。因为本品为蜜丸，含水量及含蜜量较高，结合实际测定结果最低含量，综合评判。

标准正文暂定为：本品每1g含木香以木香烃内酯（$C_{15}H_{20}O_2$）计，不得少于0.10mg。

【功能与主治】

调经活血，温暖子宫，祛寒止痛。用于心肾脏赫依病，心神不宁，腰膝无力，小腹冷痛，月经不调，乳腺肿胀，子宫肌瘤。

【用法与用量】

口服。一次1丸，一日1~2次，温开水送服。

【规格】

每丸重9g。

【贮藏】

密封,防潮。

起草单位: 内蒙古盛唐国际蒙医药研究院　　　崔圆圆　张跃祥　王　伟

　　　　　赤峰市药品检验所　　　　　　　　王静宝　会伟哲　周国立　王天媛

　　　　　内蒙古自治区国际蒙医医院　　　　刘　威　斯日古楞　乌日古木拉

特格喜–18丸 质量标准起草说明

【来源】

本方来源于内蒙古自治区国际蒙医医院杭盖巴特尔大夫经验方。

【处方来源】

本制剂由内蒙古自治区国际蒙医医院提供。

【名称】

特格喜–18丸

【蒙药材和饮片的来源和执行标准】

1. 处方组成及药味排列顺序：红花60g、手参60g、闹羊花60g、生草果仁60g、水牛角浓缩粉60g、熊胆粉60g、甘草60g、栀子60g、黄连60g、益智仁60g、诃子50g、苏木40g、紫草茸40g、茜草40g、诃子汤泡草乌30g、人工牛黄20g、海金沙20g、人工麝香1g。

2. 处方中除紫草茸、人工麝香、诃子汤泡草乌、熊胆粉和手参药材外，其余红花等药味均收载于《中国药典》2020年版一部，其质量应符合该品种项下的有关规定。

紫草茸：为胶蚧科昆虫紫胶虫 *Laccifer lacca* Kerr 在树枝上所分泌的树脂状胶质。其质量应符合《内蒙古蒙药饮片炮制规范》2020年版第436页该品种项下的有关规定。

人工麝香：应符合卫生部标准（试行）WS–210（Z–32）–93标准的有关规定。

熊胆粉：为熊科动物黑熊 *Selenarctos thibetanus* Cuvier 经胆囊手术引流胆汁而得的干燥品。其标准应符合《卫生部药品标准》新药转正标准第十一册第44页的有关规定。

手参：为兰科植物手参 *Gymnadenia conopsea* R.Br.的干燥块茎。其标准应符合《内蒙古蒙药饮片炮制标准》2020年版第71页该品种项下有关规定。

诃子汤泡草乌：毛茛科植物北乌头 *Aconitum kusenzoffii* Reichb.的干燥块根。其标准应符合《内蒙古蒙药饮片炮制规范》2020年版第307页该品种项下有关规定。

【制法】

以上十八味，除人工牛黄、人工麝香、水牛角浓缩粉、熊胆粉外，其余红花等十四味粉碎成细粉，与人工麝香配研，过筛，加入人工牛黄、水牛角浓缩粉、熊胆粉，混匀，用水泛丸，打光，干燥，即得。

【性状】

本品为口服制剂水丸，性状为黄棕至棕褐色；味辛、苦。

【鉴别】

本品方中药材经显微鉴别观察，显微特征不明显，专属性不强，故未建立显微鉴别。对处方中栀子、人工牛黄建立了薄层色谱鉴别。

1. 试剂与试药

供试品：供试品（批号20190917、20200134、20200308）由内蒙古自治区国际蒙医医院提供，模拟样品（批号

20200070）模拟。

对照品：栀子苷对照品（批号1110749-200714）、胆酸对照品（批号100078-201415）、猪去氧胆酸对照品（批号100087-201411）、人工牛黄对照药材（批号121197-201204），均购于中国食品药品检定研究院；乌头碱对照品（批号DST200729-006），购于乐美天医药德思特生物研制。

薄层板：硅胶G板，购于青岛海洋化工有限公司。

所用其他试剂均为分析纯，水为离子交换高纯水。

2. 试验方法与结果

（1）栀子薄层鉴别

参照《中国药典》2020年版一部"栀子"项下的薄层条件，制定出正文所述的鉴别方法。通过阴性对照试验观察，方中其他药材对栀子以栀子苷的检出无干扰，此方法专属性强。

（2）人工牛黄薄层鉴别

参照《中国药典》2020年版一部"人工牛黄"项下的薄层条件，制定出正文所述的鉴别方法。通过阴性对照试验观察，方中其他药材对人工牛黄的检出无干扰，此方法专属性强。

【检查】

按照丸剂（《中国药典》2020年版四部通则0108）项下的规定，对三批供试品及模拟样品的乌头碱限量、水分、重量差异、溶散时限、重金属、砷盐和微生物限度进行了检查。具体方法及测定数据如下：

1. 乌头碱限量：参照《中国药典》2020年版一部"附子"和"附子理中丸"项下乌头碱限量检查方法，拟定出本制剂乌头碱限量检查方法及限度，以控制质量，确保用药安全、有效。但展开剂系统及点样量做了改进，供试品溶液的制备参照"附子理中丸"和"制草乌"乌头碱限量检查法，制定出正文所述提取方法，既保证了被测成分全部提净，又可排除其他成分对试验结果的干扰。对三批供试品的检查结果显示，供试品色谱中，在与乌头碱对照品色谱相应位置，未出现斑点。（乌头碱对照品的Rf值为0.30）

展开剂系统为苯-乙酸乙酯-二乙胺（7:2:0.5），乌头碱对照品点样量为2μl时，对照品斑点不明显，并且展开剂中含有一类致癌毒性的苯，对人体及环境造成严重伤害与污染，通过改进的展开系统正己烷-乙酸乙酯-二乙胺（5:2:1），并且乌头碱对照品点样量变为4μl时，对照品斑点清晰可见，并且替代了展开剂中一类致癌毒性的苯。改进后方法安全可靠。

制草乌中乌头碱的限度值参照《中国药典》2020年版一部"附子"项下乌头碱限量检查计算，乌头碱的限度为 $2mg/ml \times 5\mu l \div 6\mu l \times 2ml \div 20g \approx 0.167mg/g$，即每1g低于167μg。所以本制剂中乌头碱的理论限度应为 $30g \div 841g \times 0.167mg/g \times 1000 \approx 5.96\mu g/g$，正文中设定的限度指标为5.88μg/g，低于理论限度，说明方法可靠。《中国药典》2020年版一部规定制草乌用量为1.5～3g。本品日最高服用量为26丸，按每10丸重2g规格计算，最高服用量为5.2g，相当于制草乌 $60g \div 1681g \times 5.2g \approx 0.19g$，远远低于药典用量，说明本品安全。

2. 水分：取供试品照水分测定法（《中国药典》2020年版四部 通则0832）测定，三批供试品及模拟样品测定结果见表1。

表1 水分测定结果

序号	批号	水分（%）
1	20190917	4.1
2	20200134	4.0
3	20200308	4.2
4	20200070	4.1

药典规定丸剂水分含量不得大于9.0%。表1数据可见,三批供试品和模拟样品的水分含量均符合要求。

3. 重量差异:取以上三批供试品,每批供试品取10份,10丸为1份,分别称定重量,再与每份标示重量(2g)相比较,求每一份的重量差异(%)。药典规定每份标示装量的限度为±8%,并规定超出重量差异限度的不得多于2份,并不得有1份超出限度1倍。本品的重量差异检查结果均符合规定。

4. 溶散时限:取本品照片剂项下崩解时限检查法(《中国药典》2020年版四部通则0921)加挡板进行测定。三批供试品测定结果见表2。

表2 溶散时限测定结果

序号	批号	溶散时间(min)
1	20190917	53
2	20200134	48
3	20200308	45

药典规定水丸应在1小时内全部溶散。表2数据可见,本品的溶散时限符合规定。

5. 对三批供试品及模拟样品进行了重金属、砷盐考察,方法与结果如下:

重金属:分别取每个批号供试品0.5g、0.67g、1.0g、2.0g,按《中国药典》2020年版四部0821第二法检查。

供试品溶液的制备:取本品0.5g、0.67g、1.0g、2.0g,分别缓缓炽灼至完全炭化,放冷,加硫酸0.5ml,使湿润,低温加热至硫酸除尽后,加硝酸0.5ml,蒸干,至氧化氮蒸气除尽后,放冷,于600℃炽灼至完全灰化,放冷。加盐酸2ml,置水浴上蒸干后加水15ml,滴加氨试液至对酚酞指示液显中性,再加醋酸盐缓冲液(pH3.5)2ml,微热溶解后,移置纳氏比色管中,加水稀释至25ml,作为供试品溶液。

标准铅对照溶液的制备:另取配制供试品溶液的试剂两份,分别置瓷皿中蒸干后,加醋酸盐缓冲液(pH3.5)2ml,加水15 ml微热溶解后,移置两支纳氏比色管中,分别加标准铅溶液(10μg/mlPb)2ml,再加水稀释至25ml,作为标准铅对照溶液。

检视:于上述供试品溶液和标准铅对照溶液中分别加硫代乙酰胺试液各2ml,摇匀,放置2分钟,同置白色背景上,从上向下进行观察。试验结果见表3。

表3 重金属检查结果

序号	批号	重金属含量(ppm)			
1	20190917	<10	<20	<30	<40
2	20200134	<10	<20	<30	<40
3	20200308	<10	<20	<30	<40
4	20200070	<10	<20	<30	<40

结果显示,供试品溶液的颜色明显浅于2ml的标准铅对照管。经过三批供试品及模拟样品的检查,含重金属均未超过百万分之十,故未收入正文。

砷盐:取本品1g和标准砷溶液(1μg/mlAS)2ml,分别加无砷氢氧化钙1g,加少量水,搅匀,烘干,用小火缓缓炽灼至炭化,再在600℃炽灼至完全灰化,放冷。分别加盐酸7ml使溶解,再加水21ml,按《中国药典》2020年版四部通则0822第一法(古蔡氏法)做砷盐限量检查。

结果:供试品砷斑浅于标准砷斑的颜色,表明本品含砷量未超过百万分之二(小于2ppm),故砷盐检查项目未列入正文。

微生物限度:照微生物计数法(《中国药典》2020年版四部通则1105)和控制菌检查法(《中国药典》2020年版四部 通则1106)及《内蒙古蒙药制剂规范》(第三册)附录Ⅲ微生物限度标准,进行检查。结果均符合规定。

【含量测定】

特格喜-18丸由红花、人工牛黄、闹羊花等十八味药组成。具有清热,解毒,杀黏,止痛,燥协日乌素,利尿的功效。用于治疗血热,肾热,浮肿,类风湿,风湿,巴木病,皮肤协日乌素病。其中红花具有通经散瘀,消肿止痛的功能。参照《中国药典》2020年版一部中"红花"项下的含量测定方法,采用高效液相色谱法对处方中红花所含的羟基红花黄色素A进行测定,通过试验分析,结果表明该方法重复性好,专属性强,方中其他组分对羟基红花黄色素A的测定无干扰。

1 仪器与试剂试药

1.1 仪器

Waters e2695高效液相色谱仪,Waters 2998 Photodiode Array Detector型检测器,Empower色谱工作站,BSA124S(0.1mg)、BT 125D(0.01mg)、Sartorius MSE3.6P-0CE-DM(0.001mg)电子天平,KQ-500DE型数控超声波清洗器(500W、40kHz),Heal Force NW15UV型超纯水系统,FW400A型多功能粉碎机(材茂科技有限公司)。

1.2 试剂与试药

供试品(批号20190917、20200134、20200308)由内蒙古自治区国际蒙医医院提供,模拟样品(批号20200070)模拟;羟基红花黄色素A对照品(批号111637-201810,购于中国食品药品检定研究院;甲醇为色谱纯,乙腈为色谱纯,水为超纯水,所用其他试剂均为分析纯。

2 方法学考察

2.1 色谱条件

2.1.1 色谱柱:色谱柱填充剂为十八烷基硅烷键合硅胶,本试验采用SHISEIDO(资生堂)CAPCELL PAK C$_{18}$色谱柱(250mm×4.6mm,5μm)。

2.1.2 流动相的选择:参照《中国药典》2020年版一部"红花"项下的含量测定方法,以甲醇-乙腈-0.7%磷酸溶液(26:2:78)为流动相,进行试验后发现羟基红花黄色素A峰拖尾严重,通过调整流动相,以甲醇-乙腈-0.7%磷酸(20:2:78)(用三乙胺调pH值至6.0±0.1)为流动相,进行试验分析,供试品中羟基红花黄色素A与其他成分达到较好的分离,理论板数较高,保留时间适宜,故作为检测流动相。

2.1.3 柱温:在30℃的条件下,羟基红花黄色素A的保留时间一致,而且分离效果比较好,因此选择柱温在30℃。

2.1.4 检测波长的选择:精密称取羟基红花黄色素A对照品适量,用25%的甲醇制成每1ml含60μg的溶液,于紫外-可见分光光度计上,以25%的甲醇为空白,在200～700nm波长范围扫描,羟基红花黄色素A在波长403nm、226nm和350nm处有最大吸收。参照《中国药典》2020年版一部"红花"含量测定项下羟基红花黄色素A的测定方法,选择403nm作为检测波长。

2.1.5 流速的选择:本次试验选取流速为0.8ml/min,原因在于考察提取条件时,选择1.0ml/min的流速,随着试验的进行,虽然持续清洗色谱柱,但发现柱压仍然偏高,故考察了0.8ml/min流速,柱压相对理想,且含量无明显差异,故本次试验选择流速为0.8ml/min。

2.1.6 理论板数的确定:从对多批数据的测定结果可见,羟基红花黄色素A的理论板数在3000以上即能达到较好的分离效果,考虑到不同的色谱柱具不同的理论塔板数,故确定理论板数按羟基红花黄色素A峰算应不低于3000。

2.2 提取溶剂的选择

以40分钟作为提取溶剂进行超声(功率250W,频率40kHz)提取时间,为保证被测成分的完全提取,试验中考察了25%甲醇、50%甲醇、纯甲醇不同提取溶剂对提取效率的影响,含量测定结果见表4。

表4　羟基红花黄色素A提取时间考察

序号	提取溶剂	含量（mg/g）
1	25%甲醇	0.981
2	50%甲醇	0.966
3	100%甲醇	0.337

从表4数据可见，用25%甲醇作为提取溶剂，供试品中羟基红花黄色素A的含量最高，故将提取溶剂定为25%甲醇。

2.3　提取效率的考察

参考《中国药典》2020年版一部"红花"含量测定项下的方法，以25%甲醇作为提取溶剂进行超声提取。为保证被测成分提取完全，在供试品的细度一致、提取溶剂为25%甲醇、超声功率一致的条件下，分别考察了提取20分钟、30分钟、40分钟和50分钟时的提取效率，结果见表5。

表5　羟基红花黄色素A提取时间考察

序号	提取时间（min）	含量（mg/g）
1	20	0.739
2	30	0.748
3	40	0.752
4	50	0.753

从表5数据可见，超声提取时间为20分钟、30分钟、40分钟和50分钟时，供试品中羟基红花黄色素A的含量基本一致，故将提取时间定为40分钟。这与《中国药典》2020年版一部"红花"含量测定项下的提取时间一致。

2.4　专属性考察

2.4.1　对照品溶液的制备：取羟基红花黄色素A对照品（批号110823-201706）约6.54mg，置50ml量瓶中，加25%甲醇使溶解并稀释至刻度，摇匀，作为对照品溶液（羟基红花黄色素A 0.1308mg/ml）。

2.4.2　供试品溶液的制备：取本品适量，研细，取约1g，精密称定，置具塞锥形瓶中，精密加入25%甲醇50ml，密塞，称定重量，超声处理40分钟，放冷，再称定重量，用甲醇补足减失的重量，摇匀，滤过，取续滤液，作为供试品溶液。

2.4.3　阴性对照溶液的制备：按本品处方工艺制备不含红花的阴性样品，按供试品溶液的制备方法制备阴性对照溶液（缺红花）。

2.4.4　测定：分别精密吸取以上三种溶液各10μl，注入色谱仪，记录各自的色谱图。

试验结果显示：供试品色谱中在与对照品色谱保留时间相同的位置上有色谱峰出现，而阴性对照在与对照品色谱保留时间相同的位置上无色谱峰出现，表明该含量测定方法阴性无干扰，专属性好。

2.5　线性关系考察

取羟基红花黄色素A对照品约6.54mg，精密称定，置50ml量瓶中，加25%甲醇使溶解，并稀释至刻度，摇匀，作为对照品溶液（羟基红花黄色素A 0.1308mg/ml）；分别精密吸取上述对照品溶液5ml、2ml、0.75ml、0.5ml、0.25ml分别置于10ml量瓶中，加25%甲醇稀释至刻度，摇匀，分别精密量取上述对照品溶液和系列浓度溶液各10μl按上述色谱条件进行测定，以峰面积对进样量进行回归分析。结果见表6。

表6　标准曲线数据及回归分析结果

对照品浓度（μg/ml）	峰面积值	回归方程	r
0.00327	112227		
0.00654	224641		
0.00872	342335	y=2607717x+74296	0.9992
0.01308	408193		
0.02616	894951		
0.1308	3669419		

从表6数据可见，羟基红花黄色素A在0.00327～0.1308μg/ml范围内与峰面积值呈良好的线性关系。

2.6　稳定性试验

取同一供试品溶液，分别于制备溶液后的0小时、2小时、4小时、6小时、8小时进行测定。结果见表7。

表7　不同时间测得溶液中羟基红花黄色素A峰面积值

时间（h）	峰面积值	RSD（%）
0	612034	
2	611159	
4	610168	0.70
8	607350	
12	601474	

从表7数据可见，羟基红花黄色素A在12小时内峰面积值基本稳定，能够满足测定所需要的时间。

2.7　重复性试验

取同一供试品（批号20200308）6份，各约1.0g，精密称定，置具塞锥形瓶中，精密加入25%甲醇50ml，密塞，称定重量，超声处理40分钟，放冷，再称定重量，用甲醇补足减失的重量，摇匀，滤过，取续滤液，作为供试品溶液。另取羟基红花黄色素A对照品约6.54mg，置50ml量瓶中，加25%甲醇使溶解并稀释至刻度，摇匀，作为对照品溶液。分别精密吸取以上两种溶液各10μl，注入液相色谱仪，记录各自的色谱图，用外标法以峰面积计算含量。结果见表8。

表8　重复性试验结果

取样量（g）	峰面积值	含量（mg/g）	平均含量（mg/g）	RSD（%）
1.0070	519172	0.7874		
1.0051	511853	0.7751		
1.0054	520073	0.7873	0.780	0.94
1.0020	512799	0.7790		
1.0037	516999	0.7840		
1.0093	508891	0.7674		

从表8数据可见，在相同的提取溶剂和色谱条件下，6份供试品含量测定结果的均值为0.780mg/g，RSD为0.94%，表明该方法的重复性良好。

2.8　加样回收试验

取供试品（批号20200308，含量为0.780mg/g）9份，各约0.5g，精密称定，分别置9个具塞锥形瓶中，分成三组每组三份，分别在其中3个具塞锥形瓶中各精密加入浓度为0.1314mg/ml的羟基红花黄色素A对照品溶液1ml（约相当于供试品含有量的50%）及25%甲醇50.0ml，另3个具塞锥形瓶中各加入上述对照品溶液2ml（约相当于供试品含有量的100%)及25%甲醇50.0ml,其余3个具塞锥形瓶中各加入上述对照品溶液4ml(约相当于供试品含有量的150%)及25%甲醇50.0ml,分别按重复性试验项下的方法操作,测定每份的含量,计算回收率,结果见表9。

表9 羟基红花黄色素A加样回收试验结果

取样量 (g)	供试品含量 (mg)	对照品加入量 (mg)	测得总量 (mg)	回收率 (%)	平均回收率 (%)	RSD (%)
0.5399	0.4211	0.1314	0.5494	97.69		
0.5300	0.4134	0.1314	0.5360	93.36		
0.5292	0.4127	0.1314	0.5336	92.00		
0.5001	0.3900	0.2628	0.6344	93.00		
0.5174	0.4035	0.2628	0.6492	93.47	93.4	1.95
0.5287	0.4123	0.2628	0.6590	93.85		
0.4910	0.3822	0.5102	0.8502	91.72		
0.4912	0.3831	0.5256	0.8649	91.66		
0.5209	0.4063	0.5256	0.8917	93.85		

从表9数据可见,本方法的平均回收率为93.4%,RSD为1.95%。该方法准确度好。

2.9 耐用性试验

取同一供试品(批号20190917)4份,各约0.5g,精密称定,分别按重复性试验项下方法操作,换不同厂家、不同型号的色谱柱,分别测定供试品的含量。结果见表10。

表10 色谱柱耐用性试验

序号	柱型号	含量(mg/g)
1	SHISEIDO CAPCELL PAK C_{18}	0.770
2	SHIMADZU Wonda Cract ODS-2 C_{18}	0.787

从表10数据可见,不同型号或厂家的色谱柱对测定结果影响较小。

3 样品含量测定

取三批样品(批号20190917、20200134、20200308)及模拟样品(批号20200070)各2份,各约1g,精密称定,按重复性试验项下的方法处理并测定。含量测定结果见表11。

表11 样品中羟基红花黄色素A的含量测定结果

批号	取样量(g)	平均峰面积值	含量(mg/g)	平均含量(mg/g)
20190917	1.0003	506027	0.7700	0.770
	1.0045	508360	0.7703	
20200134	1.0007	619425	0.9422	0.941
	1.0034	620136	0.9407	
20200308	1.0016	513670	0.7806	0.784
	1.0029	518441	0.7868	
20200070	1.0084	1109520	0.9078	0.902
	1.0018	1108328	0.8961	

从表11数据可见,三批样品和模拟样品中羟基红花黄色素A含量最低为0.770mg/g,最高为0.9422mg/g;三批样品羟基红花黄色素A平均含量为0.832mg/g。模拟样品含量结果为0.902mg/g。

4 红花药材含量测定

试验中采用同法对上述两批样品生产用红花药材进行了含量测定,测定结果见表12。

表12 红花药材中羟基红花黄色素A的含量测定结果

取样量（g）	平均峰面积值（$n=2$）	含量（mg/g）	平均含量（mg/g）
0.4092	3452915	12.844	12.93
0.4037	3452911	13.019	

从表12数据可见,红花药材中羟基红花黄色素A的平均含量为12.93mg/g。

5 本制剂含量限度的确定

按理论值折算,成品应含羟基红花黄色素A 0.923mg/g。转移率=0.832/0.923×100%=90.14%。

参照《中国药典》2020年版一部"红花"药材的羟基红花黄色素A含量限度不得少于1.0%,考虑不同产地药材的质量差异,并结合其他影响因素及三批样品的测定结果,下浮20%,按此限度折算本品含羟基红花黄色素A的理论量应不低于60÷840×1.0%×1000×90.14%×80%=0.515mg/g。

标准正文暂定为: 本品每1g含红花以羟基红花黄色素A（$C_{27}H_{32}O_{16}$）计,不得少于0.50g。

【功能与主治】

清热、解毒,杀黏,止痛,燥协日乌素,利尿。用于血热,肾热,浮肿,类风湿,风湿,巴木病,皮肤协日乌素病。

【用法与用量】

口服,一次9–13丸,一日1次,温开水送服。

【注意事项】

孕妇忌服,年老体弱者慎用。

【规格】

每10丸重2g。

【贮藏】

密封,防潮。

起草单位: 呼伦贝尔市食品药品检验所　　鄂文君　徐涵宇　王怀刚　李　冰

　　　　　赤峰市药品检验所　　　　　张德瑞　张　戈　张海涛

　　　　　内蒙古自治区国际蒙医医院　高钰思　安鲁斯　艾毅斯

笋·奥日浩代–18丸质量标准起草说明

【历史沿革】

处方来源于内蒙古自治区国际蒙医医院杭盖巴特尔大夫经验方。

【处方来源】

本制剂由内蒙古自治区国际蒙医医院提供。

【名称】

笋·奥日浩代–18丸

【蒙药材和饮片的来源和执行标准】

1. 处方组成及药味排列顺序：党参100g、石菖蒲100g、苦参80g、川楝子80g、苘麻子75g、手参70g、没药70g、檀香70g、栀子60g、诃子60g、木香60g、文冠木60g、决明子60g、闹羊花60g、诃子汤泡草乌50g、生草果仁50g、甘松25g、熊胆粉20g。

2. 处方中除文冠木、熊胆粉、手参和诃子汤泡草乌药材外，其余党参等药味均收载于《中国药典》2020年版一部，其质量应符合该品种项下的有关规定。

熊胆粉：为熊科动物黑熊*Selenarctos thibetanus* Cuvier经胆囊手术引流胆汁而得的干燥品。其标准应符合《卫生部药品标准》新药转正标准第十一册第44页的有关规定。

文冠木：为无患子科植物文冠果*Xanthoceras sorbifolia* Bunge. 的细枝条干燥木部。其标准应符合《内蒙古蒙药饮片炮制标准》2020年版第85页该品种项下有关规定。

诃子汤泡草乌：毛茛科植物北乌头*Aconitum kusenzoffii* Reichb.的干燥块根。其标准应符合《内蒙古蒙药饮片炮制规范》2020年版第307页该品种项下有关规定。

手参：为兰科植物手参*Gymnadenia conopsea*（L.）R. Br. 的干燥块茎。其标准应符合《内蒙古蒙药饮片炮制标准》2020年版第71页该品种项下有关规定。

【制法】

以上十八味，除熊胆粉外，其余党参等十七味，粉碎成细粉，将熊胆粉研细，与上述细粉配研，过筛，混匀，用水泛丸，打光，干燥，分装，即得。

【性状】

本品为内服水丸，性状为黄棕色至棕色的水丸；气微，味苦。

【鉴别】

本品为药材粉末制成的水丸，方中药材经显微鉴别观察，显微特征不明显，专属性不强，故未建立显微鉴别。对处方中栀子、木香建立了薄层色谱鉴别。

1. 试剂与试药

供试品：供试品（批号20200606、20200623、20201106）由内蒙古自治区国际蒙医医院提供，模拟样品（批号20200064）模拟。

对照品：栀子苷对照品（批号110749-200714）、木香烃内酯对照品（批号111524-201911）、去氢木香内酯对照品（批号111525-201912），均购于中国食品药品检定研究院；乌头碱对照品（批号DST200729-006），购于乐美天医药德思特生物研制。

薄层板：硅胶G板，购于青岛海洋化工有限公司。

所用其他试剂均为分析纯，水为离子交换高纯水。

2. 试验方法与结果

（1）栀子薄层鉴别

参照《中国药典》2020年版一部"栀子"项下的薄层条件，制定出正文所述的鉴别方法。通过阴性对照试验观察，方中其他药材对栀子以栀子苷的检出无干扰，此方法专属性强。

（2）木香薄层鉴别

参照《中国药典》2020年版一部"木香"项下的薄层条件，制定出正文所述的鉴别方法。通过阴性对照试验观察，方中其他药材对木香以木香烃内酯、去氢木香内酯的检出无干扰，此方法专属性强。

【检查】

按照丸剂（《中国药典》2020年版四部通则0108）项下的规定，对三批供试品及模拟样品的乌头碱限度、水分、重量差异、溶散时限、重金属、砷盐和微生物限度进行了检查。具体方法及测定数据如下：

1. 乌头碱限量：参照《中国药典》2020年版一部"附子"和"附子理中丸"项下乌头碱限量检查方法，拟定出本制剂乌头碱限量检查方法及限度，以控制质量，确保用药安全、有效。但展开剂系统及点样量做了改进，供试品溶液的制备参照"附子理中丸"和"制草乌"乌头碱限量检查法，制定出正文所述提取方法，既保证了被测成分全部提净，又可排除其他成分对试验结果的干扰。对三批供试品的检查结果显示，供试品色谱中，在与乌头碱对照品色谱相应位置，未出现斑点。（乌头碱对照品的Rf值为0.30）

展开剂系统为苯-乙酸乙酯-二乙胺（7:2:0.5），乌头碱对照品点样量为2μl时，对照品斑点不明显，并且展开剂中含有一类致癌毒性的苯，对人体及环境造成严重伤害与污染，通过改进的展开系统正己烷-乙酸乙酯-二乙胺（5:2:1），并且乌头碱对照品点样量变为4μl时，对照品斑点清晰可见，并且替代了展开剂中一类致癌毒性的苯。改进后方法安全可靠。

制草乌中乌头碱的限度值参照《中国药典》2020年版一部"附子"项下乌头碱限量检查计算，乌头碱的限度为2mg/ml×5μl/6μl×2ml/20g≈0.167mg/g，即每1g低于167μg。所以本制剂中乌头碱的理论限度应为50g/1150g×0.167mg/g×1000≈7.26μg/g，正文中设定的限度指标为7.14μg/g，低于理论限度，说明方法可靠。《中国药典》2020年版一部规定制草乌用量为1.5~3g。本品日最高用量为11丸，按每10丸重2g规格计算，最高服用量为2.2g，相当于制草乌50g/1150g×2.2g＝0.096g，远远低于药典用量，说明本品安全。

2. 水分：取供试品照水分测定法（《中国药典》2020年版四部通则0832）测定，三批供试品及模拟样品测定结果见表1。

表1　水分测定结果

序号	批号	水分（%）
1	20200606	4.4
2	20200623	4.6
3	20201106	4.4
4	20200064	4.5

药典规定丸剂水分含量不得大于9.0%。从表1数据可见，三批供试品和模拟样品的水分含量均符合要求。

3. 重量差异: 取以上三批供试品, 每批供试品取10份, 10丸为1份, 分别称定重量, 再与每份标示重量(2g)相比较, 求每一份的重量差异(%)。药典规定每份标示装量的限度为±8%, 并规定超出重量差异限度的不得多于2份, 并不得有1份超出限度1倍。本品的重量差异检查结果均符合规定。

4. 溶散时限: 取本品照片剂项下崩解时限检查法(《中国药典》2020年版四部通则0921)加挡板进行测定。三批供试品测定结果见表2。

表2 溶散时限测定结果

序号	批号	溶散时间(min)
1	20200606	33
2	20200623	29
3	20201106	35

药典规定水丸应在1小时内全部溶散。从表2数据可见, 本品的溶散时限符合规定。

5. 对三批供试品及模拟样品进行了重金属、砷盐考察, 方法与结果如下:

重金属: 分别取每个批号供试品0.5g、0.67g、1.0g、2.0g, 按《中国药典》2020年版四部0821第二法检查。

供试品溶液的制备: 取本品0.5g、0.67g、1.0g、2.0g, 分别缓缓炽灼至完全炭化, 放冷, 加硫酸0.5ml, 使湿润, 低温加热至硫酸除尽后, 加硝酸0.5ml, 蒸干, 至氧化氮蒸气除尽后, 放冷, 于600℃炽灼至完全灰化, 放冷。加盐酸2ml, 置水浴上蒸干后加水15ml, 滴加氨试液至对酚酞指示液显中性, 再加醋酸盐缓冲液(pH3.5)2ml, 微热溶解后, 移置纳氏比色管中, 加水稀释至25ml, 作为供试品溶液。

标准铅对照溶液的制备: 另取配制供试品溶液的试剂两份, 分别置瓷皿中蒸干后, 加醋酸盐缓冲液(pH3.5)2ml, 加水15ml微热溶解后, 移置两支纳氏比色管中, 分别加标准铅溶液(10μg/ml Pb)2ml, 再加水稀释至25ml, 作为标准铅对照溶液。

检视: 于上述供试品溶液和标准铅对照溶液中分别加硫代乙酰胺试液各2ml, 摇匀, 放置2分钟, 同置白色背景上, 从上向下进行观察。试验结果见表3。

表3 重金属检查结果

序号	批号	重金属含量(ppm)			
1	20200606	<10	<20	<30	<40
2	20200623	<10	<20	<30	<40
3	20201106	<10	<20	<30	<40
4	20200064	<10	<20	<30	<40

结果显示, 供试品溶液的颜色明显浅于2ml的标准铅对照管。经过三批供试品及模拟样品的检查, 含重金属均未超过百万分之十, 故未收入正文。

砷盐: 取本品1g和标准砷溶液(1μg/ml AS)2ml, 分别加无砷氢氧化钙1g, 加少量水, 搅匀, 烘干, 用小火缓缓炽灼至炭化, 再在600℃炽灼至完全灰化, 放冷。分别加盐酸7ml使溶解, 再加水21ml, 按《中国药典》2020年版四部通则0822第一法(古蔡氏法)做砷盐限量检查。

结果: 供试品砷斑浅于标准砷斑的颜色, 表明本品含砷量未超过百万分之二(小于2ppm), 故砷盐检查项目未列入正文。

6. 微生物限度: 照微生物计数法(《中国药典》2020年版四部通则1105)和控制菌检查法(《中国药典》2020年版四部通则1106)及《内蒙古蒙药制剂规范》(第三册)附录Ⅲ微生物限度标准进行检查。结果均符合规定。

【含量测定】

笋·奥日浩代-18丸是由党参、熊胆粉、栀子、木香、闹羊花等十八味药组成的复方制剂。具有清热,燥协日乌素,杀黏的功效,用于治疗风湿,类风湿,巴木病,牛皮癣等。其中木香具行气止痛,调中导滞的功能。故参照《中国药典》2020年版一部"木香"项下的含量测定方法,选择木香烃内酯作为指标成分,对本制剂中的木香进行了HPLC含量测定方法研究。经分析方法验证,表明该方法重复性好、专属性强,方中其他组分对木香烃内酯的测定无干扰。

1 仪器与试剂试药

1.1 仪器

岛津LC-20AT、SIL-20A型控制器,SPD-M20A型检测器,LCsolution色谱工作站,Sartorius BSA124S(0.1mg)、BT 125D(0.01mg)电子天平,KQ-500DE型数控超声波清洗器(500W,40kHz),Heal Force NW15UV型超纯水系统,FW400A型多功能粉碎机(材茂科技有限公司)。

1.2 试剂与试药

供试品(批号20200606、20200623、20201106)由内蒙古自治区国际蒙医医院提供,模拟样品(批号20200064)模拟;木香烃内酯对照品(批号111524-201208),购于中国食品药品检定研究院;甲醇为色谱纯,水为超纯水,所用其他试剂均为分析纯。

2 方法学考察

2.1 色谱条件

2.1.1 色谱柱:色谱柱填充剂为十八烷基硅烷键合硅胶,本试验采用SHIMADZU-GL WondaCract ODS-2 C₁₈色谱柱(250mm×4.6mm,5μm)。

2.1.2 流动相的选择:参照《中国药典》2020年版一部"木香"项下的含量测定方法,以甲醇-水(65:35)为流动相,进行试验发现干扰较大,分离度较差,通过试验分析,最终选定乙腈-水(50:50)为流动相,供试品中的木香烃内酯与其他成分能达到较好的分离,色谱峰具有比较好的保留时间、分离度和对称性。故选择以乙腈-水(50:50)为流动相。

2.1.3 柱温:在35℃的条件下,木香烃内酯的保留时间一致,而且分离效果比较好,因此选择柱温为35℃。

2.1.4 检测波长的选择:参照《中国药典》2020年版一部"木香"含量测定项下木香烃内酯的测定方法,选用225nm处作为检测波长。

2.1.5 流速的选择:本次试验选取0.8ml/min的流速,原因在于当考察提取条件时,选择的是1.0ml/min的流速,随着试验的进行,虽然进行相应清洗柱子,但发现柱压仍然偏高,故考察了0.8ml/min,柱压相对理想,且含量无明显差异,故本次试验选择0.8ml/min的流速。

2.1.6 理论板数的确定:从对三批数据的测定结果可见,木香烃内酯峰理论板数在3000以上即能达到较好的分离效果,故规定理论板数按木香烃内酯峰计算应不低于3000。

2.2 提取方法的选择及提取效率的考察

2.2.1 提取溶剂的选择

参照《中国药典》2020年版一部"木香"项下对木香烃内酯的提取方法,考察了甲醇和乙腈的提取效率,取供试品按重复性试验项下方法操作,结果见表4。

表4 提取溶剂考察表

提取溶剂种类	取样量(g)	峰面积值	含量(mg/g)
乙腈	2.0328	376508	0.359
甲醇	2.0319	532617	0.508

从表4数据可见,甲醇提取量明显高于乙腈提取量,故选用甲醇作为提取溶剂。

2.2.2　提取方法的考察

参考《中国药典》2020年版一部"木香"项下对木香烃内酯的提取方法,以甲醇作为提取溶剂,考察了超声提取、浸泡过夜超声提取和回流提取方法,结果见表5。

表5　提取方式考察表

提取方式	取样量（g）	峰面积值	含量（mg/g）
超声30min	2.0319	532617	0.508
浸泡过夜超声30min	2.0306	530833	0.506
回流提取30min	2.0455	537237	0.509

从表5数据可见,三种提取方法含量差异并不明显,考虑操作的简便性,最终选用超声提取作为提取方式。

2.2.3　提取效率的考察

参考《中国药典》2020年版一部"木香"含量测定项下的方法,以甲醇作为提取溶剂进行超声提取。为保证被测成分提取完全,在供试品的细度一致、提取溶剂为甲醇、超声(功率350W,频率40kHz)的条件下,分别考察了提取20分钟、30分钟、40分钟时的提取效率,结果见表6。

表6　木香烃内酯提取时间考察

提取时间（min）	取样量（g）	平均峰面积值	含量（mg/g）
20	2.0308	520264	0.497
30	2.0319	532617	0.508
40	2.0365	534094	0.508

从表6数据可见,超声提取时间为20分钟、30分钟、40分钟时,供试品中木香烃内酯的含量基本一致,故将提取时间定为30分钟。这与《中国药典》2020年版一部"木香"含量测定项下的提取时间一致。

2.2.4　提取溶剂用量的考察

取供试品粉末约2.0g,共3份,精密称定,按重复性试验项下方法操作,分别加入甲醇溶液的量为40ml、50ml和60ml,其他条件按重复性试验项下方法操作,结果见表7。

表7　木香烃内酯提取溶剂用量考察表

提取溶剂用量（ml）	取样量（g）	峰面积值	含量（mg/g）
40ml	2.1467	689071	0.497
50ml	2.0319	532617	0.508
60ml	2.0489	448611	0.509

从表7数据可见,加入甲醇溶液的量为40ml的供试品中,木香烃内酯含量低于50ml和60ml供试品中的木香烃内酯含量,且加入甲醇溶液50ml和60ml两份供试品中木香烃内酯的含量差异不大,故加入甲醇溶液的量确定为50ml。

2.3　专属性考察

2.3.1　对照品溶液的制备:取木香烃内酯对照品适量,精密称定,加甲醇制成每1ml含100μg的溶液,作为对照品溶液。

2.3.2　供试品溶液的制备:取本品适量,研细,取约3g,精密称定,置具塞锥形瓶中,精密加入甲醇50ml,密塞,称定重量,超声处理(功率350W,频率40kHz)30分钟,放冷,再称定重量,用甲醇补足减失的重量,摇匀,滤过,取续滤液,作为供试品溶液。

2.3.3 阴性对照溶液的制备：按本品处方工艺制备不含木香的阴性样品，按供试品溶液的制备方法制备阴性对照溶液（缺木香）。

2.3.4 测定：分别精密吸取以上三种溶液各10μl，注入色谱仪，记录各自的色谱图。

试验结果显示，供试品色谱中在与对照品色谱保留时间相同的位置上有色谱峰出现，而阴性对照在与对照品色谱保留时间相同的位置上无色谱峰出现，表明该含量测定方法阴性无干扰，专属性好。

2.4 线性关系考察

取木香烃内酯对照品约4.96mg，精密称定，置50ml量瓶中，加甲醇使溶解，并稀释至刻度，摇匀，作为对照品溶液（木香烃内酯实际浓度为99.10μg/ml）；分别精密吸取上述对照品溶液1.0ml、2.5ml、5.0ml、7.5ml分别置于10ml量瓶中，加甲醇稀释至刻度，摇匀，制成木香烃内酯的9.91μg/ml、24.78μg/ml、49.55μg/ml、74.32μg/ml、99.10μg/ml系列浓度溶液。分别精密量取上述对照品溶液和系列浓度溶液各10μl按上述色谱条件进行测定，以峰面积对进样量进行回归分析，结果见表8。

表8 标准曲线数据及回归分析结果

进样量（μg）	峰面积值	回归方程	r
9.91	290017		
24.78	722054		
49.55	1431295	$y=29032.70782x+162.3007793$	0.9999
74.32	2157660		
99.10	2880353		

从表8数据可见，木香烃内酯在9.91~99.10μg/ml范围内与峰面积值呈良好的线性关系。

2.5 稳定性试验

取同一供试品（批号20200606）溶液，分别于制备溶液后的0小时、2小时、4小时、8小时、12小时、24小时进行测定。结果见表9。

表9 不同时间测得溶液中木香烃内酯峰面积值

时间（h）	峰面积值	RSD（%）
0	533161	
2	530215	
4	530635	
8	533770	0.41
12	530013	
24	527903	

从表9数据可见，木香烃内酯在24小时内峰面积值基本稳定，能够满足测定所需要的时间。

2.6 重复性试验

取同一供试品（批号20200606）6份，各约2.0g，精密称定，置具塞锥形瓶中，精密加入甲醇50ml，密塞，称定重量，超声处理（功率350W，频率40kHz）30分钟，放冷，再称定重量，用甲醇补足减失的重量，摇匀，滤过，取续滤液，作为供试品溶液。另取木香烃内酯对照品适量，精密称定，加甲醇制成每1ml含100μg的溶液，作为对照品溶液。分别精密吸取以上两种溶液各10μl，注入液相色谱仪，记录各自的色谱图，用外标法以峰面积计算含量。结果见表10。

表10 木香烃内酯重复性试验结果

取样量（g）	峰面积值	含量（mg/g）	平均含量（mg/g）	RSD（%）
2.0373	532434	0.506	0.503	0.39
1.9956	515910	0.501		

续表

取样量（g）	峰面积值	含量（mg/g）	平均含量（mg/g）	RSD（%）
2.0185	522382	0.501		
2.0101	521613	0.502	0.503	0.39
2.0165	524614	0.504		
2.0001	518454	0.502		

从表10数据可见，在相同的提取溶剂和色谱条件下，6份供试品含量测定结果的均值为0.503mg/g，RSD为0.39%，表明该方法的重复性良好。

2.7 加样回收试验

取同一份供试品（批号20200606，含量为0.503mg/g）9份，各约1.0g，精密称定，分别置9个具塞锥形瓶中，精密加入用甲醇配制的木香烃内酯对照品溶液（木香烃内酯浓度0.305mg/ml）1.4ml、1.4ml、1.4ml、1.7ml、1.7ml、1.7ml、2.0ml、2.0ml、2.0ml，分别按重复性试验项下方法操作，测定每份中木香烃内酯的含量，计算回收率。结果见表11。

表11　木香烃内酯加样回收试验结果

取样量（g）	供试品含有量（mg）	对照品加入量（mg）	测得总量（mg）	回收率（%）	平均回收率（%）	RSD（%）
1.0367	0.5215	0.4270	0.9299	95.64		
1.0397	0.5230	0.4270	0.9355	96.60		
1.0595	0.5329	0.4270	0.9440	96.28		
1.0002	0.5031	0.5185	0.9962	95.10		
1.0294	0.5178	0.5185	1.0187	96.61	95.9	0.72
1.0091	0.5076	0.5185	1.0097	96.84		
1.0004	0.5032	0.6100	1.0835	95.13		
0.9921	0.4990	0.6100	1.0827	95.69		
0.9904	0.4982	0.6100	1.0791	95.23		

从表11数据可见，本方法的平均回收率为95.9%，RSD为0.72%。该方法准确度好。

2.8 耐用性试验

取同一供试品（批号20200606）4份，各约2.0g，精密称定，分别按重复性试验项下方法操作，换不同厂家、不同型号的色谱柱，分别测定供试品的含量。结果见表12。

表12　色谱柱耐用性试验

序号	取样量（g）	柱型号	含量（mg/g）
1	2.0010	Waters XBridge C$_{18}$	0.506
	2.0010	SHIMADZU-GL WondaCractODS-2 C$_{18}$	0.506
2	2.0055	Waters XBridge C$_{18}$	0.485
	2.0055	SHIMADZU-GL WondaCractODS-2 C$_{18}$	0.501

从表12数据可见，不同型号或厂家的色谱柱对测定结果影响较小。

3 样品含量测定

取三批样品（批号20200606、20200623、20201106）及模拟样品（批号20200064）各2份，各约2g，精密称定，按重复性试验项下的方法处理并测定。含量测定结果见表13。

表13　样品中木香烃内酯的含量测定结果

批号	取样量（g）	平均峰面积值	含量（mg/g）	平均含量（mg/g）
20200606	2.0373	532434	0.506	0.504
	1.9956	515910	0.501	
20200623	2.0085	522255	0.503	0.504
	2.0293	528591	0.504	
20201106	1.9921	515715	0.501	0.502
	2.0008	518286	0.502	
20200064	2.0105	533964	0.514	0.516
	2.0112	537944	0.518	

从表13数据可见，三批样品和模拟样品中木香烃内酯平均含量最低为0.502mg/g，最高为0.504mg/g。含量之间无明显差异。模拟样品平均含量结果为0.516mg/g。

4　木香药材含量测定

试验中采用同法对上述三批样品生产用木香药材进行了含量测定。测定结果见表14。

表14　木香药材中木香烃内酯的含量测定结果

取样量（g）	平均峰面积值（n=2）	含量（mg/g）	平均含量（mg/g）
0.5041	2669037	10.252	10.332
0.5269	2833523	10.413	

从表14数据可见，木香药材中木香烃内酯的含量为10.332mg/g。

5　本制剂含量限度的确定

按理论值折算，成品应含木香烃内酯为10.332mg/g×60/1150 = 0.539mg/g，转移率= 0.516/0.539×100%= 95.7%。《中国药典》2020年版一部中，未单独规定木香中木香烃内酯含量限度，考虑到药材质量差异，因此选择样品的实测值下浮20%确定限度，

标准正文暂定为：本品每1g含木香以木香烃内酯（$C_{15}H_{20}O_2$）计，不得少于0.40mg。

【功能与主治】

清热，解毒，燥协日乌素，杀黏。用于风湿，类风湿，巴木病，牛皮癣，天疱疮，湿疹，白癜风。

【用法与用量】

口服，一次9~13丸，一日1次，温开水送服。

【注意事项】

孕妇忌服，年老体弱者慎用。

【规格】

每10丸重2g。

【贮藏】

密封，防潮。

起草单位：呼伦贝尔市食品药品检验所　　王怀刚　郭司群　鄂文君　徐涵宇

　　　　　赤峰市药品检验所　　　　　　刘建海　李海华　张德瑞

　　　　　内蒙古自治区国际蒙医医院　　安鲁斯　艾毅斯　高钰思

脑日冲-9丸质量标准起草说明

【历史沿革】

本方来源于内蒙古自治区国际蒙医医院特木其乐大夫经验方。

【处方来源】

本制剂由内蒙古自治区国际蒙医医院提供。

【名称】

脑日冲-9丸

【蒙药材和饮片的来源和执行标准】

1. 处方组成及药味排列顺序：诃子150g、红花150g、齿叶草150g、诃子汤泡草乌120g、没药75g、甘松75g、木香75g、石菖蒲20g、人工麝香1g。

2. 处方中除齿叶草、诃子汤泡草乌和人工麝香药材外，其余诃子等药味均收载于《中国药典》2020年版一部，其质量应符合该品种项下的有关规定。

齿叶草：为玄参科植物齿叶草 *Odontites serotina*（Lam.）Dum.的干燥地上部分。其标准应符合《中华人民共和国卫生部药品标准》（蒙药分册）1998年版第28页该品种项下的有关规定。

诃子汤泡草乌：为毛茛科植物北乌头 *Aconitum kusenzoffii* Reichb.的干燥块根。其标准应符合《内蒙古蒙药饮片炮制规范》2020年版第307页该品种项下有关规定。

人工麝香：应符合卫生部标准（试行）WS-210（Z-32）-93标准的有关规定。

【制法】

以上九味，除人工麝香外，其余诃子等八味，粉碎成细粉，混匀后，将人工麝香研细，与上述细粉配研，过筛，混匀，用水泛丸，低温干燥，打光，分装，即得。

【性状】

本品为黄棕色至深棕色的水丸；气香，味微酸、微甘、微苦、涩。

【鉴别】

本品为药材细粉制成的水丸。方中大多数药味的显微特征比较明显，故处方中诃子、红花、草乌建立显微鉴别，并对处方中的诃子、木香建立了薄层鉴别。

1. 试剂与试药

供试品：供试品（批号20191230、20191108、20191121）由内蒙古自治区国际蒙医医院提供，模拟样品（批号20200048）模拟。

对照品：木香对照药材（批号：120921-202010）、诃子对照药材（批号121015-201605），均购于中国食品药品检定研究院。

薄层板：硅胶G板，购于青岛海洋化工有限公司。

2. 试验方法与结果

（1）显微鉴别

诃子：石细胞类方形、类多角形或呈纤维状，壁厚，孔沟细密。红花：花粉粒类圆形，椭圆形或橄榄形，直径约至60μm，具3个萌发孔，外壁有齿状突起。草乌：石细胞无色，与后生皮层细胞连接的显棕色，成类方形、类圆形、梭形或长条形，壁厚薄不一，壁厚者层文明显，纹孔细，有的含棕色物。

（2）诃子薄层鉴别

参照《中国药典》2020年版一部"诃子"项下的薄层条件，制定出正文所述的鉴别方法。通过阴性对照试验观察，方中其他药材对诃子的检出有干扰，因此诃子的薄层未列入正文。

（3）木香薄层鉴别

参照《中国药典》2020年版一部"木香"项下的薄层条件，制定出正文所述的鉴别方法。通过阴性对照试验观察，方中其他药材对木香的检出无干扰，证明此法具有专属性。

【检查】

按照丸剂（《中国药典》2020年版四部通则0108）项下的规定，对三批供试品及模拟样品的水分、重量差异、溶散时限、重金属、砷盐和微生物限度进行了检查。具体方法及测定数据如下：

1. 水分：取供试品照水分测定法（《中国药典》2020年版四部通则0832）测定，三批供试品及模拟样品测定结果见表1。

表1　水分测定结果

序号	批号	水分（%）
1	20191230	5.3
2	20191108	5.4
3	20191121	5.5
4	20200048	5.4

药典规定丸剂水分含量不得大于9.0%。从表1数据可见，三批供试品和模拟样品的水分含量均符合要求。

2. 重量差异：取以上三批供试品，每批供试品取10份，10丸为1份，分别称定重量，再与每份标示重量（2g）相比较，求每一份的重量差异（%）。药典规定每份标示装量的限度为±8%，并规定超出重量差异限度的不得多于2份，并不得有1份超出限度1倍。本品的重量差异检查结果均符合规定。

3. 溶散时限：取本品照片剂项下崩解时限检查法（《中国药典》2020年版四部通则0921）加挡板进行测定。三批供试品测定结果见表2。

表2　溶散时限测定结果

序号	批号	溶散时间（min）
1	20191230	30
2	20191108	25
3	20191121	27

药典规定水丸应在1小时内全部溶散。从表2数据可见，本品的溶散时限符合规定。

4. 对三批供试品及模拟样品进行了重金属、砷盐考察，方法与结果如下：

重金属：分别取每个批号供试品0.5g、0.67g、1.0g、2.0g，按《中国药典》2020年版四部0821第二法检查。

供试品溶液的制备：取本品0.5g、0.67g、1.0g、2.0g，分别缓缓炽灼至完全炭化，放冷，加硫酸0.5ml，使湿润，低温加热至硫酸除尽后，加硝酸0.5ml，蒸干，至氧化氮蒸气除尽后，放冷，于600℃炽灼至完全灰化，放冷。加盐酸2ml，置水浴上蒸干后加水15ml，滴加氨试液至对酚酞指示液显中性，再加醋酸盐缓冲液（pH3.5）2ml，微热溶解

后, 移置纳氏比色管中, 加水稀释至25ml, 作为供试品溶液。

标准铅对照溶液的制备: 另取配制供试品溶液的试剂两份, 分别置瓷皿中蒸干后, 加醋酸盐缓冲液 (pH3.5) 2ml, 加水15 ml微热溶解后, 移置两支纳氏比色管中, 分别加标准铅溶液 (10μg/ml Pb) 2ml, 再加水稀释至25ml, 作为标准铅对照溶液。

检视: 于上述供试品溶液和标准铅对照溶液中分别加硫代乙酰胺试液各2ml, 摇匀, 放置2分钟, 同置白色背景上, 从上向下进行观察。试验结果见表3。

表3 重金属检查结果

序号	批号	重金属含量 (ppm)			
1	20191230	<10	<20	<30	<40
2	20191108	<10	<20	<30	<40
3	20191121	<10	<20	<30	<40
4	20200048	<10	<20	<30	<40

从表3数据可见, 供试品溶液的颜色明显浅于2ml的标准铅对照管。经过三批供试品及模拟样品的检查, 含重金属均未超过百万分之十, 故未收入正文。

砷盐: 取本品1g和标准砷溶液 (1μg/ml AS) 2ml, 分别加无砷氢氧化钙1g, 加少量水, 搅匀, 烘干, 用小火缓缓炽灼至炭化, 再在600℃炽灼至完全灰化, 放冷。分别加盐酸7ml使溶解, 再加水21ml, 按《中国药典》2020年版四部通则0822第一法 (古蔡氏法) 做砷盐限量检查。

结果: 供试品砷斑浅于标准砷斑的颜色, 表明本品含砷量未超过百万分之二 (小于2ppm), 故砷盐检查项目未列入正文。

5. 微生物限度: 照微生物计数法 (《中国药典》2020年版四部通则1105) 和控制菌检查法 (《中国药典》2020年版四部通则1106) 及《内蒙古蒙药制剂规范》(第三册) 附录Ⅲ微生物限度标准, 进行检查。结果均符合规定。

【含量测定】

脑日冲-9丸是由诃子、红花、齿叶草、木香、没药、甘松、诃子汤泡草乌、石菖蒲、人工麝香等九味药组成的复方制剂, 红花为处方中主要药味之一。参照《中国药典》2020年版一部"红花"项下的含量测定方法, 以羟基红花黄色素A对照品作为指标成分, 进行含量测定方法研究, 经分析方法验证, 该方法重复性好, 专属性强, 方法中其他成分对羟基红花黄色素A对照品的测定无干扰。

1 仪器与试剂试药

1.1 仪器

岛津LC-2014一体机, Labsolution色谱工作站; Sartorius BT25S型电子天平, Sartorius BSA223S型电子天平, Sartorius BSA224S型电子天平, MSA6.6S-OCE-DM型百万分之一电子天平。

1.2 试剂与试药

供试品 (批号20191230、20191108、20191121) 由内蒙古自治区国际蒙医医院提供, 模拟样品 (批号20200048) 模拟; 羟基红花黄色素A对照品 (批号111637-201609), 购于中国食品药品鉴定研究院; 甲醇、乙腈为色谱纯, 水为高纯水, 其他试剂均为分析纯。

2 方法学考察

2.1 色谱条件

2.1.1 色谱柱: 参照《中国药典》2020年版一部"红花"药材项下含量测定方法, 色谱柱填充剂为十八烷基硅烷键合硅胶, 本试验研究采用岛津C$_{18}$柱 (4.6mm×250mm)。

2.1.2 流动相的选择：参照《中国药典》2020年版一部"红花"药材项下含量测定方法,以甲醇-乙腈-0.1%磷酸溶液（26∶2∶72）为流动相。

2.1.3 柱温：采用35℃柱温,可减小流动相黏度,降低柱压并改善分离效果。

2.1.4 检测波长的选择：参照《中国药典》2020年版一部"红花"药材项下含量测定方法,选择403nm作为检测波长。

2.1.5 理论板数的确定：经对三批供试品测定的结果可见,羟基红花黄色素A对照品的理论板数在5000以上时均能达到较好的分离效果,结合《中国药典》2020年版一部"红花"药材项下含量测定项下的规定,故确定理论板数按羟基红花黄色素A对照品峰计不得低于3000。

2.2 提取方法的选择及提取效率的考察

2.2.1 提取溶剂的选择

参照《中国药典》2020年版一部"红花"项下的羟基红花黄色素A对照品含量测定项下的方法,以甲醇作提取溶剂。

2.2.2 提取效率的考察

以25%甲醇作提取溶剂进行超声处理,为了保证被测成分提取完全,试验中考察了10分钟、20分钟、30分钟、40分钟、50分钟、60分钟等不同超声时间对提取效率的影响,结果见表4。

表4 提取效率的考察表

序号	超声时间（分钟）	羟基红花黄色素A（mg/g）
1	10	2.483
2	20	3.069
3	30	3.126
4	40	3.208
5	50	3.193
6	60	3.162

从表4数据可见,超声提取40分钟羟基红花黄色素A的含量基本不再增加,故确定超声时间为40分钟。

2.3 专属性考察

2.3.1 供试品溶液的制备：取本品粉末（过三号筛）约2.0g,精密称定,置具塞锥形瓶中,精密加入25%甲醇50ml,称定重量,超声处理（功率300W,频率50kHz）40分钟,取出,放冷,再称定重量,用25%甲醇补足减失的重量,摇匀,滤过,取续滤液,作为供试品溶液。

2.3.2 对照品溶液的制备：取羟基红花黄色素A对照品适量,精密称定,加25%甲醇制成每1ml含0.13mg的溶液,作为对照品溶液。

2.3.3 阴性对照试验：按上述方法制备供试品溶液和对照品溶液。另取按处方比例并以相同工艺制备的缺红花的阴性对照,按供试品溶液制备法制得阴性对照溶液。

2.3.4 测定：分别精密吸取以上三种溶液各10μl,注入色谱仪,记录各自的色谱图。

试验结果显示：供试品色谱中在与对照品色谱保留时间相同的位置上有色谱峰出现,而阴性对照在与对照品色谱保留时间相同的位置上无色谱峰出现,表明该含量测定方法阴性无干扰,专属性好。

2.4 线性关系考察

精密称取羟基红花黄色素A对照品3.289mg,置25ml量瓶中,加25%甲醇使溶解,并稀释至刻度,摇匀,即得。（羟基红花黄色素A对照品 0.122482mg/ml）分别取1μl、2μl、5μl、10μl、20μl、30μl进样,按上述色谱条件测定,以峰面积对进样量进行回归分析。结果见表5。

表5 标准曲线数据及回归分析结果

对照品量（μl）	峰面积值	回归方程	r
1	5.275		
2	10.956		
5	27.17	$y=5.4988x+0.389$	0.9999
10	55.382		
20	110.408		
30	165.4929		

从表5数据可见，羟基红花黄色素A对照品在122.482~3674.471ng/ml范围内与峰面积值呈良好的线性关系。

2.5 稳定性试验

取同一份供试品（批号20191230）溶液，分别在溶液制备后的0小时、2小时、4小时、6小时、8小时、10小时、12小时进行测定，结果见表6。

表6 不同时间测定样品中羟基红花黄色素A的峰面积值

序号	时间（h）	峰面积值	RSD（%）
1	0	60.01	
2	2	60.1001	
3	4	60.0932	
4	6	60.0564	0.058
5	8	60.0213	
6	10	60.0798	
7	12	60.0423	

从表6数据可见，羟基红花黄色素A在12小时内的峰面积值基本稳定。

2.6 重复性试验

取同一批号供试品（批号 20191230）6份，各取约2.0g，置具塞锥形瓶中，精密加入25%甲醇50ml，称定重量，超声处理（功率300W，频率50kHz）40分钟，取出，放冷，再称定重量，用25%甲醇补足减失的重量，摇匀，滤过，取续滤液，作为供试品溶液。另取羟基红花黄色素A对照品适量，精密称定，加25%甲醇制成每1ml含0.13mg的溶液，作为对照品溶液。分别精密吸取以上两种溶液各10μl，注入液相色谱仪，记录各自的色谱图，用外标法以峰面积计算含量。结果见表7。

表7 重复性试验结果

取样量（g）	峰面积值（n=2）	含量（mg/g）	平均含量（mg/g）	RSD（%）
2.008	60.05535	3.3171		
2.0065	60.24375	3.33		
2.0083	61.36195	3.3888	3.3478	0.90
2.0029	60.00395	3.3227		
2.0079	60.64085	3.3496		
2.0062	61.1142	3.3786		

从表7数据可见，在相同的提取溶剂和色谱条件下，6份供试品含量测定结果的均值为3.3478mg/g，RSD为0.90%，表明该方法的重复性良好。

2.7 加样回收试验

称取同一批号供试品（批号20191230，含量3.3478mg/g）6份，每份约2.0g，精密称定，分别置具塞锥形瓶中，分别依次加入羟基红花黄色素A对照品3.053mg、2.852mg、2.935mg、2.836mg、3.001mg、3.019mg，精密加入50ml 25%甲醇溶液摇匀，称定重量，按上述供试品溶液的制备方法操作，测定每份含量，计算回收率，结果见表8。

表8　加样回收试验结果

取样量（g）	供试品含量（mg）	对照品加入量（mg）	测得总量（mg）	回收率（%）	平均（%）	RSD（%）
1.0094	3.3792	3.053	6.4291	98.92		
1.0023	3.3555	2.852	6.1999	99.73		
1.0098	3.3806	2.935	6.2782	98.72	99.52	1.0
1.0019	3.3541	2.836	6.2286	101.35		
1.0032	3.3585	3.001	6.3490	99.65		
1.0023	3.3555	3.019	6.3367	98.75		

从表8数据可见，本方法的平均回收率为99.52%，RSD为1.0%。该方法准确度好。

2.8　耐用性试验

换不同厂家、不同型号的色谱柱，取三批供试品含量测定中的两批供试品及对照品溶液分别进样，测定含量。结果见表9。

表9　不同色谱柱的耐用试验

取样号	色谱柱型号	理论板数	含量（mg/g）	RSD（%）
20191230	岛津C$_{18}$	7979	3.3	0
20191230	Alltech C$_{18}$	5214	3.3	

从表9数据可见，不同型号或厂家的色谱柱对测定结果影响较小。

3　样品含量测定

三批样品及模拟样分别按重复性试验项下进行含量测定。测定结果见表10。

表10　样品中羟基红花黄色素A

批号	取样量（g）	测得峰面积值（n=2）	含量（mg/g）	平均含量（mg/g）
20191230	2.008	60.055	3.3171	3.323
	2.0065	60.243	3.33	
20191108	2.0119	59.708	3.291	3.271
	2.0053	58.785	3.251	
20191121	2.0093	58.040	3.203	3.261
	2.0186	60.397	3.318	
20200048	2.1523	55.7226	2.7549	2.7549

从表10数据可见，三批样品平均含量均在3.261mg/g以上，模拟样含量为2.7549mg/g。

4　红花药材的含量测定

取红花药材粉末（过三号筛），约0.4g，精密称定，按《中国药典》2020年一部"红花"项下的方法处理并测定。红花药材中羟基红花黄色素A的含量测定结果见表11。

表11　红花药材中羟基红花黄色素A的含量测定结果

取样量（g）	测得药材峰面积值		含量（mg/g）
0.4321	61.5266	61.6858	15.1910
	61.8450		

从表11数据可见,试验中采用同法对上述三批样品生产用红花药材进行了含量测定。结果红花药材中羟基红花黄色素A的含量为15.1910mg/g。

5 本制剂含量限度的确定

从表中数据可见,模拟样品含量为2.7549mg/g,花药材中羟基红花黄色素A的含量为15.1910mg/g。

按理论值折算,样品应含羟基红花黄色素A为$150 \div 816 \times 15.191 = 2.792$,即2.792mg/g。可见,羟基红花黄色素A转移率为2.7549(mg/g)$\div$2.792(mg/g)$\times 100\% = 98.67\%$。

参照《中国药典》2020年版一部"红花"药材的羟基红花黄色素A的含量限度不得少于1.0%,考虑不同产地药材的质量差异,并结合其他影响因素及三批样品的测定结果,按此限度折算本品含羟基红花黄色素A的理论量应不低于$150 \div 816 \times 1000 \times 1.0\% \times 98.67\% = 1.813$mg/g。

标准正文暂定为:本品每1g含红花以羟基红花黄色素A($C_{27}H_{32}O_{16}$)计,不得少于2.0mg。

【功能与主治】

清热,消黏,镇静,止痛。用于血热引起的头痛,协日引起的头痛,黏性头痛,目赤红肿,过敏性鼻炎。

【用法与用量】

口服。一次7~11粒,一日1次,温开水送服。

【注意】

孕妇忌用。

【规格】

每10丸重2g。

【贮藏】

密闭,防潮。

起草单位: 内蒙古自治区国际蒙医医院　　青　松　斯日古楞　那松巴乙拉

　　　　　鄂尔多斯市检验检测中心　　张　烨　李　珍　吕彩莲

高乐因·赫依–13丸质量标准起草说明

【历史沿革】

本方来源于《蒙医金匮》（内蒙古人民出版社 1978年版，蒙古文，第6页）。

【处方来源】

本制剂由内蒙古自治区国际蒙医医院提供。

【名称】

高乐因·赫依–13丸

【蒙药材和饮片的来源和执行标准】

1. 处方组成及药味排列顺序：槟榔60g、山沉香120g、肉豆蔻60g、丁香48g、木香36g、广枣60g、诃子汤泡草乌40g、干姜42g、荜茇42g、胡椒42g、紫硇砂30g、当归60g、赤爮子60g。

2. 处方中除了山沉香、诃子汤泡草乌、紫硇砂和赤爮子药材外，其余槟榔等药味均收载于《中国药典》2020年版一部，其质量应符合该品种项下的有关规定。

山沉香：为木犀科植物贺兰山丁香*Syringa pinnatifolia* Hemsl.var.*alashanensis* Ma.etS.Q.Zhou削去外皮的干燥枝。其标准应符合《中华人民共和国卫生部药品标准》（蒙药分册）1998 年版第4页该品种项下的有关规定。

诃子汤泡草乌：为毛茛科植物北乌头*Aconitum kusenzoffii* Reichb.的干燥块根。其标准应符合《内蒙古蒙药饮片炮制规范》2020年版第307页该品种项下有关规定。

紫硇砂：为卤化物类矿物紫色石盐的晶体。主含氯化钠（NaCl）。其标准应符合《内蒙古蒙药饮片炮制规范》2020年版第438 页该品种项下的有关规定。

赤爮子：为葫芦科植物赤爮*Thladiantha dubia* Bge.的干燥成熟果实。其标准应符合《中华人民共和国卫生部药品标准》（蒙药分册）1998 年版第17页该品种项下的有关规定。

【制法】

以上十三味，粉碎成细粉，过筛，混匀，用水泛丸，打光，干燥，分装，即得。

【性状】

本品为口服制剂水丸，性状为浅黄色至黄棕色；气香，味辛、涩。

【鉴别】

本品为原药材细粉制成的水丸，方中肉豆蔻、丁香、木香、广枣的显微特征较明显，故建立显微鉴别，并对处方中当归建立了薄层鉴别。

1. 试剂与试药

供试品：供试品（批号1909018、1909019、1909020）由国际蒙医医院提供，模拟样品（批号2019101）模拟。

对照品：当归对照药材（批号120927–201617），购于中国食品药品检定研究院。

薄层板：硅胶G板，购于青岛海洋化工有限公司。

所用其他试剂均为分析纯，水为离子交换高纯水。

2.试验方法与结果

（1）显微鉴别

肉豆蔻：脂肪油滴众多,加水合氯醛试液加热后渐形成针簇状结晶；丁香：花粉粒极面观三角形,赤道面观双凸镜形,具三副合沟；木香：菊糖多见,表面现放射状纹理；广枣：果皮表皮细胞成片,表面观类圆形或类多角形,胞腔内颗粒状物。

（2）当归薄层鉴别

参照《中国药典》2020年版一部"当归"项下薄层条件,制定出正文所述的鉴别方法。通过阴性对照试验观察,方中其他药材对当归的检出无干扰,证明此方法具有专属性。

【检查】

按照丸剂（《中国药典》2020年版四部通则0108）项下的规定,对三批供试品及模拟样品的乌头碱限量、水分、重量差异、溶散时限、重金属、砷盐和微生物限度进行了检查。具体方法及测定数据如下：

1.乌头碱限量：本处方中含有草乌,因为草乌中含有的乌头碱、次乌头碱和新乌头碱等双酯类生物碱具有很高的毒性,同时,还有一定的药效,所以,需对该制剂中双酯型乌头碱的限量进行控制,故参照《中国药典》2020年版一部"附子"项下乌头碱等的TLC鉴别方法和"附子理中丸"项下乌头碱限量检查方法,设计出本制剂乌头碱的限量检查方法及限度,以控制质量,确保安全、有效。供试品溶液的制备方法参照"附子理中丸"和"附子"项下的方法,并结合本处方实际情况,用氨试液碱化、乙醚作溶剂提取后,浓缩,无水乙醇溶解,结果既保证了被测成分全部提净,又可排除其他成分对试验结果的干扰,还可以避免供试品中乌头碱、次乌头碱和新乌头碱等双酯类生物碱在制备供试品溶液中的水解问题。

限度检查称样量确定：诃子汤泡草乌占处方量=20g÷350g×100%=5.71%；取供试品44g相当于取诃子汤泡草乌2.51g。

供试品溶液的制备：取本品44g,置锥形瓶中,加氨试液20ml,拌匀,密塞,放置2小时,加乙醚100ml,振摇1小时,放置24小时,滤过,滤渣用乙醚洗涤2次,每次15ml,合并乙醚液,低温蒸干,残渣用无水乙醇溶解使成1ml,作为供试品溶液。

对照品溶液的制备：取乌头碱对照品适量,精密称定,加无水乙醇制成每1ml含1.0mg的溶液,作为对照品溶液。

点样：照薄层色谱法（《中国药典》2020年版四部通则0502）试验,精密吸取供试品溶液12μl、对照品溶液5μl,分别点于同一硅胶G薄层板上,以正己烷-乙酸乙酯-甲醇（6.4:3.6:1）为展开剂,置用浓氨试液预饱和20分钟的展开缸中,展开,取出,晾干。

显色：喷以稀碘化铋钾试液。

结果：供试品色谱中,在与对照品色谱相应的位置上出现的斑点应小于对照品的斑点,或不出现斑点（乌头碱小于20ppm）。

2.水分：取供试品照水分测定法（《中国药典》2020年版四部通则0832）测定,三批供试品及模拟样品测定结果见表1。

表1　水分测定结果

序号	批号	水分（%）
1	1909018	6.49
2	1909019	6.37
3	1909020	6.42
4	2019101	6.71

药典规定丸剂水分含量不得大于9.0%。从表1数据可见,本品的水分含量均符合要求。

3. 重量差异:取以上三批供试品,每批供试品取10份,10丸为1份,分别称定重量,再与每份标示重量(2g)相比较,求每一份的重量差异(%)。药典规定每份标示装量的限度为±8%,并规定超出重量差异限度的不得多于2份,并不得有1份超出限度1倍。本品的重量差异检查结果均符合规定。

4. 溶散时限:取本品照崩解时限检查法(《中国药典》2020年版四部通则0921)片剂项下加挡板进行测定。三批供试品测定结果见表2。

表2　溶散时限测定结果

序号	批号	溶散时间(min)
1	1909018	41
2	1909019	45
3	1909020	40

药典规定水丸应在1小时内全部溶散。表2的结果显示,本品的溶散时限符合规定。

5. 对三批供试品及模拟样品进行了重金属、砷盐考察,方法与结果如下:

重金属:分别取每个批号样品0.5g、0.67g、1.0g、2.0g,按《中国药典》2020年版四部0821第二法检查。

供试品溶液的制备:取本品0.5g、0.67g、1.0g、2.0g,分别缓缓炽灼至完全炭化,放冷,加硫酸0.5ml,使湿润,低温加热至硫酸除尽后,加硝酸0.5ml,蒸干,至氧化氮蒸气除尽后,放冷,于600℃炽灼至完全灰化,放冷。加盐酸2ml,置水浴上蒸干后加水15ml,滴加氨试液至对酚酞指示液显中性,再加醋酸盐缓冲液(pH3.5)2ml,微热溶解后,移置纳氏比色管中,加水稀释至25ml,作为供试品溶液。

标准铅对照管的制备:另取配制供试品溶液的试剂两份,分别置瓷皿中蒸干后,加醋酸盐缓冲液(pH3.5)2ml,加水15 ml微热溶解后,移至两支纳氏比色管中,分别加标准铅溶液(10μg/ml Pb)2ml,再加水稀释至25ml,作为标准铅对照管。

检视:于上述供试品溶液和标准铅对照管中分别加硫代乙酰胺试液各2ml,摇匀,放置2分钟,同置白色背景上,从上向下进行观察。试验结果见表3。

表3　重金属检查结果

序号	批号	重金属含量(ppm)			
1	1909018	<10	<20	<30	<40
2	1909019	<10	<20	<30	<40
3	1909020	<10	<20	<30	<40
4	2019101	<10	<20	<30	<40

结果显示,供试品溶液的颜色明显浅于2ml的标准铅对照溶液。经过三批供试品及模拟样品的检查,含重金属均未超过百万分之十,故未列入正文。

砷盐:取本品1g和标准砷溶液(1μg/ml AS)2ml,分别加无砷氢氧化钙1g,加少量水,搅匀,烘干,用小火缓缓炽灼至炭化,再在600℃炽灼至完全灰化,放冷。分别加盐酸7ml使溶解,再加水21ml,按《中国药典》2020年版四部通则0822第一法(古蔡氏法)检查砷盐含量。

结果:供试品砷斑浅于标准砷斑的颜色,表明本品含砷量未超过百万分之二(小于2ppm)。故砷盐检查项目未列入正文。

微生物限度:照微生物计数法(《中国药典》2020年版四部通则1105)和控制菌检查法(《中国药典》2020年版四部通则1106)及《内蒙古蒙药制剂规范》(第三册)附录Ⅲ微生物限度标准,进行检查。结果均符合规定。

【含量测定】

高乐因·赫依-13丸是由槟榔、山沉香、肉豆蔻、丁香、木香等十三味药组成的复方制剂。临床用于赫依性刺痛,尤其命脉赫依症,心颤、癫狂、失眠等诸赫依症。方中木香具有行气止痛,健脾消食的功效。用于胸胁、脘腹胀痛,泻痢后重,食积不消,不思饮食。木香的主要活性成分为倍半萜内酯类化合物木香烃内酯和去氢木香内酯。参照《中国药典》2020年版一部"木香"项下的含量测定方法,选择木香烃内酯作为指标成分,对本制剂中的木香进行了HPLC含量测定方法研究。经分析方法验证,表明该方法重复性好,专属性强,方中其他组分对木香烃内酯的测定无干扰。

1　仪器与试剂试药

1.1　仪器

Waters e2695型高效液相色谱仪,Mettler-Toledo MS105DU型百万分之一电子天平,Mettler-Toledo XPR10型万分之一电子天平,SBL-22DT型超声波清洗器(宁波新芝生物科技股份有限公司,40kHz),Heal Force NW15UV型超纯水系统,FW400A型多功能粉碎机(材茂科技有限公司)。

1.2　试剂与试药

供试品(批号1909018、1909019、1909020)由国际蒙医医院提供,模拟样品(批号2019101)模拟;木香烃内酯对照品(批号111524-201809),购于中国食品药品检定研究院;甲醇为色谱纯,水为超纯水,其他试剂均为分析纯。

2　方法学考察

2.1　色谱条件

2.1.1　色谱柱:色谱柱填充剂为十八烷基硅烷键合硅胶,本试验采用Tnature C$_{18}$(250mm×4.6mm,5μm)色谱柱。

2.1.2　流动相的选择:参照《中国药典》2020年版一部"木香"含量测定项下的测定方法,以甲醇-水(65:35)为流动相,供试品中的木香烃内酯与其他成分能达到较好的分离,色谱峰具有比较好的保留时间、分离度和对称性。故选择以甲醇-水(65:35)为流动相。

2.1.3　柱温:30℃可以保证柱压较低,分离效果稳定,保留时间变化小。

2.1.4　检测波长的选择:参照《中国药典》2020年版一部"木香"含量测定项下木香烃内酯的测定方法,选用225nm处作为检测波长。

2.1.5　理论板数的确定:从对三批供试品的测定结果可见,木香烃内酯峰理论板数在3000以上即能达到较好的分离效果,故规定理论板数按木香烃内酯峰计算应不低于3000。

2.2　提取溶剂及提取效率的考察

参考《中国药典》2020年版一部"木香"含量测定项下的方法,以甲醇作为提取溶剂进行超声提取,为保证被测成分提取完全,在供试品的细度一致、提取溶剂确定、超声(功率250W,频率40kHz)的条件下,试验中考察了20分钟、30分钟和40分钟等不同提取时间对提取效率的影响。结果见表4。

表4　木香烃内酯提取时间考察

提取时间(min)	称样量(g)	平均峰面积值	含量(mg/g)
20	3.0005	1215494	0.45
30	3.0012	1234633	0.46
40	3.0041	1226513	0.45

从表4数据可见,超声提取30分钟供试品中木香烃内酯的含量较高,故将提取时间定为30分钟,与《中国药

典》2020年版一部"木香"含量测定项下的提取时间一致。

2.3 专属性考察

2.3.1 对照品溶液的制备：取木香烃内酯对照品适量，精密称定，加甲醇制成每1ml含100μg的溶液，作为对照品溶液。

2.3.2 供试品溶液的制备：取本品适量，研细，取约3.0g，精密称定，置具塞锥形瓶中，精密加入甲醇25ml，密塞，称定重量，超声处理（功率250W，频率40kHz）30分钟，放冷，再称定重量，用甲醇补足减失的重量，摇匀，滤过，取续滤液，作为供试品溶液。

2.3.3 阴性对照溶液的制备：按本品处方工艺制备不含木香的阴性样品，取约3.0g，精密称定，从"置具塞锥形瓶中……"起操作同"供试品溶液的制备"，取续滤液，作为阴性对照溶液。

2.3.4 测定：分别精密吸取上述三种溶液各10μl，注入液相色谱仪，记录色谱图。

试验结果显示，供试品色谱中在与对照品色谱保留时间相同的位置上有色谱峰出现，而阴性对照在与对照品色谱保留时间相同的位置上无色谱峰出现，表明共存组分对处方中木香烃内酯的测定无干扰。

2.4 线性关系考察

取木香烃内酯对照品约2.5mg，精密称定，置25ml量瓶中，加甲醇使溶解，并稀释至刻度，摇匀，作为对照品溶液（木香烃内酯实际浓度为0.112mg/ml）。分别精密吸取上述对照品溶液1μl、2μl、5μl、10μl、15μl、20μl、25μl注入液相色谱仪，按上述色谱条件进行测定，以峰面积对对照品进样量进行回归分析。结果见表5。

表5　标准曲线数据及回归分析结果

序号	进样量（μg）	峰面积值	回归方程	r
1	0.112	101201		
2	0.224	413072		
3	0.560	1332204		
4	1.12	2846143	$y=2734544x-205527$	1.0000
5	1.68	4377046		
6	2.24	5920193		
7	2.80	7460426		

从表5数据可见，木香烃内酯在0.112~2.80μg/ml范围内与峰面积呈良好的线性关系。

2.5 精密度试验

取同一供试品（批号1909018）溶液，连续进样6针，记录色谱图。木香烃内酯峰面积的精密度计算结果见表6。

表6　木香烃内酯精密度试验结果

序号	峰面积值	平均值	RSD（%）
1	1206527		
2	1208679		
3	1204681	1209612	0.31
4	1211703		
5	1214904		
6	1211175		

从表6数据可见，符合《中国药典》2020年版四部通则0512中规定的RSD值小于2.0%的要求。

2.6 稳定性试验

取同一供试品（批号1909018），分别在溶液制备后的0小时、2小时、4小时、6小时、8小时、10小时、12小时进行测定。结果见表7。

表7 溶液的稳定性试验结果

序号	时间（h）	峰面积值	RSD（%）
1	0	1235438	
2	2	1213457	
3	4	1220654	
4	6	1205356	0.84
5	8	1224079	
6	10	1215438	
7	12	1213457	

从表7数据可见，木香烃内酯在12小时内峰面积值基本稳定。

2.7 重复性试验

取同一供试品（批号1909018）6份，各约3.0g，精密称定，置具塞锥形瓶中，精密加入甲醇25ml，密塞，称定重量，超声处理（功率250W，频率40kHz）30分钟，放冷，再称定重量，用甲醇补足减失的重量，摇匀，滤过，取续滤液，作为供试品溶液。取木香烃内酯对照品适量，精密称定，加甲醇制成每1ml含100μg的溶液，作为对照品溶液。分别精密吸取以上两种溶液各10μl，注入液相色谱仪，记录各自的色谱图，用外标法以峰面积计算含量。结果见表8。

表8 木香烃内酯重复性试验结果

称样量（g）	峰面积值	含量（mg/g）	平均含量（mg/g）	RSD（%）
3.0028	1202575	0.43		
3.0031	1223734	0.44		
3.0055	1207807	0.43	0.43	0.70
3.0015	1207657	0.43		
3.0009	1218171	0.44		
3.0033	1219597	0.44		

从表8数据可见，在相同的细度、提取溶剂和色谱条件下，6份供试品含量测定结果的均值为0.43mg/g，RSD为0.70%，表明该方法的重复性好。

2.8 加样回收试验

取已知含量（批号1909018，木香烃内酯含量为0.43mg/g）的供试品9份，各约1.5g，精密称定，分别置9个具塞锥形瓶中，分别在其中3个具塞锥形瓶中精密加入木香烃内酯对照品溶液（浓度为0.3219mg/ml）1ml（约相当于供试品含有量的50%）及甲醇24ml，另3个具塞锥形瓶中各精密加入上述对照品溶液2ml（约相当于供试品含有量的100%）及甲醇23ml，其余3个具塞锥形瓶中各精密加入上述对照品溶液3ml（约相当于供试品含有量的150%）及甲醇22ml，分别称定重量，超声处理30分钟，取出，再称重，用甲醇补足减失重量，摇匀，滤过，取续滤液，作为供试液。分别精密吸取各溶液10μl进样测定，按外标法以峰面积计算含量并计算回收率。结果见表9。

表9 加样回收试验结果

称样量（g）	供试品含量（mg）	对照品加入量（mg）	测得总量（mg）	回收率（%）	平均回收率（%）	RSD（%）
1.5005	0.6452	0.3219	0.9710	101.2		
1.5009	0.6454	0.3219	0.9786	103.5		
1.5001	0.6450	0.3219	0.9731	101.9	102.0	1.59
1.5003	0.6451	0.6438	1.2876	99.8		
1.5008	0.6453	0.6438	1.2872	99.7		

续表

称样量（g）	供试品含量（mg）	对照品加入量（mg）	测得总量（mg）	回收率（%）	平均回收率（%）	RSD（%）
1.5007	0.6453	0.6438	1.2968	101.2		
1.5008	0.6453	0.9657	1.6506	104.1	102.0	1.59
1.5005	0.6452	0.9657	1.6447	103.5		
1.5002	0.6451	0.9657	1.6378	102.8		

表9的结果显示，本方法的平均回收率为102.0%，RSD为1.59%。该方法准确度好。

2.9 耐用性试验

取供试品（批号1909018）2份，各约3.0g，精密称定，按重复性试验项下的方法处理，换不同厂家、不同型号的色谱柱，分别测定供试品的含量。结果见表10。

表10 色谱柱耐用性试验

序号	称样量（g）	柱型号	峰面积值	含量（mg/g）
1	3.0049	Tnature C$_{18}$柱	1211620	0.44
		phenomenex C$_{18}$柱	1217706	0.45
2	3.0097	Tnature C$_{18}$柱	1237291	0.46
		phenomenex C$_{18}$柱	1226583	0.45

从表10数据可见，在使用不同型号或厂家的色谱柱时，对测定结果影响较小。

3 样品含量测定

取三批样品（批号1909018、1909019、1909020）及模拟样品（批号2019101），每批各2份，各约3.0g，精密称定，按重复性试验项下的方法处理并测定含量。含量测定结果见表11。

表11 样品中木香烃内酯的含量测定结果

批号	称样量（g）	峰面积平均值	含量（mg/g）	平均含量（mg/g）
1909018	3.0015	1200556	0.44	0.45
	3.0022	1210193	0.45	
1909019	3.0008	1227009	0.45	0.46
	3.0034	1231970	0.46	
1909020	3.0054	1218359	0.45	0.45
	3.0089	1231799	0.46	
2019101	3.0061	1309718	0.48	0.49
	3.0027	1312887	0.49	

从表11数据可见，三批样品和模拟样品中木香烃内酯的平均含量最低为0.45mg/g，最高为0.49mg/g。

4 木香药材含量测定

采用同法对上述三批样品生产用木香药材进行了含量测定。测定结果见表12。

表12 木香药材中木香烃内酯的含量测定结果

序号	称样量（g）	测得峰面积值	峰面积平均值	含量（mg/g）	平均含量（mg/g）
1	0.1534	1748394 1744245	1746320	11.12	
2	0.1518	1761869 1759945	1760907	11.34	11.16
3	0.1530	1722765 1727796	1725281	11.02	

从表12数据可见，木香药材中木香烃内酯的平均含量为11.16mg/g（1.1%）。根据本品处方量折算，理论上每1g供试品含木香药材0.0514g，木香烃内酯的含量=0.0514g×1000×1.1%=0.5654mg，即0.57mg/g。因此，转移率为0.49（mg/g）/0.57（mg/g）×100%= 85.96%。

5 本制剂含量限度的确定

从表中数据可见，三批样品中木香烃内酯的含量最低为0.45mg/g，木香药材中木香烃内酯含量为11.16mg/g（1.1%），模拟样品中木香烃内酯的含量为0.49 mg/g。

按理论值折算，样品应含木香烃内酯为：11.16mg/g×18÷350=0.5739mg/g，可见，木香烃内酯的转移率为0.49÷0.5739×100%=85.38%。

参照《中国药典》2020年版一部"木香"药材项下规定的木香烃内酯含量限度不得少于0.9%，转移率为85.38%，虑到不同产地药材的质量差异，并结合其他影响因素及三批样品的测定结果，下浮35%，按此折算本品木香烃内酯的理论含量不低于18÷350×1000×0.9%×85.38%×65%=0.256mg/g。

标准正文暂定为：本品每1g含木香以木香烃内酯（$C_{15}H_{20}O_2$）计，不得少于0.25mg。

【功能与主治】

镇赫依，止刺痛。用于赫依性刺痛，尤其命脉赫依症，心颤、癫狂、失眠等诸赫依症。

【用法与用量】

口服。一次9～13丸，一日1次，温开水送服。

【注意事项】

孕妇忌服，年老体弱者慎用。

【规格】

每10丸重2g。

【贮藏】

密封，防潮。

起草单位：内蒙古盛唐国际蒙医药研究院　　张跃祥　崔圆圆　孙丽君

鄂尔多斯市检验检测中心　　孟美英　吕彩莲　陈羽涵

内蒙古自治区药品检验研究院　　籍学伟　郭宝凤

陶德哈其-25丸质量标准起草说明

【历史沿革】

本方来源于《蒙医金匮》(内蒙古人民出版社1977年版,蒙古文,第528页)。

【处方来源】

本制剂由内蒙古自治区国际蒙医医院提供。

【名称】

陶德哈其-25丸

【蒙药材和饮片的来源和执行标准】

1. 处方组成及药味排列顺序:枸杞子120g、红参90g、玉竹120g、五味子120g、茺蔚子120g、菟丝子120g、麦冬120g、煅石决明120g、炒蒺藜120g、决明子90g、土茯苓90g、青葙子90g、车前子90g、密蒙花90g、川楝子90g、茜草90g、牛膝90g、野菊花90g、当归90g、红花60g、羚羊角30g、三七18g、炒珍珠18g、人工牛黄10g、人工麝香2g。

2. 处方中除了人工麝香药材外,其余五味子等药味均收载于《中国药典》2020年版一部,其质量应符合该品种项下的有关规定。

人工麝香:应符合卫生部标准(试行)WS-210(Z-32)-93标准的有关规定。

【制法】

以上二十五味,除红参、羚羊角、人工牛黄、炒珍珠、人工麝香外,其余决明子等二十味,粉碎成细粉,将红参、羚羊角、炒珍珠分别研细,与人工牛黄、人工麝香和上述细粉配研,过筛,混匀,用水泛丸,打光,干燥,分装,即得。

【性状】

本品为黄棕色至棕色的水丸;气微香,味苦、涩。

【鉴别】

本品为药材粉末制成的水丸,方中大多数药味的显微特征都比较明显,故对处方中红花、青葙子、川楝子和五味子建立显微鉴别,并对处方中红参、三七和五味子建立了薄层鉴别。

1. 试剂与试药

供试品:供试品(批号20190611、20191008、20200225)由内蒙古自治区国际蒙医医院提供,模拟样品(批号20200069)模拟。

对照品:人参皂苷Rg1对照品(批号110703-201832)、人参皂苷Rb1对照品(批号110704-201827)、五味子对照药材(批号120922-201610),均购于中国食品药品检定研究院。

薄层板:硅胶G板,购于青岛海洋化工有限公司。

所用其他试剂均为分析纯,水为离子交换高纯水。

2. 试验方法与结果

(1)显微鉴别

红花：花粉粒类圆形、椭圆形或橄榄形，具3个萌发孔，外壁有齿状凸起。川楝子：种皮外表皮细胞碎片暗棕红色，表面观多角形至长多角形，外平周壁有网状增厚纹理。五味子：种皮石细胞淡黄色，表面观多角形或长多角形，多碎断，壁深波状弯曲。青葙子：种皮外表皮细胞碎片暗棕红色，表面观多角形至长多角形，直径约至30μm，外平周壁有网状增厚纹理。

（2）红参和三七薄层鉴别

参照《中国药典》2020年版一部"红参"项下的薄层条件，制定出正文所述的鉴别方法。通过阴性对照试验观察，方中其他药材对红参和三七的检出无干扰，此法具专属性。

（3）五味子薄层鉴别

参照《中国药典》2020年版一部"五味子"项下的薄层条件，制定出正文所述的鉴别方法。通过阴性对照试验观察，方中其他药材对五味子的检出无干扰，此法具专属性。

【检查】

按照丸剂（《中国药典》2020年版四部通则0108）项下的规定，对本品三批供试品的水分、溶散时限、重金属及砷盐进行了检查，具体方法及测定数据如下：

1. 水分：取供试品照水分测定法（《中国药典》2020年版四部通则0832第二法）测定，三批供试品及模拟样品测得结果如表1。

表1　水分测定结果

序　号	批　号	水分（%）
1	20190611	5.01
2	20191008	5.03
3	20200225	5.10
4	20200069	5.10

药典规定水丸水分含量不得大于9.0%，从表1数据可见，本品水分含量符合要求。

2. 重量差异：取以上三批供试品，每批供试品取10份，10丸为1份，分别称定重量，再与每份标示重量（2g）相比较，求每一份的重量差异（%）。药典规定每份标示装量的限度为±8%，并规定超出重量差异限度的不得多于2份，并不得有1份超出限度1倍。本品的重量差异检查结果均符合规定。

3. 对三批供试品及模拟样品进行了重金属、砷盐考察，方法与结果如下：

重金属：分别取每个批号供试品0.5g、0.67g、1.0g、2.0g，按《中国药典》2020年版四部0821第二法检查。

供试品溶液的制备：取本品0.5g、0.67g、1.0g、2.0g，分别缓缓炽灼至完全炭化，放冷，加硫酸0.5ml，使湿润，低温加热至硫酸除尽后，加硝酸0.5ml，蒸干，至氧化氮蒸气除尽后，放冷，于600℃炽灼至完全灰化，放冷。加盐酸2ml，置水浴上蒸干后加水15ml，滴加氨试液至对酚酞指示液显中性，再加醋酸盐缓冲液（pH3.5）2ml，微热溶解后，移置纳氏比色管中，加水稀释至25ml，作为供试品溶液。

标准铅对照溶液的制备：另取配制供试品溶液的试剂两份，分别置瓷皿中蒸干后，加醋酸盐缓冲液（pH3.5）2ml，加水15 ml微热溶解后，移置两支纳氏比色管中，分别加标准铅溶液（10μg/ml Pb）2ml，再加水稀释至25ml，作为标准铅对照溶液。

检视：于上述供试品溶液和标准铅对照溶液中分别加硫代乙酰胺试液各2ml，摇匀，放置2分钟，同置白色背景上，从上向下进行观察。试验结果见表2。

表2 重金属检查结果

序号	批号	重金属含量（ppm）			
1	20190611	<10	<20	<30	<40
2	20191008	<10	<20	<30	<40
3	20200225	<10	<20	<30	<40
4	20200069	<10	<20	<30	<40

结果显示，供试品溶液的颜色明显浅于2ml的标准铅对照管。经过三批供试品及模拟样品的检查，含重金属均未超过百万分之十，故未收入正文。

砷盐：取本品1g和标准砷溶液（1μg/ml AS）2ml，分别加无砷氢氧化钙1g，加少量水，搅匀，烘干，用小火缓缓炽灼至炭化，再在600℃炽灼至完全灰化，放冷。分别加盐酸7ml使溶解，再加水21ml，按《中国药典》2020年版四部通则0822第一法（古蔡氏法）做砷盐限量检查。

结果：供试品砷斑浅于标准砷斑的颜色，表明本品含砷量未超过百万分之二（小于2ppm），故砷盐检查项目未列入正文。

【含量测定】

陶德哈其-25丸是由枸杞子、红参、玉竹、五味子、茜草等二十五味药组成的复方水丸剂。茜草为处方中主要药味，其主要成分为大叶茜草素。曾参照《中国药典》2020年版一部"茜草"项下的含量测定方法，选择大叶茜草素作为指标成分，对本制剂中的茜草进行了HPLC含量测定方法研究，供试品中大叶茜草素含量不稳定；经参考文献，改变流动相及其比例和流速，经分析方法验证，表明该方法操作简单，重复性好，专属性强，方中其他组分对大叶茜草素的测定无干扰。

1　仪器与试剂试药

1.1　仪器

岛津LC-10ATvp泵，SCL-10Avp型控制器，SPA-10Avp型检测器，CLASS-VP色谱工作站；岛津UV-1700型紫外分光光度仪；赛多利斯BP211D型电子天平。

1.2　试剂与试药

供试品（批号20190611、20191008、20200225）由内蒙古自治区国际蒙医医院提供，模拟样品（批号20200069）模拟；大叶茜草素对照品（批号110884-201606），购于中国药品生物制品检定所；甲醇、四氢呋喃为色谱纯，水为高纯水，其他试剂均为分析纯。

2　方法学考察

2.1　色谱条件

2.1.1　色谱柱：色谱柱填充剂为十八烷基硅烷键合硅胶，本试验研究采用Kromasil C$_{18}$柱（250mm×4.6mm，5μm）。

2.1.2　流动相的选择：曾参照《中国药典》2020年版一部"茜草"含量测定项下，选择甲醇-乙腈-0.2%磷酸溶液（25：50：25）为流动相，流速为1ml/min，温度为30℃进行测定，供试品中的大叶茜草素含量不稳定；经参考文献，改变流动相及其比例为甲醇-水（85：15）和流速为1.0ml/min，供试品中的大叶茜草素含量稳定，并与其他成分达到较好的分离度，并具较适合的保留时间。

2.1.3　柱温：采用25℃柱温。避免温度对大叶茜草素稳定性的影响。

2.1.4　检测波长的选择：取大叶茜草素对照品溶液，于紫外可见分光光度仪上，自200～700nm做光谱扫描，大叶茜草素在波长为246.5nm处有最大吸收，再参考《中国药典》2020年版一部"茜草"项下HPLC的测定波长为

250nm，因此本标准规定250nm作为该化合物的检测波长。

2.1.5 理论板数的确定：从对多批数据的测定结果可见，大叶茜草素的理论板数在3000以上即能达到较好的分离效果，故确定理论板数按大叶茜草素计不得低于4000。

2.2 提取方法的选择及提取效率的考察

参照《中国药典》2020年版一部"茜草"含量测定项下，选择甲醇作为提取溶剂，经浸泡4小时、3小时、2小时、1小时，超声处理（功率250W，频率40kHz）30分钟后，进行比较，含量相近，故选择甲醇为溶剂，浸泡1小时，超声处理30分钟的提取方法制备供试品溶液。

2.3 专属性考察

2.3.1 对照品溶液的制备：取大叶茜草素对照品适量，精密称定，加甲醇制成每1ml含80μg的溶液，作为对照品溶液。

2.3.2 供试品溶液的制备：取本品适量，研细，取约4g，精密称定，置具塞锥形瓶中，精密加入甲醇25ml，称定重量，浸渍过夜，超声处理（功率250W，频率40kHz）30分钟，放冷，再称定重量，用甲醇补足减失的重量，摇匀，滤过，取续滤液，作为供试品溶液。

2.3.3 阴性对照溶液的制备：按本品处方工艺制备不含茜草的阴性供试品，按供试品溶液的制备方法制备阴性对照溶液。

2.3.4 测定：分别精密吸取以上三种溶液各10μl，注入色谱仪，记录各自的色谱图。

试验结果显示：供试品色谱中在与对照品色谱保留时间相同的位置上有色谱峰出现，而阴性对照在与对照品色谱保留时间相同的位置上无色谱峰出现，表明该含量测定方法阴性无干扰，专属性好。

2.4 线性关系考察

精密称取大叶茜草素对照品适量，加甲醇制成每1ml含80μg的溶液。精密吸取0.5ml、1ml、2ml、4ml、6ml、8ml、10ml溶液分别置10ml，加甲醇使溶解，并稀释至刻度，摇匀，各取10μl进样，按上述色谱条件测定，以峰面积对进样量进行回归分析，结果见表3。

表3 标准曲线数据及回归分析结果

对照品量（μg）	峰面积值	回归方程	r
0.04	152434		
0.08	292176		
0.16	601236		
0.32	1215964	$y=3886090x-16184$	0.9998
0.48	1833814		
0.64	2501967		
0.80	3082064		

从表3数据可见，大叶茜草素在0.04～0.80μg范围内与峰面积值呈良好的线性关系。

2.5 溶液稳定性试验

取同一份供试品溶液，分别于制备溶液后的0小时、2小时、4小时、6小时、8小时、24小时进样测定，结果见表4。

表4 不同时间测定供试品中大叶茜草素的峰面积值

时间（h）	峰面积值	RSD（%）
0	1528683	
2	1548738	
4	1537511	0.84
6	1548192	

续表

时间（h）	峰面积值	RSD（%）
8	1514350	0.84
24	1538192	

从表4数据可见，大叶茜草素在24小时内峰面积值基本稳定，能够满足测定所需要的时间。

2.6 重复性试验

取同一供试品（批号20190611）6份，各约3g，精密称定，置具塞锥形瓶中，精密加入甲醇25ml，称定重量，浸渍过夜，超声处理（功率250W，频率40kHz）30分钟，放冷，再称定重量，用甲醇补足减失的重量，摇匀，滤过，取续滤液，作为供试品溶液。另取大叶茜草素对照品适量，精密称定，加甲醇制成每1ml含80μg的溶液，分别精密吸取以上两种溶液各10μl，注入液相色谱仪，记录各自的色谱图，用外标法以峰面积计算含量，结果见表5。

表5　大叶茜草素含量重复性试验结果

取样量（g）	峰面积值	含量（mg/g）	平均含量（mg/g）	RSD（%）
2.9994	1538710	0.6599		
2.9994	1554334	0.6666		
3.0005	1532683	0.6571	0.6663	1.02
2.9973	1555786	0.6677		
3.000	1566481	0.6717		
3.000	1574176	0.6750		

从表5数据可见，在相同的提取溶剂和色谱条件下，6份供试品含量测定结果的均值为0.6663mg/g，RSD为1.02%，表明该方法的重复性好。

2.7 加样回收试验

取供试品（批号20190611，含量0.6663mg/g）9份，各约1.5g，精密称定。每3份一组，第一组各精密加入用甲醇配置的大叶茜草素对照品溶液（大叶茜草素浓度为0.5002mg/ml）1ml，第二组各精密加入用甲醇配置的大叶茜草素对照品溶液（大叶茜草素浓度为0.5mg/ml）2ml，第三组各精密加入用甲醇配置的大叶茜草素对照品溶液（大叶茜草素浓度为0.5002mg/ml）3ml，分别精密加甲醇至50ml，按含量测定项下方法操作，测定每份供试品含量，计算回收率，结果见表6。

表6　大叶茜草素加样回收试验结果

供试品量（g）	供试品含量（mg）	对照品加入量（mg）	测得总量（mg）	回收率（%）	平均（%）	RSD（%）
1.5008	1.000	0.5002	1.5160	103.2		
1.5003	0.9996	0.5002	1.5006	100.2		
1.5007	0.9999	0.5002	1.5025	100.5		
1.5000	0.9994	1.0004	1.9869	98.7		
1.5000	0.9994	1.0004	2.0010	100.1	100.6	1.84
1.5000	0.9994	1.0004	2.0265	102.7		
1.5008	1.000	1.5006	2.5289	101.9		
1.5004	0.9997	1.5006	2.4898	99.3		
1.5000	0.9994	1.5006	2.4763	98.4		

从表6数据可见，本方法的平均回收率为100.6%，RSD为1.84%。该方法准确度好。

3　样品含量测定

取本品按重复性试验项下的方法处理并测定,三批样品的测定结果见表7。

表7　样品中大叶茜草素含量测定结果

批号	取样量（g）	测得峰面积值	含量（mg/g）	平均含量（mg/g）	偏差（%）
20190611	2.9234	1459848	0.6424	0.640	0.50
	2.9974	1486353	0.6379		
20191008	2.9973	1555786	0.6677	0.670	0.42
	3.0000	1566481	0.6717		
20200225	2.9995	1510827	0.6480	0.651	0.54
	2.9983	1521968	0.6530		

从表7数据可见,三批样品中大叶茜草素的平均含量最低为0.640mg/g。

4　茜草药材含量测定

试验中用相同方法对上述样品（20190611）生产用茜草药材进行了含量测定,测得大叶茜草素含量为15.9mg/g（1.59%）。

5　本制剂含量规定的确定

从表中数据可见,三批样品中大叶茜草素的含量最低为0.640mg/g,茜草药材中大叶茜草素含量为15.9mg/g（1.59%）。

按理论值折算,样品应含大叶茜草素为: $15.9mg/g \times 90 \div 2088 = 0.685mg/g$,可见,大叶茜草素的转移率为 $0.640 \div 0.926 \times 100\% = 93.43\%$。

参照《中国药典》2020年版一部"茜草"药材项下【含量测定】规定含大叶茜草素不得少于0.40%,转移率为93.43%,考虑到不同产地药材的质量差异,并结合其他影响因素及三批样品的测定结果,按此限度折算本品含茜草素的理论量应不低于 $90 \div 2088 \times 0.4\% \times 1000 \times 93.43\% = 0.163mg/g$。

标准正文暂定为:本品每1g含茜草以大叶茜草素（$C_{17}H_{15}O_4$）计,不得少于0.16mg。

【功能与主治】

清血热,明目,祛翳。用于眼花,翳障,胬肉,血热或肝热引起的目赤肿痛。

【用法与用量】

口服。一次11～15丸,一日1～2次,温开水送服。

【注意事项】

孕妇忌服。

【规格】

每10丸重2g

【贮藏】

密封。

起草单位: 内蒙古自治区国际蒙医医院　　青　松　斯日古楞　那松巴乙拉

包头市检验检测中心　　马　静　赵　欣　王　丽

通拉嘎·乌日勒 质量标准起草说明

【历史沿革】

处方来源于《蒙医金匮》（内蒙古人民出版社 1975年版，蒙古文，第83页）。

【处方来源】

本制剂由内蒙古自治区国际蒙医医院提供。

【名称】

通拉嘎·乌日勒

【蒙药材和饮片的来源和执行标准】

1. 处方组成及药味排列顺序：石榴80g、红花40g、益智仁10g、肉桂10g、荜茇10g。

2. 处方中除了石榴药材外，其余益智仁等药味均收载于《中国药典》2020年版一部，其质量应符合该品种项下的有关规定。

石榴：为石榴科植物石榴 *Punica granatum* L.的干燥成熟果实。其质量应符合《内蒙古蒙药材炮制规范》2020年版第119页该品种项下的有关规定。

【制法】

以上五味，粉碎成细粉，过筛，混匀，用水泛丸，打光，干燥，分装，即得。

【性状】

本品为黄色至黄棕色的水丸；气香，味酸、辛、微涩。

【鉴别】

本品为原药材细粉制成的水丸，方中红花的显微特征较明显，故建立显微鉴别，并对处方中红花、桂皮、荜茇建立了薄层鉴别。

1. 试剂与试药

供试品：供试品（批号20200501、20200418、20200109）由内蒙古自治区国际蒙医医院提供，模拟样品（批号20200071）模拟。

对照品：红花对照药材（批号120907-201412）、荜茇对照药材（批号121023-201103）、桂皮醛（批号110710-202022）、胡椒碱（批号110775-201706），均购于中国食品药品检定研究院。

薄层板：硅胶G板、硅胶H板，均购于青岛海洋化工有限公司。

所用其他试剂均为分析纯，水为离子交换高纯水。

2. 试验方法与结果

（1）显微鉴别

红花：花粉粒类圆形或椭圆形，直径约至60μm，具3个萌发孔，外壁有齿状突起。

（2）肉桂薄层鉴别

参照《中国药典》2020年版一部"肉桂"项下的薄层条件，制定出下面所述的鉴别方法。参照药材标准试验，供试品与对照品在Rf: 0.52处显相同颜色斑点, 为桂皮醛斑点, 且阴性无干扰, 此法具专属性。

（3）红花薄层鉴别

红花为本处方中的主要药味之一。参照《中国药典》2020年版一部"红花"项下的薄层条件, 制定出下面所述的鉴别方法。通过阴性对照试验观察, 方中其他药材对红花的检出无干扰, 此法具专属性。

（4）荜茇薄层鉴别

荜茇为本处方中的药味之一。参照《中国药典》2020年版一部"荜茇"项下的薄层条件, 制定出下面所述的鉴别方法。通过阴性对照试验观察, 方中其他药材对荜茇的检出无干扰, 此法具专属性。

【检查】

按照丸剂（《中国药典》2020年版四部通则0108）项下规定, 对三批供试品及模拟样品的水分、重量差异、溶散时限、重金属、砷盐和微生物限度进行了检查。具体方法及测定数据如下:

1. 水分: 取供试品照水分测定法（《中国药典》2020年版四部 通则0832）测定, 三批供试品及模拟样品测定结果见表1。

表1 水分测定结果

序号	批号	水分（%）
1	20200501	4.4
2	20200418	4.4
3	20200109	4.4
4	20200071	4.5

药典规定丸剂水分含量不得大于9.0%。从表1数据可见, 三批供试品和模拟样品的水分含量均符合要求。

2. 重量差异: 取以上三批供试品, 每批供试品取10份, 10丸为1份, 分别称定重量, 再与每份标示重量（2g）相比较, 求每一份的重量差异（%）。药典规定每份标示装量的限度为±8%, 并规定超出重量差异限度的不得多于2份, 并不得有1份超出限度1倍。本品的重量差异检查结果均符合规定。

3. 溶散时限: 取本品照片剂项下崩解时限检查法（《中国药典》2020年版四部通则0921）加挡板进行测定。三批供试品测定结果见表2。

表2 溶散时限测定结果

序号	批号	溶散时间（min）
1	20200501	28
2	20200418	25
3	20200109	27

药典规定水丸应在1小时内全部溶散。从表2数据可见, 本品的溶散时限符合规定。

4. 对三批供试品及模拟样品进行了重金属、砷盐考察, 方法与结果如下:

重金属: 分别取每个批号供试品0.5g、0.67g、1.0g、2.0g, 按《中国药典》2020年版四部0821第二法检查。

供试品溶液的制备: 取本品0.5g、0.67g、1.0g、2.0g, 分别缓缓炽灼至完全炭化, 放冷, 加硫酸0.5ml, 使湿润, 低温加热至硫酸除尽后, 加硝酸0.5ml, 蒸干, 至氧化氮蒸气除尽后, 放冷, 于600℃炽灼至完全灰化, 放冷。加盐酸2ml, 置水浴上蒸干后加水15ml, 滴加氨试液至对酚酞指示液显中性, 再加醋酸盐缓冲液（pH3.5）2ml, 微热溶解后, 移置纳氏比色管中, 加水稀释至25ml, 作为供试品溶液。

标准铅对照溶液的制备: 另取配制供试品溶液的试剂两份, 分别置瓷皿中蒸干后, 加醋酸盐缓冲液（pH3.5）2ml, 加水15 ml微热溶解后, 移置两支纳氏比色管中, 分别加标准铅溶液（10μg/ml Pb）2ml, 再加水稀释至25ml, 作为标准铅对照溶液。

检视：于上述供试品溶液和标准铅对照溶液中分别加硫代乙酰胺试液各2ml，摇匀，放置2分钟，同置白色背景上，从上向下进行观察。试验结果见表3。

表3 重金属检查结果

序号	批号	重金属含量（ppm）			
1	20200501	<10	<20	<30	<40
2	20200418	<10	<20	<30	<40
3	20200109	<10	<20	<30	<40
4	20200071	<10	<20	<30	<40

结果显示，供试品溶液的颜色明显浅于2ml的标准铅对照管。经过三批供试品及模拟样品的检查，含重金属均未超过百万分之十，故未收入正文。

砷盐：取本品1g和标准砷溶液（1μg/ml AS）2ml，分别加无砷氢氧化钙1g，加少量水，搅匀，烘干，用小火缓缓炽灼至炭化，再在600℃炽灼至完全灰化，放冷。分别加盐酸7ml使溶解，再加水21ml，按《中国药典》2020年版四部通则0822第一法（古蔡氏法）做砷盐限量检查。

结果：供试品砷斑浅于标准砷斑的颜色，表明本品含砷量未超过百万分之二（小于2ppm），故砷盐检查项目未列入正文。

5. 微生物限度：照微生物计数法（《中国药典》2020年版四部通则1105）和控制菌检查法（《中国药典》2020年版四部通则1106）及《内蒙古蒙药制剂规范》（第三册）附录Ⅲ微生物限度标准，进行检查。结果均符合规定。

【功能与主治】

温胃，固精华，揭隐伏热盖，清巴达干黏堵塞脉道。用于胃火衰退，精华不消，巴达干黏液阻于脉道，不思饮食，寒热合并，隐伏热。

【用法与用量】

口服。一次11~15丸，一日1~2次，温开水送服。

【规格】

每10丸重2g。

【贮藏】

密闭，防潮。

起草单位：内蒙古自治区国际蒙医医院　　查干其其格　乌仁高娃　那松巴乙拉

　　　　　鄂尔多斯市检验检测中心　　　陈羽涵　丁　华　李雨生

萨仁·嘎日迪质量标准起草说明

【历史沿革】

本方来源于《蒙医金匮》(内蒙古人民出版社,1999年版,蒙古文,第362页)。

【处方来源】

本制剂由内蒙古自治区国际蒙医医院提供。

【名称】

萨仁·嘎日迪

【蒙药材和饮片的来源和执行标准】

处方组成及药味排列顺序:诃子汤泡草乌50g、诃子50g、热制水银40g、石菖蒲30g、木香30g、豆蔻30g、生草果仁30g、肉豆蔻20g、丁香20g、红花20g、海金沙20g、方海20g、枫香脂20g、没药20g、苘麻子20g、决明子20g、炒硇砂20g、石膏20g、人工牛黄5g、人工麝香1g。(注:热制水银40g——水银20g+硫黄20g)

处方中除了方海、热制水银、炒硇砂、人工麝香、诃子汤泡草乌药材外,其余的诃子等药味均收载于《中国药典》2020年版一部,其质量应符合该品种项下的有关规定。

方海:为方蟹科动物中华绒螯蟹Eriocher sinensis H. Milne-Edwards 的干燥全体。其质量应符合《内蒙古蒙药饮片炮制规范》2020年版第431页该品种项下的有关规定。

热制水银:为由砂矿冶炼生产的工业成品金属汞Hydrargyrum。主含单质汞(Hg)。其标准应符合《内蒙古蒙药饮片炮制规范》2020年版347页该品种项下有关规定。

药浸硫黄:为自然元素类矿物硫族自然硫 Native Sulfur 的提纯品,或为含硫矿物的加工制品。 主含单质硫(S)。其标准应符合《内蒙古蒙药饮片炮制规范》2020年版426页该品种项下有关规定。

炒硇砂:为卤化物类矿物硇砂Sal Ammoniac的晶体。主含氯化铵(NH₄Cl)。其标准应符合《内蒙古蒙药饮片炮制规范》2020年版144页该品种项下有关规定。

人工麝香:应符合卫生部标准(试行)WS-210(Z-32)-93标准的有关规定。

诃子汤泡草乌:为毛茛科植物北乌头Aconitum kusenzoffii Reichb.的干燥块根。其标准应符合《内蒙古蒙药饮片炮制规范》2020年版第307页该品种项下有关规定。

【制法】

以上二十一味,除人工麝香、人工牛黄、热制水银外,其余诃子汤泡草乌等十七味,粉碎成细粉,将人工麝香、热制水银分别研细,与人工牛黄和上述细粉配研,过筛,混匀,用水泛丸,打光,干燥,分装,即得。

【性状】

本品为黑褐色水丸,气香,味涩、微辛。

【鉴别】

本品为药材粉末制成的丸剂,方中大多数药味的显微特征都比较明显,故建立草乌、石膏和红花显微鉴别,并对处方中丁香和人工牛黄建立了薄层鉴别。

1. 试剂与试药

供试品：供试品（批号20190114、20190115、20180116）由内蒙古自治区国际蒙医医院提供，模拟样品（批号20200057）模拟。

对照品：石菖蒲对照药材（121098-201807）、人工牛黄对照药材（121197-201204）、β-辛细醚对照品（112018-201601）、丁香酚对照品（110725-201917）、胆酸对照品（100078-201415）、没食子酸对照品（110831-201605），均购于中国食品药品检定研究院。

薄层板：硅胶G板、硅胶GF$_{254}$薄层板，均购于青岛海洋化工有限公司。

所用其他试剂均为分析纯，水为离子交换高纯水。

2. 试验方法与结果

（1）显微鉴别

草乌：后生皮层细胞棕色或深棕色，形大，呈类方形或长多角形，直径25~133μm，壁微弯曲，不均匀增厚，有的呈瘤状突入细胞腔。石膏：不规则片状结晶无色，有平直纹理。红花：花粉粒球形或椭圆形，直径约60μm，外壁具齿状突起，具三个萌发孔。

（2）石菖蒲薄层鉴别

参照《中国药典》2020年版一部"石菖蒲"项下的薄层条件，制定出正文所述的鉴别方法。通过阴性对照试验观察，方中其他药材对石菖蒲的检出无干扰，未收入正文。

（3）丁香薄层鉴别

参照《中国药典》2020年版一部"丁香"项下的薄层条件，制定出正文所述的鉴别方法。通过阴性对照试验观察，方中其他药材对丁香的检出无干扰，此法具专属性。

（4）人工牛黄薄层鉴别

参照《中国药典》2020版一部"人工牛黄"项下的薄层条件，制定出正文所述的鉴别方法。通过阴性对照试验观察，方中其他药材对人工牛黄的检出无干扰，此法具专属性。

（5）诃子薄层鉴别

参照《中国药典》2020版一部"诃子"项下的薄层条件，制定出正文所述的鉴别方法。通过阴性对照试验观察，方中其他药材对诃子的检出无干扰，未收入正文。

【检查】

按照丸剂（《中国药典》2020年版四部通则0108）项下规定，对三批供试品及模拟样品的水分、重量差异、溶散时限、浸出物、汞限量、乌头碱限量、急性毒性试验等进行了检查。具体方法及测定数据如下：

1. 水分：照水分测定法（通则0832）测定。三批供试品及模拟样品测定结果见表1。

表1 水分测定结果

序号	批号	水分（%）
1	20190114	3.8
2	20190115	6.4
3	20180116	5.5
4	20200057	5.4

药典规定丸剂水分含量不得大于9.0%。从表1数据可见，三批供试品和模拟样品的水分含量均符合要求。

2. **重量差异：**取以上三批供试品，每批供试品取10份，10丸为1份，分别称定重量，再与每份标示重量（2g）相比较，求每一份的重量差异（%）。药典规定每份标示装量的限度为±8%，并规定超出重量差异限度的不得多于2份，并不得有1份超出限度1倍。本品的重量差异检查结果均符合规定。

3. 溶散时限：照《中国药典》（2020年版通则0921）进行测定。三批供试品测定结果见表2。

表2　溶散时限测定结果

序号	批号	溶散时间（min）
1	20190114	65
2	20190115	71
3	20180116	62

本规范规定萨仁·噶日迪应在2小时内全部溶散。从表2数据可见，三批供试品均符合丸剂的溶散时限规定。

4. 浸出物：按《中国药典》2020版（通则2201）浸出物测定法，以水为溶剂，冷浸法测定。测定用的供试品需粉碎，使能通过二号筛，并混合均匀。三批供试品测定结果见表3。

表3　浸出物测定结果

序号	批号	浸出物含量（%）
1	20190114	23.51
2	20190115	25.98
3	20180116	24.38

从表3数据可见，三批供试品的浸出物平均百分含量为24.6%，最高含量为25.98%，最小含量为23.51%。故以水为溶剂，冷浸水溶性浸出物的含量不得低于18.0%。

5. 汞限量：取本品粉末约 0.3g，精密称定，置锥形瓶中，加硫酸10ml与硝酸钾 1.5g，加热使溶解，放冷，加水 50ml，并加 1% 高锰酸钾溶液至显粉红色，再滴加 2% 硫酸亚铁溶液至红色消失后，加硫酸铁铵指示液2ml，用硫氰酸铵滴定液（0.1mol/L）滴定。三批供试品测定结果见表4。

表4　汞限量测定结果

取样量（g）	汞含量（%）	平均含量（%）
0.3024	1.86	
0.3047	1.66	1.81
0.3031	1.90	

从表4数据可见，本品最高汞含量为1.90%，最低汞含量为1.66%，平均汞含量为1.81%，因此规定，本品按干燥品计算，汞含量不得超过2.30%。

6. 乌头碱限量：参照《中国药典》2020年版一部"制草乌"项下双酯型乌头碱的限量检查，结果因处方中其他药味的影响，供试品溶液中双酯型乌头碱与其他杂质分不开。故参照《中国药典》2020年版一部"制川乌"和"附子理中丸"项下乌头碱限量检查方法，拟定出本制剂乌头碱的限量检查方法及限度，以控制质量，确保安全、有效。供试品溶液的制备参照"附子理中丸"和"制川乌"限量检查项下的方法，并结合本处方实际情况，用氨试液碱化、乙醚作溶剂提取后，乙醚作溶剂提取后，浓缩，无水乙醇溶解，结果既保证了被测成分全部提净，又可排除其他成分对试验结果的干扰（具体方法见正文）。对三批供试品的检查结果表明，供试品色谱中，在与乌头碱对照品色谱相应位置上，出现的斑点小于对照品的斑点。证明本品含乌头碱每1g小于18μg。说明本品中制草乌的炮制程度符合要求。

制草乌中乌头碱的限度值参照《中国药典》2020年版一部"附子"项下乌头碱限量检查计算，乌头碱的限度为2mg/ml×5μl/6μl×2ml/20g≈0.167mg/g，即每1g低于167μg。所以本制剂中乌头碱的理论限度应为：50g/486g×0.167mg/g×1000≈18μg/g，本标准草案设定的限度指标略低于理论限度，说明方法可靠。《中国药典》2020年版一部规定制草乌用量为1.5～3g。本品日最高服用量2g，相当于制草乌50g/486g×2g=0.20g，远远低于药典用量,说明本品安全。

7. 急性毒性试验:试验研究以及结果见本文后面的附件。

【含量测定】

萨仁·嘎日迪是由诃子汤泡草乌、诃子、石菖蒲、红花等二十一味药组成的复方制剂,红花主要含有红花苷、多糖及有机酸等。其中查尔酮类成分羟基红花黄色素A以及多种黄酮醇化合物为红花中主要活性成分,且分析方法成熟,故以羟基红花黄色素A的含量作为其质量控制指标,照《中国药典》(2020年版通则0512)高效液相色谱测定法进行测定。经分析方法验证,表明该方法重复性好,专属性强,方中其他组分对羟基红花黄色素A的测定无干扰。

1 仪器与试剂试药

1.1 仪器设备

Agilent Technologies 1260 InfinityⅡ,AB135–S型电子分析天平(梅特勒—托利多),KQ-250型超声波清洗机(巩义予华仪器厂)。

1.2 试剂与试药

供试品(批号20190114、20190115、20180116)由内蒙古自治区国际蒙医医院提供,模拟样品(批号20200057)模拟;羟基红花黄色素A(批号111637-201609),购于中国食品药品检定研究院;甲醇、乙腈为色谱纯(Fisher),水为娃哈哈纯净水,其他试剂均为分析纯。

2 方法学考察

2.1 色谱条件

2.1.1 色谱柱:十八烷基硅烷键合硅胶为填充剂;本试验采用的是Agilent XDB C$_{18}$(250mm×4.6mm,5μm)色谱柱。

2.1.2 流动相的选择:参照《中国药典》2020年版一部"红花"含量测定项下的测定方法,以甲醇–乙腈-0.7%磷酸溶液(26∶2∶72)为流动相。

2.1.3 柱温:柱温为25℃。

2.1.4 检测波长的选择:参照《中国药典》2020年版一部"红花"含量测定项下羟基红花黄色素A的测定方法,选用403nm处作为检测波长。

2.1.5 理论板数的确定:从对三批数据的测定结果可见,羟基红花黄色素A峰理论板数在3000以上即能达到较好的分离效果,故规定理论板数按羟基红花黄色素A峰计算应不低于3000。

2.2 专属性考察

2.2.1 对照品溶液的制备:精密称定羟基红花黄色素A对照品20.4mg,加25%甲醇制成每1ml含0.816mg的溶液,作为对照品溶液。

2.2.2 供试品的制备:取本品粉末约0.5g,精密称定,置于具塞锥形瓶中,精密加入25%甲醇25ml,称定重量,超声处理(功率250W,频率40kHz)30分钟,放冷,再称定重量,用25%甲醇补足减失的重量,摇匀,取续滤液,作为供试品溶液。

2.2.3 阴性对照溶液的制备:按本品处方工艺制备不含红花的阴性供试品,按供试品溶液的制备方法制备阴性对照溶液(缺红花)。

2.2.4 测定:分别精密吸取以上三种溶液各10μl,注入色谱仪,记录各自的色谱图。

试验结果显示:供试品色谱中在与对照品色谱保留时间相同的位置上有色谱峰出现,而阴性对照在与对照品色谱保留时间相同的位置上无色谱峰出现,表明该含量测定方法阴性无干扰,专属性好。

2.3 线性关系考察

精密吸取羟基红花黄色素A对照品溶液（浓度为0.816mg/ml）适量，稀释，分别得到浓度为0.0025mg/ml、0.0051mg/ml、0.0102mg/ml、0.0204mg/ml、0.0408mg/ml、0.0816mg/ml的溶液，精密吸取10μl，注入液相色谱仪，记录色谱图，测定峰面积值，结果见表5。

表5 标准曲线数据及回归分析结果

进样浓度（mg/ml）	峰面积值	回归方程	r
0.0816	2143	$y=26753x-46.656$	0.9995
0.0408	1038		
0.0204	496.1	$y=26753x-46.656$	0.9995
0.0102	197.5		
0.0051	96.4		
0.00255	47		

从表5数据可见，羟基红花黄色素A在0.0816～0.00225mg/ml范围内与峰面积值呈良好的线性关系。

2.4 精密度试验

精密吸取对照品溶液10μl，重复进样5次，测定，结果见表6。

表6 精密度考察结果

峰面积值	平均值	RSD（%）
197.5	195.6	1.11
193.2		
196.1		
197.8		
193.5		

从表6数据可见，符合《中国药典》2020年版四部通则0512中规定的RSD值小于2.0%的要求，因此仪器的精密度良好。

2.5 加样回收率试验

称取已知含量的供试品6份，每份约0.5g，精密称定，照《中国药典》（2020年版通则9101）药品质量标准分析方法验证指导原则进行测定，加入适量的羟基红花黄色素A对照品，按供试品溶液制备方法制成供试品溶液。分别精密吸取10μl，注入液相色谱仪，测定，计算回收率，结果见表7。

表7 回收率试验结果（$n=6$）

样品含量（mg）	加入对照品量（mg）	测得总量（mg）	加样回收率（%）	平均回收率（%）	RSD（%）
0.3803	0.3794	0.7763	104.4	102.9	2.58
0.3784	0.3794	0.7557	99.4		
0.3806	0.3794	0.7733	103.5		
0.3836	0.3794	0.7795	104.3		
0.3791	0.3794	0.7822	106.2		
0.3876	0.3794	0.7675	100.1		

从表7数据可见，平均回收率为102.9%，RSD为2.58%。准确度良好。

2.6 稳定性试验

称取已知含量的供试品，取约0.5g，精密称定，照《中国药典》（2020年版通则9101）药品质量标准分析方法验证指导原则进行测定，加入适量的羟基红花黄色素A对照品，按供试品溶液制备方法制成供试品溶液。0小时、2小时、4小时、6小时和8小时分别精密吸取10μl，注入液相色谱仪，测定峰面积值，结果见表8。

表8　稳定性试验结果（*n*=5）

时间（h）	峰面积值	平均峰面积值	RSD（%）
0	265.2		
2	260.0		
4	269.5	266.3	2.00
6	273.6		
8	263.3		

从表8数据可见，平均峰面积值为266.3，RSD为2.00%。表明本品8小时内基本稳定。

3　样品含量测定

取本品粉末0.5g，分别精密称定，按供试品溶液制备方法进行制备，各精密吸取10μl，注入液相色谱仪，测定，结果见表9。

表9　三批样品中羟基红花黄色素A含量测定结果

批号	取样量（g）	峰面积	测得含量（mg/g）	平均值（mg/g）
20190114	0.5162	260	0.5909	
	0.5036	266	0.6176	0.5992
	0.5064	253.3	0.5891	
20190115	0.5043	320	0.7238	
	0.5062	348	0.7764	0.7555
	0.5024	340	0.7663	
20180116	0.5028	204	0.4952	
	0.5024	181.1	0.4500	0.4745
	0.5288	207.9	0.4783	

从表9数据可见，样品（批号20190114）中羟基红花黄色素A的平均含量为0.5992mg/g。

4　红花药材的含量考察

试验中采用同法对上述三批样品或模拟样品生产用红花药材进行了含量测定，含量测定结果见表10。

表10　红花中羟基红花黄色素A的含量限度的确定

取样量（g）	测得峰面积值	含量（mg/g）	平均含量（mg/g）	RSD（%）
0.4096	802	18.5123		
0.4123	799	18.5163	18.5434	0.27
0.4189	810	18.6015		

从表10数据可见，红花药材中羟基红花黄色素A含量为18.54mg/g。

5　样品含量限度的确定

表中数据可见，样品（20190114）中羟基红花黄色素A平均含量0.5992mg/g，测得红花原料的羟基红花黄色素A含量为18.54mg/g，按理论值折算，样品应含羟基红花黄色素A为：18.54×20÷486=0.7629（mg/g），即0.7629mg/g。可见，羟基红花黄色素A的转移率为：0.5992÷0.7629×100%=78.54%

参照《中国药典》2020年版一部"红花"项下规定含羟基红花黄色素A量不得少于1.0%，考虑不同产地药材的质量差异，并结合其他影响因素及三批样品的测定结果，下浮10%，按此限度折算本品含羟基红花黄色素A的理论量应不低于1.0%×1000×20÷486×78.54%×90%=0.290mg/g。

标准正文暂定为：本品每1g含红花以羟基红花黄色素 A（$C_{27}H_{32}O_{16}$）计，不得少于0.30mg。

【功能与主治】

燥协日乌素，消肿，杀黏，愈白脉损伤。用于陶赖，赫如虎，关节疼痛，吾亚曼等协日乌素症，白喉、炭疽等黏性病及丘疹、疱疹等皮肤和白脉病。

【用法与用量】

口服。一次7~11丸，一日1次，温开水送服。

【注意事项】

孕妇忌服，年老体弱者禁用；本品含热制水银，不宜长期服用，使用一疗程后，应间断一疗程，定期检查肝、肾功能。

【规格】

每丸10丸重2g。

【贮藏】

密闭，防潮。

附件　昆明小鼠灌胃萨仁·嘎日迪急性毒性试验研究报告

1　摘要

目的：

通过一天内大剂量（≥临床等效量的50倍）对昆明种小鼠灌胃萨仁·嘎日迪，观察其产生的毒性反应及严重程度、主要毒性靶器官，为重复给药毒性研究计量设计和主要观察指标提供参考。

方法：

根据药物急性毒性预试验测定，无法测出LD_{50}，故采用急性毒性限度试验测定方法。小鼠按0.4mL/10g灌胃给药，给药1次，总给药体积为40ml/kg。成人每日最大剂量1.8g/60kg/d，换算成小鼠临床等效最大剂量为0.225g（kg·d）。配制药物最大可混悬浓度为0.6469g/ml，灌胃给药1次，给药剂量为25.88g（kg·d），经计算为临床给药量的115.01倍。故一天内给药1次，小鼠给药总量为临床等效量的115.01倍，给药后观察动物的临床症状，连续观察至第14天，每天进行体重、摄食量、饮水量测定。第15天解剖动物，并进行大体病理学检查，若发现病变，则对病变组织进行组织病理学检查。

结果：

（1）一般状态观察：给药后，供试品组动物自主活动减少，给药后第2天上述异常症状恢复。

（2）对动物体重的影响：试验期间，各组动物的体重增加之间比较，无显著性差异（$P>0.05$），说明萨仁·嘎日迪对试验动物的体重无显著性影响。

（3）对动物摄食量的影响：试验期间，给药当天萨仁·嘎日迪组动物摄食量略有减少。从给药第2天开始，各组动物的摄食量之间比较，无显著性差异（$P>0.05$），说明萨仁·嘎日迪对试验动物的摄食量无显著性影响。

（4）病理学检查：大体病理学检查，肉眼观察组织、器官未发现异常或病变。

结论：

萨仁·嘎日迪口服给药为无毒或低毒药物。

2　研究的一般信息

2.1　专题名称及研究目的

专题名称：昆明小鼠灌胃萨仁·嘎日迪急性毒性试验研究报告。

研究目的：采用昆明小鼠，单次灌胃萨仁·嘎日迪，观察其产生的毒性反应及严重程度、主要毒性靶器官，为重复给药毒性研究计量设计和主要观察指标提供参考。

2.2 研究遵循的GLP法规性文件

《药物非临床研究质量规范》国家食品药品监督管理局令第34号（原CFDA 2017.9.1）。

2.3 所用毒性研究指导原则的文件和名称及参考文献

2.3.1 所用毒性研究指导原则的文件和名称

《药物单次给药毒性研究技术指导原则》（原CFDA 2014.5）；

《中药、天然药物急性毒性研究技术指导原则》（原CFDA 2005.3）。

2.3.2 所用参考文献

[1] 陈奇. 中药药理研究方法学[M]. 北京：人民卫生出版社，2000.

[2] 李仪奎. 中药药理试验方法学[M]. 上海：上海科学技术出版社，2006.

[3] 魏伟，吴希美，李元建. 药理试验方法学[M]（第四版）. 北京：人民卫生出版社，2010.

3 试验材料

3.1 受试物及剩余受试物的处理

3.1.1 供试品

名　　称：萨仁·嘎日迪。

提供单位：内蒙古自治区国际蒙医医院国家蒙药制剂中心。

批　　号：20190114。

3.1.2 剩余供试品的处理

对送样供试品留样60丸，留样保存至有效期2022年12月31日废弃。

3.2 试验系统

3.2.1 试验动物

动物种系、级别：小鼠，昆明种，SPF级。

繁育单位：内蒙古医科大学试验动物中心。

内蒙古医科大学试验动物中心试验动物生产许可证编号：SCXK（蒙）2015-0001。

发证机关：内蒙古自治区科学技术厅。

3.2.2 动物选择理由

作为一般毒性研究，昆明种小鼠是常用的啮齿类哺乳动物，且此种动物的国内外背景资料丰富，动物供应充足。

3.2.3 动物的饲养管理

3.2.3.1 动物的饲养环境

饲育环境：屏障环境。

温度：20~26℃，日温差≤3℃。

相对湿度：41%~64%。

换气次数：≥15次/小时。

照明时间：12/12明暗交替（150~300 lx）。

动物笼具：PC材质小鼠饲养笼。

饲养密度：5只/笼。

笼具的换新频率：3次/周。

粪便的处理:在更换饲养盒时,随动物废弃垫料装入专用垃圾袋,密封后统一处理。

清扫与消毒:全部操作结束后清扫,采用0.1%新洁尔灭和0.2% 84消毒液进行轮换消毒,每周一次轮流交换消毒液的种类。

3.2.3.2 检疫

检疫与适应性饲养时程:7天(含购入日)。

3.2.3.2.1 购入日检疫内容

动物外观健康检查:外表(有无外伤、卷尾、肿瘤、畸残等),体形(无消瘦、过肥),行动(有无倦怠、躁动),体温(有无发热、发冷),呼吸(有无呼吸不规律和异常呼吸音),被毛(有无竖毛、脱毛、脏污),鼻(有无流涕、出血、流脓),口腔(有无流涎、齿过长),眼(有无流泪、分泌物过多、眼球浑浊),耳(有无外伤、耳癣),生殖器(有无外伤、异常分泌物),尿(有无血尿),粪便(有无下痢、血便、脓便),其他异常。

3.2.3.2.2 第2~7天检疫驯化内容

每天上、下午各1次对检疫动物进行观察,检疫过程中,如出现外观、临床症状观察等任何异常现象,对试验可能有影响的动物予以淘汰。

3.2.3.2.3 检疫驯化期体重测定

在检疫第1天(动物入室日)和第7天(分组前)称量动物体重。

3.2.3.3 饲料

饲料种类:^{60}Co放射灭菌鼠全价颗粒饲料。

生产单位:斯贝福(北京)试验动物科技有限公司。

斯贝福(北京)试验动物科技有限公司试验动物生产许可证编号:SCXK(京)2015-0015。

发证机关:北京市科学技术委员会。

给料方法:定时投饲,自由摄取。

饲料的保存:保存在专门的通风、清洁、干燥的饲料间里。

3.2.3.4 饮用水

种类:试验动物高压灭菌饮用水。

给水方法:饮水瓶不间断供水,自由摄取。

3.2.3.5 垫料

垫料名称:玉米芯垫料。

提供单位:北京凌云博际(北京)科技有限公司。

北京凌云博际(北京)科技有限公司试验动物生产许可证编号:SCXK(京)2015-0014。

发证机关:北京市科学技术委员会。

灭菌方法:121℃、20 min真空高压蒸汽灭菌。

3.2.4 动物的个体识别方法

分组前采用耳标记法,分组后采用躯体背部毛涂抹苦味酸溶液标记法。标记部位分别为头、背、尾、左前、左中、左后、右前、右中、右后和空白。鼠笼以笼卡标记组别、动物号、给药剂量及给药时间等信息。

3.3 药物剂量

成人临床每日用量为5~9粒,经测定药丸粒重,每10粒重约2g,一日1次,所以成人每日最小剂量为1.0 g/(60kg·d),最大剂量1.8g/(60kg·d),换算成小鼠临床等效最大剂量为0.225g/(kg·d),最大给药剂量为25.88g/(kg·d),为人临床给药剂量的115.01倍。

3.4 试验试剂

水合氯醛（天津市大茂化学试剂厂，批号20181124），羧甲基纤维素钠（天津市致远化学试剂有限公司，批号20190304）。

3.5 试验仪器

电子天平（北京塞多利斯仪器系统有限公司，型号BS2202S），电子天平（北京塞多利斯仪器系统有限公司，型号BS2402S），实体解剖显微镜（德国Leica公司，型号DFC 290）。

4 试验方法

4.1 试验分组

选取健康昆明小鼠40只，雌雄各半。适应性饲养7天后，按性别、体重将小鼠随机分为空白对照组（0.5%CMC-Na）、供试品组（萨仁·嘎日迪），共2组，每组20只，雌雄各半。

4.2 临床症状观察

观察时间和次数：

检疫期：每天上、下午各1次对检疫动物进行观察。

试验期：给药日：给药前、给药开始至给药结束后30min连续观察，如无异常则停止观察，如果有异常则继续观察至恢复正常为止，但最长不超过给药后2h。下午观察一次。

非给药日：每天上、下午各观测一次。

观察例数：全部试验动物。

观察方法：隔笼观察，观察内容包括是否死亡、濒死、活动状况、外观及被毛、有无外伤、分辨情况等。

观察指征：见表1

表1 临床症状观察

观察	指征	可能涉及的组织、器官、系统
I．鼻孔呼吸阻塞，呼吸频率和深度改变，体表颜色改变	呼吸困难：呼吸困难或费力，喘息，通常呼吸频率减慢	
	1. 腹式呼吸：膈膜呼吸，吸气时膈膜向腹部偏移	CNS呼吸中枢，肋间肌麻痹，胆碱能神经麻痹
	2.喘息：吸气很困难，伴随有喘息声	CNS呼吸中枢，肺水肿，呼吸道分泌物蓄积，胆碱能功能增强
	呼吸暂停：用力呼吸后出现短暂的呼吸停止	CNS呼吸中枢，肺心功能不全
	紫绀：尾部、口和足垫呈现青紫色	肺心功能不全，肺水肿
	呼吸急促：呼吸快而浅	呼吸中枢刺激，肺心功能不全
	鼻分泌物：红色或无色	肺水肿，出血
II．运动功能：运动频率和特征的改变	自发活动、探究、梳理、运动增加或减少	躯体运动，CNS
	嗜睡：动物嗜睡，但可被针刺唤醒而恢复正常活动	CNS睡眠中枢
	正位反射（翻正反射）消失：动物体处于异常体位时所产生的恢复正常体位的反射消失	CNS，感觉，神经肌肉
	麻痹：正位反射和疼痛反应消失	CNS，感觉
	僵住：保持原姿势不变	CNS，感觉，神经肌肉，自主神经
	共济失调：动物行走时无法控制和协调运动，但无痉挛、局部麻痹、轻瘫或僵直	CNS，感觉，自主神经
	异常运动：痉挛、足尖步态、踏步、忙碌、低伏	CNS，感觉，神经肌肉
	俯卧：不移动，腹部贴地	CNS，感觉，神经肌肉
	震颤：包括四肢和全身的颤抖和震颤	神经肌肉，CNS
	肌束震颤：包括背部、肩部、后肢和足趾肌肉的运动	神经肌肉，CNS，自主神经

续表

观 察	指 征	可能涉及的组织、器官、系统
Ⅲ.惊厥(癫痫发作):随意肌明显的不自主收缩或痉挛性收缩	阵挛性惊厥:肌肉收缩和松弛交替性痉挛	CNS,呼吸衰竭,神经肌肉,自主神经
	强直性惊厥:肌肉持续性收缩,后肢僵硬性伸展	CNS,呼吸衰竭,神经肌肉,自主神经
	强直性-阵挛性惊厥:两种惊厥类型交替出现	CNS,呼吸衰竭,神经肌肉,自主神经
	窒息性惊厥:通常是阵挛性惊厥并伴有喘息和紫绀	CNS,呼吸衰竭,神经肌肉,自主神经
	角弓反张:背部弓起、头向背部抬起的强直性痉挛	CNS,呼吸衰竭,神经肌肉,自主神经
Ⅳ.反射	角膜性眼睑闭合反射:接触角膜导致眼睑闭合	感觉,神经肌肉
	基本条件反射:轻轻敲击耳内表面,引起外耳抽搐	感觉,神经肌肉
	正位反射:翻正反射的能力	CNS,感觉,神经肌肉
	牵张反射:后肢被牵拉至从某一表面边缘掉下时缩回的能力	感觉,神经肌肉
	对光反射:瞳孔反射;见光瞳孔收缩	感觉,神经肌肉,自主神经
	惊跳反射:对外部刺激(如触摸、噪声)的反应	感觉,神经肌肉
Ⅴ.眼检指征	流泪:眼泪过多,泪液清澈或有色	自主神经
	缩瞳:无论有无光线,瞳孔缩小	自主神经
	散瞳:无论有无光线,瞳孔扩大	自主神经
	眼球突出:眼眶内眼球异常突出	自主神经
	上睑下垂:上睑下垂,针刺后不能恢复正常	自主神经
	血泪症:眼泪呈红色	自主神经,出血,感染
	瞬膜松弛	自主神经
	角膜混浊,虹膜炎,结膜炎	眼睛刺激
Ⅵ.心血管指征	心动过缓:心率减慢	自主神经,肺心功能不全
	心动过速:心率加快	自主神经,肺心功能不全
	血管舒张:皮肤、尾、舌、耳、足垫、结膜、阴囊发红,体热	自主神经、CNS、心输出量增加,环境温度高
	血管收缩:皮肤苍白,体凉	自主神经、CNS、心输出量降低,环境温度低
	心律不齐:心律异常	CNS、自主神经、肺心功能不全,心肌梗死
Ⅶ.流涎	唾液分泌过多:口周毛发潮湿	自主神经
Ⅷ.竖毛	毛囊竖毛组织收缩导致毛发蓬乱	自主神经
Ⅸ.痛觉缺失	对痛觉刺激(如热板)反应性降低	感觉,CNS
Ⅹ.肌张力	张力低下:肌张力全身性降低	自主神经
	张力过高:肌张力全身性增高	自主神经
Ⅺ.胃肠指征		
排便(粪)	干硬固体,干燥,量少	自主神经,便秘,胃肠动力
	体液丢失,水样便	自主神经,腹泻,胃肠动力
呕吐	呕吐或干呕	感觉,CNS,自主神经(小鼠无呕吐)
多尿	红色尿	肾脏损伤
	尿失禁	自主感觉神经
Ⅻ.皮肤	水肿:液体充盈组织所致肿胀	刺激性,肾功能衰竭,组织损伤,长时间静止不动
	红斑:皮肤发红	刺激性,炎症,过敏

4.3 体重测定

测定次数:首次给药至给药后第14天,连续14天进行体重测定。

测定例数:全部试验动物。

测定方法:用电子天平进行体重测定。

4.4 摄食量测定

测定次数：首次给药至给药后第14天，连续14天进行摄食量测定。

测定例数：全部动物。

测定方法：第1天上午测定每个饲养笼所给饲料量，次日上午相同时间测定剩余饲料量，以二者差值计算每饲养笼动物的总进食量，并计算该笼每只动物每天的平均进食量。

4.5 饮水量测定

测定次数：首次给药至给药后第14天，连续14天进行摄食量测定。

测定例数：全部动物。

测定方法：第1天上午测定每个饲养笼所给水量，次日上午相同时间测定剩余水量，以二者差值计算每饲养笼动物的总饮水量，并计算该笼每只动物每天的平均饮水量。

4.6 病理学检查

4.6.1 剖检

剖检例数：全部预定解剖的动物、各组死亡或濒临死亡的动物。

剖检方法：对于全部预定解剖的动物和各组濒临死亡动物，腹腔注射20%水合氯醛进行麻醉。从腹腔后大静脉完全放血处死，然后进行解剖。如濒死动物，迅速解剖。

尸检：肉眼观察脑、脊髓、心脏、主动脉、肺（含支气管）、肝脏、肾脏、脾脏、胰脏、胃、十二指肠、空肠、回肠结肠、直肠、盲肠、睾丸、附睾、前列腺、卵巢、子宫、阴道、膀胱、脑垂体、甲状腺（含甲状旁腺）、颌下腺、肾上腺、坐骨神经、肌肉、肠系膜淋巴结、胸腺、乳腺（雌性）、胸骨，发现异常时对该组织脏器用10%的甲醛（睾丸、附睾和眼球用Davidson's液）进行固定保存，并进行组织病理学检查，如未发现异常，不进行固定保存。

4.6.2 组织病理学检查

检查方法：固定后的组织经修块取材，逐级酒精脱水，石蜡包埋，滑动切片机切片（厚度约3μm），经苏木精-伊红（HE）染色，光镜下进行检查。根据镜检结果，如果某些组织器官需用其他方法染色，以提供更多的组织病理学信息，则进一步进行特殊染色。

4.7 数据的统计与处理

对于体重、摄食量等数据均采用SPSS22.0按照以下方法进行统计，最终数据以$\bar{x} \pm s$表示：（1）首先用Barlett检验方法进行数据均一性检验，如有数据均一（检验$P \geq 0.05$），则进行方差分析检验（F检验）；如果Bartlett检验结果显著（$P < 0.05$），则进行Kruskal-wallis检验。（2）如果方差分析检验结果显示（$P < 0.05$），则进一步用Dunett参数检验法进行多重比较检验；如果方差分析结果不显著（$P \geq 0.05$），则统计结束。（3）如果Kruskal-wallis检验结果显著（$P < 0.05$），则进一步用Dunett非数检验法进行多重比较检验；如果Kruskal-wallis检验结果不显著（$P \geq 0.05$），则统计结束。

临床症状观察、大体病理学检查结果、组织病理学检查结果（如果有）则无需进行统计学处理，直接列出观察结果。

5 结果

5.1 对动物临床症状的影响

给药后连续观察动物2周，小鼠进食、进水、活动、毛色、排便姿势、躯体运动、呼吸频率，下腹及肛门周围有无污染，眼、鼻、口有无分泌物，体温等一切正常。

5.2 对动物体重的影响

试验期间，小鼠活动正常，健康活泼，小鼠无一死亡，无中毒反应，无其他异常现象。空白对照组和给药组小鼠体重比较，无显著性差异（$P > 0.05$）。结果见表2~3。

表2 萨仁·嘎日迪对雄性小鼠体重的影响（n=10, g, $\bar{x}\pm s$）

组 别	给药第1天	给药第7天	给药第14天
空白对照组	18.26±1.86	25.27±4.65	33.85±3.71
供试品组	17.93±1.27	26.82±2.05	33.17±4.84

表3 萨仁·嘎日迪对雌性小鼠体重的影响（n=10, g, $\bar{x}\pm s$）

组 别	给药第1天	给药第7天	给药第14天
空白对照组	18.33±5.30	21.93±6.17	31.48±1.74
供试品组	17.82±3.27	22.06±2.93	30.26±4.26

5.3 对动物摄食量的影响

试验期间，各组动物的摄食量之间比较，无显著性差异（$P>0.05$）。结果见表4~5。

表4 萨仁·嘎日迪对雄性小鼠摄食量的影响（n=10, g, $\bar{x}\pm s$）

组 别	给药第1天	给药第7天	给药第14天
空白对照组	5.86±1.37	6.10±0.28	5.56±1.74
供试品组	5.61±0.93	5.37±1.04	6.16±1.72

表5 萨仁·嘎日迪对雌性小鼠摄食量的影响（n=10, g, $\bar{x}\pm s$）

组 别	给药第1天	给药第7天	给药第14天
空白对照组	5.74±0.74	6.62±0.62	5.82±0.37
供试品组	6.08±1.15	5.94±1.72	5.47±1.11

5.4 对动物饮水量的影响

试验期间，各组动物的饮水量之间比较，无显著性差异（$P>0.05$）。结果见表6~7。

表6 萨仁·嘎日迪对雄性小鼠饮水量的影响（n=10, g, $\bar{x}\pm s$）

组 别	给药第1天	给药第7天	给药第14天
空白对照组	5.39±1.92	5.91±2.49	6.02±2.47
供试品组	5.84±2.72	6.34±1.95	5.26±1.90

表7 萨仁·嘎日迪对雌性小鼠饮水量的影响（n=10, g, $\bar{x}\pm s$）

组 别	给药第1天	给药第7天	给药第14天
空白对照组	5.82±1.71	6.03±2.17	5.86±1.43
供试品组	5.96±2.23	5.62±1.92	6.37±1.23

5.5 病理学检查

大体病理学检查，肉眼观察组织、器官未发现异常或病变。

6 结论

本试验条件下，昆明种小鼠灌胃给予萨仁·嘎日迪，小鼠按0.4ml/10g灌胃给药，一日内给药1次，小鼠总给药量为40ml/kg，为人临床给药剂量的115.01倍。在观察期间内（0~14天），饲养观察2周，无任何异常及中毒反应，小鼠体重增加，行为、活动、进食一切正常。

结果表明，萨仁·嘎日迪口服给药为无毒或为低毒药物。

7 原始记录及其资料的保存

保存地: 内蒙古医科大学药学院

联系人: 肖云峰

起草单位: 内蒙古医科大学蒙医药学院 桂 香 莎础拉 邓·乌力吉

鄂尔多斯市检验检测中心 张 烨 李 珍 史永惠

内蒙古医科大学药学院 肖云峰 钱新宇 王 娜 韩运琪 王建民

李建华 张双兰 程 前 籍紫薇

塔米日–15丸质量标准起草说明

【历史沿革】

处方来源于内蒙古自治区国际蒙医医院杭盖巴特尔大夫经验方。

【处方来源】

本制剂由内蒙古自治区国际蒙医医院提供。

【名称】

塔米日–15丸

【蒙药材和饮片的来源和执行标准】

1. 处方组成及药味排列顺序：石榴60g、玉竹60g、益智仁60g、黄精60g、红花60g、天冬60g、手参60g、锁阳60g、广枣60g、紫茉莉40g、炒菱角40g、荜茇40g、炒马钱子40g、肉桂20g、冬虫夏草10g。

2. 处方中除了石榴、炒菱角和手参药材外，其余玉竹等药味均收载于《中国药典》2020年版一部，其标准应符合该品种项下有关规定。

炒菱角：为菱科植物乌菱*Trapa bicornis* Osbeck 的干燥成熟果实。其标准应符合《内蒙古蒙药饮片炮制规范》2020年版第264页该品种项下的有关规定。

石榴：为石榴科植物石榴*Punica granatum* L.的干燥成熟果实。其质量应符合《内蒙古蒙药材炮制规范》2020年版第119页该品种项下的有关规定。

手参：为兰科植物手参*Gymnadenia conopsea*（L.）R. Br. 的干燥块茎。其标准应符合《内蒙古蒙药饮片炮制标准》2020年版第71页该品种项下有关规定。

【制法】

以上十五味，除冬虫夏草外，其余石榴等十四味，粉碎成细粉，将冬虫夏草研细，与上述细粉配研，过筛，混匀，用水泛丸，打光，干燥，分装，即得。

【性状】

本品为口服制剂水丸，性状为棕色至褐色的水丸；气微，味苦、辛、咸。

【鉴别】

本品方中药材经显微鉴别观察，显微特征不明显，专属性不强，故未建立显微鉴别。对处方中荜茇、益智建立了薄层色谱鉴别。

1. 试剂与试药

供试品：供试品（批号20190906、20200322、20200526）由内蒙古自治区国际蒙医医院提供，模拟样品（批号20200065）模拟。

对照品：胡椒碱对照品（批号110775–201706）、益智对照药材（批号121029–201305），均购于中国食品药品检定研究院。

薄层板：硅胶G板，购于青岛海洋化工有限公司。

所用其他试剂均为分析纯,水为离子交换高纯水。

2. 试验方法与结果

（1）荜茇薄层鉴别

参照《中国药典》2020年版一部"荜茇"项下薄层鉴别条件,制定出正文所述的鉴别方法（胡椒碱的Rf值为0.46）。通过阴性对照试验观察,方中其他药材对荜茇的检出无干扰此法具有专属性。

（2）益智薄层鉴别

参照文献报道和《中国药典》2020年版一部项下的"益智"药材薄层鉴别条件,制定出正文所述的鉴别方法（Rf值为0.56）。用无水乙醇作为溶剂,以①环己烷-醋酸乙酯（8:2）;②石油醚（60~90℃）-丙酮（5:2）为展开剂,进行条件摸索,展开后,取出晾干,喷10%硫酸乙醇溶液,105℃加热至斑点显色清晰,分别置日光和紫外光灯（365nm）下检视。结果①展开效果较为理想,且显色清晰,通过阴性对照试验观察,方中其他药材对益智的检出无干扰,此法具有专属性。

【检查】

按照丸剂（《中国药典》2020年版四部通则0108）项下规定,对三批供试品及模拟样品的水分、重量差异、溶散时限、重金属及砷盐、微生物限度进行了检查。具体方法及测定数据如下:

1. 水分: 取供试品照水分测定法（《中国药典》2020年版四部 通则0832）测定,三批供试品及模拟样品测定结果见表1。

表1 水分测定结果

序号	批号	水分（%）
1	20190906	4.4
2	20200322	4.7
3	20200526	4.2
4	20200065	4.5

药典规定丸剂水分含量不得大于9.0%。从表1数据可见,三批供试品和模拟样品的水分含量均符合要求。

2. 重量差异: 取以上三批供试品,每批供试品取10份,10丸为1份,分别称定重量,再与每份标示重量（2g）相比较,求每一份的重量差异（%）。药典规定每份标示装量的限度为±8%,并规定超出重量差异限度的不得多于2份,并不得有1份超出限度1倍。本品的重量差异检查结果均符合规定。

3. 溶散时限: 取本品照片剂项下崩解时限检查法（《中国药典》2020年版四部通则0921）加挡板进行测定。三批供试品测定结果见表2。

表2 溶散时限测定结果

序号	批号	溶散时间（min）
1	20190906	29
2	20200322	28
3	20200526	29

药典规定水丸应在1小时内全部溶散。从表2数据可见,本品的溶散时限符合规定。

4. 对三批供试品及模拟样品进行了重金属、砷盐考察,方法与结果如下:

重金属: 分别取每个批号供试品0.5g、0.67g、1.0g、2.0g,按《中国药典》2020年版四部0821第二法检查。

供试品溶液的制备: 取本品0.5g、0.67g、1.0g、2.0g,分别缓缓炽灼至完全炭化,放冷,加硫酸0.5ml,使湿润,低温加热至硫酸除尽后,加硝酸0.5ml,蒸干,至氧化氮蒸气除尽后,放冷,于600℃炽灼至完全灰化,放冷。加盐酸

2ml，置水浴上蒸干后加水15ml，滴加氨试液至对酚酞指示液显中性，再加醋酸盐缓冲液（pH3.5）2ml，微热溶解后，移置纳氏比色管中，加水稀释至25ml，作为供试品溶液。

标准铅对照溶液的制备：另取配制供试品溶液的试剂两份，分别置瓷皿中蒸干后，加醋酸盐缓冲液（pH3.5）2ml，加水15 ml微热溶解后，移置两支纳氏比色管中，分别加标准铅溶液（10μg/ml Pb）2ml，再加水稀释至25ml，作为标准铅对照溶液。

检视：于上述供试品溶液和标准铅对照溶液中分别加硫代乙酰胺试液各2ml，摇匀，放置2分钟，同置白色背景上，从上向下进行观察。试验结果见表3。

表3　重金属检查结果

序号	批号	重金属含量（ppm）			
1	20190906	<10	<20	<30	<40
2	20200322	<10	<20	<30	<40
3	20200526	<10	<20	<30	<40
4	20200065	<10	<20	<30	<40

结果显示，供试品溶液的颜色明显浅于2ml的标准铅对照管。经过三批供试品及模拟样品的检查，含重金属均未超过百万分之十，故未收入正文。

砷盐：取本品1g和标准砷溶液（1μg/ml AS）2ml，分别加无砷氢氧化钙1g，加少量水，搅匀，烘干，用小火缓缓炽灼至炭化，再在600℃炽灼至完全灰化，放冷。分别加盐酸7ml使溶解，再加水21ml，按《中国药典》2020年版四部通则0822第一法（古蔡氏法）做砷盐限量检查。

结果：供试品砷斑浅于标准砷斑的颜色，表明本品含砷量未超过百万分之二（小于2ppm），故砷盐检查项目未列入正文。

5. 微生物限度：照微生物计数法（《中国药典》2020年版四部通则1105）和控制菌检查法（《中国药典》2020年版四部通则1106）及《内蒙古蒙药制剂规范》（第三册）附录Ⅲ微生物限度标准，进行检查。结果均符合规定。

【含量测定】

塔米日-15是由石榴、肉桂、益智仁、荜茇、红花、天冬、玉竹、黄精、冬虫夏草等十五味药组成。其中红花具有活血通经，散瘀止痛功效。参照《中国药典》2020年版一部中"红花"项下的含量测定方法，对本品中红花所含的羟基红花黄色素A进行HPLC含量测定方法研究。经分析方法验证，表明该方法重复性好、专属性强，方中其他组分对羟基红花黄色素A的测定无干扰。

1　仪器与试剂试药

1.1　仪器

岛津LC-20AT，SIL-20A型控制器，SPD-M20A型检测器，LCsolution色谱工作站；BSA124S（0.1mg）、BT 125D（0.01mg）、Sartorius MSE3.6P-0CE-DM（0.001mg）电子天平；KQ-500DE型数控超声波清洗器（500W，40kHz）；Heal Force NW15UV型超纯水系统；FW400A型多功能粉碎机（材茂科技有限公司）。

1.2　试剂与试药

供试品（批号20190906、20200322、20200526）由内蒙古自治区国际蒙医医院提供，模拟样品（批号20200065）模拟；羟基红花黄色素A对照品（批号111637-201609）购于中国食品药品检定研究院；甲醇为色谱纯，水为超纯水，所用其他试剂均为分析纯。

2　方法学考察

2.1　色谱条件

2.1.1　色谱柱：色谱柱填充剂为十八烷基硅烷键合硅胶，本试验采用SHIMADZU-GL WondaCract ODS-2C$_{18}$色谱柱（250mm×4.6mm，5μm）。

2.1.2　流动相的选择：参照《中国药典》2020年版一部"红花"项下的含量测定方法，以甲醇-0.4%磷酸溶液（52∶48）为流动相，进行试验发现干扰较大，分离度较差，通过试验分析，最终选定甲醇-乙腈-0.7%磷酸（26∶2∶72）（用三乙胺将0.7%磷酸调pH至6.0±0.1）为流动相，供试品中的羟基红花黄色素A与其他成分能达到较好的分离，色谱峰具有比较好的保留时间、分离度和对称性。故选择以甲醇-乙腈-0.7%磷酸（26∶2∶72）（用三乙胺将0.7%磷酸调pH至6.0±0.1）为流动相。

2.1.3　柱温：在40℃的条件下，羟基红花黄色素A的保留时间一致，而且分离效果比较好，因此选择柱温在40℃。

2.1.4　检测波长的选择：参照《中国药典》2020年版一部"红花"含量测定项下羟基红花黄色素A的测定方法，选用403nm处作为检测波长。

2.1.5　理论板数的确定：从对三批数据的测定结果可见，羟基红花黄色素A峰理论板数在5000以上即能达到较好的分离效果，故规定理论板数按羟基红花黄色素A峰计算应不低于5000。

2.2　提取方法的选择及提取效率的考察

2.2.1　提取溶剂的选择

参照《中国药典》2020年版一部"红花"项下对羟基红花黄色素A的提取方法，故选用25%甲醇作为提取溶剂。

2.2.2　提取效率的考察

参考《中国药典》2020年版一部"红花"含量测定项下的方法，以25%甲醇作为提取溶剂进行超声提取。为保证被测成分提取完全，取约1g供试品，在供试品的细度一致、提取溶剂为25%甲醇、超声功率一致的条件下，分别考察了提取20分钟、40分钟、60分钟时的提取效率。结果见表4。

表4　羟基红花黄色素A提取时间考察

序号	提取时间（min）	含量（mg/g）
1	20	0.8156
2	40	0.8322
3	60	0.8258

从表4数据可见，超声提取时间为20分钟、40分钟、60分钟时，供试品中羟基红花黄色素A的含量基本一致，故将提取时间定为40分钟。这与《中国药典》2020年版一部"红花"含量测定项下的提取时间一致。

2.2.3　提取溶剂用量的考察

取供试品粉末约1.0g，共3份，精密称定，按重复性试验项下方法操作，分别加入25%甲醇溶液的量为10ml、20ml和40ml，其他条件按重复性试验项下方法操作，结果见表5。

表5　羟基红花黄色素A提取溶剂用量考察表

溶剂用量（ml）	取样量（g）	峰面积值	含量（mg/g）
10	1.0292	1514884	0.8168
20	1.0293	1527385	0.8205
40	1.0293	1527712	0.8212

从表5数据可见，用10ml、20ml、40ml溶剂的样品羟基红花黄色素A含量基本一致，提取完全，故确定提取溶剂加入量为10ml。

2.3 专属性考察

2.3.1 对照品溶液的制备：取羟基红花黄色素A对照品约6mg，置10ml量瓶中，加25%甲醇使溶解并稀释至刻度，摇匀，作为对照品溶液（羟基红花黄色素A 0.6308mg/ml）。

2.3.2 供试品溶液的制备：取本品适量，研细，取约1g，精密称定，置具塞锥形瓶中，精密加入25%甲醇10ml，密塞，称定重量，超声处理40分钟，放冷，再称定重量，用甲醇补足减失的重量，摇匀，滤过，取续滤液，作为供试品溶液。

2.3.3 阴性对照溶液的制备：按本品处方工艺制备不含红花的阴性样品，按供试品溶液的制备方法制备阴性对照溶液（缺红花）。

2.3.4 测定：分别精密吸取以上三种溶液各10μl，注入色谱仪，记录各自的色谱图。

试验结果显示：供试品色谱中在与对照品色谱保留时间相同的位置上有色谱峰出现，而阴性对照在与对照品色谱保留时间相同的位置上无色谱峰出现，表明该含量测定方法阴性无干扰，专属性好。

2.4 线性关系考察

取羟基红花黄色素A对照品约6.0mg，精密称定，置10ml量瓶中，加25%甲醇使溶解，并稀释至刻度，摇匀，作为对照品溶液（羟基红花黄色素A 0.6308mg/ml）；分别精密吸取上述对照品溶液0.4ml、0.8ml、1.2ml、1.6ml、2ml、2.4ml分别置于10ml量瓶中，加25%甲醇稀释至刻度，摇匀，分别精密量取上述对照品溶液和系列浓度溶液各5μl按上述色谱条件进行测定，以峰面积对进样量进行回归分析。结果见表6。

表6 标准曲线数据及回归分析结果

对照品浓度（μg/ml）	峰面积值	回归方程	r
25.23	585179		
50.46	1021878		
75.70	1563574	y=23154x－32871	0.9799
100.93	2058434		
126.16	2633394		
151.39	3608910		

从表6数据可见，羟基红花黄色素A在0.2523～1.5139mg/ml范围内与峰面积值呈良好的线性关系。

2.5 稳定性试验

取同一供试品（批号20200526）溶液，分别于制备溶液后的0小时、2小时、4小时、6小时、8小时进行测定。结果见表7。

表7 不同时间测得溶液中羟基红花黄色素A峰面积值

时间（h）	峰面积值	RSD（%）
0	1522110	
2	1521597	
4	1520536	0.10
6	1520344	
8	1524122	

从表7数据可见，羟基红花黄色素A在8小时内峰面积值基本稳定，能够满足测定所需要的时间。

2.6 重复性试验

取同一供试品（批号20200526）6份，各约1.0g，精密称定，置具塞锥形瓶中，精密加入25%甲醇10ml，密塞，称定重量，超声处理40分钟，放冷，再称定重量，用甲醇补足减失的重量，摇匀，滤过，取续滤液，作为供试品溶液。另取羟基红花黄色素A对照品约6mg,置10ml量瓶中,加25%甲醇使溶解并稀释至刻度,摇匀,作为对照品溶液。分别精密吸取以上两种溶液各10μl,注入液相色谱仪,记录各自的色谱图,用外标法以峰面积计算含量。结果见表8。

表8　重复性试验结果

取样量（g）	峰面积值	含量（mg/g）	平均含量（mg/g）	RSD（%）
1.0023	1478485	0.8170		
1.0028	1483398	0.8193		
1.0027	1479096	0.8170	0.8144	0.54
1.0024	1464572	0.8092		
1.0022	1475726	0.8155		
1.0025	1463538	0.8086		

从表8数据可见,在相同的提取溶剂和色谱条件下,6份供试品含量测定结果的均值为0.8144mg/g,RSD为0.54%,表明该方法的重复性良好。

2.7　加样回收试验

取供试品（批号20200526,含量为0.8144mg/g）9份,各约0.5g,精密称定,分别置9个具塞锥形瓶中,分成三组每组三份,每组分别精密加入0.6456mg/ml的羟基红花黄色素A对照品溶液各0.6ml、0.8ml、0.7ml,再精密加入10ml甲醇,分别按重复性试验项下的方法操作,测定每份中羟基红花黄色素A的含量,计算回收率。结果见表9。

表9　羟基红花黄色素A加样回收试验结果

取样量（g）	供试品含量（mg）	对照品加入量（mg）	测得总量（mg）	回收率（%）	平均回收率（%）	RSD（%）
0.5061	0.4353	0.3874	0.8278	101.32		
0.5063	0.4355	0.3874	0.8291	101.60		
0.5061	0.4353	0.3874	0.8263	100.93		
0.5068	0.4359	0.5165	0.9604	101.55		
0.5069	0.4360	0.5165	0.9642	102.27	101.82	0.6
0.5067	0.4359	0.5165	0.9578	101.05		
0.5062	0.4354	0.4519	0.9043	103.76		
0.5060	0.4353	0.4519	0.8982	102.43		
0.5061	0.4353	0.4519	0.8940	101.50		

从表9数据可见,本方法的平均回收率为101.82%,RSD为0.6%。该方法准确度好。

2.8　耐用性试验

取同一供试品（批号20200322）4份,各约0.5g,精密称定,分别按重复性试验项下方法操作,换不同厂家、不同型号的色谱柱,分别测定供试品的含量。结果见表10。

表10　色谱柱耐用性试验

序号	柱型号	平均含量（mg/g）
1	Agilent C_{18}	0.8108
2	CAPCELL C_{18}	0.8412

从表10数据可见,不同型号或厂家的色谱柱对测定结果影响较小。

3　样品含量测定

取三批样品（批号20190906、20200322、20200526）及模拟样品（批号20200065）各2份,各约1g,精密称定,按重复性试验项下的方法处理并测定。含量测定结果见表11。

表11　样品中羟基红花黄色素A的含量测定结果

批号	取样量（g）	平均峰面积值	含量（mg/g）	平均含量（mg/g）
20190906	1.0023	1478485	0.8170	0.8209
	1.0028	1493398	0.8248	
20200322	1.0060	1652465	0.8551	0.8602
	1.0066	1672938	0.8652	
20200526	1.0025	1467574	0.8108	0.8108
	1.0022	1466998	0.8107	
20200065	1.2499	1700387	0.9418	0.9414
	1.2500	1698985	0.9410	

从表11数据可见，三批样品中羟基红花黄色素A含量最低为0.8108mg/g，最高为0.8602mg/g。含量之间无明显差异。模拟样品含量结果为0.9414mg/g。

4　红花药材含量测定

试验中采用同法对上述两批样品生产用红花药材进行了含量测定。测定结果见表12。

表12　红花药材中羟基红花黄色素A的含量测定结果

序号	取样量（g）	平均峰面积值（$n=2$）	含量（mg/g）	平均含量（mg/g）
1	0.2011	1794742	12.35	12.37
2	0.2012	1800501	12.39	

从表12数据可见，红花药材中羟基红花黄色素A的含量为12.37mg/g。

5　本制剂含量限度的确定

从表11和表12数据可见，批号为（20200322）样品含量为0.8602mg/g，红花药材中羟基红花黄色素A的含量为12.37mg/g。

按理论值折算，样品应含羟基红花黄色素A为60÷730×12.37＝1.0167，即1.0167mg/g 。可见，羟基红花黄色素A转移率为0.8602÷1.0167×100%＝84.60%。

参照《中国药典》2020年版一部"红花"项下规定含羟基红花黄色素A量不得少于1.0%，转移率为84.60%，考虑不同产地药材的质量差异，并结合其他影响因素及三批样品的测定结果，下浮15%，按此限度折算本品含羟基红花黄色素A的理论量应不低于60÷730×1.0%×1000×84.60%×85%＝0.591mg/g。

标准正文暂定为：本品每1g含红花以羟基红花黄色素A（$C_{27}H_{32}O_{16}$）计，不得少于0.60mg。

【功能与主治】

镇赫依，促进血液运行，燥协日乌素。用于治疗肾虚，精气衰竭，遗精，阳痿，失眠等症。

【用法与用量】

口服。一次11~15丸，一日1~2次，温开水送服。

【规格】

每10丸重2g。

【贮藏】

密封，防潮。

起草单位：呼伦贝尔市食品药品检验所　　马　丽　王　佳　白　南　鄂文君

　　　　　赤峰市药品检验所　　周国立　姜明慧　陆　静

　　　　　内蒙古自治区国际蒙医医院　　高钰思　安鲁斯　艾毅斯

塔米日-23丸质量标准起草说明

【来源】

处方来源于内蒙古自治区国际蒙医医院杭盖巴特尔大夫经验方。

【处方来源】

本制剂由内蒙古自治区国际蒙医医院提供。

【名称】

塔米日-23丸

【药材和饮片的来源和执行标准】

1. 处方组成及药味排列顺序：玉竹28g、天冬28g、黄精28g、红参28g、手参28g、黑冰片28g、党参28g、诃子28g、益智仁28g、生草果仁28g、石榴28g、炒珍珠28g、鹿茸21g、锁阳21g、肉苁蓉21g、闹羊花21g、丹参21g、红花21g、紫草茸21g、红茜草21g、栀子21g、人工牛黄21g、冬虫夏草7g。

2. 处方中除了手参、石榴、黑冰片、紫草茸和炒珍珠药材外，其余玉竹等药味均收载于《中国药典》2020年版一部，其标准应符合该品种项下的有关规定。

手参：为兰科植物手参*Gymnadenia conopsea*（L.）R. Br. 的干燥块茎。其标准应符合《内蒙古蒙药饮片炮制标准》2020年版第71页该品种项下有关规定。

石榴：为石榴科植物石榴*Punica granatum* L.的干燥成熟果实。其质量应符合《内蒙古蒙药材炮制规范》2020年版第119页该品种项下的有关规定。

黑冰片：为猪科动物野猪*Sus scrofa* linnaeus 的成形粪便野猪粪的炮制加工品。主含活性炭和微量元素。其质量应符合《内蒙古蒙药饮片炮制规范》2020年版第444页该品种项下的有关规定。

紫草茸：为胶蚧科昆虫紫胶虫*Laccifer lacca* Kerr 在树枝上所分泌的树脂状胶质。其质量应符合《内蒙古蒙药饮片炮制规范》2020年版第436页该品种项下的有关规定。

炒珍珠：为珍珠贝科动物马氏珍珠贝*Pteria martensii*（Dunker）蚌科动物三角帆蚌*Hyriopsis cumingii*（Lea）或褶纹冠蚌*Cristaria plicata*（Leach）等双壳类动物受刺激形成的珍珠。其标准应符合《内蒙古蒙药材炮制规范》2020年版第288页该品种项下的有关规定。

【制法】

以上二十三味，除人工牛黄、冬虫夏草、鹿茸、炒珍珠、红参外，其余玉竹等十八味，粉碎成细粉，将冬虫夏草、鹿茸、炒珍珠、红参分别研细，与人工牛黄和上述细粉配研，过筛，混匀，用水泛丸，打光，干燥，分装，即得。

【性状】

本品性状为褐色至黑褐色水丸；气微，味苦。

【鉴别】

本品方中药材经显微鉴别观察，显微特征不明显，专属性不强，故未建立显微鉴别。对处方中栀子、人工牛黄建立了薄层色谱鉴别。

1. 试剂与试药

供试品: 供试品(批号20200910、20200911、20190926)由内蒙古自治区国际蒙医医院提供, 模拟样品(批号20200066)模拟。

对照品: 栀子苷对照品(批号110749-200714)、栀子对照药材(批号120986-201610)、胆酸对照品(批号100078-201415)、猪去氧胆酸对照品(批号100087-201411)、人工牛黄对照药材(批号121197-201204), 均购于中国食品药品检定研究院提供。

薄层板: 硅胶G板, 购于青岛海洋化工有限公司。

所用其他试剂均为分析纯, 水为离子交换高纯水。

2. 试验方法与结果

(1) 人工牛黄薄层鉴别

参照《中国药典》2020年版一部"人工牛黄"项下薄层鉴别条件, 制定出正文所述的鉴别方法(胆酸的Rf值为0.50, 猪去氧胆酸的Rf值为0.69)。通过阴性对照试验观察, 方中其他药材对人工牛黄的检出无干扰, 此法具有专属性。

(2) 栀子薄层鉴别

参照《中国药典》2020年版一部"栀子"项下药材薄层鉴别条件, 制定出正文所述的鉴别方法(Rf值为0.59)。通过阴性对照试验观察, 方法中其他药材对栀子的检出无干扰, 此法具有专属性。

【检查】

按照丸剂(《中国药典》2020年版四部通则 0108)项下的规定, 对三批供试品及模拟样品的水分、重量差异、溶散时限、重金属、砷盐和微生物限度进行了检查。具体方法及测定数据如下:

1. 水分: 取供试品照水分测定法(《中国药典》2020年版四部通则0832)测定, 三批供试品及模拟样品测定结果见表1。

表1 水分测定结果

序号	批号	水分(%)
1	20200910	4.2
2	20200911	4.2
3	20190926	4.2
4	20200066	4.3

药典规定丸剂水分含量不得大于9.0%。从表1数据可见, 三批供试品和模拟样品的水分含量均符合要求。

2. 重量差异: 取以上三批供试品, 每批供试品取10份, 10丸为1份, 分别称定重量, 再与每份标示重量(2g)相比较, 求每一份的重量差异(%)。药典规定每份标示装量的限度为±8%, 并规定超出重量差异限度的不得多于2份, 并不得有1份超出限度1倍。本品的重量差异检查结果均符合规定。

3. 溶散时限: 取本品照片剂项下崩解时限检查法(《中国药典》2020年版四部通则0921)加挡板进行测定。三批供试品测定结果见表2。

表2 溶散时限测定结果

序号	批号	溶散时间(min)
1	20200910	36
2	20200911	36
3	20190926	44

药典规定水丸应在1小时内全部溶散。从表2数据可见,本品的溶散时限符合规定。

4. 对三批供试品及模拟样品进行了重金属和砷盐考察,方法与结果如下:

重金属:分别取每个批号供试品0.5g、0.67g、1.0g、2.0g,按《中国药典》2020年版四部0821第二法检查。

供试品溶液的制备:取本品0.5g、0.67g、1.0g、2.0g,分别缓缓炽灼至完全炭化,放冷,加硫酸0.5ml,使湿润,低温加热至硫酸除尽后,加硝酸0.5ml,蒸干,至氧化氮蒸气除尽后,放冷,于600℃炽灼至完全灰化,放冷。加盐酸2ml,置水浴上蒸干后加水15ml,滴加氨试液至对酚酞指示液显中性,再加醋酸盐缓冲液(pH3.5)2ml,微热溶解后,移置纳氏比色管中,加水稀释至25ml,作为供试品溶液。

标准铅对照溶液的制备:另取配制供试品溶液的试剂两份,分别置瓷皿中蒸干后,加醋酸盐缓冲液(pH3.5)2ml,加水15ml微热溶解后,移置两支纳氏比色管中,分别加标准铅溶液(10μg/ml Pb)2ml,再加水稀释至25ml,作为标准铅对照溶液。

检视:于上述供试品溶液和标准铅对照溶液中分别加硫代乙酰胺试液各2ml,摇匀,放置2分钟,同置白色背景上,从上向下进行观察。结果见表3。

表3 重金属检查结果

序号	批号	重金属含量(ppm)			
1	20200910	<10	<20	<30	<40
2	20200911	<10	<20	<30	<40
3	20190926	<10	<20	<30	<40
4	20200066	<10	<20	<30	<40

结果显示,供试品溶液的颜色明显浅于2ml的标准铅对照管。经过三批供试品及模拟样品的检查,含重金属均未超过百万分之十,故未收入正文。

砷盐:取本品1g和标准砷溶液(1μg/ml AS)2ml,分别加无砷氢氧化钙1g,加少量水,搅匀,烘干,用小火缓缓炽灼至炭化,再在600℃炽灼至完全灰化,放冷。分别加盐酸7ml使溶解,再加水21ml,按《中国药典》2020年版四部通则0822第一法(古蔡氏法)做砷盐限量检查。

结果:供试品砷斑浅于标准砷斑的颜色,表明本品含砷量未超过百万分之二(小于2ppm),故砷盐检查项目未列入正文。

5. 微生物限度:照微生物计数法(《中国药典》2020年版四部通则1105)和控制菌检查法(《中国药典》2020年版四部通则1106)及《内蒙古蒙药制剂规范》(第三册)附录Ⅲ微生物限度标准,进行检查。结果均符合规定。

【含量测定】

塔米日-23丸是由栀子、锁阳、黄精、手参、人工牛黄、冬虫夏草、肉苁蓉、红花等二十三味药组成。其中红花具有活血通经,散瘀止痛功效。参照《中国药典》2020年版一部中"红花"项下的含量测定方法,采用高效液相色谱法对处方中红花所含的羟基红花黄色素A进行测定,通过试验分析,结果表明该方法重复性好,专属性强,方中其他组分对羟基红花黄色素A的测定无干扰。

1 仪器与试剂试药

1.1 仪器

岛津LC-20A SPD-M20A型检测器,ELC solution色谱工作站;Sartorius BSA124S(0.1mg)、BT125D(0.01mg)、MSE3.6P-0CE-DM 29116811(0.001mg)电子天平;KQ-500DE型数控超声波清洗器(500W,40kHz);Heal Force NW15UV型超纯水系统;FW400A型多功能粉碎机(材茂科技有限公司)。

1.2 试剂与试药

供试品（批号20200910、20200911、20190926）由内蒙古自治区国际蒙医医院提供，模拟样品（批号20200066）模拟；羟基红花黄色素A对照品（批号111637–201609），购于中国食品药品检定研究院；甲醇为色谱纯，乙腈为色谱纯，水为超纯水，所用其他试剂均为分析纯。

2 方法学考察

2.1 色谱条件

2.1.1 色谱柱：色谱柱填充剂为十八烷基硅烷键合硅胶，本试验采用安捷伦C_{18}色谱柱（250mm×4.6mm，5μm）。

2.1.2 流动相的选择：参照《中国药典》2020年版一部"红花"项下的含量测定方法，以①甲醇–0.4%磷酸溶液（52∶48）；②甲醇–乙腈–0.7%磷酸（26∶2∶72）（用三乙胺将0.7%磷酸调pH至6.0±0.1）为流动相，进行试验分析，结果②供试品中羟基红花黄色素A与其他成分达到较好的分离，理论板数较高，保留时间适宜，故作为检测流动相。

2.1.3 柱温：在40℃的条件下，羟基红花黄色素A的保留时间一致，而且分离效果比较好，因此选择柱温在40℃。

2.1.4 检测波长的选择：精密称取羟基红花黄色素A对照品适量，用25%的甲醇制成每1ml含15μg的溶液，于紫外–可见分光光度计上，在350～500nm波长范围扫描。羟基红花黄色素A在波长403.5nm处有最大吸收。参照《中国药典》2020版一部"红花"含量测定项下羟基红花黄色素A的测定方法，选择403nm作为检测波长。

2.1.5 理论板数的确定：从对多批数据的测定结果可见，羟基红花黄色素A的理论板数在5000以上即能达到较好的分离效果，考虑到不同的色谱柱具不同的理论板数，故确定理论板数按羟基红花黄色素A峰算应不低于5000。

2.2 提取方法的选择及提取效率的考察

2.2.1 提取溶剂的选择

参照《中国药典》2020版一部"红花"项下对羟基红花黄色素A的提取方法，选用25%甲醇作为提取溶剂。

2.2.2 提取效率的考察

参考《中国药典》2020年版一部"红花"含量测定项下的方法，精密称取试品约2.0g，以25%甲醇作为提取溶剂进行超声提取。为保证被测成分提取完全，在供试品的细度一致、提取溶剂为25%甲醇、超声功率一致的条件下，分别考察了提取20分钟、40分钟和60分钟时的提取效率。结果见表4。

表4 羟基红花黄色素A提取时间考察

序号	提取时间（min）	含量（mg/g）
1	20	0.4742
2	40	0.4897
3	60	0.4948

从表4数据可见，超声提取时间为20分钟、40分钟和60分钟时，供试品中羟基红花黄色素A的含量基本一致，故将提取时间定为40分钟。这与《中国药典》2020年版一部"红花"含量测定项下的提取时间一致。

2.3 专属性考察

2.3.1 对照品溶液的制备：取羟基红花黄色素A对照品（批号111637–201810）约6mg，置10ml量瓶中，加25%甲醇使溶解并稀释至刻度，摇匀，作为对照品溶液（羟基红花黄色素A 0.6308mg/ml）。

2.3.2 供试品溶液的制备：取本品适量，研细，取约2g，精密称定，置具塞锥形瓶中，精密加入25%甲醇10ml，密塞，称定重量，超声处理40分钟，放冷，再称定重量，用甲醇补足减失的重量，摇匀，滤过，取续滤液，作为供试品溶液。

2.3.3 阴性对照溶液的制备：按本品处方工艺制备不含红花的阴性样品，按供试品溶液的制备方法制备阴性对照溶液（缺红花）。

2.3.4 测定：分别精密吸取以上三种溶液各10μl，注入色谱仪，记录各自的色谱图。

试验结果显示：供试品色谱中在与对照品色谱保留时间相同的位置上有色谱峰出现，而阴性对照在与对照品色谱保留时间相同的位置上无色谱峰出现，表明该含量测定方法阴性无干扰，专属性好。

2.4 线性关系考察

精密称定，羟基红花黄色素A对照品6mg，置10ml量瓶中，加25%甲醇使溶解并稀释至刻度，摇匀，即得。（羟基红花黄色素A 0.6308mg/ml）精密吸取0.4ml、0.8ml、1.2ml、1.6ml、2.0ml、2.4ml，分别置10ml量瓶中，加25%甲醇稀释至刻度，摇匀，分别精密量取上述对照品溶液和系列浓度溶液各5μl按上述色谱条件进行测定，以峰面积对进样量进行回归分析。结果见表5。

表5 标准曲线数据及回归分析结果

对照品浓度（μg/ml）	峰面积值	回归方程	r
25.23	585179		
50.46	1021878		
75.70	1563574	$y=23154x-32871$	0.9799
100.93	2058434		
126.16	2633394		
151.39	3608910		

从表5数据可见，羟基红花黄色素A在0.2523～1.5139mg/ml，呈良好的线性关系。

2.5 稳定性试验

取同一份供试品溶液，分别于制备溶液后的0小时、2小时、4小时、6小时、8小时、10小时、12小时进行测定。结果见表6。

表6 不同时间测得溶液中羟基红花黄色素A峰面积值

时间（h）	峰面积值	RSD（%）
0	2055788	
2	2059308	
4	2059483	
6	2055774	0.08
8	2056382	
10	2056356	
12	2056490	

从表6数据可见，羟基红花黄色素A在12小时内峰面积值基本稳定，能够满足测定所需要的时间。

2.6 重复性试验

取同一供试品（批号20200911）6份，各约2.0g，精密称定，置具塞锥形瓶中，精密加入25%甲醇10ml，密塞，称定重量，超声处理40分钟，放冷，再称定重量，用甲醇补足减失的重量，摇匀，滤过，取续滤液，作为供试品溶液。另取羟基红花黄色素A对照品约6mg，置10ml量瓶中，加25%甲醇使溶解并稀释至刻度，摇匀，作为对照品溶液。分别精密吸取以上两种溶液各10μl,注入液相色谱仪,记录各自的色谱图,用外标法以峰面积计算含量。结果见表7。

表7　重复性试验结果

取样量(g)	峰面积值	含量(mg/g)	平均含量(mg/g)	RSD(%)
2.0692	2056793	0.4588		
2.0691	2039137	0.4548		
2.0695	2059012	0.4592	0.4576	0.54
2.0692	2061096	0.4597		
2.0692	2058743	0.4592		
2.0695	2036059	0.4541		

从表7数据可见,在相同的提取溶剂和色谱条件下,6份供试品含量测定结果的均值为0.4576mg/g,RSD为0.54%,表明该方法的重复性良好。

2.7　加样回收试验

取供试品(批号20200911,含量为0.4576mg/g)9份,各约1.0g,精密称定,分别置9个具塞锥形瓶中,分成三组每组三份,每组分别精密加入0.4900mg/ml的羟基红花黄色素A对照品溶液各0.8ml、1.0ml、1.2ml(约相当于供试品含量的80%、100%、120%),再精密加入10ml甲醇,分别按重复性试验项下的方法操作,测定每份的含量,计算回收率。结果见表8。

表8　加样回收试验结果

取样量(g)	供试品含量(mg)	对照品加入量(mg)	测得总量(mg)	回收率(%)	平均回收率(%)	RSD(%)
1.0020	0.4936	0.3920	0.8899	101.09		
1.0024	0.4938	0.3920	0.8950	102.35		
1.0023	0.4937	0.3920	0.8954	102.47		
1.0021	0.4936	0.4900	0.9763	98.51		
1.0023	0.4937	0.4900	0.9838	100.02	101.26	1.73
1.0022	0.4937	0.4900	0.9776	98.76		
1.0032	0.4942	0.5880	1.0969	102.50		
1.0034	0.4943	0.5880	1.0993	102.89		
1.0033	0.4942	0.5880	1.0983	102.74		

从表8数据可见,本方法的平均回收率为101.26%,RSD为1.73%。该方法准确度好。

2.8　耐用性试验

取同一批号供试品(批号20200910)4份,各约0.5g,精密称定,分别按重复性试验项下方法操作,换不同厂家、不同型号的色谱柱,分别测定供试品的含量。结果见表9。

表9　色谱柱耐用性试验

序号	柱型号	含量(mg/g)
1	Agilent C$_{18}$	0.4588
	CAPCELL C$_{18}$	0.4630
2	Agilent C$_{18}$	0.4548
	CAPCELL C$_{18}$	0.4575

从表9数据可见,不同型号或厂家的色谱柱对测定结果影响较小。

3 样品含量测定

取三批样品（批号20200910、20200911、20190926）及模拟样品（批号20200066）各2份，各约2g，精密称定，按重复性试验项下的方法处理并测定。含量测定结果见表10。

表10 样品中羟基红花黄色素A的含量测定结果

批号	取样量（g）	平均峰面积值	含量（mg/g）	平均含量（mg/g）
20200910	2.0001	2161821	0.4988	0.4926
	2.0001	2107530	0.4863	
20200911	2.0033	2102844	0.4845	0.4814
	2.0326	2106694	0.4784	
20190926	2.0080	2090733	0.4805	0.4818
	2.0078	2102132	0.4832	
20200066	2.0011	1722737	0.3973	0.3958
	2.0012	1709900	0.3943	

从表10数据可见，三批样品中羟基红花黄色素A含量最低为0.4814mg/g，最高为0.4926mg/g，羟基红花黄色素A平均含量0.4853mg/g。模拟样品含量结果为0.3958mg/g。

4 红花药材含量测定

试验中采用同法对上述两批供试品生产用红花药材进行了含量测定。测定结果见表11。

表11 红花药材中羟基红花黄色素A的含量测定结果

序号	取样量（g）	平均峰面积值（$n=2$）	含量（mg/g）	平均含量（mg/g）
1	0.1981	1794742	12.54	12.56
2	0.1980	1800501	12.59	

从表11数据可见，红花药材中羟基红花黄色素A的含量为12.56mg/g。

5 本制剂含量限度的确定

从表10和表11数据可见，三批样品和模拟样品中羟基红花黄色素A的平均含量为0.4853mg/g，红花药材中羟基红花黄色素A的含量为12.56mg/g。

按理论值折算，样品应含羟基红花黄色素A为21÷553×12.56=0.4770，即0.4770mg/g。可见，羟基红花黄色素A转移率为0.4853（mg/g）÷0.4770（mg/g）×100%=101.7%。

参照《中国药典》2020年版一部"红花"药材的羟基红花黄色素A含量限度不得少与1.0%，转移率为100%，考虑不同产地药材的质量差异，并结合其他影响因素及三批样品的测定结果，下浮25%，按此限度折算本品含羟基红花黄色素A的理论量应不低于 21÷553×1.0%×1000×100%×75%= 0.339mg/g。

标准正文暂定为：本品每1g含红花以羟基红花黄色素A（$C_{27}H_{32}O_{16}$）计，不得少于0.35mg。

【功能与主治】

镇赫依，解毒，温养，化浊清血，平衡三根。用于血精衰竭，毒素侵扰症，血衰症，亏血症。

【用法与用量】

口服。一次11~15粒，一日1~2次，温开水送服。

【规格】

每10丸重2g。

【贮藏】

密封，防潮。

起草单位: 呼伦贝尔市食品药品检验所　　　王　佳　马　丽　白　南　鄂文君

　　　　　　赤峰市药品检验所　　　　　　　李彦铮　兰利军　王静宝

　　　　　　内蒙古自治区国际蒙医医院　　　艾毅斯　高钰思　安鲁斯

博格仁-11丸 质量标准起草说明

【历史沿革】

本方来源于《四部医典》（内蒙古人民出版社 1978年版，蒙古文，第1031页）。

【处方来源】

本制剂由内蒙古自治区国际蒙医医院提供。

【名称】

博格仁-11丸

【蒙药材和饮片的来源和执行标准】

1. 处方组成及药味排列顺序：豆蔻150g、炒菱角60g、炒硇砂60g、荜茇60g、芒果核60g、大托叶云实60g、方海150g、冬葵果60g、蒲桃60g、干姜60g、人工麝香2g。

2. 处方中除炒菱角、炒硇砂、方海、芒果核、冬葵果、大托叶云实和蒲桃药材外，其余豆蔻等药味均收载于《中国药典》2020年版一部，其质量应符合该品种项下的有关规定。

炒硇砂：为卤化物类矿物硇砂Sal Ammoniac的晶体，主含氯化铵。其标准应符合《内蒙古蒙药饮片炮制规范》2020年版第144页该品种项下的有关规定。

方海：为方蟹科动物中华绒螯蟹*Eriocher sinensis* H. Milne-Edwards 的干燥全体。其标准应符合《内蒙古蒙药饮片炮制规范》2020年版第431页该品种项下的有关规定。

大托叶云实：为豆科植物大托叶云实*Caesalpinia crista* L.的干燥成熟种子。其质量应符合《内蒙古蒙药饮片炮制规范》2020年版第15页该品种项下的有关规定。

蒲桃：为桃金娘科植物乌墨（海南蒲桃）*Syzygium cumini* Skeels 的干燥果实。其质量应符合《内蒙古蒙药饮片炮制规范》2020年版第464页该品种项下的有关规定。

炒菱角：为菱科植物乌菱*Trapa bicornis* Osbeck 的干燥成熟果实。其标准应符合《内蒙古蒙药饮片炮制规范》2020年版第264页该品种项下的有关规定。

芒果核：为漆树科植物芒果*Mangifera indica* L. 的干燥成熟果核。其质量应符合《内蒙古蒙药饮片炮制规范》2020年版第152页该品种项下的有关规定。

冬葵果：为锦葵科植物冬葵*Malva verticillata* L. 的干燥成熟果实。其标准应符合《内蒙古蒙药饮片炮制规范》2020年版第431页该品种项下的有关规定。

【制法】

以上十一味，除人工麝香外，其余豆蔻等十味，粉碎成细粉，将人工麝香与上述细粉研配，过筛，混匀，用水泛丸，打光，干燥，分装，即得。

【性状】

本品为浅黄棕色至棕色的水丸；气香，味辛、咸。

【鉴别】

本品为药材细粉以水为黏合剂泛制成的丸剂,方中大多数药味的显微特征都比较明显,故对处方中的豆蔻、荜茇、冬葵果建立显微鉴别。并对处方中的干姜建立了薄层鉴别。

1. 试剂与试药

供试品:供试品(批号 201915101, 201915102, 201915103)由内蒙古自治区国际蒙医医院提供,模拟样品(批号 20200402)模拟。

对照药材:干姜对照药材(批号 1009200101),购于中国食品药品检定研究院。

薄层板:硅胶G板,购于青岛海洋化工有限公司。

所用其他试剂均为分析纯,水为离子交换高纯水。

2. 试验方法与结果

(1)显微鉴别

豆蔻:内种皮厚壁细胞黄棕色或棕红色,表面观类多角形,壁厚,胞腔含硅质块;荜茇:种皮细胞红棕色,长多角形,壁连珠状增厚;冬葵果:多细胞星状毛,多破碎。

(2)干姜薄层鉴别

参照《中国药典》2020年版一部"干姜"项下的薄层条件,制定正文所述的鉴别方法。通过阴性对照试验观察,方中其他药材对干姜药材的检出无干扰,证明此方法具有专属性。

【检查】

按照丸剂(《中国药典》2020年版四部通则0108)项下的规定,对三批供试品及模拟样品的水分、重量差异、溶散时限、重金属、砷盐、微生物限度进行了检查。具体方法及测定数据如下:

1. 水分:取供试品照水分测定法(《中国药典》2020年版四部通则0832)测定。三批供试品及模拟样品的测定结果见表1。

表1　水分测定结果

序号	批号	水分(%)
1	201915101	5.38
2	201915102	5.33
3	201915103	5.28
4	20200402	5.19

药典规定散剂水分含量不得大于9.0%。从表1数据可见,本品水分含量符合要求。

2. 重量差异:取以上三批供试品,每批供试品取10份,10丸为1份,分别称定重量,再与每份标示重量(2g)相比较,求每一份的重量差异(%)。药典规定每份标示装量的限度为±8%,并规定超出重量差异限度的不得多于2份,并不得有1份超出限度1倍。本品的重量差异检查结果均符合规定。

3. 溶散时限:取本品照片剂项下崩解时限检查法(《中国药典》2020年版四部通则0921)加挡板进行测定。三批供试品测定结果见表2。

表2　溶散时限测定结果

序号	批号	溶散时间(min)
1	201915101	30
2	201915102	31
3	201915103	28

药典规定水丸应在1小时内全部溶散。从表2数据可见，本品的溶散时限符合规定。

4. 对三批供试品及模拟样品进行了重金属、砷盐、微生物限度考察，方法与结果如下：

重金属：分别取每个批号供试品0.5g、0.67g、1.0g、2.0g，按《中国药典》2020年版四部0821第二法检查。

供试品溶液的制备：取本品0.5g、0.67g、1.0g、2.0g，分别缓缓炽灼至完全炭化，放冷，加硫酸0.5ml，使湿润，低温加热至硫酸除尽后，加硝酸0.5ml，蒸干，至氧化氮蒸气除尽后，放冷，于600℃炽灼至完全灰化，放冷。加盐酸2ml，置水浴上蒸干后加水15ml，滴加氨试液至对酚酞指示液显中性，再加醋酸盐缓冲液（pH3.5）2ml，微热溶解后，移置纳氏比色管中，加水稀释至25ml，作为供试品溶液。

标准铅对照溶液的制备：另取配制供试品溶液的试剂两份，分别置瓷皿中蒸干后，加醋酸盐缓冲液（pH3.5）2ml，加水15 ml微热溶解后，移置两支纳氏比色管中，分别加标准铅溶液（10μg/ml Pb）2ml，再加水稀释至25ml，作为标准铅对照溶液。

检视：于上述供试品溶液和标准铅对照溶液中分别加硫代乙酰胺试液各2ml，摇匀，放置2分钟，同置白色背景上，从上向下进行观察。试验结果见表3。

表3　重金属检查结果

序号	供试品批号	重金属含量（ppm）
1	201915101	<10　<20　<30　<40
2	201915102	<10　<20　<30　<40
3	201915103	<10　<20　<30　<40
4	20200402	<10　<20　<30　<40

结果显示，供试品溶液的颜色明显浅于2ml的标准铅对照溶液。经过三批供试品及模拟样品的检查，含重金属均未超过百万分之十，故未收入正文。

砷盐：取本品1g和标准砷溶液（1μg/ml AS）2ml，分别加无砷氢氧化钙1g，加少量水，搅匀，烘干，用小火缓缓炽灼至炭化，再在600℃炽灼至完全灰化，放冷。分别加盐酸7ml使溶解，再加水21ml，按《中国药典》2020年版四部通则0822第一法（古蔡氏法）做砷盐限量检查。

结果：供试品砷斑浅于标准砷斑的颜色，表明本品含砷量未超过百万分之二（小于2ppm），故砷盐检查项目未收入正文。

5. 微生物限度：照微生物计数法（《中国药典》2020年版四部通则1105）和控制菌检查法（《中国药典》2020年版四部通则1106）及《内蒙古蒙药制剂规范》（第三册）附录Ⅲ微生物限度标准，进行检查。结果均符合规定。

【含量测定】

博格仁-11丸是由豆蔻、炒菱角、炒硇砂、荜茇、芒果核、大托叶云实、方海、冬葵果、蒲桃、干姜、人工麝香十一味药组成。祛巴达干，滋补，利尿。用于浮肿，水肿，水臌，肾寒，遗精，尿闭，腰肾酸痛。

荜茇功能温中散寒，下气止痛。主治脘腹冷痛，呕吐，泄泻，寒凝气滞，胸痹心痛等。胡椒碱是荜茇的主要化合物之一，故选择胡椒碱作为指标成分，对本制剂中的荜茇进行含量测定方法的研究。参照《中国药典》2020年版一部"荜茇"项下的含量测定方法，选择胡椒碱作为指标成分，对本制剂中的荜茇进行了HPLC含量测定方法研究。经分析方法验证，表明该方法重复性好，专属性强，方中其他组分对胡椒碱的测定无干扰。

1　仪器与试剂试药

1.1　仪器

Waters e2695 型高效液相色谱仪，Mettler-Toledo MS105DU型百万分之一电子天平，Mettler-Toledo XPR10型万分之一电子天平，SBL-22DT型超声波清洗器（宁波新芝生物科技股份有限公司，40kHz），Heal Force NW15UV型超纯水系统,FW400A型多功能粉碎机(材茂科技有限公司)。

1.2 试剂与试药

供试品(批号201915101,201915102,201915103)由内蒙古自治区国际蒙医医院提供,模拟样品(批号20200402)模拟;胡椒碱对照品(批号110775-201706),购于中国食品药品检定研究院;甲醇为色谱纯,水为超纯水,所用其他试剂均为分析纯。

2 方法学考察

2.1 色谱条件

2.1.1 色谱柱:色谱柱填充剂为十八烷基硅烷键合硅胶,本试验采用Tnature C$_{18}$(250mm×4.6mm,5μm)色谱柱。

2.1.2 流动相的选择:参照《中国药典》2020年版一部"荜茇"含量测定项下的测定方法,以甲醇-水(77:23)为流动相,供试品中的胡椒碱与其他成分能达到较好的分离,色谱峰具有比较好的保留时间、分离度和对称性。故选择以甲醇-水(77:23)为流动相。

2.1.3 柱温:30℃可以保证柱压较低,分离效果稳定,保留时间变化小。

2.1.4 检测波长的选择:参照《中国药典》2020年版一部"荜茇"含量测定项下胡椒碱的测定方法,选用343nm处作为检测波长。

2.1.5 理论板数的确定:从对三批供试品的测定结果可见,胡椒碱峰理论板数在1500以上即能达到较好的分离效果,故规定理论板数按胡椒碱峰计算应不低于1500。

2.2 提取溶剂及提取效率的考察

2.2.1 提取溶剂的选择

参照《中国药典》2020年版第一部"荜茇"含量测定项下方法采用无水乙醇作为提取溶剂。

2.2.2 提取效率的考察

以无水乙醇作为提取溶剂进行超声提取。为保证被测成分提取完全,在供试品的细度一致、提取溶剂为甲醇、超声(功率250W,频率40kHz)的条件下,分别考察了提取20分钟、30分钟和40分钟时的提取效率。结果见表4。

表4 胡椒碱提取时间考察

时间	取样量	峰面积			含量
(min)	(g)	A	B	平均	(mg/g)
20	0.6548	1024767	1025279	1025023	1.2248
30	0.6537	1037064	1015995	1026530	1.2286
40	0.6514	1025024	1010823	1017924	1.2226

从表4数据可见,超声提取20分钟、30分钟和40分钟时供试品中胡椒碱的含量基本一致,故将提取时间定为30分钟,这与《中国药典》2020年版一部"荜茇"含量测定项下的提取时间一致。

2.3 专属性考察

2.3.1 对照品溶液的制备:取胡椒碱对照品适量,精密称定,置棕色量瓶中,加无水乙醇制成每1ml含20μg的溶液,作为对照品溶液。

2.3.2 供试品溶液的制备:取本品适量,研细,取约0.65g,精密称定,置棕色量瓶中,精密加入无水乙醇60ml,称定重量,超声处理(功率250W,频率40kHz)30分钟,放冷,再称定重量,用无水乙醇补足减失的重量,摇匀,滤过,取续滤液,作为供试品溶液。

2.3.3 阴性对照溶液的制备:按本品处方工艺制备不含荜茇的阴性供试品,按"供试品溶液的制备"方法制备阴性对照溶液。

2.3.4 测定：分别精密吸取以上三种溶液各10μl，注入色谱仪，记录各自的色谱图。

试验结果显示，供试品色谱中在与对照品色谱保留时间相同的位置上有色谱峰出现，而阴性对照在与对照品色谱保留时间相同的位置上无色谱峰出现，表明该含量测定方法阴性无干扰，专属性好。

2.4 线性关系考察

取胡椒碱对照品约2.5mg，精密称定，置25ml量瓶中，加甲醇使溶解，并稀释至刻度，摇匀，作为对照品溶液（对照品溶液实际浓度为0.1017mg/ml）；分别精密吸取上述对照品溶液2μl、5μl、10μl、15μl、20μl和25μl注入液相色谱仪，按上述色谱条件进行测定，以峰面积对进样量进行回归分析。结果见表5。

表5 标准曲线数据及回归方程结果

序号	进样量（μg）	峰面积值	回归方程	r
1	0.2034	284959		
2	0.5085	910210		
3	1.017	1890584	$y=1957625.0927x-95884.6606$	0.9999
4	1.526	2915857		
5	2.034	3887613		
6	2.543	4867393		

从表5数据可见，胡椒碱在0.2034~2.543μg/ml质量浓度范围内与峰面积呈良好的线性关系。

2.5 精密度试验

取同一份供试品（批号201915101）溶液，连续进样6次，记录色谱图。胡椒碱峰面积的精密度计算结果见表6。

表6 供试品溶液中胡椒碱精密度试验结果

序号	峰面积值	平均峰面积值	RSD（%）
1	1010906		
2	1014328		
3	1001178	1015003	1.04
4	1028221		
5	1008738		
6	1026647		

从表6数据可见，符合《中国药典》2020年版四部通则0512中规定的RSD值小于2.0%的要求。

2.6 稳定性试验

取同一份供试品（批号201915101）溶液，分别于制备溶液后的0小时、2小时、4小时、8小时、10小时、12小时进行测定。结果见表7。

表7 供试品溶液稳定性试验结果

序号	取样量（g）	峰面积值	RSD（%）
1	0	1034181	
2	2	1032007	
3	4	1012963	1.20
4	8	1035934	
5	10	1035681	
6	12	1008913	

从表7数据可见，胡椒碱在12小时内的峰面积值RSD值基本稳定不变。

2.7 重复性试验

取同一批号供试品(批号201915101)6份,各约0.65g,精密称定,置棕色量瓶中,精密加入无水乙醇50ml,称定重量,超声处理(功率250W,频率40kHz)30分钟,放冷,再称定重量,用无水乙醇补足减失的重量,摇匀,滤过,取续滤液,作为供试品溶液。精密吸取10μl注入液相色谱仪进行测定,记录色谱图及峰面积,按外标法计算含量。结果见表8。

表8 重复性试验结果

序号	称样量(g)	平均峰面积值	含量(mg/g)	平均含量(mg/g)	RSD(%)
1	0.6513	1035422	1.28		
2	0.6533	1023702	1.26		
3	0.6527	1026477	1.27	1.27	1.00
4	0.6538	1022128	1.26		
5	0.6517	1014795	1.26		
6	0.6529	1042234	1.29		

从表8数据可见,6份供试品含量测定结果的均值为1.27mg/g,RSD为1.00%,表明该方法的重复性好。

2.8 加样回收试验

取已知含量(批号201915101,含量为1.27mg/g)的供试品9份,各约0.65g,精密称定,分别置9个具塞锥形瓶中,再分别在其中3个具塞锥形瓶中精密加入浓度为0.4435mg/ml的胡椒碱对照品溶液1ml(约相当于供试品含有量的50%)及无水乙醇24ml,另3个具塞锥形瓶中各精密加入上述对照品溶液2ml(约相当于供试品含有量的100%)及无水乙醇23ml,其余3个具塞锥形瓶中各精密加入上述对照品溶液3ml(约相当于供试品含有量的150%)及无水乙醇22ml,分别称定重量,超声处理30分钟,取出,再称重,用无水乙醇补足减失重量,摇匀,滤过,取续滤液,即得。各取上清液10μl进样,分别精密吸取各溶液10μl注入液相色谱仪进行测定,记录色谱图和峰面积,按外标法计算含量,再计算回收率。结果见表9。

表9 胡椒碱加样回收试验结果

序号	样品量(g)	供试品含量(mg)	对照品加入量(mg)	测得总量(mg)	回收率(%)	平均(%)	RSD(%)
1	0.6517	0.8277	0.4435	1.27	98.94		
2	0.6513	0.8272	0.4435	1.25	95.47		
3	0.6521	0.8282	0.4435	1.25	95.75		
4	0.6509	0.8266	0.8870	1.70	98.63		
5	0.6531	0.8294	0.8870	1.71	99.43	97.96	1.50
6	0.6537	0.8302	0.8870	1.69	97.34		
7	0.6529	0.8292	1.3305	2.14	98.49		
8	0.6534	0.8298	1.3305	2.14	98.18		
9	0.6523	0.8284	1.3305	2.15	99.37		

从表9数据可见,胡椒碱的平均回收率为97.96%,RSD为1.50%。该方法准确度好。

2.9 耐用性试验

取供试品(批号201915101)2份,各约0.65g,精密称定,按重复性试验项下方法处理,换不同厂家、不同型号的色谱柱,分别测定供试品的含量。结果见表10。

表10 色谱柱耐用性试验

样品号	取样量(g)	柱型号	平均峰面积值	含量(mg/g)
1	0.6525	Pheomenex C_{18}	1032564	1.20
	0.6525	Alltima C_{18}	1022158	1.13

续表

样品号	取样量（g）	柱型号	平均峰面积值	含量（mg/g）
2	0.6513	Pheomenex C$_{18}$	1038215	1.28
	0.6513	Alltima C$_{18}$	1026415	1.19

从表10数据可见，不同型号或厂家的色谱柱对胡椒碱的测定结果影响较小。

3　样品含量测定

取三批样品（批号201915101，201915102，201915103）及模拟样品（批号20200402）各1份，各约0.65g，精密称定，按重复性试验项下方法处理，分别测定并按外标法计算三批样品含量。含量测定结果见表11。

表11　样品中胡椒碱含量测定结果

批号	取样量	样品峰面积值			含量	平均含量
	（g）	A	B	平均	（mg/g）	（mg/g）
201915101	0.6524	1017402	1016556	1016979	1.22	1.22
201915102	0.6528	1017987	1017239	1017613	1.22	
201915103	0.6503	1010119	1007038	1008579	1.21	
20200402	0.6528	1417454	1443859	1430657	1.77	

从表11数据可见，三批供样品和模拟样品中胡椒碱含量最低为1.21mg/g，最高为1.77mg/g。模拟样品含量比较高。

4　荜茇药材含量测定

试验中采用同法对上述三批样品生产用荜茇药材进行了含量测定，测定结果见表12。

表12　荜茇药材含量测定结果

序号	取样量（g）	平均峰面积值（n=2）		含量（mg/g）	平均含量（mg/g）
1	0.1034	4374904 4466534	4420719	31.27	31.15
2	0.1037	4467832 4332360	4400096	31.03	

从表12数据可见，荜茇药材中胡椒碱的含量为31.15mg/g（3.12%）。

5　本制剂含量限度的确定

从表中数据可见，三批样品中胡椒碱的含量最低为1.21mg/g，模拟样品中胡椒碱的含量为1.77mg/g，荜茇药材中胡椒碱的含量为31.15mg/g（3.12%）。

根据本品处方量折算，理论上每1g供试品含荜茇药材0.0768g，胡椒碱的含量=0.0768g×3.12%×1000=2.40mg，即2.40mg/g。因此，转移率为1.77/2.40×100%=73.75%。

参照《中国药典》2020年版一部"荜茇"药材的胡椒碱含量限度不得少于2.5%，转移率为73.75%，考虑不同产地药材的质量差异，并结合其他影响因素及三批样品的测定结果，下浮30%，按此限度折算本品含胡椒碱的理论量应不低于30÷391×1000×2.5%×70%×73.75%=0.99mg/g。

本标准规定本品每1g含荜茇以胡椒碱（C$_{17}$H$_{19}$NO$_3$）计，不得少于1.0mg。

【功能与主治】

祛巴达干，滋补，利尿。用于浮肿，水肿，水臌，肾寒，遗精，尿闭，腰肾酸痛等。

【用法与用量】

口服。一次11~15丸，一日1~2次，温开水送服。

【规格】

每10丸重2g。

【贮藏】

密封,防潮。

起草单位: 内蒙古自治区国际蒙医医院　　　那松巴乙拉　斯琴塔娜　奥东塔娜　青　松

　　　　　　鄂尔多斯市检验检测中心　　　　　吕彩莲　孟美英　李　珍

　　　　　　内蒙古食品药品审评查验中心　　　张　涛　王宏波

朝灰-6丸质量标准起草说明

【历史沿革】

本方来源于《蒙医药选编》(内蒙古人民出版社 1975年版, 蒙古文, 第347页)。

【处方来源】

本制剂由内蒙古自治区国际蒙医医院提供。

【名称】

朝灰-6丸

【蒙药材和饮片的来源和执行标准】

1. 处方组成及药味排列顺序: 煅万年灰30g、山柰48g、紫硇砂12g、木香24g、沙棘24g、荜茇18g。

2. 处方中除了煅万年灰和紫硇砂药材外, 其余山柰等药味均收载于《中国药典》2020年版一部, 其质量应符合该品种项下的有关规定。

煅万年灰: 为古建筑的石灰性块状物, 主含碳酸钙($CaCO_3$)。煅万年灰: 其标准应符合《内蒙古蒙药饮片炮制规范》2020年版第486页该品种项下有关规定。

紫硇砂: 为卤化物类矿物紫色石盐的晶体。主含氯化钠($NaCl$)。其标准应符合《内蒙古蒙药饮片炮制规范》2020年版第438页该品种项下的有关规定。

【制法】

以上六味, 粉碎成细粉, 过筛, 混匀, 用水泛丸, 打光, 干燥, 分装, 即得。

【性状】

本品为口服制剂水丸, 性状为浅棕色至灰棕色; 味咸、辛。

【鉴别】

本品为原药材细粉制成的水丸, 方中木香、荜茇的显微特征较明显, 故建立显微鉴别, 并对处方中的山柰建立了薄层鉴别。

1. 试剂与试药

供试品: 供试品(批号20200401、20200326、20200319)由内蒙古自治区国际蒙医医院提供, 模拟样品(批号20200020)模拟。

对照品: 山柰对照药材(批号121504-201203)购于中国食品药品检定研究院。

薄层板: 硅胶GF_{254}板, 购于青岛海洋化工有限公司。

所用其他试剂均为分析纯, 水为离子交换高纯水。

2. 试验方法与结果

(1)显微鉴别

木香: 菊糖团块形状不规则, 有时可见微细放射状纹理。荜茇: 种皮细胞红棕色, 长多角形, 壁连珠状增厚。

(2)山柰薄层鉴别

参照《中国药典》2020年版一部"山柰"项下的薄层条件制定出正文所述鉴别方法。通过阴性对照试验观察，方中其他药材对山柰的检出无干扰，证明此方法具有专属性。

【检查】

按照丸剂（《中国药典》2020年版四部通则0108）项下的规定，对三批供试品及模拟样品的水分、重量差异、溶散时限、重金属、砷盐、微生物限度进行了检查。具体方法及测定数据如下：

1. 水分：取供试品照水分测定法（《中国药典》2020年版四部通则0832）测定。三批供试品及模拟样品的测定结果见表1。

表1　水分测定结果

序号	批号	水分（%）
1	20200401	4.2
2	20200326	3.8
3	20200319	4.1
4	20200020	3.9

药典规定丸剂水分含量不得大于9.0%。从表1中可见，本品水分含量均符合要求。

2. 重量差异：取以上三批供试品，每批供试品取10份，10丸为1份，分别称定重量，再与每份标示重量（2g）相比较，求每一份的重量差异（%）。药典规定每份标示装量的限度为±8%，并规定超出重量差异限度的不得多于2份，并不得有1份超出限度1倍。本品的重量差异检查结果均符合规定。

3. 溶散时限：取本品按照片剂项下崩解时限检查法（《中国药典》2020年版四部通则0921）加挡板进行测定。三批供试品测定结果见表2。

表2　溶散时限测定结果

序号	批号	溶散时间（min）
1	20200401	11
2	20200326	11
3	20200319	10

药典规定水丸应在1小时内全部溶散。表2的结果显示，本品的溶散时限符合规定。

4. 对三批供试品及模拟样品进行了重金属、砷盐、微生物限度考察。方法与结果如下：

重金属：分别取每个批号供试品0.5g、0.67g、1.0g、2.0g，按《中国药典》2020年版四部0821第二法检查。

供试品溶液的制备：取本品0.5g、0.67g、1.0g、2.0g，分别缓缓炽灼至完全炭化，放冷，加硫酸0.5ml，使湿润，低温加热至硫酸除尽后，加硝酸0.5ml，蒸干，至氧化氮蒸气除尽后，放冷，于600℃炽灼至完全灰化，放冷。加盐酸2ml，置水浴上蒸干后加水15ml，滴加氨试液至对酚酞指示液显中性，再加醋酸盐缓冲液（pH3.5）2ml，微热溶解后，移置纳氏比色管中，加水稀释至25ml，作为供试品溶液。

标准铅对照溶液的制备：另取配制供试品溶液的试剂两份，分别置瓷皿中蒸干后，加醋酸盐缓冲液（pH3.5）2ml，加水15ml微热溶解后，移置两支纳氏比色管中，分别加标准铅溶液（10μg/ml Pb）2ml，再加水稀释至25ml，作为标准铅对照溶液。

检视：于上述供试品溶液和标准铅对照溶液中分别加硫代乙酰胺试液各2ml，摇匀，放置2分钟，同置白色背景上，从上向下进行观察。试验结果见表3。

表3　重金属检查结果

序号	批号	重金属含量（ppm）
1	20200401	<10　<20　<30　<40
2	20200326	<10　<20　<30　<40
3	20200319	<10　<20　<30　<40
4	20200020	<10　<20　<30　<40

结果显示，供试品溶液的颜色明显浅于2ml的标准铅对照溶液。经过三批供试品及模拟样品的检查，含重金属均未超过百万分之十，故未收入正文。

砷盐：取本品1g和标准砷溶液（1μg/ml AS）2ml，分别加无砷氢氧化钙1g，加少量水，搅匀，烘干，用小火缓缓炽灼至炭化，再在600℃炽灼至完全灰化，放冷。分别加盐酸7ml使溶解，再加水21ml，按《中国药典》2020年版四部通则0822第一法（古蔡氏法）做砷盐限量检查。

结果：供试品砷斑浅于标准砷斑的颜色，表明本品含砷量未超过百万分之二（小于2ppm），故砷盐检查项目未收入正文。

5. 微生物限度：照微生物计数法（《中国药典》2020年版四部通则1105）和控制菌检查法（《中国药典》2020年版四部 通则1106）及《内蒙古蒙药制剂规范》（第三册）附录Ⅲ微生物限度标准进行检查。结果均符合规定。

【含量测定】

朝灰-6丸是由煅万年灰、山柰、紫硇砂、木香、荜茇、沙棘等六味药组成的复方制剂。临床功效为温胃，祛巴达干，助消化，消肿。用于食积不消，胸突痞，铁垢巴达干，痧症，浮肿，寒性虫病。方中木香具有行气止痛，健脾消食的功效。用于胸胁、脘腹胀痛，泻痢后重，食积不消，不思饮食。木香的主要活性成分为倍半萜内酯类化合物木香烃内酯和去氢木香内酯。文献研究常采用高效液相色谱法测定木香中木香烃内酯和去氢木香内酯的含量，故参照《中国药典》2020年版一部"木香"项下的含量测定方法，选择木香烃内酯和去氢木香内酯作为指标成分，对本制剂中的木香进行了HPLC含量测定方法研究。经分析方法验证，表明该方法重复性好，专属性强，方中其他组分对木香烃内酯和去氢木香内酯的测定无干扰。

1　仪器与试剂试药

1.1　仪器

Waters e2695型高效液相色谱仪，Mettler-Toledo MS105DU型百万分之一电子天平，Mettler-Toledo XPR10型万分之一电子天平，SBL-22DT型超声波清洗器（宁波新芝生物科技股份有限公司，40kHz）；Heal Force NW15UV型超纯水系统，FW400A型多功能粉碎机（材茂科技有限公司）。

1.2　试剂与试药

供试品（批号20200401、20200326、20200319）由内蒙古自治区国际蒙医医院提供，模拟样品（批号20200020）模拟；木香烃内酯对照品（批号111524-201208），去氢木香内酯对照品（批号111525-200505），购于中国食品药品检定研究院；甲醇为色谱纯，水为超纯水，其他试剂均为分析纯。

2　方法学考察

2.1　色谱条件

2.1.1　色谱柱：色谱柱填充剂为十八烷基硅烷键合硅胶，本试验采用Tnature C$_{18}$（250mm×4.6mm，5μm）色谱柱。

2.1.2　流动相的选择：参照《中国药典》2020年版一部"木香"含量测定项下的测定方法，以甲醇-水（65：35）为流动相，供试品中的木香烃内酯和去氢木香内酯与其他成分能达到较好的分离，色谱峰具有比较好的保留时间、分离度和对称性。故选择以甲醇-水（65∶35）为流动相。

2.1.3 柱温：35℃可以保证柱压较低，分离效果稳定，保留时间变化小。

2.1.4 检测波长的选择：参照《中国药典》2020年版一部"木香"含量测定项下的测定方法，选用225nm处作为检测波长。

2.1.5 理论板数的确定：从对三批数据的测定结果可见，木香烃内酯峰理论板数在3000以上即能达到较好的分离效果，故规定理论板数按木香烃内酯峰计算应不低于3000。

2.2 提取方法的选择及提取效率的考察

参考《中国药典》2020年版一部"木香"含量测定项下的方法，以甲醇作为提取溶剂进行超声提取，为保证被测成分提取完全，在供试品的细度一致、提取溶剂确定、超声功率250W（频率40kHz）的条件下，试验中考察了20分钟、30分钟和40分钟等不同提取时间对提取效率的影响。结果见表4和表5。

表4 木香烃内酯提取时间考察

提取时间（min）	称样量（g）	平均峰面积值	含量（mg/g）
20	3.0014	1347986	0.53
30	3.0051	1383988	0.54
40	3.0010	1371585	0.54

表5 去氢木香内酯提取时间考察

提取时间（min）	称样量（g）	平均峰面积值	含量（mg/g）
20	3.0014	1263982	0.81
30	3.0051	1295559	0.83
40	3.0010	1290433	0.82

从表4和表5数据可见，超声提取20分钟、30分钟和40分钟供试品中去氢木香内酯的含量基本一致，故将提取时间定为30分钟，与《中国药典》2020年版一部"木香"含量测定项下的提取时间一致。

2.3 专属性考察

2.3.1 对照品溶液的制备：取木香烃内酯对照、去氢木香内酯对照品适量，精密称定，加甲醇制成每1ml各含100μg的混合溶液，即得。

2.3.2 供试品溶液的制备：取本品适量，研细，取约3g，精密称定，置具塞锥形瓶中，精密加入甲醇25ml，密塞，称定重量，超声处理（功率250W，频率40kHz）30分钟，放冷，再称定重量，用甲醇补足减失的重量，摇匀，滤过，取续滤液，即得。

2.3.3 阴性对照溶液的制备：按本品处方工艺制备不含木香的阴性样品，按供试品溶液的制备方法制备阴性对照溶液（缺木香）。

2.3.4 测定：分别精密吸取以上三种溶液各10μl，注入色谱仪，记录各自的色谱图。

试验结果显示，供试品色谱中在与对照品色谱保留时间相同的位置上有色谱峰出现，而阴性对照在与对照品色谱保留时间相同的位置上无色谱峰出现，表明该含量测定方法阴性无干扰，专属性好。

2.4 线性关系考察

分别取木香烃内酯对照品2.5mg和去氢木香内酯对照品2.5mg，精密称定，置25ml量瓶中，加甲醇使溶解，并稀释至刻度，摇匀，作为对照品溶液（木香烃内酯实际浓度为0.1043mg/ml，去氢木香内酯实际浓度为0.1070mg/ml）；分别精密吸取上述对照品溶液2μl、5μl、10μl、15μl、20μl和25μl注入液相色谱仪，按上述色谱条件进行测定，以峰面积对进样量进行回归分析。结果见表6和表7。

表6 木香烃内酯标准曲线数值表

序号	进样量（μg）	峰面积值	回归方程	r
1	0.209	403450		
2	0.522	1063339		
3	1.043	2151652	$y=2089464x-25530$	1.0000
4	1.565	3262482		
5	2.086	4336188		
6	2.608	5410401		

表7 去氢木香内酯标准曲线数值表

序号	进样量（μg）	峰面积值	回归方程	r
1	0.214	246957		
2	0.535	656858		
3	1.07	1371582	$y=1302332x-28517$	0.9998
4	1.605	2070980		
5	2.14	2780477		
6	2.675	3431957		

从表6和表7数据可见，木香烃内酯在0.209~2.608μg范围内与峰面积值呈良好的线性关系。去氢木香内酯在0.214~2.675μg范围内与峰面积值呈良好的线性关系。

2.5 精密度试验

取同一份供试品（批号20200401）溶液，连续进样6针，记录色谱图。木香烃内酯和去氢木香内酯峰面积的精密度计算结果见表8和表9。

表8 木香烃内酯精密度试验结果

序号	峰面积值	平均值	RSD（%）
1	1356306		
2	1350067		
3	1354413	1359101	0.48
4	1362159		
5	1366926		
6	1364737		

表9 去氢木香内酯精密度试验结果

序号	峰面积值	平均值	RSD（%）
1	1288834		
2	1271625		
3	1279500	1282524	0.69
4	1274404		
5	1286613		
6	1294170		

从表8和表9数据可见，符合《中国药典》2020年版四部 通则0512中规定的RSD值小于2.0%的要求。

2.6 稳定性试验

取同一份供试品（批号20200401）溶液，分别于溶液制备后的0小时、2小时、4小时、6小时、8小时、12小时进行测定。结果见表10和表11。

表10   不同时间测得溶液中木香烃内酯的峰面积值

序号	时间（h）	峰面积值	RSD（%）
1	0	1373915	
2	2	1385470	
3	4	1370326	1.05
4	6	1373468	
5	8	1382444	
6	12	1409859	

表11   不同时间测得溶液中去氢木香内酯的峰面积值

序号	时间（h）	峰面积值	RSD（%）
1	0	1265854	
2	2	1298625	
3	4	1292008	1.41
4	6	1293062	
5	8	1300429	
6	12	1322577	

从表10和表11数据可见，木香烃内酯和去氢木香内酯在12小时内峰面积值符合《中国药典》2020年版四部 通则0512中规定的RSD值小于2.0%的要求，能够满足测定所需的时间。

2.7   重复性试验

取同一供试品（批号20200401）6份，各约3g，精密称定，置具塞锥形瓶中，精密加入甲醇25ml，密塞，称定重量，超声处理（功率250W，频率40kHz）30分钟，放冷，再称定重量，用甲醇补足减失的重量，摇匀，滤过，取续滤液，作为供试品溶液。另精密称取木香烃内酯对照品、去氢木香内酯对照品适量，精密称定，加甲醇制成每1ml各含100μg的混合溶液，作为对照品溶液。分别精密吸取供试品溶液和对照品溶液各10μl，注入色谱仪，记录色谱图。按外标法以峰面积计算含量，结果见表12和表13。

表12   木香烃内酯重复性试验结果

称样量（g）	峰面积值	含量（mg/g）	平均含量（mg/g）	RSD（%）
3.0046	1373915	0.55		
3.0038	1344104	0.54		
3.0040	1378435	0.55	0.54	1.08
3.0032	1352063	0.54		
3.0045	1345360	0.54		
3.0048	1353187	0.54		

表13   去氢木香内酯重复性试验结果

称样量（g）	峰面积值	含量（mg/g）	平均含量（mg/g）	RSD（%）
3.0046	1265854	0.84		
3.0038	1265257	0.84		
3.0040	1303905	0.87	0.85	1.26
3.0032	1272040	0.85		
3.0045	1259568	0.84		
3.0048	1280230	0.85		

从表12和表13数据可见,在相同的细度、提取溶剂和色谱条件下,6份供试品中木香烃内酯含量测定结果的均值为0.54mg/g(RSD为1.08%),去氢木香内酯含量测定结果的均值为0.85mg/g(RSD为1.26%),表明该方法的重复性好。

2.8 加样回收试验

取已知含量(批号20200401;木香烃内酯含量为0.54mg/g,去氢木香内酯含量为0.85mg/g)的供试品9份,各约1.6g,精密称定,分别置9个具塞锥形瓶中,分别在其中3个具塞锥形瓶中精密加入木香烃内酯对照品(浓度为0.4326mg/ml)和去氢木香内酯对照品(浓度为0.6820mg/ml)的混合溶液1ml(约相当于供试品含有量的50%)及甲醇24ml,另3个具塞锥形瓶中各精密加入上述对照品溶液2ml(约相当于供试品含有量的100%)及甲醇23ml,其余3个具塞锥形瓶中各精密加入上述对照品溶液3ml(约相当于供试品含有量的150%)及甲醇22ml,分别称定重量,超声处理30分钟,取出,再称重,用甲醇补足减失重量,摇匀,滤过。各取续滤液10μl进样,注入液相色谱仪进行测定。按外标法以峰面积计算含量,结果见表14和表15。

表14 木香烃内酯加样回收试验结果

称样量(g)	供试品含量(mg)	对照品加入量(mg)	测得总量(mg)	回收率(%)	平均回收率(%)	RSD(%)
1.6038	0.8660	0.4326	1.2861	97.1		
1.6014	0.8647	0.4326	1.2858	97.3		
1.6042	0.8663	0.4326	1.2800	95.6		
1.6046	0.8665	0.8652	1.7277	99.5		
1.6037	0.8660	0.8652	1.7337	100.3	98.7	1.68
1.6026	0.8654	0.8652	1.7204	98.8		
1.6049	0.8666	1.2978	2.1605	99.7		
1.6071	0.8678	1.2978	2.1584	99.4		
1.6022	0.8652	1.2978	2.1695	100.5		

表15 去氢木香内酯加样回收试验结果

称样量(g)	供试品含量(mg)	对照品加入量(mg)	测得总量(mg)	回收率(%)	平均回收率(%)	RSD(%)
1.6038	1.3632	0.6820	2.0561	101.6		
1.6014	1.3612	0.6820	2.0697	103.9		
1.6042	1.3636	0.6820	2.0722	103.9		
1.6046	1.3639	1.3640	2.7749	103.4		
1.6037	1.3631	1.3640	2.7674	103.0	102.5	1.04
1.6026	1.3622	1.3640	2.7486	101.6		
1.6049	1.3641	2.0460	3.4462	101.8		
1.6071	1.3661	2.0460	3.4493	101.8		
1.6022	1.3619	2.0460	3.4348	101.3		

从表14和表15数据可见,本方法木香烃内酯的平均回收率为98.7%,RSD为1.68%,去氢木香内酯的平均回收率为102.5%,RSD为1.04%。该方法准确度好。

2.9 耐用性试验

取供试品(批号20200401)2份,各约3g,精密称定,置具塞锥形瓶中,精密加入甲醇25ml,密塞,称定重量,超声处理(功率250W,频率40kHz)30分钟,放冷,再称定重量,用甲醇补足减失的重量,摇匀,滤过,取续滤液,作为供试品溶液。另精密称取木香烃内酯对照品、去氢木香内酯对照品适量，精密称定，加甲醇制成每1ml各含100μg的混合溶液，作为对照品溶液。分别精密吸取供试品溶液和对照品溶液各10μl，注入色谱仪，记录色谱图。按外标法以峰面积计算含量，换不同厂家、不同型号的色谱柱，结果见表16和表17。

表16　色谱柱耐用性试验（木香烃内酯）

序号	称样量（g）	柱型号	峰面积值	含量（mg/g）
1	3.0046	Tnature C$_{18}$柱	1373915	0.55
	3.0046	Inert Sustain C$_{18}$柱	1378312	0.55
2	3.0038	Tnature C$_{18}$柱	1344104	0.54
	3.0038	Inert Sustain C$_{18}$柱	1388813	0.55

表17　色谱柱耐用性试验（去氢木香内酯）

序号	称样量（g）	柱型号	峰面积值	含量（mg/g）
1	3.0046	Tnature C$_{18}$柱	1265854	0.84
	3.0046	Inert Sustain C$_{18}$柱	1287858	0.83
2	3.0038	Tnature C$_{18}$柱	1265257	0.84
	3.0038	Inert Sustain C$_{18}$柱	1296867	0.83

从表16和表17数据可见，在使用不同型号或厂家的色谱柱时，对测定结果影响较小。

3　样品含量测定

取三批样品（批号20200401、20200326、20200319）各2份，各约3g，精密称定，置具塞锥形瓶中，精密加入甲醇25ml，密塞，称定重量，超声处理（功率250W，频率40kHz）30分钟，放冷，再称定重量，用甲醇补足减失的重量，摇匀，滤过，取续滤液，作为供试品溶液。另精密称取木香烃内酯对照品、去氢木香内酯对照品适量，精密称定，加甲醇制成每1ml各含100μg的混合溶液，作为对照品溶液。分别精密吸取供试品溶液和对照品溶液各10μl，注入色谱仪，记录色谱图。按外标法以峰面积计算含量，结果见表18和表19。

表18　样品中木香烃内酯的含量测定结果

批号	称样量（g）	峰面积平均值	含量（mg/g）	平均含量（mg/g）
201908001	3.0021	1301604	0.52	0.52
	3.0023	1301690	0.52	
201908002	3.0022	1383000	0.54	0.55
	3.0015	1464012	0.56	
201908003	3.0013	1382585	0.54	0.53
	3.0007	1300997	0.52	

表19　样品中去氢木香内酯的含量测定结果

批号	称样量（g）	峰面积平均值	含量（mg/g）	平均含量（mg/g）
201908001	3.0021	1202210	0.82	0.81
	3.0023	1220090	0.80	
201908002	3.0022	1202340	0.82	0.82
	3.0015	1201776	0.82	
201908003	3.0013	1201993	0.82	0.81
	3.0007	1221513	0.80	

从表18和表19数据可见，三批样品中木香烃内酯的含量最低为0.52mg/g，最高为0.55mg/g；去氢木香内酯的含

量最低为0.81mg/g, 最高为0.82mg/g。

4 木香药材含量测定

采用同法对上述三批样品生产用木香药材进行了含量测定。测定结果见表20和表21。

表20 木香药材中木香烃内酯的含量测定结果

序号	称样量（g）	测得峰面积值	平均峰面积值	含量（mg/g）	平均含量（mg/g）
1	0.1536	1903302 1896667	1899985	13.92	
2	0.1521	1828902 1844976	1836939	13.57	13.71
3	0.1509	1825805 1836034	1830920	13.64	

表21 木香药材中去氢木香内酯的含量测定结果

序号	称样量（g）	测得峰面积值	平均峰面积值	含量（mg/g）	平均含量（mg/g）
1	0.1536	1780084 1780084	1780084	22.99	
2	0.1521	1715586 1708061	1711824	22.33	22.66
3	0.1509	1722009 1725658	1723834	22.66	

从表20和表21数据可见, 木香药材中木香烃内酯和去氢木香内酯的平均总含量为36.37mg/g（3.6%）。

5 本制剂含量限度的确定

参照《中国药典》2020年版一部 "木香" 药材的木香烃内酯（$C_{15}H_{20}O_2$）和去氢木香内酯（$C_{15}H_{18}O_2$）的总量不得少于1.8%。考虑不同产地药材的质量差异, 并结合其他影响因素及三批样品的测定结果, 按转移率下浮60%, 按此限度折算本品含木香烃内酯和去氢木香内酯总的理论量应不低于24÷156×1.8%×100%×60%×1000=1.66mg/g。

标准正文暂定为: 本品每1g含木香以木香烃内酯（$C_{15}H_{20}O_2$）和去氢木香内酯（$C_{15}H_{18}O_2$）的总量计, 不得少于1.6mg。

【功能与主治】

温胃, 祛巴达干, 助消化, 消肿。用于食积不消, 胸突痞, 铁垢巴达干, 痧症, 浮肿, 寒性虫病。

【用法与用量】

口服。一次11~15丸, 一日1~2次, 温开水送服。

【规格】

每10丸重2g。

【贮藏】

密封, 防潮。

起草单位: 内蒙古自治区国际蒙医医院　　　那松巴乙拉　斯琴塔娜　奥东塔娜　青　松

　　　　　鄂尔多斯市检验检测中心　　　　　孟美英　吕彩莲　张　烨

混其勒–13丸 质量标准起草说明

【历史沿革】

本方来源于呼伦贝尔市蒙医医院经验方。

【处方来源】

本制剂由呼伦贝尔市蒙医医院提供。

【名称】

混其勒–13丸

【蒙药材和饮片的来源和执行标准】

1. 处方组成及药味排列顺序：诃子90g、广枣90g、红花60g、石膏60g、石榴60g、木香60g、枫香脂60g、胡黄连60g、丁香40g、豆蔻40g、肉豆蔻30g、炒马钱子20g、沉香20g。

2. 处方中除了石榴药材外，其余诃子等药味均收载于《中国药典》2020年版一部，其质量应符合该品种项下的有关规定。

石榴：为石榴科植物安石榴 *Punica granatum* L.的干燥成熟果实。其质量应符合《内蒙古蒙药材炮制规范》2020年版第119页该品种项下的有关规定。

【制法】

以上十三味，粉碎成细粉，过筛，混匀，用水泛丸，打光，干燥，分装，即得。

【性状】

本品为口服制剂水丸，性状为浅棕褐色至棕褐色；气香，味甘、苦、辛、微酸。

【鉴别】

本品为原药材细粉制成的水丸，方中诃子、广枣、红花、石膏、沉香的显微特征较明显，故建立显微鉴别，并对处方中枫香脂建立了薄层鉴别。

1. 试剂与试药

供试品：供试品（批号1810191、1810192、1810193）由呼伦贝尔市蒙医医院提供，模拟样品（批号201908010）模拟。

对照品：枫香脂对照药材（批号121637-201201），中国食品药品检定研究院提供。

薄层板：硅胶GF_{254}板，购于青岛海洋化工有限公司。

所用其他试剂均为分析纯，水为离子交换高纯水。

2. 试验方法与结果

（1）显微鉴别

诃子：石细胞成群，呈类圆形、长卵形、长方形或长条形，孔沟细密而明显；广枣：果皮表皮细胞成片，表面观类圆形或类多角形，胞腔内颗粒状物；红花：可见类圆形、椭圆形或橄榄形花粉粒，直径约至60μm，具3个萌发孔，外壁有齿状突起；石膏：不规则片状结晶，无色，有平直纹理；沉香：具缘纹孔导管，纹孔密，内含淡黄色或黄棕色树脂状物。

（2）枫香脂薄层鉴别

参照《中国药典》2020年版一部"枫香脂"项下薄层条件，制定出正文所述的鉴别方法。通过阴性对照试验观察，方中其他药材对枫香脂的检出无干扰，证明此方法具有专属性。

【检查】

按照丸剂（《中国药典》2020年版四部通则0108）项下规定，对三批供试品及模拟样品的水分、重量差异、溶散时限、重金属、砷盐和微生物限度进行了检查。检查结果均符合规定。具体方法及测定数据如下：

1. 水分：取供试品照水分测定法（《中国药典》2020年版四部通则0832）测定，三批供试品及模拟样品测定结果见表1。

表1　水分测定结果

序号	批号	水分（%）
1	1810191	5.55
2	1810192	5.48
3	1810193	5.60
4	201908010	5.51

药典规定丸剂水分含量不得大于9.0%。从表1数据可见，本品的水分含量均符合要求。

2. 重量差异：取以上三批供试品，每批供试品取10份，10丸为1份，分别称定重量，再与每份标示重量（2g）相比较，求每一份的重量差异（%）。药典规定每份标示装量的限度为±8%，并规定超出重量差异限度的不得多于2份，并不得有1份超出限度1倍。本品的重量差异检查结果均符合规定。

3. 溶散时限：取本品照片剂项下崩解时限检查法（《中国药典》2020年版四部通则0921）加挡板进行测定。三批供试品测定结果见表2。

表2　溶散时限测定结果

序号	批号	溶散时间（min）
1	1810191	44
2	1810192	48
3	1810193	43

药典规定水丸应在1小时内全部溶散。从表2数据可见，本品的溶散时限符合规定。

4. 对三批供试品及模拟样品进行了重金属、砷盐考察，方法与结果如下：

重金属：分别取每个批号供试品0.5g、0.67g、1.0g、2.0g，按《中国药典》2020年版四部0821第二法检查。

供试品溶液的制备：取本品0.5g、0.67g、1.0g、2.0g，分别缓缓炽灼至完全炭化，放冷，加硫酸0.5ml，使湿润，低温加热至硫酸除尽后，加硝酸0.5ml，蒸干，至氧化氮蒸气除尽后，放冷，于600℃炽灼至完全灰化，放冷。加盐酸2ml，置水浴上蒸干后加水15ml，滴加氨试液至对酚酞指示液显中性，再加醋酸盐缓冲液（pH3.5）2ml，微热溶解后，移置纳氏比色管中，加水稀释至25ml，作为供试品溶液。

标准铅对照管的制备：另取配制供试品溶液的试剂两份，分别置瓷皿中蒸干后，加醋酸盐缓冲液（pH3.5）2ml，加水15ml微热溶解后，移置两支纳氏比色管中，分别加标准铅溶液（10μg/ml Pb）2ml，再加水稀释至25ml，作为标准铅对照管。

检视：于上述供试品溶液和标准铅对照管中分别加硫代乙酰胺试液各2ml，摇匀，放置2分钟，同置白色背景上，从上向下进行观察。试验结果见表3。

表3　重金属检查结果

序号	批号	重金属含量（ppm）			
1	1810191	<10	<20	<30	<40
2	1810192	<10	<20	<30	<40
3	1810193	<10	<20	<30	<40
4	201908010	<10	<20	<30	<40

结果显示，供试品溶液的颜色明显浅于2ml的标准铅对照溶液。经过三批供试品及模拟样品的检查，含重金属均未超过百万分之十，故未列入正文。

砷盐：取本品1g和标准砷溶液（1μg/ml AS）2ml，分别加无砷氢氧化钙1g，加少量水，搅匀，烘干，用小火缓缓炽灼至炭化，再在600℃炽灼至完全灰化，放冷。分别加盐酸7ml使溶解，再加水21ml，按《中国药典》2020年版四部通则0822第一法（古蔡氏法）检查砷盐含量。

结果：供试品砷斑浅于标准砷斑的颜色，表明本品含砷量未超过百万分之二（小于2ppm）。故砷盐检查项目未列入正文。

5. 微生物限度：照微生物计数法（《中国药典》2020年版四部通则 1105）和控制菌检查法（《中国药典》2020年版四部通则1106）及《内蒙古蒙药制剂规范》（第三册）附录Ⅲ微生物限度标准，进行检查。结果均符合规定。

【含量测定】

混其勒–13丸是由诃子、广枣、红花、石膏等十三味药组成的复方制剂。临床功效为镇赫依，清血。用于胸部赫依、血相搏，"赫依"性心肺刺痛，胸闷、气短等症。红花为方中的主药，具有活血通经，散瘀止痛的功效。用于经闭，痛经，恶露不行，癥瘕痞块，胸痹心痛，瘀滞腹痛，胸胁刺痛，跌仆损伤，疮疡肿痛。红花主含红花苷类、红花多糖和有机酸。其中查尔酮类成分羟基红花黄色素A是红花的主要活性成分，故参照《中国药典》2020年版一部"红花"项下的含量测定方法，选择羟基红花黄色素A作为指标成分，对本制剂中的红花进行了HPLC含量测定方法研究。经分析方法验证，表明该方法重复性好，专属性强，方中其他组分对羟基红花黄色素A的测定无干扰。

1　仪器与试剂试药

1.1　仪器

Waters e2695型高效液相色谱仪，Mettler–Toledo MS105DU型百万分之一电子天平，Mettler–Toledo XPR10型万分之一电子天平，SBL–22DT型超声波清洗器（宁波新芝生物科技股份有限公司，40kHz），Heal Force NW15UV型超纯水系统，FW400A型多功能粉碎机（材茂科技有限公司）。

1.2　试剂与试药

供试品（批号1810191、1810192、1810193）由呼伦贝尔市蒙医医院提供，模拟样品（批号201908010）模拟；羟基红花黄色素A对照品（批号111637–201810），购于中国食品药品检定研究院；甲醇、乙腈、三乙胺为色谱纯，水为超纯水，其他试剂均为分析纯。

2　方法学考察

2.1　色谱条件

2.1.1　色谱柱：色谱柱填充剂为十八烷基硅烷键合硅胶，本试验采用Agela Venusil XBP C₁₈（250mm×4.6mm，5μm）色谱柱。

2.1.2　流动相的选择：参照《中国药典》2020年版一部"红花"含量测定项下的测定方法，以甲醇–乙腈–0.7%

磷酸溶液（26∶2∶72）为流动相进行条件摸索。结果羟基红花黄色素A峰型不对称，拖尾严重，加三乙胺调节0.7%磷酸溶液pH值至6.0后，供试品色谱图中的羟基红花黄色素A峰的对称性在0.95~1.05，与其他成分达到较好的分离，理论板数较高，并具有适宜的保留时间，故选择以甲醇–乙腈–0.7%磷酸溶液（28∶2∶70）用三乙胺调pH值为6.0为流动相。

2.1.3 柱温：30℃可以保证柱压较低，分离效果稳定，故选择柱温为30℃。

2.1.4 检测波长的选择：参照《中国药典》2020年版一部"红花"含量测定项下羟基红花黄色素A的测定方法，选用403nm处作为检测波长。

2.1.5 理论板数的确定：从对三批数据的测定结果可见，羟基红花黄色素A峰理论板数在3000以上即能达到较好的分离效果，故规定理论板数按羟基红花黄色素A峰计算不低于3000。

2.2 提取溶剂及提取效率的考察

参考《中国药典》2020年版一部"红花"含量测定项下的方法，以25%甲醇作为提取溶剂进行超声提取，为保证被测成分提取完全，在供试品的细度一致、提取溶剂确定下、超声（功率250W，频率40kHz）的条件下，试验中考察了30分钟、40分钟和50分钟等不同提取时间对提取效率的影响。结果见表4。

表4 羟基红花黄色素A提取时间考察

提取时间（min）	取样量（g）	平均峰面积	含量（mg/g）
30	1.7010	1545799	0.76
40	1.7029	1658042	0.82
50	1.7079	1695717	0.83

从表4数据可见，超声提取40分钟和50分钟供试品中羟基红花黄色素A的含量基本一致，故将提取时间定为40分钟，与《中国药典》2020年版一部"红花"含量测定项下的提取时间一致。

2.3 专属性考察

2.3.1 对照品溶液的制备：取羟基红花黄色素A对照品适量，精密称定，加25%甲醇制成每1ml含60μg的溶液，作为对照品溶液。

2.3.2 供试品溶液的制备：取本品适量，研细，取约2.0g，精密称定，置具塞锥形瓶中，精密加入25%甲醇25ml，称定重量，超声处理（功率250W，频率40kHz）40分钟，放冷，再次称定重量，用25%甲醇补足减失的重量，摇匀，离心（转速为每分钟5000转）5分钟，取上清液，作为供试品溶液。

2.3.3 阴性对照溶液的制备：按本品处方配比制备不含红花的阴性供试品，取约2.0g，精密称定，从"置具塞锥形瓶中……"起操作同"供试品溶液的制备"，取上清液，作为阴性对照溶液。

2.3.4 测定：分别精密吸取上述三种溶液各10μl，注入液相色谱仪，记录色谱图。

试验结果显示，供试品色谱中在与对照品色谱保留时间相同的位置上有色谱峰出现，而阴性对照在与对照品色谱保留时间相同的位置上无色谱峰出现，表明共存组分对处方中羟基红花黄色素A的测定无干扰。

2.4 线性关系考察

取羟基红花黄色素A对照品约3.0mg，精密称定，置50ml量瓶中，加25%甲醇使溶解，并稀释至刻度，摇匀，作为对照品溶液（对照品溶液实际浓度为56.79μg/ml）；分别精密吸取上述对照品溶液2μl、5μl、10μl、15μl、20μl、25μl注入液相色谱仪，按上述色谱条件进行测定，以峰面积对对照品进样量进行回归分析。结果见表5。

表5 标准曲线数据及回归分析结果

序号	进样量（μg）	峰面积值	回归方程	r
1	0.1136	256392		
2	0.2840	796789		
3	0.5679	1704649	y=3230249x−119658	1.0000
4	0.8519	2626628		
5	1.1358	3551868		
6	1.4198	4471305		

从表5数据可见，羟基红花黄色素A在0.1136~1.420μg范围内与峰面积呈良好的线性关系。

2.5 精密度试验

取同一供试品（批号1810191）溶液，连续进样6次，记录色谱图。羟基红花黄色素A峰面积的精密度计算结果见表6。

表6 精密度试验结果

序号	峰面积值	平均值	RSD（%）
1	1783414		
2	1793034		
3	1800403	1801035	0.63
4	1813480		
5	1811639		
6	1804237		

从表6数据可见，符合《中国药典》2020年版四部 通则0512中规定的RSD值小于2.0%的要求。

2.6 稳定性试验

取同一份供试品（批号1810191）溶液，分别于制备溶液后的0小时、2小时、4小时、6小时、8小时、10小时、12小时进样测定。结果见表7。

表7 溶液的稳定性试验结果

序号	时间（h）	峰面积值	RSD（%）
1	0	1754127	
2	2	1741825	
3	4	1767468	
4	6	1775742	1.27
5	8	1803440	
6	10	1800799	
7	12	1773559	

从表7数据可见，羟基红花黄色素A在12小时内峰面积值基本稳定不变。

2.7 重复性试验

取同一供试品（批号1810191）6份，各约1.7g，精密称定，置具塞锥形瓶中，精密加入25%甲醇25ml，称定重量，超声处理（功率250W，频率40kHz）40分钟，放冷，再次称定重量，用25%甲醇补足减失的重量，摇匀，离心（转速为每分钟5000转）5分钟，取上清液，作为供试品溶液。取羟基红花黄色素A对照品适量，精密称定，加25%甲醇制成每1ml含60μg的溶液，作为对照品溶液。分别精密吸取以上两种溶液各10μl，注入液相色谱仪，记录各自的色谱图，用外标法以峰面积计算含量。结果见表8。

表8　羟基红花黄色素A重复性试验结果

取样量（g）	峰面积值	含量（mg/g）	平均含量（mg/g）	RSD（%）
1.7028	1754127	0.87		
1.7033	1760971	0.87		
1.7021	1752759	0.87	0.87	0.29
1.7037	1762947	0.87		
1.7041	1766603	0.87		
1.7035	1759710	0.87		

从表8数据可见，在相同的细度、提取溶剂和色谱条件下，6份供试品含量测定结果的均值为0.87mg/g，RSD为0.29%，表明该方法的重复性好。

2.8　加样回收试验

取已知含量（批号1810191，羟基红花黄色素A含量为0.87mg/g）的供试品9份，各约0.85g，精密称定，分别置9个具塞锥形瓶中，再分别在其中3个具塞锥形瓶中精密加入浓度为0.3353mg/ml的羟基红花黄色素A对照品溶液1ml（约相当于供试品含有量的50%）及25%甲醇24ml，另3个具塞锥形瓶中各精密加入上述对照品溶液2ml（约相当于供试品含有量的100%）及25%甲醇23ml，其余3个具塞锥形瓶中各精密加入上述对照品溶液3ml（约相当于供试品含有量的150%）及25%甲醇22ml，分别称定重量，超声处理40分钟，取出，再称重，用25%甲醇补足减失重量，摇匀，离心（转速为每分钟5000转）5分钟，取上清液，作为供试品溶液。分别精密吸取各溶液10μl进样测定，按外标法以峰面积计算含量并计算回收率。结果见表9。

表9　加样回收试验结果

供试品量（g）	供试品含量（mg）	对照品加入量（mg）	测得总量（mg）	回收率（%）	平均回收率（%）	RSD（%）
0.8572	0.7458	0.3353	1.0886	102.2		
0.8597	0.7479	0.3353	1.0973	104.2		
0.8588	0.7472	0.3353	1.0865	101.2		
0.8520	0.7412	0.6707	1.4346	103.4		
0.8541	0.7431	0.6707	1.4242	101.6	101.1	2.06
0.8559	0.7446	0.6707	1.4269	101.7		
0.8523	0.7415	1.0060	1.7317	98.4		
0.8517	0.7410	1.0060	1.7337	98.7		
0.8528	0.7419	1.0060	1.7374	98.9		

从表9数据可见，本方法的平均回收率为101.1%，RSD为2.06%。表明该方法准确度好。

2.9　耐用性试验

取供试品（批号1810191）2份，各约1.7g，精密称定，按重复性试验项下的方法处理，换不同厂家、不同型号的色谱柱，分别测定供试品的含量。结果见表10。

表10　色谱柱耐用性试验

序号	取样量（g）	柱型号	峰面积值	含量（mg/g）
1	1.7041	Agela Venusil XBP C$_{18}$柱	1766603	0.87
		Tnature C$_{18}$柱	1841579	0.87
2	1.7035	Agela Venusil XBP C$_{18}$柱	1759710	0.87
		Tnature C$_{18}$柱	1841380	0.87

从表10数据可见，在使用不同型号或厂家的色谱柱时，对测定结果影响较小。

3 样品含量测定

取三批样品(批号1810191、1810192、1810193)及模拟样品(批号201908010),每批各2份,各约1.7g,精密称定,按重复性试验项下的方法处理并测定含量。测定结果见表11。

表11 样品中羟基红花黄色素A的含量测定结果

批号	取样量(g)	平均峰面积值	含量(mg/g)	平均含量(mg/g)
1810191	1.7028	1754127	0.87	0.87
	1.7033	1760971	0.87	
1810192	1.7038	1749782	0.86	0.86
	1.7033	1749753	0.86	
1810193	1.7031	1752326	0.86	0.87
	1.7087	1777389	0.87	
201908010	1.7035	1842210	0.91	0.92
	1.7084	1886188	0.93	

从表11数据可见,三批样品和模拟样品中羟基红花黄色素A平均含量最低为0.86mg/g,最高为0.92mg/g。

4 红花药材含量测定

试验中采用同法对上述三批样品生产用红花药材进行了含量测定。测定结果见表12。

表12 红花药材中羟基红花黄色素A的含量测定结果

序号	取样量(g)	平均峰面积值(n=2)	含量(mg/g)	平均含量(mg/g)
1	0.2032	2885303	11.61	11.39
2	0.2028	2774266	11.18	

从表12数据可见,红花药材中羟基红花黄色素A含量为11.39mg/g(1.14%)。

5 本制剂含量限度的确定

从表中数据可见,三批样品中羟基红花黄色素A最低含量在0.86mg/g,红花药材中羟基红花黄色素A含量为11.39mg/g(1.14%),模拟样品中羟基红花黄色素A含量为0.92mg/g。

按理论值折算,样品应含羟基红花黄色素A为30÷345 ×11.39=0.990,即0.99mg/g。可见,羟基红花黄色素A转移率为0.86(mg/g)÷0.99(mg/g)×100%= 86.8%。

参照《中国药典》2020年版一部"红花"药材的羟基红花黄色素A含量限度不得少与1.0%,转移率为86.8%,考虑不同产地药材的质量差异,并结合其他影响因素及三批样品的测定结果,下浮20%,按此限度折算本品含羟基红花黄色素A的理论量应不低于30÷345×1000×1.0%×86.8%×80%=0.60mg/g。

标准正文暂定为:本品每1g含红花以羟基红花黄色素A($C_{27}H_{32}O_{16}$)计,不得少于0.60mg。

【功能与主治】

镇赫依,清血热。用于胸部赫依血相讧症,赫依性心肺刺痛,胸闷、气短等症。

【用法与用量】

口服。一次11~15丸,一日1~2次,温开水送服。

【注意事项】

孕妇慎用。

【规格】

每10丸重2g。

【贮藏】

　　密封, 防潮。

起草单位: 内蒙古医科大学药学院　　　张跃祥　崔圆圆　王玉华

　　　　　　鄂尔多斯市检验检测中心　　李　珍　杨　洋　张　烨

　　　　　　内蒙古医科大学附属医院　　王秋桐

新·萨乌日勒质量标准起草说明

【历史沿革】

处方来源于内蒙古自治区国际蒙医医院特木其乐大夫经验方。

【处方来源】

本制剂由内蒙古自治区国际蒙医医院提供。

【名称】

新·萨乌日勒

【蒙药材和饮片的来源和执行标准】

1. 处方组成及药味排列顺序：枫香脂150g、红花150g、炒珍珠100g、紫草茸100g、苦地丁70g、山奈50g、人工麝香5g。

2. 处方中除紫草茸、人工麝香和炒珍珠药材外，其余枫香脂等药味均收载于《中国药典》2020年版一部，其质量应符合该品种项下的有关规定。

紫草茸：为胶蚧科昆虫紫胶虫 *Laccifer lacca* Kerr 在树枝上所分泌的树脂状胶质。其质量应符合《内蒙古蒙药饮片炮制规范》2020年版第436页该品种项下的有关规定。

人工麝香：应符合卫生部标准（试行）WS-210（Z-32）-93标准的有关规定。

炒珍珠：为珍珠贝科动物马氏珍珠贝 *Pteria martensii*（Dunker）、蚌科动物三角帆蚌 *Hyriopsis cumingii*（Lea）或褶纹冠蚌 *Cristaria plicata*（Leach）等双壳类动物受刺激形成的珍珠。其标准应符合《内蒙古蒙药材炮制规范》2020年版第288页该品种项下的有关规定。

【制法】

以上七味药，除人工麝香、炒珍珠外，其余五味，粉碎成细粉，将炒珍珠研细，与人工麝香和上述细粉配研，过筛，混匀，用水泛丸，打光，干燥即得。

【性状】

本品为棕黄色至棕褐色水丸；气香、味酸、甘而苦、涩。

【鉴别】

本品为药材粉末制成的水丸，对处方中山奈建立显微鉴别，并对处方中枫香脂建立了薄层鉴别。

1. 试剂与试药

供试品：供试品（批号20200317、20190615、20191223）由内蒙古自治区国际蒙医医院提供，模拟样品（20200093）模拟。

对照品：枫香脂对照药材（批号121637-201201），购于中国食品药品检定研究院。

薄层板：硅胶GF$_{254}$薄层板，购于青岛海洋化工厂。

所用其他试剂均为分析纯，水为离子交换高纯水。

2. 试验方法与结果

（1）显微鉴别

山柰：淀粉粒圆形、椭圆形或类三角形，直径10~3μm，脐点及层纹不明显。

（2）枫香脂薄层鉴别

参照《中国药典》2020年版一部"枫香脂"项下的薄层条件，制定出正文所述的鉴别方法。通过阴性对照试验观察，方中其他药材对枫香脂的检出无干扰，此法具专属性。

【检查】

按照丸剂（《中国药典》2020年版四部通则0108）项下规定，对三批供试品及模拟样品的水分、重量差异、溶散时限、重金属、砷盐和微生物限度进行了检查。具体方法及测定数据如下：

1. 水分：取供试品照水分测定法（《中国药典》2020年版四部通则0832 ）测定，三批供试品及模拟样品测定结果见表1。

表1　水分测定法结果

序号	批号	水分（%）
1	20200317	3.9
2	20191223	3.8
3	20190615	3.7
4	20200093	4.0

药典规定丸剂水分含量不得大于9.0%。从表1数据可见，三批供试品和模拟样品的水分含量均符合要求。

2. 重量差异：取以上三批供试品，每批供试品取10份，10丸为1份，分别称定重量，再与每份标示重量（2g）相比较，求每一份的重量差异（%）。药典规定每份标示装量的限度为±8%，并规定超出重量差异限度的不得多于2份，并不得有1份超出限度1倍。本品的重量差异检查结果均符合规定。

3. 溶散时限：取本品照片剂项下崩解时限检查法（《中国药典》2020年版四部通则0921）加挡板进行测定，三批供试品测定结果见表2。

表2　溶散时限测定结果

序号	批号	溶散时间（min）
1	20200317	32
2	20191223	27
3	20190615	30

药典规定水丸应在1小时内全部溶散，从表2数据可见，本品溶散时限符合规定。

4. 对三批供试品及模拟样品进行了重金属、砷盐考察、微生物限度测定，方法与结果如下：

重金属：分别取每个批号供试品0.5g、0.67g、1.0g、2.0g，按《中国药典》2020年版四部0821第二法检查。

供试品溶液的制备：取本品0.5g、0.67g、1.0g、2.0g，分别缓缓炽灼至完全炭化，放冷，加硫酸0.5ml，使湿润，低温加热至硫酸除尽后，加硝酸0.5ml，蒸干，至氧化氮蒸气除尽后，放冷，于600℃炽灼至完全灰化，放冷。加盐酸2ml，置水浴上蒸干后加水15ml，滴加氨试液至对酚酞指示液显中性，再加醋酸盐缓冲液（pH3.5）2ml，微热溶解后，移置纳氏比色管中，加水稀释至25ml，作为供试品溶液。

标准铅对照溶液的制备：另取配制供试品溶液的试剂两份，分别置瓷皿中蒸干后，加醋酸盐缓冲液（pH3.5）2ml，加水15ml微热溶解后，移置两支纳氏比色管中，分别加标准铅溶液（10μg/ml Pb）2ml，再加水稀释至25ml，作为标准铅对照溶液。

检视：于上述供试品溶液和标准铅对照溶液中分别加硫代乙酰胺试液各2ml，摇匀，放置2分钟，同置白色背景上,从上向下进行观察。结果显示,供试品溶液的颜色明显浅于1ml的标准铅对照溶液。经过三批供试品及模拟样品的检查,含重金属均未超过百万分之十,故未收入正文。试验结果见表3。

表3 重金属检查结果

序号	批号	重金属含量(ppm)			
1	20200317	<10	<20	<30	<40
2	20191223	<10	<20	<30	<40
3	20190615	<10	<20	<30	<40
4	20200093	<10	<20	<30	<40

结果显示,供试品溶液的颜色接近或深于2ml的标准铅对照溶液。经过3批供试品及模拟样品的检查,含重金属超过百万分之四十,由于受雄黄和朱砂等药味颜色干扰,故暂未列入正文。

砷盐:取本品1g和标准砷溶液(1μg/ml AS)2ml,分别加无砷氢氧化钙1g,加少量水,搅匀,烘干,用小火缓缓炽灼至炭化,再在600℃炽灼至完全灰化,放冷。分别加盐酸7ml使溶解,再加水21ml,按《中国药典》2020年版四部通则0822第一法(古蔡氏法)做砷盐限量检查。

结果:供试品砷斑浅于标准砷斑的颜色,表明本品含砷量未超过百万分之二(小于2ppm)。故砷盐检查项目未收入正文。

5. 微生物限度:照微生物计数法(《中国药典》2020年版四部通则1105)和控制菌检查法(《中国药典》2020年版四部通则1106)及《内蒙古蒙药制剂规范》(第三册)附录Ⅲ微生物限度标准,进行检查。结果均符合规定。

【含量测定】

新·萨乌日勒是由枫香脂、红花、炒珍珠、紫草茸、苦地丁、山奈、人工麝香等七味药组成的复方制剂,红花为处方中主要药味之一。参照《中国药典》2020年版一部"红花"项下的含量测定方法,以羟基红花黄色素A作为指标成分,进行含量测定方法研究,经分析方法验证,该方法重复性好,专属性强,方法中其他成分对羟基红花黄色素A对照品的测定无干扰。

1 仪器与试剂试药

1.1 仪器

UltiMate3000高效液相色谱仪;Sartorius BT25S型电子天平, Sartorius BSA223S型电子天平, Sartorius BSA224S型电子天平, MSA6.6S-OCE-DM型百万分之一电子天平。

1.2 试剂与试药

供试品(批号20200317、20190615、20191223)由内蒙古自治区国际蒙医医院提供,模拟样品(20200093)模拟;羟基红花黄色素A对照品(批号111637-201609)、红花对照药材(批号120907-201412),均购于中国食品药品检定研究院;甲醇、乙腈为色谱纯,水为高纯水,其他试剂均为分析纯。

2 方法学考察

2.1 色谱条件

2.1.1 色谱柱:参照《中国药典》2020年版一部"红花"药材项下含量测定方法,色谱柱填充剂为十八烷基硅烷键合硅胶,本试验研究采用岛津C_{18}柱(4.6mm×250mm)。

2.1.2 流动相的选择:参照《中国药典》2020年版一部"红花"药材项下含量测定方法,以甲醇-乙腈-0.1%磷酸溶液(26:2:72)为流动相。

2.1.3 柱温:采用30℃柱温,可减小流动相黏度,降低柱压并改善分离效果。

2.1.4 检测波长的选择:参照《中国药典》2020年版一部"红花"药材项下含量测定方法,选择403nm作为检测波长。

2.1.5 理论板数的确定：经对三批供试品测定的结果可见，羟基红花黄色素A对照品的理论板数在3000以上时均能达到较好的分离效果，参照《中国药典》2020年版一部"红花"药材项下的规定，故确定理论板数按羟基红花黄色素A对照品峰计不得低于3000。

2.2 提取方法的选择及提取效率的考察

2.2.1 提取溶剂的选择

参照《中国药典》2020年版一部"红花"项下的羟基红花黄色素A对照品含量测定项下的方法，以25%甲醇作提取溶剂。

2.2.2 提取效率的考察

以25%甲醇作提取溶剂进行超声处理，为了保证被测成分提取完全，试验中考察了20分钟、30分钟、40分钟、50分钟等不同超声时间对提取效率的影响。结果见表4。

表4 提取效率的考察表

序号	提取时间（min）	羟基红花黄色素A（mg/g）
1	20	2.18
2	30	2.32
3	40	2.59
4	50	2.30

从表4数据可见，超声提取40分钟羟基红花黄色素A的含量基本不再增加，故确定超声时间为40分钟。

2.3 专属性考察

2.3.1 供试品溶液的制备：取本品粉末（过四号筛）约1.70g，精密称定，置具塞锥形瓶中，精密加入25%甲醇50ml，称定重量，超声处理（功率300W，频率50kHz）40分钟，放冷，再称定重量，用25%甲醇补足减失的重量，摇匀，滤过，取续滤液，作为供试品溶液。

2.3.2 对照品溶液的制备：取羟基红花黄色素A对照品适量，精密称定，加甲醇制成每1ml含0.13mg的溶液，作为对照品溶液。

2.3.3 阴性对照溶液的制备：按本品处方工艺制备不含红花的阴性样品，按供试品溶液的制备方法制备阴性对照溶液（缺红花）。

2.3.4 测定：分别精密吸取以上三种溶液各10μl，注入色谱仪，记录各自的色谱图。

试验结果显示：供试品色谱中在与对照品色谱保留时间相同的位置上有色谱峰出现，而阴性对照在与对照品色谱保留时间相同的位置上无色谱峰出现，表明该含量测定方法阴性无干扰，专属性好。

2.4 线性关系考察

精密称取羟基红花黄色素A对照品3.289mg，置25ml量瓶中，加25%甲醇使溶解，并稀释至刻度，摇匀，即得。羟基红花黄色素A对照品溶液分别取1μl、2μl、5μl、10μl、20μl、30μl进样，按上述色谱条件测定，以峰面积对进样量进行回归分析，结果见表5。

表5 标准曲线数据及回归分析结果

进样量（μl）	峰面积值	回归方程	r
1	6.1273		
2	12.8351		
5	29.1936	$y=5.7631x+0.109$	0.9999
10	57.5865		
20	115.3096		
30	172.9633		

从表5数据可见,羟基红花黄色素A对照品在131.6~3948ng范围内与峰面积值呈良好的线性关系。

2.5 精密度试验

取同一份供试品(批号20191223)溶液,连续进样6针,记录色谱图。羟基红花黄色素A峰面积的精密度计算结果见表6。

表6 羟基红花黄色素A精密度试验结果

序号	峰面积值	平均值	RSD(%)
1	37.8429		
2	37.9246		
3	37.5538	37.7791	0.33
4	37.7481		
5	37.8132		
6	37.7918		

从表6数据可见,符合《中国药典》2020年版四部通则0512中规定的RSD值小于2.0%的要求。

2.6 稳定性试验

取同一供试品(批号20191223)溶液,分别在溶液制备后的0小时、2小时、4小时、6小时、8小时、10小时、12小时进行测定。结果见表7。

表7 不同时间测定供试品中羟基红花黄色素A的峰面积值

时间(h)	峰面积值	RSD(%)
0	36.5760	
2	36.9421	
4	36.9824	
6	36.1016	1.21
8	37.2094	
10	36.0640	
12	36.4864	

从表7数据可见,羟基红花黄色素A在12小时内的面积积分值RSD值为1.21%,能够满足测定所需要的时间。

2.7 重复性试验

取同一供试品(批号20191223)6份,各取约1.70g,精密称定,置具塞锥形瓶中,精密加入25%甲醇50ml,称定重量,超声处理(功率300W,频率40kHz)40分钟,放冷,再称定重量,用25%甲醇补足减失的重量,摇匀,滤过,取续滤液,作为供试品溶液。另取羟基红花黄色素A对照品适量,精密称定,加甲醇制成每1ml含0.13mg的溶液,作为对照品溶液。分别精密吸取以上两种溶液各10μl,注入液相色谱仪,记录各自的色谱图,用外标法以峰面积计算含量。结果见表8。

表8 羟基红花黄色素A含量重复性试验结果

取样量(g)	峰面积值	含量(mg/g)	平均含量(mg/g)	RSD(%)
1.7284	36.5312	2.4957		
1.7279	36.9306	2.5237		
1.7271	37.0232	2.5312	2.53	1.85
1.7397	38.4382	2.6089		
1.7233	36.1337	2.4758		
1.7224	37.2627	2.5545		

从表8数据可见,在相同的提取溶剂和色谱条件下,6份供试品含量测定结果的均值为2.53mg/g,RSD为1.85%,表明该方法的重复性良好。

2.8 加样回收试验

称取同一供试品(批号20191223,含量2.5316mg/g)6份,每份约0.84g,精密称定,分别置具塞锥形瓶中,分别依次加入羟基红花黄色素A对照品2.029mg、2.031mg、2.035mg、2.012mg、2.028mg、2.042mg,精密加入25%甲醇50ml摇匀,称定重量,按上述供试品溶液的制备方法操作,测定每份含量,计算回收率。结果见表9。

表9 羟基红花黄色素A加样回收试验结果

取样量(g)	供试品含量(mg)	对照品加入量(mg)	测得总量(mg)	回收率(%)	平均(%)	RSD(%)
0.8418	2.1311	2.029	4.1223	98.14		
0.8420	2.1316	2.031	4.1552	99.63		
0.8432	2.1347	2.035	4.1357	98.33	99.02	1.05
0.8421	2.1319	2.012	4.1050	98.07		
0.8433	2.1349	2.028	4.1768	100.69		
0.8427	2.1334	2.042	4.1601	99.25		

从表9数据可见,本方法的平均回收率为99.02%,RSD为1.05%。该方法准确度好。

2.9 耐用性试验

取供试品(批号20191223)4份,各约1.7g,精密称定,按重复性试验项下的方法处理,换不同厂家、不同型号的色谱柱,分别测定供试品的含量。结果见表10。

表10 色谱柱耐用性试验

样品号	取样量(g)	柱型号	峰面积值	含量(mg/g)
1	1.7134	岛津C$_{18}$	37.1274	2.48
	1.7428	Alltech C$_{18}$	37.1728	2.44
2	1.7635	岛津C$_{18}$	38.2194	2.48
	1.7327	Alltech C$_{18}$	37.9284	2.50

从表10数据可见,不同型号或厂家的色谱柱对测定结果影响较小。

3 样品含量测定

取三批样品(批号20200317、20190615、20191223),模拟样品(20200093),各约1.7g,精密称定,按重复性试验项下的方法处理并测定。含量测定结果见表11。

表11 样品中羟基红花黄色素A含量测定结果

批号	取样量(g)	峰面积值	含量(mg/g)	平均含量(mg/g)
20200317	1.7326	36.8140	2.51	2.49
	1.7389	36.4771	2.48	
20191223	1.7347	36.8876	2.51	2.51
	1.7328	36.6963	2.50	
20190615	1.7284	34.7403	2.37	2.38
	1.7247	34.7617	2.38	
20200093	1.7248	37.0125	2.45	2.46
	1.7254	37.1438	2.46	

从表11数据可见,三批样品和模拟样品中羟基红花黄色素A平均含量最低为2.38mg/g,最高为2.51mg/g。

4 红花药材含量测定

试验中采用同法对上述三批样品生产用红花药材进行了含量测定。结果见表12。

表12 红花药材中羟基红花黄色素A的含量测定结果

序号	取样量（g）	平均峰面积值（n=2）		含量（mg/g）	平均含量（mg/g）
1	0.4627	62.4907 62.5272	62.5090	14.49	
2	0.4754	62.5187 62.7781	62.6484	14.14	14.48
3	0.4539	62.6528 62.5718	62.6123	14.80	

从表12数据可见，红花药材中羟基红花黄色素A的含量为14.48mg/g（1.4%）。

5　本制剂含量限度的确定

从表11和表12数据可见，三批样品中羟基红花黄色素A的含量最高为2.51mg/g，红花药材中羟基红花黄色素A含量为14.48mg/g。

按理论值折算，样品应含羟基红花黄色素A为150÷625×14.48=3.4752，即3.4752mg/g。可见，羟基红花黄色素A转移率为2.51（mg/g）÷3.4752（mg/g）×100%=72.22%。

参照《中国药典》2020年版一部"红花"药材的羟基红花黄色素A含量限度不得少于1.0%，转移率为72.22%，考虑不同产地药材的质量差异，并结合其他影响因素及三批样品的测定结果，下浮20%，按此限度折算本品含羟基红花黄色素A的理论量应不低于150÷625×1000×1.0%×72.22%×80%=1.38mg/g。

标准正文暂定为：本品每1g含红花以羟基红花黄色素A（$C_{27}H_{32}O_{16}$）计，不得少于1.4mg。

【功能与主治】

清热，解毒，燥协日乌素。用于萨病初期、热症显著者，也可以用于肌肉、白脉损伤所致的疼痛、肿胀、功能障碍者。

【用法与用量】

口服。一次11~15粒，一日1~2次，温开水送服。

【注意事项】

孕妇忌服。

【规格】

每10丸重2g。

【贮藏】

密闭，防潮。

起草单位： 内蒙古自治区国际蒙医医院　　　唐吉思　那松巴乙拉　特木其乐

鄂尔多斯市检验检测中心　　　张　烨　李　珍　陈羽涵

嘎日迪-17丸质量标准起草说明

【历史沿革】

本方来源于《蒙医常用方剂选》(吉林人民出版社1975年版,蒙古文,第97页)。

【处方来源】

本制剂由内蒙古自治区国际蒙医医院提供。

【名称】

嘎日迪-17丸

【药材和饮片的来源和执行标准】

1. 处方组成及药味排列顺序: 诃子汤泡草乌50g、诃子50g、豆蔻50g、木香50g、紫草茸44g、蜀葵紫花35g、刀豆35g、石菖蒲30g、炒菱角30g、煅石决明24g、枇杷叶24g、熊胆粉12g、没药24g、茜草10g、红花12g、香墨10g、人工麝香1g。

2. 处方中除炒菱角、香墨、蜀葵紫花、诃子汤泡草乌、熊胆粉、人工麝香和紫草茸外,其余诃子等药味均收载于《中国药典》2020年版一部,其质量应符合该品种项下的有关规定。

炒菱角: 为菱科植物乌菱*Trapa bicornis* Osbeck 的干燥成熟果实。其标准应符合《内蒙古蒙药饮片炮制规范》2020年版第264页该品种项下的有关规定。

紫草茸: 为胶蚧科昆虫紫胶虫*Laccifer lacca* Kerr 在树枝上所分泌的树脂状胶质。其标准应符合《内蒙古蒙药饮片炮制规范》2020年版第436页该品种项下的有关规定。

香墨: 为松烟、胶汁、冰片和香料等加工制成的墨。其标准应符合《内蒙古蒙药饮片炮制规范》2020年版第337页该品种项下的有关规定。

人工麝香: 应符合卫生部标准(试行)WS-210(Z-32)-93标准的有关规定。

蜀葵紫花(蜀季花): 为锦葵科植物蜀葵*Althaea rosea*(L.)Cav. 的干燥紫色花。其标准应符合《内蒙古蒙药饮片炮制规范》2020年版第482页该品种项下的有关规定。

诃子汤泡草乌: 为毛茛科植物北乌头*Aconitum kusenzoffii* Reichb.的干燥块根。其标准应符合《内蒙古蒙药饮片炮制规范》2020年版第307页该品种项下有关规定。

熊胆粉: 为熊科动物黑熊*Selenarctos thibetanus* Cuvier 经胆囊手术引流胆汁而得的干燥品。其标准应符合《中华人民共和国卫生部药品标准》新药转正标准第十一册第44页该品种项下的有关规定。

【制法】

以上十七味,除人工麝香、熊胆粉外,其余诃子等十五味,粉碎成细粉,将人工麝香、熊胆粉与上述细粉配研,过筛,混匀,用水泛丸,打光,干燥,分装,即得。

【性状】

本品为棕褐色至黑褐色的水丸;气香,味苦。

【鉴别】

本品为原药材粉末制成的水丸,方中木香、红花的显微特征较明显,故建立显微鉴别,并对处方中石菖蒲、紫草茸建立了薄层鉴别。

1. 试剂与试药

供试品:供试品(批号20190936、20191206、20200329)由内蒙古自治区国际蒙医医院提供,模拟样品(批号20200029)模拟。

对照品:紫草茸对照药材(批号121052-200302),石菖蒲对照药材(批号121098-201807)均购于中国食品药品检定研究院。

薄层板:硅胶G板,购于青岛海洋化工有限公司。

所用其他试剂均为分析纯,水为超纯水。

2. 试验方法与结果

(1)显微鉴别

木香:菊糖团块形状不规则,有时可见微细放射状纹理,加热后溶解。红花:花粉粒类圆形或椭圆形,直径43~66μm,外壁具短刺和点状雕纹,具3个萌发孔。

(2)石菖蒲薄层鉴别

参照《中国药典》2020年版一部"石菖蒲"项下的薄层条件,制定出正文所述的鉴别方法。通过阴性对照试验观察,方中其他药材对石菖蒲的检出无干扰。证明此方法具有专属性。

(3)紫草茸薄层鉴别

参照《卫生部药品标准》藏药分册第196页"十三味菥冥丸"项下薄层条件,制定出正文所述的鉴别方法。通过阴性对照试验观察,方中其他药材对紫草茸的检出无干扰。证明此方法具有专属性。

【检查】

按照丸剂(《中国药典》2020年版四部通则0108)项下的规定,对三批供试品及模拟样品的乌头碱限量、水分、重量差异、溶散时限、重金属、砷盐、微生物限度和急性毒性试验进行了检查。具体方法及测定数据如下:

1. 乌头碱限量:参照《中国药典》2020年版一部"制草乌"项下双酯型乌头碱的限量检查,结果因处方中其他药味的影响,供试品溶液中双酯型乌头碱与其他杂质分不开。故参照《中国药典》2020年版一部"制川乌"和"附子理中丸"项下乌头碱限量检查方法,拟定出本制剂乌头碱的限量检查方法及限度,以控制质量,确保安全、有效。供试品溶液的制备参照"附子理中丸"和"制川乌"限量检查项下的方法,并结合本处方实际情况,用氨试液碱化、乙醚作溶剂提取后,乙醚作溶剂提取后,浓缩,无水乙醇溶解,结果既保证了被测成分全部提净,又可排除其他成分对试验结果的干扰(具体方法见正文)。对三批供试品的检查结果表明,供试品色谱中,在与乌头碱对照品色谱相应位置上,出现的斑点小于对照品的斑点。证明本品含乌头碱每1g小于31μg。说明本品中制草乌的炮制程度符合要求。

制草乌中乌头碱的限度值参照《中国药典》2020年版一部"附子"项下乌头碱限量检查计算,乌头碱的限度为2mg/ml×5μl/6μl×2ml/20g≈0.167mg/g,即每1g低于167μg。所以本制剂中乌头碱的理论限度应为:25g/135g×0.167mg/g×1000≈30.9μg/g,本标准草案设定的限度指标略低于理论限度,说明方法可靠。《中国药典》2020年版一部规定制草乌用量为1.5~3g。本品日最高服用量2g,相当于制草乌25g/135g×2g=0.37g,远远低于药典用量,说明本品安全。

2. 水分:取供试品照水分测定法(《中国药典》2020年版四部通则0832)测定。三批供试品及模拟样品的测定结果见表1。

表1 水分测定结果

表1 水分测定结果

序号	批号	水分（%）
1	20200936	6.4
2	20191206	5.8
3	20200329	5.0
4	20200029	5.2

药典规定丸剂水分含量不得大于9.0%。从表1数据可见，本品水分含量均符合要求。

3. 重量差异：取以上三批供试品，每批供试品取10份，10丸为1份，分别称定重量，再与每份标示重量（2g）相比较，求每一份的重量差异（%）。药典规定每份标示装量的限度为±8%，并规定超出重量差异限度的不得多于2份，并不得有1份超出限度1倍。本品的重量差异检查结果均符合规定。

4. 溶散时限：取本品按照片剂项下崩解时限检查法（《中国药典》2020年版四部通则0921）加挡板进行测定。三批供试品测定结果见表2。

表2 溶散时限测定结果

序号	批号	溶散时间（min）
1	20190936	55
2	20191206	64
3	20200329	59

本规范规定嘎日迪-17丸应在2小时内全部溶散。从表2数据可见，本品的溶散时限符合规定。

5. 对三批供试品及模拟样品进行了重金属、砷盐、微生物限度考察。方法与结果如下：

重金属：分别取每个批号供试品0.5g、0.67g、1.0g、2.0g，按《中国药典》2020年版四部0821第二法检查。

供试品溶液的制备：取本品0.5g、0.67g、1.0g、2.0g，分别缓缓炽灼至完全炭化，放冷，加硫酸0.5ml，使湿润，低温加热至硫酸除尽后，加硝酸0.5ml，蒸干，至氧化氮蒸气除尽后，放冷，于600℃炽灼至完全灰化，放冷。加盐酸2ml，置水浴上蒸干后加水15ml，滴加氨试液至对酚酞指示液显中性，再加醋酸盐缓冲液（pH3.5）2ml，微热溶解后，移置纳氏比色管中，加水稀释至25ml，作为供试品溶液。

标准铅对照溶液的制备：另取配制供试品溶液的试剂两份，分别置瓷皿中蒸干后，加醋酸盐缓冲液（pH3.5）2ml，加水15ml微热溶解后，移置两支纳氏比色管中，分别加标准铅溶液（10g/ml Pb）2ml，再加水稀释至25ml，作为标准铅对照溶液。

检视：于上述供试品溶液和标准铅对照溶液中分别加硫代乙酰胺试液各2ml，摇匀，放置2分钟，同置白色背景上，从上向下进行观察。试验结果见表3。

表3 重金属检查结果

序号	批号	重金属含量（ppm）			
1	20200936	<10	<20	<30	<40
2	20191206	<10	<20	<30	<40
3	20200329	<10	<20	<30	<40
4	20200029	<10	<20	<30	<40

结果显示，供试品溶液的颜色明显浅于2ml标准铅对照溶液。经过三批供试品及模拟样品的检查，含重金属均未超过百万分之十，故未收入正文。

砷盐：取本品1g和标准砷溶液（1μg/ml AS）2ml，分别加无砷氢氧化钙1g，加少量水，搅匀，烘干，用小火缓缓炽灼至炭化，再在600℃炽灼至完全灰化，放冷。分别加盐酸7ml使溶解，再加水21ml，按《中国药典》2020年版四部通则0822第一法（古蔡氏法）做砷盐限量检查。

结果：供试品砷斑浅于标准砷斑的颜色，表明本品含砷量未超过百万分之二（小于2ppm），故砷盐检查项目未收入正文。

微生物限度：照微生物计数法（《中国药典》2020年版四部通则1105）和控制菌检查法（《中国药典》2020年版四部 通则1106）及《内蒙古蒙药制剂规范》（第三册）附录Ⅲ微生物限度标准，进行检查。结果均符合规定。

急性毒性试验：试验研究以及结果见本文后面的附件。

【含量测定】

嘎日迪-17丸是由诃子汤泡草乌、诃子、石菖蒲、木香等十七味药组成的复方制剂，具有清肾热，杀黏，治遗精的功效。为了保证该药品内在质量，确保其临床的有效性，对处方中主要药味之一木香进行了含量测定试验研究。参照《中国药典》2020年版一部"木香"项下的含量测定方法，以木香烃内酯、去氢木香内酯为指标，进行了HPLC含量测定方法研究。经分析方法验证，表明该方法重复性好、专属性强，方中其他组分对木香烃内酯、去氢木香内酯的测定无干扰。

1 仪器与试剂试药

1.1 仪器

岛津LC-2014型高效液相色谱仪；Sartorius BT25S型电子天平，Sartorius BSA223S型电子天平，Sartorius BSA224S型电子天平，MSA6.6S-CE型电子天平；KQ-500DE型超声清洗仪。

1.2 试剂与试药

供试品（批号20190936、20191206、20200329）由内蒙古自治区国际蒙医医院提供，模拟样品（批号20200029）模拟；木香烃内酯对照品（批号111524-201208）、去氢木香内酯对照品（批号111525-200505），均购于中国食品药品检定研究院；甲醇、乙腈为色谱纯，水为超纯水，所用其他试剂均为分析纯。

2 方法学验证

2.1 色谱条件

2.1.1 色谱柱：色谱柱填充剂为十八烷基硅烷键合硅胶，本试验研究用SHMADZU C$_{18}$（250mm×4.6mm，5μm）色谱柱、phenomenex C$_{18}$（250mm×4.6mm，5μm）色谱柱。

2.1.2 流动相的选择：参照《中国药典》2020年版一部"木香"含量测定项下的测定方法，以乙腈-甲醇（45：10）为流动相A，水为流动相B，A：B为（52：48）作为流动相，供试品中的木香烃内酯、去氢木香烃内酯与其他成分能达到较好的分离，色谱峰具有比较好的保留时间、分离度和对称性。故确定其作为本次试验的流动相。

2.1.3 柱温：试验中对30℃和40℃柱温进行了比较，结果分离效果稳定，保留时间变化小，本试验研究选择柱温为30℃。

2.1.4 检测波长的选择：通过二极管阵列检测器分别对木香烃内酯和去氢木香内酯自800～190nm进行光谱扫描，结果木香烃内酯在202.82nm处有最大吸收峰，去氢木香内酯在197.92nm处有最大吸收峰，在225nm处木香烃内酯和去氢木香内酯均有吸收，故结合《中国药典》2020年版一部"木香"含量测定项下选择测定方法，选用225nm作为检测波长。

2.1.5 理论板数的确定：从对三批数据的测定结果可见，木香烃内酯峰的理论板数在5000以上即能达到与相邻峰分开，并符合《中国药典》规定$R>1.5$的要求，本标准规定理论板数按木香烃内酯峰计应不低于5000。

2.2 提取方法的选择及提取效率的考察

2.2.1 提取溶剂的选择

参考《中国药典》2020年版一部"木香"项下选用甲醇作为提取溶剂,因处方中含有黑云香等树脂类药材,影响试验的测定,故本试验在用甲醇提取后用水进行稀释,离心后除去部分树脂类成分,使供试品得到较好的分离效果。

2.2.2 提取方法的选择

《中国药典》2020年版一部"木香"项下采用甲醇超声提取,方法比较完善,故参照药典选择甲醇超声提取。

2.2.3 提取效率考察

取本品粉末5份,各约2.5g,研细,精密称定,置具塞锥形瓶中,精密加入甲醇25ml,密塞,称定重量,依次超声处理(功率350W,频率40kHz)15分钟、30分钟、60分钟、90分钟,取出,放冷,再称定重量,用甲醇补足减失的重量,摇匀,滤过,精密量取续滤液5ml,置10ml量瓶中,用50%甲醇溶液稀释至刻度,摇匀,离心,滤过,按上述色谱条件测定。结果见表4。

表4 木香烃内酯、去氢木香烃内酯提取时间考察

序号	超声时间(分钟)	木香烃内酯(mg/g)	去氢木香烃内酯(mg/g)	含量总和(mg/g)
1	15	1.14	1.26	1.40
2	30	1.15	1.28	1.43
3	60	1.15	1.27	1.42
4	90	1.15	1.28	1.43

从表4数据可见,超声处理30分钟、60分钟、90分钟,木香烃内酯和去氢木香内酯的含量总和基本一致,故将提取时间定为30分钟。

2.3 专属性考察

2.3.1 对照品溶液的制备:取木香烃内酯对照品、去氢木香烃内酯对照品适量精密称定,加甲醇制成每1ml各含60μg的混合溶液,即得。

2.3.2 供试品溶液的制备:取本品适量,研细,取2.5g,精密称定,置具塞锥形瓶中,精密加入甲醇25ml,密塞,称定重量,超声处理(功率350W,频率40kHz)30分钟,取出,放冷,再称定重量,用甲醇补足减失的重量,摇匀,滤过,精密量取续滤液5ml,置10ml量瓶中,用50%甲醇溶液稀释至刻度,摇匀,离心,滤过,即得。

2.3.3 阴性对照溶液的制备:按本品处方工艺制备不含木香的阴性样品,按供试品溶液的制备方法制备阴性对照溶液(缺木香)。

2.3.4 测定:分别精密吸取以上三种溶液各10μl,注入色谱仪,记录各自的色谱图。

试验结果显示,供试品色谱中在与对照品色谱保留时间相同的位置上有色谱峰出现,而阴性对照在与对照品色谱保留时间相同的位置上无色谱峰出现,表明该含量测定方法阴性无干扰,专属性好。

2.4 线性考察

取木香烃内酯对照品2.985mg(含量99.4%)、去氢木香内酯对照品3.015mg,精密称定,置50ml量瓶中,加甲醇使溶解,并稀释至刻度,摇匀(含木香烃内酯0.0597mg/ml,去氢木香内酯0.0603mg/ml),分别精密吸取2μl、5μl、10μl、20μl、30μl、40μl注入液相色谱仪,按上述色谱条件测定,以峰面积对进样量进行回归分析,结果见表5。

表5　木香烃内酯、去氢木香内酯标准曲线数值表

木香烃内酯进样量（μg）	木香烃内酯峰面积值	去氢木香内酯进样量（μg）	去氢木香内酯峰面积值	回归方程	r
0.11868	191942	0.1206	146211		
0.2967	487096	0.3015	370075		
0.5934	988304	0.603	750995	$y=1663.59x-2647.54$	
1.1868	1977035	1.206	1503058	$y=1245.41x-2448.72$	0.9999
1.7802	2961108	1.809	2252230		
2.3736	3941366	2.412	2998226		

从表5数据可见，木香烃内酯在0.11868~2.37360μg、去氢木香内酯在0.12060~2.4120μg范围内与峰面积值呈良好的线性关系。

2.5　稳定性试验

取同一供试品（批号20190936）溶液，分别于0小时、2小时、4小时、8小时、12小时、24小时，按重复性试验项下的方法操作进行测定。结果见表6。

表6　不同时间测得木香烃内酯、去氢木香内酯的峰面积值

序号	时间（h）	木香烃内酯峰面积值	RSD（%）	去氢木香内酯峰面积值	RSD（%）
1	0	839739		817514	
2	2	845761		811954	
3	4	848950	1.3	813874	0.8
4	8	860545		800278	
5	12	865532		818508	
6	24	866066		812079	

从表6数据可见，内木香烃内酯、去氢木香内酯在24小时内峰面积值基本稳定不变，能够满足测定所需要的时间。

2.6　重复性试验

取同一供试品（批号20190936）6份，各约2.5g，精密称定，置具塞锥形瓶中，精密加入甲醇25ml，密塞，称定重量，超声处理（功率350W，频率40kHz）30分钟，取出，放冷，再称定重量，用甲醇补足减失的重量，摇匀，滤过，精密量取续滤液5ml，置10ml量瓶中，用50%甲醇溶液稀释至刻度，摇匀，离心，滤过，作为供试品溶液。另精密称取木香烃内酯对照品、去氢木香内酯对照品适量精密称定，加甲醇制成每1ml各含60μg的混合溶液，作为对照品溶液。分别精密吸取供试品溶液和对照品溶液各10μl，注入色谱仪，记录色谱图。按外标法以峰面积计算含量，结果见表7。

表7　木香烃内酯、去氢木香内酯重复性试验结果

序号	取样量（g）	峰面积值 A（n=2）	峰面积值 B（n=2）	含量（mg/g）A	含量（mg/g）B	平均含量（mg/g）A	平均含量（mg/g）B	RSD（%）A	RSD（%）B
1	2.5151	834770.5	827883	1.13	1.30				
2	2.5049	829056	827578.5	1.13	1.31				
3	2.5084	858990	826927	1.17	1.30	1.15	1.31	1.6	0.7
4	2.5077	860931	835838	1.17	1.32				
5	2.5428	859146.5	841874.5	1.15	1.31				
6	2.4981	854729	838144	1.17	1.33				

*A为木香烃内酯、B为去氢木香内酯

从表7数据可见，在相同的提取溶剂和色谱条件下，6份供试品含量测定结果的均值为木香烃内酯1.15mg/g

（RSD为1.6%）、去氢木香内酯1.31mg/g，RSD为0.7%，表明该方法的重复性好。

2.7 加样回收试验

取同供试品（批号20190936，含木香烃内酯1.15mg/g、去氢木香内酯1.31mg/g）6份，各约1.25 g，精密称定，置具塞锥形瓶中，分别精密加入木香烃内酯和去氢木香内酯各约1.5mg，分别按重复性试验项下方法操作，测定每份供试品的含量。结果见表8。

表8　木香烃内酯、去氢木香内酯加样回收试验

取样量（g）	对照品加入量（mg）		供试品含有量（mg）		测得总量（mg）		回收率（%）		平均回收率（%）		RSD（%）	
	A	B	A	B	A	B	A	B	A	B	A	B
1.2587	1.581	1.521	1.45	1.65	3.01	3.18	98.8	100.6				
1.2576	1.584	1.508	1.45	1.65	3.03	3.14	99.9	99.1				
1.2565	1.582	1.488	1.44	1.65	3.02	3.13	99.5	100.0	99.8	99.9	0.6	0.6
1.2552	1.501	1.572	1.44	1.64	2.94	3.21	100.0	99.3				
1.2525	1.536	1.555	1.44	1.64	2.97	3.20	99.7	100.4				
1.2566	1.528	1.554	1.45	1.65	2.98	3.20	100.6	100.2				

*A为木香烃内酯、B为去氢木香内酯

从表8数据可见，本方法的平均回收率为A 99.8%、B 99.9%，RSD为0.6%。该方法准确度好。

2.8 范围

取供试品（批号20190936，含木香烃内酯1.15mg/g、去氢木香内酯1.31mg/g）6份，各约0.5 g，精密称定，置具塞锥形瓶中，分别精密加入木香烃内酯和去氢木香内酯各约0.7mg；另取供试品6份，各约2.5g，精密称定，置具塞锥形瓶中，分别精密加入木香烃内酯和去氢木香内酯各约3mg；再分别按重复性试验项下的方法操作，计算回收率及高、低浓度点6份样品的RSD（%），结果见表9、10。

表9　木香烃内酯、去氢木香内酯加样回收试验（低浓度）

取样量（g）	对照品加入量（mg）		供试品含有量（mg）		测得总量（mg）		回收率（%）		平均回收率（%）		RSD（%）	
	A	B	A	B	A	B	A	B	A	B	A	B
0.5561	0.657	0.638	0.64	0.73	1.30	1.36	100.1	99.4				
0.5552	0.659	0.634	0.64	0.73	1.29	1.36	99.3	99.4				
0.5555	0.654	0.631	0.64	0.73	1.29	1.36	99.9	100.9	99.3	100.1	0.7	0.6
0.5545	0.651	0.643	0.64	0.73	1.28	1.37	98.5	100.3				
0.5574	0.642	0.649	0.64	0.73	1.28	1.38	99.5	100.7				
0.5577	0.647	0.652	0.64	0.73	1.28	1.38	98.6	100.0				

*A为木香烃内酯、B为去氢木香内酯

表10　木香烃内酯、去氢木香内酯加样回收试验（高浓度）

取样量（g）	对照品加入量（mg）		供试品含有量（mg）		测得总量（mg）		回收率（%）		平均回收率（%）		RSD（%）	
	A	B	A	B	A	B	A	B	A	B	A	B
2.5673	3.033	3.243	2.95	3.36	5.99	6.58	100.3	99.1				
2.5644	3.035	3.249	2.95	3.36	6.04	6.63	101.9	100.7				
2.5661	3.044	3.233	2.95	3.36	5.99	6.58	99.7	99.6	100.9	100.2	1.0	0.7
2.5348	3.016	3.258	2.92	3.32	5.97	6.58	101.3	100.1				
2.5353	3.025	3.266	2.92	3.32	6.00	6.63	102.0	101.2				
2.5345	3.036	3.225	2.91	3.32	5.95	6.56	100.1	100.4				

*A为木香烃内酯、B为去氢木香内酯

表9、表10数据可见,在相当于含量限度的约70%和含量限度的2.5倍两个点处,均达到了精密度、准确度和线性的要求。

2.9 耐用性试验

换不同厂家、不同型号的色谱柱,按重复性试验项下的方法操作,取重复试验中的1号、2号供试品进行测定。结果见表11。

表11 色谱柱的耐用性试验

序号	柱型号	分离度	测得平均含量(mg/g)
1	SHMADZU C$_{18}$	1.9	2.43
	Phenomenex C$_{18}$	3.5	2.41
2	SHMADZU C$_{18}$	1.9	2.44
	Phenomenex C$_{18}$	3.5	2.38

从表11数据可见,不同型号或厂家的色谱柱对测定结果影响较小。

3 样品含量测定

取三批样品(批号20190936、20191206、20200329)及模拟样(批号20200029)各2份,各约2.5g,精密称定,按重复性试验项下的方法处理并测定。含量测定结果见表12。

表12 样品中木香烃内酯、去氢木香内酯含量测定结果

序号	批号	取样量(g)	峰面积值		含量(mg/g)		平均含量(mg/g)		总量(mg/g)
			A(n=2)	B(n=2)	A	B	A	B	
1	20190936	2.5151	834770.5	827883	1.13	1.30	1.13	1.30	2.43
		2.5049	829056	827578.5	1.13	1.31			
2	20191206	2.5055	800324.5	692197	1.09	1.09	1.09	1.09	2.18
		2.5023	800721	692723	1.09	1.10			
3	20200329	2.5139	896020	757094	1.22	1.19	1.22	1.19	2.41
		2.5146	895661	758031.5	1.22	1.19			

*A为木香烃内酯、B为去氢木香内酯

从表12数据可见,嘎日迪-17丸中木香烃内酯、去氢木香内酯的总量的最高值为2.43mg/g以上。

4 木香药材含量测定

试验中,采用相同方法对生产嘎日迪-17丸(批号为20190936)相应批次的木香药材进行了含量测定。含木香烃内酯、去氢木香内酯的总量为3.31%。

5 本制剂含量限度确定

表中数据可见,嘎日迪-17丸中木香烃内酯、去氢木香内酯的总量最高值为2.43mg/g,试验中,采用相同方法对生产嘎日迪-17丸的木香药材进行了含量测定,含木香烃内酯、去氢木香内酯的总量为3.31%。

按理论值折算,样品应含木香烃内酯、去氢木香内酯的总量为: 3.31%×50÷491=3.37mg/g,可见,木香烃内酯、去氢木香内酯的总量转移率为2.43÷3.37×100%=72.10%。

参照《中国药典》2020年版一部"木香"项下规定含木香烃内酯、去氢木香内酯的总量不得少于1.8%,考虑不同产地药材的质量差异,并结合其他影响因素及三批样品的测定结果,下浮20%,按此限度折算本品含木香烃内酯和去氢木香内酯的总的理论量应不低于50÷491×1.8%×1000×72.10%×80%=1.05mg/g。

标准正文暂定为:本品每1g含木香以木香烃内酯(C$_{15}$H$_{20}$O$_2$)和去氢木香内酯(C$_{15}$H$_{18}$O$_2$)的总量计,不得少于1.0mg。

【功能与主治】

清肾热,杀黏,治遗精。用于肾热,尿浊,黏疫,虫痧症,腰肾酸痛,睾丸肿,热性协日乌素症,滑精,遗精。

【用法与用量】

口服。一次7~11丸,一日1次,晚睡前温开水送服。

【注意事项】

孕妇忌服,年老体弱者慎用。

【规格】

每10丸重2g。

【贮藏】

密闭,防潮。

附件 昆明小鼠灌胃嘎日迪-17丸急性毒性试验研究报告

1 摘要

目的:

通过一天内大剂量(≥临床等效量的50倍)对昆明种小鼠灌胃嘎日迪-17丸,观察其产生的毒性反应及严重程度、主要毒性靶器官,为重复给药毒性研究计量设计和主要观察指标提供参考。

方法:

根据药物急性毒性预试验测定,无法测出LD_{50},故采用急性毒性限度试验测定方法。小鼠按0.4ml/10g灌胃给药,给药1次,总给药体积为40ml/kg。成人每日最大剂量2.2 g/(60kg·d),换算成小鼠临床等效最大剂量为0.275g/(kg·d)。配制药物最大可混悬浓度为0.5456g/ml,灌胃给药1次,给药剂量为21.82g/(kg·d),经计算为临床给药量的79.36倍。故一天内给药1次,小鼠给药总量为临床等效量的79.36倍,给药后观察动物的临床症状,连续观察至第14天,每天进行体重、摄食量、饮水量测定。第15天解剖动物,并进行大体病理学检查,若发现病变,则对病变组织进行组织病理学检查。

结果:

(1)一般状态观察:给药后,供试品组动物自主活动减少,给药后第2天上述异常症状恢复。

(2)对动物体重的影响:试验期间,各组动物的体重增加之间比较,无显著性差异($P>0.05$),说明嘎日迪-17丸对试验动物的体重无显著性影响。

(3)对动物摄食量的影响:试验期间,给药当天嘎日迪-17丸组动物摄食量略有减少。从给药第2天开始,各组动物的摄食量之间比较,无显著性差异($P>0.05$),说明嘎日迪-17丸对试验动物的摄食量无显著性影响。

(4)病理学检查:大体病理学检查,肉眼观察组织、器官未发现异常或病变。

结论:

嘎日迪-17丸口服给药为无毒或低毒药物。

2 研究的一般信息

2.1 专题名称及研究目的

专题名称:昆明小鼠灌胃嘎日迪-17丸急性毒性试验研究报告。

研究目的: 采用昆明小鼠, 单次灌胃嘎日迪-17丸, 观察其产生的毒性反应及严重程度、主要毒性靶器官, 为重复给药毒性研究计量设计和主要观察指标提供参考。

2.2　研究遵循的GLP法规性文件

《药物非临床研究质量规范》国家食品药品监督管理局令第34号 (原CFDA 2017.9.1)。

2.3　所用毒性研究指导原则的文件和名称及参考文献

2.3.1　所用毒性研究指导原则的文件和名称

《药物单次给药毒性研究技术指导原则》(原CFDA 2014.5);

《中药、天然药物急性毒性研究技术指导原则》(原CFDA 2005.3)。

2.3.2　所用参考文献

[1] 陈奇. 中药药理研究方法学[M]. 北京: 人民卫生出版社, 2000.

[2] 李仪奎. 中药药理试验方法学[M]. 上海: 上海科学技术出版社, 2006.

[3] 魏伟, 吴希美, 李元建. 药理试验方法学[M](第四版). 北京: 人民卫生出版社, 2010.

3　试验材料

3.1　受试物及剩余受试物的处理

3.1.1　供试品

名　　称: 嘎日迪-17丸。

提供单位: 内蒙古自治区国际蒙医医院国家蒙药制剂中心。

批　　号: 20190936。

3.1.2　剩余供试品的处理

对送样供试品留样60丸, 留样保存至有效期2022年12月31日废弃。

3.2　试验系统

3.2.1　试验动物

动物种系、级别: 小鼠, 昆明种, SPF级。

繁育单位: 内蒙古医科大学试验动物中心。

内蒙古医科大学试验动物中心试验动物生产许可证编号: SCXK (蒙) 2015-0001。

发证机关: 内蒙古自治区科学技术厅。

3.2.2　动物选择理由

作为一般毒性研究, 昆明种小鼠是常用的啮齿类哺乳动物, 且此种动物的国内外背景资料丰富, 动物供应充足。

3.2.3　动物的饲养管理

3.2.3.1　动物的饲养环境

饲育环境: 屏障环境。

温度: 20~26℃, 日温差≤3℃。

相对湿度: 41%~64%。

换气次数: ≥15次/小时。

照明时间: 12/12明暗交替 (150~300 lx)。

动物笼具: PC材质小鼠饲养笼。

饲养密度: 5只/笼。

笼具的换新频率: 3次/周。

粪便的处理: 在更换饲养盒时, 随动物废弃垫料装入专用垃圾袋, 密封后统一处理。

清扫与消毒: 全部操作结束后清扫, 采用0.1%新洁尔灭和0.2% 84消毒液进行轮换消毒, 每周一次轮流交换消毒液的种类。

3.2.3.2 检疫

检疫与适应性饲养时程: 7天(含购入日)。

3.2.3.2.1 购入日检疫内容

动物外观健康检查: 外表(有无外伤、卷尾、肿瘤、畸残等), 体形(无消瘦、过肥), 行动(有无倦怠、躁动), 体温(有无发热、发冷), 呼吸(有无呼吸不规律和异常呼吸音), 被毛(有无竖毛、脱毛、脏污), 鼻(有无流涕、出血、流脓), 口腔(有无流涎、齿过长), 眼(有无流泪、分泌物过多、眼球浑浊), 耳(有无外伤、耳癣), 生殖器(有无外伤、异常分泌物), 尿(有无血尿), 粪便(有无下痢、血便、脓便), 其他异常。

3.2.3.2.2 第2~7天检疫驯化内容

每天上、下午各1次对检疫动物进行观察, 检疫过程中, 如出现外观、临床症状观察等任何异常现象, 对试验可能有影响的动物予以淘汰。

3.2.3.2.3 检疫驯化期体重测定

在检疫第1天(动物入室日)和第7天(分组前)称量动物体重。

3.2.3.3 饲料

饲料种类: ^{60}Co放射灭菌鼠全价颗粒饲料。

生产单位: 斯贝福(北京)试验动物科技有限公司。

斯贝福(北京)试验动物科技有限公司试验动物生产许可证编号: SCXK(京)2015-0015。

发证机关: 北京市科学技术委员会。

给料方法: 定时投饲, 自由摄取。

饲料的保存: 保存在专门的通风、清洁、干燥的饲料间里。

3.2.3.4 饮用水

种类: 试验动物高压灭菌饮用水。

给水方法: 饮水瓶不间断供水, 自由摄取。

3.2.3.5 垫料

垫料名称: 玉米芯垫料。

提供单位: 北京凌云博际(北京)科技有限公司。

北京凌云博际(北京)科技有限公司试验动物生产许可证编号: SCXK(京)2015-0014。

发证机关: 北京市科学技术委员会。

灭菌方法: 121℃、20 min真空高压蒸汽灭菌。

3.2.4 动物的个体识别方法

分组前采用耳标记法, 分组后采用躯体背部毛涂抹苦味酸溶液标记法。标记部位分别为头、背、尾、左前、左中、左后、右前、右中、右后和空白。鼠笼以笼卡标记组别、动物号、给药剂量及给药时间等信息。

3.3 药物剂量

成人临床每日用量为5~11粒, 每10粒重2g, 一日1次, 所以成人每日最小剂量为1.0g/(60kg·d), 最大剂量2.2g/(60kg·d), 换算成小鼠临床等效最大剂量为0.275g/(kg·d), 最大给药剂量为21.82g/(kg·d), 为人临床给药剂量的79.36倍。

3.4 试验试剂

水合氯醛（天津市大茂化学试剂厂,批号20181124）,羧甲基纤维素钠（天津市致远化学试剂有限公司,批号20190304）。

3.5 试验仪器

电子天平（北京塞多利斯仪器系统有限公司,型号BS2202S）,电子天平（北京塞多利斯仪器系统有限公司,型号BS2402S）,实体解剖显微镜（德国Leica公司,型号DFC 290）。

4 试验方法

4.1 试验分组

选取健康昆明小鼠40只,雌雄各半。适应性饲养7天后,按性别、体重将小鼠随机分为空白对照组（0.5%CMC-Na）、供试品组（嘎日迪-17丸）,共2组,每组20只,雌雄各半。

4.2 临床症状观察

观察时间和次数:

检疫期:每天上、下午各1次对检疫动物进行观察。

试验期:给药日:给药前、给药开始至给药结束后30min连续观察,如无异常则停止观察,如果有异常则继续观察至恢复正常为止,但最长不超过给药后2h。下午观察一次。

非给药日:每天上、下午各观测一次。

观察例数:全部试验动物。

观察方法:隔笼观察,观察内容包括是否死亡、濒死、活动状况、外观及被毛、有无外伤、分辨情况等。

观察指征:见表1。

表1 临床症状观察

观 察	指 征	可能涉及的组织、器官、系统
Ⅰ. 鼻孔呼吸阻塞,呼吸频率和深度改变,体表颜色改变	呼吸困难:呼吸困难或费力,喘息,通常呼吸频率减慢	
	1.腹式呼吸:膈膜呼吸,吸气时膈膜向腹部偏移	CNS呼吸中枢,肋间肌麻痹,胆碱能神经麻痹
	2.喘息:吸气很困难,伴随有喘息声	CNS呼吸中枢,肺水肿,呼吸道分泌物蓄积,胆碱能功能增强
	呼吸暂停:用力呼吸后出现短暂的呼吸停止	CNS呼吸中枢,肺心功能不全
	紫绀:尾部、口和足垫呈现青紫色	肺心功能不全,肺水肿
	呼吸急促:呼吸快而浅	呼吸中枢刺激,肺心功能不全
	鼻分泌物:红色或无色	肺水肿,出血
Ⅱ. 运动功能:运动频率和特征的改变	自发活动、探究、梳理、运动增加或减少	躯体运动,CNS
	嗜睡:动物嗜睡,但可被针刺唤醒而恢复正常活动	CNS睡眠中枢
	正位反射（翻正反射）消失:动物体处于异常体位时所产生的恢复正常体位的反射消失	CNS,感觉,神经肌肉
	麻痹:正位反射和疼痛反应消失	CNS,感觉
	僵住:保持原姿势不变	CNS,感觉,神经肌肉,自主神经
	共济失调:动物行走时无法控制和协调运动,但无痉挛、局部麻痹、轻瘫或僵直	CNS,感觉,自主神经
	异常运动:痉挛,足尖步态,踏步,忙碌,低伏	CNS,感觉,神经肌肉
	俯卧:不移动,腹部贴地	CNS,感觉,神经肌肉
	震颤:包括四肢和全身的颤抖和震颤	神经肌肉,CNS
	肌束震颤:包括背部、肩部、后肢和足趾肌肉的运动	神经肌肉,CNS,自主神经

续表

观 察	指 征	可能涉及的组织、器官、系统
Ⅲ.惊厥(癫痫发作):随意肌明显的不自主收缩或痉挛性收缩	阵挛性惊厥:肌肉收缩和松弛交替性痉挛	CNS,呼吸衰竭,神经肌肉,自主神经
	强直性惊厥:肌肉持续性收缩,后肢僵硬性伸展	CNS,呼吸衰竭,神经肌肉,自主神经
	强直性-阵挛性惊厥:两种惊厥类型交替出现	CNS,呼吸衰竭,神经肌肉,自主神经
	窒息性惊厥:通常是阵挛性惊厥并伴有喘息和紫绀	CNS,呼吸衰竭,神经肌肉,自主神经
	角弓反张:背部弓起、头向背部抬起的强直性痉挛	CNS,呼吸衰竭,神经肌肉,自主神经
Ⅳ.反射	角膜性眼睑闭合反射:接触角膜导致眼睑闭合	感觉,神经肌肉
	基本条件反射:轻轻敲击耳内表面,引起外耳抽搐	感觉,神经肌肉
	正位反射:翻正反射的能力	CNS,感觉,神经肌肉
	牵张反射:后肢被牵拉至从某一表面边缘掉下时缩回的能力	感觉,神经肌肉
	对光反射:瞳孔反射,见光瞳孔收缩	感觉,神经肌肉,自主神经
	惊跳反射:对外部刺激(如触摸、噪声)的反应	感觉,神经肌肉
Ⅴ.眼检指征	流泪:眼泪过多,泪液清澈或有色	自主神经
	缩瞳:无论有无光线,瞳孔缩小	自主神经
	散瞳:无论有无光线,瞳孔扩大	自主神经
	眼球突出:眼眶内眼球异常突出	自主神经
	上睑下垂:上睑下垂,针刺后不能恢复正常	自主神经
	血泪症:眼泪呈红色	自主神经,出血,感染
	瞬膜松弛	自主神经
	角膜混浊,虹膜炎,结膜炎	眼睛刺激
Ⅵ.心血管指征	心动过缓:心率减慢	自主神经,肺心功能不全
	心动过速:心率加快	自主神经,肺心功能不全
	血管舒张:皮肤、尾、舌、耳、足垫、结膜、阴囊发红,体热	自主神经、CNS、心输出量增加,环境温度高
	血管收缩:皮肤苍白,体凉	自主神经、CNS、心输出量降低,环境温度低
	心律不齐:心律异常	CNS、自主神经、肺心功能不全,心肌梗死
Ⅶ.流涎	唾液分泌过多:口周毛发潮湿	自主神经
Ⅷ.竖毛	毛囊竖毛组织收缩导致毛发蓬乱	自主神经
Ⅸ.痛觉缺失	对痛觉刺激(如热板)反应性降低	感觉,CNS
Ⅹ.肌张力	张力低下:肌张力全身性降低	自主神经
	张力过高:肌张力全身性增高	自主神经
Ⅺ.胃肠指征		
排便(粪)	干硬固体,干燥,量少	自主神经,便秘,胃肠动力
	体液丢失,水样便	自主神经,腹泻,胃肠动力
呕吐	呕吐或干呕	感觉,CNS,自主神经(小鼠无呕吐)
多尿	红色尿	肾脏损伤
	尿失禁	自主感觉神经
Ⅻ.皮肤	水肿:液体充盈组织所致肿胀	刺激性,肾功能衰竭,组织损伤,长时间静止不动
	红斑:皮肤发红	刺激性,炎症,过敏

4.3 体重测定

测定次数:首次给药至给药后第14天,连续14天进行体重测定。

测定例数:全部试验动物。

测定方法：用电子天平进行体重测定。

4.4 摄食量测定

测定次数：首次给药至给药后第14天，连续14天进行摄食量测定。

测定例数：全部动物。

测定方法：第1天上午测定每个饲养笼所给饲料量，次日上午相同时间测定剩余饲料量，以二者差值计算每饲养笼动物的总进食量，并计算该笼每只动物每天的平均进食量。

4.5 饮水量测定

测定次数：首次给药至给药后第14天，连续14天进行摄食量测定。

测定例数：全部动物。

测定方法：第1天上午测定每个饲养笼所给水量，次日上午相同时间测定剩余水量，以二者差值计算每饲养笼动物的总饮水量，并计算该笼每只动物每天的平均饮水量。

4.6 病理学检查

4.6.1 剖检

剖检例数：全部预定解剖的动物、各组死亡或濒临死亡的动物。

剖检方法：对于全部预定解剖的动物和各组濒临死亡动物，腹腔注射20%水合氯醛进行麻醉。从腹腔后大静脉完全放血处死，然后进行解剖。如濒死动物，迅速解剖。

尸检：肉眼观察脑、脊髓、心脏、主动脉、肺（含支气管）、肝脏、肾脏、脾脏、胰脏、胃、十二指肠、空肠、回肠结肠、直肠、盲肠、睾丸、附睾、前列腺、卵巢、子宫、阴道、膀胱、脑垂体、甲状腺（含甲状旁腺）、颌下腺、肾上腺、坐骨神经、肌肉、肠系膜淋巴结、胸腺、乳腺（雌性）、胸骨，发现异常时对该组织脏器用10%的甲醛（睾丸、附睾和眼球用Davidson's液）进行固定保存，并进行组织病理学检查，如未发现异常，不进行固定保存。

4.6.2 组织病理学检查

检查方法：固定后的组织经修块取材，逐级酒精脱水，石蜡包埋，滑动切片机切片（厚度约3μm），经苏木精-伊红（HE）染色，光镜下进行检查。根据镜检结果，如果某些组织器官需用其他方法染色，以提供更多的组织病理学信息，则进一步进行特殊染色。

4.7 数据的统计与处理

对于体重、摄食量等数据均采用SPSS22.0按照以下方法进行统计，最终数据以$\bar{x} \pm s$表示：（1）首先用Barlett检验方法进行数据均一性检验，如有数据均一（检验$P \geq 0.05$），则进行方差分析检验（F检验）：如果Bartlett检验结果显著（$P < 0.05$），则进行Kruskal-wallis检验。（2）如果方差分析检验结果显示（$P < 0.05$），则进一步用Dunett参数检验法进行多重比较检验：如果方差分析结果不显著（$P \geq 0.05$），则统计结束。（3）如果Kruskal-wallis检验结果显著（$P < 0.05$），则进一步用Dunett非数检验法进行多重比较检验：如果Kruskal-wallis检验结果不显著（$P \geq 0.05$），则统计结束。

临床症状观察、大体病理学检查结果、组织病理学检查结果（如果有）则无需进行统计学处理，直接列出观察结果。

5 结果

5.1 对动物临床症状的影响

给药后连续观察动物2周，小鼠进食、进水、活动、毛色、排便姿势、躯体运动、呼吸频率，下腹及肛门周围有无污染，眼、鼻、口有无分泌物，体温等一切正常。

5.2 对动物体重的影响

试验期间，小鼠活动正常，健康活泼，小鼠无一死亡，无中毒反应，无其他异常现象。空白对照组和给药组小鼠体重比较，无显著性差异（$P > 0.05$）。结果见表2~3。

表2 嘎日迪-17丸对雄性小鼠体重的影响（$n=10$, g, $\bar{x} \pm s$）

组 别	给药第1天	给药第7天	给药第14天
空白对照组	18.26±1.86	25.27±4.65	33.85±3.71
供试品组	18.72±2.92	23.80±4.84	32.53±5.16

表3 嘎日迪-17丸对雌性小鼠体重的影响（$n=10$, g, $\bar{x} \pm s$）

组 别	给药第1天	给药第7天	给药第14天
空白对照组	18.33±5.30	21.93±6.17	31.48±1.74
供试品组	19.69±3.16	20.73±1.68	32.25±4.38

5.3 对动物摄食量的影响

试验期间，各组动物的摄食量之间比较，无显著性差异（$P > 0.05$）。结果见表4~5。

表4 嘎日迪-17丸对雄性小鼠摄食量的影响（$n=10$, g, $\bar{x} \pm s$）

组 别	给药第1天	给药第7天	给药第14天
空白对照组	5.86±1.37	6.10±0.28	5.56±1.74
供试品组	3.75±0.36	5.36±0.33	5.64±0.37

表5 嘎日迪-17丸对雌性小鼠摄食量的影响（$n=10$, g, $\bar{x} \pm s$）

组 别	给药第1天	给药第7b天	给药第14天
空白对照组	5.74±0.74	6.62±0.62	5.82±0.37
供试品组	3.96±0.82	5.84±0.27	5.26±0.76

5.4 对动物饮水量的影响

试验期间，各组动物的饮水量之间比较，无显著性差异（$P > 0.05$）。结果见表6~7。

表6 嘎日迪-17丸对雄性小鼠饮水量的影响（$n=10$, g, $\bar{x} \pm s$）

组 别	给药第1天	给药第7天	给药第14天
空白对照组	5.39±1.92	5.91±2.49	6.02±2.47
供试品组	7.72±2.45	6.70±1.85	6.56±2.28

表7 嘎日迪-17丸对雌性小鼠饮水量的影响（$n=10$, g, $\bar{x} \pm s$）

组 别	给药第1天	给药第7天	给药第14天
空白对照组	5.82±1.71	6.03±2.17	5.85±1.26
供试品组	6.90±1.83	5.87±1.42	6.22±2.78

5.5 病理学检查

大体病理学检查，肉眼观察组织、器官未发现异常或病变。

6 结论

本试验条件下，昆明种小鼠灌胃给予嘎日迪-17丸，小鼠按0.4ml/10g灌胃给药，一日内给药1次，小鼠总给药量为40ml/kg，为人临床给药剂量的79.36倍。在观察期间内（0~14天），饲养观察2周，无任何异常及中毒反应，小鼠体重增加,行为、活动、进食一切正常。

结果表明,嘎日迪-17丸口服给药为无毒或为低毒药物。

7　原始记录及其资料的保存

保存地:内蒙古医科大学药学院

联系人:肖云峰

起草单位: 内蒙古自治区国际蒙医医院　　乌日古木拉　康双龙　那松巴乙拉

　　　　　　包头市检验检测中心　　　　　菅艳艳　斯　琴　张艳茹

　　　　　　内蒙古医科大学药学院　　　　肖云峰　钱新宇　王　娜　韩运琪　王建民

　　　　　　　　　　　　　　　　　　　　李建华　张双兰　程　前　籍紫薇

嘎日迪-9丸质量标准起草说明

【历史沿革】

本方来源于《蒙医药传统处方》（内蒙古人民出版社1975年版，蒙古文，第273页）。

【处方来源】

本制剂由通辽市扎鲁特旗蒙医医院提供。

【名称】

嘎日迪-9丸

【药材和饮片的来源和执行标准】

1. 处方组成及药味排列顺序：诃子汤泡草乌25g、诃子25g、土木香15g、多叶棘豆15g、漏芦花15g、胡黄连10g、拳参10g、北沙参10g、没药10g。

2. 方中除了诃子汤泡草乌、多叶棘豆和漏芦花药材外，其余诃子等药味均收载于《中国药典》2020年版一部，其质量应符合该品种项下的有关规定。

多叶棘豆：为豆科植物多叶棘豆 *Oxytropis myriophylla*（Pall.） DC.的干燥全草。其标准应符合《中华人民共和国卫生部药品标准》（蒙药分册）1998年版第14页该品种项下有关规定。

漏芦花：为菊科植物祁州漏芦 *Rhaponticum uniflorum*（L.） DC的干燥头状花序。其标准应符合《中华人民共和国卫生部药品标准》（蒙药分册）1998年版第14页该品种项下有关规定。

诃子汤泡草乌：为毛茛科植物北乌头 *Aconitum kusenzoffii* Reichb.的干燥块根。其标准应符合《内蒙古蒙药饮片炮制规范》2020年版第307页该品种项下有关规定。

【制法】

以上九味，粉碎成细粉，过筛，混匀，用水泛丸，打光，干燥，即得。

【性状】

本品为黄褐色至黑褐色的水丸；气微香，味苦、麻。

【鉴别】

本品为药材粉末制成的水丸，方中诃子汤泡草乌、诃子、拳参、多叶棘豆、漏芦花、北沙参的显微特征都比较明显，故建立显微鉴别。并对处方中诃子建立了薄层鉴别。

1. 试剂与试药

供试品：供试品（批号20190423、20180717、20190918）由通辽市扎鲁特旗蒙医医院提供，模拟样品（批号20200028）模拟。

对照品：诃子对照药材（批号121015-201605），乌头碱对照品（批号110720-200410），次乌头碱对照品（批号110798-200404），新乌头碱对照品（批号110799-200410），槲皮素对照品（批号100081-201610），均购于中国食品药品检定研究院。

薄层板：硅胶H、硅胶G板，均购于青岛海洋化工有限公司。

2. 试验方法与结果

（1）显微鉴别

诃子汤泡草乌：石细胞呈类方形、长方形或梭形，壁稍厚，有的胞腔含棕色物或淀粉粒。诃子：石细胞单个或成群，呈类圆形、长卵形、长方形或长条形，孔沟细密而明显。漏芦花：花粉粒黄色，呈类圆形、椭圆形或橄榄形，表面具细颗粒状及短刺状雕纹。拳参：草酸钙簇晶直径约40μm。北沙参：分泌道内含黄棕色物，多破碎，呈团块状。多叶棘豆：花粉粒类球形，具有3个孔沟或球形，直径25μm，外壁光滑，表面有细小颗粒状雕纹。

（2）诃子薄层鉴别

诃子在方中占量比较大，参考《中国药典》2020年版一部"诃子"药材项下的薄层条件，制定出正文所述的鉴别方法。通过阴性对照试验观察，方中其他药材对诃子薄层检验无干扰，证明此方法具专属性。

【检查】

按照丸剂（《中国药典》2020年版四部通则0108）项下的规定，对三批供试品及模拟样品的乌头碱限量、水分、重量差异、溶散时限、重金属、砷盐进行了检查。具体方法及测定数据如下：

1. 乌头碱限量：草乌中含有乌头碱、乌头次碱、次乌头碱、乌头原碱等多种生物碱，有效成分为其总生物碱，毒性成分为酯型生物碱。《中国药典》2020年版一部"制草乌"项下规定了酯型生物碱的限量检查，采用异羟肟酸铁比色法。本品为复方制剂，所含成分复杂，用此方法干扰较大。参照《中国药典》2020年版一部"附子"和"附子理中丸"项下乌头碱限量检查方法，拟定出本制剂乌头碱的限量检查方法及限度，以控制质量，确保安全、有效。供试品溶液的制备参照"附子理中丸"和"制草乌"限量检查项下的方法，制定出正文所述提取方法，既保证了被测成分全部提净，又可排除其他成分对试验结果的干扰。展开系统经过以下不同系列的筛选：①正己烷-醋酸乙酯-乙醇（64:36:10）；②氯仿-甲醇（9:0.5）；③苯-醋酸乙酯-二乙胺（14:4:1），认为以第①种展开剂分离效果较理想，缺制草乌阴性对照试验无干扰。对三批样品的检查结果显示，供试品色谱中，在与乌头碱对照品色谱相应位置（Rf值约0.46）上，未出现斑点。证明本品含乌头碱每1g低于31μg。

制草乌中乌头碱的限度值参照《中国药典》2020年版一部"附子"项下乌头碱限量检查计算，乌头碱的限度为2mg/ml×5μl/6μl×2ml/20g≈0.167mg/g，即每1g低于167μg。所以本制剂中乌头碱的理论限度应为：25g/135g×0.167mg/g×1000≈30.9μg/g，本标准草案设定的限度指标略低于理论限度，说明方法可靠。《中国药典》2020年版一部规定制草乌用量为1.5~3g。本品日最高服用量为13粒，按每10粒重2g规格计算，最高服用量为2.6g，相当于制草乌25g/135g×2.6g=0.48g，远远低于药典用量，说明本品安全。

2. 水分：取供试品照水分测定法（《中国药典》2020年版四部通则0832）测定。三批供试品及模拟样品的测定结果见表1。

表1 水分测定结果

序号	批号	水分（%）
1	20190423	7.0
2	20180717	7.1
3	20190918	6.9
4	20200028	6.9

药典规定丸剂水分含量不得大于9.0%。从表1数据可见，本品水分含量均符合要求。

3. 重量差异：取以上三批供试品，每批供试品取10份，10丸为1份，分别称定重量，再与每份标示重量（2g）相比较，求每一份的重量差异（%）。药典规定每份标示装量的限度为±8%，并规定超出重量差异限度的不得多于2份，并不得有1份超出限度1倍。本品的重量差异检查结果均符合规定。

4. 溶散时限: 取本品按照片剂项下崩解时限检查法(《中国药典》2020年版四部通则0921)加挡板进行测定。三批供试品测定结果见表2。

表2　溶散时限测定结果

序号	批号	溶散时限(分)
1	20190423	58
2	20180717	55
3	20190918	59
4	20200028	55

本规范规定嘎日迪-9丸应在2小时内全部溶散。从表2数据可见,本品的溶散时限符合规定。

5. 对三批供试品及模拟样品进行了重金属、砷盐考察。方法与结果如下:

重金属: 分别取每个批号供试品0.5g、0.67g、1.0g、2.0g, 按《中国药典》2020年版四部0821第二法检查。

供试品溶液的制备: 取本品0.5g、0.67g、1.0g、2.0g, 分别缓缓炽灼至完全炭化, 放冷, 加硫酸0.5ml, 使湿润, 低温加热至硫酸除尽后, 加硝酸0.5ml, 蒸干, 至氧化氮蒸气除尽后, 放冷, 于600℃炽灼至完全灰化, 放冷。加盐酸2ml, 置水浴上蒸干后加水15ml, 滴加氨试液至对酚酞指示液显中性, 再加醋酸盐缓冲液(pH3.5)2ml, 微热溶解后, 移置纳氏比色管中, 加水稀释至25ml, 作为供试品溶液。

标准铅对照溶液的制备: 另取配制供试品溶液的试剂两份, 分别置瓷皿中蒸干后, 加醋酸盐缓冲液(pH3.5)2ml, 加水15 ml微热溶解后, 移置两支纳氏比色管中, 分别加标准铅溶液(10μg/ml Pb)2ml, 再加水稀释至25ml, 作为标准铅对照溶液。

检视: 于上述供试品溶液和标准铅对照溶液中分别加硫代乙酰胺试液各2ml, 摇匀, 放置2分钟, 同置白色背景上, 从上向下进行观察。试验结果见表3。

表3　重金属检查结果

序号	批号	重金属含量(ppm)			
1	20190423	<10	<20	<30	<40
2	20180717	<10	<20	<30	<40
3	20190918	<10	<20	<30	<40
4	20200028	<10	<20	<30	<40

结果显示, 供试品溶液的颜色明显浅于2ml的标准铅对照溶液。经过三批供试品及模拟样品的检查, 含重金属均未超过百万分之十, 故未收入正文。

砷盐: 取本品1g和标准砷溶液(1μg/ml AS)2ml, 分别加无砷氢氧化钙1g, 加少量水, 搅匀, 烘干, 用小火缓缓炽灼至炭化, 再在600℃炽灼至完全灰化, 放冷。分别加盐酸7ml使溶解, 再加水21ml, 按《中国药典》2020年版四部通则0822第一法(古蔡氏法)做砷盐限量检查。

结果: 供试品砷斑浅于标准砷斑的颜色, 表明本品含砷量未超过百万分之二(小于2ppm), 故砷盐检查项目未收入正文。

【含量测定】

嘎日迪-9丸是由诃子、诃子汤泡草乌、胡黄连、北沙参、拳参、没药、土木香、多叶棘豆、漏芦花九味药组成的复方制剂。其中诃子汤泡草乌、诃子、胡黄连均为主要组分。试验中对诃子汤泡草乌进行含量测定摸索, 参照《中国药典》2020年版一部"制草乌"项下的含量测定方法, 采用酸碱滴定法测定总生物含量, 但缺制草乌的阴性对照试验有干扰, 不宜采纳。采用高效液相色谱法, 也因干扰成分太多, 分离效果较差, 且草乌经过炮制乌头类生物碱含量很低, 测得结果重复性较差, 故未能建立制草乌的含量测定。胡黄连也为处方中主要药味, 参照《中国药典》

2020年版一部"胡黄连"药材项下含量测定方法,对其所含主要成分胡黄连苷I与胡黄连苷II进行了含量测定条件摸索,经方法学考察及阴性对照试验,表明此法专属性较强,处方中其他组分对胡黄连苷I与胡黄连苷II的测定无干扰,故选择胡黄连苷I与胡黄连苷II作为含量测定的指标性成分。

1 仪器与试剂试药

1.1 仪器

岛津LC-2030C型高效液相色谱仪;Sartorius BT25S型电子天平,Sartorius BSA223S型电子天平,Sartorius BSA224S型电子天平,MSA6.6S-CE型电子天平,KQ-500DE型超声清洗仪。

1.2 试剂与试药

供试品(批号20190423、20180717、20190918)由通辽市扎鲁特旗蒙医医院提供,模拟样品(批号20200028)模拟;胡黄连苷I对照品(批号110811-201707)、胡黄连苷II对照品(批号110816-201509),均购于中国食品药品检定研究院;乙腈、甲醇为色谱纯,水为超纯,所用其他试剂均为分析纯。

2 方法学考察

2.1 色谱条件

2.1.1 色谱柱:参照《中国药典》2020年版一部"胡黄连"药材项下含量测定方法,色谱柱填充剂为十八烷基硅烷键合硅胶,本试验研究采用 shim pack C_{18}(150mm×4.6mm,5μm)。

2.1.2 流动相的选择:曾参照《中国药典》2020年版一部"胡黄连"药材项下含量测定方法,以甲醇-水-磷酸(35:65:0.1)为流动相,进行条件摸索,但胡黄连苷II色谱峰的分离效果不好,故将流动相改为乙腈-1%冰醋酸溶液,经试验摸索,当乙腈-1%冰醋酸溶液比例为15:85时,胡黄连苷-I与胡黄连苷-II均能达到较好的分离,故将流动相定为乙腈-1%冰醋酸(15:85)。

2.1.3 柱温:采用40℃柱温,可减小流动相黏度,降低柱压并改善分离效果。

2.1.4 检测波长的选择:采用二极管阵列检测器分别对胡黄连苷-I和胡黄连苷-II自200~900nm进行光谱扫描,结果胡黄连苷-I在275nm处有最大吸收,胡黄连苷-II在264nm处有最大吸收,而在275nm处有吸收,结合《中国药典》2020年版一部"胡黄连"药材项下含量测定方法,采用275nm作为检测波长。

2.1.5 理论板数的确定:经对多批样品测定的结果可见,胡黄连苷-II峰的理论板数在3000以上时,胡黄连苷-I与胡黄连苷-II均能达到较好的分离效果,故标准正文暂定为:本品的理论板数按胡黄连苷-II峰计不得低于3000。

2.2 提取效率的考察

2.2.1 提取溶剂的选择:胡黄连苷-I与胡黄连苷-II属于环烯醚萜苷类化合物,易溶于水、乙醇、丙酮等极性溶剂。试验中分别以水、甲醇、丙酮作为提取溶剂进行了考察,结果以水作为溶剂的试样过滤困难,而丙酮挥发性较强,操作复杂,测得结果重复性差。参照《中国药典》2020年版一部"胡黄连"含量测定项下的方法,以甲醇作提取溶剂,操作简单,有良好的重复性,故确定以甲醇作为提取溶剂。

2.2.3 提取效率的考察:本品为水丸剂,直接进行超声处理不易将被测成分全部提净,需经浸泡过夜后再作超声提取。为保证胡黄连苷-I与胡黄连苷-II提取完全,试验中考察了不同超声时间(功率为250W、频率为40kHz)对提取效率的影响。结果见表4。

表4 不同超声提取时间的考察结果

超声时间(分钟)	胡黄连苷-I(mg/g)	胡黄连苷-II(mg/g)
15	0.95	3.42
30	1.07	3.94
45	1.06	3.97
60	1.06	3.97

从表4数据可见，超声处理30分钟后，胡黄连苷-Ⅰ与胡黄连苷-Ⅱ的含量基本不再增加，故确定超声时间为30分钟。

2.3　专属性考察

2.3.1　对照品溶液的制备：取胡黄连苷-Ⅰ、胡黄连苷-Ⅱ对照品适量，精密称定，加甲醇制成每1ml各含胡黄连苷-Ⅰ20μg、胡黄连苷-Ⅱ80μg的混合溶液，即得。

2.3.2　供试品溶液的制备：取本品适量，研细，取约0.5g，精密称定，置具塞锥形瓶中，精密加入甲醇25ml，摇匀，称定重量，放置过夜，超声处理（功率250W，频率40kHz）30分钟，放冷，再称定重量，用甲醇补足减失的重量，摇匀，滤过，取续滤液，即得。

2.3.3　阴性对照溶液的制备：按处方配比制备缺胡黄连的阴性对照，称取约0.5g，精密称定，从"置具塞锥形瓶中……"起操作同"供试品溶液的制备"，取续滤液，作为阴性对照溶液。

2.3.4　测定：分别精密吸取以上三种溶液各10μl，注入色谱仪，记录各自的色谱图。

结果为：阴性对照色谱图中在与胡黄连苷-Ⅰ、胡黄连苷-Ⅱ对照品以及供试品色谱图相对应的保留时间处均无色谱峰出现，表明其他组分对胡黄连苷-Ⅰ与胡黄连苷-Ⅱ的测定无干扰。

2.4　线性关系考察

取胡黄连苷-Ⅰ对照品3.84mg、胡黄连苷-Ⅱ对照品6.92mg，置25ml量瓶中，加甲醇使溶解，并稀释至刻度，摇匀（胡黄连苷-Ⅰ0.1536mg/ml，胡黄连苷-Ⅱ0.2768mg/ml），精密吸取0.5ml、1.0ml、2.0ml、3.0ml、4.0ml、5.0ml、6.0ml溶液分别置10ml量瓶中，加甲醇稀释至刻度，摇匀，各取10μl进样，按上述色谱条件测定，以峰面积对进样量进行回归分析，结果见表5。

表5　标准曲线数据及回归分析结果

胡黄连苷-Ⅰ量（μg）	胡黄连苷-Ⅰ峰面积	回归方程	r	胡黄连苷-Ⅱ量（μg）	胡黄连苷-Ⅱ峰面积	回归方程	r
0.0768	198675			0.1384	124563		
0.1536	419455			0.2768	252792		
0.3072	840504			0.5536	498768		
0.4608	1266333	$y=2811263.04x-20044.92$	0.9999	0.8304	747255	$y=908141.48x-2272.67$	0.9999
0.6144	1702051			1.1072	1002703		
0.768	2135511			1.384	1251737		
0.9216	2581077			1.6608	1510799		

从表5数据可见，胡黄连苷-Ⅰ在0.0768~0.9216μg、胡黄连苷-Ⅱ在0.1384~1.6608μg范围内与峰面积值呈良好的线性关系。

2.5　稳定性试验

取同一份供试品溶液，分别于0小时、2小时、4小时、8小时、12小时、24小时进样测定。结果见表7。

表6　不同时间测定样品中胡黄连苷-Ⅰ与胡黄连苷-Ⅱ的峰面积值

测定时间（h）	胡黄连苷-Ⅰ峰面积值	RSD（%）	胡黄连苷-Ⅱ峰面积值	RSD（%）
0	510882		762029	
2	510102		762912	
4	512952		761431	
8	512840	0.45	760865	0.23
12	516738		760188	
24	513640		757760	

从表6数据可见，在24小时内胡黄连苷-Ⅰ与胡黄连苷-Ⅱ峰面积值基本稳定不变。

2.6 精密度试验

取同一份供试品溶液，连续进样5次，测定胡黄连苷-Ⅰ与胡黄连苷-Ⅱ峰面积值。结果见表7。

表7　供试品中胡黄连苷-Ⅰ与胡黄连苷-Ⅱ精密度试验数值表

进样序号	胡黄连苷-Ⅰ峰面积值	RSD（%）	胡黄连苷-Ⅱ峰面积值	RSD（%）
1	526687		784482	
2	528657		788796	
3	532498	0.79	792525	0.67
4	523886		782295	
5	534028		794779	

从表7数据可见，符合（《中国药典》2020年版四部 通则0512）中规定的RSD值小于2.0%的要求。

2.7 重复性试验

取同一批号供试品（批号20190918 ）5份，各约0.5g，精密称定，置具塞锥形瓶中，精密加入甲醇25ml，摇匀，称定重量，放置过夜，超声处理（功率250W，频率40kHz）30分钟，放冷，再称定重量，用甲醇补足减失的重量，摇匀，滤过，取续滤液，供试品溶液。另精密称取胡黄连苷-Ⅰ、胡黄连苷-Ⅱ对照品适量，精密称定，加甲醇制成每1ml各含胡黄连苷-Ⅰ20μg、胡黄连苷-Ⅱ80μg的混合溶液，对照品溶液。分别精密吸取供试品溶液和对照品溶液各10μl，注入色谱仪，记录色谱图。按外标法以峰面积计算含量，结果见表8。

表8　胡黄连苷-Ⅰ与胡黄连苷-Ⅱ重复性试验结果

序号	取样量（g）	峰面积值		含量（mg/g）		平均含量（mg/g）		RSD（%）	
		A（n=2）	B（n=2）	A	B	A	B	A	B
1	0.5065	525443	782601	1.06	3.97				
2	0.5123	528192	787410	1.05	3.95				
3	0.5002	512896	761148	1.04	3.91	1.06	3.96	0.70	0.99
4	0.5341	557839.5	830625.5	1.06	3.99				
5	0.5353	555894	835173	1.06	4.00				

＊A为胡黄连苷-Ⅰ，B为胡黄连苷-Ⅱ

从表8数据可见，在相同的提取溶剂和色谱条件下，5份供试品A、B的含量测定结果的均值为1.06mg/g，RSD为0.7%；3.96mg/g，RSD为0.99%，表明该方法的重复性良好。

2.8 加样回收试验

取本品（批号20190918，含胡黄连苷-Ⅰ1.06mg/g，胡黄连苷-Ⅱ3.96mg/g）9份，各约0.25g，精密称定，置具塞锥形瓶中，分别依次精密加入胡黄连苷-Ⅰ与胡黄连苷-Ⅱ甲醇溶液（胡黄连苷-Ⅰ0.304mg/ml，胡黄连苷-Ⅱ1.04mg/ml）0.8ml、0.8ml、0.8ml、1.0ml、1.0ml、1.0ml、1.2ml、1.2ml、1.2ml，再分别精密加甲醇使成25ml（用滴定管加入），摇匀，称定重量，按重复性试验项下方法操作，测定每份含量，计算回收率，结果见表9。

表9　胡黄连苷-Ⅰ与胡黄连苷-Ⅱ加样回收试验结果

取样量（g）	供试品含量（mg）		对照品加入量（mg）		测得总量（mg）		回收率（%）		平均（%）		RSD（%）	
	A	B	A	B	A	B	A	B	A	B	A	B
0.2523	0.267	0.999	0.243	0.832	0.509	1.840	99.46	101.06				
0.2501	0.265	0.999	0.243	0.832	0.510	1.834	100.72	101.43				
0.2498	0.265	0.989	0.243	0.832	0.512	1.813	101.81	98.99	99.27	100.82	1.27	0.99
0.2505	0.266	0.992	0.304	1.04	0.564	2.052	98.22	101.90				
0.2512	0.266	0.995	0.304	1.04	0.567	2.038	98.98	100.29				

续表

取样量（g）	供试品含量（mg）		对照品加入量（mg）		测得总量（mg）		回收率（%）		平均（%）		RSD（%）	
	A	B	A	B	A	B	A	B	A	B	A	B
0.2500	0.265	0.990	0.304	1.04	0.564	2.026	98.37	99.63				
0.2559	0.271	1.013	3.65	1.248	0.630	2.283	98.37	101.74	99.27	100.82	1.27	0.99
0.2568	0.272	1.017	3.65	1.248	0.630	2.274	98.06	100.73				
0.2512	0.266	0.995	3.65	1.248	0.629	2.262	99.47	101.57				

＊A为胡黄连苷-Ⅰ、B为胡黄连苷-Ⅱ

从表9数据可见，本方法的平均回收率为99.27%、100.82%，RSD为1.27%、0.99%。该方法准确度好。

3 样品含量测定

取本品按重复性试验项下的方法处理并测定。三批样品的测定结果见表10。

表10 样品中胡黄连苷Ⅰ与胡黄连苷Ⅱ含量测定结果

批号	取样量（g）	峰面积值		含量（mg/g）		平均含量（mg/g）		总量（mg/g）
		A（n=2）	B（n=2）	A	B	A	B	
20190423	0.4991	514037	725364.5	1.05	3.73	1.04	3.74	4.78
	0.5237	530765	767143	1.03	3.76			
20180717	0.5159	526640.5	766291.5	1.04	3.81	1.03	3.79	4.82
	0.5112	512016	751938	1.02	3.78			
20190918	0.5049	505035	735025.5	1.02	3.74	1.01	3.74	4.75
	0.5080	503618.5	739752	1.01	3.74			

＊A为胡黄连苷-Ⅰ，B为胡黄连苷-Ⅱ

从表10数据可见，嘎日迪-9丸中胡黄连苷-Ⅰ与胡黄连苷-Ⅱ的总量在4.70mg/g以上。

4 胡黄连药材的含量测定

试验中，采用相同方法对两批胡黄连药材进行了含量测定，平均含胡黄连苷-Ⅰ与胡黄连苷-Ⅱ的总量为9.22%。

5 本制剂含量限度的确定

从表中三批样品测定的数据可见，嘎日迪-9丸中胡黄连苷-Ⅰ与胡黄连苷-Ⅱ的总量在4.70mg/g以上，试验中，采用相同方法对两批胡黄连药材进行了含量测定，平均含胡黄连苷-Ⅰ与胡黄连苷-Ⅱ的总量为9.22%。

按理论值折算，样品应含胡黄连苷-Ⅰ、胡黄连苷-Ⅱ的总量为：9.22%×10÷135=6.82mg/g，可见，胡黄连苷-Ⅰ、胡黄连苷-Ⅱ的总量转移率为4.7÷6.82×100%=68.9%。

参照《中国药典》2020年版一部"胡黄连"项下规定含胡黄连苷-Ⅰ与胡黄连苷-Ⅱ的总量不得少于9.0%，转移率为68.9%，考虑不同产地药材的质量差异，并结合其他影响因素及三批样品的测定结果，按此限度折算本品含胡黄连苷-Ⅰ和胡黄连苷-Ⅱ总的理论量应不低于10÷135×9.0%×1000×68.9%=4.59mg/g。

标准正文暂定为：本品每1g含胡黄连以胡黄连苷-Ⅰ（$C_{24}H_{28}O_{11}$）与胡黄连苷-Ⅱ（$C_{23}H_{28}O_{13}$）的总量计，不得少于4.5mg。

【功能与主治】

杀黏，止咳，利咽。用于瘟疫相讧，黏热，咽喉肿痛，流行性感冒，肺感冒，肺热。

【用法与用量】

口服。一次9~13丸，一日1次，温开水送服。

【注意事项】

孕妇忌服，年老体弱者慎用。

【规格】

　　每10丸重2g。

【贮藏】

　　密闭,防潮。

起草单位: 内蒙古自治区国际蒙医医院　　　乌恩奇　乌日古木拉　那松巴乙拉

　　　　　　赤峰市药品检验所　　　　　　吴　迪　吕　颖　郭莘莘　曹　月

嘎拉·萨乌日勒 质量标准起草说明

【历史沿革】

本方来源于内蒙古自治区国际蒙医医院特木其乐大夫经验方。

【处方来源】

本制剂由内蒙古自治区国际蒙医医院提供。

【名称】

嘎拉·萨乌日勒

【蒙药材和饮片的来源和执行标准】

1. 处方组成及药味排列顺序：诃子200g、石菖蒲180g、木香100g、枫香脂60g、合成冰片12g。

2. 处方中药味均收载于《中国药典》2020年版一部，其质量应符合该品种项下的有关规定。

【制法】

以上五味，粉碎成细粉，过筛，混匀，用水泛丸，打光，干燥，分装，即得。

【性状】

本品为棕黄色至棕褐色水丸；气香，味苦、涩。

【鉴别】

本品为药材粉末制成的水丸，方中大多数药味的显微特征都比较明显，故对处方中诃子、木香建立显微鉴别，并对处方中石菖蒲建立了薄层鉴别。

1. 试剂与试药

供试品：供试品（批号20190521、20191220、20200215）由内蒙古自治区国际蒙医医院提供，模拟样品（批号20200026）模拟。

对照品：石菖蒲对照药材（批号121098–201807），购于中国食品药品检定研究院。

薄层板：硅胶G板，购于青岛海洋化工有限公司。

所用其他试剂均为分析纯，水为离子交换高纯水。

2. 试验方法与结果

（1）显微鉴别

诃子：石细胞成群或散在，呈类圆形、长卵形、长方形或长条形，孔沟细密而明显。木香：菊糖表面现放射状纹理。

（2）石菖蒲薄层鉴别

参照《中国药典》2020年版一部"石菖蒲"项下的薄层条件，制定出正文所述的鉴别方法。通过阴性对照试验观察，方中其他药材对石菖蒲的检出无干扰，此法具专属性。

【检查】

按照丸剂（《中国药典》2020年版四部通则0108）项下的规定，对三批供试品及模拟样品的水分、重量差异、溶散时限、重金属、砷盐、微生物限度进行了检查。具体方法及测定数据如下：

1. 水分：取供试品照水分测定法（《中国药典》2020年版四部通则0832）测定。三批供试品及模拟样品的测定结果见表1。

表1　水分测定法结果

序号	批号	水分（%）
1	20191220	6.2
2	20190521	5.9
3	20200215	6.4
4	20200026	6.8

药典规定丸剂水分含量不得大于9.0%。从表1数据可见，本品水分含量均符合要求。

2. 重量差异：取以上三批供试品，每批供试品取10份，10丸为1份，分别称定重量，再与每份标示重量（2g）相比较，求每一份的重量差异（%）。药典规定每份标示装量的限度为±8%，并规定超出重量差异限度的不得多于2份，并不得有1份超出限度1倍。本品的重量差异检查结果均符合规定。

3. 溶散时限：取本品按照片剂项下崩解时限检查法（《中国药典》2020年版四部通则0921）加挡板进行测定。三批供试品测定结果见表2。

表2　溶散时限测定结果

序号	批号	溶散时间（min）
1	20191220	28
2	20190521	39
3	20200215	35

药典规定水丸应在1小时内全部溶散。从表2数据可见，本品的溶散时限符合规定。

4. 对三批供试品及模拟样品进行了重金属、砷盐、微生物限度考察。方法与结果如下：

重金属：分别取每个批号供试品0.5g、0.67g、1.0g、2.0g，按《中国药典》2020年版四部0821第二法检查。

供试品溶液的制备：取本品0.5g、0.67g、1.0g、2.0g，分别缓缓炽灼至完全炭化，放冷，加硫酸0.5ml，使湿润，低温加热至硫酸除尽后，加硝酸0.5ml，蒸干，至氧化氮蒸气除尽后，放冷，于600℃炽灼至完全灰化，放冷。加盐酸2ml，置水浴上蒸干后加水15ml，滴加氨试液至对酚酞指示液显中性，再加醋酸盐缓冲液（pH3.5）2ml，微热溶解后，移置纳氏比色管中，加水稀释至25ml，作为供试品溶液。

标准铅对照溶液的制备：另取配制供试品溶液的试剂两份，分别置瓷皿中蒸干后，加醋酸盐缓冲液（pH3.5）2ml，加水15ml微热溶解后，移置两支纳氏比色管中，分别加标准铅溶液（10μg/ml Pb）2ml，再加水稀释至25ml，作为标准铅对照溶液。

检视：于上述供试品溶液和标准铅对照溶液中分别加硫代乙酰胺试液各2ml，摇匀，放置2分钟，同置白色背景上，从上向下进行观察。试验结果见表3。

表3　重金属检查结果

序号	供试品批号	重金属含量（ppm）			
1	20191220	<10	<20	<30	<40
2	20190521	<10	<20	<30	<40
3	20200215	<10	<20	<30	<40
4	20200026	<10	<20	<30	<40

结果显示,供试品溶液的颜色明显浅于2ml的标准铅对照溶液。经过三批供试品及模拟样品的检查,含重金属均未超过百万分之十,故未收入正文。

砷盐:取本品1g和标准砷溶液(1μg/ml AS)2ml,分别加无砷氢氧化钙1g,加少量水,搅匀,烘干,用小火缓缓炽灼至炭化,再在600℃炽灼至完全灰化,放冷。分别加盐酸7ml使溶解,再加水21ml,按《中国药典》2020年版四部通则0822第一法(古蔡氏法)做砷盐限量检查。

结果:供试品砷斑浅于标准砷斑的颜色,表明本品含砷量未超过百万分之二(小于2ppm),故砷盐检查项目未收入正文。

5. 微生物限度:照微生物计数法(《中国药典》2020年版四部通则1105)和控制菌检查法(《中国药典》2020年版四部通则1106)及《内蒙古蒙药制剂规范》(第三册)附录Ⅲ微生物限度标准,进行检查。结果均符合规定。

【含量测定】

嘎拉·萨乌日勒是由诃子、石菖蒲、木香、枫香脂、合成冰片等五味药组成的复方制剂,诃子为处方中主要药味之一。参照《中国药典》2020年版一部"健民咽喉片"项下含量测定方法,以没食子酸对照品作为指标成分,进行含量测定方法研究,经分析方法验证,该方法重复性好,专属性强,方法中其他成分对没食子酸对照品的测定无干扰。

1 仪器与试剂试药

1.1 仪器

岛津LC-2014一体机,Labsolution色谱工作站;Sartorius BT25S型电子天平,Sartorius BSA223S型电子天平,Sartorius BSA224S型电子天平,MSA6.6S-OCE-DM型百万分之一电子天平。

1.2 试剂与试药

供试品(批号20190521、20191220、20200215)由内蒙古自治区国际蒙医医院国提供,模拟样品(批号20200026)模拟;没食子酸对照品(批号110831-201605)、诃子对照药材(批号121015-201605),均购于中国食品药品检定研究院;甲醇、乙腈为色谱纯,水为高纯水,所用其他试剂均为分析纯。

2 方法学考察

2.1 色谱条件

2.1.1 色谱柱:色谱柱填充剂为十八烷基硅烷键合硅胶,本试验研究采用岛津C$_{18}$柱(250mm×4.6mm,5μm)及Alltech C$_{18}$柱(250mm×4.6mm,5μm)。

2.1.2 流动相的选择:参照《中国药典》2020年版一部"健民咽喉片"项下含量测定方法,以乙腈-含0.1%三乙胺的0.1%磷酸溶液(1:99)为流动相条件摸索,结果供试品色谱中的没食子酸对照品分离效果好,峰形较好,且与其他成分达到较好的分离度,并具适宜保留时间,并且阴性无干扰,故将流动相定为乙腈-含0.1%三乙胺的0.1%磷酸溶液(1:99)。

2.1.3 柱温:采用30℃柱温,可减小流动相黏度,降低柱压并改善分离效果。

2.1.4 检测波长的选择:参照《中国药典》2020年版一部"健民咽喉片"项下没食子酸含量测定方法,选择273nm作为检测波长。

2.1.5 理论板数的确定:经对三批样品测定的结果可见,没食子酸对照品的理论板数在2000以上时均能达到较好的分离效果,结合药典"健民咽喉片"项下诃子含量测定项下的规定,故确定理论板数按没食子酸对照品峰计不得低于2000。

2.2 提取方法的选择及提取效率的考察

2.2.1 提取溶剂的选择

参照《中国药典》2020年版一部"健民咽喉片"项下含量测定方法,以50%甲醇作提取溶剂。

2.2.2 提取效率的考察

以50%甲醇作提取溶剂进行超声处理,为了保证被测成分提取完全,试验中考察了10分钟、20分钟、30分钟、40分钟等不同超声时间对提取效率的影响。结果见表4。

表4 提取效率的考察表

序号	超声时间(min)	没食子酸(mg/g)
1	10	1.3600
2	20	1.3613
3	30	1.3615
4	40	1.3514

从表4数据可见,超声提取30分钟没食子酸的含量基本不再增加,故确定超声时间为30分钟。

2.3 专属性考察

2.3.1 对照品溶液的制备:精密称取没食子酸对照品适量,加50%甲醇制成每1ml含20μg的溶液,即得。

2.3.2 供试品溶液的制备:取本品粉末(过四号筛)约0.8g,精密称定,置具塞锥形瓶中,精密加入50%甲醇50ml,密塞,称定重量,超声处理(功率250W,频率40kHz)30分钟,取出,放冷,再称定重量,用50%甲醇补足减失的重量,摇匀,滤过,取续滤液,即得。

2.3.3 阴性对照溶液的制备:按处方比例并以相同工艺制备的缺诃子的阴性样品,精密称定,从"置具塞锥形瓶中……"起操作同"供试品溶液的制备",取续滤液,作为阴性对照溶液。

2.3.4 测定:分别精密吸取上述三种溶液各10μl,注入色谱仪,记录各自的色谱图。

结果为阴性对照色谱图中在与没食子酸对照品以及供试品色谱相对应的保留时间处无色谱峰出现,表明处方中其他组分对没食子酸对照品的测定无干扰,专属性好。

2.4 线性关系考察

精密称取没食子酸对照品2.353mg,置100ml量瓶中,加50%甲醇使溶解,并稀释至刻度,摇匀,即得。(没食子酸对照品0.02353mg/ml)分别取1μl、2μl、5μl、10μl、20μl、30μl进样,按上述色谱条件测定,以峰面积对进样量进行回归分析,结果见表5。

表5 标准曲线数值及回归方程表

进样量(μl)	峰面积值	回归方程	r
1	69325		
2	125372		
5	313268	$y=64795x+0.105$	0.9999
10	646576		
20	1286138		
30	1952736		

从表5数据可见,没食子酸对照品在23.5~705.9ng范围内与峰面积值呈良好的线性关系。

2.5 精密度试验

取同一供试品(批号20191220)溶液,连续进样6次,记录色谱图。没食子酸峰面积的精密度计算结果见表6。

表6 没食子酸精密度试验结果

序号	峰面积值	平均值	RSD（%）
1	2531782		
2	2538245		
3	2538012	2535786	0.12
4	2532516		
5	2537932		
6	2536231		

从表6数据可见，符合《中国药典》2020年版四部通则0512中规定的RSD值小于2.0%的要求。

2.6 稳定性试验

取同一份供试品（批号20191220）溶液，分别在0小时、2小时、4小时、6小时、8小时、10小时、12小时进行测定。结果见表7。

表7 不同时间测定供试品中没食子酸的峰面积值

时间（h）	峰面积值	RSD（%）
0	2525701	
2	2521909	
4	2531563	
6	2527083	0.16
8	2522667	
10	2528465	
12	2533155	

从表7数据可见，没食子酸在12小时内的峰面积值基本稳定，RSD值为0.16%，能够满足测定所需要的时间。

2.7 重复性试验

取同一供试品（批号20191220）6份，各取约0.80g，精密称定，置具塞锥形瓶中，精密加入50%甲醇50ml，密塞，称定重量，超声处理（功率250W，频率40kHz）30分钟，取出，放冷，再称定重量，用50%甲醇补足减失的重量，摇匀，滤过，取续滤液，作为供试品溶液。另精密称取没食子酸对照品适量，加50%甲醇制成每1ml含20μg的溶液，作为对照品溶液。分别精密吸取供试品溶液和对照品溶液各10μl，注入色谱仪，记录色谱图。按外标法以峰面积计算含量，结果见表8。

表8 没食子酸重复性试验结果

序号	取样量（g）	峰面积值	含量（mg/g）	平均含量（mg/g）	RSD（%）
1	0.8158	2559161	5.8343		
2	0.8117	2532359	5.8024		
3	0.8123	2547471	5.8327	5.82	0.23
4	0.8153	2548529	5.8137		
5	0.8173	2553635	5.8111		
6	0.8158	2546804	5.8062		

从表8数据可见，在相同的提取溶剂和色谱条件下，6份供试品含量测定结果的均值为5.82mg/g，RSD为0.23%，表明该方法的重复性好。

2.8 加样回收试验

称取同一供试品（批号20191220，含量5.8167mg/g）6份，每份约0.45g，精密称定，分别置具塞锥形瓶中，分别依次加入没食子酸对照品2.382mg、2.311mg、2.325mg、2.418mg、2.364mg、2.314mg,精密加入50%甲醇50ml摇匀,称定重量,按上述供试品溶液的制备方法操作,测定每份含量,计算回收率。结果见表9。

表9 没食子酸加样回收试验结果

取样量（g）	供试品含（mg）	对照品加入量（mg）	测得总量（mg）	回收率（%）	平均（%）	RSD（%）
0.4479	2.6053	2.382	4.9717	99.34		
0.4482	2.6071	2.311	4.9109	99.69		
0.4472	2.6012	2.325	4.9230	99.86	101.01	1.55
0.4491	2.6123	2.418	5.0951	102.68		
0.4487	2.6099	2.364	5.0496	102.76		
0.4481	2.6065	2.314	4.9811	101.74		

从表9数据可见,本方法的平均回收率为101.01%,RSD为1.55%。该方法准确度好。

2.9 耐用性试验

取供试品（批号20191220）适量,各4份,分别称取约0.8g,精密称定,按重复性试验项下的方法处理,换不同厂家、不同型号的色谱柱,分别测定供试品的含量。结果见表10。

表10 不同色谱柱的耐用试验

序号	取样量（g）	柱型号	峰面积值	含量（mg/g）
1	0.8123	岛津C_{18}柱	2549182	5.71
	0.8136	Alltech C_{18}柱	2550112	5.70
2	0.8169	岛津C_{18}柱	2548732	5.68
	0.8172	Alltech C_{18}柱	2547912	5.67

从表10数据可见,不同型号或厂家的色谱柱对测定结果影响较小。

3 样品含量测定

取三批样品（批号20190521、20191220、20200215）及模拟样（批号20200026）各2份,各约0.8g,精密称定,按重复性试验项下的方法处理并测定。含量测定结果见表11。

表11 样品中没食子酸含量测定结果

批号	取样量（g）	峰面积值	含量（mg/g）	平均含量（mg/g）
20190521	0.8124	2548356	5.74	5.72
	0.8176	2546587	5.70	
20191220	0.8161	2557020	5.73	5.73
	0.8173	2559581	5.73	
20200215	0.8149	2548897	5.72	5.72
	0.8171	2549131	5.71	
20200026	0.8147	1805357	4.05	4.05
	0.8153	1809563	4.06	

从表11数据可见,三批样品和模拟样品中没食子酸含量最低为4.05mg/g,最高为5.73mg/g。

4 诃子药材含量测定

试验中采用同法对上述模拟样品生产用诃子药材进行了含量测定。测定结果见表12。

表12 诃子药材中没食子酸含量测定结果

序号	取样量（g）	平均峰面积值		含量（mg/g）	平均含量（mg/g）
1	0.3845	3497426	3497279	16.53	16.48
		3497132			

续表

序号	取样量（g）	平均峰面积值		含量（mg/g）	平均含量（mg/g）
2	0.3853	3496373	3496556	16.49	
		3496738			16.48
3	0.3868	3497149	3497446	16.43	
		3497743			

从表12数据可见，诃子药材中没食子酸含量平均值为16.48mg/g。

5　本制剂含量规定的确定

从表11和表12数据可见，模拟样品中没食子酸的含量为4.05mg/g，诃子药材中没食子酸含量平均值为16.48mg/g。

按理论值折算，样品应含没食子酸为：200÷552×16.48=5.9710mg/g，可见，没食子酸的转移率为：4.05（mg/g）÷5.9710（mg/g）×100%=67.99%。

由于《中国药典》2020年版一部"诃子"药材项下无药材含量测定。因药材中没食子酸含量平均值作为成品含量低限，转移率为67.99%，考虑不同产地药材的质量差异，并结合其他影响因素及三批样品的测定结果，下浮25%，按此限度折算本品含没食子酸的理论量应不低于：200÷552×16.48×67.99%×75%=3.04mg/g。

标准正文暂定为：本品每1g含诃子以没食子酸（$C_7H_6O_5$）计，不得少于3.0mg。

【功能与主治】

清热，祛巴达干，消肿，止痛。用于嘎拉萨病所致机体活动障碍、神昏、身热、烦躁、头疼、失眠等症，亦可用于其他原因所致的偏侧头痛、关节肌肉刺痛等症。

【用法与用量】

口服。一次11~15粒，一日1~2次，温开水送服。

【规格】

每10丸重2g。

【贮藏】

密闭，防潮。

起草单位： 内蒙古自治区国际蒙医医院　　　唐吉思　阿木古楞　宝　山　特木其乐

　　　　　　鄂尔多斯市检验检测中心　　　　吕彩莲　郭　慧　孟美英

德伦–19丸质量标准起草说明

【历史沿革】

本方来源于《蒙医药传统验方》（内蒙古人民出版社 1975年版，蒙古文，第212页）。

【处方来源】

本制剂由内蒙古自治区国际蒙医医院提供。

【名称】

德伦–19丸

【蒙药材和饮片的来源和执行标准】

1. 处方组成及药味排列顺序：生草果仁100g、寒制红石膏60g、豆蔻40g、木棉花40g、缬草20g、栀子20g、瞿麦20g、紫草20g、诃子20g、水柏枝20g、紫草茸20g、木香20g、麦冬20g、红花14g、大托叶云实10g、苦地丁10g、波棱瓜子10g、菥蓂子10g、石膏10g。

2. 处方中除寒制红石膏、紫草茸、木棉花、水柏枝、波棱瓜子、大托叶云实和菥蓂子药材外，其余瞿麦等药味均收载于《中国药典》2020年版一部，其质量应符合该品种项下的有关规定。

寒制红石膏：为单斜晶系硫酸钙矿石族红石膏 Gypsum 的矿石红石膏（北寒水石）的炮制加工品。主含含水硫酸钙（$CaSO_4 \cdot 2H_2O$）。其标准应符合《内蒙古蒙药饮片炮制规范》2020年版第188页该品种项下的有关规定。

菥蓂子：为十字花科植物遏蓝菜 *Thlaspi arvense* L.的干燥成熟种子。其标准应符合《内蒙古蒙药饮片炮制规范》2020年版第376页该品种项下的有关规定。

大托叶云实：为豆科植物大托叶云实 *Caesalpinia crista* L.的干燥成熟种子。其标准应符合《内蒙古蒙药饮片炮制规范》2020年版第15页该品种项下的有关规定。

紫草茸：为胶蚧科昆虫紫胶虫 *Laccifer lacca* Kerr 在树枝上所分泌的树脂状胶质。其质量应符合《内蒙古蒙药饮片炮制规范》2020年版第436页该品种项下的有关规定。

波棱瓜子：为葫芦科植物波棱瓜 *Herpetospermum pedunculosum* (Sex.) Baill. 的干燥种子。其标准应符合《内蒙古蒙药饮片炮制规范》2020年版第277页该品种项下的有关规定。

水柏枝：为柽柳科植物水柏枝 *Myricaria germanica* (Linn.) Desv. 的干燥细嫩枝叶。其质量应符合《内蒙古蒙药饮片炮制规范》2020年版第67页该品种项下的有关规定。

木棉花：为木棉科植物木棉 *Gossampinus malabarica* (DC.) Merr. 的干燥花。其标准应符合《内蒙古蒙药饮片炮制规范》2020年版第60页该品种项下的有关规定。

【制法】

以上十九味，粉碎成细粉，过筛，混匀，用水泛丸，打光，干燥，即得。

【性状】

本品为棕黄色至棕褐色的水丸；气微，味淡。

【鉴别】

本品为药材粉末制成的水丸,方中瞿麦、红花、栀子、木棉花、诃子的显微特征较明显,故建立显微鉴别,并对处方中红花建立了薄层鉴别。

1. 试剂与试药

供试品:供试品(批号20190920、20190921、20190922)由内蒙古自治区国际蒙医医院提供,模拟样品(批号20200023)模拟。

对照品:红花对照药材(批号120907-201412),购于中国食品药品检定研究院。

薄层板:硅胶H板,购于银龙化工有限公司。

所用其他试剂均为分析纯,水为离子交换高纯水。

2. 试验方法与结果

(1)显微鉴别

瞿麦:纤维束周围薄壁细胞含草酸钙簇晶,形成晶纤维,含晶细胞纵向成行。红花:花粉粒圆球形或椭圆形,直径约60μm,具3个萌发孔。栀子:种皮石细胞黄色或淡棕色,多破碎,完整者长多角形、长方形或不规则形,壁厚,有大的圆形纹孔,胞腔棕红色。木棉花:星状非腺毛众多,由多个呈长披针形的细胞组成,为4~14分叉,每分叉为一个单细胞,长135~474μm,胞腔线形,有的胞腔内含棕色物。诃子:木化厚壁细胞淡黄色或无色,呈长方形、类多角形或不规则形,有的一端膨大呈靴状;细胞壁上纹孔密集。

(2)红花薄层鉴别

参照《中国药典》2020年版一部"红花"项下薄层条件,制定出正文所述的鉴别方法。通过阴性对照试验观察,方中其他药材对红花的检出无干扰,证明此方法具有专属性。

【检查】

按照丸剂(《中国药典》2020年版四部通则0108)项下的规定,对三批供试品及模拟样品的水分、重量差异、溶散时限、重金属、砷盐、微生物限度进行了检查。具体方法及测定数据如下:

1. 水分:取供试品照水分测定法(《中国药典》2020年版四部通则0832)测定。三批供试品及模拟样品的测定结果见表1。

表1 水分法测定结果

序号	批号	水分(%)
1	20190920	3.0
2	20190921	3.0
3	20190922	2.3
4	20200023	2.5

药典规定丸剂水分含量不得大于9.0%。从表1数据可见,本品水分含量均符合要求。

2. 重量差异:取以上三批供试品,每批供试品取10份,10丸为1份,分别称定重量,再与每份标示重量(2g)相比较,求每一份的重量差异(%)。药典规定每份标示装量的限度为±8%,并规定超出重量差异限度的不得多于2份,并不得有1份超出限度1倍。本品的重量差异检查结果均符合规定。

3. 溶散时限:取本品按照片剂项下崩解时限检查法(《中国药典》2020年版四部通则0921)加挡板进行测定。三批供试品测定结果见表2。

表2　溶散时限测定结果

序号	批号	溶散时间（min）
1	20190920	42
2	20190921	43
3	20190922	42

药典规定水丸应在1小时内全部溶散。从表2数据可见，本品的溶散时限符合规定。

4. 对三批供试品及模拟样品进行了重金属、砷盐、微生物限度考察。方法与结果如下：

重金属：分别取每个批号供试品0.5g、0.67g、1.0g、2.0g，按《中国药典》2020年版四部0821第二法检查。

供试品溶液的制备：取本品0.5g、0.67g、1.0g、2.0g，分别缓缓炽灼至完全炭化，放冷，加硫酸0.5ml，使湿润，低温加热至硫酸除尽后，加硝酸0.5ml，蒸干，至氧化氮蒸气除尽后，放冷，于600℃炽灼至完全灰化，放冷。加盐酸2ml，置水浴上蒸干后加水15ml，滴加氨试液至对酚酞指示液显中性，再加醋酸盐缓冲液（pH3.5）2ml，微热溶解后，移置纳氏比色管中，加水稀释至25ml，作为供试品溶液。

标准铅对照溶液的制备：另取配制供试品溶液的试剂两份，分别置瓷皿中蒸干后，加醋酸盐缓冲液（pH3.5）2ml，加水15ml微热溶解后，移置两支纳氏比色管中，分别加标准铅溶液（10g/ml Pb）2ml，再加水稀释至25ml，作为标准铅对照溶液。

检视：于上述供试品溶液和标准铅对照溶液中分别加硫代乙酰胺试液各2ml，摇匀，放置2分钟，同置白色背景上，从上向下进行观察。试验结果见表3。

表3　重金属检查结果

序号	批号	重金属含量（ppm）			
1	20190920	<10	<20	<30	<40
2	20190921	<10	<20	<30	<40
3	20190922	<10	<20	<30	<40
4	20200023	<10	<20	<30	<40

结果显示，供试品溶液的颜色明显浅于2ml的标准铅对照溶液。经过三批供试品及模拟样品的检查，含重金属均未超过百万分之十，故未收入正文。

砷盐：取本品1g和标准砷溶液（1μg/ml AS）2ml，分别加无砷氢氧化钙1g，加少量水，搅匀，烘干，用小火缓缓炽灼至炭化，再在600℃炽灼至完全灰化，放冷。分别加盐酸7ml使溶解，再加水21ml，按《中国药典》2020年版四部通则0822第一法（古蔡氏法）做砷盐限量检查。

结果：供试品砷斑浅于标准砷斑的颜色，表明本品含砷量未超过百万分之二（小于2ppm），故砷盐检查项目未收入正文。

5. 微生物限度：照微生物计数法（《中国药典》2020年版四部通则1105）和控制菌检查法（《中国药典》2020年版四部通则1106）及《内蒙古蒙药制剂规范》（第三册）附录Ⅲ微生物限度标准，进行检查。结果均符合规定。

【含量测定】

德伦-19丸是由生草果仁、寒制红石膏、豆蔻、木棉花、栀子、栀子等十九味药组成。具有理中健脾功效。用于脾寒，脾热诸症。栀子功能为泻火除烦、清热利湿。在标准制定过程中，以栀子苷作为测定指标，参照《中国药典》2020年版一部"栀子"项下含量测定方法，采用高效液相色谱法对本品中的栀子进行了含量测定方法研究。通过试验摸索，确定了比较理想的色谱条件，并经过方法学考察及阴性对照试验，表明该方法操作简单，重复性好，专属性强，方中其他组分对栀子苷的测定均无干扰。

1 仪器与试剂试药

1.1 仪器

U3000型高效液相色谱仪；SCL-10AvP型控制器，SPD-10AvP型检测器，Class-vP色谱工作站，岛津UV-1700型紫外-可见分光光度仪；隔膜真空泵（巩义市英峪仪器厂）；KQ-250DB型超声波清洗器（昆山市超声仪器有限公司）；Heal Force NW15UV型超纯水系统；ADVENTURERTM型电子天平（万分之一），Ohaus Discovery型电子天平（十万分之一）；FW400A型多功能粉碎机（材茂科技有限公司）。

1.2 试剂与试药

供试品（批号20190920、20190921、20190922）由内蒙古自治区国际蒙医医院提供，模拟样品（批20200023）模拟；栀子苷对照品（批号110749-200714），购于中国食品药品检定研究院；乙腈为色谱纯，水为超纯水，其他试剂均为分析纯。

2 方法学考察

2.1 色谱条件

2.1.1 色谱柱：Alltima C_{18} 柱（250mm×4.6mm，5μm）。

2.1.2 流动相的选择：参照《中国药典》2020年版一部"栀子"项下的流动相比例进行流动相条件摸索，经试验验证，分离效果好，色谱峰对称，故将流动相定为以乙腈-水溶液（15:85）。

2.1.3 柱温：33℃。

2.1.4 检测波长：按照《中国药典》2020版一部"栀子"项下规定，选择测定波长为：238nm。

2.1.5 理论塔板数的确定：对多批供试品测定结果表明，栀子苷峰的理论板数在1500以上即能达到与相邻峰分开，并符合《中国药典》2020版第一部规定 $R>1.5$ 的要求，故本标准规定理论板数按栀子苷计不得低于1500。

2.2 提取时间的考察

参考《中国药典》2020年版一部"栀子"项下，以甲醇作为提取溶剂进行超声处理，试验中考察了超声20分钟、30分钟、40分钟对提取效率的影响，结果见表4。

表4 栀子苷提取效率考察

时间	取样量	供试品峰面积			含量	平均含量
(min)	(g)	A	B	C	(mg/g)	(mg/g)
20-1	0.5053	3.9443	3.9492	3.9467	1.0807	1.1312
20-2	0.5077	4.3477	4.3243	4.3360	1.1817	
30-1	0.5067	4.3289	4.3321	4.3305	1.1825	1.1806
30-2	0.5087	4.3328	4.3347	4.3337	1.1787	
40-1	0.5031	4.0539	4.0073	4.0306	1.1085	1.1025
40-2	0.5041	4.0100	3.9807	3.9953	1.0966	

从表4数据可见，超声处理30分钟时，在供试品中提取栀子苷的含量最高，故将提取时间定为30分钟。

2.3 专属性考察

2.3.1 对照品溶液的制备：取栀子苷对照品适量，精密称定，加甲醇制成每1ml含30μg的溶液，即得。

2.3.2 供试品溶液的制备：取本品适量，研细，取0.5g，精密称定，置具塞锥形瓶中，精密加入甲醇25ml，称定重量，超声处理（功率250W，频率40kHz）30分钟，放冷，再称定重量，用甲醇补足减失的重量，摇匀，滤过，取续滤液，即得。

2.3.3 阴性对照溶液的制：另取按处方比例并以相同工艺制备的缺栀子的阴性对照，按"供试品溶液制备"法制得阴性对照溶液。

2.3.4 测定：分别精密吸取以上三种溶液各10μl，分别注入液相色谱仪，记录佮自的色谱图。

结果为阴性对照色谱中在与栀子苷对照品以及供试品色谱相对应的保留时间处无色谱峰出现，表明其他组分对栀子苷的测定无干扰。

2.4 线性关系考察

取栀子苷对照品约3.0mg, 精密称定, 置100ml量瓶中, 加甲醇使溶解并稀释至刻度, 摇匀(栀子苷实际浓度为: 0.03mg/ml), 吸取上述溶液1μl、3μl、5μl、7μl、10μl、12μl、15μl、20μl分别进样, 按上述色谱条件测定。以峰面积对栀子苷的进样量进行回归分析, 标准曲线数值见表5。

表5 标准曲线数值表及回归方程

序号	进样量(μg)	峰面积值	回归方程	r
1	0.03	0.5411		
2	0.09	1.6216		
3	0.15	2.7458		
4	0.21	3.8287	$y=0.53387x+0.06085$	0.9997
5	0.3	5.4456		
6	0.36	6.5062		
7	0.45	8.1303		
8	0.60	10.6399		

从表5数据可见, 木香烃内酯在0.03~0.60μg范围内与峰面积值呈良好的线性关系。

2.5 稳定性试验

取同一份供试品(批号20190920)溶液, 分别于0小时、1小时、2小时、3小时、4小时、5小时、6小时、7小时、8小时进样测定。结果见表6。

表6 不同时间测定供试品中栀子苷的峰面积值

序号	时间(h)	峰面积值	RSD(%)
1	0	4.8326	
2	1	4.7121	
3	2	4.8124	
4	3	4.7519	
5	4	4.6723	1.50
6	5	4.7064	
7	6	4.6973	
8	7	4.6181	
9	8	4.6895	

从表6数据可见, 栀子苷在8小时内的峰面积值基本稳定不变, 能够满足测定所需的时间。

2.6 精密度试验

取同一份供试品(批号20190920)0.5020g, 10μl, 连续进样7次, 测定。结果见表7。

表7 精密度试验结果

序号	峰面积值	平均值	RSD(%)
1	4.8044		
2	4.7695		
3	4.7906		
4	4.7921	4.7739	0.52
5	4.7376		
6	4.7776		
7	4.7453		

从表7数据可见，符合《中国药典》2020年版四部通则0512中规定的RSD值小于2.0%的要求。

2.7 重复性试验

取同一供试品（批号20190920）6份，各约0.5g，精密称定，置具塞锥形瓶中，精密加入甲醇25ml，称定重量，超声处理（功率250W，频率40kHz）30分钟，放冷，再称定重量，用甲醇补足减失的重量，摇匀，滤过，取续滤液，作为供试品溶液。另精密称取栀子苷对照品适量，精密称定，加甲醇制成每1ml含30μg的溶液，对照品溶液。分别精密吸取供试品溶液和对照品溶液各10μl，注入色谱仪，记录色谱图。按外标法以峰面积计算含量，结果见表8。

表8 栀子苷含量重复性试验结果

称样量（g）	供试品峰面积	含量（mg/g）	平均含量（mg/g）	RSD（%）
0.5016	4.9018	1.3620		
0.5035	4.7547	1.3162		
0.5013	4.8885	1.3591	1.3506	1.9
0.5068	5.0230	1.3814		
0.5065	4.9503	1.3622		
0.5019	4.7625	1.3225		

从表8数据可见，在相同的提取溶剂和色谱条件下，6份供试品含量测定结果的均值为1.3506mg/g，RSD为1.9%，表明该方法的重复性较好。

2.8 加样回收率试验

取供试品（批号20190920）9份，每份约0.25g，精密称定，其中1、2、3号各精密加入用甲醇配制的栀子苷对照品溶液（栀子苷浓度：0.03525mg/ml）5ml，4、5、6号各精密加入上述对照品溶液10ml，7、8、9号各精密加入上述对照品溶液15ml，称定重量，超声处理（功率250W，频率40kHz）30分钟，放冷，再称定重量，用甲醇补足减失的重量，摇匀，滤过，取续滤液，供试品溶液。另精密称取栀子苷对照品适量，精密称定，加甲醇制成每1ml含30μg的溶液，对照品溶液。分别精密吸取供试品溶液和对照品溶液各10μl，注入色谱仪，记录色谱图。按外标法以峰面积计算含量，结果见表9。

表9 栀子苷加样回收试验结果

称样量（g）	供试品含量（mg）	对照品加入量（mg）	测得总量（mg）	回收率（%）	平均（%）	RSD（%）
0.2512	0.3391	0.1763	0.5111	97.58		
0.2523	0.3406	0.1763	0.5242	104.18		
0.2523	0.3406	0.1763	0.5233	103.68		
0.2589	0.3495	0.3525	0.7134	103.24		
0.2585	0.3490	0.3525	0.7208	105.49	102.61	2.3
0.2551	0.3444	0.3525	0.7208	101.47		
0.2592	0.3500	0.5288	0.9015	104.33		
0.2535	0.3422	0.5288	0.8864	102.91		
0.2533	0.3419	0.5288	0.8739	100.61		

从表9数据可见，本方法的平均回收率为102.61%，RSD为2.3%，表明该方法的准确度好。

2.9 耐用性试验

换不同厂家、不同型号的色谱柱，取供试品（批号20190920）约0.5g，精密称定，置具塞锥形瓶中，精密加入甲醇25ml，称定重量，超声处理（功率250W，频率40kHz）30分钟，放冷，再称定重量，用甲醇补足减失的重量，摇匀，滤过，取续滤液，作为供试品溶液。另精密称取栀子苷对照品适量，精密称定，加甲醇制成每1ml含30μg的溶液，对照品溶液。分别精密吸取供试品溶液和对照品溶液各10μl，注入色谱仪，记录色谱图。按外标法以峰面积计算含量,结果见表10。

表10　不同色谱柱的耐用性试验

样品号	称样量(g)	柱型号	峰面积	含量(mg/g)
1	0.5009	Apollo C_{18}	4.9058	1.37
	0.5032	Alltima C_{18}	4.8938	1.35
2	0.5024	Apollo C_{18}	4.8968	1.36
	0.5019	Alltima C_{18}	4.8739	1.34

从表10数据可见,在使用不同型号或厂家的色谱柱时,对测定结果影响较小,具有较好的耐用性。

3　样品含量测定

取三批样品及模拟样品各约0.5g,精密称定,置具塞锥形瓶中,精密加入甲醇25ml,称定重量,超声处理(功率250W,频率40kHz)30分钟,放冷,再称定重量,用甲醇补足减失的重量,摇匀,滤过,取续滤液,作为供试品溶液。另精密称取栀子苷对照品适量,精密称定,加甲醇制成每1ml含30μg的溶液,对照品溶液。分别精密吸取供试品溶液和对照品溶液各10μl,注入色谱仪,记录色谱图。按外标法以峰面积计算含量,结果见表11。

表11　样品中栀子苷的含量测定结果

批号	取样量(g)	样品峰面积值	含量(mg/g)	平均含量(mg/g)
20190920	0.5009	4.3289	1.2003	1.20
	0.5025	4.3328	1.1976	
20190921	0.5013	4.3321	1.2002	1.19
	0.5041	4.3154	1.1890	
20190922	0.5057	4.2189	1.1587	1.17
	0.5033	4.2546	1.1741	
20200023	0.5026	4.3765	1.2094	1.20
	0.5092	4.3917	1.1979	

从表11数据可见,模拟样品中栀子苷含量为1.20mg/g,三批样品中栀子苷含量最高为1.20mg/g。含量之间无明显差异。

4　栀子药材的含量考察

取栀子药材粉末约0.05g,精密称定,按《中国药典》2020年一部"栀子"项下的方法处理并测定。栀子药材中栀子苷的含量测定结果见表12。

表12　栀子药材中栀子苷的含量测定结果

序号	称样量(g)	平均峰面积值(n=2)		含量(mg/g)	平均含量(mg/g)
1	0.0528	11.7043 11.3587	11.5315	28.31	
2	0.0535	12.4195 12.4015	12.4105	30.07	29.45
3	0.0515	12.3854 12.4258	12.4056	29.96	

从表12数据可见,模拟样品所用栀子药材中栀子苷的含量为29.45mg/g。

5　本制剂含量限度的确定

从表中数据可见,模拟样品中栀子苷含量为1.20mg/g,模拟样品所用栀子药材中栀子苷的含量为29.4467mg/g。

按理论值折算，样品应含栀子苷为：$29.45 \times 20 \div 484 = 1.2168$，即$1.2168$mg/g。可见，栀子苷的转移率为：$1.20 \div 1.2168 \times 100\% = 98.61\%$。

参照《中国药典》2020年版一部"栀子"药材的栀子苷含量限度不得少于1.8%，转移率为98.61%，考虑不同产地药材的质量差异，并结合其他影响因素及三批样品的测定结果，下浮20%，按此限度折算本品含没食子酸的理论量应不低于$20 \div 484 \times 1000 \times 1.8\% \times 98.61\% \times 80\% = 0.586$mg/g。

标准正文暂定为：本品每1g含栀子以栀子苷（$C_{17}H_{24}O_{10}$）计，不得少于0.60mg。

【功能与主治】

健脾。用于脾热，脾肿大，脾赫依，脾巴达干等。

【用法与用量】

口服。一次11~15丸，一日1~2次，温开水送服

【规格】

每10丸重2g。

【贮藏】

密封，防潮。

起草单位：内蒙古盛唐国际蒙医药研究院　　王　伟　张跃祥　崔圆圆
　　　　　　包头市检验检测中心　　　　　杨桂娥　苏瑞萍　张　婷

德格都-7丸 质量标准起草说明

【历史沿革】

本方来源于《医疗手册》（内蒙古人民出版社1973年版，蒙古文，第1305页）。

【处方来源】

本制剂由锡林郭勒盟镶黄旗蒙医医院提供。

【名称】

德格都-7丸

【蒙药材和饮片的来源和执行标准】

1. 处方组成及药味排列顺序：红花25g、天竺黄15g、麻黄15g、蓝盆花10g、川木通10g、苦地丁10g、诃子10g。

2. 处方中除了蓝盆花药材外，其余红花等药味均收载于《中国药典》2020年版一部，其质量应符合该品种项下的有关规定。

蓝盆花：为川续断科植物窄叶蓝盆花*Scabiosa comosa* Fisch.ex Roem.et Schult和华北蓝盆花*Scabiosa tschiliensis* Grunning的干燥花序。其标准应符合《中华人民共和国卫生部药品标准》（蒙药分册）1998年版第52页该品种项下的有关规定。

【制法】

以上七味，粉碎成细粉，过筛，混匀，用水泛丸，打光，干燥，分装，即得。

【性状】

本品为浅褐色至棕褐色水丸；气微香，味苦，性凉。

【鉴别】

本品为药材粉末制成的水丸，方中红花、麻黄、川木通、天竺黄、诃子的显微特征较明显，故建立显微鉴别，并对处方中麻黄建立了薄层鉴别。

1. 试剂与试药

供试品：供试品（批号 20200301、20200305、20200423）由锡林郭勒盟镶黄旗蒙医医院提供，模拟样品（批号20200096）模拟。

对照品：盐酸麻黄碱（批号110831-200302），购于中国食品药品检定研究院。

薄层板：硅胶G板，青岛海洋化工有限公司。

所用其他试剂均为分析纯，水为离子交换高纯水。

2. 试验方法与结果

（1）显微鉴别

红花：花粉粒类圆形、椭圆形或橄榄形，直径约至60μm，具3个萌发孔，外壁有齿状突起。麻黄：气孔特异，下陷，保卫细胞侧面观呈哑铃形或电话筒状。川木通：石细胞类长方形、梭形或类三角形，壁厚而木化，孔沟及纹孔明显。诃子：石细胞类方形、类多角形或成纤维状，直径14~40μm，长至130μm，壁厚，孔沟细密。天竺黄：不规则块片无色透明,边缘多平直,有棱角,遇水合氯醛试液溶化。

（2）麻黄薄层鉴别

参照《中国药典》2020年版一部"麻黄"项下的薄层条件,制定出正文所述的鉴别方法。通过阴性对照试验观察,方中其他药材对麻黄药材及主要成分盐酸麻黄碱薄层检验无干扰,证明此方法具专属性。

【检查】

按照丸剂（《中国药典》2020年版四部通则0108）项下规定,对三批供试品及模拟样品的水分、重量差异、溶散时限、重金属和砷盐进行了检查。检查结果均符合规定。具体方法及测定数据如下:

1. 水分:取供试品照水分测定法（《中国药典》2020年版四部通则0832）测定,三批供试品及模拟样品测定结果见表1。

表1 水分测定结果

序号	批号	水分（%）
1	20200301	4.7
2	20200305	5.0
3	20200423	4.6
4	20200096	4.1

药典规定丸剂水分含量不得大于9.0%。从表1数据可见,本品的水分含量均符合要求。

2. 重量差异:取以上三批供试品,每批供试品取10份,10丸为1份,分别称定重量,再与每份标示重量（2g）相比较,求每一份的重量差异（%）。药典规定每份标示装量的限度为±8%,并规定超出重量差异限度的不得多于2份,并不得有1份超出限度1倍。本品的重量差异检查结果均符合规定。

3. 溶散时限:取本品照崩解时限检查法（《中国药典》2020年版四部通则0921）片剂项下加挡板进行测定。三批供试品测定结果见表2。

表2 溶散时限测定结果

序号	批号	溶散时间（min）
1	20200301	32
2	20200305	29
3	20200423	28

药典规定水丸应在1小时内全部溶散。从表2数据可见,本品的溶散时限符合规定。

4. 对三批样品及模拟样品进行了重金属、砷盐考察,方法与结果如下:

重金属:分别取每个批号样品0.5g、0.67g、1.0g、2.0g,按《中国药典》2020年版四部0821第二法检查。

供试品溶液的制备:取本品0.5g、0.67g、1.0g、2.0g,分别缓缓炽灼至完全炭化,放冷,加硫酸0.5ml,使湿润,低温加热至硫酸除尽后,加硝酸0.5ml,蒸干,至氧化氮蒸气除尽后,放冷,于600℃炽灼至完全灰化,放冷。加盐酸2ml,置水浴上蒸干后加水15ml,滴加氨试液至对酚酞指示液显中性,再加醋酸盐缓冲液（pH3.5）2ml,微热溶解后,移置纳氏比色管中,加水稀释至25ml,作为供试品溶液。

标准铅对照管的制备:另取配制供试品溶液的试剂两份,分别置瓷皿中蒸干后,加醋酸盐缓冲液（pH3.5）2ml,加水15ml微热溶解后,移至两支纳氏比色管中,分别加标准铅溶液（10μg/ml Pb）2ml,再加水稀释至25ml,作为标准铅对照管。

检视:于上述供试品溶液和标准铅对照管中分别加硫代乙酰胺试液各2ml,摇匀,放置2分钟,同置白色背景上,从上向下进行观察。试验结果见表3。

表3 重金属检查结果

序号	批号	重金属含量（ppm）
1	20200301	<10　<20　<30　<40
2	20200305	<10　<20　<30　<40
3	20200423	<10　<20　<30　<40
4	20200096	<10　<20　<30　<40

结果显示，供试品溶液的颜色明显浅于2ml的标准铅对照溶液。经过三批供试品及模拟样品的检查，含重金属均未超过百万分之十，故未列入正文。

砷盐：取本品1g和标准砷溶液（1μg/ml AS）2ml，分别加无砷氢氧化钙1g，加少量水，搅匀，烘干，用小火缓缓炽灼至炭化，再在600℃炽灼至完全灰化，放冷。分别加盐酸7ml使溶解，再加水21ml，按《中国药典》2020年版四部通则0822第一法（古蔡氏法）检查砷盐含量。

结果：供试品砷斑浅于标准砷斑的颜色，表明本品含砷量未超过百万分之二（小于2ppm）。故砷盐检查项目未列入正文。

5. 微生物限度：照微生物计数法（《中国药典》2020年版四部通则1105）和控制菌检查法（《中国药典》2020年版四部通则1106）及《内蒙古蒙药制剂规范》（第三册）附录Ⅲ微生物限度标准，进行检查。结果均符合规定。

【含量测定】

德格都–7丸是由红花、天竺黄、麻黄、蓝盆花、川木通、苦地丁、诃子等七味药组成的复方制剂，红花为处方中主要药味之一，其主要成分为羟基红花黄色素A。参照《中国药典》2020年版一部"红花"项下的含量测定方法，选择羟基红花黄色素A作为指标成分，对本制剂中的红花进行了HPLC含量测定方法研究。经分析方法验证，表明该方法操作简单，重复性好，专属性强，方中其他组分对羟基红花黄色素A的测定无干扰，故拟收入质量标准中。

1　仪器与试剂试药

1.1　仪器

LC–10ATvp 泵，SCL–10Avp 型控制器，SPA–10Avp型检测器，CLASS–VP 色谱工作站；岛津UV–1700型紫外分光光度仪；赛多利斯BP211D型电子天平。

1.2　试剂与试药

供试品（批号20200301、20200305、20200423），由锡林郭勒盟镶黄旗蒙医医院提供；模拟样品（批号20200096）；羟基红花黄色素A对照（批号110749–202010），购于中国食品药品检定研究院；甲醇、乙腈为色谱纯，水为高纯水，其他试剂均为分析纯。

2　方法学考察

2.1　色谱条件

2.1.1　色谱柱：色谱柱填充剂为十八烷基硅烷键合硅胶，本试验研究采用 Kromasil C₁₈柱（250mm×4.6mm，5μm）。

2.1.2　流动相的选择：参照《中国药典》2020年版一部"红花"含量测定项下，选择甲醇–乙腈–0.7%磷酸溶液（26：2：72）为流动相进行测定，样品中的羟基红花黄色素A与其他成分达到较好的分离度，并具较适合的保留时间。

2.1.3　柱温：采用30℃柱温，可降低流动相黏度和柱压并改善分离效果。故将柱温定为30℃。

2.1.4　检测波长的选择：取羟基红花黄色素A对照品溶液，于紫外可见分光光度仪上，自200~700nm做光谱扫描，结果羟基红花黄色素A在波长为404nm处有最大吸收，再参考《中国药典》2020年版一部"红花"项下HPLC的测定波长为403nm，因此本标准规定403nm作为该化合物的检测波长。

2.1.5 理论板数的确定：从对多批数据的测定结果可见，羟基红花黄色素A的理论板数在4000以上即能达到较好的分离效果，故确定理论板数按羟基红花黄色素A计不得低于4000。

2.2 提取方法的选择及提取效率的考察

参照《中国药典》2020年版一部"红花"含量测定项下，选择25%甲醇作为提取溶剂，经超声（功率300W、频率50kHz）处理40分钟、60分钟后，进行比较，含量相近，故选择25%甲醇为溶剂，超声处理40分钟的提取方法制备供试品溶液。

2.3 专属性考察

2.3.1 对照品溶液的制备：精密称取羟基红花黄色素A对照品适量，加25%甲醇制成每1ml含923μg的溶液。

2.3.2 供试品溶液的制备：取本品适量，研细，取约1.5g，精密称定，置具塞锥形瓶中，精密加入25%甲醇10ml，密塞，称定重量，超声处理40分钟，放冷，再称定重量，用甲醇补足减失的重量，摇匀，滤过，取续滤液，即得。

2.3.3 阴性对照溶液的制备：按本品处方工艺制备不含红花的阴性样品，按供试品溶液的制备方法制备阴性对照溶液（缺红花）。

2.3.4 测定：在上述色谱条件下，分别精密吸取上述三种溶液各10μl，分别注入液相色谱仪，记录色谱图。

试验结果显示，供试品色谱中在与对照品色谱保留时间相同的位置上有色谱峰出现，而阴性对照在与对照品色谱保留时间相同的位置上无色谱峰出现，表明该含量测定方法阴性无干扰，专属性好。

2.4 线性关系考察

精密称取羟基红花黄色素A对照品适量，加25%甲醇制成每1ml含923μg的溶液。精密吸取0.5ml、1ml、2ml、3ml、4、5ml溶液分别置10ml量瓶中，加25%甲醇至刻度，摇匀，各取10μl进样，按上述色谱条件测定，以峰面积对进样量进行回归分析，结果见表4。

表4 羟基红花黄色素A标准曲线数值表

序号	对照品浓度（μg/ml）	峰面积值	回归方程	r
1	0.4615	751453		
2	0.923	1485114		
3	1.846	3120141	$y=1683784.62x-20108.09$	0.9998
4	2.769	4688705		
5	3.692	6231854		

从表4数据可见，羟基红花黄色素A在0.4615~3.692μg范围内与峰面积积值呈良好的线性关系。

2.5 稳定性试验

取同一份供试品溶液，分别于溶液制备后的0小时、2小时、4小时、8小时、24小时进行测定，结果见表5。

表5 不同时间测得溶液中羟基红花黄色素A峰面积值

序号	时间（h）	峰面积值	RSD（%）
1	0	2567124	
2	2	2507317	
3	4	2491798	1.14
4	8	2518524	
5	24	2511822	

从表5中数据可见，羟基红花黄色素A在24小时内稳定性良好。

2.6 重复性试验

取同一批号供试品（批号20200301）6份，各约1.5g，精密称定，置具塞锥形瓶中，精密加入25%甲醇10ml，密塞，称定重量，超声处理40分钟，放冷，再称定重量，用甲醇补足减失的重量，摇匀，滤过，取续滤液，作为供试品溶液。精密称取羟基红花黄色素A对照品适量，加25%甲醇制成每1ml含923μg的溶液，作为对照品溶液，分别精密吸取上述溶液各10μl，测定每份供试品的含量。结果见表6。

表6 羟基红花黄色素A重复性试验结果

取样量（g）	峰面积值	含量（mg/g）	平均含量（mg/g）	RSD（%）
1.5001	2540134	2.6475		
1.4945	2515173	2.6288		
1.5001	2503058	2.6088	2.6378	0.90
1.4975	2520480	2.6316		
1.4945	2514780	2.6309		
1.5024	2574636	2.6794		

从表6数据可见，在相同的提取溶剂和色谱条件下，6份供试品含量测定结果的均值为2.6378mg/g，RSD为0.90%，表明该方法的重复性良好。

2.7 加样回收试验

取供试品（批号20200301，含量为2.6378mg/g）9份，各约0.75g，精密称定，每3份一组，第一组各精密加入用25%甲醇配置的羟基红花黄色素A对照品溶液（羟基红花黄色素A浓度为1mg/ml）1ml，第二组各精密加入用25%甲醇配置的羟基红花黄色素A对照品溶液（羟基红花黄色素A浓度为1mg/ml）2ml，第三组各精密加入用25%甲醇配置的羟基红花黄色素A对照品溶液（羟基红花黄色素A浓度为1mg/ml）3ml，分别精密加甲醇至50ml，按含量测定项下方法操作，测定每份供试品含量，计算回收率，结果见表7。

表7 羟基红花黄色素A加样回收试验结果

取样量（g）	供试品含量（mg）	对照品加入量（mg）	测得总量（mg）	回收率（%）	平均回收率（%）	RSD（%）
0.7575	1.9981	1	2.9790	98.1		
0.7565	1.9955	1	2.9727	97.7		
0.7437	1.9881	1	2.9529	96.5		
0.7550	1.9915	2	3.9940	100.1		
0.7532	1.9868	2	4.0609	103.7	99.9	2.36
0.7510	1.9810	2	4.0185	101.9		
0.7502	1.9789	3	4.9924	100.4		
0.7558	1.9936	3	5.0539	102.0		
0.7560	1.9942	3	4.9596	98.9		

从表7数据可见，本方法的平均回收率为99.9%，RSD为2.36%，表明该方法准确度高。

3 样品含量测定

取三批样品（批号20200301、20200305、20200423）及模拟样（批号20190001）各3份，各约1.5g，按重复性试验项下的方法处理并测定。含量测定结果见表8。

表8 样品中羟基红花黄色素A的含量测定结果

批号	取样量（g）	平均峰面积值	含量（mg/g）	平均含量（mg/g）
20200301	1.4938	2476217	2.5918	2.59
	1.4997	2473312	2.5786	
20200305	1.5055	2428538	2.5221	2.49
	1.4991	2350326	2.4513	

续表

批号	取样量（g）	平均峰面积值	含量（mg/g）	平均含量（mg/g）
20200423	1.5001	2503058	2.6088	2.64
	1.5024	2574636	2.6794	

从表8数据可见，三批样品和模拟样品中羟基红花黄色素A含量最低为2.49mg/g，最高为2.64mg/g。含量之间无明显差异。

4 红花药材含量测定

采用同法对上述三批样品生产用红花药材进行了含量测定。测定结果见表9。

表9 红花药材中羟基红花黄色素A的含量测定结果

序号	称样量（g）	平均峰面积值（n=2）	含量（mg/g）	平均含量（mg/g）
1	0.4051	5535647	12.12	12.09
2	0.4066	5545635	12.10	
3	0.4027	5467726	12.05	

从表9数据可见，红花药材中羟基红花黄色素A含量为12.09mg/g（1.21%）。

5 本制剂含量限度的确定

从表中数据可见，三批样品中羟基红花黄色素A最低含量在2.49mg/g，红花药材中羟基红花黄色素A含量为12.09mg/g（1.2%）。

按理论值折算，样品应含羟基红花黄色素A为12.09×25÷95=3.35，即3.35mg/g。可见，羟基红花黄色素A转移率为：2.49÷3.35×100%=74.32%

参照《中国药典》2020年版一部"红花"药材项下规定的羟基红花黄色素A含量限度不得少于1.0%，转移率为74.32%，考虑不同产地药材的质量差异，并结合其他影响因素及三批样品的测定结果，下浮50%，按此限度折算本品含羟基红花黄色素A的理论量应不低于25÷95 ×1000×1.0%×74.32%×50%=0.977mg/g。

标准正文暂定为：本品每1g含红花以羟基红花黄色素A（$C_{27}H_{32}O_{16}$）计，不得少于1.0mg。

【功能与主治】

清肝热。用于肝损伤，肝血增盛，目及皮肤发黄，肝热症。

【用法与用量】

口服。一次11~15丸，一日1~2次，温开水送服。

【规格】

每10丸重2g。

【贮藏】

密闭，防潮。

起草单位：内蒙古医科大学药学院　　　　王玉华　　张跃祥　　崔圆圆

　　　　　赤峰市药品检验所　　　　　　姜明慧　　陆　静　　王天媛

　　　　　锡林郭勒盟蒙医医院　　　　　胡斯乐　　包勒尔

额力根-13丸质量标准起草说明

【历史沿革】

本方来源于锡林郭勒盟蒙医医院经验方。

【处方来源】

本制剂由锡林郭勒盟蒙医医院提供。

【名称】

额力根-13丸

【蒙药材和饮片的来源和执行标准】

1. 处方组成及药味排列顺序：红花60g、紫檀60g、麦冬60g、人工牛黄26g、丁香20g、木香20g、大托叶云实20g、西青果20g、余甘子20g、毛诃子20g、鹿角20g、朱砂粉20g、甘松10g。

2. 处方中除紫檀、大托叶云实药材外，其余红花等药味均收载于《中国药典》2020年版一部，其质量应符合该品种项下的有关规定。

紫檀：为豆科植物紫檀 *Pterocarpus sindicus* Willd 的干燥新材。其标准应符合《内蒙古蒙药饮片炮制规范》2020年版第440页该品种项下的有关规定。

大托叶云实：为豆科植物大托叶云实 *Caesalpinia crista* L.的干燥成熟种子。其标准应符合《内蒙古蒙药饮片炮制规范》2020年版第15页该品种项下的有关规定。

【制法】

以上十三味，除人工牛黄、鹿角、朱砂粉外，其余红花等十味，粉碎成细粉，将鹿角研细，与人工牛黄、朱砂粉和上述细粉配研，过筛，混匀，用水泛丸，打光，干燥，分装，即得。

【性状】

本品为口服制剂水丸，性状为棕红色至红褐色；气香，味甘、苦、辛、微酸。

【鉴别】

本品为原药材细粉制成的水丸，方中红花、毛诃子的显微特征较明显，故建立显微鉴别，并对处方中人工牛黄建立了薄层鉴别。

1. 试剂与试药

供试品：供试品（批号201908010、201908020、201908030）由锡林郭勒盟蒙医医院提供，模拟样品（批号201909001）模拟。

对照品：胆酸对照品（批号100078-201415）、猪去氧胆酸对照品（批号100087-201411），购于中国食品药品检定研究院。

薄层板：硅胶G板，购于青岛海洋化工有限公司。

所用其他试剂均为分析纯，水为离子交换高纯水。

2. 试验方法与结果

（1）显微鉴别

红花：花粉粒圆球形或椭圆形，直径约至60μm，外壁有刺，具3个萌发孔；毛诃子：石细胞类圆形、卵圆形或长方形，孔沟明显，具层纹。

（2）人工牛黄薄层鉴别

参照《中国药典》2020年版一部"人工牛黄"项下薄层条件，制定出正文所述的鉴别方法。通过阴性对照试验观察，方中其他药材对人工牛黄的检出无干扰，证明此方法具有专属性。

【检查】

按照丸剂（《中国药典》2020年版四部通则0108）项下规定，对3批供试品及模拟样品的水分、重量差异、溶散时限、重金属、砷盐和微生物限度进行了检查。检查结果均符合规定。具体方法及测定数据如下：

1. 水分：取供试品照水分测定法（《中国药典》2020年版四部通则0832）测定。三批供试品及模拟样品测定结果见表1。

表1 水分测定结果

序号	批号	水分（%）
1	201908010	7.59
2	201908020	7.67
3	201908030	7.62
4	201909001	7.55

药典规定丸剂水分含量不得大于9.0%。从表1数据可见，本品的水分含量均符合要求。

2. 重量差异：取以上三批供试品，每批供试品取10份，10丸为1份，分别称定重量，再与每份标示重量（2g）相比较，求每一份的重量差异（%）。药典规定每份标示装量的限度为±8%，并规定超出重量差异限度的不得多于2份，并不得有1份超出限度1倍。本品的重量差异检查结果均符合规定。

3. 溶散时限：取本品照片剂项下崩解时限检查法（《中国药典》2020年版四部通则0921）加挡板进行测定。三批供试品测定结果见表2。

表2 溶散时限测定结果

序号	批号	溶散时间（min）
1	201908010	38
2	201908020	40
3	201909001	35

药典规定水丸应在1小时内全部溶散。从表2数据可见，本品的溶散时限符合规定。

4. 对三批供试品及模拟样品进行了重金属、砷盐考察，方法与结果如下：

重金属：分别取每个批号样品0.5g、0.67g、1.0g、2.0g，按《中国药典》2020年版四部0821第二法检查。

供试品溶液的制备：取本品0.5g、0.67g、1.0g、2.0g，分别缓缓炽灼至完全炭化，放冷，加硫酸0.5ml，使湿润，低温加热至硫酸除尽后，加硝酸0.5ml，蒸干，至氧化氮蒸气除尽后，放冷，于600℃炽灼至完全灰化，放冷。加盐酸2ml，置水浴上蒸干后加水15ml，滴加氨试液至对酚酞指示液显中性，再加醋酸盐缓冲液（pH3.5）2ml，微热溶解后，移置纳氏比色管中，加水稀释至25ml，作为供试品溶液。

标准铅对照管的制备：另取配制供试品溶液的试剂两份，分别置瓷皿中蒸干后，加醋酸盐缓冲液（pH3.5）2ml，加水15ml微热溶解后，移置两支纳氏比色管中，分别加标准铅溶液（10g/ml Pb）2ml，再加水稀释至25ml，作为标准铅对照管。

检视：于上述供试品溶液和标准铅对照管中分别加硫代乙酰胺试液各2ml，摇匀，放置2分钟，同置白色背景上，从上向下进行观察。试验结果见表3。

表3　重金属检查结果

序号	批号	重金属含量（ppm）
1	201908010	<10　<20　<30　<40
2	201908020	<10　<20　<30　<40
3	201908030	<10　<20　<30　<40
4	201909001	<10　<20　<30　<40

结果显示，供试品溶液的颜色明显浅于2ml的标准铅对照溶液。经过三批供试品及模拟样品的检查，含重金属均未超过百万分之十，故未列入正文。

砷盐：取本品1g和标准砷溶液（1μg/ml AS）2ml，分别加无砷氢氧化钙1g，加少量水，搅匀，烘干，用小火缓缓炽灼至炭化，再在600℃炽灼至完全灰化，放冷。分别加盐酸7ml使溶解，再加水21ml，按《中国药典》2020年版四部通则0822第一法（古蔡氏法）检查砷盐含量。

结果：供试品砷斑浅于标准砷斑的颜色，表明本品含砷量未超过百万分之二（小于2ppm）。故砷盐检查项目未列入正文。

5. 微生物限度：照微生物计数法（《中国药典》2020年版四部通则 1105）和控制菌检查法（《中国药典》2020年版四部通则1106）及《内蒙古蒙药制剂规范》（第三册）附录Ⅲ微生物限度标准，进行检查。结果均符合规定。

【含量测定】

额力根-13丸是由红花、紫檀、麦冬、人工牛黄等十三味药组成的复方制剂。临床功效为清肝热，除亚玛病，解毒。用于肝功衰退，配毒症，亚玛病，腰肾损伤，尿频，尿血。红花为方中的主药，具有活血通经，散瘀止痛的功效。用于经闭，痛经，恶露不行，癥瘕痞块，胸痹心痛，瘀滞腹痛，胸胁刺痛，跌仆损伤，疮疡肿痛。红花主含红花苷类，红花多糖和有机酸。其中查尔酮类成分羟基红花黄色素A是红花的主要活性成分，故参照《中国药典》2020年版一部"红花"项下的含量测定方法，选择羟基红花黄色素A作为指标成分，对本制剂中的红花进行含量测定方法的研究。经分析方法验证，表明该方法重复性好，专属性强，方中其他组分对羟基红花黄色素A的测定无干扰。

1　仪器与试剂试药

1.1　仪器

Waters e2695型高效液相色谱仪；Mettler-Toledo MS105DU型百万分之一电子天平；Mettler-Toledo XPR10型万分之一电子天平；SBL-22DT型超声波清洗器（宁波新芝生物科技股份有限公司，40kHz）；Heal Force NW15UV型超纯水系统；FW400A型多功能粉碎机（材茂科技有限公司）。

1.2　试剂与试药

供试品（批号201908010、201908020、201908030）由锡林郭勒盟蒙医医院提供，模拟样品（批号201909001）；羟基红花黄色素A对照品（批号111637-201810），购于中国食品药品检定研究院；甲醇、乙腈、三乙胺为色谱纯，水为超纯水，其他试剂均为分析纯。

2　方法学考察

2.1　色谱条件

2.1.1　色谱柱：色谱柱填充剂为十八烷基硅烷键合硅胶，本试验采用Tnature C$_{18}$（250mm×4.6mm，5μm）色谱柱。

2.1.2　流动相的选择：参照《中国药典》2020年版一部"红花"含量测定项下的测定方法，以甲醇-乙腈-0.7%

磷酸溶液（26:2:72）为流动相进行条件摸索。结果羟基红花黄色素A峰型不对称，拖尾严重，将流动相比例改为甲醇-乙腈-0.7%磷酸溶液（22:2:76），并将0.7%磷酸溶液加三乙胺调节pH值至6.0后，供试品色谱图中的羟基红花黄色素A峰的对称性在0.95～1.05，与其他成分达到较好的分离，理论板数较高，并具有适宜的保留时间，故选择以甲醇-乙腈-0.7%磷酸溶液（22:2:76）用三乙胺调pH值为6.0为流动相。

2.1.3 柱温：35℃可以保证柱压较低，分离效果稳定，故选择柱温为35℃。

2.1.4 检测波长的选择：参照《中国药典》2020年版一部"红花"含量测定项下羟基红花黄色素A的测定方法，选用403nm处作为检测波长。

2.1.5 理论板数的确定：从对三批样品的测定结果可见，羟基红花黄色素A峰理论板数在3000以上即能达到较好的分离效果，故规定理论板数按羟基红花黄色素A峰计算应不低于3000。

2.2 提取溶剂及提取效率的考察

参考《中国药典》2020年版一部"红花"含量测定项下的方法，以25%甲醇作为提取溶剂进行超声提取，为保证被测成分提取完全，在供试品的细度一致、提取溶剂为25%甲醇、超声功率250W（频率40kHz）的条件下，考察了30分钟、40分钟和50分钟等不同提取时间对提取效率的影响。结果见表4。

表4 羟基红花黄色素A提取时间考察

提取时间（min）	称样量（g）	峰面积平均值	含量（mg/g）
30	0.6081	1700174	2.45
40	0.6044	1700183	2.46
50	0.6032	1689869	2.45

从表4数据可见，超声提取40分钟供试品中羟基红花黄色素A的含量较高，故将提取时间定为40分钟，与《中国药典》2020年版一部"红花"含量测定项下的提取时间一致。

2.3 专属性考察

2.3.1 对照品溶液的制备：取羟基红花黄色素A对照品适量，精密称定，加25%甲醇制成每1ml含120μg的溶液，作为对照品溶液。

2.3.2 供试品溶液的制备：取本品适量，研细，取约1.0g，精密称定，置具塞锥形瓶中，精密加入25%甲醇25ml，称定重量，超声处理（功率250W，频率40kHz）40分钟，放冷，再次称定重量，用25%甲醇补足减失的重量，摇匀，离心（转速为每分钟5000转）5分钟，取上清液，作为供试品溶液。

2.3.3 阴性对照溶液的制备：按本品处方配比制备不含红花的阴性供试品，取约1.0g，精密称定，从"置具塞锥形瓶中……"起操作同"供试品溶液的制备"，取上清液，作为阴性对照溶液。

2.3.4 测定：分别精密吸取上述三种溶液各10μl，注入液相色谱仪，记录色谱图。

试验结果显示，供试品色谱中在与对照品色谱保留时间相同的位置上有色谱峰出现，而阴性对照在与对照品色谱保留时间相同的位置上无色谱峰出现，表明共存组分对处方中羟基红花黄色素A的测定无干扰。

2.4 线性关系考察

取羟基红花黄色素A对照品约3.0mg，精密称定，置25ml量瓶中，加25%甲醇使溶解，并稀释至刻度，摇匀，作为对照品溶液（对照品溶液实际浓度为0.126mg/ml）。分别精密吸取上述对照品溶液1μl、2μl、5μl、10μl、15μl、20μl、25μl注入液相色谱仪，按上述色谱条件进行测定，以峰面积对对照品进样量进行回归分析。结果见表5。

表5 标准曲线数据及回归分析结果

序号	进样量（μg）	峰面积值	回归方程	r
1	0.126	244298		
2	0.252	624594		
3	0.631	1699050		
4	1.261	3544351	$y=2883515x-107103$	1.0000
5	1.892	5372109		
6	2.522	7154656		
7	3.153	8972900		

从表5数据可见，羟基红花黄色素A在0.126~3.153μg范围内与峰面积呈良好的线性关系。

2.5 精密度试验

取同一份供试品（批号201908010）溶液，连续进样6针，记录色谱图。羟基红花黄色素A峰面积的精密度计算结果见表6。

表6 精密度试验结果

序号	峰面积值	平均值	RSD（%）
1	2869319		
2	2859277		
3	2866707	2865883	0.13
4	2864823		
5	2868402		
6	2866769		

从表6数据可见，符合《中国药典》2020年版四部 通则0512中规定的RSD值小于2.0%的要求。

2.6 稳定性试验

取同一份供试品（批号201908010）溶液，分别于溶液制备后的0小时、2小时、4小时、6小时、8小时、10小时进行测定。结果见表7。

表7 溶液的稳定性试验结果

序号	时间（h）	峰面积值	RSD（%）
1	0	2883518	
2	2	2874026	
3	4	2891096	0.79
4	6	2895048	
5	8	2898053	
6	10	2931669	

从表7数据可见，羟基红花黄色素A在10小时内峰面积值基本稳定。

2.7 重复性试验

取同一供试品（批号201908010）6份，各约1.0g，精密称定，置具塞锥形瓶中，精密加入25%甲醇25ml，称定重量，超声处理（功率250W，频率40kHz）40分钟，放冷，再次称定重量，用25%甲醇补足减失的重量，摇匀，离心（转速为每分钟5000转）5分钟，取上清液，作为供试品溶液。取羟基红花黄色素A对照品适量，精密称定，加25%甲醇制成每1ml含120μg的溶液，作为对照品溶液。分别精密吸取以上两种溶液各10μl，注入液相色谱仪，记录各自的色谱图,用外标法以峰面积计算含量。结果见表8。

表8 羟基红花黄色素A重复性试验结果

称样量(g)	峰面积值	含量(mg/g)	平均含量(mg/g)	RSD(%)
1.0038	2875904	2.54		
1.0050	2837833	2.50		
1.0068	2875677	2.53		
1.0025	2759218	2.44	2.51	1.61
1.0070	2869029	2.53		
1.0034	2858081	2.53		

从表8数据可见,在相同的细度、提取溶剂和色谱条件下,6份供试品含量测定结果的均值为2.51mg/g,RSD为1.61%,表明该方法的重复性好。

2.8 加样回收试验

取已知含量(批号201908010,羟基红花黄色素A含量为2.51mg/g)的供试品9份,各约0.2g,精密称定,分别置9个具塞锥形瓶中,再分别在其中3个具塞锥形瓶中精密加入浓度为0.236mg/ml的羟基红花黄色素A对照品溶液1ml(约相当于供试品含有量的50%)及25%甲醇24ml,另3个具塞锥形瓶中各精密加入上述对照品溶液2ml(约相当于供试品含有量的100%)及25%甲醇23ml,其余3个具塞锥形瓶中各精密加入上述对照品溶液3ml(约相当于供试品含有量的150%)及25%甲醇22ml,分别称定重量,超声处理40分钟,取出,放冷,再次称定重量,用25%甲醇补足减失的重量,摇匀,离心(转速为每分钟5000转)5分钟,取上清液,作为供试品溶液。分别精密吸取各溶液10μl进样测定,按外标法以峰面积计算含量并计算回收率。结果见表9。

表9 加样回收试验结果

称样量(g)	供试品含量(mg)	对照品加入量(mg)	测得总量(mg)	回收率(%)	平均回收率(%)	RSD(%)
0.2043	0.5128	0.2360	0.7478	99.6		
0.2052	0.5151	0.2360	0.7446	97.3		
0.2057	0.5163	0.2360	0.7486	98.4		
0.2080	0.5221	0.4720	0.9822	97.5		
0.2065	0.5183	0.4720	0.9740	96.5	98.1	1.32
0.2035	0.5108	0.4720	0.9857	100.6		
0.2046	0.5135	0.7080	1.2092	98.3		
0.2072	0.5201	0.7080	1.2108	97.6		
0.2044	0.5130	0.7080	1.2002	97.1		

从表9数据可见,本方法的平均回收率为98.1%,RSD为1.32%。该方法准确度好。

2.9 耐用性试验

取供试品(批号201908010)2份,各约1.0g,精密称定,按重复性试验项下的方法处理,换不同厂家、不同型号的色谱柱,分别测定供试品的含量。结果见表10。

表10 色谱柱耐用性试验

序号	称样量(g)	柱型号	峰面积值	含量(mg/g)
1	1.0038	Tnature C$_{18}$柱	2875904	2.54
		Phenomenex C$_{18}$柱	2759510	2.47
2	1.0050	Tnature C$_{18}$柱	2837833	2.50
		Phenomenex C$_{18}$柱	2786313	2.50

从表10数据可见，在使用不同型号或厂家的色谱柱时，对测定结果影响较小。

3 样品含量测定

取三批样品（批号201908010、201908020、201908030）及模拟样品（批号201909001），每批各2份，各约1.0g，精密称定，按重复性试验项下的方法处理并测定含量。含量测定结果见表11。

表11 样品中羟基红花黄色素A的含量测定结果

批号	称样量（g）	峰面积平均值	含量（mg/g）	平均含量（mg/g）
201908010	1.0070	2869029	2.53	2.53
	1.0034	2858081	2.53	
201908020	1.0042	2923588	2.58	2.58
	1.0027	2908393	2.57	
201908030	1.0058	2814577	2.48	2.50
	1.0054	2849330	2.51	
201909001	1.0036	2020598	1.82	1.79
	1.0026	2052809	1.76	

从表11数据可见，样品（批号201908030）中羟基红花黄色素A含量为2.50mg/g。

4 红花药材含量测定

采用同法对上述三批样品生产用红花药材进行了含量测定。测定结果见表12。

表12 红花药材中羟基红花黄色素A的含量测定结果

序号	称样量（g）	平均峰面积值（$n=2$）	含量（mg/g）	平均含量（mg/g）
1	0.4051	5535647	12.12	12.09
2	0.4066	5545635	12.10	
3	0.4027	5467726	12.05	

从表12数据可见，红花药材中羟基红花黄色素A含量为12.09mg/g（1.21%）。

5 本制剂含量限度的确定

从表中数据可见，三批供试品中羟基红花黄色素A最低含量在2.50mg/g，红花药材中羟基红花黄色素A含量为12.09mg/g（1.2%），模拟样品中羟基红花黄色素A含量为1.79mg/g。

按理论值折算，样品应含羟基红花黄色素A为60÷376 ×12.09=1.929，即1.929mg/g。可见，羟基红花黄色素A转移率为1.79（mg/g）÷1.929（mg/g）×100%=92.79%。

参照《中国药典》2020年版一部"红花"药材项下规定的羟基红花黄色素A含量限度不得少于1.0%，转移率为92.46%，考虑不同产地药材的质量差异，并结合其他影响因素及三批样品的测定结果，下浮20%，按此限度折算本品含羟基红花黄色素A的理论量应不低于60÷376×1000×1.0%×92.79%×80%=1.18mg/g。

标准正文暂定为：本品每1g含红花以羟基红花黄色素A（$C_{27}H_{32}O_{16}$）计，不得少于1.2mg。

【功能与主治】

清肝热，杀黏，解毒。用于肝肿大，肝衰，配制毒，肝硬化，肝中毒，肾损伤，尿闭，热性亚玛症。

【用法与用量】

口服。一次11~15丸，一日1~2次，温开水送服。

【规格】

每10丸重2g。

【贮藏】

密封,防潮。

起草单位: 内蒙古医科大学药学院　　　张跃祥　崔圆圆　王玉华

　　　　　鄂尔多斯市检验检测中心　　李　珍　杨　洋　张　烨

　　　　　内蒙古医科大学附属医院　　王秋桐

额力根–25丸 质量标准起草说明

【历史沿革】

本方来源于呼伦贝尔市蒙医医院经验方。

【处方来源】

本制剂由呼伦贝尔市蒙医医院提供。

【名称】

额力根–25丸

【蒙药材和饮片的来源和执行标准】

1. 处方组成及药味排列顺序：西红花80g、石榴60g、寒制红石膏20g、天竺黄20g、漏芦花20g、肉豆蔻20g、丁香20g、豆蔻20g、生草果仁20g、麦冬20g、诃子20g、川楝子20g、栀子20g、木香20g、水牛角浓缩粉20g、人工牛黄20g、花香青兰20g、野菊花20g、瞿麦20g、沉香20g、制木鳖20g、紫檀20g、檀香20g、熊胆粉10g、人工麝香2g。

2. 处方中除了石榴、寒制红石膏、漏芦花、生草果仁、紫檀、花香青兰、制木鳖、熊胆粉和人工麝香药材外，其余西红花等药味均收载于《中国药典》2020年版一部，其质量应符合该品种项下的有关规定。

石榴：为石榴科植物石榴*Punica granatum* L.的干燥成熟果实。其标准应符合《内蒙古蒙药饮片炮制规范》2020年版第119页该品种项下的有关规定。

寒制红石膏：为单斜晶系硫酸钙矿石族红石膏 Gypsum 的矿石红石膏（北寒水石）的炮制加工品。 主含含水硫酸钙（CaSO$_4$·2H$_2$O）。 其标准应符合《内蒙古蒙药饮片炮制规范》2020年版第188页该品种项下的有关规定。

漏芦花：为菊科植物祁州漏芦*Rhaponticum uniflorum*（L.） DC.的干燥头状花序。其质量标准应符合《中华人民共和国卫生部药品标准》（蒙药分册）1998年版第54页该品种项下的有关规定。

生草果仁：为姜科植物草果*Amomum tsao-ko* Crevost et Lemaire 的干燥成熟果实。其标准应符合《内蒙古蒙药饮片炮制规范》2020年版第313页该品种项下的有关规定。

紫檀：为豆科植物紫檀*Pterocarpus sindicus* Willd的干燥新材。其标准应符合《内蒙古蒙药饮片炮制规范》2020年版第440页该品种项下的有关规定。

花香青兰：为唇形科植物香青兰*Dracocephalum moldavica* L. 的干燥带花地上部分。其标准应符合《内蒙古蒙药饮片炮制规范》2020年版第201页该品种项下的有关规定。

制木鳖：为葫芦科植物木鳖*Momordica cochinchinensis*（Lour.） Spreng.的干燥成熟种子。其标准应符合《内蒙古蒙药饮片炮制规范》2020年版第241页该品种项下的有关规定。

熊胆粉：为熊科动物黑熊*Selenarctos thibetanus* Cuvier 经胆囊手术引流胆汁而得的干燥品。其标准应符合《中华人民共和国卫生部药品标准》新药转正标准第十一册第44页该品种项下的有关规定。

人工麝香：应符合卫生部标准（试行）WS–210（Z–32）–93标准的有关规定。

【制法】

上述二十五味，除人工牛黄、熊胆粉、人工麝香、水牛角浓缩粉、西红花外，其余二十味，粉碎成细粉，将西红花研细, 与人工麝香、水牛角浓缩粉、熊胆粉、人工牛黄和上述细粉配研, 过筛, 混匀, 用水泛丸, 打光, 干燥, 分装, 即得。

【性状】

本品为浅黄色至黄色水丸; 气香, 味苦。

【鉴别】

本品为药材粉末制成的水丸, 方中西红花、豆蔻、栀子、水牛角浓缩粉、野菊花、瞿麦、紫檀的显微特征较明显, 故建立显微鉴别, 并对处方中人工牛黄建立了薄层鉴别。

1. 试剂与试药

供试品: 供试品(批号1806111、1806112、1806113)由呼伦贝尔市蒙医医院提供, 模拟样品(批号20190909)模拟。

对照品: 胆酸对照品(批号100078–201415), 猪去氧胆酸对照品(批号100087–201411), 均购于中国食品药品检定研究院。

薄层板: 硅胶G板, 购于青岛海洋化工有限公司。

所用其他试剂均为分析纯, 水为离子交换高纯水。

2. 试验方法与结果

(1)显微鉴别

西红花: 表皮细胞表面观长条形, 壁薄, 微弯曲, 有的外 壁凸出呈乳头状或绒毛状, 表面隐约可见纤细纹理。豆蔻: 内种皮厚壁细胞黄棕色、红棕色或深棕色, 表面观多角形, 壁厚, 胞腔内含硅质块。栀子: 种皮石细胞黄色或淡棕色, 多破碎, 完整者长多角形、长方形或形状不规则, 纹孔甚大, 胞腔棕红色。野菊花: 花粉粒类球形, 直径32~37μm, 表面有网状纹及短刺, 具3孔沟。瞿麦: 纤维束周围的薄壁细胞含草酸钙簇晶, 形成晶纤维, 含晶细胞纵向成行。紫檀: 木射线棕红色1~3列细胞, 纹孔较密。

(2)人工牛黄薄层鉴别

参照《中国药典》2020年版一部"人工牛黄"项下的薄层条件制定出正文所述鉴别方法。通过阴性对照试验观察方中其他药材对人工牛黄的检出无干扰。

【检查】

按照丸剂(《中国药典》2020年版四部通则0108)项下的规定, 对三批供试品及模拟样品的水分、重量差异、溶散时限、重金属、砷盐、微生物限度进行了检查。具体方法及测定数据如下:

1. 水分: 取供试品照水分测定法(《中国药典》2020年版四部通则0832)测定。三批供试品及模拟样品的测定结果见表1。

表1　水分测定法结果

序号	批号	水分(%)
1	1806111	6.37
2	1806112	6.46
3	1806113	6.48
4	20190909	6.38

药典规定丸剂水分含量不得大于9.0%。从表1数据可见, 本品的水分含量均符合要求。

2. 重量差异: 取以上三批供试品, 每批供试品取10份, 10丸为1份, 分别称定重量, 再与每份标示重量(2g)相比较, 求每一份的重量差异(%)。药典规定每份标示装量的限度为±8%, 并规定超出重量差异限度的不得多于2份,并不得有1份超出限度1倍。本品的重量差异检查结果均符合规定。

3. 溶散时限：取本品照崩解时限检查法（《中国药典》2020年版四部通则0921）片剂项下加挡板进行测定。三批供试品测定结果见表2。

表2 溶散时限测定结果

序号	批号	溶散时间（min）
1	1806111	23
2	1806112	27
3	1806113	26

药典规定水丸应在1小时内全部溶散。从表2数据可见，本品的溶散时限符合规定

4. 对三批供试品及模拟样品进行了重金属、砷盐、微生物限度考察。方法与结果如下：

重金属：分别取每个批号供试品0.5g、0.67g、1.0g、2.0g，按《中国药典》2020年版四部0821第二法检查。

供试品溶液的制备：取本品0.5g、0.67g、1.0g、2.0g，分别缓缓炽灼至完全炭化，放冷，加硫酸0.5ml，使湿润，低温加热至硫酸除尽后，加硝酸0.5ml，蒸干，至氧化氮蒸气除尽后，放冷，于600℃炽灼至完全灰化，放冷。加盐酸2ml，置水浴上蒸干后加水15ml，滴加氨试液至对酚酞指示液显中性，再加醋酸盐缓冲液（pH3.5）2ml，微热溶解后，移置纳氏比色管中，加水稀释至25ml，作为供试品溶液。

标准铅对照溶液的制备：另取配制供试品溶液的试剂两份，分别置瓷皿中蒸干后，加醋酸盐缓冲液（pH3.5）2ml，加水15 ml微热溶解后，移置两支纳氏比色管中，分别加标准铅溶液（10μg/ml Pb）2ml，再加水稀释至25ml，作为标准铅对照溶液。

检视：于上述供试品溶液和标准铅对照溶液中分别加硫代乙酰胺试液各2ml，摇匀，放置2分钟，同置白色背景上，从上向下进行观察。试验结果见表3。

表3 重金属检查结果

序号	批号	重金属含量（ppm）			
1	1806111	<10	<20	<30	<40
2	1806112	<10	<20	<30	<40
3	1806113	<10	<20	<30	<40
4	20190909	<10	<20	<30	<40

结果显示，供试品溶液的颜色明显浅于2ml的标准铅对照溶液。经过三批供试品及模拟样品的检查，含重金属均未超过百万分之十，故未列入正文。

砷盐：取本品1g和标准砷溶液（1μg/ml AS）2ml，分别加无砷氢氧化钙1g，加少量水，搅匀，烘干，用小火缓缓炽灼至炭化，再在600℃炽灼至完全灰化，放冷。分别加盐酸7ml使溶解，再加水21ml，按《中国药典》2020年版四部通则0822第一法（古蔡氏法）做砷盐限量检查。

结果：供试品砷斑浅于标准砷斑的颜色，表明本品含砷量未超过百万分之二（小于2ppm），故砷盐检查项目未收入正文。

5. 微生物限度：照微生物计数法（《中国药典》2020年版四部通则1105）和控制菌检查法（《中国药典》2020年版四部通则1106）及《内蒙古蒙药制剂规范》（第三册）附录Ⅲ微生物限度标准，进行检查。结果均符合规定。

【含量测定】

额力根-25丸由西红花、石榴、栀子、木香、紫檀等二十五味药材组成。主要用于清血热，清协日热，以及血热引起的各种肝热，乙型肝炎，肝腹疼痛等症。在标准制定过程中，以栀子苷作为测定指标，采用高效液相色谱法对本

品中的栀子建立了含量测定方法。通过试验摸索，确定了比较理想的色谱条件，并经过方法学考察及阴性对照试验，表明该方法操作简单、重复性好、专属性强。

1 仪器与试剂试药

1.1 仪器

岛津CTO-10AS型高效液相色谱仪（日本岛津公司）；SCL-10AvP型控制器，SPD-10AvP型检测器，Class-vP色谱工作站，岛津UV-1700型紫外-可见分光光度仪；隔膜真空泵（巩义市英峪仪器厂）；KQ-250DB型超声波清洗器（昆山市超声仪器有限公司）；Heal Force NW15UV型超纯水系统；ADVENTURERTM型电子天平（万分之一），Ohaus Discovery型电子天平（十万分之一）；FW400A型多功能粉碎机（材茂科技有限公司）。

1.2 试剂与试药

供试品（批号1806111、1806112、1806113），由呼伦贝尔市蒙医医院提供，模拟样品（批号20190909）模拟；栀子苷对照品（批号110749-201919），购于中国食品药品检定研究院；乙腈为色谱纯，水为超纯水，其他试剂均为分析纯。

2 方法学考察

2.1 色谱条件

2.1.1 色谱柱：Alltima C$_{18}$柱（250mm×4.6mm，5μm）。

2.1.2 流动相的选择：参照《中国药典》2020年版一部"栀子"项下的流动相比例进行流动相条件摸索，经试验验证，分离效果好，色谱峰对称，故将流动相定为以乙腈-水（10:90）。

2.1.3 柱温：33℃。

2.1.4 检测波长：按照《中国药典》2020版一部"栀子"项下规定，选择测定波长为238nm。

2.1.5 理论板数的确定：对多批供试品测定结果表明，栀子苷峰的理论板数在1500以上即能达到与相邻峰分开，并符合《中国药典》2020版第一部规定$R>1.5$的要求，故本标准规定理论板数按栀子苷计不得低于1500。

2.2 专属性考察

2.2.1 对照品溶液的制备：取栀子苷对照品适量，精密称定，加甲醇制成每1ml含30μg的溶液，即得。

2.2.2 供试品溶液的制备：取本品适量，研细，取约0.7g，精密称定，置具塞锥形瓶中，精密加入甲醇25ml，称定重量，超声处理（功率250W，频率40kHz）30分钟，放冷，再称定重量，用甲醇补足减失的重量，摇匀，滤过，取续滤液，即得。

2.2.3 阴性对照品溶液的制备：按处方配比制备阴性对照，称取约0.7g，精密称定，从"置具塞锥形瓶中……"起操作同"供试品溶液的制备"，取续滤液，作为阴性对照溶液。

2.2.4 测定：在上述色谱条件下，分别精密吸取上述三种溶液各10μl，分别注入液相色谱仪。

结果显示，阴性对照色谱中在与木香烃内酯对照品以及供试品色谱相应的保留时间处无色谱峰出现，表明其他组分对栀子苷的测定无干扰。

2.3 线性关系考察

取栀子苷对照品约3mg，精密称定，置25ml量瓶中，加纯甲醇使溶解并稀释至刻度，摇匀（栀子苷实际浓度为29.92μg/ml），然后吸取上述溶液1μl、3μl、5μl、7μl、10μl、12μl、15μl、20μl分别进样，按上述色谱条件测定，以峰面积对栀子苷的进样量进行回归分析。标准曲线数值见表4。

表4　标准曲线数据及回归分析结果

序号	进样量（μg）	峰面积值	回归方程	r
1	0.0299	0.5285		
2	0.0898	1.5823		
3	0.1496	2.6150		
4	0.2094	3.6193	$y=0.5045x+0.0699$	0.9996
5	0.2992	5.0432		
6	0.359	6.1897		
7	0.4488	7.7368		
8	0.5984	10.0712		

从表4数据可见，木香烃内酯在0.0299~0.5984μg范围内与峰面积呈良好的线性关系。

2.4　提取效率的考察

参考《中国药典》2020年版一部"栀子"项下，取本品适量，研细，取约0.7g，精密称定，置具塞锥形瓶中，精密加入甲醇25ml，称定重量，超声处理（功率250W，频率40kHz）10分钟、20分钟、30分钟、40分钟，放冷，再称定重量，用甲醇补足减失的重量，摇匀，滤过，取续滤液，即得。另取栀子苷对照品适量，精密称定，加甲醇制成每1ml含30μg的溶液，即得。精密吸取10μl，注入液相色谱仪测定。结果见表5。

表5　栀子苷提取时间考察

时间	称样量	峰面积值		平均峰面积值	含量
（min）	（g）	A	B		（mg/g）
10	0.7025	5.5451	5.5706	5.5579	1.1524
20	0.7029	6.6065	6.8031	6.7048	1.3895
30	0.7015	6.8433	6.8157	6.8295	1.4181
40	0.7024	6.8303	6.7070	6.7687	1.4037

从表5数据可见，超声处理30分钟时，对供试品中栀子苷的含量最高，故将提取时间定为超声处理30分钟。

2.5　溶液稳定性试验

取同一份供试品（批号1806111）溶液，分别于0小时、2小时、4小时、5小时、6小时、7小时、8小时进样测定，结果见表6。

表6　溶液的稳定性试验结果

序号	时间（h）	峰面积值	RSD（%）
1	0	7.4890	
2	2	7.4222	
3	4	7.0976	
4	5	7.3696	1.69
5	6	7.3361	
6	7	7.3122	
7	8	7.4039	

从表6数据可见，栀子苷在8小时内的峰面积值基本稳定。

2.6　精密度试验

取同一份供试品（批号1806111），精密称取0.7058g，置具塞锥形瓶中，精密加入甲醇25ml，称定重量，超声处理（功率250W，频率40kHz）30分钟，放冷，再称定重量，用甲醇补足减失的重量，摇匀，滤过，取续滤液，即得。精密吸取10μl，注入液相色谱仪测定。连续进样7次，测定栀子苷峰面积值，计算含量。结果见表7。

表7　栀子苷精密度试验结果

序号	峰面积值	平均值	RSD（%）
1	7.1786		
2	7.1129		
3	7.1833		
4	7.1517	7.1514	0.36
5	7.1517		
6	7.1254		
7	7.1561		

从表7数据可见，符合《中国药典》2020年版四部通则0512中规定的RSD值小于2.0%的要求。

2.7　重复性试验

取同一供试品（批号1806111）6份，各约0.7g，精密称定，取置具塞锥形瓶中，精密加入甲醇25ml，称定重量，超声处理（功率250W，频率40kHz）30分钟，放冷，再称定重量，用甲醇补足减失的重量，摇匀，滤过，取续滤液，即得。另取栀子苷对照品适量，精密称定，加甲醇制成每1ml含30μg的溶液，即得。精密吸取10μl，注入液相色谱仪测定，记录色谱图。供试品含量测定结果见表8。

表8　栀子苷含量重复性试验结果

称样量（g）	峰面积值	含量（mg/g）	平均含量（mg/g）	RSD（%）
0.7058	7.1561	1.47		
0.7026	7.1016	1.47		
0.7030	7.1551	1.48	1.48	0.36
0.7056	7.1157	1.47		
0.7026	7.1373	1.48		
0.7014	7.1681	1.49		

从表8数据可见，在相同提取溶剂和色谱条件下，6份供试品含量测定结果的均值为1.48mg/g，RSD为0.36%，表明该方法的重复性良好。

2.8　加样回收率试验

取供试品（批号1806111）9份，均约0.7g，精密称定，其中1、2、3号各精密加入用甲醇配制的栀子苷对照品溶液（栀子苷浓度：49.69μg/ml）5ml，4、5、6号各精密加入上述对照品溶液10ml，7、8、9号各精密加入上述对照品溶液15ml，精密加入甲醇至体积为25ml，称定重量，超声处理（功率250W，频率40kHz）30分钟，放冷，再称定重量，用甲醇补足减失的重量，摇匀，滤过，取续滤液，即得。另取栀子苷对照品适量，精密称定，加甲醇制成每1ml含30μg的溶液，即得。精密吸取10μl，注入液相色谱仪测定，记录色谱图，计算回收率。结果见表9。

表9　栀子苷加样回收试验结果

称样量（g）	供试品含量（mg）	对照品加入量（mg）	测得总量（mg）	回收率（%）	平均（%）	RSD（%）
0.3534	0.0780	0.2484	0.7578	94.68		
0.3598	0.0768	0.2484	0.7686	95.28		
0.3487	0.0759	0.2484	0.7425	91.33		
0.3507	0.0780	0.4969	0.9778	92.41		
0.3567	0.0768	0.4969	0.9882	92.73	94.09	1.80
0.3501	0.0759	0.4969	0.9804	93.11		
0.3582	0.0780	0.7454	1.2384	95.09		
0.3542	0.0768	0.7454	1.2378	95.80		
0.3587	0.0759	0.7454	1.2490	96.40		

从表9数据可见, 本方法的平均回收率为94.09%, RSD为1.80%, 表明该方法准确度高。

2.9 耐用性试验

换不同厂家、不同型号的色谱柱, 取供试品 (批号1806111) 约0.2g, 精密称定, 取置具塞锥形瓶中, 精密加入甲醇25ml, 称定重量, 超声处理 (功率250W, 频率40kHz) 30分钟, 放冷, 再称定重量, 用甲醇补足减失的重量, 摇匀, 滤过, 取续滤液, 即得。另取栀子苷对照品适量, 精密称定, 加甲醇制成每1ml含30μg的溶液, 即得。分别精密吸取各溶液10μl, 注入液相色谱仪测定, 记录色谱图。结果见表10。

表10 不同色谱柱的耐用性试验

样品号	称样量 (g)	柱型号	峰面积值	含量 (mg/g)
1	0.7034	Pheomenex C$_{18}$	7.1538	1.48
	0.7025	Venusil XBP C$_{18}$	7.1439	1.46
2	0.7022	Pheomenex C$_{18}$	7.1506	1.42
	0.7034	Venusil XBP C$_{18}$	7.1498	1.46

从表10数据可见, 本方法在使用不同型号或厂家的色谱柱时, 对测定结果影响较小, 具有较好的耐用性。

3 样品含量测定

取三批样品及模拟样品, 各约0.7g, 精密称定, 取置具塞锥形瓶中, 精密加入甲醇25ml, 称定重量, 超声处理 (功率250W, 频率40kHz) 30分钟, 放冷, 再称定重量, 用甲醇补足减失的重量, 摇匀, 滤过, 取续滤液, 即得。另取栀子苷对照品适量, 精密称定, 加甲醇制成每1ml含30μg的溶液, 即得。精密吸取10μl, 注入液相色谱仪测定。测定每份供试品含量, 测定结果见表11。

表11 样品中栀子苷的含量测定结果

批号	称样量 (g)	样品峰面积值			含量 (mg/g)	平均含量 (mg/g)
		A	B	平均		
1806111	0.7057	6.9729	6.7442	6.85855	1.40	1.39
	0.7086	6.7735	6.8375	6.8055	1.38	
1806112	0.7084	6.9483	6.9429	6.9456	1.41	1.41
	0.7088	6.9057	6.8840	6.8949	1.40	
1806113	0.7096	6.8267	6.7813	6.8040	1.38	1.38
	0.7054	6.6822	6.7796	6.7309	1.37	
20190909	0.7021	14.1255	14.4110	14.2683	2.93	2.71
	0.7028	12.8063	11.6065	12.2064	2.50	

从表11数据可见, 栀子苷含量在0.67mg/g以上, 且三批样品含量无明显差异。

4 栀子药材的含量考察

取栀子药材粉末约0.1g, 精密称定, 按《中国药典》2020年一部"栀子"项下的方法处理并测定, 栀子药材中栀子苷的含量测定结果见表12。

表12 栀子药材中栀子苷的含量测定结果

序号	取样量 (g)	平均峰面积值 (n=2)	含量 (mg/g)	平均含量 (mg/g)
1	0.1009	23.2521 / 23.7139 → 23.4830	33.5077	
2	0.1068	24.7464 / 24.7224 → 24.7594	33.3773	33.4249
3	0.1033	24.7234 / 24.6928 → 24.7081	33.3896	

理论上每1g供试品含栀子药材0.0351g, 本品栀子苷的含量1.174mg/g。

5 本制剂含量限度的确定

三批样品中栀子苷的含量最低为1.38mg/g。模拟样品中栀子苷的平均含量为2.71mg/g。试验中用相同方法对生产用相同栀子药材进行了含量测定, 测得栀子苷的含量为33.44mg/g(3.344%)。

根据本品处方量折算, 理论上每1g供试品含栀子药材0.0351g, 本品栀子苷的含量1.174mg/g。因此, 转移率为117.5%到230.0%, 平均转移率为173.75%。

参照《中国药典》2020年版一部"栀子"药材的栀子苷的含量限度不得少于1.8%, 平均转移率为173.75%。转移率过高, 故不计入含量限度计算里。考虑不同产地药材的质量差异, 并结合其他影响因素及三批样品的测定结果, 下浮20%, 按此限度折算本品含栀子苷的理论量应不低于$20 \div 572 \times 1000 \times 1.8\% \times 100\% \times 80\% = 0.503$mg/g。

标准正文暂定为: 本品每1g含栀子以栀子苷($C_{17}H_{24}O_{10}$)计, 不得少于0.50mg。

【功能与主治】

清血热, 清希日热。用于血热引起的各种肝病, 肝陈热, 肝、胃区疼痛。

【用法与用量】

口服。一次11~15丸, 一日1~2次, 温开水送服。

【注意事项】

孕妇忌服

【规格】

每 10丸重2g。

【贮藏】

密封, 防潮。

起草单位: 内蒙古医科大学药学院　崔丽敏　赵丽娜　王玉华
　　　　　包头市检验检测中心　成志平　杨　莉　唐　波
　　　　　呼伦贝尔市人民医院　鲍劲松

额勒吉根·绰斯–25丸质量标准起草说明

【历史沿革】

本方来源于《蒙医传统验方》（内蒙古人民出版社1975年版，蒙古文，第245页）。

【处方来源】

本制剂由内蒙古自治区国际蒙医医院提供。

【名称】

额勒吉根·绰斯–25丸

【蒙药材和饮片的来源和执行标准】

1. 处方组成及药味排列顺序：驴血250g、决明子75g、苘麻子75g、枫香脂75g、肉豆蔻60g、瞿麦50g、紫檀50g、红花50g、栀子50g、苦参50g、杜仲40g、丁香40g、木棉花80g（注：木棉花蕊40g、木棉花瓣40g）、漏芦花35g、诃子35g、白花龙胆35g、苦地丁35g、豆蔻35g、川楝子35g、生草果仁35g、人工牛黄35g、檀香30g、石膏10g、人工麝香2g。

2. 处方中除驴血、紫檀、人工麝香、漏芦花和白花龙胆药材外，其余决明子等药味均收载于《中国药典》2020年版年版一部，其质量应符合该品种项下的有关规定。

驴血：为马科动物驴*Equidae asinus* Linnaeus 的干燥血。其标准应符合《内蒙古蒙药饮片炮制规范》2020年版第225页该品种项下的有关规定。

紫檀：为豆科植物紫檀*Pterocarpus sindicus* Willd的心材。其标准应符合《内蒙古蒙药饮片炮制规范》2020年版第440页该品种项下的有关规定。

人工麝香：应符合卫生部标准（试行）WS–210（Z–32）–93标准的有关规定。

漏芦花：为菊科植物祁州漏芦*Rhaponticum uniflorum*（L.） DC.的干燥头状花序。其标准应符合《内蒙古蒙药饮片炮制规范》2020年版第506页该品种项下的有关规定。

白花龙胆：为龙胆科植物高山龙胆*Gentiana purdomii* Marq.的干燥花。其标准应符合《内蒙古蒙药饮片炮制规范》2020年版第136页该品种项下的有关规定。

【制法】

以上二十五味，除人工牛黄、人工麝香外，其余驴血等二十二味，粉碎成细粉，将人工麝香、人工牛黄与上述细粉配研，过筛，混匀，用水泛丸，打光，干燥，分装，即得。

【性状】

本品为黄棕色至棕褐色水丸；气微香，味微苦。

【鉴别】

本品为药材粉末制成的水丸，方中杜仲、红花、决明子的显微特征较明显，故建立显微鉴别，并对处方中人工牛黄、苦参、决明子建立了薄层鉴别。

1.试剂与试药

供试品：供试品（批号20190913、20191217、20200321）由内蒙古自治区国际蒙医医院提供，模拟样品（批号

20200085）模拟。

对照品：苦参碱对照品（批号110805-200507）、人工牛黄对照药材（批号121197-202002）、胆酸对照品（批号100078-201415）、决明子对照药材（批号121011-201506），均购于中国食品药品检定研究院。

薄层板：硅胶G板、硅胶H，均购于青岛海洋化工有限公司。

所用其他试剂均为分析纯，水为离子交换高纯水。

2. 试验方法与结果

（1）显微鉴别

杜仲：橡胶丝成条或扭曲成团，表面显颗粒性。红花：花粉粒类圆形、椭圆形或橄榄形，直径约至60μm，具3个萌发孔，外壁有齿状突起。决明子：种皮栅状细胞无色或淡黄色，侧面观细胞1列，呈长方形，排列稍不平整，长42～53μm，壁较厚，光辉带2条；表面观呈类多角形，壁稍皱缩。

（2）人工牛黄薄层鉴别

参照《中国药典》2020年版一部"人工牛黄"项下薄层条件，制定出正文所述的鉴别方法。通过阴性对照试验观察，处方中其他药材对人工牛黄的检出无干扰，证明此方法具有专属性。

（3）苦参薄层鉴别

参照《中国药典》2020年版年版一部"苦参"项下薄层条件，制定出正文所述的鉴别方法。通过阴性对照试验观察，处方中其他药材对苦参的检出无干扰，证明此方法具有专属性。

（4）决明子薄层鉴别

参照《中国药典》2020年版年版一部"决明子"项下薄层条件，制定出正文所述的鉴别方法。通过阴性对照试验观察，处方中其他药材对决明子的检出无干扰，证明此方法具有专属性。

【检查】

按照丸剂（《中国药典》2020年版四部通则0108）项下规定，对三批供试品及模拟样品的水分、重量差异、溶散时限进行了检查，结果符合规定。

1. 水分：取供试品照水分测定法（《中国药典》2020年版四部通则0832）测定，三批供试品及模拟样品进行水分测定。结果见表1。

表1　水分测定结果

序号	批号	水分（%）
1	20190913	5.1
2	20191217	5.1
3	20200321	6.1
4	20200085	6.1

药典规定丸剂水分含量不得大于9.0%。从表1数据可见，三批供试品和模拟样品的水分含量均符合要求。

2. 重量差异：取以上三批供试品，每批供试品取10份，10丸为1份，分别称定重量，再与每份标示重量（2g）相比较，求每一份的重量差异（%）。药典规定每份标示装量的限度为±8%，并规定超出重量差异限度的不得多于2份，并不得有1份超出限度1倍。本品的重量差异检查结果均符合规定。

3. 溶散时限：取本品照片剂项下崩解时限检查法（《中国药典》2020年版四部通则0921）加挡板进行测定，三批供试品测定结果见表2。

表2 溶散时限测定结果

序号	批号	溶散时间（min）
1	20190913	20
2	20191217	20
3	20200321	20

药典规定水丸应在1小时内全部溶散。从表2数据可见，本品的溶散时限符合规定。

【功能与主治】

燥协日乌素，消肿。用于陶赖，赫如虎，巴木病，关节疼痛及各种皮肤病。

【用法与用量】

口服。一次11~15丸，一日1~2次，温开水送服。

【规格】

每10丸重2g。

【贮藏】

密闭，防潮。

起草单位：内蒙古自治区国际蒙医医院　　　那松巴乙拉　青　松
　　　　　　包头市检验检测中心　　　　　　闫　婧　赵梦中　石晓丽
　　　　　　锡林郭勒盟镶黄旗蒙医医院　　　刘百龙　花　拉

黏-7丸质量标准起草说明

【历史沿革】

本方来源于内蒙古自治区国际蒙医医院杭盖巴特尔经验方。

【处方来源】

本制剂由内蒙古自治区国际蒙医医院提供。

【名称】

黏-7丸

【药材和饮片的来源和执行标准】

1. 处方组成及药味排列顺序: 草乌叶50g、诃子50g、茜草20g、多叶棘豆20g、没药20g、闹羊花10g、麝香2g。

2. 处方中除了多叶棘豆药材外, 其余草乌叶等药味均收载于《中国药典》 2020年版一部, 其质量应符合该品种项下的有关规定。

多叶棘豆: 为豆科植物多叶棘豆 *Oxytropis myriophylla* (Pall.) DC.的干燥全草。其标准应符合《中华人民共和国卫生部药品标准》(蒙药分册)1998 年版第14 页该品种项下的有关规定。

【制法】

以上七味, 除麝香外, 其余草乌叶等六味, 粉碎成细粉, 将麝香与上述细粉配研, 过筛, 混匀, 用水泛丸, 打光, 干燥, 分装, 即得。

【性状】

本品为口服制剂水丸, 性状为棕褐色至棕黑色的水丸; 气香, 味涩麻, 微苦。

【鉴别】

本品为药材粉末制成的水丸, 方中闹样花、诃子的显微特征较明显, 故建立显微鉴别, 并对处方中诃子建立了薄层鉴别。

1. 试剂与试药

供试品: 供试品(批号20190616、20190126、20190521)由内蒙古自治区国际蒙医医院提供, 模拟样品(批号20200050)模拟。

对照品: 没食子酸对照品(批号110831–201605)、大叶茜草素对照品(批号110884–201606)、茜草对照药材(批号121049–201705)、乌头碱对照品(批号110720–201410)、次乌头碱对照品(批号110798–201404)、新乌头碱对照品(批号110799–201410)、槲皮素对照品(批号100081–201610), 均购于中国食品药品检定研究院。

薄层板: 硅胶G板, 购于青岛海洋化工有限公司。

2. 试验方法与结果

(1)显微鉴别

闹羊花: 花粉粒四面体形, 直径18~54μm, 具3个萌发孔。诃子: 石细胞类方形、类多角形或呈纤维状, 直径14~40μm, 长至130μm, 壁厚, 孔沟细密; 胞腔内偶见草酸钙方晶和砂晶。

（2）诃子薄层鉴别

参照《中国药典》2020年版一部"诃子"项下的薄层条件，制定出正文所述的鉴别方法。通过阴性对照试验观察，方中其他药材对诃子药材及主要成分没食子酸薄层检验无干扰，证明此方法具专属性。

（3）茜草薄层鉴别

参照《中国药典》2020年版一部"茜草"项下的薄层条件，制定出鉴别方法。通过阴性对照试验观察，方中其他药材对茜草药材及主要成分大叶茜草素薄层检验无干扰，证明此方法具专属性，因对茜草进行了含量测定，故其薄层鉴别未收入正文。

（4）草乌叶薄层鉴别

参照《中国药典》2020年版一部"五味麝香丸"项下乌头碱限量检查方法，以乌头碱为对照品，对草乌叶的薄层鉴别方法进行了研究。通过阴性对照试验观察，方中其他药材对草乌叶药材及主要成分乌头碱薄层检验有干扰，未收入正文。

（5）多叶棘豆薄层鉴别

以槲皮素为指标成分，摸索薄层条件，制定出多叶棘豆薄层鉴别方法。通过阴性对照试验观察，方中其他药材对多叶棘豆药材薄层检验有干扰，未收入正文。

【检查】

按照丸剂（《中国药典》2020年版四部通则0108）项下规定，对三批供试品及模拟样品的水分、重量差异、溶散时限、重金属、砷盐限度进行了检查。具体方法及测定数据如下：

1. 水分：取供试品照水分测定法（《中国药典》2020年版四部通则0832）测定，三批供试品及模拟样品测定结果见表1。

表1 水分测定结果表

序号	批号	水分（%）
1	20190616	4.0
2	20190126	3.5
3	20190521	3.7
4	20200050	4.0

药典规定丸剂水分含量不得大于9.0%。从表1数据可见，三批供试品和模拟样品的水分含量均符合要求。

2. 重量差异：取以上三批供试品，每批供试品取10份，10丸为1份，分别称定重量，再与每份标示重量（2g）相比较，求每一份的重量差异（%）。药典规定每份标示装量的限度为±8%，并规定超出重量差异限度的不得多于2份，并不得有1份超出限度1倍。本品的重量差异检查结果均符合规定。

3. 溶散时限：取本品照片剂项下崩解时限检查法（《中国药典》2020年版四部通则0921）加挡板进行测定。三批供试品测定结果见表2。

表2 溶散时限测定结果

序号	批号	溶散时间（min）
1	20190616	75
2	20190126	64
3	20190521	67

本规范规定黏-7丸的溶散时限应在2小时内全部溶散。从表2数据可见，本品的溶散时限符合规定。

4. 对三批供试品及模拟样品进行了重金属、砷盐考察，方法与结果如下：

重金属: 分别取每个批号供试品0.5g、0.67g、1.0g、2.0g, 按《中国药典》2020年版四部0821第二法检查。

供试品溶液的制备: 取本品0.5g、0.67g、1.0g、2.0g, 分别缓缓炽灼至完全炭化, 放冷, 加硫酸0.5ml, 使湿润, 低温加热至硫酸除尽后, 加硝酸0.5ml, 蒸干, 至氧化氮蒸气除尽后, 放冷, 于600℃炽灼至完全灰化, 放冷。加盐酸2ml, 置水浴上蒸干后加水15ml, 滴加氨试液至对酚酞指示液显中性, 再加醋酸盐缓冲液 (pH3.5) 2ml, 微热溶解后, 移置纳氏比色管中, 加水稀释至25ml, 作为供试品溶液。

标准铅对照溶液的制备: 另取配制供试品溶液的试剂两份, 分别置瓷皿中蒸干后, 加醋酸盐缓冲液 (pH3.5) 2ml, 加水15 ml微热溶解后, 移置两支纳氏比色管中, 分别加标准铅溶液 (10μg/ml Pb) 2ml, 再加水稀释至25ml, 作为标准铅对照溶液。

检视: 于上述供试品溶液和标准铅对照溶液中分别加硫代乙酰胺试液各2ml, 摇匀, 放置2分钟, 同置白色背景上, 从上向下进行观察。试验结果见表3。

表3 重金属检查结果

序号	批号	重金属含量 (ppm)			
1	20190616	<10	<20	<30	<40
2	20190126	<10	<20	<30	<40
3	20190521	<10	<20	<30	<40
4	20200050	<10	<20	<30	<40

结果显示, 供试品溶液的颜色明显浅于2ml的标准铅对照管。经过三批供试品及模拟样品的检查, 含重金属均未超过百万分之十, 故未收入正文。

砷盐: 取本品1g和标准砷溶液 (1μg/ml AS) 2ml, 分别加无砷氢氧化钙1g, 加少量水, 搅匀, 烘干, 用小火缓缓炽灼至炭化, 再在600℃炽灼至完全灰化, 放冷。分别加盐酸7ml使溶解, 再加水21ml, 按《中国药典》2020年版四部通则0822第一法 (古蔡氏法) 做砷盐限量检查。

结果: 供试品砷斑浅于标准砷斑的颜色, 表明本品含砷量未超过百万分之二 (小于2ppm), 故砷盐检查项目未列入正文。

【含量测定】

黏-7丸是由草乌叶、诃子、茜草、多叶棘豆、没药、麝香、闹样花等七味药材组成, 茜草是其中的主要药味之一。茜草中的已知成分有大叶茜草素、羟基茜草素等。本试验采用反相高效液相色谱法对大叶茜草素的含量测定方法进行了研究。经试验研究确定了提取条件和液相分离条件, 对HPLC法进行了方法学考察。

1 仪器与试剂试药

1.1 仪器

TU-1901型双光束紫外可见分光光度计, 伊利特P230型高效液相色谱仪 (大连伊利特分析仪器有限公司), AL204型电子天平 (梅特勒-托利多仪器有限公司), AS3120型超声清洗仪 (天津奥特赛恩斯仪器有限公司)。

1.2 试剂与试药

供试品 (批号20190616、20190126、20190521) 由内蒙古自治区国际蒙医医院提供, 模拟样品 (批号20200050) 模拟; 大叶茜草素对照品 (110884-201606), 购于中国食品药品检定研究院; 甲醇为色谱纯, 水为高纯水, 所用其他试剂均为分析纯。

2 方法学考察

2.1 色谱条件的选择

2.1.1 色谱柱: 十八烷基硅烷键合硅胶为填充剂, 本试验采用Phenomen C$_{18}$ (4.6mm×250mm, 5μm) 色谱柱。

2.1.2　流动相的选择：按《中国药典》2020年版中"茜草"项下方法制备供试品溶液，对以下三种流动相进行了比较研究：甲醇-乙腈-0.2%磷酸溶液（25∶50∶25）、甲醇-乙腈-水（6∶3∶1）和甲醇-水（85∶15）。结果表明，以甲醇-水（85∶15）作为流动相时，保留时间适中，且分离效果好，故选作为本试验流动相。

2.1.3　检测波长的选择：参照《中国药典》2020年版一部"茜草"含量测定项下叶茜草素的测定方法，故确定250nm作为检测波长。

2.1.4　理论板数的确定：理论塔板数按大叶茜草素峰计算应不低于5000。

2.2　提取方法的选择及提取效率的考察

2.2.1　提取溶剂的选择

在HPLC法测定茜草中大叶茜草素的含量时，《中国药典》2020年版一部采用的提取溶剂是甲醇。为比较不同极性溶剂对大叶茜草素含量的影响，对不同的提取溶剂进行了比较研究，结果见表4。

表4　不同溶剂提取时的结果比较

称样量（g）	提取溶剂（100ml）	峰面积值	含量（mg/g）
4.2501	甲醇	6073.59	0.698
		6044.07	0.695
4.2511	乙醇	5007.98	0.571
		5008.50	0.571
4.2515	80%乙醇	5267.46	0.600
		5235.47	0.596

从表4数据可见，用甲醇作为提取溶剂时的提取效率最高，故确定甲醇为提取溶剂。

2.2.2　提取方法的选择

采用不同的提取方法制备供试品溶液，照《中国药典》2020年版中"茜草"的含量测定方法测定大叶茜草素的含量，结果见表5。

表5　不同提取方法的结果比较

称样量（g）	提取方法	提取时间（min）	峰面积值	含量（mg/g）
4.2501	超声（先浸泡过夜）	30	6073.59	0.698
			6044.07	0.695
4.2514	回流（先浸泡过夜）	30	5735.23	0.666
			5697.01	0.662
4.2501	索氏提取	90	5924.59	0.681
			5960.55	0.685

从表5数据可见，甲醇超声的提取效率高，且操作简便，故选用甲醇超声提取的方法，其方法与《中国药典》2020年版一部的"茜草"项下的方法相同。

2.2.3　浸泡时间的选择

针对《中国药典》2020年一部版茜草含量测定项下的浸泡时间，设置了不同的浸泡时间，对浸泡时间对测定结果的影响进行了考察，结果如表6。

表6　不同浸泡时间对结果的影响

称样量（g）	浸泡时间（h）	峰面积值	含量（mg/g）
4.0068	0	5589.95	0.691
		5626.84	0.695

续表

称样量（g）	浸泡时间（h）	峰面积值	含量（mg/g）
4.0034	1	6046.84	0.748
		5968.25	0.738
3.9928	3	6119.67	0.754
		6008.63	0.741
3.9914	5	6633.65	0.823
		6534.06	0.810
4.0068	8	6595.35	0.810
		6566.69	0.807
3.9955	12	5791.04	0.713
		5777.50	0.712
3.9950	18	5521.49	0.680
		5700.41	0.702

从表6数据可见，浸泡时间在0~5小时范围内，随浸泡时间增加，大叶茜草素含量逐渐增大；浸泡5小时至8小时之间，大叶茜草素含量稳定；浸泡时间大于8小时时，大叶茜草素含量有下降趋势。故浸泡时间以5~8小时为宜。

2.2.4 提取时间的选择

本试验对超声提取时间进行了考察，结果见表7。

表7 不同超声提取时间的测定结果

称样量（g）	提取时间（min）	峰面积值	含量（mg/g）
4.2513	15	6002.27	0.677
		6081.75	0.686
4.2501	30	6073.59	0.698
		6044.07	0.695
4.2519	45	5994.91	0.676
		5973.76	0.674
4.2514	60	5928.29	0.669
		5968.75	0.673

从表7数据可见，从15分钟到30分钟，随着提取时间的延长，提取效率增加；30分钟以后，提取时间的延长使含量有下降趋势。故将超声时间确定为30分钟。

2.3 专属性考察

2.3.1 对照品溶液的制备：精密称取大叶茜草素对照品适量，加甲醇制成每1ml各含50μg的溶液，作为对照品溶液。

2.3.2 供试品溶液的制备：取本品粉末约4.0g，精密称定，置具塞锥形瓶中，精密加入甲醇100ml，密塞，称定重量，放置5~8小时，超声处理（功率250W，频率40kHz）30分钟，放冷再称定重量，用甲醇补足减失的重量，摇匀，滤过，精密量取续滤液50ml，蒸干，残渣加甲醇-25%盐酸（4:1）混合溶液20ml溶解，置水浴中加热水解30分钟，立即冷却，加入三乙胺3ml，混匀，转移至25ml量瓶中，加甲醇至刻度，摇匀，滤过，取续滤液，作为供试品溶液。

2.3.3 阴性对照溶液的制备：按处方配比制备缺茜草的阴性供试品，按"供试品溶液的制备"方法制备阴性对照溶液。

2.3.4 测定：分别精密吸取上述三种溶液各10μl，注入色谱仪，记录各自的色谱图。

结果：阴性对照色谱图在与大叶茜草素对照品以及供试品色谱相对应的保留时间处无色谱峰出现，表明处方中其他组分对大叶茜草素对照品的测定无干扰。

2.4 线性关系考察

精密称取大叶茜草素对照品,用甲醇溶解并制成每1ml含有大叶茜草素116.5μg的溶液,作为对照品溶液。吸取该对照品溶液1ml、2ml、3ml、4ml、5ml、6ml、10ml,分别至7个10 ml量瓶中,分别用甲醇稀释至刻度,摇匀,即得。以上系列溶液的浓度分别为11.65μg/ml、23.30μg/ml、34.95μg/ml、46.60μg/ml、58.25μg/ml、69.90μg/ml、116.5μg/ml。吸取以上的系列溶液各20μl,分别注入液相色谱仪中,按上述色谱条件测定,以峰面积对注入量进行回归分析,结果见表8。

表8 标准曲线数据及回归分析结果

溶液浓度(μg/ml)	进样量(μg)	峰面积值	回归方程	r
11.65	0.233	1502.18		
23.30	0.466	3029.95		
34.95	0.699	4650.14		
46.60	0.932	6229.98	$y=6300.6x-267.53$	0.9978
58.25	1.165	7838.02		
69.90	1.398	9562.38		
116.5	2.33	14569.26		

从表8数据可见,大叶茜草素在0.233～2.33μg范围内与峰面积值呈良好的线性关系。

2.5 稳定性试验

取同一供试品溶液,分别在溶液制备后的0小时、0.5小时、1小时、2小时、4小时、6小时、8小时、24小时进样测定,结果见表9。

表9 供试品溶液的稳定性考察

测定时间(h)	峰面积值	含量(mg/g)	平均含量(mg/g)	RSD(%)
0	6381.58	0.809		
0.5	6239.92	0.791		
1	6291.25	0.798		
2	6206.40	0.787	0.7959	0.89
4	6258.55	0.793		
6	6259.27	0.794		
8	6302.19	0.799		
24	6244.93	0.792		

从表9数据可见,供试品溶液在24小时内稳定。

2.6 精密度试验

2.6.1 供试品溶液的精密度试验

取本品粉末约4g,精密称定,按"供试品溶液的制备"方法制备溶液,吸取供试品溶液20μl,注入液相色谱仪,连续进样7次,记录色谱峰的积分值,计算结果见表10。

表10 供试品溶液的精密度试验

取样量(g)	峰面积值	均积分值	RSD(%)
	6728.48		
	6740.49		
	6748.59		
4.2500	6654.67	6718.956	0.45
	6724.26		
	6718.65		
	6717.55		

从表10数据可见,供试品溶液的精密度符合规定。

2.6.2 对照品溶液的精密度试验

精密量取对照品大叶茜草素1.16mg,用甲醇定容至10ml,作为对照品溶液的储备液。精密吸取对照品溶液储备液1ml,定容在2ml的容量瓶中作为对照品溶液。精密吸取对照品溶液20μl,注入液相色谱仪,连续进样6次,记录色谱图,对大叶茜草素的峰面积进行精密度考察。计算结果见表11。

表11 对照品溶液的精密度试验

峰面积值	峰面积值均值	RSD(%)
7696.73		
7632.07		
7519.81	7656.94	0.9516
7712.51		
7701.05		
7679.47		

从表11数据可见,对照品溶液的精密度符合规定。

2.7 重复性试验

取同一供试品(批号20190616)6份,各约4.0g,精密称定,置具塞锥形瓶中,精密加入甲醇100ml,密塞,称定重量,放置5~8小时,超声处理(功率250W,频率40kHz)30分钟,放冷再称定重量,用甲醇补足减失的重量,摇匀,滤过,精密量取续滤液50ml,蒸干,残渣加甲醇-25%盐酸(4:1)混合溶液20ml溶解,置水浴中加热水解30分钟,立即冷却,加入三乙胺3ml,混匀,转移至25ml量瓶中,加甲醇至刻度,摇匀,滤过,取续滤液,作为供试品溶液。精密称取大叶茜草素对照品适量,加甲醇制成每1ml各含50μg的溶液,作为对照品溶液。分别精密吸取以上两种溶液各20μl,注入液相色谱仪,记录各自的色谱图,用外标法以峰面积计算含量。结果见表12。

表12 重复性试验结果

取样量(g)	峰面积值	含量(mg/g)	平均含量(mg/g)	RSD(%)
4.0000	6359.61	0.806		
	6387.43	0.810		
4.0015	6377.18	0.808		
	6403.87	0.811		
4.0014	6476.31	0.821		
	6450.81	0.817		
3.9999	6118.97	0.776	0.800	2.00
	6176.39	0.783		
3.9998	6154.81	0.780		
	6169.10	0.782		
4.0006	6295.82	0.798		
	6411.50	0.813		

从表12数据可见,在相同的提取溶剂和色谱条件下,6份供试品含量测定结果的均值为0.800mg/g,RSD为2.00%,表明该方法的重复性良好。

2.8 加样回收试验

取已知含量的供试品(批号20190616,含量为0.800mg/g),研细,称取约2g,精密称定,称取3份,每份加入一定量大叶茜草素对照品,与供试品含有量的比值约为80%;同法再称取3份样品,每份加入一定量大叶茜草素对照品,与供试品含有量的比值约为100%；同法再称取3份样品，每份加入一定量大叶茜草素对照品，与供试品含有量的比值约为120%。按"2.3专属性考察"项下的方法制备供试品溶液，按上述色谱条件进行操作，进样体积为20μl。加样回收试验结果见表13。

表13　加样回收试验结果

回收试验	供试品量（g）	供试品含量（mg）	对照品加入量（mg）	测得总量（mg）	回收率（%）	均回收率（%）	RSD（%）
120%	2.0001	1.60	2.00	3.54	97.0	99.6	2.09
				3.57	98.5		
	1.9995	1.60	2.02	3.62	100.0		
				3.68	103.0		
	2.0010	1.60	2.00	3.61	100.5		
				3.57	98.5		
100%	1.9978	1.60	1.80	3.43	101.7	99.5	1.99
				3.36	97.8		
	2.0059	1.60	1.60	3.16	97.5		
				3.20	100.0		
	2.0064	1.61	1.60	3.18	98.1		
				3.24	101.9		
80%	1.9900	1.59	1.40	3.01	101.4	98.9	1.74
				2.97	98.6		
	1.9000	1.52	1.40	2.93	100.7		
				2.89	97.9		
	1.9800	1.58	1.40	2.95	97.9		
				2.94	97.1		

从表13数据可见，120%、100%、80%的回收试验结果的均值为99.3%，平均的RSD为1.94%。该方法准确度好。

2.9　耐用性试验

取供试品约1.0g，按重复性试验项下的方法处理，换不同厂家、不同型号的色谱柱，分别测定供试品及对照品的含量，结果见表14。

表14　不同色谱柱的试验结果

序号	柱型号	峰面积值	测得平均含量（mg/g）	理论板数
1	Phenomen C$_{18}$	5175.27	0.641	48780.67
2	Diamonsil C$_{18}$	5107.35	0.633	16841.82

从表14数据可见，在使用不同型号或厂家的色谱柱时，对测定结果影响较小，具有较好的耐用性。

3　样品含量测定

取三批样品（批号20190616、20190126、20190521）约1.0g，各两份，精密称定，按重复性试验项下的方法处理并测定，含量测定结果见表15。

表15　样品中大叶茜草素含量测定结果

批号	取样量（g）	峰面积值	含量（mg/g）	平均含量（mg/g）
20190616	4.0017	5828.03	0.730	0.742
		5900.32	0.739	
	4.0012	5952.80	0.746	
		5994.22	0.751	

续表

批号	取样量（g）	峰面积值	含量（mg/g）	平均含量（mg/g）
20190126	4.0003	4270.72	0.547	0.525
		4259.42	0.545	
	4.0008	4204.35	0.538	
		4045.89	0.518	
20190521	4.0007	5717.63	0.717	0.708
		5682.62	0.712	
	4.0004	5577.82	0.699	
		5600.95	0.702	

从表15数据可见，黏-7丸中大叶茜草素的平均含量为0.525～0.742mg/g，最高含量为0.742mg/g。

4　茜草药材的含量测定

分别称取三个不同批次的茜草药材约0.5g，精密称定，按"供试品溶液的制备"项下的方法制备供试品溶液，按上述色谱条件进行操作，进样体积为20μl。计算结果见表16。

表16　不同批次药材的含量测定结果

取样量（g）	峰面积值	含量（mg/g）	均含量（mg/g）
0.5000	7945	7.8	7.69
	7713.6	7.58	
0.5000	4571.5	4.48	4.47
	4549	4.46	
0.5080	4510.5	4.36	4.45
	4703.5	4.54	

从表16数据可见，黏-7丸中大叶茜草素含量差异大，含量为4.45～7.69mg/g，最高含量为7.69mg/g。

5　本制剂含量限度的确定

从表中数据可见，测得茜草原料中大叶茜草素含量为7.69mg/g，批号为（20190616）样品中大叶茜草素含量为0.742mg/g。

按理论值折算，样品应含大叶茜草素为：7.69×20÷172=0.894，即0.894mg/g。可见，大叶茜草素的转移率为：0.742÷0.894×100%=82.99%

参照《中国药典》2020年版一部"茜草"药材的大叶茜草素含量限度不得少于0.40%，转移率为82.99%，考虑不同产地药材的质量差异，并结合其他影响因素及三批样品的测定结果，下浮10%，按此限度折算本品含大叶茜草素的理论量应不低于0.40%×1000×20÷172×82.99%×90%=0.347mg/g

标准正文暂定为：本品每1g含茜草以大叶茜草素（$C_{17}H_{15}O_4$）计，不得少于0.35mg。

【功能与主治】

杀黏，清热。用于瘟疫、天花、麻疹、肠刺痛、脑刺痛、胸刺痛、喉塞、转筋、痧症、白喉、炭疽。

【用法与用量】

口服。一次9～13粒，一日1次，温开水送服。

【注意事项】

孕妇禁忌。

【规格】

每10粒重2g。

【贮藏】

密封,防潮。

起草单位: 内蒙古自治区国际蒙医医院   乌仁高娃   庆   日   那松巴乙拉
      包头市检验检测中心   马   静   赵   欣   王   丽

散　剂

乌莫黑·达布日海-8散 质量标准起草说明

【历史沿革】

本处方来源于《蒙医金匮》（内蒙古人民出版社1978年版，蒙古文，第18页）。

【处方来源】

本制剂由内蒙古自治区国际蒙医医院提供。

【名称】

乌莫黑·达布日海-8散

【蒙药材和饮片的来源和执行标准】

1. 处方组成及药味排列顺序：草阿魏100g、山沉香100g、肉豆蔻100g、木香100g、丁香100g、小茴香70g、没药70g、当归50g。

2. 处方中除了草阿魏、山沉香药材外，其余肉豆蔻等药味均收载于《中国药典》2020年版一部，其质量应符合该品种项下的有关规定。

山沉香：为木犀科植物贺兰山丁香*Syringa pinnatifolia* Hemsl.var.*alashanensis* Ma.et S.Q.Zhou削去外皮的干燥枝。其标准应符合《中华人民共和国卫生部药品标准》（蒙药分册）1998年版第4页该品种项下的有关规定。

草阿魏：为伞形科植物新疆阿魏*Ferula sinkiangenises* K.M.Shen或阜康阿魏*Ferula fukanensis* K.M.Shen的干燥根。其标准应符合《内蒙古蒙药饮片炮制规范》2020年版第311页该品种项下的有关规定。

【制法】

以上八味，粉碎成细粉，过筛，混匀，分装，即得。

【性状】

本品为黄棕色至黄褐色的粉末；气香，味微苦。

【鉴别】

本品为药材粉末制成的散剂，方中大多数药味的显微特征都比较明显，故对处方中的丁香、肉豆蔻、小茴香、木香建立显微鉴别。并对处方中的当归建立了薄层鉴别。

1. 试剂与试药

供试品：供试品（批号 20200105、20200106、20200107）由内蒙古自治区国际蒙医医院提供，模拟样品（批号20201115）模拟。

对照药材：当归药材（批号120927-201617），购于中国食品药品检定研究院。

薄层板：硅胶G板，购于青岛海洋化工有限公司。

所用其他试剂均为分析纯，水为离子交换高纯水。

2. 试验方法与结果

（1）显微鉴别

丁香：花粉粒三角形，直径16μm，极面观三角形，赤道表面观双凸镜形，具3副合沟。肉豆蔻：脂肪油滴经水合氯醛试液加热后渐形成针簇状结晶。小茴香：草酸钙簇晶细小，直径约5μm，一个细胞含多个簇晶。木香：菊糖多见，表面现放射状纹理。

（2）当归薄层鉴别

参照《中国药典》2020年版一部"当归"项下的薄层条件，制定正文所述的鉴别方法。通过阴性对照试验观察，方中其他药材对当归药材的检出无干扰，证明此方法具有专属性。

【检查】

按照散剂（《中国药典》2020年版四部通则0115）项下规定，对三批供试品及模拟样品的外观均匀度、水分、重金属、砷盐和微生物限度进行了检查，结果符合规定。具体方法及测定数据如下：

1. 外观均匀度：取供试品适量，置光滑纸上，平铺约5cm²，将其表面压平，在亮处观察，呈现均匀的色泽，无花纹、色斑。结果三批供试品及模拟样品均符合规定。

2. 水分：取供试品照水分测定法（《中国药典》2020年版四部通则0832）测定。三批供试品及模拟样品的测定结果见表1。

表1 水分测定结果

序号	供试品批号	水分（%）
1	20200105	7.23
2	20200106	7.65
3	20200107	7.33
4	20201115	7.10

药典规定散剂水分含量不得大于9.0%。从表1数据可见，本品水分含量符合要求。

3. 对三批供试品及模拟样品进行了重金属和砷盐考察，方法与结果如下：

重金属：分别取每个批号供试品0.5g、0.67g、1.0g、2.0g，按《中国药典》2020年版四部0821第二法检查。

供试品溶液的制备：取本品0.5g、0.67g、1.0g、2.0g，分别缓缓炽灼至完全炭化，放冷，加硫酸0.5ml，使湿润，低温加热至硫酸除尽后，加硝酸0.5ml，蒸干，至氧化氮蒸气除尽后，放冷，于600℃炽灼至完全灰化，放冷。加盐酸2ml，置水浴上蒸干后加水15ml，滴加氨试液至对酚酞指示液显中性，再加醋酸盐缓冲液（pH3.5）2ml，微热溶解后，移置纳氏比色管中，加水稀释至25ml，作为供试品溶液。

标准铅对照溶液的制备：另取配制供试品溶液的试剂两份，分别置瓷皿中蒸干后，加醋酸盐缓冲液（pH3.5）2ml，加水15ml微热溶解后，移置两支纳氏比色管中，分别加标准铅溶液（10μg/ml Pb）2ml，再加水稀释至25ml，作为标准铅对照溶液。

检视：于上述供试品溶液和标准铅对照溶液中分别加硫代乙酰胺试液各2ml，摇匀，放置2分钟，同置白色背景上，从上向下进行观察。试验结果见表2。

表2 重金属检查结果

序号	批号	重金属含量（ppm）			
1	20200105	<10	<20	<30	<40
2	20200106	<10	<20	<30	<40
3	20200107	<10	<20	<30	<40
4	20201115	<10	<20	<30	<40

结果显示，供试品溶液的颜色明显浅于1ml的标准铅对照溶液。经过三批供试品及模拟样品的检查，含重金属均未超过百万分之十，故未收入正文。

砷盐：取本品1g和标准砷溶液（1μg/ml AS）2ml，分别加无砷氢氧化钙1g，加少量水，搅匀，烘干，用小火缓缓炽灼至炭化，再在600℃炽灼至完全灰化，放冷。分别加盐酸7ml使溶解，再加水21ml，按《中国药典》2020年版四部通则0822第一法（古蔡氏法）做砷盐限量检查。

结果：供试品砷斑浅于标准砷斑的颜色，表明本品含砷量未超过百万分之二（小于2ppm），故砷盐检查项目未收入正文。

4. 微生物限度：照微生物计数法（《中国药典》2020年版四部通则1105）和控制菌检查法（《中国药典》2020年版四部 通则1106）及《内蒙古蒙药制剂规范》（第三册）附录Ⅲ微生物限度标准进行检查。结果符合规定。

【含量测定】

乌莫黑·达布日海-8散是由草阿魏、山沉香、肉豆蔻、木香、丁香、小茴香、没药、当归八味药组成。临床功效祛巴达干·赫依，止痛。用于巴达干·赫依性头疼、头晕、恶心、呕吐。木香功效行气止痛，健脾消食。木香烃内酯为木香中的主要成分，故选择木香烃内酯作为指标成分，对本制剂中的木香进行含量测定方法的研究。故参照《中国药典》2020年版一部"木香"项下的含量测定方法，选择木香烃内酯作为指标成分，对本制剂中的木香进行了HPLC含量测定方法研究。经分析方法验证，表明该方法重复性好、专属性强，方中其他组分对木香烃内酯的测定无干扰。

1 仪器与试剂试药

1.1 仪器

Waters e2695 型高效液相色谱仪；Mettler-Toledo MS105DU型百万分之一电子天平，Mettler-Toledo XPR10型万分之一电子天平；SBL-22DT型超声波清洗器（宁波新芝生物科技股份有限公司，40kHz）；Heal Force NW15UV型超纯水系统；FW400A型多功能粉碎机（材茂科技有限公司）。

1.2 试剂与试药

供试品（批号20200105、20200106、20200107），由内蒙古自治区国际蒙医医院提供，模拟样品（批号20201115）模拟；木香烃内酯对照品（批号111524-2019111），购于中国食品药品检定研究院；甲醇为色谱纯，水为超纯水，所用其他试剂均为分析纯。

2 方法学考察

2.1 色谱条件

2.1.1 色谱柱：色谱柱填充剂为十八烷基硅烷键合硅胶，本试验采用Tnature C$_{18}$（250mm×4.6mm，5μm）色谱柱。

2.1.2 流动相的选择：参照《中国药典》2020年版一部"木香含量测定项下的测定方法，以甲醇-水（65:35）为流动相，供试品中的木香烃内酯与其他成分能达到较好的分离，色谱峰具有比较好的保留时间、分离度和对称性。故选择以甲醇-水（65:35）为流动相。

2.1.3 柱温：30℃可以保证柱压较低，分离效果稳定，保留时间变化小。

2.1.4 检测波长的选择：参照《中国药典》2020年版一部"木香"含量测定项下木香烃内酯的测定方法，选用225nm处作为检测波长。

2.1.5 理论板数的确定：从对三批供试品的测定结果可见，木香烃内酯峰理论板数在3000以上即能达到较好的分离效果，故规定理论板数按木香烃内酯峰计算应不低于3000。

2.2 提取溶剂及提取效率的考察

2.2.1 提取溶剂的选择

参照《中国药典》2020年版第一部"木香"含量测定项下方法采用甲醇作为提取溶剂。

2.2.2 提取效率的考察

以甲醇作为提取溶剂进行超声提取。为保证被测成分提取完全,在供试品的细度一致、提取溶剂为甲醇、超声(功率250W,频率40kHz)的条件下,分别考察了提取20分钟、30分钟和40分钟时的提取效率。结果见表3。

表3　木香烃内酯提取时间考察

提取时间(min)	取样量(g)	平均峰面积值	含量(mg/g)
20	1.0061	1623165	1.89
30	1.0021	1605673	1.88
40	1.0040	1613517	1.88

从表3数据可见,超声提取20分钟、30分钟和40分钟时,供试品中木香烃内酯的含量基本一致,故将提取时间定为30分钟。这与《中国药典》2020年版一部"木香"含量测定项下的提取时间一致。

2.3　专属性考察

2.3.1　对照品溶液的制备:取木香烃内酯对照品适量,精密称定,加甲醇制成每1ml含木香烃内酯100μg的溶液,作为对照品溶液。

2.3.2　供试品溶液的制备:取供试品粉末约1.0g,精密称定,置具塞锥形瓶中,精密加入甲醇25ml,密塞,称定重量,超声处理(功率250W,频率40kHz)30分钟,放冷至室温,再称定重量,用甲醇补足减失的重量,摇匀,滤过,取续滤液,作为供试品溶液。

2.3.3　阴性对照溶液的制备:按本品处方工艺制备不含木香的阴性供试品,按"供试品溶液的制备"方法制备阴性对照溶液。

2.3.4　测定:在上述色谱条件下,分别精密吸取上述三种溶液各10μl,分别注入液相色谱仪进行测定,记录色谱图。

试验结果显示,供试品色谱中在与对照品色谱保留时间相同的位置上有色谱峰出现,而阴性对照在与对照品色谱保留时间相同的位置上无色谱峰出现,表明该含量测定方法阴性无干扰,专属性好。

2.4　线性关系考察

取木香烃内酯约2.5mg,精密称定,置25ml容量瓶中,用甲醇使溶解,并稀释至刻度,摇匀,作为对照品溶液(木香烃内酯浓度为0.102mg/ml);精密吸取上述对照品溶液2μl、5μl、10μl、15μl、20μl和25μl注入液相色谱仪,按上述色谱条件进行测定,以峰面积对进样量进行回归分析。结果见表4。

表4　木香烃内酯标准曲线数据及回归方程结果表

序号	进样量(μg)	峰面积值	回归方程	r
1	0.204	366400		
2	0.510	1020404		
3	1.020	2085152	$y=212732.8829x-64087.0127$	0.9998
4	1.530	3182773		
5	2.010	4242844		
6	2.550	5318343		

从表4数据可见,木香烃内酯在0.204~2.550μg/ml质量浓度范围内与峰面积呈良好的线性关系。

2.5　精密度试验

取同一份供试品(批号20200105)溶液,连续进样6针,记录色谱图。木香烃内酯峰面积的精密度计算结果见表5。

表5 供试品溶液中木香烃内酯精密度试验结果

序号	峰面积值	平均峰面积值	RSD（%）
1	1574473		
2	1567442		
3	1574849	1579194	0.60
4	1577302		
5	1592535		
6	1588563		

从表5数据可见，符合《中国药典》2020年版四部通则0512中规定的RSD值小于2.0%的要求。

2.6 稳定性试验

取同一份供试品（批号20200105）溶液，分别于制备溶液后的0小时、2小时、4小时、6小时、8小时、12小时进行测定。结果见表6。

表6 供试品溶液中木香烃内酯稳定性试验结果

序号	取样量（g）	峰面积值	RSD（%）
1	0	1634216	
2	2	1661995	
3	4	1611298	1.89
4	6	1613387	
5	8	1598488	
6	12	1676188	

从表6数据可见，供试品溶液木香烃内酯在12小时内的峰面积值基本稳定不变。

2.7 重复性试验

取同一供试品（批号20200105）6份，各约1.0g，精密称定，置具塞锥形瓶中，精密加入甲醇25ml，密塞，称定重量，超声处理（功率250W，频率40kHz）30分钟，放冷至室温，再称定重量，用甲醇补足减失的重量，摇匀，滤过，取续滤液，作为供试品溶液。精密吸取10μl注入液相色谱仪进行测定，记录色谱图及峰面积，按外标法计算含量。结果见表7。

表7 供试品溶液中木香烃内酯重复性试验结果

样品号	称样量（g）	平均峰面积值	含量（mg/g）	平均含量（mg/g）	RSD（%）
1	1.0026	1634216	1.97		
2	1.0036	1644353	1.98		
3	1.0045	1625114	1.96	1.94	1.82
4	1.0027	1591497	1.92		
5	1.0045	1596620	1.92		
6	1.0026	1570958	1.89		

从表7数据可见，6份供试品含量测定结果的均值为1.94mg/g，RSD为1.82%，表明该方法的重复性好。

2.8 加样回收试验

取已知含量的（木香烃内酯含量为1.94mg/g）供试品9份，各约0.4g，精密称定，分别置9个具塞锥形瓶中，分别在其中3个具塞锥形瓶中精密加入木香烃内酯对照品溶液1ml（浓度为0.392mg/ml）（约相当于供试品含有量的50%）及甲醇24ml，另3个具塞锥形瓶中各精密加入上述对照品溶液2ml（约相当于供试品含有量的100%）及甲醇23ml，其余3个具塞锥形瓶中各精密加入上述对照品溶液3ml（约相当于供试品含有量的150%）及甲醇22ml，分别称定重量，超声处理30分钟，取出，再称重，用甲醇补足减失重量，摇匀，滤过。精密吸取10μl注入液相色谱仪进行测定，记录色谱图及峰面积，按外标法计算含量。结果见表8。

表8　供试品溶液中木香烃内酯加样回收试验结果

序号	称样量（g）	供试品含量（mg）	对照品加入量（mg）	测得总量（mg）	回收率（%）	平均回收率（%）	RSD（%）
1	0.4009	0.7777	0.392	1.16	93.75		
2	0.4062	0.7880	0.392	1.18	96.47		
3	0.4059	0.7874	0.392	1.17	95.29		
4	0.4015	0.7789	0.784	1.55	96.29		
5	0.4004	0.7768	0.784	1.51	92.17	94.43	1.54
6	0.4013	0.7785	0.784	1.52	92.74		
7	0.4039	0.7836	1.175	1.90	94.22		
8	0.4059	0.7874	1.175	1.91	94.26		
9	0.4088	0.7931	1.175	1.92	94.70		

从表8数据可见，木香烃内酯的平均回收率为94.43%，RSD为1.54%。该方法准确度好。

3　样品含量测定

取三批样品（批号 20200105、20200106、20200107）及模拟样品（批号20200115）各2份，各约3g，精密称定，按重复性试验项下方法处理，分别测定并按外标法计算三批样品含量。含量测定结果见表9。

表9　样品中木香烃内酯的含量测定结果

批号	取样量（g）	样品峰面积			含量（mg/g）	平均含量（mg/g）
		A	B	平均		
20200105	1.0056	1167562	1164490	1166026	1.34	
20200106	1.0029	1079652	1152489	1166070.5	1.28	1.31
20200107	1.0035	1141524	1111207	1126365.5	1.29	
20201115	1.0026	1641128	1627303	1634215.5	1.97	1.97
	1.0036	1629468	1659237	1644352.5	1.98	

从表9数据可见，三批样品和模拟样品中木香烃内酯含量最低为1.28mg/g，最高为1.98mg/g。模拟样品含量稍高些。

4　木香药材含量测定

试验中采用同法对上述三批样品生产用木香药材进行了含量测定。测定结果见表10。

表10　木香药材中木香烃内酯的含量测定结果

序号	取样量（g）	平均峰面积值（n=2）		含量（mg/g）	平均含量（mg/g）
1	0.1534	1903302 1896667	1899985	15.16	
2	0.1518	1828902 1844976	1836939	14.65	14.80
3	0.1530	1825805 1836034	1830920	14.61	

从表10数据可见，木香药材中木香烃内酯的含量为14.80mg/g（1.48%）。

5　本制剂含量限度的确定

从表中数据可见，三批样品中木香烃内酯的含量最低为1.28mg/g，木香药材中木香烃内酯含量为14.80mg/g

（1.48%），模拟样品中木香烃内酯的含量为1.97mg/g。

按理论值折算，样品应含木香烃内酯为20÷138×14.8=2.144，即2.144mg/g。可见，木香烃内酯转移率为1.97（mg/g）÷2.144（mg/g）×100%=91.88%。

参照《中国药典》2020年版一部"木香"药材的木香烃内酯和去氢木香内酯的总含量限度不得少于1.8%，转移率为92.06%，考虑不同产地药材的质量差异，并结合其他影响因素及三批样品的测定结果，下浮25%，按此限度折算本品含木香烃内酯的理论量应不低于20÷138×1.8%÷2×1000×75%×91.88%=0.89mg/g。

标准正文暂定为：本品每1g含木香以木香烃内酯（$C_{15}H_{20}O_2$）计，不得少于0.90mg。

【功能与主治】

镇赫依。用于心脏赫依病，心脏激荡症，心悸，失眠，胃、大肠赫依病。

【用法与用量】

口服。一次1.5～3g，一日1～2次，温开水送服。

【规格】

每袋（1）3g；（2）15g；（3）250g。

【贮藏】

密封，防潮。

起草单位：内蒙古盛唐国际蒙医药研究院　　崔圆圆　张跃祥　李鹏帅
　　　　　赤峰市药品检验所　　　　　　　张　戈　张海涛　吴　迪

巴嘎·绰森古日古木–8散 质量标准起草说明

【历史沿革】

本方来源于《蒙医药选编》(内蒙古人民出版社 1999年版, 蒙古文, 第354页)。

【处方来源】

本制剂由内蒙古自治区国际蒙医医院提供。

【名称】

巴嘎·绰森古日古木–8散

【蒙药材和饮片的来源和执行标准】

1. 处方组成及药味排列顺序: 红花20g、牛胆粉20g、扁豆花16g、紫檀14g、波棱瓜子10g、地锦草14g、射干10g、寒制红石膏10g。

2. 处方中除了牛胆粉、紫檀、波棱瓜子和寒制红石膏药材外, 其余红花等药味均收载于《中国药典》2020年版一部, 其质量应符合该品种项下的有关规定。

牛胆粉: 为牛科动物牛*Bos taurus* domesticus Gmelin的干燥胆汁粉。其标准应符合《内蒙古蒙药饮片炮制规范》2020年版第74页该品种项下的有关规定。

紫檀: 为豆科植物紫檀*Pterocarpus sindicus* Willd的干燥心材。其标准应符合《内蒙古蒙药饮片炮制规范》2020年版第440 页该品种项下的有关规定。

波棱瓜子: 为葫芦科植物波棱瓜*Herpetospermum pedunculosum* (Sex.) Baill. 的干燥种子。其标准应符合《内蒙古蒙药饮片炮制规范》2020年版第277 页该品种项下的有关规定。

寒制红石膏: 为单斜晶系硫酸钙矿石族红石膏Gypsum的矿石红石膏(北寒水石)的炮制加工品。 主含含水硫酸钙($CaSO_4 \cdot 2H_2O$)。 其标准应符合《内蒙古蒙药饮片炮制规范》2020年版第188页该品种项下的有关规定。

【制法】

以上八味, 除牛胆粉外, 其余红花等七味, 粉碎成细粉, 将牛胆粉和与上述细粉配研, 过筛, 混匀, 分装, 即得。

【性状】

本品为口服制剂散剂, 性状为红色至棕红色粉末; 气微, 味微涩、苦。

【鉴别】

本品为药材粉末制成的散剂, 方中红花、紫檀的显微特征都较明显, 故建立显微鉴别, 并对处方中的紫檀建立了薄层鉴别。

1. 试剂与试药

供试品: 供试品(批号20191001、20191002、20191003)由国际蒙医医院提供, 模拟样品(批号201912110)模拟。

对照品: 紫檀对照药材(批号121310–201302), 购于中国食品药品检定研究院。

薄层板：硅胶G板，购于青岛海洋化工有限公司。

所用其他试剂均为分析纯，水为离子交换高纯水。

2.试验方法与结果

（1）显微鉴别

红花：花粉粒圆球形或椭圆形，直径约至60μm，外壁有刺，具3个萌发孔；紫檀：木射线细胞切向纵断面观呈类圆形或类三角形，壁稍厚，木化，孔沟明显，胞腔内含草酸钙方晶。

（2）紫檀薄层鉴别

参照文献报道的薄层鉴别条件，制定出正文所述的鉴别方法。通过阴性对照试验观察，方中其他药材对紫檀的检出无干扰，证明此方法具有专属性。

【检查】

按照散剂（《中国药典》2020年版四部通则0115）项下的规定，对三批供试品及模拟样品的外观均匀度、水分、重金属、砷盐和微生物限度进行了检查。具体方法及测定数据如下：

1. 外观均匀度：按《中国药典》2020年版四部通则0115散剂项下规定，取三批供试品及模拟样品适量，置光滑纸上，平铺约5cm²，将其表面压平，在明亮处观察，应色泽均匀，无花纹与色斑。结果三批供试品及模拟样品均符合规定。

2. 水分：取供试品照水分测定法（《中国药典》2020年版四部通则0832）测定。三批供试品及模拟样品测定结果见表1。

表1 水分测定结果

序号	批号	水分（%）
1	20191001	5.52
2	20191002	5.48
3	20191003	5.44
4	201912110	5.61

药典规定散剂水分含量不得大于9.0%。从表1数据可见，本品的水分含量均符合要求。

3. 对三批供试品及模拟样品进行了重金属和砷盐考察。方法与结果如下：

重金属：分别取每个批号样品0.5g、0.67g、1.0g、2.0g，按《中国药典》2020年版四部0821第二法检查。

供试品溶液的制备：取本品0.5g、0.67g、1.0g、2.0g，分别缓缓炽灼至完全炭化，放冷，加硫酸0.5ml，使湿润，低温加热至硫酸除尽后，加硝酸0.5ml，蒸干，至氧化氮蒸气除尽后，放冷，于600℃炽灼至完全灰化，放冷。加盐酸2ml，置水浴上蒸干后加水15ml，滴加氨试液至对酚酞指示液显中性，再加醋酸盐缓冲液（pH3.5）2ml，微热溶解后，移置纳氏比色管中，加水稀释至25ml，作为供试品溶液。

标准铅对照管的制备：另取配制供试品溶液的试剂两份，分别置瓷皿中蒸干后，加醋酸盐缓冲液（pH3.5）2ml，加水15ml微热溶解后，移至两支纳氏比色管中，分别加标准铅溶液（10g/ml Pb）2ml，再加水稀释至25ml，作为标准铅对照管。

检视：于上述供试品溶液和标准铅对照管中分别加硫代乙酰胺试液各2ml，摇匀，放置2分钟，同置白色背景上，从上向下进行观察。试验结果见表2。

表2 重金属检查结果

序号	批号	重金属含量（ppm）			
1	20191001	<10	<20	<30	<40
2	20191002	<10	<20	<30	<40

续表

序号	批号	重金属含量（ppm）			
3	20191003	<10	<20	<30	<40
4	201912110	<10	<20	<30	<40

结果显示，供试品溶液的颜色明显浅于2ml的标准铅对照溶液。经过三批供试品及模拟样品的检查，含重金属均未超过百万分之十，故未列入正文。

砷盐：取本品1g和标准砷溶液（1μg/ml AS）2ml，分别加无砷氢氧化钙1g，加少量水，搅匀，烘干，用小火缓缓炽灼至炭化，再在600℃炽灼至完全灰化，放冷。分别加盐酸7ml使溶解，再加水21ml，按《中国药典》2020年版四部通则0822第一法（古蔡氏法）检查砷盐含量。

结果：供试品砷斑浅于标准砷斑的颜色，表明本品含砷量未超过百万分之二（小于2ppm）。故砷盐检查项目未列入正文。

4. 微生物限度：照微生物计数法（《中国药典》2020年版四部通则1105）和控制菌检查法（《中国药典》2020年版四部通则1106）及《内蒙古蒙药制剂规范》（第三册）附录Ⅲ微生物限度标准，进行检查。结果均符合规定。

【含量测定】

巴嘎·绰森古日古木-8散是由红花、牛胆粉、扁豆花、紫檀、波棱瓜子、地锦草、射干、寒制红石膏等八味药组成的复方制剂。临床功效为止血。用于上、下渗出之宝日，胃肠出血，月经淋漓，吐血，咯血，外伤出血，鼻衄等各种出血症。红花为方中的主药，具有活血通经，散瘀止痛的功效。用于经闭，痛经，恶露不行，癥瘕痞块，胸痹心痛，瘀滞腹痛，胸胁刺痛，跌仆损伤，疮疡肿痛。红花主含红花苷类，红花多糖和有机酸。其中查尔酮类成分羟基红花黄色素A是红花的主要活性成分，故参照《中国药典》2020年版一部"红花"项下的含量测定方法，选择羟基红花黄色素A作为指标成分，对本制剂中的红花进行含量测定方法的研究。经分析方法验证，表明该方法重复性好，专属性强，方中其他组分对羟基红花黄色素A的测定无干扰。

1 仪器与试剂试药

1.1 仪器

Waters e2695型高效液相色谱仪；Mettler-Toledo MS105DU型百万分之一电子天平，Mettler-Toledo XPR10型万分之一电子天平；SBL-22DT型超声波清洗器（宁波新芝生物科技股份有限公司，40kHz）；Heal Force NW15UV型超纯水系统；FW400A型多功能粉碎机（材茂科技有限公司）。

1.2 试剂与试药

供试品（批号20191001、20191002、20191003）由内蒙古自治区国际蒙医医院提供，模拟样品（批号201912110）模拟；羟基红花黄色素A对照品（批号111637-201810），购于中国食品药品检定研究院；甲醇、乙腈、三乙胺为色谱纯，水为超纯水，其他试剂均为分析纯。

2 方法学考察

2.1 色谱条件

2.1.1 色谱柱：色谱柱填充剂为十八烷基硅烷键合硅胶，本试验采用Tnature C$_{18}$（250mm×4.6mm，5μm）色谱柱。

2.1.2 流动相的选择：参照《中国药典》2020年版一部"红花"含量测定项下的测定方法，以甲醇-乙腈-0.7%磷酸溶液（26:2:72）为流动相进行条件摸索。结果羟基红花黄色素A峰型不对称，拖尾严重，加三乙胺调节0.7%磷酸溶液pH值至6.0后，供试品色谱图中的羟基红花黄色素A峰的对称性在0.95~1.05，与其他成分达到较好的分离，理论板数较高，并具有适宜的保留时间，故选择以甲醇-乙腈-0.7%磷酸溶液（26:2:72）用三乙胺调pH值为6.0

为流动相。

2.1.3 柱温：30℃可以保证柱压较低，分离效果稳定。

2.1.4 检测波长的选择：参照《中国药典》2020年版一部"红花"含量测定项下羟基红花黄色素A的测定方法，选用403nm处作为检测波长。

2.1.5 理论板数的确定：从对三批样品的测定结果可见，羟基红花黄色素A峰理论板数在3000以上即能达到较好的分离效果，故规定理论板数按羟基红花黄色素A峰计算应不低于3000。

2.2 提取溶剂及提取效率的考察

参考《中国药典》2020年版一部"红花"含量测定项下的方法，以25%甲醇作为提取溶剂进行超声提取，为保证被测成分提取完全，在供试品的细度一致、提取溶剂确定、超声功率250W（频率40kHz）的条件下，考察了30分钟、40分钟和50分钟等不同提取时间对提取效率的影响。结果见表3。

表3 提取时间考察

提取时间（min）	称样量（g）	平均峰面积	含量（mg/g）
30	0.8027	4983828	4.90
40	0.8069	5064238	4.95
50	0.8021	4981473	4.90

从表3数据可见，超声提取30分钟、40分钟和50分钟供试品中羟基红花黄色素A的含量变化不大，超声提取40分钟时含量较高，故将提取时间定为40分钟，与《中国药典》2020年版一部"红花"含量测定项下的提取时间一致。

2.3 专属性考察

2.3.1 对照品溶液的制备：取羟基红花黄色素A对照品适量，精密称定，加25%甲醇制成每1ml含100μg的溶液，作为对照品溶液。

2.3.2 供试品溶液的制备：取本品细粉约0.8g，精密称定，置具塞锥形瓶中，精密加入25%甲醇25ml，称定重量，超声处理（功率250W，频率40kHz）40分钟，放冷，再次称定重量，用25%甲醇补足减失的重量，摇匀，滤过，取续滤液，作为供试品溶液。

2.3.3 阴性对照溶液的制备：按本品处方配比制备不含红花的阴性样品，取约0.8g，精密称定，从"置具塞锥形瓶中……"起操作同"供试品溶液的制备"，取续滤液，作为阴性对照溶液。

2.3.4 测定：分别精密吸取上述三种溶液各10μl，注入液相色谱仪，记录色谱图。

试验结果显示，供试品色谱中在与对照品色谱保留时间相同的位置上有色谱峰出现，而阴性对照在与对照品色谱保留时间相同的位置上无色谱峰出现，表明共存组分对处方中羟基红花黄色素A的测定无干扰。

2.4 线性关系考察

取羟基红花黄色素A对照品约3.0mg，精密称定，置25ml量瓶中，加25%甲醇使溶解，并稀释至刻度，摇匀，作为对照品溶液（对照品溶液实际浓度为0.126mg/ml）；分别精密吸取上述对照品溶液2μl、5μl、10μl、15μl、20μl、25μl注入液相色谱仪，按上述色谱条件进行测定，以峰面积对对照品进样量进行回归分析。结果见表4。

表4 标准曲线数据及回归分析结果

序号	进样量（μg）	峰面积值	回归方程	r
1	0.2522	465050		
2	0.6305	1826832		
3	1.261	4000704	$y=3437761.66x-361012.23$	1.0000
4	1.8915	6162860		
5	2.522	8293222		
6	3.1525	10464893		

从表4数据可见，羟基红花黄色素A在0.2522~3.1525μg范围内与峰面积呈良好的线性关系。

2.5 精密度试验

取同一份供试品（批号20191001）溶液，连续进样6针，记录色谱图。羟基红花黄色素A峰面积的精密度计算结果见表5。

表5 精密度试验结果

序号	峰面积值	平均值	RSD（%）
1	5167025		
2	5171145		
3	5154992	5156341	0.23
4	5150157		
5	5138712		
6	5156013		

从表5数据可见，符合《中国药典》2020年版四部通则0512中规定的RSD值小于2.0%的要求。

2.6 稳定性试验

取同一份供试品（批号20191001）溶液，分别在溶液制备后的0小时、2小时、4小时、6小时、8小时、10小时进样测定。结果见表6。

表6 溶液的稳定性试验结果

序号	时间（h）	峰面积值	RSD（%）
1	0	4588951	
2	2	4547429	
3	4	4582085	0.58
4	6	4584539	
5	8	4619007	
6	10	4592326	

从表6数据可见，羟基红花黄色素A在10小时内峰面积值基本稳定，RSD值小于2.0%。

2.7 重复性试验

取同一供试品（批号20191001）6份，各约0.8g，精密称定，置具塞锥形瓶中，精密加入25%甲醇25ml，称定重量，超声处理（功率250W，频率40kHz）40分钟，放冷，再次称定重量，用25%甲醇补足减失的重量，摇匀，滤过，取续滤液，作为供试品溶液。另取羟基红花黄色素A对照品适量，精密称定，加25%甲醇制成每1ml含100μg的溶液，作为对照品溶液。分别精密吸取以上两种溶液各10μl，注入液相色谱仪，记录各自的色谱图，用外标法以峰面积计算含量。结果见表7。

表7 羟基红花黄色素A重复性试验结果

称样量（g）	峰面积值	含量（mg/g）	平均含量（mg/g）	RSD（%）
0.8090	5193736	5.10		
0.8028	5220670	5.16		
0.8019	5016530	4.97	5.10	1.60
0.8054	5267611	5.19		
0.8025	5104363	5.05		
0.8033	5176699	5.12		

从表7数据可见，在相同的细度、提取溶剂和色谱条件下，6份供试品含量测定结果的均值为5.10mg/g，RSD为1.60%，表明该方法的重复性好。

2.8 加样回收试验

取已知含量（批号20191001，羟基红花黄色素A含量为5.10mg/g）的供试品9份，各约0.8g，精密称定，分别置9个具塞锥形瓶中，精密加入25%甲醇25ml，称定重量，超声处理40分钟，取出，再称重，用25%甲醇补足减失重量，分别从每份供试品溶液中精密取出2ml置9个10ml容量瓶中，分成三组，每组三份，再分别在其中3个容量瓶中精密加入浓度为0.152mg/ml的羟基红花黄色素A对照品溶液1ml（约相当于供试品含有量的50%），另3个容量瓶中各精密加入上述对照品溶液2ml（约相当于供试品含有量的100%），其余3个容量瓶中各精密加入上述对照品溶液3ml（约相当于供试品含有量的150%），9个容量瓶均用25%甲醇定容到刻度，摇匀，滤过，取续滤液，作为供试品溶液。分别精密吸取各溶液10μl进样测定，按外标法以峰面积计算含量并计算回收率。结果见表8。

表8 加样回收试验结果

称样量（g）	供试品含量（mg）	对照品加入量（mg）	测得总量（mg）	回收率（%）	平均回收率（%）	RSD（%）
0.8040	0.3280	0.152	0.4735	95.7		
0.8051	0.3285	0.152	0.4769	97.7		
0.8023	0.3273	0.152	0.4701	93.9		
0.8089	0.3300	0.304	0.6275	97.8		
0.8074	0.3294	0.304	0.6209	95.9	96.1	1.62
0.8069	0.3292	0.304	0.6171	94.7		
0.8087	0.3299	0.456	0.7613	94.6		
0.8026	0.3275	0.456	0.7691	96.9		
0.8040	0.3280	0.456	0.7755	98.1		

从表8数据可见，本方法的平均回收率为96.1%，RSD为1.62%。该方法准确度好。

2.9 耐用性试验

取供试品（批号20191001）2份，各约0.8g，精密称定，按重复性试验项下的方法处理，换不同厂家、不同型号的色谱柱，分别测定供试品的含量。结果见表9。

表9 色谱柱耐用性试验

序号	称样量（g）	柱型号	峰面积值	含量（mg/g）
1	0.8090	Tnature C_{18}柱	5193736	5.10
	0.8090	Wondasil C_{18}柱	4455083	5.18
2	0.8028	Tnature C_{18}柱	5220670	5.16
	0.8028	Wondasil C_{18}柱	4535198	5.32

从表9数据可见，在使用不同型号或厂家的色谱柱时，对测定结果影响较小。

3 样品含量测定

取三批样品（批号20191001、20191002、20191003）及模拟样品（批号201912110），每批各2份，各约0.8g，精密称定，按重复性试验项下的方法处理并测定含量。测定结果见表10。

表10 样品中羟基红花黄色素A的含量测定结果

批号	称样量（g）	平均峰面积值	含量（mg/g）	平均含量（mg/g）
20191001	0.8011	5200116	5.06	5.08
	0.8024	5238876	5.09	
20191002	0.8015	5295998	5.16	5.11
	0.8031	5210165	5.06	
20191003	0.8026	5139902	5.00	5.04
	0.8049	5247915	5.09	

续表

批号	称样量（g）	平均峰面积值	含量（mg/g）	平均含量（mg/g）
201912110	0.8047	5293129	5.13	5.03
	0.8025	5072073	4.93	

从表10数据可见，三批样品和模拟样品中羟基红花黄色素A平均含量最低为5.03mg/g，最高为5.11mg/g。含量之间无明显差异。

4　红花药材含量测定

采用同法对上述三批样品生产用红花药材进行了含量测定。测定结果见表11。

表11　红花药材中羟基红花黄色素A的含量测定结果

序号	称样量（g）	测得峰面积值	平均峰面积值	含量（mg/g）	平均含量（mg/g）
1	0.2029	3817555 3818380	3817968	14.69	15.02
2	0.2023	3930131 3948039	3939085	15.20	
3	0.2020	3923972 3927806	3925889	15.17	

从表11数据可见，红花药材中羟基红花黄色素A含量为15.02mg/g（1.50%）。

5　本制剂含量限度的确定

从表中数据可见，三批样品中羟基红花黄色素A最低含量为5.04mg/g，红花药材中羟基红花黄色素A含量为15.02mg/g（1.5%），模拟样品中羟基红花黄色素A含量为5.03mg/g。

按理论值折算，样品应含羟基红花黄色素A为20÷114×15.02=2.63.5，即2.635mg/g。可见，羟基红花黄色素A转移率为5.03（mg/g）÷2.635（mg/g）×100%=190%。

参照《中国药典》2020年版一部"红花"药材的羟基红花黄色素A含量限度不得少于1.0%，平均转移率为190%。转移率过高，故不计入含量限度计算里。考虑不同产地药材的质量差异，并结合其他影响因素及三批样品的测定结果，下浮15%，按此限度折算本品含羟基红花黄色素A的理论量应不低于20÷114×1000×1.0%×100%×85%=1.49mg/g。

标准正文暂定为：本品每1g含红花以羟基红花黄色素A（$C_{27}H_{32}O_{16}$）计，不得少于1.5mg。

【功能与主治】

止血。用于上、下渗出之宝日，胃肠出血，月经淋漓，吐血，咯血，外伤出血，鼻衄等各种出血症。

【用法与用量】

口服。一次1.5~3g，一日1~2次，温开水送服。

【规格】

每袋：（1）3g；（2）15g；（3）250g。

【贮藏】

密封，防潮。

起草单位： 内蒙古盛唐国际蒙医药研究院　　　张跃祥　崔圆圆　王　伟

　　　　　　鄂尔多斯市检验检测中心　　　　　李　珍　杨　洋　张　烨

　　　　　　内蒙古自治区药品检验研究院　　　籍学伟　郭宝凤

达格布-15散质量标准起草说明

【历史沿革】

本方来源于内蒙古民族大学附属医院经验方。

【处方来源】

本制剂由内蒙古民族大学附属医院提供。

【名称】

达格布-15散

【蒙药材和饮片的来源和执行标准】

1. 处方组成及药味排列顺序：照山白炭1000g、铁线莲炭1000g、奶制红石膏1000g、大青盐100g、肉豆蔻25g、荜茇25g、芫荽子25g、紫花高乌头25g、干姜25g、胡椒25g、土木香25g、炒硇砂25g、紫硇砂25g、白萝卜25g、炒火硝25g。

2. 处方中除了照山白炭、大青盐、奶制红石膏、炒硇砂、白萝卜、紫花高乌头、紫硇砂和炒火硝药材外，其余荜茇等药味均收载于《中国药典》2020年版一部，其质量应符合该品种项下的有关规定。

照山白炭：为杜鹃花科植物照山白*Rhododendron micranthum* Turcz.的干燥叶。其标准应符合《内蒙古蒙药饮片炮制规范》2020年版第480页该品种项下的有关规定。

大青盐：为卤化物类石盐族湖盐结晶体。其标准应符合《内蒙古蒙药饮片炮制规范》2020年版第17页该品种项下的有关规定。

紫花高乌头：毛茛科植物紫花高乌头*Aconitum excelsum* Reichb.的干燥地上部分。其标准应符合《内蒙古蒙药饮片炮制规范》2020年版第431页该品种项下的有关规定。

奶制红石膏：为单斜晶系硫酸钙矿石族红石膏Gypsum的矿石红石膏（北寒水石）的炮制加工品。主含含水硫酸钙（$CaSO_4 \cdot 2H_2O$）。其标准应符合《内蒙古蒙药饮片炮制规范》2020年版第189页该品种项下的有关规定。

炒硇砂：为卤化物类矿物硇砂Sal Ammoniac的晶体，主含氯化铵。其标准应符合《内蒙古蒙药饮片炮制规范》2020年版第144页该品种项下的有关规定。

紫硇砂：为卤化物类矿物紫色石盐的晶体，主含氯化钠（NaCl）。其标准应符合《内蒙古蒙药饮片炮制规范》2020年版第438页该品种项下的有关规定。

白萝卜：为十字花科植物萝卜*Raphanus sativus* L.的干燥块根。其标准应符合《内蒙古蒙药饮片炮制规范》2020年版第142页该品种项下的有关规定。

炒火硝：为斜方晶系硝酸盐类矿物硝石Nitrokalite，经加工炼制而成的结晶体。其标准应符合《内蒙古蒙药饮片炮制规范》2020年版第142页该品种项下的有关规定。

【制法】

以上十五味，粉碎成细粉，过筛，混匀，分装，即得。

【性状】

本品为灰黑色至黑色粉末；气微，味辛、涩。

【鉴别】

本品为药材粉末制成的散剂，方中肉豆蔻、土木香的显微特征较明显，故建立显微鉴别。

1.试剂与试药

供试品：供试品（批号20191267、20191266、20200408）由内蒙古民族大学附属医院提供，模拟样品（批号20191211）模拟。

所用其他试剂均为分析纯，水为离子交换高纯水。

2.试验方法与结果

显微鉴别

肉豆蔻：脂肪油滴众多，加水合氯醛试液加热后渐形成针簇状结晶。土木香：薄壁细胞无色，长圆形或长多角形，含扇形菊糖块。

【检查】

按照散剂（《中国药典》2020年版四部通则0115）项下的规定，对三批供试品及模拟样品的外观均匀度、水分、重金属、砷盐和微生物限度进行了检查。具体方法及测定数据如下：

1.外观均匀度：取供试品适量，置光滑纸上，平铺约$5cm^2$，将其表面压平，在亮处观察，呈现均匀的色泽，无花纹、色斑。结果三批供试品及模拟样品均符合规定。

2.水分：取供试品照水分测定法（《中国药典》2020年版四部通则0832）测定。三批供试品及模拟样品的测定结果见表1。

表1　水分测定法结果

序号	批号	水分（%）
1	20191267	5.85
2	20191266	5.74
3	20200408	5.84
4	20191211	6.01

药典规定散剂水分含量不得大于9.0%。从表1数据可见，本品水分含量符合要求。

3.对三批供试品及模拟样品进行了重金属和砷盐考察。方法与结果如下：

重金属：分别取每个批号供试品0.5g、0.67g、1.0g、2.0g，按《中国药典》2020年版四部0821第二法检查。

供试品溶液的制备：取本品0.5g、0.67g、1.0g、2.0g，分别缓缓炽灼至完全炭化，放冷，加硫酸0.5ml，使湿润，低温加热至硫酸除尽后，加硝酸0.5ml，蒸干，至氧化氮蒸气除尽后，放冷，于600℃炽灼至完全灰化，放冷。加盐酸2ml，置水浴上蒸干后加水15ml，滴加氨试液至对酚酞指示液显中性，再加醋酸盐缓冲液（pH3.5）2ml，微热溶解后，移置纳氏比色管中，加水稀释至25ml，作为供试品溶液。

标准铅对照溶液的制备：另取配制供试品溶液的试剂两份，分别置瓷皿中蒸干后，加醋酸盐缓冲液（pH3.5）2ml，加水15 ml微热溶解后，移置两支纳氏比色管中，分别加标准铅溶液（10μg/ml Pb）2ml，再加水稀释至25ml，作为标准铅对照溶液。

检视：于上述供试品溶液和标准铅对照溶液中分别加硫代乙酰胺试液各2ml，摇匀，放置2分钟，同置白色背景上，从上向下进行观察。试验结果见表2。

表2　重金属检查结果

序号	批号	重金属含量（ppm）			
1	20191267	<10	<20	<30	<40
2	20191266	<10	<20	<30	<40
3	20200408	<10	<20	<30	<40
4	20191211	<10	<20	<30	<40

结果显示，供试品溶液的颜色明显浅于2ml的标准铅对照溶液。经过三批供试品及模拟样品的检查，含重金属均未超过百万分之十，故未列入正文。

砷盐：取本品1g和标准砷溶液（1μg/ml AS）2ml，分别加无砷氢氧化钙1g，加少量水，搅匀，烘干，用小火缓缓炽灼至炭化，再在600℃炽灼全完全灰化，放冷。分别加盐酸7ml使溶解，再加水21ml，按《中国药典》2020年版四部通则0822第一法（古蔡氏法）做砷盐限量检查。

结果：供试品砷斑浅于标准砷斑的颜色，表明本品含砷量未超过百万分之二（小于2ppm），故砷盐检查项目未收入正文。

4. 微生物限度：照微生物计数法（《中国药典》2020年版四部通则1105）和控制菌检查法（《中国药典》2020年版四部通则1106）及《内蒙古蒙药制剂规范》（第三册）附录Ⅲ微生物限度标准，进行检查。结果均符合规定。

【含量测定】

达格布-15散由荜茇、芫荽子、土木香、白硇砂、紫硇砂等十五味药组成。功效为化积，消食，止泻。用于慢性肠炎引起的长期腹泻，宝日病引起吐血、便血、胃胀、铁垢巴达干、消化不良、胃火衰败、呃逆频作等。方中荜茇临床应用广泛，以果穗入药，有特异香气，味辛辣，温中散寒，下气止痛。用于脘腹冷痛、呕吐、泄泻、寒凝气滞、胸痹心痛，头痛，牙痛。现代药理研究表明，荜茇中胡椒碱具有降血脂活性，荜茇中的生物碱在抗血小板聚集等方面也具有一定的药理活性。参照《中国药典》2020年版一部"荜茇"项下的含量测定方法，选择胡椒碱作为指标成分，对本制剂中的荜茇进行了HPLC含量测定方法研究。经分析方法验证，表明该方法重现性好、专属性强，方中其他组分对胡椒碱的测定无干扰，故收入质量标准中。

1　仪器与试剂试药

1.1　仪器

Waters e2695型高效液相色谱仪SCL-10AvP型控制器，SPD-10AvP型检测器，Class-vP色谱工作站，岛津UV-1700型紫外-可见分光光度仪；Mettler-Toledo MS105DU型电子天平（百万分之一）；Mettler-Toledo XPR10型电子天平（万分之一）；SBL-22DT型超声波清洗器（宁波新芝生物科技股份有限公司，40kHz）；Heal Force NW15UV型超纯水系统；FW400A型多功能粉碎机（材茂科技有限公司）。

1.2　试剂与试药

供试品（批号20191267、20191266、20200408）由内蒙古民族大学附属医院提供，模拟样品（批号20191211）模拟；胡椒碱（批号110775-201706），购于中国食品药品检定研究院；甲醇为色谱纯，水为超纯水，其他试剂均为分析纯。

2　方法学考察

2.1　色谱条件

2.1.1　色谱柱：色谱柱填充剂为十八烷基硅烷键合硅胶，本试验采用AgelaVenusil XBP C18（250mm×4.6mm，5μm）色谱柱。

2.1.2　流动相的选择：参照《中国药典》2020年版一部"荜茇"含量测定项下的测定方法，以甲醇-水（77:23）为流动相，供试品中的胡椒碱与其他成分能达到较好的分离，色谱峰具有比较好的保留时间、分离度和对称性。故选择以甲醇-水（77:23）为流动相。

2.1.3 柱温：30℃，可以保证柱压较低，分离效果稳定，保留时间变化小。

2.1.4 检测波长的选择：参照《中国药典》2020年版一部"荜茇"含量测定项下胡椒碱的测定方法，选用343nm处作为检测波长。

2.1.5 理论板数的确定：从对三批数据的测定结果可见，胡椒碱峰理论板数在1500以上即能达到较好的分离效果，故规定理论板数按胡椒碱峰计算应不低于1500。

2.2 提取效率的考察

参考《中国药典》2020年版一部"荜茇"含量测定项下的方法，以无水乙醇作为提取溶剂进行超声提取，为保证被测成分提取完全，在供试品的细度一致、提取溶剂确定、超声（功率250W，频率40kHz）的条件下，取本品细粉约3.0g，精密称定，置棕色瓶中，精密加入无水乙醇60ml，超声处理（功率250W，频率40kHz）20分钟、30分钟和40分钟，放冷，再称定重量，用无水乙醇补足减失的重量，摇匀，滤过，取续滤液，即得。另取胡椒碱对照品适量，精密称定，置棕色量瓶中，加无水乙醇制成每1ml含20μg的溶液，即得。结果见表3。

表3 胡椒碱提取效率考察表

提取时间（min）	称样量（g）	平均峰面积值	含量（mg/g）
20	3.4025	1824182	0.4246
30	3.4021	1849868	0.4306
40	3.4009	1729653	0.4028

从表3数据可见，超声提取30分钟时供试品中胡椒碱的含量最高，故将提取时间定为30分钟，与《中国药典》2020年版一部"荜茇"含量测定项下的提取时间一致。

2.3 专属性考察

2.3.1 对照品溶液的制备：取胡椒碱对照品适量，精密称定，置棕色量瓶中，加无水乙醇制成每1ml含20μg的溶液，即得。

2.3.2 供试品溶液的制备：取本品细粉约3.0g，精密称定，置棕色瓶中，精密加入无水乙醇60ml，超声处理（功率250W，频率40kHz）30分钟，放冷，再称定重量，用无水乙醇补足减失的重量，摇匀，滤过，取续滤液，即得。

2.3.3 阴性对照溶液的制备：按处方比例并以相同工艺制备的缺荜茇和胡椒的阴性对照样品，按供试品溶液制备法制得阴性对照溶液。

2.3.4 测定：在上述色谱条件下，分别精密吸取上述三种溶液各10μl，分别注入液相色谱仪。

结果为：阴性对照色谱图中在与胡椒碱对照品以及供试品色谱图相应的保留时间处无色谱峰出现，表明其他组分对胡椒碱的测定无干扰。

2.4 线性关系考察

取胡椒碱对照品（批号110775-201706）2mg，精出称定，置10ml量瓶中，加无水乙醇使溶解，并稀释至刻度，摇匀，作为对照品溶液（对照品溶液实际浓度为0.2032mg/ml）；分别精密吸取上述对照品溶液1μl、2μl、5μl、10μl、15μl和20μl注入液相色谱仪，按上述色谱条件进行测定，以峰面积对进样量进行回归分析。标准曲线数值见表4。

表4 标准曲线数值表及回归方程

序号	进样量（μg）	峰面积值	回归方程	r
1	0.2061	284959		
2	0.5152	910210		
3	1.0304	1890584	$y=12931x+3002$	0.9998
4	1.5456	2915857		
5	2.0608	3887613		
6	2.576	4867393		

表4数据可见,胡椒碱在0.2016–2.576μg范围内与峰面积呈良好的线性关系。

2.5 精密度试验

取同一供试品(批号20191267)溶液,连续进样6针,测定胡椒碱的含量,结果见表5。

表5 胡椒碱精密度试验结果

序号	峰面积值	平均值	RSD(%)
1	1805678		
2	1819423		
3	1819813	1818778	0.41
4	1825411		
5	1816021		
6	1826324		

从表5数据可见,符合《中国药典》2020年版四部通则0512中规定的RSD值小于2.0%的要求。

2.6 溶液稳定性试验

取同一供试品(批号20191267)溶液,分别于0小时、2小时、4小时、6小时、8小时、10小时、14小时进行测定。结果见表6。

表6 不同时间测定供试品中胡椒碱的峰面积值

序号	时间(h)	峰面积值	RSD(%)
1	0	1825679	
2	2	1810113	
3	4	1829857	
4	6	1835635	1.14
5	8	1824587	
6	10	1818574	
7	14	1823102	

从表6数据可见,胡椒碱在14小时内峰面积值基本稳定不变。

2.7 重复性试验

取同一供试品(批号20191267)供试品6份,各约3.0g,精密称定,置棕色瓶中,精密加入无水乙醇60ml,超声处理(功率250W,频率40kHz)30分钟,放冷,再称定重量,用无水乙醇补足减失的重量,摇匀,滤过,取续滤液,即得。另取胡椒碱对照品适量,精密称定,置棕色量瓶中,加无水乙醇制成每1ml含20μg的溶液,即得。精密吸取10μl注入液相色谱仪,记录色谱图,计算每份供试品的含量。结果见表7。

表7 胡椒碱重复性试验结果

称样量(g)	峰面积值	含量(mg/g)	平均含量(mg/g)	RSD(%)
3.4008	1815879	0.4229		
3.4009	1816801	0.4231		
3.4052	1843987	0.4289	0.4244	0.54
3.4024	1817512	0.4231		
3.4035	1822310	0.4241		
3.4050	1823546	0.4242		

从表7数据可见,6份供试品含量测定结果的均值为0.4244mg/g,RSD为0.54%,表明该方法的重复性良好。

2.8 加样回收试验

取已知含量（批号20191267，含量为0.4244mg/g）的供试品9份，各约1.5g，精密称定，分别置9个具塞锥形瓶中，在其中3个瓶中精密加入浓度为0.0640mg/ml的胡椒碱对照品溶液5ml（无水乙醇溶液），再分别在另3个瓶中各精密加入上述对照品溶液10ml，其余3个瓶中各精密加入上述对照品溶液15ml；9个具塞锥形瓶中分别补足无水乙醇至60ml，称定重量，超声处理30分钟，取出，再称重，用无水乙醇补足减失重量，摇匀，滤过，各取续滤液10μl进样，测定每份的含量，计算回收率。结果见表8。

表8 胡椒碱加样回收试验结果

称样量（g）	供试品含量（mg）	对照品加入量（mg）	测得总量（mg）	回收率（%）	平均回收率（%）	RSD（%）
1.5024	0.6376	0.32	0.9717	102.21		
1.5032	0.6380	0.32	0.9709	102.03		
1.5002	0.6367	0.32	0.9556	99.83		
1.5027	0.6377	0.64	1.2771	99.90		
1.5006	0.6369	0.64	1.2752	99.73	100.58	1.13
1.5031	0.6379	0.64	1.2769	99.85		
1.5024	0.6376	0.96	1.5959	99.72		
1.5019	0.6374	0.96	1.5968	99.90		
1.5038	0.6382	0.96	1.6114	102.06		

从表8数据可见，本方法的平均回收率为100.58%，RSD为1.13%，表明该方法的准确度好。

3 样品含量测定

取供试品粉末各约3.0g，每批2份，精密称定，置具塞锥形瓶中，精密加入甲醇60ml，密塞，称定重量，超声处理30分钟（功率250W，频率40kHz），放冷至室温，再称定重量，用甲醇补足减失的重量，摇匀，滤过，取续滤液，即得。另取胡椒碱对照品适量，精密称定，置棕色量瓶中，加无水乙醇制成每1ml含20μg的溶液，即得。在上述色谱条件下，吸取10μl，分别注入液相色谱仪，记录色谱图。三批样品和模拟样品的含量测定结果见表9。

表9 胡椒碱的含量测定结果

批号	取样量（g）	含量（mg/g）	平均含量（mg/g）
20191267	3.4052	0.4222	0.4223
	3.4031	0.4225	
20191266	3.4025	0.4274	0.4260
	3.4011	0.4246	
20200408	3.4026	0.4249	0.4235
	3.4035	0.4220	
20191211	3.4057	0.4574	0.4556
	3.4022	0.4538	

从表9数据可见，三批样品和模拟样品胡椒碱含量在0.42mg/g以上。

4 荜茇药材含量测定

同法对上述三批样品生产用荜茇和胡椒药材进行胡椒碱含量测定，测定结果分别见表10。

表10 荜茇药材的含量测定结果（胡椒碱）

药材	取样量（g）	峰面积			含量（mg/g）
		A	B	平均	
荜茇	0.151	453212	453618	453415	31.15
胡椒	0.1505	457095	457237	457166	34.31

从表10数据可见，药材荜茇、胡椒中胡椒碱的含量分别为31.15mg/g、34.31mg/g。

5 本制剂含量限度的确定

从表中数据可见，三批样品中胡椒碱的含量最低为0.42mg/g，模拟样品中胡椒碱的含量平均为0.48mg/g，试验中用相同方法对生产用的荜茇和胡椒药材进行了含量测定，测得荜茇药材中胡椒碱的含量为31.15mg/g（3.12%），测得胡椒药材中胡椒碱的含量为34.31mg/g（3.43%）。

按理论值折算，样品应含胡椒碱为（25+25）÷3375×（31.15+34.31）/2=0.4848，即0.485mg/g。可见，胡椒碱转移率为0.48（mg/g）÷0.485（mg/g）×100%=98.96%。

参照《中国药典》2020年版一部"荜茇"药材的胡椒碱的含量限度不得少于2.5%、"胡椒"药材的胡椒碱的含量限度不得少于3.3%，所以胡椒碱平均含量限度为2.9%，转移率为98.96%，考虑不同产地药材的质量差异，并结合其他影响因素及三批样品的测定结果，下浮30%，按此限度折算本品含胡椒碱的理论量应不低于（25+25）÷3375×2.9%×1000×98.96%×70%=0.297mg/g。

标准正文暂定为：本品每1g含荜茇和胡椒以胡椒碱（$C_{17}H_{19}NO_3$）计，不得少于0.30mg。

【功能与主治】

化积，消食，止泻。用于慢性肠炎引起的腹泻，宝日病引起吐血，便血，胃胀，铁垢巴达干，胃火衰败，呃逆频作。

【用法与用量】

口服。一次1.5~3g，一日1~2次，温开水送服。

【规格】

每袋：（1）3g；（2）15g；（3）250g。

【贮藏】

密封，防潮。

起草单位：内蒙古盛唐国际蒙医药研究院　　崔圆圆　张跃祥　王　伟
　　　　　鄂尔多斯市检验检测中心　　　　　吕彩莲　郭　慧　史永惠
　　　　　内蒙古自治区国际蒙医医院　　　　康晓娜

朱勒根·其木格–15散质量标准起草说明

【历史沿革】

处方来源于《蒙医药选编》(内蒙古人民出版社1975年版,蒙古文,第361页)。

【处方来源】

本制剂由内蒙古自治区国际蒙医医院提供。

【名称】

朱勒根·其木格–15散

【药材和饮片的来源和执行标准】

1. 处方组成及药味排列顺序:白花龙胆90g、山沉香24g、诃子36g、栀子105g、木香36g、石膏54g、苦参33g、丁香18g、广枣30g、川楝子15g、檀香15g、肉豆蔻30g、北沙参33g、齿叶草39g、甘草24g。

2. 处方中除了白花龙胆、山沉香和齿叶草药材外,其余诃子等药味均收载于《中国药典》2020年版一部,其质量应符合该品种项下的有关规定。

白花龙胆:为龙胆科植物高山龙胆*Gentiana purdomii* Marq. 的干燥花。其标准应符合《内蒙古蒙药饮片炮制规范》2020年版第136页该品种项下有关规定。

山沉香:为木犀科植物贺兰山丁香*Syringa pinnatifolia Hemsl.var.alashanensis* Ma.et S.Q.Zhou削去外皮的干燥枝。其标准应符合《中华人民共和国卫生部药品标准》(蒙药分册)1998年版第4页该品种项下的有关规定。

齿叶草:为玄参科植物齿叶草*Odontites serotina*(Lam.) Dum.的干燥地上部分。其标准应符合《中华人民共和国卫生部药品标准》蒙药分册(1998年版)第28页该品种项下的有关规定。

【制法】

以上十五味,粉碎成细粉,过筛,混匀,分装,即得。

【性状】

本品为内服散剂,性状为淡黄色至棕黄色粉末;气微、味苦、微涩。

【鉴别】

本品为药材粉末制成的散剂,方中诃子、栀子、木香、丁香的显微特征较明显,故建立显微鉴别,并对处方中木香建立了薄层鉴别。

1.试剂与试药

供试品:供试品(批号20190833、20190928、20200314)由内蒙古自治区国际蒙医医院提供,模拟样品(20190912)模拟。

对照品:去氢木香内酯对照品(批号111525–201711),购于中国药品生物制品检定所。

薄层板:硅胶G板,购于青岛海洋化工有限公司。

所用其他试剂均为分析纯,水为离子交换高纯水。

2.试验方法与结果

（1）显微鉴别

诃子：石细胞成群，呈类圆形、长卵形、长方形或长条形，孔沟细密而明显。栀子：种皮石细胞黄色或淡棕色，长多角形、长方形或形状不规则，直径60~112μm，长至230μm，壁厚，纹孔甚大，胞腔棕红色。木香：菊糖多见，表面现放射状纹理。丁香：花粉粒众多，极面观三角形，赤道表面观双凸镜形，具3副合沟。

（2）木香薄层鉴别

参照《中国药典》2020年版一部"木香"项下薄层条件，制定出正文所述的鉴别方法。通过阴性对照试验观察，方中其他药材对木香的检出无干扰，证明此方法具有专属性。

【检查】

按照散剂（《中国药典》2020年版四部通则0115）项下的规定，对三批供试品及模拟样品的外观均匀度、水分、重金属、砷盐和微生物限度进行了检查。具体方法及测定数据如下：

1. 外观均匀度：取供试品适量，置光滑纸上，平铺约5cm²，将其表面压平，在亮处观察，呈现均匀的色泽，无花纹、色斑。结果三批供试品及模拟样品均符合规定。

2. 水分：取供试品照水分测定法（《中国药典》2020年版四部通则0832）测定。三批供试品及模拟样品的测定结果见表1。

表1　水分测定结果

序号	批号	水分（%）
1	20190833	7.09
2	20190928	7.17
3	20200314	7.02
4	20190912	7.05

药典规定散剂水分含量不得大于9.0%。从表1数据可见，本品水分含量均符合要求。

3. 对三批供试品及模拟样品进行了重金属和砷盐考察。方法与结果如下：

重金属：分别取每个批号供试品0.5g、0.67g、1.0g、2.0g，按《中国药典》2020年版四部0821第二法检查。

供试品溶液的制备：取本品0.5g、0.67g、1.0g、2.0g，分别缓缓炽灼至完全炭化，放冷，加硫酸0.5ml，使湿润，低温加热至硫酸除尽后，加硝酸0.5ml，蒸干，至氧化氮蒸气除尽后，放冷，于600℃炽灼至完全灰化，放冷。加盐酸2ml，置水浴上蒸干后加水15ml，滴加氨试液至对酚酞指示液显中性，再加醋酸盐缓冲液（pH3.5）2ml，微热溶解后，移置纳氏比色管中，加水稀释至25ml，作为供试品溶液。

标准铅对照溶液的制备：另取配制供试品溶液的试剂两份，分别置瓷皿中蒸干后，加醋酸盐缓冲液（pH3.5）2ml，加水15ml微热溶解后，移置两支纳氏比色管中，分别加标准铅溶液（10μg/ml Pb）2ml，再加水稀释至25ml，作为标准铅对照溶液。

检视：于上述供试品溶液和标准铅对照溶液中分别加硫代乙酰胺试液各2ml，摇匀，放置2分钟，同置白色背景上，从上向下进行观察。试验结果见表2。

表2　重金属检查结果

序号	批号	重金属含量（ppm）			
1	20190833	<10	<20	<30	<40
2	20190928	<10	<20	<30	<40
3	20200314	<10	<20	<30	<40
4	20190912	<10	<20	<30	<40

结果显示，供试品溶液的颜色明显浅于1ml的标准铅对照溶液。经过三批供试品及模拟样品的检查，含重金属

均未超过百万分之十，故未收入正文。

砷盐：取本品1g和标准砷溶液（1μg/ml AS）2ml，分别加无砷氢氧化钙1g，加少量水，搅匀，烘干，用小火缓缓炽灼至炭化，再在600℃炽灼至完全灰化，放冷。分别加盐酸7ml使溶解，再加水21ml，按《中国药典》2020年版四部通则0822第一法（古蔡氏法）做砷盐限量检查。

结果：供试品砷斑浅于标准砷斑的颜色，表明本品含砷量未超过百万分之二（小于2ppm），故砷盐检查项目未收入正文。

4. 微生物限度：照微生物计数法（《中国药典》2020年版四部通则1105）和控制菌检查法（《中国药典》2020年版四部通则1106）及《内蒙古蒙药制剂规范》（第三册）附录Ⅲ微生物限度标准，进行检查。结果均符合规定。

【含量测定】

朱勒根·其木格-15散由白花龙胆、山沉香、诃子、栀子、木香等十五味药材组成。功效为清巴达干热，消肿，止咳平喘。主要用于咽喉肿痛，气喘，喑哑，胸肋刺痛。栀子功能为泻火除烦、清热利湿。在标准制定过程中，以栀子苷作为测定指标，参照《中国药典》2020年版一部"栀子"项下含量测定方法，采用高效液相色谱法对本品中的栀子进行了含量测定方法研究。通过试验摸索，确定了比较理想的色谱条件，并经过方法学考察及阴性对照试验，表明该方法操作简单，重复性好，专属性强，方中其他组分对栀子苷的测定均无干扰。

1 仪器与试剂试药

1.1 仪器

U3000型高效液相色谱仪；SCL-10AvP型控制器，SPD-10AvP型检测器，Class-vP色谱工作站，岛津UV-1700型紫外-可见分光光度仪；隔膜真空泵（巩义市英峪仪器厂）；KQ-250DB型超声波清洗器（昆山市超声仪器有限公司）；Heal Force NW15UV型超纯水系统；ADVENTURERTM型电子天平（万分之一），Ohaus Discovery型电子天平（十万分之一）；FW400A型多功能粉碎机（材茂科技有限公司）。

1.2 试剂与试药

供试品（批号20190833、20190928、20200314）由内蒙古自治区国际蒙医医院提供，模拟样品（批号20190912）模拟；栀子苷对照品（批号110749-201617），购于中国食品药品检定研究院；乙腈为色谱纯，水为超纯水，其他试剂均为分析纯。

2 方法学考察

2.1 色谱条件

2.1.1 色谱柱：Alltima C$_{18}$（250mm×4.6mm，5μm）色谱柱。

2.1.2 流动相的选择：参照《中国药典》2020年版一部"栀子"项下的流动相比例进行流动相条件摸索，经试验验证，分离效果好，色谱峰对称，故将流动相定为以乙腈-水溶液（15∶85）。

2.1.3 柱温：33℃。

2.1.4 检测波长：按照《中国药典》2020版一部"栀子"项下规定，选择测定波长为：238nm。

2.1.5 理论塔板数的确定：对多批供试品测定结果表明，栀子苷峰的理论板数在1500以上即能达到与相邻峰分开，并符合《中国药典》2020版第一部规定$R>1.5$的要求，故本标准规定理论板数按栀子苷计不得低于1500。

2.2 提取效率的考察

参考《中国药典》2020年版一部"栀子"项下，以甲醇作为提取溶剂进行超声处理，取本品细粉约0.4g，精密称定，置具塞锥形瓶中，精密加入甲醇25ml，密塞，称定重量，超声处理（功率250W，频率40kHz）10分钟、20分钟、30分钟、40分钟，放冷，再称定重量，用甲醇补足减失的重量，摇匀，滤过，取续滤液，即得。另取栀子苷对照品适量，精密称定，加甲醇制成每1ml含30μg的溶液，即得。精密吸取10μl注入液相色谱仪测定，结果见表3。

表3 提取效率考察表

时间 (min)	称样量 (g)	峰面积值			含量 (mg/g)	平均含量 (mg/g)
		A	B	平均峰面积值		
10-1	0.4058	15.4637	15.7183	15.5910	4.9633	4.7097
10-2	0.4058	14.0117	13.9836	13.9977	4.4505	
20-1	0.4077	18.0915	17.8410	17.9663	5.7251	5.4472
20-2	0.4072	16.2854	16.2960	16.2907	5.1694	
30-1	0.4054	15.9193	15.8982	15.9087	5.0408	5.0602
30-2	0.4071	16.0042	16.0186	16.0114	5.0796	
40-1	0.4039	15.1241	15.5278	15.3259	4.9019	5.1063
40-2	0.4082	16.8248	16.7374	16.7881	5.3107	

从表3数据可见，超声处理20分钟时，在供试品中提取栀子苷的含量最高，故将提取时间定为20分钟。

2.3 专属性

2.3.1 对照品溶液的制备：取栀子苷对照品适量，精密称定，加甲醇制成每1ml含30μg的溶液，作为对照品溶液。

2.3.2 供试品溶液的制备：取本品细粉约0.4g，精密称定，置具塞锥形瓶中，精密加入甲醇25ml，密塞，称定重量，超声处理（功率250W，频率40kHz）20分钟，放冷，再称定重量，用甲醇补足减失的重量，摇匀，滤过，取续滤液，作为供试品溶液。

2.3.3 阴性对照品溶液的制备：按处方配比制备缺栀子的阴性供试品，按"供试品溶液的制备"方法制备阴性对照溶液。

2.3.4 测定：分别精密吸取以上三种溶液各10μl，注入液相色谱仪测定。

试验结果显示，供试品色谱中在与对照品色谱保留时间相同的位置上有色谱峰出现，而阴性对照在与对照品色谱保留时间相同的位置上无色谱峰出现，表明该含量测定方法阴性无干扰，专属性好。

2.4 线性关系考察

取栀子苷对照品约7.3mg，精密称定，置100ml量瓶中，加纯甲醇使溶解并稀释至刻度，摇匀（栀子苷实际浓度为0.0734mg/ml），然后吸取上述溶液1μl、3μl、5μl、7μl、10μl、12μl、15μl、20μl分别进样，按上述色谱条件测定，以峰面积对栀子苷的进样量进行回归分析。标准曲线数值见表4。

表4 栀子苷标准曲线数值表

序号	进样量(μg)	峰面积分值	回归方程	r
1	0.0734	1.3260		
2	0.2202	4.1818		
3	0.3670	6.8643		
4	0.5138	9.5585	$y=0.135223x-0.07817$	0.99996
5	0.7430	13.6120		
6	0.8808	16.3485		
7	1.1010	20.3931		
8	1.4680	27.0542		

从表5数据可见，木香烃内酯在0.0734~1.468μg范围内与峰面积值呈良好的线性关系。

2.5 稳定性试验

取同一供试品（批号20190912）溶液，分别于0小时、1小时、2小时、3小时、4小时、5小时、6小时、7小时、8小时进样测定,结果见表5。

表5 不同时间测定供试品中栀子苷峰面积

序号	时间(h)	峰面积值	RSD(%)
1	0	17.4598	
2	1	17.9680	
3	2	17.9185	
4	3	17.6852	
5	4	17.1070	1.60
6	5	17.3180	
7	6	17.3787	
8	7	17.4591	
9	8	17.4326	

从表5数据可见,栀子苷在8小时内的峰面积值基本稳定不变,能够满足测定所需要的时间。

2.6 精密度试验

取同一供试品(批号20190912)0.4006g,精密称定,置具塞锥形瓶中,精密加入甲醇25ml,密塞,称定重量,超声处理(功率250W,频率40kHz)20分钟,放冷,再称定重量,用甲醇补足减失的重量,摇匀,滤过,取续滤液,即得。另取栀子苷对照品适量,精密称定,加甲醇制成每1ml含30μg的溶液,即得。精密吸取10μl注入液相色谱仪测定,连续进样7次,测定栀子苷峰面积值,测定供试品含量,RSD为0.51%,结果见表6。

表6 栀子苷精密度试验结果

序号	峰面积值	平均值	RSD(%)
1	17.4150		
2	17.3705		
3	17.3420		
4	17.4171	17.4206	0.51
5	17.6087		
6	17.3615		
7	17.4297		

从表6数据可见,符合《中国药典》2020年版四部通则0512中规定的RSD值小于2.0%的要求

2.7 重复性试验

取同一供试品(批号20190912)6份,各约0.4g,精密称定,置具塞锥形瓶中,精密加入甲醇25ml,密塞,称定重量,超声处理(功率250W,频率40kHz)20分钟,放冷,再称定重量,用甲醇补足减失的重量,摇匀,滤过,取续滤液,即得。另取栀子苷对照品适量,精密称定,加甲醇制成每1ml含30μg的溶液,即得。精密吸取10μl注入液相色谱仪测定,测定每份供试品含量,结果见表7。

表7 栀子苷含量重复性试验结果

样品号	称样量(g)	样品峰面积	含量(mg/g)	平均含量(mg/g)	RSD(%)
1	0.4006	17.3857	5.6631		
2	0.4022	17.4728	5.6688		
3	0.4051	16.9817	5.4700	5.6673	1.81
4	0.4046	17.7351	5.7198		
5	0.4064	17.9105	5.7507		
6	0.4028	17.6917	5.7313		

从表7数据可见，在相同的提取溶剂和色谱条件下，6份供试品含量测定结果的均值为5.6673mg/g，RSD为1.81%，表明该方法的重复性良好。

2.8　加样回收率试验

取供试品（批号20190912）9份，均约0.20g，精密称定，其中1、2、3号各精密加入用甲醇配制的栀子苷对照品溶液（栀子苷浓度：0.1124mg/ml）5ml，4、5、6号各精密加入上述对照品溶液10ml，7、8、9号各精密加入上述对照品溶液15ml，在各瓶加入甲醇至25ml，密塞，称定重量，超声处理（功率250W，频率40kHz）20分钟，放冷，再称定重量，用甲醇补足减失的重量，摇匀，滤过，取续滤液，即得。另取栀子苷对照品适量，精密称定，加甲醇制成每1ml含30μg的溶液，即得。精密吸取10μl注入液相色谱仪测定，测定每份供试品含量，计算回收率，结果见表8。

表8　栀子苷加样回收试验结果

序号	称样量（g）	供试品含量（mg）	对照品加入量（mg）	测得总量（mg）	回收率（%）	平均值（%）	RSD（%）
1	0.2036	1.1519	0.5620	1.7041	98.26		
2	0.2012	1.1383	0.5620	1.6760	95.66		
3	0.2082	1.1779	0.5620	1.7195	96.37		
4	0.2049	1.1593	1.1240	2.2607	97.99		
5	0.2026	1.1463	1.1240	2.2507	98.26	103.37	2.2
6	0.2056	1.1632	1.1240	2.2825	99.58		
7	0.2070	1.1711	1.6860	2.7617	94.34		
8	0.2046	1.1576	1.6860	2.7630	95.22		
9	0.2021	1.1434	1.6860	2.8001	98.29		

从表8数据可见，本方法的平均回收率为103.37%，RSD为2.2%，表明该方法的准确度高。

2.9　耐用性试验

换不同厂家、不同型号的色谱柱，取供试品（批号20190912）约0.4g，精密称定，置具塞锥形瓶中，精密加入甲醇25ml，密塞，称定重量，超声处理（功率250W，频率40kHz）20分钟，放冷，再称定重量，用甲醇补足减失的重量，摇匀，滤过，取续滤液，即得。另取栀子苷对照品适量，精密称定，加甲醇制成每1ml含30μg的溶液，即得。精密吸取10μl注入液相色谱仪测定，测定每份供试品含量，结果见表9。

表9　不同色谱柱的耐用性试验

序号	称样量（g）	柱型号	峰面积值	含量（mg/g）
1	0.4023	Apollo C$_{18}$柱	17.4125	5.52
	0.4035	Alltima C$_{18}$柱	17.4213	5.34
2	0.4018	Apollo C$_{18}$柱	17.3487	5.51
	0.4033	Alltima C$_{18}$柱	17.5029	5.48

从表9数据可见：在使用不同型号或厂家的色谱柱时，对测定结果影响较小，具有较好的耐用性。

3　样品含量测定

取三批样品和模拟样品各约0.4g，每批2份，精密称定，置具塞锥形瓶中，精密加入甲醇25ml，密塞，称定重量，超声处理（功率250W，频率40kHz）20分钟，放冷，用甲醇补足减失的重量，摇匀，滤过，取续滤液，即得。另取栀子苷对照品适量，精密称定，加甲醇制成每1ml含30μg的溶液，即得。精密吸取10μl注入液相色谱仪测定，测定每份供试品含量，结果见表10。

表10 样品中栀子苷的含量测定结果

批号	称样量（g）	峰面积值	含量（mg/g）	平均含量（mg/g）
20190833	0.4045	20.1021	7.82	7.83
	0.4088	20.0659	7.84	
20190928	0.4027	20.4329	7.93	7.96
	0.4040	20.4412	7.99	
20200314	0.4058	20.2479	7.93	7.89
	0.4033	20.3064	7.86	
20190912	0.4064	17.9105	5.65	5.64
	0.4028	17.6917	5.63	

从表10数据可见，供试品平均含量最低为7.83mg/g，最高为7.96mg/g。含量之间无明显差异。

4 栀子药材的含量测定

取栀子药材粉末约0.05g，精密称定，按《中国药典》2020年一部"栀子"项下的方法处理并测定，栀子药材中栀子苷的含量测定结果见表11。

表11 栀子药材中栀子苷的含量测定结果

序号	称样量（g）	平均峰面积值（n=2）		含量（mg/g）	平均含量（mg/g）
1	0.0528	11.7043 11.3587	11.5315	28.31	29.19
2	0.0535	12.4195 12.4015	12.4105	30.07	
3	0.0532	11.4233 11.4154	11.4193	29.19	

从表11数据可见，模拟样品所用栀子药材中栀子苷的含量为29.19mg/g。

5 本制剂含量限度的确定

表中数据可见，模拟样品（批号20190912）中栀子苷的含量为5.64mg/g，模拟样品所用栀子药材中栀子苷的含量为29.19mg/g。

按理论值折算，样品应含栀子苷为105÷582×29.1912=5.266，即5.27mg/g。可见，栀子苷转移率为5.64（mg/g）÷5.26（mg/g）×100%=107.2%。

参照《中国药典》2020年版一部"栀子"药材的栀子苷含量限度不得少于1.8%，平均转移率为107%，转移率过高，故不计入含量限度计算里。考虑不同产地药材的质量差异，并结合其他影响因素及三批样品的测定结果，下浮15%，按此限度折算本品含栀子苷的理论量应不低于105÷582×1000×1.8%×100%×85%=2.76mg/g。

标准正文暂定为：本品每1g含栀子以栀子苷（$C_{17}H_{24}O_{10}$）计不得少于2.8mg。

【功能与主治】

清巴达干热，消肿，止咳，平喘。用于感冒引起的咽喉肿痛，胸满，气喘，胸胁作痛，肺热咳嗽，巴达干热。

【用法与用量】

口服。一次1.5~3g，一日1~2次，温开水送服。

【规格】

每袋：（1）3g；（2）15g；（3）250g。

【贮藏】

密封,防潮。

起草单位: 内蒙古盛唐国际蒙医药研究院　　崔圆圆　张跃祥　梁国栋

包头市检验检测中心　　　　　　马　静　赵　欣　王　丽

呼和浩特市蒙医中医医院　　　　李素梅

伊和·绰森古日古木-8散质量标准起草说明

【历史沿革】

本方来源于《蒙医药选编》(内蒙古人民出版社1999年版,蒙古文,第354页)。

【处方来源】

本制剂由内蒙古自治区国际蒙医医院提供。

【名称】

伊和·绰森古日古木-8散

【蒙药材和饮片的来源和执行标准】

1. 处方组成及药味排列顺序:西红花100g、熊胆粉100g、扁豆花80g、紫檀70g、波棱瓜子50g、寒制红石膏50g、地锦草70g、射干50g。

2. 处方中除了熊胆粉、紫檀、波棱瓜子和寒制红石膏药材外,其余西红花等药味均收载于《中国药典》2020年版一部,其质量应符合该品种项下的有关规定。

熊胆粉:本品为熊科动物黑熊*Selenarctos thibetanus* Cuvier 经胆囊手术引流胆汁而得的干燥品。其标准应符合《中华人民共和国卫生部药品标准》新药转正标准第十一册第 44 页该品种项下有关规定。

紫檀:为豆科植物紫檀*Pterocarpus sindicus* Willd的干燥心材。其标准应符合《内蒙古蒙药饮片炮制规范》2020年版第440 页该品种项下的有关规定。

波棱瓜子:为葫芦科植物波棱瓜*Herpetospermum pedunculosum*(Sex.)Baill. 的干燥种子。其标准应符合《内蒙古蒙药饮片炮制规范》2020年版第277 页该品种项下的有关规定。

寒制红石膏:为单斜晶系硫酸钙矿石族红石 Gypsum的矿石红石膏(北寒水石)的炮制加工品。 主含含水硫酸钙(CaSO$_4$·2H$_2$O)。其标准应符合《内蒙古蒙药饮片炮制规范》2020年版第188页该品种项下的有关规定。

【制法】

以上八味,除西红花、熊胆粉外,其余扁豆花等六味,粉碎成细粉,将西红花研细,与熊胆粉和上述细粉配研,过筛,混匀,分装,即得。

【性状】

本品为口服制剂散剂,性状为红棕色至棕红色的粉末;气微香,味微涩、苦。

【鉴别】

本品为药材粉末制成的散剂,方中西红花、紫檀的显微特征都较明显,故建立显微鉴别,并对处方中的紫檀建立了薄层鉴别。

1 试剂与试药

供试品:供试品(批号20191228、20191229、20200317)由国际蒙医医院提供,模拟样品(批号20191201)模拟。

对照品:紫檀对照药材(批号121310-201302),购于中国食品药品检定研究院。

薄层板:硅胶G板,购于青岛海洋化工有限公司。

所用其他试剂均为分析纯,水为离子交换高纯水。

2.试验方法与结果

(1)显微鉴别

西红花:表皮细胞表面现长条形,壁薄,微弯曲,有的外壁凸出呈乳头状或绒毛状,表面隐约可见纤细纹理;紫檀:木射线细胞切向纵断面观呈类圆形或类三角形,壁稍厚,木化,孔沟明显,胞腔内含草酸钙方晶。

(2)紫檀的薄层鉴别

处方中紫檀具有理气、和胃的功效。参照文献报道的薄层鉴别条件,制定出正文所述的鉴别方法。通过阴性对照试验观察,方中其他药材对紫檀的检出无干扰,证明此方法具有专属性。

【检查】

按照散剂(《中国药典》2020年版四部通则0115)项下的规定,对三批供试品及模拟样品的外观均匀度、水分、重金属、砷盐和微生物限度进行了检查。具体方法及测定数据如下:

1. 外观均匀度:按《中国药典》2020年版四部通则0115散剂项下规定,取三批供试品及模拟样品适量,置光滑纸上,平铺约5cm²,将其表面压平,在明亮处观察,应色泽均匀,无花纹与色斑。结果三批供试品及模拟样品均符合规定。

2. 水分:取供试品照水分测定法(《中国药典》2020年版四部通则0832)测定。3批供试品及模拟样品测定结果见表1。

表1 水分测定结果

序号	批号	水分(%)
1	20191228	6.51
2	20191229	6.37
3	20200330	6.49
4	20191201	5.52

药典规定散剂水分含量不得大于9.0%。从表1数据可见,本品的水分含量均符合要求。

3. 对三批供试品及模拟样品进行了重金属和砷盐考察。方法与结果如下:

重金属:分别取每个批号样品0.5g、0.67g、1.0g、2.0g,按《中国药典》2020年版四部0821第二法检查。

供试品溶液的制备:取本品0.5g、0.67g、1.0g、2.0g,分别缓缓炽灼至完全炭化,放冷,加硫酸0.5ml,使湿润,低温加热至硫酸除尽后,加硝酸0.5ml,蒸干,至氧化氮蒸气除尽后,放冷,于600℃炽灼至完全灰化,放冷。加盐酸2ml,置水浴上蒸干后加水15ml,滴加氨试液至对酚酞指示液显中性,再加醋酸盐缓冲液(pH3.5)2ml,微热溶解后,移置纳氏比色管中,加水稀释至25ml,作为供试品溶液。

标准铅对照管的制备:另取配制供试品溶液的试剂两份,分别置瓷皿中蒸干后,加醋酸盐缓冲液(pH3.5)2ml,加水15ml微热溶解后,移至两支纳氏比色管中,分别加标准铅溶液(10μg/ml Pb)2ml,再加水稀释至25ml,作为标准铅对照管。

检视:于上述供试品溶液和标准铅对照管中分别加硫代乙酰胺试液各2ml,摇匀,放置2分钟,同置白色背景上,从上向下进行观察。试验结果见表2。

表2 重金属检查结果

序号	批号	重金属含量(ppm)			
1	20191228	<10	<20	<30	<40
2	20191229	<10	<20	<30	<40
3	20200330	<10	<20	<30	<40
4	20191201	<10	<20	<30	<40

结果显示,供试品溶液的颜色明显浅于2ml的标准铅对照溶液。经过三批供试品及模拟样品的检查,含重金属均未超过百万分之十,故未列入正文。

砷盐:取本品1g和标准砷溶液(1μg/ml AS)2ml,分别加无砷氢氧化钙1g,加少量水,搅匀,烘干,用小火缓缓炽灼至炭化,再在600℃炽灼至完全灰化,放冷。分别加盐酸7ml使溶解,再加水21ml,按《中国药典》2020年版四部通则0822第一法(古蔡氏法)检查砷盐含量。

结果:供试品砷斑浅于标准砷斑的颜色,表明本品含砷量未超过百万分之二(小于2ppm)。故砷盐检查项目未列入正文。

4. 微生物限度:照微生物计数法(《中国药典》2020年版四部通则1105)和控制菌检查法(《中国药典》2020年版四部通则1106)及《内蒙古蒙药制剂规范》(第三册)附录Ⅲ微生物限度标准,进行检查。结果均符合规定。

【含量测定】

伊和·绰森古日古木-8散是由西红花、熊胆粉、扁豆花、紫檀、波棱瓜子、寒制红石膏、地锦草、射干八味药组成的复方制剂。临床功效为止血。用于上、下渗出之宝日,胃肠出血,月经淋漓,吐血,咯血,外伤出血,鼻衄等各种出血症。西红花为方中的主药,具有活血化瘀,凉血解毒,解郁安神的功效。用于经闭癥瘕,产后瘀阻,温毒发斑,忧郁痞闷,惊悸发狂。西红花苷-Ⅰ和西红花苷-Ⅱ是西红花的主要活性成分,故选择西红花苷-Ⅰ和西红花苷-Ⅱ作为指标成分,参照《中国药典》2020年版一部"西红花"项下的含量测定方法,对本制剂中的西红花进行了HPLC含量测定方法研究。经分析方法验证,表明该方法重复性好,专属性强,方中其他组分对西红花苷-Ⅰ和西红花苷-Ⅱ的测定无干扰。

1　仪器与试剂试药

1.1　仪器

Waters e2695型高效液相色谱仪;Mettler-Toledo MS105DU型百万分之一电子天平,Mettler-Toledo XPR10型万分之一电子天平;SBL-22DT型超声波清洗器(宁波新芝生物科技股份有限公司,40kHz);Heal Force NW15UV型超纯水系统;FW400A型多功能粉碎机(材茂科技有限公司)。

1.2　试剂与试药

供试品(批号20191228、20191229、20200330)由国际蒙医医院提供,模拟样品(批号20191201)模拟;西红花苷-Ⅰ对照品(批号111588-201704)、西红花苷-Ⅱ对照品(批号111589-201705),均购于中国食品药品检定研究院;甲醇为色谱纯,水为超纯水,其他试剂均为分析纯。

2　方法学考察

2.1　色谱条件

2.1.1　色谱柱:色谱柱填充剂为十八烷基硅烷键合硅胶,本试验采用Tnature C_{18}(250mm×4.6mm,5μm)色谱柱。

2.1.2　流动相的选择:参照《中国药典》2020年版一部"西红花"含量测定项下的测定方法,以甲醇-水(45:55)为流动相进行条件摸索。经试验摸索,供试品色谱图中的西红花苷-Ⅰ峰和西红花苷-Ⅱ峰的对称性均在0.95~1.05,与其他成分达到较好的分离,理论板数较高,并具有适宜的保留时间,故选择以甲醇-水(45:55)为流动相。

2.1.3　柱温:30℃可以保证柱压较低,分离效果稳定,保留时间变化小,故选择柱温为30℃。

2.1.4　检测波长的选择:参照《中国药典》2020年版一部"西红花"含量测定项下的测定方法,选用440nm处作为检测波长。

2.1.5　理论板数的确定:从对三批样品的测定结果可见,西红花苷-Ⅰ峰理论板数在3500以上即能达到较好的分离效果,故规定理论板数按西红花苷-Ⅰ峰计不低于3500。

2.2 提取溶剂及提取效率的考察

参考《中国药典》2020年版一部"西红花"含量测定项下的方法,以稀乙醇作为提取溶剂进行超声提取,为保证被测成分提取完全,在供试品的细度一致、提取溶剂确定、超声(功率250W,频率40kHz)的条件下,试验中考察了10分钟、20分钟和30分钟等不同提取时间对提取效率的影响。结果见表3和表4。

表3 西红花苷-Ⅰ提取时间考察

提取时间(min)	称样量(g)	平均峰面积值	含量(mg/g)
10	0.0507	766233	11.73
20	0.0501	766558	11.88
30	0.0504	768980	11.84

表4 西红花苷-Ⅱ提取时间考察

提取时间(min)	称样量(g)	平均峰面积值	含量(mg/g)
10	0.0507	301078	3.82
20	0.0501	305173	3.92
30	0.0504	305516	3.90

从表3、4数据可见,超声提取20分钟时,供试品中西红花苷-Ⅰ和西红花苷-Ⅱ的含量均为最高,故将提取时间定为20分钟,与《中国药典》2020年版一部"西红花"含量测定项下的提取时间一致。

2.3 专属性考察

2.3.1 对照品溶液的制备:取西红花苷-Ⅰ、西红花苷-Ⅱ对照品适量,精密称定,加稀乙醇制成每1ml各含西红花苷-Ⅰ对照品30μg、西红花苷-Ⅱ对照品12μg的溶液,作为对照品溶液。

2.3.2 供试品溶液的制备:取本品细粉约50mg,精密称定,置50ml棕色量瓶中,加稀乙醇适量,超声处理(功率250W,频率40kHz)20分钟,放至室温,加稀乙醇稀释至刻度,摇匀,滤过,取续滤液,作为供试品溶液。

2.3.3 阴性对照溶液的制备:按本品处方配比制备不含西红花的阴性样品,取约50mg,精密称定,从"置50ml棕色量瓶中……"起操作同"供试品溶液的制备",取续滤液,作为阴性对照溶液。

2.3.4 测定:分别精密吸取上述三种溶液各10μl,注入液相色谱仪,记录色谱图。

试验结果显示,供试品色谱中在与对照品色谱保留时间相同的位置上有色谱峰出现,而阴性对照在与对照品色谱保留时间相同的位置上无色谱峰出现,表明该含量测定方法阴性无干扰。

2.4 线性关系考察

取西红花苷-Ⅰ对照品、西红花苷-Ⅱ对照品适量,精密称定,置25ml量瓶中,加稀乙醇使溶解,并稀释至刻度,摇匀,作为对照品溶液(对照品溶液实际浓度:西红花苷-Ⅰ=0.0269mg/ml,西红花苷-Ⅱ=0.0119mg/ml)。分别精密吸取上述对照品溶液2μl、5μl、10μl、15μl、20μl、25μl注入液相色谱仪,按上述色谱条件进行测定,以峰面积对对照品进样量进行回归分析。结果见表5和表6。

表5 西红花苷-Ⅰ标准曲线数据及回归分析结果

序号	进样量(μg)	峰面积值	回归方程	r
1	0.0538	336203		
2	0.1345	865610		
3	0.2690	1730619	$y=6413316.22x-3210.98$	0.9997
4	0.4035	2596614		
5	0.5380	3398049		
6	0.6725	4337541		

表6 西红花苷-Ⅱ标准曲线数据及回归分析结果

序号	进样量（μg）	峰面积值	回归方程	r
1	0.0238	181867		
2	0.0595	462213		
3	0.1190	924318	$y=7823855.73x-7084.17$	0.9999
4	0.1785	1377486		
5	0.2380	1850149		
6	0.2975	2330461		

从表5、6数据可见，西红花苷-Ⅰ在0.0538~0.6725μg范围内与峰面积呈良好的线性关系；西红花苷-Ⅱ在0.0238~0.2975μg范围内与峰面积呈良好的线性关系。

2.5 精密度试验

取同一供试品（批号20191228）溶液，连续进样6针，记录色谱图。西红花苷-Ⅰ、西红花苷-Ⅱ峰面积的精密度计算结果见表7和表8。

表7 西红花苷-Ⅰ精密度试验结果

序号	峰面积值	平均值	RSD（%）
1	766148		
2	761368		
3	763479	765454	0.36
4	767646		
5	768990		
6	765092		

表8 西红花苷-Ⅱ精密度试验结果

序号	峰面积值	平均值	RSD（%）
1	301805		
2	302612		
3	305591	304369	0.71
4	304128		
5	304261		
6	307819		

从表7、8数据可见，符合《中国药典》2020年版四部通则0512中规定的RSD值小于2.0%的要求。

2.6 稳定性试验

取同一供试品（批号20191228）溶液，分别于溶液制备后的0小时、2小时、4小时、6小时、10小时、12小时进样测定。结果见表9和表10。

表9 西红花苷-Ⅰ的稳定性试验结果

序号	时间（h）	峰面积值	RSD（%）
1	0	762642	
2	2	768643	
3	4	761173	
4	6	765565	0.39
5	10	766824	
6	12	761797	

表10 西红花苷-Ⅱ的稳定性试验结果

序号	时间（h）	峰面积值	RSD（%）
1	0	319014	
2	2	319799	
3	4	316552	
4	6	320963	1.15
5	10	314217	
6	12	324824	

从表9、10数据可见，西红花苷-Ⅰ和西红花苷-Ⅱ在12小时内峰面积值基本稳定不变。

2.7 重复性试验

取同一供试品（批号20191228）6份，各约50mg，精密称定，置50ml棕色量瓶中，加稀乙醇适量，超声处理（功率250W，频率40kHz）20分钟，放至室温，加稀乙醇稀释至刻度，摇匀，滤过，取续滤液，作为供试品溶液。取西红花苷-Ⅰ、西红花苷-Ⅱ对照品适量，精密称定，加稀乙醇制成每1ml各含西红花苷-Ⅰ对照品30μg、西红花苷-Ⅱ对照品12μg的溶液，作为对照品溶液。分别精密吸取以上两种溶液各10μl，注入液相色谱仪，记录各自的色谱图，用外标法以峰面积计算含量。结果见表11和表12。

表11 西红花苷-Ⅰ重复性试验结果

称样量（g）	峰面积值	含量（mg/g）	平均含量（mg/g）	RSD（%）
0.0511	767458	11.66		
0.0516	763569	11.49		
0.0509	762850	11.63		
0.0501	769066	11.91	11.58	1.95
0.0527	762344	11.23		
0.0513	763699	11.55		

表12 西红花苷-Ⅱ重复性试验结果

称样量（g）	峰面积值	含量（mg/g）	平均含量（mg/g）	RSD（%）
0.0511	316602	3.98		
0.0516	319711	3.98		
0.0509	317599	4.01		
0.0501	316455	4.06	3.97	1.68
0.0527	316437	3.86		
0.0513	315841	3.95		

从表11、12数据可见，在相同的细度、提取溶剂和色谱条件下，6份供试品中西红花苷-Ⅰ和西红花苷-Ⅱ的含量测定结果的均值分别为11.58mg/g（RSD为1.95%）、3.97mg/g（RSD为1.68%），表明该方法的重复性好。

2.8 加样回收试验

取已知含量（批号20191228；西红花苷-Ⅰ含量为11.58mg/g，西红花苷-Ⅱ含量为3.97mg/g）的供试品9份，各约25mg，精密称定，置50ml棕色量瓶中，其中1、2、3号各精密加入混合对照品溶液（西红花苷-Ⅰ浓度为0.1451mg/ml，西红花苷-Ⅱ浓度为0.0501mg/ml）1ml，4、5、6号各精密加入上述混合对照品溶液2ml，7、8、9号各精密加入上述混合对照品溶液3ml，9个棕色量瓶中分别加稀乙醇适量，超声处理（功率250W，频率40kHz）20分钟，放至室温，加稀乙醇稀释至刻度，摇匀，滤过，取续滤液，作为供试品溶液。分别精密吸取各溶液10μl进样测定，按外标法以峰面积计算含量并计算回收率。结果见表13和表14。

表13　西红花苷-Ⅰ加样回收试验结果

称样量（mg）	供试品含量（mg）	对照品加入量（mg）	测得总量（mg）	回收率（%）	平均回收率（%）	RSD（%）
25.05	0.2901	0.1451	0.4410	104.0		
25.09	0.2905	0.1451	0.4406	103.4		
25.21	0.2919	0.1451	0.4389	101.3		
25.03	0.2898	0.2902	0.5850	101.7		
25.47	0.2949	0.2902	0.5921	102.4	102.7	1.03
25.18	0.2916	0.2902	0.5928	103.8		
25.26	0.2925	0.4353	0.7439	103.7		
25.22	0.2920	0.4353	0.7339	101.5		
25.14	0.2911	0.4353	0.7390	102.9		

表14　西红花苷-Ⅱ加样回收试验结果

称样量（mg）	供试品含量（mg）	对照品加入量（mg）	测得总量（mg）	回收率（%）	平均回收率（%）	RSD（%）
25.05	0.0994	0.0501	0.1498	100.5		
25.09	0.0996	0.0501	0.1496	99.8		
25.21	0.1001	0.0501	0.1503	100.2		
25.03	0.0994	0.1002	0.1980	98.4		
25.47	0.1011	0.1002	0.2004	99.1	100.0	1.04
25.18	0.1000	0.1002	0.1989	98.7		
25.26	0.1003	0.1503	0.2528	101.5		
25.22	0.1001	0.1503	0.2516	100.8		
25.14	0.0998	0.1503	0.2510	100.6		

从表13、14数据可见，西红花苷-Ⅰ的平均回收率为102.7%，RSD为1.03%；西红花苷-Ⅱ的平均回收率为100.0%，RSD为1.04%。表明该方法准确度好。

2.9　耐用性试验

取供试品（批号20191228）2份，各约50mg，精密称定，按重复性试验项下的方法处理，换不同厂家、不同型号的色谱柱，分别测定供试品的含量。结果见表15和表16。

表15　色谱柱耐用性试验（西红花苷-Ⅰ）

序号	称样量（g）	柱型号	峰面积值	含量（mg/g）
1	0.0507	Tnature C₁₈柱	770214	11.52
	0.0507	Wondasil C₁₈柱	765943	11.47
2	0.0521	Tnature C₁₈柱	767149	11.19
	0.0521	Wondasil C₁₈柱	765960	11.40

表16　色谱柱耐用性试验（西红花苷-Ⅱ）

序号	称样量（g）	柱型号	峰面积值	含量（mg/g）
1	0.0507	Tnature C₁₈柱	314509	3.92
	0.0507	Wondasil C₁₈柱	317719	3.85
2	0.0521	Tnature C₁₈柱	318051	3.90
	0.0521	Wondasil C₁₈柱	316513	3.89

从表15、16数据可见，在使用不同型号或厂家的色谱柱时，对测定结果影响较小。

3 样品含量测定

取三批样品（批号20191228、20191229、20200330）及模拟样品（批号20191201），每批各2份，各约50mg，精密称定，按重复性试验项下的方法处理并测定含量。结果见表17和表18。

表17 样品中西红花苷-Ⅰ的含量测定结果

批号	称样量（g）	平均峰面积值	含量（mg/g）	平均含量（mg/g）
20191228	0.0505	770929	11.85	11.88
	0.0502	769962	11.90	
20191229	0.0516	768873	11.56	11.70
	0.0507	773667	11.84	
20200330	0.0504	770828	11.87	11.86
	0.0505	770519	11.84	
20191201	0.0522	803214	11.94	11.97
	0.0519	802931	12.01	

表18 样品中西红花苷-Ⅱ的含量测定结果

批号	称样量（g）	平均峰面积值	含量（mg/g）	平均含量（mg/g）
20191228	0.0505	312436	3.98	4.00
	0.0502	313584	4.02	
20191229	0.0516	310340	3.87	3.93
	0.0507	314991	4.00	
20200330	0.0504	312168	3.99	3.99
	0.0505	313179	3.99	
20191201	0.0522	325429	4.01	4.02
	0.0519	325007	4.03	

从表17、18数据可见，三批样品和模拟样品中西红花苷-Ⅰ含量最低为11.70mg/g，最高为11.97mg/g；西红花苷-Ⅱ含量最低为3.93mg/g，最高为4.02mg/g。含量之间无明显差异。

4 西红花药材含量测定

采用同法对三批样品生产用西红花药材进行了含量测定。测定结果见表19和表20。

表19 西红花药材中西红花苷-Ⅰ的含量测定结果

序号	称样量（mg）	平均峰面积值	含量（mg/g）	平均含量（mg/g）
1	1.05	107917793	79.77	79.87
2	1.09	112295783	79.96	

表20 西红花药材中西红花苷-Ⅱ的含量测定结果

序号	称样量（mg）	平均峰面积值	含量（mg/g）	平均含量（mg/g）
1	1.05	44385654	27.20	27.24
2	1.09	46212055	27.28	

从表19、20数据可见，西红花药材中西红花苷-Ⅰ的平均含量为79.87mg/g（7.99%），西红花苷-Ⅱ的平均含量为27.24mg/g（2.72%）。

5 本制剂含量限度的确定

从表中数据可见，三批样品中西红花苷-Ⅰ和西红花苷-Ⅱ的总含量最低为15.63mg/g，模拟样品中西红花苷-Ⅰ和西红花苷-Ⅱ的总含量为15.99mg/g。试验中采用同法对上述样品生产用西红花药材进行了含量测定，测得西红花苷–Ⅰ和西红花苷–Ⅱ的总含量为107.11mg/g（10.7%）。

按理论值折算，样品应含西红花苷–Ⅰ和西红花苷–Ⅱ的总量为20÷114×107.11=18.791，即18.79mg/g。可见，西红花苷–Ⅰ和西红花苷–Ⅱ的转移率为15.99（mg/g）÷18.79（mg/g）×100%=85.09%。

参照《中国药典》2020年版一部"西红花"项下有关规定，西红花含西红花苷–Ⅰ（$C_{44}H_{64}O_{24}$）和西红花苷–Ⅱ（$C_{38}H_{54}O_{19}$）的总含量限度不得少于10.0%，转移率为85.09%，考虑不同产地药材的质量差异，并结合其他影响因素及三批样品的测定结果，下浮20%，按此限度折算本品含西红花苷–Ⅰ和西红花苷–Ⅱ总的理论量应不低于20÷114×1000×10.0%×85.09%×80%=11.94mg。

标准正文暂定为：本品每1g含西红花以西红花苷–Ⅰ（$C_{44}H_{64}O_{24}$）和西红花苷–Ⅱ（$C_{38}H_{54}O_{19}$）的总量计，不得少于12.0mg。

【功能与主治】

止血。用于上、下渗出之宝日，胃肠出血，月经淋漓，吐血，咯血，外伤出血，鼻衄等各种出血症。

【用法与用量】

口服。一次1.5~3g，一日1~2次；温开水送服。

【规格】

每袋：（1）3g；（2）15g；（3）250g。

【贮藏】

密封，防潮。

起草单位：内蒙古盛唐国际蒙药研究院　　　张跃祥　崔圆圆　孙丽君

　　　　　鄂尔多斯市检验检测中心　　　　　杨　洋　李　珍　张　烨

　　　　　内蒙古自治区药品检验研究院　　　籍学伟　郭宝凤

伊顺·哈日–9散质量标准起草说明

【历史沿革】

处方来源于《蒙医方海》（内蒙古人民出版社 1978年版，蒙古文，第215页）。

【处方来源】

本制剂由内蒙古自治区国际蒙医医院提供。

【名称】

伊顺·哈日–9散

【蒙药材和饮片的来源和执行标准】

1. 处方组成及药味排列顺序：没药100g、石菖蒲100g、草乌100g、阿魏100g、雄黄100g、人工牛黄100g、大蒜100g、红花100g、人工麝香1g。

2. 处方中除了人工麝香药材外，其余没药等药味均收载在《中国药典》2020年版一部，其质量应符合该品种项下的有关规定。

人工麝香：应符合卫生部标准（试行）WS–210（Z–32）–93标准的有关规定。

【制法】

以上九味，除人工麝香、人工牛黄外，其余没药等七味，粉碎成细粉，将人工麝香、人工牛黄与上述细粉配研，过筛，混匀，分装，即得。

【性状】

本品为黄色至棕黄色的粉末；具特异气，味苦、微辛。

【鉴别】

本品为药材粉末制成的散剂。方中大多数药味的显微特征都比较明显，故对处方中红花、雄黄建立显微鉴别。并对处方中的人工牛黄建立了薄层鉴别。

1. 试剂与试药

供试品：供试品（批号20200402、20200403、20200404）由内蒙古自治区国际蒙医医院提供，模拟样品（批号20200078）模拟。

对照品：胆酸（批号100078–201415）、猪去氧胆酸（批号100087–201411），均购于中国食品药品检定研究院提供。

薄层板：硅胶G板，购于青岛海洋化工有限公司。

所用其他试剂均为分析纯，水超纯水。

2. 试验方法与结果

（1）显微鉴别

红花：花粉粒类圆形、椭圆形或橄榄形，直径约至60μm，具3个萌发孔，外壁有齿状突起；长管道状分泌细胞常位于导管旁，含黄棕色至红棕色分泌物。雄黄：不规则碎块橙黄色，具光泽。

（2）人工牛黄薄层鉴别

参照《中国药典》2020年版一部"人工牛黄"项下的薄层条件,以胆酸、猪去氧胆酸为对照定出正文所述的鉴别方法。展开后,在供试品色谱中,在与对照品色谱相应的位置上显出相对应的蓝色斑点。通过阴性对照试验观察,方中其他药材对人工牛黄中的胆酸、猪去氧胆酸的检出无干扰,此法具专属性。

(3)红花薄层鉴别

参照《中国药典》2020年版一部"红花"项下的薄层条件,制定出正文所述的鉴别方法。通过阴性对照试验观察,方中其他药材对红花的检出无干扰,证明此方法具专属性。由于对红花进行了含量测定,故其薄层鉴别未收入正文。

【检查】

按照散剂(《中国药典》2020年版四部通则0115)项下的规定,对三批供试品及模拟样品的外观均匀度、水分、重金属、砷盐和微生物限度进行了检查。具体方法及测定数据如下:

1. 外观均匀度:取供试品适量,置光滑纸上,平铺约5cm^2,将其表面压平,在亮处观察,呈现均匀的色泽,无花纹、色斑。结果三批供试品及模拟样品均符合规定。

2. 水分:取供试品照水分测定法(《中国药典》2020年版四部通则0832)测定。三批供试品及模拟样品的测定结果见表1。

表1 水分测定结果

序号	批号	水分(%)
1	20200402	4.7
2	20200403	4.8
3	20200404	4.7
4	20200078	4.7

药典规定散剂水分含量不得大于9.0%。从表1数据可见,本品水分含量符合要求。

3. 对三批供试品及模拟样品进行了重金属和砷盐考察。方法与结果如下:

重金属:分别取每个批号供试品0.5g、0.67g、1.0g、2.0g,按《中国药典》2020年版四部0821第二法检查。

供试品溶液的制备:取本品0.5g、0.67g、1.0g、2.0g,分别缓缓炽灼至完全炭化,放冷,加硫酸0.5ml,使湿润,低温加热至硫酸除尽后,加硝酸0.5ml,蒸干,至氧化氮蒸气除尽后,放冷,于600℃炽灼至完全灰化,放冷。加盐酸2ml,置水浴上蒸干后加水15ml,滴加氨试液至对酚酞指示液显中性,再加醋酸盐缓冲液(pH3.5)2ml,微热溶解后,移置纳氏比色管中,加水稀释至25ml,作为供试品溶液。

标准铅对照溶液的制备:另取配制供试品溶液的试剂两份,分别置瓷皿中蒸干后,加醋酸盐缓冲液(pH3.5)2ml,加水15 ml微热溶解后,移置两支纳氏比色管中,分别加标准铅溶液(10μg/ml Pb)2ml,再加水稀释至25ml,作为标准铅对照溶液。

检视:于上述供试品溶液和标准铅对照溶液中分别加硫代乙酰胺试液各2ml,摇匀,放置2分钟,同置白色背景上,从上向下进行观察。试验结果见表2。

表2 重金属检查结果

序号	批号	重金属含量(ppm)			
1	20200402	<10	<20	<30	<40
2	20200403	<10	<20	<30	<40
3	20200404	<10	<20	<30	<40
4	20200078	<10	<20	<30	<40

结果显示,供试品溶液的颜色明显浅于2ml的标准铅对照管。经过三批供试品及模拟样品的检查,含重金属均

未超过百万分之十，故未收入正文。

砷盐：取本品1g和标准砷溶液（1μg/ml AS）2ml，分别加无砷氢氧化钙1g，加少量水，搅匀，烘干，用小火缓缓炽灼至炭化，再在600℃炽灼至完全灰化，放冷。分别加盐酸7ml使溶解，再加水21ml，按《中国药典》2020年版四部通则0822第一法（古蔡氏法）做砷盐限量检查。

结果：供试品砷斑浅于标准砷斑的颜色，表明本品含砷量未超过百万分之二（小于2ppm），故砷盐检查项目未列入正文。

4. 微生物限度：照微生物计数法（《中国药典》2020年版四部通则1105）和控制菌检查法（《中国药典》2020年版四部通则1106）及《内蒙古蒙药制剂规范》（第三册）附录Ⅲ微生物限度标准，进行检查。结果均符合规定。

【含量测定】

伊顺·哈日-9散是由没药、石菖蒲、草乌、阿魏、雄黄、人工牛黄、大蒜、红花、人工麝香等九味药组成的复方制剂。红花主含红花苷类，红花多糖和有机酸。其中查尔酮类成分羟基红花黄色素A、黄色素A以及多种黄酮醇化合物如：槲皮素及其苷类，山奈酚及其苷类等是红花中的主要活性成分；参照《中国药典》2020年版一部"红花"项下的含量测定方法，选择羟基红花黄色素A作为指标成分，对本制剂中的红花进行了 HPLC含量测定方法研究。经分析方法验证，表明该方法重复性好，专属性强，方中其他组分对羟基红花黄色素A的测定无干扰。

1 仪器与试药试剂

1.1 仪器

岛津LC-2014型高效液相色谱仪；Sartorius BT25S型电子天平，Sartorius BSA223S型电子天平，Sartorius BSA224S型电子天平，MSA6.6S-CE型电子天平；KQ-500DE型超声清洗仪。

1.2 试剂与试药

供试品（批号20200402、20200403、20200404）由内蒙古自治区国际蒙医医院提供，模拟样品（批号20200078）模拟；羟基红花黄色素A对照品（批号111637-201609），购于中国食品药品检定研究所；甲醇、乙腈为色谱纯，水为超纯水，所用其他试剂均为分析纯。

2 方法学考察

2.1 色谱条件

2.1.1 色谱柱：色谱柱填充剂为十八烷基硅烷键合硅胶，本试验采用 Phenomenex luna C18（250mm×4.6mm，4μm）色谱柱，SHIMADZU C18（250mm×4.6mm，5μm）色谱柱。

2.1.2 流动相的选择：参照《中国药典》2020年版一部"红花"项下的含量测定方法，以甲醇-乙腈-0.7%磷酸溶液（26∶2∶72）为流动相进行测定，结果羟基红花黄色素A与其他成分分离不好，峰型不对称，经试验摸索将流动项改为A：甲醇-乙腈（26∶2）作为有机相，B：0.7%磷酸溶液（以三乙胺调pH至6.0±0.1）作为水相，通过不同比例比较，流动相的比例为A∶B（28∶72）时，供试品中的羟基红花黄色素A与其他成分均达到较好的分离，峰型较好，并具较适合的保留时间，故将流动相定为A∶B（28∶72）。

2.1.3 柱温：采用30℃柱温，可降低流动相黏度和柱压并改善分离效果，故将柱温定为30℃。

2.1.4 检测波长的选择：取羟基红花黄色素A对照品溶液，自200～800nm做光谱扫描，结果羟基红花黄色素A在402.55nm处有最大吸收。参照《中国药典》2020年版一部"红花"项下HPLC的检测波长为403nm，选用403nm处作为检测波长。

2.1.5 理论板数的确定：由于本试验采用的新色谱柱，因此理论板数较高（5000以上），参照《中国药典》2020年版一部"红花"项下的HPLC的理论板数为不低于3000，故确定理论板数按羟基红花黄色素A峰计不得低于3000。

2.2 提取方法的选择及提取效率的考察

参照《中国药典》2020年版一部"红花"含量测定项下的方法,以25%甲醇作为提取溶剂进行超声提取。为了保证被测成分提取完全,在供试品的细度、提取溶剂、超声功率一致的条件下,分别考察了提取30分钟、40分钟、50分钟和60分钟时的提取效率。结果见表3。

表3 羟基红花黄色素A提取效率考察

时间(分钟)	峰面积值	含量(mg/g)
30	847710	1.6920
40	830451	1.6928
50	843240	1.6675
60	851608	1.6983

从表3数据可见,超声处理的时间长短对供试品中羟基红花黄色素A含量的影响不大,故将提取时间定为30分钟。

2.3 专属性考察

2.3.1 对照品溶液的制备:精密称取羟基红花黄色素A对照品适量,加25%甲醇制成每1ml含50μg的溶液,作为对照品溶液。

2.3.2 供试品溶液的制备:取本品适量,研细,取约1.5g,精密称定,置具塞锥形瓶中,精密加入25%甲醇25ml,密塞,称定重量,超声处理30分钟,放冷,再称定重量,用甲醇补足减失的重量,摇匀,滤过,取续滤液,作为供试品溶液。

2.3.3 阴性对照溶液的制备:按本品处方工艺制备不含红花的阴性样品,按供试品溶液的制备方法制备阴性对照溶液(缺红花)。

2.3.4 测定:分别精密吸取以上三种溶液各10μl,注入色谱仪,记录各自的色谱图。

试验结果显示:供试品色谱中在与对照品色谱保留时间相同的位置上有色谱峰出现,而阴性对照在与对照品色谱保留时间相同的位置上无色谱峰出现,表明该含量测定方法阴性无干扰,专属性好。

2.4 线性关系考察

取羟基红花黄色素A对照品1.350mg,置10ml量瓶中,加25%甲醇使溶解,并稀释至刻度,精密吸取2ml溶液置5ml量瓶中,加25%甲醇至刻度,摇匀,按确定的色谱条件分别精密吸取1μl、2μl、5μl、10μl、20μl、40μl,注入高效液相色谱仪,按上述色谱条件进行测定,以峰面积对进样量进行回归分析。结果见表4。

表4 标准曲线数据及回归分析结果

进样量(μg)	峰面积值	回归方程	r
0.054	129225		
0.108	253458		
0.27	645754	$y=2424.9x+3.21842$	0.9999
0.54	1299814		
1.08	2605477		
2.16	5233526		

从表4数据可见,羟基红花黄色素A在0.054~2.16μg范围内与峰面积值呈良好的线性关系。

2.5 稳定性试验

取同一供试品(批号20200402)溶液,分别在溶液制备后的0小时、2小时、4小时、8小时、24小时进样测定,结果见表5。

表5 不同时间测定供试品中羟基红花黄色素A的峰面积值

时间（h）	峰面积值	RSD（%）
0	812986	
2	811823	
4	812714	0.22
8	810814	
24	815624	

从表5数据可见，羟基红花黄色素A在24小时内的峰面积值基本稳定，能够满足测定所需要的时间。

2.6 重复性试验

取同一供试品（批号20200402）6份，各取1.5g，精密称定，置具塞锥形瓶中，精密加入25%甲醇25ml，密塞，称定重量，超声处理30分钟，放冷，再称定重量，用甲醇补足减失的重量，摇匀，滤过，取续滤液，作为供试品溶液。精密称取羟基红花黄色素A对照品适量，加25%甲醇制成每1ml含50μg的溶液，作为对照品溶液。分别精密吸取以上两种溶液各10μl，注入液相色谱仪，记录各自的色谱图，用外标法以峰面积计算含量。结果见表6。

表6 羟基红花黄色素A含量重复性试验结果

取样量（g）	峰面积值	含量（mg/g）	平均含量（mg/g）	RSD（%）
1.5276	1233980	1.687		
1.5111	1222922	1.690		
1.5162	1222114	1.684	1.693	0.42
1.5187	1235059	1.699		
1.5193	1235711	1.699		
1.5312	1247033	1.701		

从表6数据可见，在相同的提取溶剂和色谱条件下，6份供试品含量测定结果的均值为1.693mg/g，RSD为0.42%，表明该方法的重复性良好。

2.7 加样回收试验

取已知含量供试品（含量1.693mg/g）6份，各约0.75g，精密称定，分别精密加入浓度为1.3521mg/ml的羟基红花黄色素A对照品25%甲醇溶液1ml，再分别精密加入25%甲醇49ml，各取10μl进样，分别按重复性试验项下的色谱条件测定每份的含量，计算回收率。结果见表7。

表7 羟基红花黄色素A加样回收试验结果

称样量（g）	供试品含有量（mg）	对照品加入量（mg）	测得总量（mg）	回收率（%）	平均回收率（%）	RSD（%）
0.7483	1.2673	1.3521	2.5794	97.04		
0.7555	1.2695	1.3521	2.6249	99.50		
0.7546	1.2779	1.3521	2.6275	99.81	99.50	1.36
0.7586	1.2847	1.3521	2.6375	100.05		
0.7528	1.2749	1.3521	2.6195	99.45		
0.7504	1.2708	1.3521	2.6389	101.18		

从表7数据可见，本方法的平均回收率为99.50%，RSD为1.36%。该方法准确度好。

2.8 耐用性试验

换不同的厂家、不同型号的色谱柱，取重复性试验中的1号供试品及对照品分别进样，测定含量。结果见表8。

表8　不同色谱柱的耐用试验

柱型号	分离度	测得平均含量（mg/g）
Pheuomenex C$_{18}$	>1.5	1.687
SHIMADZUC$_{18}$	>1.5	1.697

从表8数据可见，不同型号或厂家的色谱柱对测定结果影响较小。

3　样品含量测定

取三批样品（批号20200402、20200403、20200404）1.5g，各2份，精密称定，按重复性试验项下的方法处理并测定，含量测定结果见表9。

表9　样品中羟基红花黄色素A含量测定结果

批号	取样量（g）	测得峰面积值	含量（mg/g）	平均含量（mg/g）
20200402	1.5008	1002852	1.398	1.397
	1.5113	1007615	1.395	
20200403	1.5031	1009578	1.405	1.410
	1.5009	1014026	1.414	
20200404	1.5028	1009410	1.406	1.400
	1.5016	1001221	1.395	

从表9数据可见，三批样品中羟基红花黄色素A含量最低为1.397mg/g，最高为1.410mg/g，含量之间无明显差异。

4　红花药材含量测定

试验中采用同法对上述三批样品生产用红花药材粉末（过2号筛）0.1g，按重复性试验项下的方法处理并测定，按干燥品计算，含量测定结果见表10。

表10　红花药材中羟基红花黄色素A含量测定结果

取样量（g）	峰面积	含量（mg/g）	平均含量（mg/g）
0.1135	781451	14.706	14.726
0.1114	769121	14.747	

从表10数据可见，红花药材中羟基红花黄色素A的含量为14.726mg/g。

5　本制剂含量限度的确定

从表中数据可见，三批样品中羟基红花黄色素A的含量最低为1.397mg/g。试验中采用相同方法对三批样品生产用红花药材进行了含量测定，测得羟基红花黄色素A的含量为1.472%，三批样品平均含量为1.402mg/g。

按理论值折算，样品应含羟基红花黄色素A为100÷801×14.726=1.838，即1.838mg/g。可见，羟基红花黄色素A转移率为1.402（mg/g）÷1.838（mg/g）×100%=76.27%。

参照《中国药典》2020年版一部"红花"药材的羟基红花黄色素A含量限度不得少于1.0%，转移率为76.27%，考虑不同产地药材的质量差异，并结合其他影响因素及三批样品的测定结果，按此限度折算本品含羟基红花黄色素A的理论量应不低于100÷801×1000×1.0%×76.27%=0.952mg/g。

标准正文暂定为：本品每1g含红花以羟基红花黄色素A（C$_{27}$H$_{32}$O$_{16}$）计，不得少于1.0mg。

【功能与主治】

杀黏，抑毒，防疫，止刺痛。用于黏疫，炭疽，黑、白、花亚玛病，痘疹，脉病，胆汁窜脉，时疫，脑刺痛症，胸刺痛症。

【用法与用量】

外用。佩戴胸前或随身携带1~2周,可涂身或烟熏。

【注意事项】

忌口服。孕妇忌带。

【规格】

每袋:(1)3g;(2)5g。

【贮藏】

密闭、防潮。

起草单位: 内蒙古自治区国际蒙医医院 阿日斯楞 阿木古楞 那松巴乙拉

鄂尔多斯市检验检测中心 张 烨 杨 洋 孟美英

多图日嘎–6散质量标准起草说明

【历史沿革】

本方来源于《蒙医药选编》（内蒙古人民出版社1999年版，蒙古文，第350页）。

【处方来源】

本制剂由内蒙古自治区国际蒙医医院提供。

【名称】

多图日嘎–6散

【蒙药材和饮片的来源和执行标准】

1. 处方组成及药味排列顺序：甘草10g、大米（微炒）10g、小茴香10g、芫荽子10g、酸藤果10g、酸梨干10g。

2. 处方中除酸藤果和酸梨干药材外，其余甘草等药味均收载于《中国药典》2020年版一部，其质量应符合该品种项下的有关规定。

酸藤果：为紫金牛科植物矩叶酸藤果*Embelia oblongifolia* Hemsl.的干燥成熟果实。其标准应符合《内蒙古蒙药饮片炮制规范》2020年版第499页该品种项下的有关规定。

酸梨干：为蔷薇科植物花盖梨*Pyrus ussuriensis* Maxim的干燥成熟果实。其标准应符合《内蒙古蒙药饮片炮制规范》2020年版第498页该品种项下的有关规定。

【制法】

以上六味，粉碎成细粉，过筛，混匀，分装，即得。

【性状】

本品应为黄色至棕黄色的粉末；气香，味甘。

【鉴别】

本品为原药材细粉混合而成的散剂。方中甘草、炒大米、芫荽子、酸藤果、酸梨干的显微特征比较明显，故建立显微鉴别，并对处方中甘草和芫荽子建立了薄层鉴别。

1. 试剂与试药

供试品：供试品（批号20190325、20190417、20191216）由内蒙古自治区国际蒙医医院提供，模拟样品（批号20200024）模拟。

对照品：甘草次酸（批号120904–201620；CSA：471–53–4），芳樟醇（批号18032910；CSA：78–70–6），均购于中国食品药品检定研究院。

薄层板：硅胶G板，购入青岛海洋化工有限公司。

所用其他试剂均为分析纯，水为超纯水。

2. 试验方法与结果

（1）显微鉴别

甘草：纤维束周围薄壁细胞含草酸钙方晶，形成晶纤维。炒大米：淀粉粒单粒，脐点点状，层纹不明显，直径

20~40μm。芫荽子：果皮下皮纤维成片，微木化，分层交错，有的呈波状。酸藤果：种皮石细胞成群，类圆形，壁厚腔细，纹孔道不明显，直径10~40μm。酸梨干：果实石细胞类三角形、类方形等，壁厚腔细，纹孔道明显，直径60~110μm。

（2）甘草薄层鉴别

参照《中国药典》2020年版一部"甘草"项下的薄层条件，制定出正文所述的鉴别方法。通过阴性对照试验观察，方中其他药材对甘草的检出无干扰，证明此法具有专属性。

（3）芫荽子薄层鉴别

参照《内蒙古蒙药材标准》（1987年版）第419页的薄层条件，制定出正文所述的鉴别方法。通过阴性对照试验观察，方中其他药材对芫荽子的检出无干扰，证明此法具有专属性。

【检查】

按照散剂（《中国药典》2020年版四部通则0115）项下的规定，对三批供试品及模拟样品的外观均匀度、水分、重金属、砷盐、浸出物和微生物限度进行了检查。具体方法及测定数据如下：

1. 外观均匀度：取供试品适量，置光滑纸上，平铺约5cm²，将其表面压平，在亮处观察，呈现均匀的色泽，无花纹、色斑。结果三批供试品及模拟样品均符合规定。

2. 水分：取供试品照水分测定法（《中国药典》2020年版四部通则0832）测定。三批供试品及模拟样品的测定结果见表1。

表1　水分测定结果表

序号	批号	水分（%）
1	20190325	0.07
2	20190417	0.07
3	20191216	0.02
4	20200024	0.08

药典规定散剂水分含量不得大于9.0%。从表1数据可见，本品水分含量均符合要求。

3. 对三批供试品及模拟样品进行了重金属和砷盐考察。方法与结果如下：

重金属：分别取每个批号供试品0.5g、0.67g、1.0g、2.0g，按《中国药典》2020年版四部0821第二法检查。

供试品溶液的制备：取本品0.5g、0.67g、1.0g、2.0g，分别缓缓炽灼至完全炭化，放冷，加硫酸0.5ml，使湿润，低温加热至硫酸除尽后，加硝酸0.5ml，蒸干，至氧化氮蒸气除尽后，放冷，于600℃炽灼至完全灰化，放冷。加盐酸2ml，置水浴上蒸干后加水15ml，滴加氨试液至对酚酞指示液显中性，再加醋酸盐缓冲液（pH3.5）2ml，微热溶解后，移置纳氏比色管中，加水稀释至25ml，作为供试品溶液。

标准铅对照溶液的制备：另取配制供试品溶液的试剂两份，分别置瓷皿中蒸干后，加醋酸盐缓冲液（pH3.5）2ml，加水15ml微热溶解后，移置两支纳氏比色管中，分别加标准铅溶液（10μg/ml Pb）2ml，再加水稀释至25ml，作为标准铅对照溶液。

检视：于上述供试品溶液和标准铅对照溶液中分别加硫代乙酰胺试液各2ml，摇匀，放置2分钟，同置白色背景上，从上向下进行观察。试验结果见表2。

表2　重金属检查结果表

序号	批号	重金属含量（ppm）			
1	20190325	<10	<20	<30	<40
2	20190417	<10	<20	<30	<40
3	20191216	<10	<20	<30	<40
4	20200024	<10	<20	<30	<40

结果显示，供试品溶液的颜色明显浅于2ml的标准铅对照溶液。经过三批供试品及模拟样品的检查，含重金属均未超过百万分之十，故未收入正文。

砷盐：取本品1g和标准砷溶液（1μg/ml AS）2ml，分别加无砷氢氧化钙1g，加少量水，搅匀，烘干，用小火缓缓炽灼至炭化，再在600℃炽灼至完全灰化，放冷。分别加盐酸7ml使溶解，再加水21ml，按《中国药典》2020年版四部通则0822第一法（古蔡氏法）做砷盐限量检查。

结果：供试品砷斑浅于标准砷斑的颜色，表明本品含砷量未超过百万分之二（小于2ppm），故砷盐检查项目未收入正文。

4. 浸出物：本品处方中挥发油类成分、脂溶性成分较少，水溶性成分较多，故将水溶性浸出物的测定作为本制剂的定量测定方法，以便有效控制制剂的内在质量，按照水溶性浸出物测定法项下的冷浸法（《中国药典》2020年版四部通则2201）测定。对三批供试品及模拟样品的测定结果见表3。

表3　供试品中水溶性浸出物测定结果

批号	序号	冷浸出物（%）	平均（%）	热浸出物（%）	平均（%）
20200024	1	3.675	3.879	9.490	9.407
	2	3.942		9.440	
	3	4.019		9.290	
20190325	1	4.330	4.450	7.740	7.370
	2	4.410		7.200	
	3	4.620		7.190	
20190417	1	4.190	4.190	8.640	8.190
	2	4.290		7.130	
	3	4.100		8.820	
20191216	1	4.000	4.260	7.660	7.620
	2	3.960		7.720	
	3	4.120		7.480	

表3数据可见，三批供试品及模拟样品中水溶性浸出物的含量均在7.0%以上，考虑到不同产地、不同批次药材的质量不同，暂定为本品含水溶性浸出物不得少于6.0%。

5. 微生物限度：照微生物计数法（《中国药典》2020年版四部通则1105）和控制菌检查法（《中国药典》2020年版四部通则1106）及《内蒙古蒙药制剂规范》（第三册）附录Ⅲ微生物限度标准，进行检查。结果均符合规定。

【含量测定】

多图日嘎-6散是由甘草、芜菁子、炒大米、小茴香、酸藤果、酸梨干等六味药材组成的复方制剂；甘草为处方中主味药之一，具有补脾益气，清热解毒，祛痰止咳，调和诸药的作用。用于脾胃虚弱，倦怠乏力，心悸气短，咳嗽痰多，脘腹、四肢挛急疼痛，痈肿疮毒，缓解药物毒性和烈性。本试验参照《中国药典》2020年版一部"甘草"含量测定项下方法进行了试验条件摸索，经分析方法验证，表明该方法重复性好、专属性强，方中其他组分对胡椒碱的测定无干扰。

1　仪器与试剂试药

1.1　仪器

日本岛津LC-20AT型高效液相色谱仪；Sartorius ME5型电子天平，Mettler AE-100电子天平，JD200-2型电子天平；AS 5150A超声清洗仪。

1.2　试剂与试药

供试品（批号20190325、20190417、20191216）由内蒙古自治区国际蒙医医院提供，模拟样品一批（批号

20200024）；甘草酸铵对照品（批号110731-201720）购于中国食品药品检定研究院；甲醇、乙腈为色谱纯，其他均为分析纯试剂，水为高纯水。

2 方法学验证

2.1 色谱条件的选择

2.1.1 色谱柱：十八烷基硅烷键合硅胶为填充剂，本试验研究用SHIMADZU C_{18}（250mm×4.6mm，5μm）色谱柱、phenomenex C_{18}（250mm×4.6mm，5μm）色谱柱。

2.1.2 流动相的选择：结合《中国药典》2020年版一部"甘草"含量测定项下方法，经试验摸索，将乙腈（A）：0.05%磷酸水（B）溶液为流动相，结果分离效果好、保留时间适中，故确定其作为本品含量测定的流动相。

2.1.3 柱温：试验中对30℃和40℃柱温进行了比较，结果保留时间略有差异，但分离度及理论板数没有变化，本试验研究选择柱温为30℃。

2.1.4 检测波长的选择：通过二极管阵列检测器对胡椒碱自800~190nm进行光谱扫描，结果胡椒碱在237nm处有最大吸收峰，故结合《中国药典》2020年版一部"甘草"项下选择237nm作为检测波长。

2.1.5 理论板数的确定：对多批供试品测定结果表明，甘草酸的理论板数在5000以上即能达到与相邻峰分开，并符合《中国药典》规定$R>1.5$的要求，本标准规定理论板数按甘草酸峰计应不低于5000。

2.2 供试品溶液制备方法的选择

2.2.1 提取溶剂的选择

结合《中国药典》2020年版一部"甘草"项下选用70%乙醇作为提取溶剂，可保证供试品得到较好的提取效果。

2.2.2 提取方法的选择

《中国药典》2020年版一部"甘草"项下采用超声提取，方法比较完善，故参照药典选择70%乙醇超声提取。

2.2.3 提取效率考察

取本品4份，各约0.25g，研细，精密称定，置具塞锥形瓶中，加70%乙醇175ml，依次超声处理（功率100W，频率80kHz）60分钟、120分钟、180分钟、240分钟，取出，放冷，用70%乙醇定容至刻度，摇匀，滤过，用微孔滤膜（0.45μm）滤过，按上述色谱条件测定。结果见表4。

表4 不同超声提取时间的考察结果

序号	超声时间（min）	甘草酸含量（mg/g）
1	60	5.89
2	120	5.90
3	180	6.06
4	240	5.99

从表4数据可见，超声处理180分钟后，甘草酸的含量最高，故确定超声时间为180分钟。

2.3 专属性考察

2.3.1 对照品溶液的制备：取甘草酸铵对照品适量，精密称定，加乙醇（50%）制成每1ml含0.2mg的溶液，即得。

2.3.2 供试品溶液的制备：取本品粉末（过三号筛）约0.25g，精密称定，置具塞锥形瓶中，精密加入50%乙醇175ml，密塞，称定重量，超声处理（功率100W，频率40kHz）180分钟，放冷，再称定重量，用70%乙醇补足减失重量，摇匀，滤过，作为供试品溶液。

2.3.3 阴性对照供试品制备：按处方配比制备缺甘草的阴性供试品。按"供试品溶液的制备"方法制备阴性对照溶液。

2.3.4 测定：分别精密吸取以上三种溶液各10μl，注入液相色谱仪测定。记录各自的色谱图。

结果显示，供试品色谱中在与对照品色谱保留时间相同的位置上有色谱峰出现，且分离效果较好，而阴性对照在与对照品色谱保留时间相同的位置上无色谱峰出现，表明该含量测定方法阴性无干扰，专属性好。

2.4 峰纯度检查

精密吸取"2.3"项下的对照品溶液和供试品溶液各10μl，注入液相色谱仪，以二极管阵列检测对被测成分甘草酸峰进行纯度验证，结果表明被测样品中甘草酸为单一成分。

2.5 线性考察

精密吸取甘草酸铵对照品溶液（浓度为0.3mg/ml）10ml、8ml、6ml、5ml、3ml、1.6ml分别定容于10ml容量瓶中，摇匀，得到浓度分别为0.048mg/ml、0.1mg/ml、0.15mg/ml、0.18mg/ml、0.24mg/ml、0.3mg/ml精密吸取10μl，注入液相色谱仪，记录色谱图，测定峰面积，结果见表5。

表5 甘草酸铵标准曲线数值表

序号	浓度（mg/ml）	峰面积	回归方程	r
1	0.30	37.5346		
2	0.24	29.5249		
3	0.18	21.9049	$y=110.9754857x-0.37146$	0.99987
4	0.15	18.27235		
5	0.10	10.60745		
6	0.048	5.2164		

从表5数据可见，甘草酸铵在0.05～0.30mg/ml范围内与峰面积呈良好的线性关系。

2.6 重复性试验

取同一供试品（批号20190325）6份，各约2.5g，精密称定，置具塞锥形瓶中，精密加入50%乙醇175ml，密塞，称定重量，超声处理（功率100W，频率40kHz）180分钟，放冷，再称定重量，用70%乙醇补足减失重量，摇匀，滤过，作为供试品溶液。另精密称取甘草酸铵对照品适量，精密称定，加乙醇（50%）制成每1ml含0.2mg的溶液，作为对照品溶液。分别精密吸取10μl注入液相色谱仪测定。按外标法与峰面积计算含量，结果见表6。

表6 重复性试验结果

序号	峰面积	峰面积均值	RSD（%）
1	2.1839		
2	2.4648		
3	2.0802	2.2497	10.94
4	2.1333		
5	2.6349		
6	2.0012		

从表6数据可见，在相同的提取溶剂和色谱条件下，6份供试品甘草酸铵含量测定结果的均值为2.2497mg/g，RSD为10.94%，表明该方法的重复性良好。

2.7 加样回收试验

精密称取已知含量的供试品，每份约0.125g，加入适量的甘草酸铵对照品，按供试品溶液制备方法制成加样回收试验溶液。分别精密吸取10μl，注入液相色谱仪测定。结果见表7。

表7 回收率试验结果

序号	加入量（mg）	测得量（mg）	回收率（%）	平均值	RSD（%）
1	2.82	15.427	94.92		
2	1.28	13.958	94.37		
3	1.98	14.629	94.89	94.11	0.32
4	1.74	14.391	94.31		
5	2.11	14.738	94.21		
6	1.91	14.156	94.55		

从表7数据可见，平均回收率为94.11%，RSD为0.32%。准确度良好。

2.8 耐用性试验

换不同厂家、不同型号的色谱柱，按确定的色谱条件，取重复试验中的1号、2号供试品进行测定。结果见表8。

表8 不同色谱柱的耐用试验

样品号	柱型号	分离度	测得平均含量（mg/g）	相对偏差（%）
20190325	SHMADZU C_{18}	6.3	2.51	0.59
	Phenomenex C_{18}	1.9	2.54	
20190417	SHMADZU C_{18}	6.3	2.50	0.40
	Phenomenex C_{18}	1.9	2.48	

从表8数据可见，不同型号或厂家的色谱柱对测定结果影响较小。

2.9 稳定性试验

制备供试品溶液1份，依次在0小时、2小时、4小时、6小时、8小时、12小时取10μl溶液进样检测。记录色谱图。色谱峰峰面积及RSD值见表9。

表9 稳定性试验结果

进样时间（h）	峰面积	峰面积均值	RSD（%）
0	1.4084		
2	1.4249		
4	1.4510	1.4378	1.21
6	1.4480		
8	1.4511		
12	1.4439		

从表9数据可见，RSD为1.21%，表明样品溶液在12小时内稳定性良好。

3 样品含量测定

取本品按重复性试验项下的方法处理并测定。三批样品的测定结果见表10。

表10 样品含量测定

批号	取样量（g）	峰面积	测得含量（mg/g）	平均含量（mg/g）
20190325	0.2753	0.6724	5.9791	
	0.2581	0.6498	6.2395	6.1769
	0.2504	0.6309	6.3123	
20190417	0.2597	0.5714	5.7250	
	0.2504	0.5555	5.8371	5.8272
	0.2501	0.5674	5.9196	

续表

批号	取样量（g）	峰面积	测得含量（mg/g）	平均含量（mg/g）
20191216	0.2515	0.5204	5.5917	
	0.2504	0.5242	5.6399	5.6558
	0.2503	0.5390	5.7359	

从表10数据可见，多图日嘎-6散甘草酸含量最低为5.6558mg/g。

4 本制剂含量限度的确定

未纳入正文标准。

【功能与主治】

止吐。用于食欲不振，恶心呕吐，妊娠呕吐，巴达干性呕吐，晕车呕吐等。

【用法与用量】

口服。一次1.5~3g，每日1~2次，温开水送服。

【规格】

每袋：（1）3g；（2）15g；（3）250g。

【贮藏】

密闭，防潮。

起草单位：内蒙古自治区国际蒙医医院　　阿日斯楞　查干其其格　那松巴乙拉

内蒙古自治区国际蒙医医院　赤峰市药品检验所　　李彦铮　会伟哲　周国立

内蒙古医科大学蒙医药学院　　邓乌力吉

芒来-8散 质量标准起草说明

【历史沿革】

本方来源于《四部医典》(内蒙古人民出版社1978年版,蒙古文,第1017页)。

【处方来源】

本制剂由内蒙古自治区国际蒙医医院提供。

【名称】

芒来-8散

【蒙药材和饮片的来源和执行标准】

1. 处方组成及药味排列顺序:檀香10g、石膏10g、红花10g、苦地丁10g、齿叶草10g、胡黄连10g、紫花高乌头10g、人工牛黄10g。

2. 方中除了齿叶草和紫花高乌头药材外,其余檀香等药味均收载于《中国药典》2020年版一部,其质量应符合该品种项下的有关规定。

紫花高乌头:毛茛科植物紫花高乌头*Aconitum excelsum* Reichb.的干燥地上部分。其标准应符合《内蒙古蒙药饮片炮制规范》2020年版第431页该品种项下的有关规定。

齿叶草:为玄参科植物齿叶草*Odontites serotina*(Lam.)Dum.的干燥地上部分。其标准应符合《中华人民共和国卫生部药品标准》(蒙药分册)1998年版第28页该品种项下的有关规定。

【制法】

以上八味,除人工牛黄外,其余檀香等七味,粉碎成细粉,将人工牛黄与上述细粉配研,过筛,混匀,分装,即得。

【性状】

本品为浅黄色至黄色的粉末;气香,味苦。

【鉴别】

本品为原药材粉末制成的散剂。处方中大多数药味的显微特征都比较明显,故对处方中檀香、红花建立显微鉴别,并对处方中的胡黄连、人工牛黄建立了薄层鉴别。

1. 试剂与试药

供试品:供试品(批号20200118、20200415、20200431)由内蒙古自治区国际蒙医医院提供,模拟样品(批号20200046)模拟。

对照品:羟基红花黄色素A照品(批号111637–201609),购于中国食品药品检定研究院。

薄层板:硅胶G板,购于青岛海洋化工有限公司。

所用其他试剂均为分析纯,水为离子交换高纯水。

2. 试验方法与结果

(1)显微鉴别

檀香:含晶厚壁细胞方形或长方形,壁厚,木化,胞腔内含草酸钙方晶。红花:花粉粒圆球形或椭圆形,直径约

$60\mu m$，具3个萌发孔，外壁有点状突起。

（2）胡黄连薄层鉴别

参照《中国药典》2020年版四部"胡黄连"项下的薄层条件，制定出正文所述的鉴别方法。通过阴性对照试验观察，方中其他药材对胡黄连药材的检出无干扰，此法具专属性。

（3）人工牛黄薄层鉴别

参照《中国药典》2020年版四部"人工牛黄"项下的薄层条件，制定出正文所述的鉴别方法。通过阴性对照试验观察，方中其他药材对人工牛黄对照药材及主要成分胆酸的检出无干扰，此法具专属性。

【检查】

按照散剂（《中国药典》2020年版四部通则0115）项下的规定，对三批供试品及模拟样品的外观均匀度、水分、重金属、砷盐和微生物限度进行了检查。具体方法及测定数据如下：

1. 外观均匀度：取供试品适量，置光滑纸上，平铺约$5cm^2$，将其表面压平，在亮处观察，呈现均匀的色泽，无花纹、色斑。结果三批供试品及模拟样品均符合规定。

2. 水分：取供试品照水分测定法（《中国药典》2020年版四部通则0832）测定。三批供试品及模拟样品的测定结果见表1。

表1　水分测定结果

序号	批号	水分（%）
1	20200118	4.6
2	20200415	4.5
3	20200431	4.6
4	20200046	4.6

药典规定散剂水分含量不得大于9.0%。从表1数据可见，本品水分含量符合要求。

3. 对三批供试品及模拟样品进行了重金属和砷盐考察。方法与结果如下：

重金属：分别取每个批号供试品0.5g、0.67g、1.0g、2.0g，按《中国药典》2020年版四部0821第二法检查。

供试品溶液的制备：取本品0.5g、0.67g、1.0g、2.0g，分别缓缓炽灼至完全炭化，放冷，加硫酸0.5ml，使湿润，低温加热至硫酸除尽后，加硝酸0.5ml，蒸干，至氧化氮蒸气除尽后，放冷，于600℃炽灼至完全灰化，放冷。加盐酸2ml，置水浴上蒸干后加水15ml，滴加氨试液至对酚酞指示液显中性，再加醋酸盐缓冲液（pH3.5）2ml，微热溶解后，移置纳氏比色管中，加水稀释至25ml，作为供试品溶液。

标准铅对照溶液的制备：另取配制供试品溶液的试剂两份，分别置瓷皿中蒸干后，加醋酸盐缓冲液（pH3.5）2ml，加水15 ml微热溶解后，移置两支纳氏比色管中，分别加标准铅溶液（$10\mu g/ml$ Pb）2ml，再加水稀释至25ml，作为标准铅对照溶液。

检视：于上述供试品溶液和标准铅对照溶液中分别加硫代乙酰胺试液各2ml，摇匀，放置2分钟，同置白色背景上，从上向下进行观察。试验结果见表2。

表2　重金属检查结果

序号	批号	重金属含量（ppm）			
1	20200118	<10	<20	<30	<40
2	20200415	<10	<20	<30	<40
3	20200431	<10	<20	<30	<40
4	20200046	<10	<20	<30	<40

结果显示,供试品溶液的颜色明显浅于2ml的标准铅对照管。经过三批供试品及模拟样品的检查,含重金属均未超过百万分之十,故未收入正文。

砷盐:取本品1g和标准砷溶液(1μg/ml AS)2ml,分别加无砷氢氧化钙1g,加少量水,搅匀,烘干,用小火缓缓炽灼至炭化,再在600℃炽灼至完全灰化,放冷。分别加盐酸7ml使溶解,再加水21ml,按《中国药典》2020年版四部通则0822第一法(古蔡氏法)做砷盐限量检查。

结果:供试品砷斑浅于标准砷斑的颜色,表明本品含砷量未超过百万分之二(小于2ppm),故砷盐检查项目未收入正文。

4. 微生物限度:照微生物计数法(《中国药典》2020年版四部通则1105)和控制菌检查法(《中国药典》2020年版四部通则1106)及《内蒙古蒙药制剂规范》(第三册)附录Ⅲ微生物限度标准,进行检查。结果均符合规定。

【含量测定】

芒来-8散是由石膏、紫花高乌头、红花、苦地丁、齿叶草、人工牛黄、胡黄连、檀香等八味药组成的复方制剂。红花为处方中主药,参照《中国药典》2020年版一部"红花"项下的含量测定方法,选择羟基黄花黄色素A作为指标成分,对本制剂中的红花进行了HPLC含量测定方法研究,经分析方法验证,表明该方法重复性好、专属性强,方中其他组分对羟基红花黄色素A的测定无干扰。

1 仪器与试剂试药

1.1 仪器

岛津LC-10ATVP,SPD-10AVP型检测器,SCL-10AVP色谱工作站;岛津UV-1700型紫外分光光度仪。

1.2 试剂与试药

供试品(批号20200118、20200415、20200431)由内蒙古自治区国际蒙医医院提供,模拟样品(批号20200046)模拟;羟基红花黄色素A照品(批号111637-201609),购于中国食品药品检定研究院;甲醇为色谱纯,水为高纯水,其他试剂均为分析纯。

2 方法学考察

2.1 色谱条件

2.1.1 色谱柱:色谱柱填充剂为十八烷基硅烷键合硅胶,本试验研究采用phennmenex C$_{18}$(250mm×4.6mm,5μm)色谱柱。

2.1.2 流动相的选择:参照《中国药典》2020年版一部"红花"项下含量测定方法中的流动相即甲醇-乙腈-0.7%磷酸溶液(26:2:72)为流动相,结果分离度不好,流动相调整为甲醇-乙腈-0.7%磷酸(6:12:82),结果羟基红花黄色素A峰有较好的保留时间,理论板数也较高,供试品中的羟基红花黄色素A与其他成分达到较好的分离度,故将流动相定为甲醇-乙腈-0.7%磷酸溶液(6:12:82)。

2.1.3 柱温:常温。

2.1.4 检测波长选择:取羟基红花色素A的对照品溶液,于紫外可见分光光度仪上,自200~700nm做光谱扫描,羟基红花色素A在波长为404nm处有最大吸收,再参考《中国药典》2020年版一部"红花"项下HPLC的波长为403nm,因此本标准规定403nm作为该供试品的检测波长。

2.1.5 理论板数的确定:对多批供试品测定结果表明,羟基红花色素A理论板数在3000以上即能达到与相邻峰分开,并符合《中国药典》规定$R>1.5$的要求,故本标准规定理论板数按羟基红花色素A峰计不得低于3000。

2.2 提取方法的选择及提取效率的考察

参照《中国药典》2020年版一部"红花"项下含量测定方法,对本品进行超声处理(功率250W,频率40kHz),试验中考察了10分钟、20分钟、30分钟、40分钟等不同提取时间对提取效率的影响,含量测定结果见表3。

表3 提取效率考察

序号	时间（min）	含量（mg/g）
1	10	0.5112
2	20	0.5115
3	30	0.5211
4	40	0.5209

从表3数据可见，超声30分钟后对供试品中羟基红花黄色素A的含量基本稳定，故将提取时间定为30分钟。

2.3 专属性考察

2.3.1 对照品溶液的制备：取羟基红花黄色素A对照品适量，精密称定，加甲醇制成每1ml含100μg的溶液，作为对照品溶液。

2.3.2 供试品溶液的制备：取本品细粉约1.0g，精密称定，置具塞锥形瓶中，精密加入25%甲醇25ml，密塞，称定重量，超声处理（功率250W，频率40kHz）30分钟，放冷，再次称定重量，用25%甲醇补足减失的重量，摇匀，滤过，取续滤液，作为供试品溶液。

2.3.3 阴性对照溶液的制备：取按处方比例并以相同工艺制备的缺红花的阴性对照，按供试品溶液制备法制得阴性对照溶液。

2.3.4 测定：分别精密吸取以上三种溶液各10μl，注入液相色谱仪测定。

试验结果显示，供试品色谱中在与对照品色谱保留时间相同的位置上有色谱峰出现，而阴性对照在与对照品色谱保留时间相同的位置上无色谱峰出现，表明该含量测定方法阴性无干扰，专属性好。

2.4 线性关系考察

取红花黄色素A对照品约5mg，精密称定，置50ml棕色量瓶中，加25%甲醇使溶解，并稀释至刻度，摇匀（相当于含羟基红花黄色素A 0.1002mg/ml），然后精密吸取0.5ml、1ml、2ml、3ml、4ml、5ml溶液分别置10ml棕色量瓶中，加25%甲醇至刻度，摇匀，各取20μl进样，按上述色谱条件测定，以峰面积对注入量进行回归分析，结果见表4。

表4 标准曲线数据及回归分析结果

对照品量（μg）	峰面积值	回归方程	r
0.01002	270406		
0.02004	540473		
0.04008	1082152	$y=54609738x-9333.2575$	0.9999
0.06012	1621838		
0.08016	2170542		
0.10020	2739974		

从表4数据可见，羟基红花黄色素A在0.01002～0.10020μg范围内与峰面积值呈良好的线性关系。

2.5 稳定性试验

取同一供试品溶液（20200118），分别在溶液制备后的0小时、2小时、4小时、8小时、12小时、24小时进样测定，结果见表5。

表5 溶液的稳定性试验结果

时间（h）	峰面积值	RSD（%）
0	624354	
2	623133	
4	633372	0.75
8	625353	
12	622526	
24	632128	

从表5数据可见,供试品溶液在24小时内的峰面积值基本稳定。

2.6　重复性试验

取同一批号(20200118)供试品6份,各约1g,精密称定,置具塞锥形瓶中,精密加入25%甲醇25ml,密塞,称定重量,超声处理(功率250W,频率40kHz)30分钟,放冷,再次称定重量,用25%甲醇补足减失的重量,摇匀,滤过,取续滤液,作为供试品溶液。取羟基红花黄色素A对照品适量,精密称定,加甲醇制成每1ml含100μg的溶液,作为对照品溶液。分别精密吸取以上两种溶液各10μl,注入液相色谱仪,记录各自的色谱图,用外标法以峰面积计算含量。结果见表6。

表6　羟基红花黄色素A重复性试验结果

取样量(g)	峰面积值	含量(mg/g)	平均含量(mg/g)	RSD(%)
1.0726	613535	1.5212		
1.0731	613773	1.5211		
1.0668	603266	1.5152	1.5208	0.77
1.0679	606470	1.5174		
1.0821	623623	1.5251		
1.0841	624847	1.5252		

从表6数据可见,在相同的提取溶剂和色谱条件下,6份供试品含量测定结果的均值为1.5208mg/g,RSD为0.77%,表明该方法的重复性良好。

2.7　加样回收试验

取本品(批号20200118,含量1.5208mg/g)9份,各约0.5g,精密称定,分别置50ml容量瓶中,再分别在其中3个容量瓶中精密加入浓度为0.128mg/ml羟基红花黄色素A对照品25%甲醇溶液1ml(约相当于供试品含有量的50%),另3个容量瓶中各精密加入上述对照品溶液2ml(约相当于供试品含有量的100%),其余3个容量瓶中各精密加入上述对照品3ml(约相当于供试品含量的150%),分别按含量测定项下方法操作,测定每份含量,计算回收率,结果见表7。

表7　羟基红花黄色素A加样回收试验结果

取样量(g)	供试品含量(mg)	对照品加入量(mg)	测得总量(mg)	回收率(%)	平均(%)	RSD(%)
0.5232	0.2724	0.128	0.3983	98.3		
0.5389	0.2806	0.128	0.4099	100.9		
0.5367	0.2795	0.128	0.4084	100.7		
0.5253	0.2735	0.256	0.5245	98.0		
0.5342	0.2782	0.256	0.5336	99.8	99.5	0.97
0.5326	0.2773	0.256	0.5323	99.6		
0.5381	0.2802	0.384	0.6638	99.9		
0.5330	0.2776	0.384	0.6591	99.4		
0.5302	0.2761	0.384	0.6574	99.3		

从表7数据可见,本方法的平均回收率为99.5%,RSD为0.97%。该方法准确度好。

3　样品含量测定

取三批样品(批号20200118、20200415、20200431)及模拟样品(批号20200046)各3份,精密称定,分别按重复性试验项下进行含量测定,结果见表8。

表8　样品及模拟样中羟基红花黄色素A含量测定结果

批号	取样量	测得峰面积值	含量(mg/g)	平均含量(mg/g)	RSD(%)
	1.0679	606471	1.5175		
20200118	1.0628	601302	1.5155	1.517	0.22
	1.0649	604750	1.5174		

续表

批号	取样量	测得峰面积值	含量（mg/g）	平均含量（mg/g）	RSD（%）
20200415	1.0951	634174	1.5276	1.528	0.27
	1.0953	636723	1.5296		
	1.0946	632831	1.5268		
20200431	1.0476	585753	1.5095	1.509	0.09
	1.0293	574868	1.5089		
	1.0681	597628	1.5098		
20200046	1.0403	456881	1.1866	1.1883	1.07
	1.0496	457468	1.2018		
	1.0485	447774	1.1765		

从表8数据可见，模拟样中羟基红花黄色素A的含量低为1.1883mg/g。

4 红花药材含量测定

试验中采用同法对上述三批样品生产用红花药材进行了含量测定，结果见表9。

表9 红花药材中羟基红花黄色素A含量测定结果

取样量（g）	测得峰面积值	含量（mg/g）	平均含量（mg/g）	RSD（%）
0.2096	2409624	10.5123	10.54	0.48
0.2123	2441016	10.5163		
0.2189	2537330	10.6015		

从表9数据可见，羟基红花黄色素A含量为10.54mg/g。

5 本制剂含量限度的确定

从表中数据可见，测得红花药材的羟基红花黄色素A含量为10.54mg/g，模拟样中羟基红花黄色素A的含量最低为1.1883mg/g。

按理论值折算，样品应含羟基红花黄色素A为10.54×10÷80=1.3175，即1.32mg/g。可见，羟基红花黄色素A转移率为1.1883（mg/g）÷1.3175（mg/g）×100%=90.19%。

参照《中国药典》2020年版一部"红花"药材的羟基红花黄色素A含量限度不得少于1.0%，考虑不同产地药材的质量差异，并结合其他影响因素及三批样品的测定结果，下浮10%，按此限度折算本品含羟基红花黄色素A的理论量应不低于10÷80×1000×1.0%×90.19%×90%=1.014mg/g。

标准正文暂定为：本品每1g含红花以羟基红花黄色素 A（$C_{27}H_{32}O_{16}$）计，不得少于1.0mg。

【功能与主治】

清热。用于脏腑热病，尤其对肺热，肝热，血、希日热，疫热等新旧热病效果好。

【用法与用量】

口服。一次1.5~3g，一日1~2次，温开水送服。

【规格】

每袋：（1）3g；（2）15g；（3）250g。

【贮藏】

密闭，防潮。

起草单位：内蒙古自治区国际蒙医医院　　　　那松巴乙拉　青　松　宝　山

　　　　　鄂尔多斯市检验检测中心　　　　　　李　珍　杨　洋　吕彩莲

讷布其勒-12散质量标准起草说明

【历史沿革】

本方来源于锡林郭勒盟西乌珠穆沁旗蒙医医院经验方。

【处方来源】

本制剂由锡林郭勒盟西乌珠穆沁旗蒙医医院提供。

【名称】

讷布其勒-12散

【蒙药材和饮片的来源和执行标准】

1. 处方组成及药味排列顺序: 石榴1400g、豆蔻140g、木香60g、栀子60g、紫茉莉40g、天冬30g、玉竹30g、大黄20g、荜茇20g、碱面20g、诃子20g、肉桂10g。

2. 处方中除了紫茉莉、碱面、石榴药材外, 其余豆蔻等药味均收载于《中国药典》2020年版一部, 其质量应符合该品种项下的有关规定。

石榴: 为石榴科植物安石榴*Punica granatum* L.的干燥成熟果实。其标准应符合《内蒙古蒙药饮片炮制规范》2020年版第119页该品种项下的有关规定。

碱面: 为天然碱土Trona soil自然粗结晶, 或经风化的产物。主含碳酸钠(Na_2CO_3), 还含较多量的硫酸盐和镁、钙、铝等。其标准应符合《内蒙古蒙药饮片炮制规范》2020年版第106页该品种项下的有关规定。

紫茉莉: 为紫茉莉科植物喜马拉雅紫茉莉*Mirabilis himalaica* Heim. 的干燥根。其标准应符合《内蒙古蒙药饮片炮制规范》2020年版第429页该品种项下的有关规定。

【制法】

以上十二味, 粉碎成细粉, 过筛, 混匀, 分装, 即得。

【性状】

本品为口服制剂散剂, 性状为棕黄色至棕褐色; 气香, 味甘、辛。

【鉴别】

本品为药材粉末制成的散剂, 方中木香、荜茇的显微特征都较明显, 故建立显微鉴别, 并对处方中的木香建立了薄层鉴别。

1. 试剂与试药

供试品: 供试品(批号201909001、201909002、201909003), 由锡林郭勒盟西乌珠穆沁旗蒙医医院提供, 模拟样品(批号201909020)模拟。

对照品: 去氢木香内酯对照品(批号111525-201711), 购于中国食品药品检定研究院。

薄层板: 硅胶G板, 购于青岛海洋化工有限公司。

所用其他试剂均为分析纯, 水为离子交换高纯水。

2. 试验方法与结果

（1）显微鉴别

木香：菊糖团块形状不规则，有时可见微细放射状纹理；荜茇：种皮细胞红棕色，长多角形，壁连珠状增厚。

（2）木香薄层鉴别

参照《中国药典》2020年版一部"木香"项下薄层条件，制定出正文所述的鉴别方法。通过阴性对照试验观察方中其他药材对木香的检出无干扰，证明此方法具有专属性。

【检查】

按散剂（《中国药典》2020年版四部通则0115）项下规定，对三批供试品及模拟样品的外观均匀度、水分、重金属、砷盐和微生物限度进行了检查，结果符合规定。具体方法及测定数据如下：

1. 外观均匀度：按《中国药典》2020年版四部通则0115散剂项下规定，取三批供试品及模拟样品适量，置光滑纸上，平铺约$5cm^2$，将其表面压平，在明亮处观察，应色泽均匀，无花纹与色斑。结果三批供试品及模拟样品均符合规定。

2. 水分：取供试品照水分测定法（《中国药典》2020年版四部通则0832）测定。三批供试品及模拟样品测定结果见表1。

表1 水分测定结果

序号	批号	水分（%）
1	20191001	4.41
2	20191002	4.35
3	20191003	4.39
4	201909020	4.40

药典规定散剂水分含量不得大于9.0%。从表1数据可见，本品的水分含量均符合要求。

3. 对三批供试品及模拟样品进行了重金属和砷盐考察。方法与结果如下：

重金属：分别取每个批号样品0.5g、0.67g、1.0g、2.0g，按《中国药典》2020年版四部0821第二法检查。

供试品溶液的制备：取本品0.5g、0.67g、1.0g、2.0g，分别缓缓炽灼至完全炭化，放冷，加硫酸0.5ml，使湿润，低温加热至硫酸除尽后，加硝酸0.5ml，蒸干，至氧化氮蒸气除尽后，放冷，于600℃炽灼至完全灰化，放冷。加盐酸2ml，置水浴上蒸干后加水15ml，滴加氨试液至对酚酞指示液显中性，再加醋酸盐缓冲液（pH3.5）2ml，微热溶解后，移置纳氏比色管中，加水稀释至25ml，作为供试品溶液。

标准铅对照管的制备：另取配制供试品溶液的试剂2份，分别置瓷皿中蒸干后，加醋酸盐缓冲液（pH3.5）2ml，加水15ml微热溶解后，移至两支纳氏比色管中，分别加标准铅溶液（10g/ml Pb）2ml，再加水稀释至25ml，作为标准铅对照管。

检视：于上述供试品溶液和标准铅对照管中分别加硫代乙酰胺试液各2ml，摇匀，放置2分钟，同置白色背景上，从上向下进行观察。试验结果见表2。

表2 重金属检查结果

序号	批号	重金属含量（ppm）			
1	20191001	<10	<20	<30	<40
2	20191002	<10	<20	<30	<40
3	20191003	<10	<20	<30	<40
4	201909020	<10	<20	<30	<40

结果显示，供试品溶液的颜色明显浅于2ml的标准铅对照溶液。经过三批供试品及模拟样品的检查，含重金属

均未超过百万分之十, 故未列入正文。

砷盐: 取本品1g和标准砷溶液 (1µg/ml AS) 2ml, 分别加无砷氢氧化钙1g, 加少量水, 搅匀, 烘干, 用小火缓缓炽灼至炭化, 再在600℃炽灼至完全灰化, 放冷。分别加盐酸7ml使溶解, 再加水21ml, 按《中国药典》2020年版四部通则0822第一法 (古蔡氏法) 检查砷盐含量。

结果: 供试品砷斑浅于标准砷斑的颜色, 表明本品含砷量未超过百万分之二 (小于2ppm)。故砷盐检查项目未列入正文。

4. 微生物限度: 照微生物计数法 (《中国药典》2020年版四部通则1105) 和控制菌检查法 (《中国药典》2020年版四部通则1106) 及《内蒙古蒙药制剂规范》(第三册) 附录Ⅲ微生物限度标准, 进行检查。结果均符合规定。

【含量测定】

讷布其勒-12散是由石榴、豆蔻、木香、栀子、紫茉莉、天冬、玉竹、大黄、荜茇、碱䓖、诃子、肉桂等药味组成的复方制剂。临床功效为祛宝日隐伏并聚合, 止便血。用于胃、肝、大小肠宝日隐伏并聚合, 血痞, 尿闭, 寒性疾病, 肾腰部疼痛, 因寒而血下渗。方中栀子具有泻火除烦, 清热利湿, 凉血解毒; 外用消肿止痛。用于热病心烦, 湿热黄疸, 淋证涩痛, 血热吐衄, 目赤肿痛, 火毒疮疡; 外治扭挫伤痛。栀子中的栀子苷对心脑血管、肝胆疾病及糖尿病均有良好的干预效果, 故参照《中国药典》2020年版一部 "栀子" 项下的含量测定方法, 选择栀子苷作为指标成分, 对本制剂中的栀子进行了HPLC含量测定方法研究。经分析方法验证, 表明该方法重复性好, 专属性强, 方中其他组分对栀子苷的测定无干扰。

1 仪器与试剂试药

1.1 仪器

Waters e2695型高效液相色谱仪; SBL-20DT型超声波清洗机 (宁波新芝生物科技股份有限公司); 循环水式多用真空泵 (河南省予华仪器有限公司); Heal Force NW15UV型超纯水系统; Mettler-Toledo XPR10型电子天平 (万分之一), Mettler-Toledo MS105DU型电子天平 (百万分之一); FW400A型多功能粉碎机 (材茂科技有限公司)。

1.2 试剂与试药

供试品 (批号201909001、201909002、201909003) 由锡林郭勒盟西乌珠穆沁旗蒙医医院提供, 模拟样品 (批号201909020) 模拟; 栀子苷对照品 (批号110749-201617), 购于中国食品药品检定研究院; 乙腈为色谱纯, 水为超纯水, 其他试剂均为分析纯。

2 方法学考察

2.1 色谱条件

2.1.1 色谱柱: 色谱柱填充剂为十八烷基硅烷键合硅胶, 本试验采用Agela Venusil XBP C_{18} (250mm×4.6mm, 5µm) 色谱柱。

2.1.2 流动相的选择: 参照《中国药典》2020年版一部 "栀子" 含量测定项下的测定方法, 以乙腈-水 (15:85) 为流动相进行条件摸索, 结果栀子苷色谱峰拖尾, 将流动相比例调整为乙腈-水 (9:91) 后, 栀子苷与其他成分能达到较好的分离, 色谱峰具有比较好的保留时间、分离度和对称性。故选择以乙腈-水 (9:91) 为流动相。

2.1.3 柱温: 30℃可以保证柱压较低, 分离效果好, 故选择柱温为30℃。

2.1.4 检测波长的选择: 参照《中国药典》2020年版一部 "栀子" 含量测定项下栀子苷的测定方法, 选用238nm处作为检测波长。

2.1.5 理论板数的确定: 从对三批数据的测定结果可见, 栀子苷峰理论板数在1500以上即能达到较好的分离效果, 故规定理论板数按栀子苷峰计算不低于1500。

2.2 提取溶剂及提取效率的考察

参考《中国药典》2020年版一部"栀子"含量测定项下的方法，以甲醇作为提取溶剂进行超声提取，为保证被测成分提取完全，在供试品的细度一致、提取溶剂确定、超声（功率250W，频率40kHz）的条件下，试验中考察了10分钟、20分钟和30分钟等不同提取时间对提取效率的影响。结果见表3。

表3　栀子苷提取时间考察

提取时间（min）	称样量（g）	平均峰面积	含量（mg/g）
10	2.0033	2079082	1.77
20	2.0056	2155329	1.83
30	2.0072	2139779	1.82

从表3数据可见，超声提取20分钟和30分钟供试品中栀子苷的含量较高且基本一致，故将提取时间定为20分钟，与《中国药典》2020年版一部"栀子"含量测定项下的提取时间一致。

2.3　专属性考察

2.3.1　对照品溶液的制备：取栀子苷对照品适量，精密称定，加甲醇制成每1ml含30μg的溶液，作为对照品溶液。

2.3.2　供试品溶液的制备：取本品细粉约0.4g，精密称定，置具塞锥形瓶中，精密加入甲醇25ml，称定重量，超声处理（功率250W，频率40kHz）20分钟，放冷，再称定重量，用甲醇补足减失的重量，摇匀，滤过，取续滤液，作为供试品溶液。

2.3.3　阴性对照溶液的制备：按本品处方配比制备不含栀子的阴性供试品，取约0.4g，精密称定，从"置具塞锥形瓶中……"起操作同"供试品溶液的制备"，取续滤液，作为阴性对照溶液。

2.3.4　测定：分别精密吸取上述三种溶液各10μl，注入液相色谱仪，记录色谱图。

试验结果显示，供试品色谱中在与对照品色谱保留时间相同的位置上有色谱峰出现，而阴性对照在与对照品色谱保留时间相同的位置上无色谱峰出现，表明该含量测定方法阴性无干扰。

2.4　线性关系考察

取栀子苷对照品约3.0mg，精密称定，置100ml量瓶中，加甲醇使溶解，并稀释至刻度，摇匀，作为对照品溶液（对照品溶液实际浓度为27.06μg/ml）。分别精密吸取上述对照品溶液1μl、2μl、5μl、10μl、15μl、20μl注入液相色谱仪，按上述色谱条件进行测定，以峰面积对对照品进样量进行回归分析。结果见表4。

表4　标准曲线数据及回归分析结果

序号	进样量（μg）	峰面积值	回归方程	r
1	0.0271	41791		
2	0.0541	93781		
3	0.1353	222927	$y=1628198.07x-2246.62$	0.9999
4	0.2706	445370		
5	0.4060	662165		
6	0.5413	882920		

从表4数据可见，栀子苷在0.0271~0.5413μg范围内与峰面积呈良好的线性关系。

2.5　精密度试验

取同一份供试品（批号201909001）溶液，连续进样6针，记录色谱图。栀子苷峰面积的精密度计算结果见表5。

表5 栀子苷精密度试验结果

序号	峰面积值	平均值	RSD（%）
1	444614		
2	433880		
3	435214	437642	0.86
4	436496		
5	437486		
6	438164		

从表5数据可见，符合《中国药典》2020年版四部通则0512中规定的RSD值小于2.0%的要求。

2.6 稳定性试验

取同一份供试品（批号201909001）溶液，分别在溶液制备后的0小时、2小时、4小时、6小时、8小时、10小时、12小时进样测定，结果见表6。

表6 溶液的稳定性试验结果

序号	时间（h）	峰面积值	RSD（%）
1	0	438273	
2	2	440218	
3	4	437013	
4	6	450164	0.98
5	8	440946	
6	10	438971	
7	12	439893	

从表6数据可见，栀子苷在12小时内峰面积值基本稳定不变。

2.7 重复性试验

取同一供试品（批号201909001）6份，各约0.4g，精密称定，置具塞锥形瓶中，精密加入甲醇25ml，称定重量，超声处理（功率250W，频率40kHz）20分钟，放冷，再称定重量，用甲醇补足减失的重量，摇匀，滤过，取续滤液，作为供试品溶液。取栀子苷对照品适量，精密称定，加甲醇制成每1ml含30μg的溶液，作为对照品溶液。分别精密吸取以上两种溶液各10μl，注入液相色谱仪，记录各自的色谱图，用外标法以峰面积计算含量。结果见表7。

表7 栀子苷重复性试验结果

称样量（g）	峰面积值	含量（mg/g）	平均含量（mg/g）	RSD（%）
0.4025	452490	1.82		
0.4002	440582	1.79		
0.4047	454329	1.82	1.83	1.91
0.4067	459353	1.83		
0.4081	465690	1.85		
0.4090	476848	1.89		

从表7数据可见，在相同的细度、提取溶剂和色谱条件下，6份供试品含量测定结果的均值为1.83mg/g，RSD为1.91%，表明该方法的重复性好。

2.8 加样回收试验

取已知含量（批号201909001，含量为1.83mg/g）的供试品9份，各约0.4g，精密称定，分别置9个具塞锥形瓶中，精密加入甲醇25ml, 称定重量, 超声处理20分钟, 取出, 再称重, 用甲醇补足减失重量, 分别从每份供试品溶液中精密取出3ml置9个10ml容量瓶中, 分成三组, 每组三份, 再分别在其中3个容量瓶中精密加入浓度为27.06μg/ml的栀子苷对照品溶液1.5ml(约相当于供试品含有量的50%), 另3个容量瓶中各精密加入上述对照品溶液3ml(约相当于供试品含有量的100%), 其余3个容量瓶中各精密加入上述对照品溶液4.5ml(约相当于供试品含有量的150%), 9个容量瓶均用甲醇定容到刻度, 摇匀, 滤过取续滤液, 作为供试品溶液。分别精密吸取各溶液10μl进样测定, 按外标法以峰面积计算含量并计算回收率。结果见表8。

表8　加样回收试验结果

称样量(g)	供试品含量(mg)	对照品加入量(mg)	测得总量(mg)	回收率(%)	平均回收率(%)	RSD(%)
0.4026	0.0884	0.0406	0.1257	92.0		
0.4020	0.0883	0.0406	0.1251	90.5		
0.4047	0.0889	0.0406	0.1261	91.6		
0.4033	0.0886	0.0812	0.1635	92.3		
0.4019	0.0883	0.0812	0.1619	90.6	91.2	0.93
0.4055	0.0890	0.0812	0.1632	91.4		
0.4074	0.0895	0.1218	0.1991	90.0		
0.4020	0.0883	0.1218	0.1982	90.3		
0.4081	0.0896	0.1218	0.2016	92.0		

表8的结果显示, 本方法的平均回收率为91.2%, RSD为0.93%。该方法准确度好。

2.9　耐用性试验

取供试品(批号201909001)2份, 各约0.4g, 精密称定, 按重复性试验项下的方法处理, 换不同厂家、不同型号的色谱柱, 分别测定供试品的含量。结果见表9。

表9　色谱柱耐用性试验

序号	称样量(g)	柱型号	峰面积值	含量(mg/g)
1	0.4047	Agela Venusil XBP C$_{18}$柱	454329	1.82
	0.4047	phenomenex C$_{18}$柱	458574	1.82
2	0.4067	Agela Venusil XBP C$_{18}$柱	459353	1.83
	0.4067	phenomenex C$_{18}$柱	468615	1.85

表9结果表明, 在使用不同型号或厂家的色谱柱时, 对测定结果影响较小。

3　样品含量测定

取三批样品(批号201909001、201909002、201909003)及模拟样品(批号201909020), 每批各2份, 各约0.4g, 精密称定, 按重复性试验项下的方法处理并测定含量。结果见表10。

表10　样品中栀子苷的含量测定结果

批号	称样量(g)	峰面积平均值	含量(mg/g)	平均含量(mg/g)
201909001	0.4080	468650	1.79	1.81
	0.4047	476781	1.83	
201909002	0.4081	493644	1.88	1.81
	0.4078	456081	1.74	
201909003	0.4032	446849	1.73	1.73
	0.4012	449706	1.74	
201909020	0.4001	148902	0.59	0.59
	0.4032	152476	0.59	

从表10数据可见，三批样品和模拟样品中栀子苷含量最低为0.59mg/g，最高为1.81mg/g。

4 栀子药材含量测定

采用同法对上述三批供试品生产用栀子药材进行了含量测定。测定结果见表11。

表11 栀子药材中栀子苷的含量测定结果

序号	称样量（g）	测得峰面积值	平均峰面积值	含量（mg/g）	平均含量（mg/g）
1	0.1064	2035250 2050639	2042945	29.89	30.07
2	0.1070	2072327 2087919	2080123	30.26	

从表11数据可见，栀子药材中栀子苷含量为30.07mg/g（3.0%）。

5 本制剂含量限度的确定

从表中数据可见，三批样品中栀子苷最低含量在1.73mg/g，栀子药材中栀子苷含量为30.07mg/g（3.0%），模拟样品中栀子苷含量为0.59mg/g。

按理论值折算，样品应含栀子苷为60÷1850×30.07=0.975，即0.97mg/g。可见，栀子苷转移率为0.59（mg/g）÷0.97（mg/g）×100%=60.82%。

参照《中国药典》2020年版一部"栀子"药材项下规定的栀子苷含量限度不得少于1.8%，转移率为60.82%，本品为散剂，转移率过低，故不计入含量限度计算里。考虑不同产地药材的质量差异，并结合其他影响因素及三批样品的测定结果，下浮20%，按此限度折算本品含栀子苷的理论量应不低于60÷1850×1000×1.8%×80%=0.46mg/g。

标准正文暂定为：本品每1g含栀子以栀子苷（$C_{17}H_{24}O_{10}$）计，不得少于0.45mg。

【功能与主治】

祛宝日隐伏并聚合，止便血。用于胃、肝、大小肠宝日隐伏并聚合，血痞，尿闭，寒性疾病，肾腰部疼痛，因寒而血下渗。

【用法与用量】

口服。一次1.5～3g，一日1～2次，温开水送服。

【规格】

每袋：（1）3g；（2）15g；（3）250g。

【贮藏】

密封，防潮。

起草单位：内蒙古医科大学药学院　　　张跃祥　崔圆圆　孙丽君
　　　　　包头市检验检测中心　　　　李　强　董　博　谢美萍
　　　　　内蒙古医科大学附属医院　　王秋桐

如西散质量标准起草说明

【历史沿革】

本方来源于内蒙古自治区国际蒙医医院经验方,是由蒙药阿木日-6散和如达-6散组成的复方制剂,两种蒙药制剂均记载于蒙医药历史文献上。

【处方来源】

本制剂由内蒙古自治区国际蒙医医院提供。

【名称】

如西散

【蒙药材和饮片的来源和执行标准】

1. 处方组成及药味排列顺序:木香192g、奶制红石膏250g、大黄150g、石榴120g、瞿麦115g、碱面100g、山柰100g、荜茇96g、栀子96g、豆蔻86g、土木香50g、诃子50g。

2. 处方中除奶制红石膏、碱面和石榴药材外,其余木香等药味均收载于《中国药典》2020年版一部,其质量应符合该品种项下的有关规定。

奶制红石膏:为单斜晶系硫酸钙矿石族红石膏 Gypsum 的矿石红石膏(北寒水石)的炮制加工品。 主含含水硫酸钙($CaSO_4 \cdot 2H_2O$)。其标准应符合《内蒙古蒙药饮片炮制规范》2020年版第188页该品种项下的有关规定。

石榴:为石榴科植物石榴*Punica granatum* L.的干燥成熟果实。其标准应符合《内蒙古蒙药饮片炮制规范》2020年版第119页该品种项下的有关规定。

碱面:为天然碱土 Trona soil 自然粗结晶,或经风化的产物。主含碳酸钠(Na_2CO_3),还含较多量的硫酸盐和镁、钙、铝等。其标准应符合《内蒙古蒙药饮片炮制规范》2020年版第106页该品种项下有关规定。

【制法】

以上十二味,粉碎成细粉,过筛,混匀,分装,即得。

【性状】

本品为浅黄色至棕黄色的粉末;气香,味苦涩、微咸。

【鉴别】

本品为药材粉末制成的散剂,方中栀子、石榴、豆蔻、荜茇、木香、山柰的显微特征较明显,故建立显微鉴别,并对处方中大黄、山柰进行了薄层鉴别研究。

1. 试剂与试药

供试品:供试品(批号20150304、20151206、20140116)由内蒙古自治区国际蒙医医院提供。

对照品:大黄对照药材(批号120984-201202)、山柰对照药材(批号121504-201203)、大黄素对照品(批号110756-201512)、大黄酚对照品(批号110796-201621),均购于中国食品药品检定研究院。

薄层板:硅胶G板、H板,均购于青岛海洋化工有限公司。

其他试剂均为分析纯,水为离子交换高纯水。

2. 方法与结果

（1）显微鉴别

栀子：种皮石细胞黄色或淡棕色，多破碎，完整者长多角形、长方形或形状不规则，壁厚，有大的圆形纹孔，胞腔棕红色。石榴：石细胞无色，椭圆形或类圆形，壁厚，孔沟细密。豆蔻：内种皮厚壁细胞黄棕色或棕红色，表面观类多角形，壁厚，胞腔含硅质块。荜茇：种皮细胞红棕色，长多角形，壁连珠状增厚。木香：网纹导管直径32～90μm。山柰：淀粉粒圆形、椭圆形或类三角形，直径10～30μm，脐点及层纹不明显。

（2）处方中大黄、山柰的鉴别

参照《中国药典》2020年版一部"大黄"项下的薄层鉴别方法，以大黄对照药材和山柰对照药材为对照进行薄层色谱试验，制定出正文所述鉴别方法。通过阴性对照试验观察，方中其他药材对大黄、山柰药材的检出无干扰，此法具专属性。

【检查】

按照散剂（《中国药典》2020年版四部通则0115）项下规定，对三批供试品的外观均匀度、水分、重金属、砷盐和微生物限度进行了检查。具体方法及测定数据如下：

1. 外观均匀度：取供试品适量，置光滑纸上，平铺约5cm²，将其表面压平，在亮处观察，呈现均匀的色泽，无花纹、色斑。结果三批供试品均符合规定。

2. 水分：取供试品照水分测定法（《中国药典》2020年版四部通则0832）第二法测定。三批供试品的测定结果见表1。

表1　水分测定的检查表

序号	批号	水分（%）
1	20150304	6.34
2	20151206	6.31
3	20140116	6.35

从表1数据可见，供试品中含水量不超过9%，符合规定。

3. 对三批供试品进行了重金属和砷盐考察。方法与结果如下：

重金属：分别取每个批号供试品0.5g、0.67g、1.0g、2.0g，按《中国药典》2020年版四部通则0821第二法检查。

供试品溶液的制备：取本品0.5g、0.67g、1.0g、2.0g，分别缓缓炽灼至完全炭化，放冷，加硫酸0.5ml，使湿润，低温加热至硫酸除尽后，加硝酸0.5ml，蒸干，至氧化氮蒸气除尽后，放冷，于600℃炽灼至完全灰化，放冷。加盐酸2ml，置水浴上蒸干后加水15ml，滴加氨试液至对酚酞指示液显中性，再加醋酸盐缓冲液（pH3.5）2ml，微热溶解后，移置纳氏比色管中，加水稀释至25ml，作为供试品溶液。

标准铅对照溶液的制备：另取配制供试品溶液的试剂两份，分别置瓷皿中蒸干后，加醋酸盐缓冲液（pH3.5）2ml，加水15ml微热溶解后，移置两支纳氏比色管中，分别加标准铅溶液（10μg/ml Pb）2ml，再加水稀释至25ml，作为标准铅对照溶液。

检视：于上述供试品溶液和标准铅对照溶液中分别加硫代乙酰胺试液各2ml，摇匀，放置2分钟，同置白色背景上，从上向下进行观察。试验结果见表2。

表2　重金属检查结果

序号	批号	重金属含量（ppm）			
1	20150304	<10	<20	<30	<40
2	20151206	<10	<20	<30	<40
3	20140116	<10	<20	<30	<40

从表2数据可见,供试品溶液的颜色明显浅于2ml的标准铅对照管。经过三批供试品及模拟样品的检查,含重金属均未超过百万分之十,故未收入正文。

砷盐:取本品1g和标准砷溶液(1μg/ml AS)2ml,分别加无砷氢氧化钙1g,加少量水,搅匀,烘干,用小火缓缓炽灼至炭化,再在600℃炽灼至完全灰化,放冷。分别加盐酸7ml使溶解,再加水21ml,按《中国药典》2020年版四部通则0822第一法(古蔡氏法)做砷盐限量检查。

结果:供试品砷斑浅于标准砷斑的颜色,表明本品含砷量未超过百万分之二(小于2ppm),故砷盐检查项目未列入正文。

4. 微生物限度:照微生物计数法(《中国药典》2020年版四部通则1105)和控制菌检查法(《中国药典》2020年版四部通则1106)及《内蒙古蒙药制剂规范》(第三册)附录Ⅲ微生物限度标准,进行检查。结果均符合规定。

【含量测定】

如西散是由木香、栀子、瞿麦、豆蔻、荜茇、奶制红石膏、大黄、山柰、碱面、石榴、土木香、诃子药材组成。大黄为主味药,参照《中国药典》2020年版一部"大黄""六味安消散"项下含量测定方法进行了试验条件摸索,结果有较好的分离效果。

1 仪器与试剂试药

1.1 仪器

美国戴安U-3000型双三元高效液相色谱仪(带SPD-M20A型二极管阵列检测器);Sartorius ME5型电子天平,Mettler AE-100电子天平,JD200-2型电子天平;AS 5150A超声清洗仪。

1.2 试剂与试药

供试品:供试品(批号20150304、20151206、20140116)由内蒙古自治区国际蒙医医院提供;大黄酚对照品(批号110796-201621),购于中国食品药品检定研究院;甲醇、乙腈为色谱纯,其他均为分析纯试剂,水为高纯水。

2 方法学考察

2.1 色谱条件的选择

2.1.1 色谱柱:十八烷基硅烷键合硅胶为填充剂,本试验研究用SHMADZU C$_{18}$(250mm×4.6mm, 5μm)、phenomenex C$_{18}$(250mm×4.6mm, 5μm)色谱柱。

2.1.2 流动相的选择:参照《中国药典》2020年版一部"六味安消散"含量测定项下方法,经试验摸索,将流动相比例调整为乙腈-甲醇-0.1%磷酸溶液(42:23:35),结果分离效果好、保留时间适中,故确定其作为本品含量测定的流动相。

2.1.3 柱温:试验中对30℃和40℃柱温进行了比较,结果保留时间略有差异,但分离度及理论板数没有变化,本试验研究选择柱温为30℃。

2.1.4 检测波长的选择:通过二极管阵列检测器对大黄素自200~500nm进行光谱扫描,结果大黄素在221nm处有最大吸收峰,大黄酚在223nm处有最大吸收峰,经试验摸索,在221nm及223nm波长处有干扰。故结合《中国药典》2020年版一部"大黄"项下的HPLC的检测波长为254nm,因此标准选择254nm作为检测波长。

2.1.5 理论板数的确定:对多批供试品测定结果表明,大黄酚的理论板数在3000以上即能达到与相邻峰分开,并符合《中国药典》规定$R>1.5$的要求,本标准规定理论板数按大黄酚峰计算应不低于3000。

2.2 提取方法的选择及提取效率的考察

2.2.1 提取溶剂的选择

结合《中国药典》2020年版一部"六味安消散"项下选用甲醇-盐酸（10:1）混合溶液及甲醇作为提取溶剂，可保证供试品得到较好的提取效果。

2.2.2 提取方法的选择

《中国药典》2020年版一部"六味安消散"项下采用加热回流、超声提取方法比较研究，故参照药典加热回流方法。

2.2.3 提取效率考察

取本品粉末4份，各约2g，研细，精密称定，置具塞锥形瓶中，精密加入加甲醇-盐酸（10:1）混合溶液25ml，称定重量，依次加热回流（80℃）20分钟、30分钟、40分钟、60分钟，取出，立即冷却，再称定重量，用甲醇补足减失的重量，摇匀，滤过，各精密量取续滤液2ml，置5ml量瓶中，加2%氢氧化钠溶液1ml，加甲醇至刻度，摇匀，滤过，用微孔滤膜（0.45μm）滤过，按上述色谱条件测定。结果见表3。

表3 不同加热回流时间的考察结果

序号	加热回流时间（min）	大黄酚含量（mg/g）
1	20	2.42
2	30	2.55
3	40	2.42
4	60	2.54

从表3数据可见，加热回流30分钟后，大黄酚的含量最高，故确定加热时间为30分钟。

2.3 专属性考察

2.3.1 对照品溶液的制备：取大黄酚对照品和大黄素对照品适量，精密称定，加甲醇制成每1ml含大黄酚18μg、大黄素8μg混合溶液，作为对照品溶液。

2.3.2 供试品溶液的制备：取本品2g，精密称定，置具塞锥形瓶中，精密加入甲醇-盐酸（10:1）混合溶液25ml，称定重量，置80℃水浴中加热回流30分钟，若瓶壁有黏附物，须超声处理去除，再称定重量，用甲醇补足减失的重量，摇匀，滤过，精密量取续滤液2ml，置5ml量瓶中，加2%的氢氧化钠溶液1ml，加甲醇至刻度，摇匀，滤过，取续滤液，作为供试品溶液。

2.3.3 阴性对照溶液的制备：按本品处方工艺制备不含大黄的阴性样品，按供试品溶液的制备方法制备阴性对照溶液（缺大黄）。

2.3.4 测定：分别精密吸取以上三种溶液各10μl，注入色谱仪，记录各自的色谱图。

试验结果显示：供试品色谱中在与对照品色谱保留时间相同的位置上有色谱峰出现，且分离效果较好，阴性对照在与大黄酚对照品色谱保留时间相同的位置上无色谱峰出现，表明该含量测定方法阴性无干扰，专属性好。而阴性对照在与大黄素对照品色谱保留时间相同的位置有干扰色谱峰出现，故未列入正文。

2.4 峰纯度检查

精密吸取2.3项下的对照品溶液和供试品溶液各10μl，注入液相色谱仪，以二极管阵列检测对被测成分大黄酚峰进行纯度验证，匹配值大于980，表明被测样品中大黄酚为单一成分。

2.5 线性考察

取大黄酚对照品2.158mg，置100ml量瓶中，加甲醇使溶解，并稀释至刻度，摇匀（含大黄酚21.58μg/ml），精密吸取2μl、5μl、10μl、20μl、30μl注入液相色谱仪，按上述色谱条件测定，以峰面积对大黄素量进行回归分析，结果见表4。

表4 标准曲线数据及回归分析结果

对照品量（ng）	峰面积值	回归方程	r
43.16	261764		
107.9	687119		
215.8	1358619	$y=6291.5x-1245.0$	0.9999
431.6	2709991		
647.4	4072944		

从表4数据可见，大黄酚在43.16~647.40ng范围内与峰面积值呈良好的线性关系。

2.6 稳定性试验

取同一供试品溶液（批号20140116），分别于制备溶液后的0小时、2小时、4小时、8小时、12小时、24小时进行测定，结果见表5。

表5 不同时间测定大黄酚的峰面积值

时间（h）	峰面积值	RSD（%）
0	1504807	
2	1498182	
4	1500583	
8	1494435	0.26
12	1495051	
24	1495288	

从表5数据可见，在24小时内大黄酚面积积分值基本稳定。

2.7 重复性试验

取同一供试品（批号20150304）6份，各约1g，精密称定，置具塞锥形瓶中，精密加入甲醇-盐酸（10:1）混合溶液25ml，称定重量，置80℃水浴中加热回流30分钟，若瓶壁有黏附物，须超声处理去除，再称定重量，用甲醇补足减失的重量，摇匀，滤过，精密量取续滤液2ml，置5ml量瓶中，加2%的氢氧化钠溶液1ml，加甲醇至刻度，摇匀，滤过，取续滤液，作为供试品溶液。另取大黄酚对照品和大黄素对照品适量，精密称定，加甲醇制成每1ml含大黄酚18μg的溶液，作为对照品溶液。分别精密吸取以上两种溶液各10μl，注入液相色谱仪，记录各自的色谱图，用外标法以峰面积计算含量。结果见表6。

表6 大黄酚重复性试验结果

取样品量（g）	峰面积值	含量（mg/g）	平均含量（mg/g）	RSD（%）
1.0185	1525290	2.5431		
1.0197	1495017	2.4897		
1.0082	1538403	2.5911	2.5227	1.8
1.0012	1505126	2.5528		
1.0507	1542119	2.4923		
1.0300	1496442	2.4671		

从表6数据可见，在相同的提取溶剂和色谱条件下，6份供试品含量测定结果的均值为2.5227mg/g，RSD为1.8%，表明该方法的重复性良好。

2.8 加样回收试验

取同一批号供试品（批号20150304，含大黄酚2.5227mg/g）6份，各约2g，精密称定，置具塞锥形瓶中，分别精密加入大黄酚对照品溶液（浓度0.04748mg/ml）25ml，按上述方法操作并测定，结果见表7。

表7 大黄酚加样回收试验

取样量（g）	供试品含量（mg）	对照品加入量（mg）	测得总含量（mg）	回收率（%）	平均回收率（%）	RSD（%）
0.4991	1.2590	1.187	2.4422	99.67		
0.5131	1.2943	1.187	2.4912	100.82		
0.5045	1.2727	1.187	2.4423	98.53	99.72	1.4
0.5056	1.2754	1.187	2.4482	98.79		
0.5094	1.2850	1.187	2.4931	101.77		
0.5091	1.2843	1.187	2.4921	101.75		

从表7数据可见，大黄酚回收率99.72%，RSD为1.4%。表示该方法准确度良好。

2.9 耐用性试验

换不同厂家、不同型号的色谱柱，按确定的色谱条件，取重复试验中的1号、2号样品进行测定，结果见表8。

表8 不同色谱柱的耐用试验

样品号	柱型号	分离度	测得平均含量（mg/g）	相对偏差（%）
1	SHMADZU C$_{18}$	6.3	2.51	0.59
	Phenomenex C$_{18}$	1.9	2.54	
2	SHMADZU C$_{18}$	6.3	2.50	0.40
	Phenomenex C$_{18}$	1.9	2.48	

从表8数据可见，不同型号或厂家的色谱柱对测定结果影响较小。

3 样品含量测定

取本品按上述方法处理并测定，三批样品的测定结果见表9。

表9 样品中大黄酚含量测定结果

批号	取样量（g）	测得峰面积值	含量（mg/g）	平均含量（mg/g）
20140116	1.0910	1399265	2.2956	2.3926
	1.0079	1401988	2.4897	
20150304	1.0646	1496943	2.5167	2.5088
	1.0792	1507848	2.5008	
	1.0212	1849272	3.2592	
20150306	1.0236	1900490	3.3417	3.3482
	1.0247	1909876	3.3546	
	1.0107	1637617	2.7457	

从表9数据可见，三批样品含量均在2.0mg/g以上。

4 大黄药材的含量考察

按相同方法对生产如西散相应批次的大黄原料药材进行含量测定，结果见表10。

表10 大黄药材含量测定结果

序号	含量（mg/g）	大黄药材含量（%）
1	1642365	3.4
2	1642851	3.4

从表10数据可见，测得大黄原料大黄酚含量为3.4mg/g。

5　本制剂含量限度的确定

由于样品前处理复杂，转移率低，按《中国药典》2020年版一部"大黄"项下规定：大黄药材含总蒽醌以芦荟大黄素（$C_{15}H_{10}O_5$）、大黄酸（$C_{15}H_8O_6$）、大黄素（$C_{15}H_{10}O_5$）、大黄酚（$C_{15}H_{10}O_4$）、大黄素甲醚（$C_{16}H_{12}O_5$）的总量计不得少于1.5%。按《中国药典》"大黄"项下规定含量限度（五种成分1.5%）折算，并结合转移率下浮，本制剂含量低限=150/1405×（1.5%×1/5药材最低限）×1000=0.32mg/g；另参照《中国药典》"三黄片"项下含量限度为300/326（处方量）×6.47mg/g（折算后药材最低限）=5.96mg/g；依据上述两种计算方法结果，并结合其他影响因素及三批样品的测定结果，考虑到大黄药材含量中各成分测得值里大黄酚的含量占比相对较高，按此限度折算本品含大黄酚的理论量应不低于150/1405（处方量）×6.47mg/g（折算后药材最低限）=0.69mg/g。

标准正文暂定为：本品每1g含大黄以大黄酚（$C_{15}H_{10}O_4$）计，不得少于0.60mg。

【功能与主治】

消食，化积，解痉。用于食积不消，胃腹胀满疼痛，大便干燥，宝日疼，胃痧症等。

【用法与用量】

口服。一次1.5~3g，一日1~2次，温开水送服。

【规格】

每袋：（1）3g；（2）15g；（3）250g。

【贮藏】

密闭，防潮。

起草单位：内蒙古自治区国际蒙医医院　　　那松巴乙拉　斯　钦　查干其其格

　　　　　鄂尔多斯市检验检测中心　　　　　郭　慧　吕彩莲　史永惠

沥其日甘-6散质量标准起草说明

【历史沿革】

本方来源于《蒙医金匮》（内蒙古人民出版社 1978年版，蒙古文，第694页）。

【处方来源】

本制剂由内蒙古自治区国际蒙医医院提供。

【名称】

沥其日甘-6散

【蒙药材和饮片的来源和执行标准】

1. 处方组成及药味排列顺序：沙棘60g、木香50g、白葡萄40g、甘草30g、栀子20g、荜茇10g。

2. 处方中除白葡萄药材外，其余沙棘等药味均收载于《中国药典》2020年版一部，其质量应符合该品种项下的有关规定。

白葡萄：为葡萄科植物葡萄Vitis vinifera L.的干燥成熟果实。其标准应符合《中华人民共和国卫生部药品标准》（蒙药分册）1998年版第12页该品种项下的有关规定。

【制法】

以上六味，除沙棘、白葡萄外，其余木香等四味，粉碎成粗粉，加白葡萄、沙棘，粉碎，烘干，粉碎成细粉，过筛，混匀，分装，即得。

【性状】

本品为黄棕色至深棕色的粉末；气香，味酸、甘而苦、涩。

【鉴别】

本品为药材粉末制成的散剂，处方中栀子、甘草、沙棘的显微特征都较明显，故建立显微鉴别，并对处方中的栀子建立了薄层鉴别。

1. 试剂与试药

供试品：供试品（批号 20190613、20191011、20200320）由内蒙古自治区国际蒙医医院提供，模拟样品（批号 20200051）模拟。

对照品：栀子苷对照品（批号110749-200714）、栀子对照药材（批号120986-201610），均购于中国食品药品检定研究院。

薄层板：硅胶G板，购于青岛海洋化工有限公司。

所用其他试剂均为分析纯，水为离子交换高纯水。

2. 试验方法与结果

（1）显微鉴别

栀子：果皮含晶石细胞类圆形或多角形，直径17~31μm，壁厚，胞腔内含草酸钙方晶。甘草：纤维束周围薄壁细胞含草酸钙方晶，形成晶纤维 。沙棘：果皮表皮上盾状毛由100多个单细胞毛毗连而成，末端分离，单个细胞长

80~220μm，直径约至5μm，毛脱落后的疤痕由7~8个圆形细胞聚集而成，细胞壁稍厚。

（2）栀子薄层鉴别

参照《中国药典》2020年版一部"栀子"项下的薄层条件，制定出正文所述的鉴别方法。通过阴性对照试验观察，方中其他药材对栀子药材及主要成分栀子苷薄层检验无干扰，证明此方法具专属性。

【检查】

按照散剂（《中国药典》2020年版四部通则0115）项下的规定，对三批供试品及模拟样品的外观均匀度、水分、重金属、砷盐和微生物限度进行了检查。具体方法及测定数据如下：

1. 外观均匀度：取供试品适量，置光滑纸上，平铺约5cm²，将其表面压平，在亮处观察，呈现均匀的色泽，无花纹、色斑。结果三批供试品及模拟样品均符合规定。

2. 水分：取供试品照水分测定法（《中国药典》2020年版四部通则0832）测定。三批供试品及模拟样品的测定结果见表1。

表1　水分测定结果

序号	批号	水分（%）
1	20190613	5.9
2	20191011	7.5
3	20200320	7.5
4	20200051	7.05

药典规定散剂水分含量不得大于9.0%。从表1数据可见，本品水分含量符合要求。

3. 对三批供试品及模拟样品进行了重金属和砷盐考察。方法与结果如下：

重金属：分别取每个批号供试品0.5g、0.67g、1.0g、2.0g，按《中国药典》2020年版四部0821第二法检查。

供试品溶液的制备：取本品0.5g、0.67g、1.0g、2.0g，分别缓缓炽灼至完全炭化，放冷，加硫酸0.5ml，使湿润，低温加热至硫酸除尽后，加硝酸0.5ml，蒸干，至氧化氮蒸气除尽后，放冷，于600℃炽灼至完全灰化，放冷。加盐酸2ml，置水浴上蒸干后加水15ml，滴加氨试液至对酚酞指示液显中性，再加醋酸盐缓冲液（pH3.5）2ml，微热溶解后，移置纳氏比色管中，加水稀释至25ml，作为供试品溶液。

标准铅对照溶液的制备：另取配制供试品溶液的试剂两份，分别置瓷皿中蒸干后，加醋酸盐缓冲液（pH3.5）2ml，加水15ml微热溶解后，移置两支纳氏比色管中，分别加标准铅溶液（10μg/ml Pb）2ml，再加水稀释至25ml，作为标准铅对照溶液。

检视：于上述供试品溶液和标准铅对照溶液中分别加硫代乙酰胺试液各2ml，摇匀，放置2分钟，同置白色背景上，从上向下进行观察。试验结果见表2。

表2　重金属检查结果

序号	批号	重金属含量（ppm）			
1	20190613	<10	<20	<30	<40
2	20191011	<10	<20	<30	<40
3	20200320	<10	<20	<30	<40
4	20200051	<10	<20	<30	<40

结果显示，供试品溶液的颜色明显浅于2ml的标准铅对照管。经过三批供试品及模拟样品的检查，含重金属均未超过百万分之十，故未收入正文。

砷盐：取本品1g和标准砷溶液（1μg/ml AS）2ml，分别加无砷氢氧化钙1g，加少量水，搅匀，烘干，用小火缓缓炽灼至炭化,再在600℃炽灼至完全灰化,放冷。分别加盐酸7ml使溶解,再加水21ml,按《中国药典》2020年版四部通则0822第一法(古蔡氏法)做砷盐限量检查。

结果:供试品砷斑浅于标准砷斑的颜色,表明本品含砷量未超过百万分之二(小于2ppm),故砷盐检查项目未列入正文。

4. 微生物限度:照微生物计数法(《中国药典》2020年版四部通则1105)和控制菌检查法(《中国药典》2020年版四部通则1106)及《内蒙古蒙药制剂规范》(第三册)附录Ⅲ微生物限度标准,进行检查。结果均符合规定。

【含量测定】

沏其日廿-6散是由沙棘、木香、白葡萄、甘草、栀子、荜茇六味药组成的复方制剂。参照《中国药典》2020年版一部"木香"药材项下含量测定方法,对其所含主要成分木香烃内酯和去氢木香内酯进行了含量测定条件摸索,经方法学考察及阴性对照试验,表明该方法专属性较强,处方中其他组分对木香烃内酯和去氢木香内酯的测定无干扰,故选择木香烃内酯和去氢木香内酯作为含量测定的指标性成分。

1 仪器与试剂试药

1.1 仪器

岛津LC-20AT泵,CBM-20A型控制器,SPD-M20Av型检测器,LCSOLUTION色谱工作站。

1.2 试剂与试药

供试品(批号 20190613、20191011、20200320)由内蒙古自治区国际蒙医医院提供,模拟样品(批号20200051)模拟;木香烃内酯对照品(批号111524-200503)、去氢木香内酯对照品(批号111525-200706),均购于中国食品药品检定研究院;甲醇为色谱纯,水为高纯水,所用其他试剂均为分析纯。

2 方法学考察

2.1 色谱条件

2.1.1 色谱柱:参照《中国药典》2020年版一部"木香"药材项下含量测定方法,色谱柱填充剂为十八烷基硅烷键合硅胶,本试验研究采用 Alltech C$_{18}$(250mm×4.6mm,5μm)、Diamonsil C$_{18}$(250mm×4.6mm,5μm)和Kromasil C$_{18}$(250mm×4.6mm,5μm)色谱柱。

2.1.2 流动相的选择:参照《中国药典》2020年版一部"木香"药材项下含量测定方法,以甲醇-水(65∶35)为流动相。

2.1.3 柱温:采用30℃柱温,可减小流动相黏度,降低柱压并改善分离效果。

2.1.4 检测波长的选择:通过岛津SPD-M20A型二极管阵列检测器分别对木香烃内酯和去氢木香内酯自200~800nm进行光谱扫描,结果分别在203nm和204nm处有最大吸收,曾用203nm作为检测波长对本品进行试验研究,结果检测到的杂质峰很多,影响被测成分的分离效果,故结合《中国药典》2020年版一部木香药材项下含量测定方法,采用225nm作为检测波长。

2.1.5 理论板数的确定:经对多批样品测定的结果可见,木香烃内酯和去氢木香内酯峰的理论板数在9500以上时,木香烃内酯和去氢木香内酯均能达到较好的分离效果,结合《中国药典》2020年版一部木香项下,故暂定为:本品的理论板数按木香烃内酯峰计不得低于5000。

2.2 提取方法的选择及提取效率的考察

2.2.1 提取溶剂的选择

参照《中国药典》2020年版一部,分别以三氯甲烷、甲醇作为提取溶剂进行了考察。结果见表3。

表3　提取溶剂的选择

溶剂	取样量（g）	木香烃内酯（mg/g）	去氢木香内酯（mg/g）
三氯甲烷	1.0121	2.60	3.22
甲醇	1.0084	3.03	3.51

从表3数据可见，甲醇提取效果好，且甲醇作提取溶剂，操作简单，有良好的重复性，故确定以甲醇作为提取溶剂。

2.2.2　提取效率的考察

取本品4份，各约1g，精密称定，置锥形瓶中，精密加甲醇50ml，密塞，称定重量，放置过夜，超声处理（功率250W，频率40kHz）分别超声15分钟、30分钟、60分钟、120分钟，取出，放冷，再称定重量，用甲醇补足减失的重量，摇匀，滤过，取续滤液，作为供试品溶液。按所确定色谱条件测定，测得结果见表4。

表4　提取效率考察表

提取时间（min）	木香烃内酯（mg/g）	去氢木香内酯（mg/g）
15	2.92	3.44
30	2.93	3.50
60	2.95	3.44
120	2.82	3.38

从表4数据可见，超声处理30分钟后，木香烃内酯与去氢木香内酯含量基本不再增加，故确定超声时间为30分钟。

2.3　专属性考察

2.3.1　对照品溶液的制备：精密称取木香烃内酯对照品、去氢木香内酯对照品适量，加甲醇制成每1ml各含40μg的溶液，作为对照品溶液。

2.3.2　供试品溶液的制备：取本品约1g，精密称定，置锥形瓶中，精密加甲醇50ml，密塞，称定重量，放置过夜，超声处理（功率250W，频率40kHz）30分钟，取出，放冷，再称定重量，用甲醇补足减失的重量，摇匀，滤过，取续滤液，作为供试品溶液。

2.3.3　阴性对照溶液的制备：按处方配比制备缺木香的阴性供试品，按"供试品溶液的制备"方法制备阴性对照溶液。

2.3.4　测定：分别精密吸取以上三种溶液各10μl，注入色谱仪，记录各自的色谱图。

试验结果显示：供试品色谱中在与对照品色谱保留时间相同的位置上有色谱峰出现，而阴性对照在与对照品色谱保留时间相同的位置上无色谱峰出现，表明该含量测定方法阴性无干扰，专属性好。

2.4　峰纯度检查

分别精密吸取2.3项下供试品溶液10μl，注入液相色谱仪，以二极管阵列检测对木香烃内酯和去氢木香内酯被测成分峰进行纯度验证。结果表明被测供试品中木香烃内酯和去氢木香内酯为单一成分。

2.5　线性关系考察

取木香烃内酯对照品2.091mg、去氢木香内酯对照品2.577mg，置50ml量瓶中，加甲醇使溶解，并稀释至刻度，摇匀（木香烃内酯 0.04182mg/ml，去氢木香内酯 0.05154mg/ml），分别取 2、5、10、15、20、30、40μl 进样，按上述色谱条件测定，以峰面积对进样量进行回归分析。结果见表5、6。

表5　木香烃内酯标准曲线数据及回归分析结果

木香烃内酯量（μg）	峰面积值	回归方程	r
0.08364	110401		
0.2091	282558		
0.4182	568984		
0.6273	855211	y=0.000730771x+2.79954	0.9999
0.8364	1139233		
1.2546	1712700		
1.6728	2285817		

表6　去氢木香内酯标准曲线数据及回归分析结果

去氢木香内酯量（μg）	峰面积值	回归方程	r
0.10308	107389		
0.2577	275467		
0.5154	556794		
0.7731	835775	y=0.000920334x+3.95597	0.9999
1.0308	1115765		
1.5462	1674358		
2.0616	2236535		

从从表5、6数据可见，木香烃内酯在0.08364~1.6728μg、去氢木香内酯在0.10308~2.0616μg范围内与峰面积值呈良好的线性关系。

2.6　稳定性试验

取同一供试品溶液，分别在溶液制备后的0小时、2小时、4小时、8小时、12小时、24小时进样测定，结果见表7。

表7　不同时间测定木香烃内酯与去氢木香内酯的含量

时间（h）	木香烃内酯（mg/g）	去氢木香内酯（mg/g）	木香烃内酯RSD（%）	去氢木香内酯RSD（%）
0	3.021	3.540		
2	3.020	3.541		
4	3.025	3.536	0.06	0.05
8	3.021	3.539		
12	3.021	3.538		
24	3.023	3.538		

从表7数据可见，在24小时内木香烃内酯与去氢木香内酯的含量基本稳定。

2.7　重复性试验

取同一供试品（批号20190613）6份，各约1.0g，精密称定，置锥形瓶中，精密加甲醇50ml，密塞，称定重量，放置过夜，超声处理（功率80W，频率40kHz）30分钟，取出，放冷，再称定重量，用甲醇补足减失的重量，摇匀，滤过，取续滤液，作为供试品溶液。另精密称取木香烃内酯对照品、去氢木香内酯对照品适量，加甲醇制成每1ml各含40μg的溶液，作为对照品溶液。分别精密吸取以上两种溶液各10μl，注入液相色谱仪，记录各自的色谱图，用外标法以峰面积计算含量。结果见表8。

表8　木香烃内酯与去氢木香内酯重复性试验结果

取样量（g）	峰面积值		含量（mg/g）		平均含量（mg/g）		RSD（%）	
	A（n=2）	B（n=2）	A	B	A	B	A	B
1.0084	815755.5	7590821	3.02	3.54				
1.0421	847344	774619	3.04	3.50				
1.1189	876112	820986.5	2.92	3.45	2.96	3.49	1.8	0.93
1.1240	885832.5	840723.5	2.94	3.52				
1.0661	833401.5	786225	2.92	3.47				
1.0297	808702	764400.5	2.93	3.49				

＊A为木香烃内酯，B为去氢木香内酯

从表8数据可见，在相同的提取溶剂和色谱条件下，6份供试品含量测定结果的均值为A：2.96mg/g，RSD：1.8%；B：3.49mg/g，RSD：0.93%。表明该方法的重复性良好。

2.8　加样回收试验

取本品（批号20190613，含木香烃内酯2.96mg/g，去氢木香内酯 3.49mg/g）6份，各约0.5g，精密称定，置具塞锥形瓶中，分别依次精密加入木香烃内酯与去氢木香内酯甲醇溶液（木香烃内酯0.29592mg/ml，去氢木香内酯0.34052mg/ml）各5.0ml，再分别精密加甲醇使成50ml（用滴定管加入），摇匀，按含量测定项下方法操作，测定每份含量，计算回收率，结果见表9。

表9　木香烃内酯与去氢木香内酯加样回收试验结果

取样量（g）	对照品加入量（mg）		供试品含有量（mg）		测得量（mg）		回收率（%）		平均回收率（%）		RSD（%）	
	A	B	A	B	A	B	A	B	A	B	A	B
0.5004	1.480	1.703	1.481	1.746	2.934	3.445	98.18	99.76				
0.5001	1.480	1.703	1.480	1.745	2.931	3.417	98.04	98.14				
0.4942	1.480	1.703	1.462	1.724	2.926	3.413	98.88	99.15	98.70	98.79	0.50	0.63
0.5022	1.480	1.703	1.486	1.752	2.956	3.439	99.31	99.04				
0.5061	1.480	1.703	1.498	1.766	2.959	3.441	98.73	98.36				
0.4960	1.480	1.703	1.468	1.731	2.934	3.405	99.07	98.30				

＊A为木香烃内酯，B为去氢木香内酯

从表9数据可见，木香烃内酯平均回收率98.70%，RSD为0.50%；去氢木香内酯平均回收率为98.79%，RSD为0.63%。表示该方法准确度良好。

2.9　范围

按加样回收试验方法，取高、低浓度各6份，每份约0.5g（批号20190613 含量：木香烃内酯2.96mg/g，去氢木香内酯 3.49mg/g），精密称定，再分别依次精密加入木香烃内酯0.29448mg/ml，0.3402mg/ml照品甲醇溶液2.5ml、7.5ml分别按含量测定项下方法操作，制得供试品溶液作为范围考察的低浓度溶液。测定每份含量，计算回收率及高低浓度点6份供试品的RSD（%），结果见表10、11。

表10　范围考察结果表（低浓度）

取样量（g）	对照品加入量（mg）		供试品含有量（mg）		测得量（mg）		回收率（%）		平均回收率（%）		RSD（%）	
	A	B	A	B	A	B	A	B	A	B	A	B
0.5486	2.2086	2.5509	1.624	1.915	3.807	4.511	98.84	101.76				
0.5524	2.2086	2.5509	1.635	1.928	3.819	4.497	98.88	100.70				
0.5501	2.2086	2.5509	1.628	1.920	3.816	4.482	99.06	100.43	98.70	98.79	0.51	1.15
0.5628	2.2086	2.5509	1.665	1.964	3.869	4.487	99.79	98.90				
0.5508	2.2086	2.5509	1.630	1.922	3.804	4.477	98.43	100.16				
0.5608	2.2086	2.5509	1.660	1.957	3.833	4.474	98.38	98.66				

表11　范围考察结果表（高浓度）

取样量（g）	对照品加入量（mg）		供试品含有量（mg）		测得量（mg）		回收率（%）		平均回收率（%）		RSD（%）	
	A	B	A	B	A	B	A	B	A	B	A	B
0.5032	0.7362	0.8503	1.489	1.756	2.220	2.592	99.29	98.31				
0.5024	0.7362	0.8503	1.487	1.753	2.227	2.587	100.51	98.08				
0.5030	0.7362	0.8503	1.489	1.755	2.228	2.587	100.39	97.79	99.95	98.36	1.05	0.43
0.5012	0.7362	0.8503	1.484	1.749	2.231	2.585	101.52	98.29				
0.5017	0.7362	0.8503	1.485	1.751	2.217	2.592	99.42	98.91				
0.5031	0.7362	0.8503	1.489	1.756	2.215	2.596	98.59	98.80				

从表10、11数据可见，在相当于样品含量限度约50%和150%两个点，均达到了精密度、准确度和线性的要求。

2.10　耐用性试验

换不同厂家、不同型号的色谱柱，按确定的色谱条件，取重复试验中的同批号供试品进行测定，结果见表12。

表12　不同色谱柱的耐用试验

柱型号	分离度	测得平均含量（mg/g）		RSD（%）	
		A	B	A	B
Kromasil C$_{18}$	1.7	3.22	3.62		
Diamonsil C$_{18}$	1.7	3.27	3.61	3.8%	0.6
Alltech C$_{18}$	1.6	3.04	3.58		

从表12数据可见，不同型号或厂家的色谱柱对测定结果影响较小。

3　样品含量测定

取本品约1g，精密称定，按重复性试验项下方法处理并测定，结果见表13。

表13　样品中木香烃内酯与去氢木香内酯含量测定结果

批号	取样量（g）	峰面积值		含量（mg/g）		平均含量（mg/g）		总量（mg/g）
		A（n=2）	B（n=2）	A	B	A	B	
20190613	1.0125	764827.5	745789.5	2.82	3.46	2.82	3.46	6.28
	1.0143	765700	745113	2.81	3.45			
20191011	1.2043	1045528.5	978810	3.24	3.82	3.24	3.83	7.07
	1.2058	1052196.5	986017	3.25	3.84			
20200320	1.008	836886.5	771022	3.09	3.59	3.08	3.59	6.67
	1.0096	831076.5	771692.5	3.07	3.59			

*A为木香烃内酯，B为去氢木香内酯

从表13数据可见，沴其日甘-6散三批样品测定的木香烃内酯与去氢木香内酯总量最低为6.28mg/g。

4　木香药材含量测定

取医院提供的木香药材粉末（过2号筛）0.2g，按重复性试验项下的方法处理并测定，含量结果见表14。

表14　木香药材含量测定结果

取样量（g）	峰面积		含量（mg/g）		平均含量（mg/g）	
	A（n=2）	B（n=2）	A（n=2）	B（n=2）	A（n=2）	B（n=2）
0.2020	799181	696646	13.797	13.270	13.790	13.304
0.2100	790853	693648	13.783	13.339	总含量（mg/g）27.094	

从表14数据可见,测得木香原料平均含木香烃内酯与去氢木香内酯的总量为27.093mg/g。

5　本制剂含量限度的确定

从表中数据可见,三批样品测定的木香烃内酯与去氢木香内酯总量最低为6.28mg/g,试验中,采用相同方法对两批木香药材进行了含量测定,平均含木香烃内酯与去氢木香内酯的总量为27.093mg/g。

按理论值折算,样品应含木香烃内酯与去氢木香内酯的总量为: 27.093×50÷210=6.451,即6.45mg/g。可见,木香烃内酯与去氢木香内酯的转移率为: 6.28÷6.45×100%=97.36%。

参照《中国药典》2020年版一部"木香"项下规定含木香烃内酯与去氢木香内酯的总含量限度不得少于1.8%,转移率为97.36%,考虑不同产地药材的质量差异,并结合其他影响因素及三批样品的测定结果,按此限度折算本品含木香烃内酯和去氢木香内酯总的理论量应不低于50÷210×1.8%×1000×97.36%=4.17mg/g。

标准正文暂定为: 本品每1g含木香以木香烃内酯($C_{15}H_{20}O_2$)与去氢木香内酯($C_{15}H_{18}O_2$)的总量计,不得少于4.0mg。

【功能与主治】

清陈旧型、潜伏型肺热,止咳,祛痰。用于感冒咳嗽,慢性支气管炎,肺脓痈,咳痰不利。

【用法与用量】

口服。一次1.5～3g,一日1~2次,温开水送服。

【规格】

每袋: (1)3g; (2)15g; (3)250g。

【贮藏】

密闭,防潮。

起草单位: 内蒙古自治区国际蒙医医院　　查干其其格　那松巴乙拉　青　松
　　　　　包头市检验检测中心　　　　　菅艳艳　斯　琴　张艳茹

希日因-12散质量标准起草说明

【历史沿革】

本处方来源于锡林郭勒盟蒙医医院经验方。

【处方来源】

本制剂由锡林郭勒盟蒙医医院提供。

【名称】

希日因-12散

【蒙药材和饮片的来源和执行标准】

1. 处方组成及药味排列顺序: 冰糖90g、黑冰片70g、土木香50g、天竺黄20g、红花20g、肋柱花20g、胡黄连20g、诃子20g、苦楝子20g、余甘子20g、人工牛黄20g、甘松20g。

2. 处方中除黑冰片、肋柱花、苦楝子药材外, 其余诃子药味均收载于《中国药典》2020年版一部, 其质量应符合该品种项下的有关规定。

黑冰片: 为猪科动物野猪*Sus scrofa* linnaeus的成形粪便野猪粪的炮制加工品。主含活性炭和微量元素。其标准应符合《内蒙古蒙药饮片炮制规范》2020年版第444页该品种项下的有关规定。

肋柱花: 为龙胆科植物肋柱花*Lomatogonium rotatum*(L.) Fries ex Nym. 的干燥全草。其标准应符合《中华人民共和国卫生部部颁标准》(蒙药分册)第15页该品种项下的规定。

【制法】

以上十二味, 除人工牛黄外, 其余冰糖等十一味, 粉碎成细粉, 将人工牛黄与上述细粉配研, 过筛, 混匀, 分装, 即得。

【性状】

本品为灰黑色至黑色的粉末, 气微香, 味苦、涩。

【鉴别】

本品为药材粉末制成的散剂, 方中大多数药味的显微特征都比较明显, 故对处方中的诃子、红花、土木香建立显微鉴别, 并对处方中的人工牛黄建立了薄层鉴别。

1. 试剂与试药

供试品: 供试品(批号 20190801、20190802、20190803)由锡林郭勒盟蒙医医院提供。模拟样品(批号20190824)模拟。

对照品: 胆酸对照品(批号100078-201415)、猪去氧胆酸对照品(批号100087-201411), 均购于中国食品药品检定研究院。

薄层板: 硅胶G板, 购于青岛海洋化工有限公司。

所用其他试剂均为分析纯, 水为离子交换高纯水。

2. 试验方法与结果

（1）显微鉴别

红花：花粉粒类圆形、椭圆形或橄榄形，直径约至60μm，具3个萌发孔，外壁有齿状突起。诃子：石细胞类方形、类多角形或成纤维状，直径14～40μm，长至130μm，壁厚，孔沟细密。土木香：菊糖众多，无色，呈不规则碎块状。

（2）人工牛黄薄层鉴别

参照《中国药典》2020年版一部"人工牛黄"项下的薄层条件，制定正文所述的鉴别方法。通过阴性对照试验观察，方中其他药材对人工牛黄药材的检出无干扰，证明此方法具有专属性。

【检查】

按照散剂（《中国药典》2020年版四部通则0115）项下规定，对三批供试品及模拟样品的外观均匀度、水分、重金属、砷盐和微生物限度进行了检查。具体方法及测定数据如下：

1. 外观均匀度：取供试品适量，置光滑纸上，平铺约5cm²，将其表面压平，在亮处观察，呈现均匀的色泽，无花纹、色斑。结果三批供试品及模拟样品均符合规定。

2. 水分：取供试品照水分测定法（《中国药典》2020年版四部通则0832）测定。三批供试品及模拟样品的测定结果见表1。

表1　水分测定结果

序号	批号	水分（%）
1	20190801	6.32
2	20190802	6.14
3	20190803	6.25
4	20190824	6.49

药典规定散剂水分含量不得大于9.0%。从表1数据可见，本品水分含量符合要求。

3. 对三批供试品及模拟样品进行了重金属和砷盐考察。方法与结果如下：

重金属：分别取每个批号供试品0.5g、0.67g、1.0g、2.0g，按《中国药典》2020年版四部0821第二法检查。

供试品溶液的制备：取本品0.5g、0.67g、1.0g、2.0g，分别缓缓炽灼至完全炭化，放冷，加硫酸0.5ml，使湿润，低温加热至硫酸除尽后，加硝酸0.5ml，蒸干，至氧化氮蒸气除尽后，放冷，于600℃炽灼至完全灰化，放冷。加盐酸2ml，置水浴上蒸干后加水15ml，滴加氨试液至对酚酞指示液显中性，再加醋酸盐缓冲液（pH3.5）2ml，微热溶解后，移置纳氏比色管中，加水稀释至25ml，作为供试品溶液。

标准铅对照溶液的制备：另取配制供试品溶液的试剂两份，分别置瓷皿中蒸干后，加醋酸盐缓冲液（pH3.5）2ml，加水15 ml微热溶解后，移置两支纳氏比色管中，分别加标准铅溶液（10μg/ml Pb）2ml，再加水稀释至25ml，作为标准铅对照溶液。

检视：于上述供试品溶液和标准铅对照溶液中分别加硫代乙酰胺试液各2ml，摇匀，放置2分钟，同置白色背景上，从上向下进行观察。试验结果见表2。

表2　重金属检查结果

序号	批号	重金属含量（ppm）			
1	20190801	<10	<20	<30	<40
2	20190802	<10	<20	<30	<40
3	20190803	<10	<20	<30	<40
4	20190824	<10	<20	<30	<40

结果显示,供试品溶液的颜色明显浅于1ml的标准铅对照溶液。经过三批供试品及模拟样品的检查,含重金属均未超过百万分之十,故未收入正文。

砷盐:取本品1g和标准砷溶液(1μg/ml AS)2ml,分别加无砷氢氧化钙1g,加少量水,搅匀,烘干,用小火缓缓炽灼至炭化,再在600℃炽灼至完全灰化,放冷。分别加盐酸7ml使溶解,再加水21ml,按《中国药典》2020年版四部通则0822第一法(古蔡氏法)检查砷盐含量。

结果:供试品砷斑浅于标准砷斑的颜色,表明本品含砷量未超过百万分之二(小于2ppm),故砷盐检查项目未列入正文。

4. 微生物限度:照微生物计数法(《中国药典》2020年版四部通则1105)和控制菌检查法(《中国药典》2020年版四部通则1106)及《内蒙古蒙药制剂规范》(第三册)附录Ⅲ微生物限度标准进行检查。结果符合规定。

【含量测定】

希日因–12散是由冰糖、黑冰片、土木香、天竺黄、红花、肋柱花、胡黄连、诃子、苦楝子、余甘子、人工牛黄、甘松十二味药组成的复方制剂。临床功效清希日,清热,助消化。用于胃希日,肝热,瘟疫,各种刺痛症,食积不消,目、肤黄染等希日病,尤其对希日热效果更佳。红花具有活血通经,散瘀止痛的功效。用于经闭,痛经,恶露不行,癥瘕痞块,胸痹心痛,瘀滞腹痛,胸胁刺痛,跌仆损伤,疮疡肿痛。红花主含红花苷类,红花多糖和有机酸。其中查尔酮类成分羟基红花黄色素A是红花的主要活性成分,故选择羟基红花黄色素A作为指标成分,对本制剂中的红花进行含量测定方法的研究。参照《中国药典》2020年版一部"红花"项下的含量测定方法,选择羟基红花黄色素A作为指标成分,对本制剂中的红花进行了HPLC含量测定方法研究。经分析方法验证,表明该方法重复性好,专属性强,方中其他组分对羟基红花黄色素A的测定无干扰。

1 仪器与试剂试药

1.1 仪器

Waters e2695 型高效液相色谱仪;Mettler–Toledo MS105DU型百万分之一电子天平,Mettler–Toledo XPR10型万分之一电子天平;SBL–22DT型超声波清洗器(宁波新芝生物科技股份有限公司,40kHz);Heal Force NW15UV型超纯水系统; FW400A型多功能粉碎机(材茂科技有限公司)。

1.2 试剂与试药

供试品(批号 20190801、20190802、20190803)由锡林郭勒盟蒙医医院提供,模拟样品(批号20190824)模拟;羟基红花黄色素A对照(批号111637–201810),购于中国食品药品检定研究院;甲醇为色谱纯,水为超纯水,所用其他试剂均为分析纯。

2 方法学考察

2.1 色谱条件

2.1.1 色谱柱:色谱柱填充剂为十八烷基硅烷键合硅胶,本试验采用Tnature C$_{18}$(250mm×4.6mm,5μm)色谱柱。

2.1.2 流动相的选择:参照《中国药典》2020年版一部"红花"项下的流动相比例进行流动相条件摸索,但拖尾现象较为严重,加三乙胺调节pH值至6.0,经试验,可以清除拖尾现象,使色谱峰的对称性在0.95~1.05,故将流动相定为以甲醇-乙腈-0.7%磷酸水溶液(20:2:78),三乙胺调pH值为6.0。

2.1.3 柱温:30℃可以保证柱压较低,分离效果稳定,保留时间变化小。

2.1.4 检测波长的选择:参照《中国药典》2020年版一部"红花"含量测定项下羟基红花黄色素A的测定方法,选用403nm处作为检测波长。

2.1.5 理论板数的确定:从对三批样品的测定结果可见,羟基红花黄色素A峰理论板数在3000以上即能达到较好的分离效果, 故规定理论板数按羟基红花黄色素A峰计算应不低于3000。

2.2 提取溶剂及提取效率的考察

2.2.1 提取溶剂的选择

参照《中国药典》2020年版第一部"红花"含量测定项下方法采用25%甲醇作为提取溶剂。

2.2.2 提取效率的考察

以25%甲醇作为提取溶剂进行超声提取。为保证被测成分提取完全, 在供试品的细度一致、提取溶剂为甲醇、超声(功率250W, 频率40kHz)的条件下, 分别考察了提取30分钟、40分钟和50分钟时的提取效率。结果见表3。

表3 羟基红花黄色素A提取时间考察

提取时间(min)	取样量(g)	平均峰面积	含量(mg/g)
30	4.0556	4400825	0.9422
40	4.0064	4347980	0.9423
50	4.0000	4339783	0.9421

从表3数据可见, 超声提取30分钟、40分钟和50分钟时, 供试品中羟基红花黄色素A的含量基本一致, 故将提取时间定为40分钟。这与《中国药典》2020年版一部"红花"含量测定项下的提取时间一致。

2.3 专属性考察

2.3.1 对照品溶液的制备
取羟基红花黄色素A对照品适量, 精密称定, 加25%甲醇制成每1ml含100μg的溶液, 作为对照品溶液。

2.3.2 供试品溶液的制备
取本品细粉约3g, 精密称定, 置具塞锥形瓶中, 精密加入25%甲醇25ml, 称定重量, 超声处理(功率250kW, 频率40kHz)40分钟, 放冷, 再称定重量, 用25%甲醇补足减失的重量, 摇匀, 滤过, 取续滤液, 作为供试品溶液。

2.3.3 阴性对照溶液的制备
按本品处方工艺制备不含红花的阴性供试品, 按"供试品溶液的制备"方法制备阴性对照溶液。

2.3.4 测定
在上述色谱条件下, 分别精密吸取对照品溶液、阴性对照溶液、供试品溶液各10μl, 分别注入液相色谱仪进行测定, 记录色谱图。

试验结果显示, 供试品色谱中在与对照品色谱保留时间相同的位置上有色谱峰出现, 而阴性对照在与对照品色谱保留时间相同的位置上无色谱峰出现, 表明该含量测定方法阴性无干扰, 专属性好。

2.4 线性关系考察

取羟基红花黄色素A对照品约2.98mg, 精密称定, 置25ml量瓶中, 加25%甲醇使溶解, 并稀释至刻度, 摇匀, 作为对照品溶液(对照品溶液实际浓度为0.1192mg/ml); 分别精密吸取上述对照品溶液2μl、5μl、10μl、15μl、20μl和25μl注入液相色谱仪, 按上述色谱条件进行测定, 以峰面积对进样量进行回归分析。结果见表4。

表4 羟基红花黄色素A标准曲线数据及回归方程结果表

序号	进样量(μg)	峰面积值	回归方程	r
1	0.2384	707186		
2	0.5960	1492607		
3	1.192	2921211	$y=2395858.50x+0.10$	1.0
4	1.788	4218686		
5	2.384	5774964		
6	2.980	7078179		

从表4数据可见,羟基红花黄色素A在0.2384~2.98μg质量浓度范围内与峰面积呈良好的线性关系。

2.5 精密度试验

取同一供试品(批号20190801)溶液,连续进样6针,记录色谱图。羟基红花黄色素A峰面积的精密度计算结果见表5。

表5 供试品溶液中羟基红花黄色素A精密度试验结果

序号	峰面积值	平均峰面积值	RSD(%)
1	3355634		
2	3345609		
3	3334855	3317666	0.94
4	3294965		
5	3286432		
6	3288500		

从表5数据可见,符合《中国药典》2020年版四部通则0512中规定的RSD值小于2.0%的要求。

2.6 稳定性试验

取同一供试品(批号20190801)溶液,分别于制备溶液后的0小时、2小时、4小时、5小时、6小时、8小时进行测定。结果见表6。

表6 供试品溶液中羟基红花黄色素A稳定性试验结果

序号	取样量(g)	峰面积值	RSD(%)
1	0	3315947	
2	2	3202278	
3	4	3312877	1.69
4	5	3324266	
5	6	3342464	
6	8	3362850	

从表6数据可见,羟基红花黄色素A在8小时内的峰面积值RSD值基本稳定不变。

2.7 重复性试验

取同一供试品(批号20190801)6份,各约3.0g,精密称定,置具塞锥形瓶中,精密加入25%甲醇25ml,称定重量,超声处理(功率250kW,频率40kHz)40分钟,放冷,再称定重量,用25%甲醇补足减失的重量,摇匀,离心(转速为每分钟5000转)5分钟,取上清液,作为供试品溶液。精密吸取10μl注入液相色谱仪进行测定,记录色谱图及峰面积,按外标法计算含量。结果见表7。

表7 供试品溶液中羟基红花黄色素A重复性试验结果

序号	称样量(g)	平均峰面积值	含量(mg/g)	平均含量(mg/g)	RSD(%)
1	3.0002	3288500	0.94		
2	3.0003	3293200	0.95		
3	3.0028	3313895	0.95	0.95	0.32
4	3.0047	3290123	0.94		
5	3.0032	3309399	0.95		
6	3.0036	3295355	0.95		

从表7数据可见,本方法重复性好。

2.8 加样回收试验

取已知含量（批号20190801，含量为0.95mg/g）的供试品9份，各约0.24g，精密称定，分别置9个具塞锥形瓶中，再分别在其中3个具塞锥形瓶中精密加入浓度为0.1192mg/ml的羟基红花黄色素A对照品溶液1ml（约相当于供试品含有量的50%）及25%甲醇24ml，另3个具塞锥形瓶中各精密加入上述对照品溶液2ml（约相当于供试品含有量的100%）及25%甲醇23ml，其余3个具塞锥形瓶中各精密加入上述对照品溶液3ml（约相当于供试品含有量的150%）及25%甲醇22ml，分别称定重量，超声处理40分钟，取出，再称重，用25%甲醇补足减失重量，摇匀，离心（转速为每分钟5000转）5分钟，取上清液，即得。分别精密吸取各溶液10μl注入液相色谱仪进行测定，记录色谱图和峰面积，按外标法计算含量，再计算回收率。结果见表8。

表8　供试品溶液中羟基红花黄色素A加样回收试验结果

序号	样品量（g）	供试品含量（mg）	对照品加入量（mg）	测得总量（mg）	回收率（%）	平均回收率（%）	RSD（%）
1	0.2400	0.2280	0.1192	0.3422	96.7		
2	0.2400	0.2280	0.1192	0.3432	97.6		
3	0.2404	0.2284	0.1192	0.3412	95.6		
4	0.2400	0.2280	0.2384	0.4563	96.2		
5	0.2400	0.2280	0.2384	0.4555	95.9	97.3	1.47
6	0.2404	0.2284	0.2384	0.4599	97.6		
7	0.2400	0.2280	0.3576	0.5746	97.2		
8	0.2400	0.2280	0.3576	0.5839	99.8		
9	0.2404	0.2284	0.3576	0.5822	99.2		

从表8数据可见，羟基红花黄色素A的平均回收率为97.3%，RSD为1.47%。该方法准确度好。

3　样品含量测定

取三批样品（批号20190801、20190802、20190803）及模拟样品（批号20190824）各2份，各约3.0g，精密称定，按重复性试验项下方法处理，分别测定并按外标法计算三批样品含量。含量测定结果见表9。

表9　样品中羟基红花黄色素A的含量测定结果

批号	取样量（g）	样品峰面积			含量（mg/g）	平均含量（mg/g）
		A	B	平均		
20190801	3.0070	3202278	3224548	3213413	0.91	0.94
	3.0013	3421591	3351896	3386743.5	0.96	
20190802	3.0060	3249225	3274807	3262016	0.93	0.93
	3.0060	3249225	3274807	3262016	0.93	
20190803	3.0047	3296712	3326983	3311847.5	0.94	0.94
	3.0036	3322337	3323671	3323004	0.94	
20190824	3.0056	1797518	1787648	1792583	0.51	0.51
	3.0044	1815422	1811087	1813254.5	0.52	

从表9数据可见，三批样品和模拟样品中羟基红花黄色素A含量最低为0.51mg/g，最高为0.96mg/g。模拟样品含量比较低。

4　红花药材含量测定

试验中采用同法对上述三批样品生产用红花药材进行了含量测定，测定结果见表10。

表10 红花药材中羟基红花黄色素A的含量测定结果

序号	取样量（g）	平均峰面积值（n=2）		含量（mg/g）	平均含量（mg/g）
1	0.4248	6037145 6041265	6039205	12.13	12.12
2	0.4256	6043387 6032817	6038102	12.11	

从表10数据可见，红花药材中羟基红花黄色素A的含量为12.12mg/g（1.212%）。

5 本制剂含量限度的确定

从表中数据可见，三批样品中羟基红花黄色素A的含量最低为0.91mg/g，模拟样品中羟基红花黄色素A的含量为0.51mg/g，红花药材中羟基红花黄色素A的含量为12.12mg/g（1.212%）。

按理论值折算，理论上每1g供试品含红花药材0.0513g，羟基红花黄色素A的含量=0.013g×1.212%×1000=0.622mg，即0.662mg/g。因此，转移率为0.51/0.622×100%= 82.0%。

参照《中国药典》2020年版一部"红花"药材的羟基红花黄色素A含量限度不得少于1.0%，转移率为82.0%，考虑不同产地药材的质量差异，并结合其他影响因素及三批样品的测定结果，下浮20%，按此限度折算本品含羟基红花黄色素A的理论量应不低于10÷195×1.0%×1000×82.0%×80%=0.336mg/g。

标准正文暂定为：本品每1g含红花以羟基红花黄色素A计（$C_{27}H_{32}O_{16}$）计，不得少于0.35mg。

【功能与主治】

清希日，清热，助消化。用于胃希日，肝热，瘟疫，各种刺痛症，食积不消，目、肤黄染等希日病，希日热。

【用法与用量】

口服。一次1.5~3g，一日1~2次，温开水送服。

【规格】

每袋：（1）3g；（2）15g；（3）250g。

【贮藏】

密封，防潮。

起草单位：内蒙古医科大学药学院   赵丽娜 崔丽敏 肖云峰
          鄂尔多斯市检验检测中心   张 烨 李 珍 陈羽涵
          锡林郭勒盟蒙医医院   包勒尔 胡斯乐

沙日·嘎-7散质量标准起草说明

【历史沿革】

本方来源于巴彦淖尔市蒙医医院经验方。

【处方来源】

本制剂由巴彦淖尔市蒙医医院提供。

【名称】

沙日·嘎-7散

【蒙药材和饮片的来源和执行标准】

1. 处方组成及药味排列顺序: 姜黄20g、甘草20g、枫香脂16g、益智仁16g、栀子15g、荜茇10g、胡椒10g。

2. 处方中药味均收载于《中国药典》2020年版一部, 其标准应符合该品种项下的有关规定。

【制法】

以上七味, 粉碎成细粉, 过筛, 混匀, 即得。

【性状】

本品为黄色至棕黄色粉末; 气微, 味苦。

【鉴别】

本品为药材细粉制成的散剂, 方中甘草、益智仁、栀子的显微特征较明显, 故建立显微鉴别, 并对处方中姜黄建立了薄层鉴别。

1. 试剂与试药

供试品: 供试品(批号180121、180122、180123)由巴彦淖尔市蒙医医院提供, 模拟样品(批号20190809)模拟。

对照药材: 姜黄素(批号121188-201605), 购于中国食品药品检定研究院。

薄层板: 硅胶G板, 购于青岛海洋化工有限公司。

所用其他试剂均为分析纯, 水为离子交换高纯水。

2. 试验方法与结果

(1)显微鉴别

甘草: 纤维束周围薄壁细胞含草酸钙方晶, 形成晶纤维。益智仁: 内种皮厚壁细胞黄棕色或棕色, 表面观多角形, 壁厚, 非木化, 胞腔内含硅质块。栀子: 种皮石细胞黄色或淡棕色, 长多角形、长方形或形状不规则, 直径60～112μm, 长至230μm, 壁厚, 纹孔甚大, 胞腔棕红色。

(2)姜黄薄层鉴别

参照《中国药典》2020年版一部 "姜黄" 药材项下的薄层条件, 制定出正文所述鉴别方法。通过阴性对照试验观察, 方中其他药材对姜黄药材的检出无干扰, 证明此方法具有专属性。

【检查】

按照散剂(《中国药典》2020年版四部通则0115)项下的规定, 对三批供试品及模拟样品的外观均匀度、水分、重金属、砷盐和微生物限度进行了检查。具体方法及测定数据如下：

1. 外观均匀度：取供试品适量，置光滑纸上，平铺约5cm²，将其表面压平，在亮处观察，呈现均匀的色泽，无花纹、色斑。结果三批供试品及模拟样品均符合规定。

2. 水分：取供试品照水分测定法（《中国药典》2020年版四部通则0832）测定。三批供试品及模拟样品的测定结果见表1。

表1　水分测定法结果

序号	批号	水分（%）
1	180121	7.36
2	180122	7.48
3	180123	7.35
4	20190809	7.30

药典规定散剂水分含量不得大于9.0%。从表1数据可见，本品水分含量均符合要求。

3. 对三批供试品及模拟样品进行了重金属和砷盐考察。方法与结果如下：

重金属：分别取每个批号供试品0.5g、0.67g、1.0g、2.0g，按《中国药典》2020年版四部0821第二法检查。

供试品溶液的制备：取本品0.5g、0.67g、1.0g、2.0g，分别缓缓炽灼至完全炭化，放冷，加硫酸0.5ml，使湿润，低温加热至硫酸除尽后，加硝酸0.5ml，蒸干，至氧化氮蒸气除尽后，放冷，于600℃炽灼至完全灰化，放冷。加盐酸2ml，置水浴上蒸干后加水15ml，滴加氨试液至对酚酞指示液显中性，再加醋酸盐缓冲液（pH3.5）2ml，微热溶解后，移置纳氏比色管中，加水稀释至25ml，作为供试品溶液。

标准铅对照溶液的制备：另取配制供试品溶液的试剂两份，分别置瓷皿中蒸干后，加醋酸盐缓冲液（pH3.5）2ml，加水15ml微热溶解后，移置两支纳氏比色管中，分别加标准铅溶液（10μg/ml Pb）2ml，再加水稀释至25ml，作为标准铅对照溶液。

检视：于上述供试品溶液和标准铅对照溶液中分别加硫代乙酰胺试液各2ml，摇匀，放置2分钟，同置白色背景上，从上向下进行观察。试验结果见表2。

表2　重金属检查结果

序号	批号	重金属含量（ppm）			
1	180121	<10	<20	<30	<40
2	180122	<10	<20	<30	<40
3	180123	<10	<20	<30	<40
4	20190809	<10	<20	<30	<40

结果显示，供试品溶液的颜色明显浅于1ml的标准铅对照溶液。经过三批供试品及模拟样品的检查，含重金属均未超过百万分之十，故未收入正文。

砷盐：取本品1g和标准砷溶液（1μg/ml AS）2ml，分别加无砷氢氧化钙1g，加少量水，搅匀，烘干，用小火缓缓炽灼至炭化，再在600℃炽灼至完全灰化，放冷。分别加盐酸7ml使溶解，再加水21ml，按《中国药典》2020年版四部通则0822第一法（古蔡氏法）做砷盐限量检查。

结果：供试品砷斑浅于标准砷斑的颜色，表明本品含砷量未超过百万分之二（小于2ppm），故砷盐检查项目未收入正文。

4. 微生物限度：照微生物计数法（《中国药典》2020年版四部 通则 1105）和控制菌检查法（《中国药典》2020年版四部 通则1106）及《内蒙古蒙药制剂规范》（第三册）附录Ⅲ微生物限度标准，进行检查。结果均符合规定。

【含量测定】

沙日·嘎-7散是由姜黄、甘草、枫香脂、栀子等八味药材组成。主要用于尿路感染，尿血，遗精等症。在标准制定过程中，以栀子苷作为测定指标，采用高效液相色谱法对本品中的栀子建立了含量测定方法。通过试验摸索，确定了比较理想的色谱条件，并经过方法学考察及阴性对照试验，表明该方法操作简单，重复性好，专属性强，方中其他组分对栀子苷的测定无干扰。故将本品中栀子苷的含量测定方法收入质量标准中。

1 仪器与试剂试药

1.1 仪器

岛津CTO-10AS型高效液相色谱仪（日本岛津公司）；SCL-10AvP型控制器，SPD-10AvP型检测器，Class-vP色谱工作站，岛津UV-1700型紫外-可见分光光度仪；循环水式多用真空泵（河南省予华仪器有限公司）；SBL-22DT型超声波清洗器（宁波蓝芝生物科技股份有限公司，kHz）；Heal Force NW15UV型超纯水系统；Mettler-Toledo PL602-S型电子天平（百分之一），Mettler-Toledo XPR10型电子天平（万分之一），Mettler-Toledo MS105DU型电子天平（百万分之一）；FW400A型多功能粉碎机（材茂科技有限公司）。

1.2 试剂与试药

供试品（批号180121、180122、180123）由巴彦淖尔市蒙医医院提供，模拟样品（批号20190809）模拟；栀子苷对照品（批号110749-201919），购于中国食品药品检定研究院；甲醇、乙腈为色谱纯；水为超纯水。

2 方法学考察

2.1 色谱条件

2.1.1 色谱柱：Alltima C$_{18}$（250mm×4.6mm，5μm）色谱柱。

2.1.2 流动相的选择：参照《中国药典》2020年版一部"栀子"项下的流动相比例进行流动相条件摸索，经试验验证，分离效果好，色谱峰对称，故将流动相定为以乙腈-水溶液（9：91）。

2.1.3 柱温：30℃。

2.1.4 检测波长：按照《中国药典》2020版一部"栀子"项下规定，选择测定波长为：238nm。

2.1.5 理论板数的确定：对多批供试品测定结果表明，栀子苷峰的理论板数在1500以上即能达到与相邻峰分开，并符合《中国药典》2020版第一部规定$R>1.5$的要求，故本标准规定理论板数按栀子苷计不得低于1500。

2.2 提取效率的考察

参考《中国药典》2020年版一部"栀子"项下，取本品细粉约0.2g，精密称定，置具塞锥形瓶中，精密加入甲醇25ml，称定重量，超声处理（功率250W，频率40kHz）10分钟、20分钟、30分钟、40分钟，放冷，再称定重量，用甲醇补足减失的重量，摇匀，滤过，取续滤液，即得。另取栀子苷对照品适量，精密称定，加甲醇制成每1ml含30μg的溶液，即得。精密吸取10μl注入液相色谱仪测定，结果见表3。

表3 提取效率考察表

时间	称样量	峰面积			含量
（min）	（g）	A	B	平均	（mg/g）
10	0.2057	9679.0517	9683.8988	9681.4752	4.30
20	0.2053	9706.4332	9721.6595	9714.0463	4.32
30	0.2015	9927.9986	9866.4937	9897.2461	4.49
40	0.2068	9706.7605	9719.7220	9713.2662	4.29

从表3数据可见，超声处理30分钟时，对供试品中栀子苷的含量最高，故将提取时间定为超声处理30分钟。

2.3 专属性考察

2.3.1 对照品溶液的制备：取栀子苷对照品适量，精密称定，加甲醇制成每1ml含30μg的溶液，即得。

2.3.2 供试品溶液的制备：取本品细粉约0.2g，精密称定，置具塞锥形瓶中，精密加入甲醇25ml，称定重量，超声处理（功率250W，频率40kHz）30分钟，放冷，再称定重量，用甲醇补足减失的重量，摇匀，滤过，取续滤液，即得。

2.3.3 取按处方比例并以相同工艺制备的缺栀子的阴性对照，取约0.2g，精密称定，按供试品溶液制备法制得阴性对照溶液。

2.3.4 测定：在上述色谱条件下，分别精密吸取对照品溶液、阴性对照溶液、供试品溶液各10μl，分别注入液相色谱仪。

试验结果为：阴性对照色谱中在与栀子苷对照品以及供试品色谱相对应的保留时间处无色谱峰出现，表明其他组分对栀子苷的测定无干扰。

2.4 线性关系考察

取栀子苷对照品约3mg，精密称定，置25ml量瓶中，加纯甲醇使溶解并稀释至刻度，摇匀（栀子苷实际浓度为：27.064μg/ml），然后吸取上述溶液1μl、3μl、5μl、7μl、10μl、15μl、20μl分别进样，按上述色谱条件测定，以峰面积对栀子苷的进样量进行回归分析，标准曲线数值见表4。

表4 标准曲线数值表

序号	进样量（μg）	峰面积值	回归方程	r
1	0.0271	570.09		
2	0.0829	1798.06		
3	0.1382	3653.26		
4	0.1935	4790.96	$y=652.9028x-195.4007$	0.9992
5	0.2764	6370.13		
6	0.4146	9740.11		
7	0.5528	1284.45		

从表4数据可见，栀子苷在进样体积在0.0271~0.5528μg范围内与峰面积值呈良好的线性关系。

2.5 稳定性试验

取同一份供试品（批号180121）溶液，分别于0小时、2小时、4小时、6小时、8小时、10小时进样测定，结果见表5。

表5 不同时间测定供试品中栀子苷的峰面积值

序号	时间（h）	峰面积值	RSD（%）
1	0	9522.59	
2	2	9427.92	
3	4	9455.31	0.92
4	6	9452.27	
5	8	9603.91	
6	10	9620.53	

从表5数据可见，栀子苷在10小时内的峰面积值基本稳定，能够满足测定所需要的时间。

2.6 精密度试验

取同一份供试品（批号180121）溶液，连续进样6次，测定栀子苷峰面积值，RSD为0.84%。结果见表6。

表6 精密度试验结果

序号	峰面积值	平均值	RSD（%）
1	9031.53		
2	9096.53		
3	9146.1	9132.71	0.84
4	9145.98		
5	9264.38		
6	9111.74		

从表6数据可见，符合《中国药典》2020年版四部通则0512中规定的RSD值小于2.0%的要求。

2.7 重复性试验

取同一批号供试品（批号180121）6份，各约0.2g，精密称定，置具塞锥形瓶中，精密加入甲醇25ml，称定重量，超声处理（功率250W，频率40kHz）30分钟，放冷，再称定重量，用甲醇补足减失的重量，摇匀，滤过，取续滤液，即得。另取栀子苷对照品适量，精密称定，加甲醇制成每1ml含30μg的溶液，即得。精密吸取10μl注入液相色谱仪，测定每份供试品含量，结果见表7。

表7 栀子苷含量重复性试验结果

称样量（g）	峰面积	含量（mg/g）	平均含量（mg/g）	RSD（%）
0.2053	9111.7391	4.75		
0.2013	8973.325	4.77		
0.202	8872.7955	4.70	4.76	0.92
0.2009	8872.7955	4.73		
0.2002	8975.2309	4.80		
0.202	9117.2287	4.83		

从表7数据可见，供试品在相同的细度、提取溶剂和色谱条件下，含量测定均值为4.76mg/g，RSD为0.92%，表明该方法重复性较好。

2.8 加样回收率试验

取供试品（批号180121）9份，均约0.1g，精密称定，其中1、2、3号各精密加入用甲醇配制的栀子苷对照品溶液（栀子苷浓度27.064μg/ml）1.5ml，4、5、6各精密加入上述对照品溶液3ml，7、8、9号各精密加入上述对照品溶液4.5ml，各瓶加入甲醇至25ml，称定重量，超声处理（功率250W，频率40kHz）30分钟，放冷，再称定重量，用甲醇补足减失的重量，摇匀，滤过，取续滤液，即得。另取栀子苷对照品适量，精密称定，加甲醇制成每1ml含30μg的溶液，即得。精密吸取10μl注入液相色谱仪，测定每份供试品含量，计算回收率，结果见表8。

表8 栀子苷加样回收试验结果

称样量（g）	供试品含量（mg）	对照品加入量（mg）	测得总量（mg）	回收率（%）	平均（%）	RSD（%）
0.2009	0.0780	0.0450	0.1187	103.7		
0.2002	0.0768	0.0450	0.1183	102.4		
0.2020	0.0759	0.0450	0.1186	100.0		
0.2009	0.0780	0.0899	0.1613	104.5		
0.2002	0.0768	0.0899	0.1866	102.8	102.7	1.27
0.2020	0.0759	0.0899	0.1602	101.4		
0.2009	0.0780	0.1349	0.2019	103.1		
0.2002	0.0768	0.1349	0.2022	103.2		
0.2020	0.0759	0.1349	0.2031	102.9		

从表8数据可见,本方法的平均回收率为103.25%,RSD为1.27%,表明该方法准确度高。

2.9 耐用性试验

换不同厂家、不同型号的色谱柱,取供试品按重复性项下进行含量测定,结果见表9。

表9 不同色谱柱的耐用性试验

样品号	称样量（g）	柱型号	峰面积值	含量（mg/g）
1	0.2037	Phenomenex C_{18}	9081.2357	4.37
	0.2014	Alltima C_{18}	9078.2358	4.40
2	0.2031	Phenomenex C_{18}	9083.2457	4.37
	0.2011	Alltima C_{18}	9079.3657	4.37

从表9数据可见,在使用不同型号或厂家的色谱柱时,对测定结果影响较小,具有较好的耐用性。

3 样品含量测定

取三批样品及模拟样品约0.2g,精密称定,置具塞锥形瓶中,精密加入甲醇25ml,称定重量,超声处理（功率250W,频率40kHz）30分钟,放冷,再称定重量,用甲醇补足减失的重量,摇匀,滤过,取续滤液,即得。另取栀子苷对照品适量,精密称定,加甲醇制成每1ml含30μg的溶液,即得。精密吸取10μl注入液相色谱仪,计算含量。测定结果见表10。

表10 样品中栀子苷的含量测定结果

批号	称样量（g）	样品峰面积 A	样品峰面积 B	样品峰面积 平均	含量（mg/g）	平均含量（mg/g）
180121	0.2056	9356.2486	9425.2059	9390.72725	4.17	4.15
	0.2074	9387.2077	9373.9749	9380.5913	4.13	
180122	0.2077	9363.0791	9431.8489	9397.4640	4.14	4.21
	0.2050	9683.4773	9576.9468	9630.2120	4.29	
180123	0.2018	9655.1020	9691.8250	9673.4635	4.38	4.35
	0.2049	9701.5220	9640.1390	9670.8305	4.31	
20190809	0.2069	8931.7153	8906.2978	8919.00655	3.94	3.70
	0.2018	7663.9877	7647.528	7655.75785	3.47	

从表10数据可见,三批样品中平均含量最低在4.15mg/g,最高为4.35mg/g,浮动不大。模拟样品中栀子苷含量较低,可能是由于药材来源不同导致。

4 栀子药材的含量考察

取栀子药材粉末约0.1g,精密称定,按《中国药典》2020年一部"栀子"项下的方法处理并测定,栀子药材中栀子苷的含量测定结果见表11。

表11 栀子药材中栀子苷的含量测定结果

称样量（g）	测得峰面积 A	测得峰面积 B	测得峰面积 平均	含量（mg/g）	平均含量（mg/g）
0.1064	33150.1519	33093.1361	33121.644	28.45	28.31
0.1070	32959.5495	32980.5290	32970.0392	28.16	

从表11数据可见,对模拟样所用相同栀子药材进行了含量测定,测得栀子苷的含量为28.31mg/g（2.831%）。

5 本制剂含量限度的确定

三批样品中栀子苷的含量最低为4.15mg/g,模拟样品中栀子苷的平均含量为3.70mg/g,试验中用相同方法对生产用相同栀子药材进行了含量测定,测得栀子苷的含量为28.31mg/g(2.831%)。

按理论值折算,样品应含栀子苷为15÷107×28.31=3.968,即3.97mg/g。可见,栀子苷转移率为3.70(mg/g)÷3.97(mg/g)×100%=93.19%,即93.2%。

再根据《中国药典》2020年版一部"栀子"药材的栀子苷的含量限度不得少于1.8%,转移率为93.2%,考虑不同产地药材的质量差异,并结合其他影响因素及三批样品的测定结果,下浮20%,按此限度折算本品含栀子苷的理论量应不低于15÷107×1.8%×1000×93.2%×80%=1.881mg/g。

标准正文暂定为:本品每1g含栀子以栀子苷($C_{17}H_{24}O_{10}$)计,不得少于1.80mg。

【功能与主治】

杀黏,清巴达干热。用于肾热,膀胱热,尿血,遗精等症。

【用法与用量】

口服。一次1.5~3g,一日1~2次,温开水送服。

【规格】

每袋:(1)3g;(2)15g;(3)250g。

【贮藏】

密封,防潮。

起草单位:内蒙古盛唐国际蒙医药研究院　　崔丽敏　张跃祥　梁国栋
　　　　　包头市检验检测中心　　　　　　　李　强　董　博　谢美萍
　　　　　巴彦淖尔市蒙医医院　　　　　　　乌兰巴图　额尔登巴格那

阿木日古鲁其-6散质量标准起草说明

【历史沿革】

本方来源于《蒙医传统验方》（内蒙古人民出版社1975年版，蒙古文，第225页）。

【处方来源】

本制剂由内蒙古自治区国际蒙医医院提供。

【名称】

阿木日古鲁其-6散

【蒙药材和饮片的来源和执行标准】

1. 处方组成及药味排列顺序：奶制红石膏250g、碱面300g、大黄200g、诃子150g、山柰100g、土木香50g。

2. 处方中除了碱面和寒制红石膏外，其余大黄等四味药均收载于《中国药典》2020年版一部，其质量应符合该品种项下的有关规定。

碱面：为市售食用碱的炮制品。化学成分为碳酸钠（Na_2CO_3）。其标准应符合《内蒙古蒙药饮片炮制规范》2020年版第502页该品种项下的有关规定。

寒制红石膏：为单斜晶系硫酸钙矿石族红石膏Gypsum的矿石红石膏（北寒水石）的炮制加工品。主含含水硫酸钙（$CaSO_4 \cdot 2H_2O$）。其标准应符合《内蒙古蒙药饮片炮制规范》2020年版第189页该品种项下的有关规定。

【制法】

以上六味，粉碎成细粉，过筛，混匀，分装，即得。

【性状】

本品为灰黄色至黄棕色的粉末；气香，味苦涩、微咸。

【鉴别】

本品为原药材细粉制成的散剂。处方中大多数药味的显微特征较明显，故对处方中山柰、大黄、土木香建立显微鉴别。并对处方中的山柰建立了薄层鉴别。

1. 试剂与试药

供试品：供试品（批号20190714、20190937、20191215）由内蒙古自治区国际蒙医医院提供，模拟样品（批号20200001）模拟。

对照品：大黄酚对照品（批号110796-201621），大黄素对照品（批号110756-201512），大黄对照药材（批号120984-201202），山柰对照药材（批号121504-201203），诃子对照药材（批号121015-201605），均购于中国食品药品检定研究院。

薄层板：硅胶GF_{254}板，购于青岛海洋化工有限公司。

所用其他试剂均为分析纯，水为离子交换高纯水。

2. 试验方法与结果

（1）显微鉴别

山奈：淀粉粒圆形、椭圆形或类三角形，直径10～30μm，脐点及层纹不明显。大黄：草酸钙簇晶大，直径60～140μm。土木香：菊糖众多，无色，呈不规则碎块状，网纹导管直径30～100μm。

（2）山奈薄层鉴别

参照《中国药典》2020版一部"山奈"项下的薄层条件，制定出正文所述的鉴别方法。通过阴性对照试验观察，方中其他药材对山奈的检出无干扰，此法具专属性。

【检查】

按照散剂（《中国药典》2020年版四部通则0115）项下的规定，对三批供试品及模拟样品的外观均匀度、水分、重金属、砷盐和微生物限度进行了检查。具体方法及测定数据如下：

1. 外观均匀度：取供试品适量，置光滑纸上，平铺约5cm²，将其表面压平，在亮处观察，呈现均匀的色泽，无花纹、色斑。结果三批供试品及模拟样品均符合规定。

2. 水分：取供试品照水分测定法（《中国药典》2020年版四部通则0832）测定。三批供试品及模拟样品的测定结果见表1。

表1 水分测定结果

序号	批号	水分（%）
1	20190714	3.2
2	20190937	3.1
3	20191215	3.4
4	20200001	3.3

药典规定散剂水分含量不得大于9.0%。从表1数据可见，本品水分含量符合要求。

3. 对三批供试品及模拟样品进行了重金属和砷盐考察。方法与结果如下：

重金属：分别取每个批号供试品0.5g、0.67g、1.0g、2.0g，按《中国药典》2020年版四部0821第二法检查。

供试品溶液的制备：取本品0.5g、0.67g、1.0g、2.0g，分别缓缓炽灼至完全炭化，放冷，加硫酸0.5ml，使湿润，低温加热至硫酸除尽后，加硝酸0.5ml，蒸干，至氧化氮蒸气除尽后，放冷，于600℃炽灼至完全灰化，放冷。加盐酸2ml，置水浴上蒸干后加水15ml，滴加氨试液至对酚酞指示液显中性，再加醋酸盐缓冲液（pH3.5）2ml，微热溶解后，移置纳氏比色管中，加水稀释至25ml，作为供试品溶液。

标准铅对照溶液的制备：另取配制供试品溶液的试剂两份，分别置瓷皿中蒸干后，加醋酸盐缓冲液（pH3.5）2ml，加水15ml微热溶解后，移置两支氏比色管中，分别加标准铅溶液（10μg/ml Pb）2ml，再加水稀释至25ml，作为标准铅对照溶液。

检视：于上述供试品溶液和标准铅对照溶液中分别加硫代乙酰胺试液各2ml，摇匀，放置2分钟，同置白色背景上，从上向下进行观察。试验结果见表2。

表2 重金属检查结果

序号	批号	重金属含量（ppm）			
1	20190714	<10	<20	<30	<40
2	20190937	<10	<20	<30	<40
3	20191215	<10	<20	<30	<40
4	20200001	<10	<20	<30	<40

结果显示，供试品溶液的颜色明显浅于2ml的标准铅对照溶液。经过三批供试品及模拟样品的检查，含重金属均未超过百万分之十，故未收入正文。

砷盐：取本品1g和标准砷溶液（1μg/ml AS）2ml，分别加无砷氢氧化钙1g，加少量水，搅匀，烘干，用小火缓缓炽灼至炭化，再在600℃炽灼至完全灰化，放冷。分别加盐酸7ml使溶解，再加水21ml，按《中国药典》2020年版四部通则0822第一法（古蔡氏法）做砷盐限量检查。

结果：供试品砷斑浅于标准砷斑的颜色，表明本品含砷量未超过百万分之二（小于2ppm），故砷盐检查项目未收入正文。

4. 微生物限度：照微生物计数法（《中国药典》2020年版四部通则1105）和控制菌检查法（《中国药典》2020年版四部通则1106）及《内蒙古蒙药制剂规范》（第三册）附录Ⅲ微生物限度标准，进行检查。结果均符合规定。

【含量测定】

阿木日古鲁其-6散是由土木香、大黄、山奈、寒制红石膏、诃子、碱面等6味药组成的复方制剂，大黄为处方中主要药味之一。参照《中国药典》2020年版一部"六味安消散"大黄含量测定项下方法进行了试验条件摸索，结果大黄素和大黄酚峰达到了较好的分离效果。经分析方法验证，该方法重复性好、专属性强、无干扰。

1 仪器与试剂试药

1.1 仪器

Thermo ultimate 3000 LC-20AT型高效液相色谱仪，Sartorius BSA224S型电子分析天平，KQ500DE型数控超声波清洗器。

1.2 试剂与试药

供试品（批号20190714、20190937、20191215）由内蒙古自治区国际蒙医医院提供，模拟样品（批号20200001）模拟；大黄素对照品（批号110756-201512）、大黄酚对照品（批号110796-201621），均购于中国食品药品检定研究院；甲醇、乙腈为色谱纯，其他均为分析纯试剂，水为超纯水。

2 方法学考察

2.1 色谱条件

2.1.1 色谱柱：以十八烷基硅烷键合硅胶为填充剂，本试验研究用Thermo scientific C$_{18}$（4.6mm×250mm，5μm）色谱柱。

2.1.2 流动相的选择：参考《中国药典》2020年版一部"六味安消散"含量测定项下方法，将流动相定为乙腈-甲醇-0.1%磷酸溶液（42∶23∶35），结果分离效果好、保留时间适中，故确定其作为本品含量测定的流动相。

2.1.3 柱温：试验中对25℃和30℃柱温进行了比较，结果保留时间略有差异，但分离度及理论板数没有变化，本试验研究选择柱温为25℃。

2.1.4 检测波长的选择：分别取大黄素和大黄酚对照品溶液，各进样10μl，利用DAD检测器自190~400nm做光谱扫描，大黄素在221~288nm处有吸收峰，大黄酚在257nm处有吸收峰，结合《中国药典》2020年版一部"大黄"项下选择254nm作为检测波长。

2.1.5 理论板数的确定：结合《中国药典》2020年版一部"大黄"含量测定下，本标准规定理论板数按大黄酚应不低于3000。

2.1.6 测定法：分别精密吸取对照品溶液与供试品溶液各10μl，注入液相色谱仪，测定，计算总大黄素和总大黄酚的总量与游离大黄素和游离大黄酚的总量，用总大黄素和总大黄酚的总量与游离大黄素和游离大黄酚的总量的差值，作为结合蒽醌中的大黄素和大黄酚的总量，既得。

2.2 提取溶剂及提取方法和提取效率的考察

2.2.1 提取溶剂的选择

结合《中国药典》2020年版一部"六味安消散"项下选用甲醇作为游离大黄素和游离大黄酚提取溶剂，甲醇-

盐酸(10:1)混合溶液作为总大黄素和总大黄酚提取溶剂,可保证供试品得到较好的提取效果。

2.2.2 提取方法的选择

《中国药典》2020年版一部"六味安消散"项下游离大黄酚和游离大黄素采用超声提取,总大黄酚和总大黄素采用加热回流提取,方法比较完善,故参照《中国药典》方法进行样品提取。

2.2.3 提取效率考察

(1)游离大黄素和游离大黄酚提取效率考察:取本品粉末(批号20190714)约3g,5份,精密称定,置具塞锥形瓶中,分别加25ml甲醇,依次超声处理(功率200W,频率40kHz)15分钟、30分钟、45分钟、60分钟、90分钟,再测定重量,用甲醇补足减失的重量,摇匀,滤过,取续滤液,按上述色谱条件测定。结果见表3、表4。

表3 提取效率的考察(游离大黄素)

超声时间(min)	游离大黄素峰面积值	游离大黄素含量(mg/g)
15	4.7077	0.0662
30	5.0150	0.0699
45	5.3603	0.0741
60	5.5657	0.0766
90	5.5938	0.0765

表4 提取效率的考察(游离大黄酚)

超声时间(min)	游离大黄酚峰面积值	游离大黄酚含量(mg/g)
15	18.1611	0.1700
30	19.2713	0.1805
45	20.5955	0.1930
60	20.8885	0.1957
90	21.1400	0.1917

表3和表4数据可见,超声处理60分钟后,游离大黄素和游离大黄酚含量基本稳定,故确定超声提取时间为60分钟。

(2)总大黄素和总大黄酚提取效率考察:取本品粉末(批号20190714)约3g,4份,精密称定,置具塞锥形瓶中,分别加甲醇-盐酸(10:1)混合溶液25ml,称定重量,置80℃水浴中加热回流30分钟、45分钟、60分钟、90分钟,若瓶壁有黏附物,须超声处理去除,再称定重量,用甲醇补足减失的重量,摇匀,滤过,精密量取续虑液3ml,置5ml量瓶中,加2%的氢氧化钠溶液1ml,加甲醇至刻度,摇匀,滤过,取续滤液,取出,过滤,按上述色谱条件测定。结果见表5、表6。

表5 提取效率的考察(总大黄素)

回流时间(min)	总大黄素峰面积值	总大黄素含量(mg/g)
30	9.1844	0.2010
45	9.4068	0.2056
60	9.9143	0.2157
90	9.3256	0.2038

表6 提取效率的考察(总大黄酚)

回流时间(min)	总大黄素峰面积值	总大黄素含量(mg/g)
30	32.4220	0.5078
45	33.3272	0.5221
60	37.6195	0.5894
90	36.4629	0.5712

表5和表6数据可见,回流处理60分钟后,总大黄素和总大黄酚含量基本稳定,确定回流时间为60分钟。

2.3 专属性考察

2.3.1 对照品溶液的制备：分别称取大黄素5.44mg、大黄酚10.01mg，置100ml容量瓶中，加甲醇使其溶解，定容至刻度。

2.3.2 供试品溶液的制备

（1）取本品3g，精密称定，置具塞锥形瓶中，精密加入甲醇25ml，称定重量，超声处理60分钟（功率200W，频率40kHz），放冷，再测定重量，用甲醇补足减失的重量，摇匀，滤过，取续滤液，用于测定游离大黄酚和游离大黄素的含量。

（2）取本品3g，精密称定，置具塞锥形瓶中，精密加入甲醇–盐酸（10∶1）混合溶液25ml，称定重量，置80℃水浴中加热回流60分钟，若瓶壁有黏附物，须超声处理去除，再称定重量，用甲醇补足减失的重量，摇匀，滤过，精密量取续滤液3ml，置5ml量瓶中，加2%的氢氧化钠溶液1ml，加甲醇至刻度，摇匀，滤过，取续滤液，用于测定总大黄酚和大黄素的含量。

2.3.3 阴性对照溶液的制备：按处方配比制备缺大黄的阴性对照，起操作同"供试品溶液的制备"，取续滤液，作为阴性对照溶液。

2.3.4 测定：在上述色谱条件下，分别精密吸取以上三种溶液各10μl，分别注入液相色谱仪进行测定，记录色谱图。

试验结果显示，供试品色谱中在与对照品色谱保留时间相同的位置上有色谱峰出现，且分离效果较好，而阴性对照在与对照品色谱保留时间相同的位置上无色谱峰出现，表明该含量测定方法阴性无干扰，专属性好。

2.4 峰纯度考察

精密吸取"2.3"项下的大黄素和大黄酚对照品溶液与供试品溶液各10μl，注入液相色谱仪，以二极管阵列检测对被测成分大黄素大黄酚的峰进行纯度验证，游离大黄素峰匹配值为992，游离大黄酚峰匹配值为1000，总大黄素峰匹配值为999，总大黄酚峰匹配值为1000均大于980，证明均为单一组分。

2.5 线性考察

2.5.1 大黄素线性考察：取大黄素对照品0.00338g，置25ml量瓶中，加甲醇使溶解，并稀释至刻度，摇匀配制母液。精密吸取母液，先稀释2.5倍，再倍比稀释成浓度梯度的稀释液，注入10μl至液相色谱仪，按上述色谱条件测定。以峰面积对大黄素量进行回归分析，标准曲线见表7。

表7 标准曲线数值表

大黄素量（μg/ml）	峰面积值	回归方程	r
1.69	0.9518		
	0.9489		
3.38	1.9757		
	1.9745		
6.76	4.0323		
	4.0307		
13.52	8.4243	$y=21.4613x+1.0874$	0.9997
	8.4186		
27.04	17.3237		
	17.3309		
54.08	35.2761		
	35.1740		
135.2	92.2766		
	92.2105		

从表7数据可见,大黄素在1.69～135.2μg/ml范围内与峰面积呈良好的线性关系。

2.5.2 大黄酚线性考察

取大黄酚对照品9.49mg,置100ml量瓶中,加甲醇使溶解,并稀释至刻度,分别设置进样量为0.5μl、1.0μl、2.0μl、5.0μl、10.0μl、20.0μl。标准曲线见表8。

表8 标准曲线数值

进样量(μl)	大黄酚量(μg/ml)	峰面积值	回归方程	r
0.5	47.45	4.1725 4.2016		
1.0	94.9	8.5663 8.5194		
2.0	189.8	16.8277 16.8273	$y=11.347x-1.8813$	1.0
5.0	474.5	42.1533 42.1341		
10.0	949	84.0290 83.9170		
20.0	1898	167.2508 167.4021		

从表8数据可见,大黄酚在47.45～1898μg/ml范围内与峰面积呈良好的线性关系。

2.6 重复性试验

2.6.1 测定游离大黄素和游离大黄酚重复性试验

取同一批号供试品(批号20190714)6份,称取3g,精密称定,置具塞锥形瓶中,精密加入甲醇25ml,称定重量,超声处理60分钟(功率200W,频率40kHz),放冷,再测定重量,用甲醇补足减失的重量,摇匀,滤过,取续滤液,按上述方法操作并测定。进样量各10μl,结果见表9、10。

表9 游离大黄素重复性试验结果

序号	取样量(g)	峰面积值		平均含量(mg/g)	总平均含量(mg/g)	RSD(%)
1	3.0064	5.3194	5.3126	0.0735		
2	3.0049	5.4321	5.4335	0.0750		
3	3.0068	5.5187	5.4414	0.0755	0.0751	1.66
4	3.0068	5.6421	5.5213	0.0767		
5	3.0054	5.5135	5.5178	0.0760		
6	3.0055	5.3392	5.3382	0.0738		

表10 游离大黄酚重复性试验结果

序号	取样量(g)	峰面积值		平均含量(mg/g)	总平均含量(mg/g)	RSD(%)
1	3.0064	20.6489	20.4518	0.1924		
2	3.0049	20.0801	20.2141	0.1886		
3	3.0068	21.6465	21.0536	0.1999	0.1945	1.99
4	3.0068	21.0493	21.0333	0.1970		
5	3.0054	21.2621	20.2735	0.1945		
6	3.0055	20.8658	20.6788	0.1945		

从表9和表10数据可见,在相同的提取溶剂和色谱条件下,6份供试品游离大黄素和游离大黄酚含量测定结果

的均值为 0.0751mg/g、RSD为1.66和0.1945mg/g、RSD为1.99%，表明该方法的重复性良好。

2.6.2 测定总大黄素和总大黄酚重复性试验

取同一批号供试品（批号20190714）6份，称取3g，精密称定，置具塞锥形瓶中，精密加入甲醇-盐酸（10:1）混合溶液25ml，称定重量，置80℃水浴中加热回流60分钟，若屏壁有黏附物，须超声处理去除，再称定重量，用甲醇补足减失的重量，摇匀，滤过，精密量取续滤液3ml，置5ml量瓶中，加2%的氢氧化钠溶液1ml，加甲醇至刻度，摇匀，按上述方法操作并测定，进样量各10μl，结果见表11、12。

表11 总大黄素重复性试验结果

样品号	取样品量（g）	峰面积值		平均含量（mg/g）	总平均含量（mg/g）	RSD（%）
1	3.0084	8.8825	8.9013	0.1948		
2	3.0089	8.8268	8.8283	0.1935		
3	3.0082	8.8705	8.9005	0.1947	0.1941	0.81
4	3.0069	8.7695	8.7673	0.1924		
5	3.0070	8.7960	9.1578	0.1966		
6	3.0084	8.8111	8.7650	0.1927		

表12 总大黄酚重复性试验结果

样品号	取样品量（g）	峰面积值		平均含量（mg/g）	总平均含量（mg/g）	RSD（%）
1	3.0084	34.2956	34.7721	0.5403		
2	3.0089	35.4244	35.4486	0.5544		
3	3.0082	35.1131	35.1859	0.5500	0.5468	0.96
4	3.0069	34.6229	34.6473	0.5422		
5	3.0070	34.7596	34.6659	0.5449		
6	3.0084	35.4378	34.7010	0.5487		

表11和表12数据可见，在相同的提取溶剂和色谱条件下，6份供试品游离大黄素和游离大黄酚含量测定结果的均值为 0.1941mg/g、RSD为0.81%和0.5468mg/g、RSD为0.96%，表明该方法的重复性良好。

2.7 加样回收率试验

2.7.1 游离大黄素回收率测定

取同一批号供试品（批号20190714）6份，各为1.5g，精密称定，置具塞锥形瓶中，精密加入大黄素对照品溶液（浓度为0.0544mg/ml）2ml，再加入甲醇23ml，照2.3.2（1）项下方法，自"称定重量，超声处理60分钟"起，依法操作并测定。结果见表13。

表13 游离大黄素加样回收率试验结果

样品号	样品量（g）	供试品含量（mg）	对照品加入量（mg）	峰面积值		测得总含量（mg）	回收率（%）	平均回收率（%）	RSD（%）
1	1.5051	0.1130		5.5752	5.5857	0.2307	108.18		
2	1.5056	0.1131		5.5256	5.5299	0.2288	106.34		
3	1.5050	0.1130	0.1088	5.5129	5.5182	0.2284	106.07	106.24	1.99
4	1.5054	0.1131		5.6081	5.6071	0.2317	109.01		
5	1.5056	0.1131		5.4500	5.4569	0.2261	103.86		
6	1.5045	0.1130		5.4538	5.4559	0.2261	103.95		

从表13数据可见，本方法的平均回收率为106.24%，RSD为1.99%。该方法准确度好。

2.7.2 游离大黄酚回收率测定

取同一批号供试品（批号20190714）6份，各为1.5g，精密称定，置具塞锥形瓶中，精密加入大黄酚对照品溶液（浓度为0.1001mg/ml）3.0ml，再加入甲醇22.0ml，按照2.3.2（1）项下方法，自"称定重量，超声处理60分钟"起，依法操作并测定。结果见表14。

表14 游离大黄酚加样回收试验结果

样品号	样品量（g）	供试品含量（mg）	对照品加入量（mg）	峰面积值		测得总含量（mg）	回收率（%）	平均回收率（%）	RSD（%）
1	1.5051	0.2927		19.7963	20.0793	0.5611	89.38		
2	1.5056	0.2928		20.6352	20.6223	0.5807	95.87		
3	1.5050	0.2927	0.3003	20.4443	20.4117	0.5750	94.01	92.49	3.67
4	1.5054	0.2928		20.6835	20.8725	0.5709	92.61		
5	1.5056	0.2928		20.7670	20.4299	0.5798	95.57		
6	1.5045	0.2926		19.7361	19.7421	0.5554	87.51		

从表14数据可见，本方法的平均回收率为92.49%，RSD为3.67%。该方法准确度好。

2.7.3 总大黄素回收率测定

取同一批号供试品（批号20190714）6份，各精密称定1.5g，置具塞锥形瓶中，精密加入大黄素对照品溶液（浓度为0.0544mg/ml）5.5ml，再加19.5ml甲醇-盐酸（10∶1）溶液，照2.3.2（2）项下方法，自"称定重量，置80℃水浴中加热回流"起，依法操作并测定。结果见表15。

表15 总大黄素加样回收试验结果

样品号	样品量（g）	供试品含量（mg）	对照品加入量（mg）	峰面积值		测得总含量（mg）	回收率（%）	平均回收率（%）	RSD（%）
1	1.5093	0.2930		9.2623	9.2699	0.6089	105.25		
2	1.5053	0.2921		9.3044	9.3030	0.6112	106.28		
3	1.5048	0.2921	0.2992	9.1952	9.2313	0.6057	104.48	104.94	2.41
4	1.5093	0.2930		9.3763	9.3968	0.6163	107.05		
5	1.5053	0.2921		9.3113	9.3139	0.6117	106.47		
6	1.5094	0.2930		9.0121	9.0162	0.5936	100.13		

从表15数据可见，本方法的平均回收率为104.94%，RSD为2.41%。该方法准确度好。

2.7.4 总大黄酚回收率测定

取同一批号供试品（批号20190714）6份，各精密称定1.5g，置具塞锥形瓶中，精密加入大黄酚对照品溶液（浓度为0.1001mg/ml）8.5ml，再加16.5ml甲醇-盐酸（10∶1）溶液，照2.3.2（2）项下方法，自"称定重量，置80℃水浴中加热回流"起，依法操作并测定。结果见表16。

表16 总大黄酚加样回收试验结果

样品号	样品量（g）	供试品含量（mg）	对照品加入量（mg）	峰面积值		测得总含量（mg）	回收率（%）	平均回收率（%）	RSD（%）
1	1.5029	0.8218		36.4487	36.5164	1.7176	105.28		
2	1.5053	0.8231		35.8630	35.8704	1.6885	101.65		
3	1.5060	0.8235	0.8509	35.7663	35.7961	1.6844	101.18	103.14	1.88
4	1.5061	0.8235		36.6139	36.5981	1.7234	105.76		
5	1.5053	0.8231		35.9409	35.9134	1.6913	102.03		
6	1.5060	0.8235		36.1902	36.0014	1.6993	102.93		

从表16数据可见，本方法的平均回收率为103.14%，RSD为1.88%。该方法准确度好。

2.8 范围

2.8.1 游离蒽醌测定范围考察

按准确度试验方法，取供试品6份，每份约0.90g（批号20190714）精密称定，分别精密加入大黄素对照品溶液1.2ml（大黄素浓度为0.0544mg/ml）；取供试品6份，每份约0.75g（批号20190714）精密称定，分别精密加入大黄酚对照品溶液1.5ml（大黄酚浓度为0.1001mg/ml）；另取供试品6份，每份约2.25g，精密称定，再分别精密加入上述大黄素对照品溶液3.0ml，大黄酚对照品4.5ml，分别按准确度项下方法操作，计算回收率及低、高浓度点各6份样品的RSD。结果见表17~20。

表17 游离大黄素范围考察（低浓度）

样品号	样品量（g）	供试品含量（mg）	对照品加入量（mg）	峰面积值		测得总含量（mg）	回收率（%）	平均回收率（%）	RSD（%）
1	0.9080	0.0682		2.9868	2.9832	0.1359	103.7		
2	0.9062	0.0681		3.0169	3.0273	0.1373	106.0		
3	0.9058	0.0680	0.0653	2.9593	2.9670	0.1351	102.8	104.3	1.07
4	0.9069	0.0681		2.9843	2.9905	0.1360	104.0		
5	0.9075	0.0682		3.0091	3.0069	0.1368	105.1		
6	0.9068	0.0681		2.9957	2.9967	0.1363	104.4		

注：表9中测得游离大黄素平均含量为0.0751mg/g，故1号样品中供试品含量=0.9080g×0.0751mg/g=0.0682mg，同法得到其余值。

表18 游离大黄酚范围考察（低浓度）

样品号	样品量（g）	供试品含量（mg）	对照品加入量（mg）	峰面积值		测得总含量（mg）	回收率（%）	均回收率（%）	RSD（%）
1	0.7580	0.1474		10.5208	10.4938	0.2935	97.27		
2	0.7562	0.1471		10.6227	10.6697	0.2974	100.0		
3	0.7558	0.1470	0.1502	10.3912	10.4251	0.2907	95.67	98.32	2.32
4	0.7569	0.1472		10.4721	10.4833	0.2926	96.80		
5	0.7575	0.1473		10.5453	10.5742	0.2949	98.27		
6	0.7568	0.1472		10.7341	10.7647	0.3003	101.9		

注：表10中测得游离大黄酚平均含量为0.1945mg/g，故1号样品中供试品含量=0.7580g×0.1945mg/g=0.1474mg，同法得到其余值。

表19 游离大黄素范围考察（高浓度）

样品号	样品量（g）	供试品含量（mg）	对照品加入量（mg）	峰面积值		测得总含量（mg）	回收率（%）	平均回收率（%）	RSD（%）
1	2.2553	0.1694		8.2933	8.2912	0.3298	98.27		
2	2.2547	0.1693		8.3111	8.3087	0.3304	98.73		
3	2.2564	0.1695	0.1632	8.4843	8.4798	0.3367	102.46	99.37	1.84
4	2.2560	0.1694		8.2568	8.2509	0.3284	97.42		
5	2.2557	0.1694		8.3171	8.3162	0.3307	98.82		
6	2.2548	0.1693		8,3938	8.3891	0.3334	100.55		

注：表9中测得游离大黄素平均含量为0.0751mg/g，故1号样品中供试品含量=2.2553g×0.0751mg/g=0.1694mg，同法得到其余值。

表20 游离大黄酚范围考察（高浓度）

样品号	样品量（g）	供试品含量（mg）	对照品加入量（mg）	峰面积值		测得总含量（mg）	回收率（%）	平均回收率（%）	RSD（%）
1	2.2553	0.4387		30.2026	31.1328	0.8655	94.75		
2	2.2547	0.4385		31.3030	31.3433	0.8841	98.92		
3	2.2564	0.4389	0.4505	31.6646	31.7027	0.8945	101.1	99.33	2.55
4	2.2560	0.4388		31.2994	31.3266	0.8839	98.79		
5	2.2557	0.4387		31.5852	31.6408	0.8925	100.7		
6	2.2548	0.4386		31.7440	31.7896	0.8967	101.7		

注：表10中测得游离大黄酚平均含量为0.1945mg/g，故1号样品中供试品含量=2.2553g×0.1945mg/g=0.4387mg，同法得到其余值。

2.8.2 总蒽醌测定范围考察

按准确度试验方法，取供试品6份，每份约0.90g（批号20190714）精密称定，分别精密加入大黄素对照品溶液3.0ml（大黄素浓度为0.0544mg/ml）；另取供试品6份，每份约0.75g，精密称定，分别精密加入大黄酚对照品溶液4.5ml（大黄酚浓度为0.1001mg/ml）；另取供试品12份，每份约2.25g，精密称定，再分别精密加入上述大黄素对照品溶液8.0ml，大黄酚对照品13.0ml，分别按准确度项下方法操作，计算回收率及低、高浓度点各6份样品的RSD。结果见表21~24。

表21 总大黄素范围考察（低浓度）

样品号	样品量（g）	供试品含量（mg）	对照品加入量（mg）	峰面积值		测得总含量（mg）	回收率（%）	平均回收率（%）	RSD（%）
1	0.9068	0.1760		4.9243	4.9198	0.3445	103.2		
2	0.9056	0.1758		4.9160	4.9231	0.3443	103.2		
3	0.9060	0.1759	0.1632	4.8900	4.8868	0.3424	102.0	103.5	1.05
4	0.9045	0.1756		4.9653	4.9732	0.3473	105.2		
5	0.9062	0.1759		4.9440	4.9505	0.3460	104.2		
6	0.9053	0.1757		4.9140	4.9188	0.3441	103.2		

注：表10中测得总大黄素平均含量为0.1941mg/g，故1号样品中供试品含量=0.9068g×0.1941mg/g=0.1760mg，同法得到其余值。

表22 总大黄酚范围考察（低浓度）

样品号	样品量（g）	供试品含量（mg）	对照品加入量（mg）	峰面积值		测得总含量（mg）	回收率（%）	平均回收率（%）	RSD（%）
1	0.7568	0.4138		18.6337	18.7408	0.8760	102.6		
2	0.7556	0.4132		18.5065	18.5309	0.8680	101.0		
3	0.7560	0.4134	0.4505	18.1046	18.1047	0.8484	96.56	101.8	4.24
4	0.7545	0.4126		18.5078	18.9520	0.8780	103.3		
5	0.7562	0.4135		19.2870	19.2991	0.9046	109.0		
6	0.7553	0.4130		18.2796	18.2950	0.8570	98.56		

注：表11中测得总大黄酚平均含量为0.5468mg/g，故1号样品中供试品含量=0.7568g×0.5468mg/g=0.4138mg，同法得到其余值。

表23 总大黄素范围考察（高浓度）

样品号	样品量（g）	供试品含量（mg）	对照品加入量（mg）	峰面积值		测得总含量（mg）	回收率（%）	平均回收率（%）	RSD（%）
1	2.2570	0.4381		13.8014	13.7984	0.8849	102.7		
2	2.2557	0.4378		13.2882	13.2977	0.8541	95.66		
3	2.2563	0.4379	0.4352	13.4865	13.5009	0.8663	98.44	99.12	3.31
4	2.2554	0.4378		13.8510	13.8307	0.8874	103.3		
5	2.2561	0.4379		13.3054	13.2994	0.8547	95.77		
6	2.2557	0.4378		13.5300	13.5373	0.8687	99.01		

注：表10中测得总大黄素平均含量为0.1941mg/g，故1号样品中供试品含量=2.2570g×0.1941mg/g=0.4381mg，同法得到其余值。

表24 总大黄酚范围考察（高浓度）

样品号	样品量（g）	供试品含量（mg）	对照品加入量（mg）	峰面积值		测得总含量（mg）	回收率（%）	平均回收率（%）	RSD（%）
1	2.2566	1.2339		51.5541	51.5888	2.4310	91.99		
2	2.2574	1.2343		51.8515	51.8969	2.4455	93.08		
3	2.2557	1.2334	1.3013	50.8587	50.8780	2.3979	89.49	92.05	2.39
4	2.2560	1.2336		52.4319	52.4840	2.4731	95.25		
5	2.2571	1.2342		51.7911	51.8270	2.4424	92.85		
6	2.2509	1.2308		50.8465	50.8651	2.3974	89.65		

注：表11中测得总大黄酚平均含量为0.5468mg/g，故1号样品中供试品含量=2.2566g×0.5468mg/g=1.2339mg，同法得到其余值。

从表中数据可见，在相当于样品大黄素含量限度约60%和150%的两个点，样品大黄酚含量限度约50%和150%的两个点，均达到了精密度、准确度和线性的要求。

2.9 耐用性试验

2.9.1 将柱温从25℃调到35℃，其他按正文的色谱条件，取2.7精密度测定试验中的样品进行测定。进样量为10μl。结果见表25。

表25 不同柱温的耐用试验

柱温	分离度	游离大黄素测得平均含量（mg/g）	游离大黄酚测得平均含量（mg/g）	总大黄素测得平均含量（mg/g）	总大黄酚测得平均含量（mg/g）
25℃	>1.5	0.0751	0.1945	0.1941	0.5468
35℃	>1.5	0.0871	0.2372	0.2339	0.6063

从表25数据可见，不同的色谱柱温度，按确定的色谱条件进样检测，该方法耐用性良好。

2.9.2 稳定性试验

取同一供试品（批号20190714），分别在溶液制备后的0小时、2小时、4小时、8小时、12小时、24小时进样测定。结果见表26~29。

表26 不同时间测定游离大黄素的峰面积值

时间（h）	峰面积值	RSD（%）
0	5.4019	
2	5.4251	1.04
4	5.4513	

续表

时间（h）	峰面积值	RSD（%）
8	5.5105	
12	5.5242	1.04
24	5.5391	

表27　不同时间测定游离大黄酚的峰面积值

时间（h）	峰面积值	RSD（%）
0	20.0112	
2	20.1514	
4	20.2553	
8	20.4081	1.12
12	20.5465	
24	20.5928	

表28　不同时间测定总大黄素的峰面积值

时间（h）	峰面积值	RSD（%）
0	9.1591	
2	9.2240	
4	9.2807	
8	9.3283	0.83
12	9.3463	
24	9.3524	

表29　不同时间测定总大黄酚的峰面积值

时间（h）	峰面积值	RSD（%）
0	35.3557	
2	35.5871	
4	35.8234	
8	35.8451	0.59
12	35.8614	
24	35.8710	

从表26~29数据可见，在24小时内大黄素和大黄酚峰面积值基本稳定不变。

3　样品含量测定及含量限度确定

取本品按重复性试验项下的方法处理并测定。多批样品的测定结果见表30~33。

表30　样品中游离大黄素含量测定结果

批号	取样量（g）	测得峰面积		含量（mg/g）	平均含量（mg/g）
20190714	3.0049	5.3315	5.3242	0.0737	
	3.0068	5.4416	5.4414	0.0750	0.0749
	3.0068	5.5175	5.5198	0.0760	
20190937	1.0039	4.2447	4.2782	0.1818	
	1.0065	4.6834	4.7187	0.1973	0.1883
	1.0052	4.3470	4.4056	0.1858	
20191215	1.0048	5.0637	5.0363	0.2103	
	1.0049	5.2047	5.2125	0.2161	0.2168
	1.0061	5.3901	5.4716	0.2239	

表31　样品中游离大黄酚含量测定结果

批号	取样量（g）	测得峰面积		含量（mg/g）	平均含量（mg/g）
20170315	3.0068	20.0384	20.0036	0.1874	0.1860
	3.0067	20.0384	20.0036	0.1884	
	3.0069	20.0916	20.1291	0.1882	
20190937	1.0039	26.3696	26.5996	0.7439	0.7484
	1.0065	27.0078	27.2359	0.7600	
	1.0052	26.1530	26.6901	0.7412	
20191215	1.0048	24.2657	24.2775	0.6808	0.7020
	1.0049	24.9463	25.0978	0.7019	
	1.0061	25.5568	26.0687	0.7234	

表32　样品中总大黄素含量测定结果

批号	取样量（g）	测得峰面积		含量（mg/g）	平均含量（mg/g）
20190714	3.0084	8.8819	8.9011	0.1948	0.1968
	3.0089	8.8262	8.8277	0.2009	
	3.0082	8.8698	8.8990	0.1947	
20190937	1.0045	7.9106	7.9184	0.5243	0.5240
	1.0042	7.8556	7.8584	0.5208	
	1.0045	7.9540	7.9589	0.5268	
20191215	1.0067	7.8849	7.9040	0.5219	0.5005
	1.0059	7.1946	7.1951	0.4800	
	1.0064	7.5248	7.5248	0.4997	

表33　样品中总大黄酚含量测定结果

批号	取样量（g）	测得峰面积		含量（mg/g）	平均含量（mg/g）
20190714	3.0084	33.9942	34.0773	0.5325	0.5352
	3.0089	34.2671	34.3085	0.5363	
	3.0082	34.2829	34.3550	0.5369	
20190937	1.0045	35.3957	35.4253	1.6594	1.6568
	1.0042	35.0290	35.0183	1.6417	
	1.0045	35.5973	35.6484	1.6694	
20191215	1.0067	33.0392	33.0539	1.5447	1.4777
	1.0059	30.1691	30.1791	1.4109	
	1.0064	31.6047	31.6173	1.4777	

　　结合上述实测结果，本品每1g含大黄以总大黄素（$C_{15}H_{10}O_5$）和总大黄酚（$C_{15}H_{10}O_4$）的总量计，大于0.7mg；以《内蒙古结合蒽醌中的大黄素（$C_{15}H_{10}O_5$）和大黄酚（$C_{15}H_{10}O_4$）的总量计，大于0.45mg。以实测值再下浮20%（参照2007年版《内蒙古蒙药制剂规范》）。

　　标准正文暂定为：本品每1g含大黄以总大黄素（$C_{15}H_{10}O_5$）和总大黄酚（$C_{15}H_{10}O_4$）的总量计，不得少于0.56mg；以结合蒽醌中的大黄素（$C_{15}H_{10}O_5$）和大黄酚（$C_{15}H_{10}O_4$）的总量计，不得少于1.2mg。

【功能与主治】

　　消食导滞，和胃润肠。用于食积不消，痧症，胃火衰败，大便秘结，泛酸，下清赫依功能异常等。

【用法与用量】

　　口服。一次1.5~3g，一日1~2次，温开水送服。

【注意事项】

孕妇忌服。

【规格】

每袋: (1) 3g; (2) 15g; (3) 250g。

【贮藏】

密闭, 防潮。

起草单位: 内蒙古自治区国际蒙医医院　　　乌恩奇　乌仁高娃　宝　山

鄂尔多斯市检验检测中心　　　郭　慧　吕彩霞　史永惠

阿如日阿-18散质量标准起草说明

【历史沿革】

本处方来源于《蒙药验方》（内蒙古人民医院编，1971年版，蒙古文，第173页）。

【处方来源】

本制剂由内蒙古自治区国际蒙医医院提供。

【名称】

阿如日阿-18散

【蒙药材和饮片的来源和执行标准】

1. 处方组成及药味排列顺序：诃子25g、刺柏叶25g、文冠木20g、芒果核15g、方海15g、红花15g、五灵脂15g、枇杷叶15g、大托叶云实15g、草乌叶15g、蒲桃15g、豆蔻15g、茜草15g、制木鳖15g、刀豆15g、紫草茸10g、苦地丁10g、甘松10g。

2. 处方中除了五灵脂、紫草茸、方海、刺柏叶、芒果核、大托叶云实、蒲桃、文冠木和制木鳖药材外，其余诃子药味均收载于《中国药典》2020年版一部，其质量应符合该品种项下的有关规定。

五灵脂：为松鼠科动物灰鼯鼠*Petaurista xanthotis*（Milne –Edwards）的干燥粪便。其质量应符合《内蒙古蒙药饮片炮制规范》2020年版第364页该品种项下的有关规定。

芒果核：为漆树科植物芒果*Mangifera indica* L. 的干燥成熟果核。其质量应符合《内蒙古蒙药饮片炮制规范》2020年版第152页该品种项下的有关规定。

方海：为方蟹科动物中华绒螯蟹*Eriocher sinensis* H. Milne–Edwards 的干燥全体。其质量应符合《内蒙古蒙药饮片炮制规范》2020年版第431页该品种项下的有关规定。

紫草茸：为胶蚧科昆虫紫胶虫*Laccifer lacca* Kerr 在树枝上所分泌的树脂状胶质。其质量应符合《内蒙古蒙药饮片炮制规范》2020年版第436页该品种项下的有关规定。

刺柏叶：为柏科植物杜松*Juniperus rigida* Sieb.et Zucc.的干燥嫩枝叶。其标准应符合《中华人民共和国卫生部药品标准》（蒙药分册）1998 年版第23页该品种项下的规定。

大托叶云实：为豆科植物大托叶云实*Caesalpinia crista* L.的干燥成熟种子。其质量应符合《内蒙古蒙药饮片炮制规范》2020年版第15页该品种项下的有关规定。

蒲桃：为桃金娘科植物乌墨（海南蒲桃）*Syzygium cumini* Skeels 的干燥果实。其质量应符合《内蒙古蒙药饮片炮制规范》2020年版第464页该品种项下的有关规定。

文冠木：为无患子科植物文冠果*Xanthoceras sorbifolia* Bge.的茎干或枝条的干燥木部。其质量应符合《内蒙古蒙药饮片炮制规范》2020年版第85页该品种项下的有关规定。

制木鳖：为葫芦科植物木鳖*Momordica cochinchinensis*（Lour. ）Spreng. 的干燥成熟种子。其质量应符合《内蒙古蒙药饮片炮制规范》2020年版第241页该品种项下的有关规定。

【制法】

以上十八味，粉碎成细粉，过筛，混匀，分装，即得。

【性状】

本品为浅棕色至黄棕色的粉末;气微,味苦、涩。

【鉴别】

本品为药材粉末制成的散剂,方中大多数药味的显微特征都比较明显,故对处方中的诃子、红花建立显微鉴别。并对处方中的甘松建立了薄层鉴别。

1. 试剂与试药

供试品:供试品(批号 20202201、20202202、20202203)由内蒙古自治区国际蒙医医院提供,模拟样品(批号20191210)模拟。

对照药材:甘松药材(批号121402-200602),购于中国食品药品检定研究院。

薄层板:硅胶GF$_{254}$板,购于青岛海洋化工有限公司。

所用其他试剂均为分析纯,水为离子交换高纯水。

2. 试验方法与结果

(1)显微鉴别

诃子:木化细胞呈类长方形、类多角形、类三角形,纹孔圆点状、斜裂缝状或人字状,少数胞腔内含草酸钙簇晶;石细胞成群,呈类圆形、长卵形、长方形或长条形,孔沟细密而明显。红花:花粉粒圆球形或椭圆形,直径约至60μm,外壁有刺,具3个萌发孔。

(2)甘松薄层鉴别

参照《中国药典》2020年版一部"甘松"项下的薄层条件,制定正文所述的鉴别方法。通过阴性对照试验观察,方中其他药材对甘松药材的检出无干扰,证明此方法具有专属性。

【检查】

按照散剂(《中国药典》2020年版四部通则0115)项下的规定,对三批供试品及模拟样品的外观均匀度、水分、重金属、砷盐和微生物限度进行了检查。具体方法及测定数据如下:

1. 外观均匀度:取供试品适量,置光滑纸上,平铺约5cm^2,将其表面压平,在亮处观察,呈现均匀的色泽,无花纹、色斑。结果三批供试品及模拟样品均符合规定。

2. 水分:取供试品照水分测定法(《中国药典》2020年版四部通则0832)测定。三批供试品及模拟样品的测定结果见表1。

表1 水分测定结果

序号	供试品批号	水分(%)
1	20202201	6.75
2	20202202	6.87
3	20202203	6.79
4	20191210	6.89

药典规定散剂水分含量不得大于9.0%。从表1数据可见,本品水分含量符合要求。

3.对三批供试品及模拟样品进行了重金属和砷盐考察。方法与结果如下:

重金属:分别取每个批号供试品0.5g、0.67g、1.0g、2.0g,按《中国药典》2020年版四部0821第二法检查。

供试品溶液的制备:取本品0.5g、0.67g、1.0g、2.0g,分别缓缓炽灼至完全炭化,放冷,加硫酸0.5ml,使湿润,低温加热至硫酸除尽后,加硝酸0.5ml,蒸干,至氧化氮蒸气除尽后,放冷,于600℃炽灼至完全灰化,放冷。加盐酸2ml,置水浴上蒸干后加水15ml,滴加氨试液至对酚酞指示液显中性,再加醋酸盐缓冲液(pH3.5)2ml,微热溶解后,移置纳氏比色管中,加水稀释至25ml,作为供试品溶液。

标准铅对照溶液的制备:另取配制供试品溶液的试剂2份,分别置瓷皿中蒸干后,加醋酸盐缓冲液(pH3.5)2ml,加水15 ml微热溶解后,移置2支纳氏比色管中,分别加标准铅溶液(10μg/ml Pb)2ml,再加水稀释至25ml,作为标准铅对照溶液。

检视:于上述供试品溶液和标准铅对照溶液中分别加硫代乙酰胺试液各2ml,摇匀,放置2分钟,同置白色背景上,从上向下进行观察。试验结果见表2。

表2 重金属检查结果

序号	批号	重金属含量(ppm)			
1	20202201	<10	<20	<30	<40
2	20202202	<10	<20	<30	<40
3	20202203	<10	<20	<30	<40
4	20191210	<10	<20	<30	<40

结果显示,供试品溶液的颜色明显浅于2ml的标准铅对照溶液。经过三批供试品及模拟样品的检查,含重金属均未超过百万分之十,故未收入正文。

砷盐:取本品1g和标准砷溶液(1μg/ml AS)2ml,分别加无砷氢氧化钙1g,加少量水,搅匀,烘干,用小火缓缓炽灼至炭化,再在600℃炽灼至完全灰化,放冷。分别加盐酸7ml使溶解,再加水21ml,按《中国药典》2020年版四部通则0822第一法(古蔡氏法)检查砷盐含量。

结果:供试品砷斑浅于标准砷斑的颜色,表明本品含砷量未超过百万分之二(小于2ppm),故砷盐检查项目未列入正文。

4. 微生物限度:照微生物计数法(《中国药典》2020年版四部通则1105)和控制菌检法(《中国药典》2020年版四部通则1105)及《内蒙古蒙药制剂规范》(第三册)附录Ⅲ微生物限度标准进行检查。结果符合规定。

【含量测定】

本品由诃子、五灵脂、枇杷叶、芒果核、方海、红花、紫草茸等十八味药组成的复方制剂。临床功效祛肾热,利尿,杀黏。多用于肾热,肾脉震伤,小便不利,尿频,腰腿酸痛,肾瘀血,睾丸肿痛,遗精。红花具有活血通经,散瘀止痛的功效。用于经闭,痛经,恶露不行,癥瘕痞块,胸痹心痛,瘀滞腹痛,胸胁刺痛,跌仆损伤,疮疡肿痛。红花主含红花苷类,红花多糖和有机酸。其中查尔酮类成分羟基红花黄色素A是红花的主要活性成分,故选择羟基红花黄色素A作为指标成分,对本制剂中的红花进行含量测定方法的研究。参照《中国药典》2020年版一部"红花"项下的含量测定方法,选择羟基红花黄色素A作为指标成分,对本制剂中的红花进行了HPLC含量测定方法研究。经分析方法验证,表明该方法重复性好,专属性强,方中其他组分对羟基红花黄色素A的测定无干扰。

1 仪器与试剂试药

1.1 仪器

Waters e2695 型高效液相色谱仪;Mettler-Toledo MS105DU型百万分之一电子天平,Mettler-Toledo XPR10型万分之一电子天平;SBL-22DT型超声波清洗器(宁波新芝生物科技股份有限公司,40kHz);Heal Force NW15UV型超纯水系统; FW400A型多功能粉碎机(材茂科技有限公司)。

1.2 试剂与试药

供试品(批号 20202201、20202202、20202203)由内蒙古自治区国际蒙医医院提供,模拟样品(批号20191210)模拟;羟基红花黄色素A对照品(批号111637-201810),购于中国食品药品检定研究院;甲醇为色谱纯,水为超纯水,所用其他试剂均为分析纯。

2 方法学考察

2.1 色谱条件

2.1.1 色谱柱：色谱柱填充剂为十八烷基硅烷键合硅胶，本试验采用Phenomenex C_{18}（250mm×4.6mm，5μm）色谱柱。

2.1.2 流动相的选择：参照《中国药典》2020年版一部"红花"含量测定项下的测定方法，调整甲醇-乙腈-0.7%磷酸溶液比例为（28:2:70），供试品中的羟基红花黄色素A与其他成分能达到较好的分离，色谱峰具有比较好的保留时间、分离度和对称性。故选择以甲醇-乙腈-0.7%磷酸溶液（28:2:70）为流动相。

2.1.3 柱温：35℃可以保证柱压较低，分离效果稳定，保留时间变化小。

2.1.4 检测波长的选择：参照《中国药典》2020年版一部"红花"含量测定项下羟基红花黄色素A的测定方法，选用403nm处作为检测波长。

2.1.5 理论板数的确定：从对三批样品的测定结果可见，羟基红花黄色素A峰理论板数在3000以上即能达到较好的分离效果，故规定理论板数按羟基红花黄色素A峰计算应不低于3000。

2.2 提取溶剂及提取效率的考察

2.2.1 提取溶剂的选择

参照《中国药典》2020年版第一部"红花"含量测定项下方法采用25%甲醇作为提取溶剂。

2.2.2 提取效率的考察

以25%甲醇作为提取溶剂进行超声提取。为保证被测成分提取完全，在供试品的细度一致、提取溶剂为甲醇、超声（功率250W，频率40kHz）的条件下，分别考察了提取30分钟、40分钟和50分钟时的提取效率。结果见表3。

表3 羟基红花黄色素A提取时间考察

提取时间（min）	取样量（g）	平均峰面积值	含量（mg/g）
30	1.5032	1580165	0.83
40	1.5034	1584733	0.83
50	1.5025	1588337	0.83

从表3数据可见，超声提取30分钟、40分钟和50分钟时，供试品中羟基红花黄色素A的含量基本一致，故将提取时间定为40分钟。这与《中国药典》2020年版一部"红花"含量测定项下的提取时间一致。

2.3 专属性考察

2.3.1 对照品溶液的制备：取羟基红花黄色素A对照品适量，精密称定，加25%甲醇制成每1ml含130μg的溶液，作为对照品溶液。

2.3.2 供试品溶液的制备：取本品细粉约1.5g，精密称定，置具塞锥形瓶中，精密加入25%甲醇25ml，称定重量，超声处理（功率250W，频率40kHz）40分钟，放冷，再称定重量，用25%甲醇补足减失的重量，摇匀，离心（转速为每分钟5000转）5分钟，取上清液，作为供试品溶液。

2.3.3 阴性对照溶液的制备：按本品处方工艺制备不含红花的阴性供试品，按"供试品溶液的制备"方法制备阴性对照溶液。

2.3.4 测定：在上述色谱条件下，分别精密吸取以上三种溶液各10μl，分别注入液相色谱仪进行测定，记录色谱图。

试验结果显示，供试品色谱中在与对照品色谱保留时间相同的位置上有色谱峰出现，而阴性对照在与对照品色谱保留时间相同的位置上无色谱峰出现，表明该含量测定方法阴性无干扰，专属性好。

2.4 线性关系考察

取羟基红花黄色素A对照品约3.4mg，精密称定，置50ml量瓶中，加25%甲醇使溶解，并稀释至刻度，摇匀，作为对照品溶液（对照品溶液实际浓度为0.1261mg/ml）。分别精密吸取上述对照品溶液2μl、5μl、10μl、15μl、20μl和25μl注入液相色谱仪，按上述色谱条件进行测定，以峰面积对进样量进行回归分析。结果见表4。

表4　羟基红花黄色素A标准曲线数据及回归方程结果表

序号	进样量（μg）	峰面积值	回归方程	r
1	0.2522	322501		
2	0.3783	491681		
3	0.6305	866209	$y=1451044.8498x-48959.7843$	1.0000
4	1.261	1783979		
5	1.892	2695720		
6	2.522	3612454		

从表4数据可见，羟基红花黄色素A在0.2522~2.522μg/ml质量浓度范围内与峰面积呈良好的线性关系。

2.5　精密度试验

取同一份供试品（批号20202201）溶液，连续进样6针，记录色谱图。羟基红花黄色素A峰面积的精密度计算结果见表5。

表5　供试品溶液中羟基红花黄色素A精密度试验结果

序号	峰面积值	平均峰面积值	RSD（%）
1	1588857		
2	1587454		
3	1585377	1586670	0.18
4	1589081		
5	1581473		
6	1587780		

从表5数据可见，符合《中国药典》2020年版四部通则0512中规定的RSD值小于2.0%的要求。

2.6　稳定性试验

取同一份供试品（批号20202201）溶液，分别于制备溶液后的0小时、2小时、4小时、6小时、8小时进行测定。结果见表6。

表6　供试品溶液中羟基红花黄色素A稳定性试验结果

序号	取样量（g）	峰面积值	RSD（%）
1	0	1569019	
2	2	1554453	
3	4	1584748	1.15
4	6	1589782	
5	8	1600840	

从表6数据可见，羟基红花黄色素A在8小时内的峰面积值RSD值基本稳定不变。

2.7　重复性试验

取同一供试品（批号20202201）6份，各约1.5g，精密称定，置具塞锥形瓶中，精密加入25%甲醇25ml，称定重量，超声处理（功率250W，频率40kHz）40分钟，放冷，再称定重量，用25%甲醇补足减失的重量，摇匀，离心（转速为每分钟5000转）5分钟，取上清液，作为供试品溶液。精密吸取10μl注入液相色谱仪进行测定，记录色谱图及峰面积,按外标法计算含量。结果见表7。

表7 供试品溶液中羟基红花黄色素A重复性试验结果

序号	称样量(g)	平均峰面积值	含量(mg/g)	平均含量(mg/g)	RSD(%)
1	1.5036	1607297	0.83		
2	1.5039	1638875	0.84		
3	1.5041	1614288	0.83	0.83	0.96
4	1.5025	1604720	0.83		
5	1.5044	1637049	0.84		
6	1.5037	1636240	0.84		

从表7数据可见,6份供试品溶液中羟基红花黄色素A含量测定结果的均值为0.83mg/g,RSD为0.96%,表明该方法的重复性好。

2.8 加样回收试验

取已知含量(批号20202201,含量为0.83mg/g)的供试品9份,各约0.60g,精密称定,分别置9个具塞锥形瓶中,再分别在其中3个具塞锥形瓶中精密加入浓度为0.227mg/ml的羟基红花黄色素A对照品溶液1ml(约相当于供试品含有量的50%)及25%甲醇24ml,另3个具塞锥形瓶中各精密加入上述对照品溶液2ml(约相当于供试品含有量的100%)及25%甲醇23ml,其余3个具塞锥形瓶中各精密加入上述对照品溶液3ml(约相当于供试品含有量的150%)及25%甲醇22ml,分别称定重量,超声处理40分钟,取出,再称重,用25%甲醇补足减失重量,摇匀,离心(转速为每分钟5000转)5分钟,取上清液,即得。各取上清液10μl进样,分别精密吸取各溶液10μl注入液相色谱仪进行测定,记录色谱图和峰面积,按外标法计算含量,再计算回收率。结果见表8。

表8 供试品溶液中羟基红花黄色素A加样回收试验结果

序号	样品量(g)	供试品含量(mg)	对照品加入量(mg)	测得总量(mg)	回收率(%)	平均回收率(%)	RSD(%)
1	0.6038	0.5012	0.227	1.0886	85.7		
2	0.6037	0.5011	0.227	1.0973	86.1		
3	0.5869	0.4871	0.227	1.0865	84.1		
4	0.6037	0.5011	0.454	1.4346	87.4		
5	0.6036	0.5010	0.454	1.4242	86.7	86.7	1.60
6	0.6035	0.5009	0.454	1.4269	86.0		
7	0.6036	0.5010	0.681	1.7317	88.4		
8	0.6035	0.5009	0.681	1.7337	88.1		
9	0.6039	0.5012	0.681	1.7374	87.6		

从表8数据可见,羟基红花黄色素A的平均回收率为86.7%,RSD为1.60%。该方法准确度好。

3 样品含量测定

取三批样品(批号20202201、20202202、20202203)及模拟样品(批号20191210)各2份,各约1.5g,精密称定,按重复性试验项下方法处理,分别测定并按外标法计算三批样品和模拟样品含量。含量测定结果见表9。

表9 样品中羟基红花黄色素A的含量测定结果

批号	取样量(g)	平均峰面积值	含量(mg/g)	平均含量(mg/g)
20190341	1.5081	25035	0.91	
20190342	1.5078	25099	0.91	0.91
20190343	1.5084	25114	0.91	
20191210	1.7035	1309688	0.68	0.69
	1.7084	1346134	0.70	

从表9数据可见,三批样品和模拟样品中羟基红花黄色素A含量最低为0.68mg/g,最高为0.91mg/g。模拟样品含量比较低。

4　红花药材含量测定

试验中采用同法对上述三批样品生产用红花药材进行了含量测定,测定结果见表10。

表10　红花药材中羟基红花黄色素A的含量测定结果

序号	取样量（g）	平均峰面积值（n=2）		含量（mg/g）	平均含量（mg/g）
1	0.2001	3817555 3818380	3817968	14.69	
2	0.2000	3930131 3948039	3939085	15.20	15.02
3	0.2000	3923972 3927806	3925889	15.17	

从表10数据可见,红花药材中羟基红花黄色素A的含量为15.02mg/g（1.50%）。

5　本制剂含量限度的确定

从表中数据可见,三批样品中羟基红花黄色素A的含量最低为0.91mg/g,模拟样品中羟基红花黄色素A的含量为0.69mg/g,红花药材中羟基红花黄色素A的含量为15.02mg/g（1.50%）。

根据本品处方量折算,理论上每1g供试品含红花药材0.05357g,羟基红花黄色素A的含量=0.05357g×1.50%×1000=0.805mg,即0.805mg/g。因此,转移率为0.69/0.805×100%=85.7%到0.91/0.805×100%=113.0%,所以平均转移率为99.4%。

参照《中国药典》2020年版一部"红花"药材的羟基红花黄色素A含量限度不得少于1.0%,转移率为80.78%,考虑不同产地药材的质量差异,并结合其他影响因素及三批样品的测定结果,下浮15%,按此限度折算本品含羟基红花黄色素A的理论量应不低于15/280×1.0%×1000×99.4%×85%=0.452mg/g。

标准正文暂定为:本品每1g含红花以羟基红花黄色素A（$C_{27}H_{32}O_{16}$）计,不得少于0.45mg。

【功能与主治】

祛肾热,利尿,杀黏。用于肾热,肾脉震伤,小便不利,尿频,腰腿酸痛,肾瘀血,睾丸肿痛,遗精。

【用法与用量】

口服。一次1.5~3g,一日1~2次,温开水送服。

【规格】

每袋:（1）3g;（2）15g;（3）250g。

【贮藏】

密封,防潮。

起草单位: 内蒙古盛唐国际蒙医药研究院　　崔圆圆　张跃祥　王　伟

　　　　　　鄂尔多斯市检验检测中心　　　　杨洋李珍张烨

　　　　　　内蒙古食品药品审评查验中心　　张　涛　宋春艳

阿纳日·莲花-8散质量标准起草说明

【历史沿革】

本处方来源于《蒙药验方》（内蒙古自治区人民医院编1971年版，蒙古文，第31页）。

【处方来源】

本制剂由内蒙古自治区国际蒙医医院提供。

【名称】

阿纳日·莲花-8散

【蒙药材和饮片的来源和执行标准】

1. 处方组成及药味排列顺序：石榴320g、荜茇80g、波棱瓜子60g、黑冰片60g、豆蔻60g、诃子60g、肉桂40g、刺玫果40g。

2. 处方中除了波棱瓜子、石榴、黑冰片和刺玫果等药外，其余豆蔻等药味均收载于《中国药典》2020年版一部，其质量应符合该品种项下的有关规定。

刺玫果：为蔷薇科植物山刺玫*Rosa dahurica* Pall.的干燥成熟果实。其质量应符合《中华人民共和国卫生部药品标准》（蒙药分册）1998年版第24页该品种项下的有关规定。

石榴：为石榴科植物石榴*Punica granatum* L.的干燥成熟果实。其标准应符合《内蒙古蒙药饮片炮制规范》2020年版第119页该品种项下的有关规定。

波棱瓜子：为葫芦科植物波棱瓜*Herpetospermum pedunculosum* (Sex.) Baill. 的干燥种子。其标准应符合《内蒙古蒙药饮片炮制规范》2020年版第277页该品种项下的有关规定。

黑冰片：为猪科动物野猪*Sus scrofa* linnaeus的成形粪便。其炮制品主含活性炭和微量元素。其标准应符合《内蒙古蒙药饮片炮制规范》2020年版第444页该品种项下的有关规定。

【制法】

以上八味，粉碎成细粉，过筛，混匀，分装，即得。

【性状】

本品为灰绿色至灰黑色粉末；气香，味辛、微苦。

【鉴别】

本品为原药材细粉制成的散剂。处方中大多数药味的显微特征较明显，故对处方中黑冰片、豆蔻、石榴、波棱瓜子、肉桂建立显微鉴别。并对处方中的诃子建立了薄层鉴别。

1. 试剂与试药

供试品：供试品（批号20190716、20200223、20180911）由内蒙古自治区国际蒙医医院提供，模拟样品（批号20200003）模拟。

对照品：诃子药材（批号121015-201605），购于中国食品药品检定研究院。

薄层板：硅胶G板，购于青岛海洋化工有限公司。

所用其他试剂均为分析纯, 水为离子交换高纯水。

2. 试验方法与结果

（1）显微鉴别

石榴: 石细胞成群或散在, 椭圆形或类圆形, 壁厚, 孔沟细密。豆蔻: 内种皮厚壁细胞黄棕色或棕红色, 表面观类多角形, 壁厚, 胞腔含硅质块。波棱瓜子: 石细胞形大, 壁厚, 细胞形状不规则, 长约120μm, 直径23~76μm, 层纹清晰, 孔沟不明显。肉桂: 石细胞类方形或类圆形, 直径32~88μm, 壁厚, 有的一面菲薄。黑冰片: 不规则碎块黑色, 大小不一, 表面无光泽。

（2）诃子薄层鉴别

参照《中国药典》2020年版一部"诃子"项下的薄层条件, 制定出正文所述的鉴别方法。通过阴性对照试验观察, 方中其他药材对诃子药材的检出无干扰, 证明此方法具有专属性。

【检查】

按照散剂（《中国药典》2020年版四部通则0115）项下的规定, 对三批供试品及模拟样品的外观均匀度、水分、重金属、砷盐和微生物限度进行了检查。具体方法及测定数据如下:

1. 外观均匀度: 取供试品适量, 置光滑纸上, 平铺约5cm², 将其表面压平, 在亮处观察, 呈现均匀的色泽, 无花纹、色斑。结果三批供试品及模拟样品均符合规定。

2. 水分: 取供试品照水分测定法（《中国药典》2020年版四部通则0832）测定。三批供试品及模拟样品的测定结果见表1。

表1 水分测定结果

序号	批号	水分（%）
1	20190716	4.3
2	20200223	3.9
3	20180911	3.7
4	20200003	4.8

药典规定散剂水分含量不得大于9.0%。从表1数据可见, 本品水分含量均符合要求。

3. 对三批供试品及模拟样品进行了重金属和砷盐考察。方法与结果如下:

重金属: 分别取每个批号供试品0.5g、0.67g、1.0g、2.0g, 按《中国药典》2020年版四部0821第二法检查。

供试品溶液的制备: 取本品0.5g、0.67g、1.0g、2.0g, 分别缓缓炽灼至完全炭化, 放冷, 加硫酸0.5ml, 使湿润, 低温加热至硫酸除尽后, 加硝酸0.5ml, 蒸干, 至氧化氮蒸气除尽后, 放冷, 于600℃炽灼至完全灰化, 放冷。加盐酸2ml, 置水浴上蒸干后加水15ml, 滴加氨试液至对酚酞指示液显中性, 再加醋酸盐缓冲液（pH3.5）2ml, 微热溶解后, 移置纳氏比色管中, 加水稀释至25ml, 作为供试品溶液。

标准铅对照溶液的制备: 另取配制供试品溶液的试剂2份, 分别置瓷皿中蒸干后, 加醋酸盐缓冲液（pH3.5）2ml, 加水15ml微热溶解后, 移置2支纳氏比色管中, 分别加标准铅溶液（10μg/ml Pb）2ml, 再加水稀释至25ml, 作为标准铅对照溶液。

检视: 于上述供试品溶液和标准铅对照溶液中分别加硫代乙酰胺试液各2ml, 摇匀, 放置2分钟, 同置白色背景上, 从上向下进行观察。试验结果见表2。

表2 重金属检查结果

序号	批号	重金属含量（ppm）			
1	20190716	<10	<20	<30	<40
2	20200223	<10	<20	<30	<40

序号	批号	重金属含量（ppm）
3	20180911	<10　<20　<30　< 40
4	20200003	<10　<20　<30　< 40

结果显示，供试品溶液的颜色明显浅于2ml的标准铅对照溶液。经过三批供试品及模拟样品的检查，含重金属均未超过百万分之十，故未收入正文。

砷盐：取本品1g和标准砷溶液（1μg/ml AS）2ml，分别加无砷氢氧化钙1g，加少量水，搅匀，烘干，用小火缓缓炽灼至炭化，再在600℃炽灼至完全灰化，放冷。分别加盐酸7ml使溶解，再加水21ml，按《中国药典》2020年版四部通则0822第一法（古蔡氏法）做砷盐限量检查。

结果：供试品砷斑浅于标准砷斑的颜色，表明本品含砷量未超过百万分之二（小于2ppm），故砷盐检查项目未收入正文。

4. 微生物限度：照微生物计数法（《中国药典》2020年版四部通则1105）和控制菌检查法（《中国药典》2020年版四部 通则1106）及《内蒙古蒙药制剂规范》（第三册）附录Ⅲ微生物限度标准，进行检查。结果均符合规定。

【含量测定】

阿纳日·莲花-8散是由石榴、荜茇、波棱瓜子、黑冰片、豆蔻、诃子、肉桂、刺玫果等八味药组成的复方制剂。参照《中国药典》2020年版第一部"荜茇"项下的含量测定方法，选择胡椒碱作为指标成分，对本制剂中的荜茇进行了HPLC含量测定方法研究。经分析方法验证，表明该方法重复性好，专属性强，方中其他组分对胡椒碱的测定无干扰。

1　仪器与试剂试药

1.1　仪器

岛津LC-10AT泵；岛津SPD-10A检测器；岛津CLASS-VP色谱工作站；岛津uv-1700型紫外分光光度仪；Sartorius BP211D型电子分析天平，Precisa 92SM-202A型电子分析天平。

1.2　试剂与试药

供试品（批号20190716、20200223、20180911）由内蒙古自治区国际蒙医医院提供，模拟样品（批号20200003）模拟；胡椒碱对照品（批号110775-201706，供含量测定用），购于中国食品药品检定研究院；无水乙醇为色谱纯，水为高纯水，其他试剂均为分析纯。

2　方法学考察

2.1　色谱条件

2.1.1　色谱柱：色谱柱填充剂为十八烷基硅烷键合硅胶，本试验研究采用Accusil C$_{18}$（250mm×4.6mm，10μm）色谱柱。

2.1.2　流动相的选择：参照《中国药典》2020年版第一部第163页"荜茇"项下胡椒碱的含量测定方法，以甲醇-水（77:23）为流动相进行流动相条件摸索。在该流动相条件下，胡椒碱具有较好的分离度，并具有较适合的保留时间，故将流动相定为以甲醇-水（70:30）。

2.1.3　柱温：常温。

2.1.4　检测波长的选择：参照《中国药典》2020年版第一部第163页"荜茇"项下胡椒碱的含量测定波长为343nm。因此，采用343nm作为检测波长。

2.1.5　理论板数的确定：经多批检测数据结果可见，胡椒碱的理论板数都大于5000，故理论板数定为不小于5000。

2.2 提取溶剂及提取效率的考察

2.2.1 提取溶剂的选择

参照《中国药典》2020年版第一部第163页"荜茇"项下胡椒碱采用无水乙醇作为提取溶剂。

2.2.2 提取效率的考察

以无水乙醇作为提取溶剂进行超声提取,试验中考察了提取10分钟、20分钟和40分钟不同超声提取时间对提取效率的影响。含量测定结果见表3。

表3 提取效率的考察

序号	提取时间(分钟)	胡椒碱的含量(mg/g)
1	10	1.96
2	20	2.17
3	40	2.18

从表3数据可见,超声提取10分钟所得胡椒碱含量较低,20分钟和40分钟的胡椒碱的含量基本一致,故超声提取时间定为20分钟。

2.3 专属性考察

2.3.1 对照品溶液的制备:取胡椒碱对照品适量,精密称定,置棕色量瓶中,加无水乙醇制成每1ml含15μg的溶液,即得。

2.3.2 供试品溶液的制备:取本品细粉约1g,精密称定,置50ml棕色量瓶中,加无水乙醇40ml,超声处理(功率250W,频率40kHz)30分钟,取出,放冷,加无水乙醇至刻度,摇匀,滤过,取续滤液,即得。

2.3.3 阴性对照溶液的制备:按处方配比制备缺荜茇的阴性供试品。按"供试品溶液的制备"方法制备阴性对照溶液。

2.3.4 测定:分别精密吸取以上三种溶液各10μl,注入液相色谱仪测定。记录各自的色谱图。

试验结果显示,供试品色谱中在与对照品色谱保留时间相同的位置上有色谱峰出现,而阴性对照在与对照品色谱保留时间相同的位置上无色谱峰出现,表明该含量测定方法阴性无干扰,专属性好。

2.4 线性关系考察

取胡椒碱对照品(批号110775-201706)约5mg,精密称定,置50ml量瓶中,加无水乙醇使溶解并稀释至刻度,摇匀,即得(胡椒碱含量为0.1076mg/ml)精密吸取0.2ml、0.5ml、1.0ml、2.0ml、5.0ml,分别置10ml量瓶中,加无水乙醇稀释至刻度,摇匀,分别精密量取上述对照品溶液和系列浓度溶液各5μl按上述色谱条件进行测定,以峰面积对进样量进行回归分析。结果见表4。

表4 标准曲线数据及回归分析结果

对照品浓度(μg/ml)	峰面积值	回归方程	r
2.152	87296		
5.380	169753		
10.76	458162	$y=45288x-41384$	0.9993
21.52	915722		
53.80	2401687		

从表4数据可见,胡椒碱在 0.01076～0.269μg 范围内与峰面积值呈良好的线性关系。

2.5 稳定性试验

取同一份供试品溶液,分别在溶液制备后的0小时、2小时、4小时、6小时、8小时、10小时、12小时进样测定。结果见表5。

表5 稳定性试验结果

序号	时间（h）	峰面积值	RSD（%）
1	0	1065780	
2	2	1067434	
3	4	1068438	
4	6	1068533	1.00
5	8	1067113	
6	10	1066448	
7	12	1065979	

从表5数据可见，胡椒碱在12小时内峰面积值基本稳定，能够满足测定所需要的时间。

2.6 重复性试验

取同一供试品（批号20190716）6份，研细，取约0.2g，精密称定，置具塞锥形瓶中，精密加入无水乙醇50ml，密塞，称定重量，超声处理（功率250W，频率40kHz）20分钟，取出，放冷，再称定重量，用无水乙醇补足减失的重量，摇匀，滤过，取续滤液，作为供试品溶液。精密吸取10μl注入液相色谱仪测定。按外标法与峰面积计算含量。结果见表6。

表6 胡椒碱含量重复性试验结果

取样量（g）	峰面积值	含量（mg/g）	平均含量（mg/g）	RSD（%）
1.0066	1040414	1.1048		
1.0067	1054889	1.1200		
1.0063	1038524	1.1031		
1.0067	1045005	1.1095	1.1091	0.60
1.0066	1047727	1.1125		
1.0065	1040108	1.1045		

从表6数据可见，在相同的提取溶剂和色谱条件下，6份供试品含量测定结果的均值为1.1091mg/g，RSD为0.60%，表明该方法的重复性良好。

2.7 加样回收率试验

取同一供试品（批号20190716）9份，研细，各约0.5g，精密称定，分别置9个具塞锥形瓶中，精密加入用无水乙醇配制的胡椒碱对照品溶液（胡椒碱浓度0.1072mg/ml）4.0ml、5.0ml、6.0ml，（约相当于供试品含量的80%、100%、120%），再精密加入50ml无水乙醇，分别按重复性试验项下的方法操作，测定每份的含量，计算回收率。结果见表7。

表7 胡椒碱加样回收率试验结果

取样量（g）	供试品含量（mg）	对照品加入量（mg）	测得总量（mg）	回收率（%）	平均回收率（%）	RSD（%）
0.5047	0.5765	0.4288	1.0016	99.14		
0.5045	0.5763	0.4288	1.0034	99.60		
0.5045	0.5763	0.4288	1.0064	100.30		
0.5046	0.5764	0.5360	1.1073	99.05		
0.5047	0.5765	0.5360	1.1173	100.90	100.32	0.8
0.5049	0.5767	0.5360	1.1176	100.91		
0.5047	0.5765	0.6432	1.2249	100.81		
0.5047	0.5765	0.6432	1.2267	101.09		
0.5045	0.5763	0.6432	1.2266	101.10		

从表7数据可见，本方法的平均回收率为100.32%，RSD为0.8%。该方法准确度好。

2.8 耐用性试验

换不同厂家、不同型号的色谱柱，取重复性试验中的供试品（批号20190716）及对照品溶液分别进样，测定含量，结果见表8。

表8 色谱柱耐用性试验

样品号	柱型号	含量（mg/g）
1	CAPCELL C_{18}	1.1426
2	SHIMADZU-GL C_{18}	1.1174

从表8数据可见，不同型号或厂家的色谱柱对测定结果影响较小。

3 样品的含量测定

取三批样品，每批各3份，研细，取本品细粉约1g，精密称定，置50ml棕色量瓶中，加无水乙醇40ml，超声处理（功率250W，频率40kHz）30分钟，取出，放冷，加无水乙醇至刻度，摇匀，滤过，取续滤液，作为供试品溶液。另取胡椒碱对照品适量，精密称定，置棕色量瓶中，加无水乙醇制成每1ml含15μg的溶液，作为对照品溶液。分别精密吸取各溶液10μl，注入液相色谱仪测定，按外标法计算含量。结果见表9。

表9 样品中胡椒碱含量测定结果

批号	取样量（g）	平均峰面积值	含量（mg/g）	平均含量（mg/g）
20190716	1.0060	1066010	1.1326	1.1423
	1.0062	1084485	1.1520	
20200223	1.0054	1074839	1.1427	1.1426
	1.0057	1075052	1.1426	
20180911	1.0068	1022024	1.1039	1.1102
	1.0067	1033495	1.1164	
20200003	2.0036	1104678	1.4732	1.4934
	2.0024	1134170	1.5135	

从表9数据可见，三批样品中胡椒碱平均含量最低为1.1102mg/g，最高为1.1426mg/g。模拟样品平均含量结果为1.4934mg/g。

4 荜茇药材含量测定

试验中采用同法对上述两批供试品生产用荜茇药材进行了含量测定。测定结果见表10。

表10 荜茇药材中胡椒碱的含量测定结果

序号	取样量（g）	平均峰面积值（$n=2$）	含量（mg/g）	平均含量（mg/g）
1	0.1003	882024	23.50	23.59
2	0.1001	887070	23.68	

从表10数据可见，试验中同法对上述三批供试品生产的荜茇药材进行了含量测定，结果为23.59mg/g。

5 本制剂含量限度的确定

从表中数据可见，胡椒药材中胡椒碱含量为23.59mg/g，三批样品实测结果的平均值为1.1317mg/g。

按理论值折算，样品应含胡椒碱为20÷180×23.59mg/g=2.62mg/g，可见，胡椒碱的转移率=1.1317÷2.62×100%=43.19%。

参照《中国药典》2020年版一部"荜茇"药材的胡椒碱含量限度不得少于2.5%，转移率为100%，考虑不同产地药材的质量差异,并结合其他影响因素及三批样品的测定结果,转移率下浮45%,按此限度折算本品含胡椒碱的理论量应不低于20÷180×2.5%×1000×55%= 1.52mg/g。

标准正文暂定为:本品每1g含荜茇以胡椒碱(C₁₇H₁₉NO₃)计,不得少于1.5mg。

【功能与主治】

祛巴达干希日,助消化。用于灰白巴达干病、宝日巴达干、巴达干希日病和胃瘟疫,食积不消等合并症、聚合症。

【用法与用量】

口服。一次1.5~3g,一日1~2次,温开水送服。

【规格】

每袋(1)3g;(2)15g;(3)250g。

【贮藏】

密闭,防潮。

起草单位:内蒙古自治区国际蒙医医院　　　　青　松　乌恩奇　宝　山

　　　　　赤峰市药品检验所　　　　　　　　赵虎义　吕　颖　郭莘莘

胡吉日-7散 质量标准起草说明

【历史沿革】

本方来源于《蒙医验方》（内蒙古自治区人民医院编，1971年版，蒙古文，第269页）。

【处方来源】

本制剂由内蒙古自治区国际蒙医医院提供。

【名称】

胡吉日-7散

【蒙药材和饮片的来源和执行标准】

1. 处方组成及药味排列顺序：碱面300g、大黄250g、沙棘150g、山奈150g、木香100g、赤瓟子50g、芒硝100g。

2. 处方中除了碱面和赤瓟子药材外，其余大黄等药味均收载于《中国药典》2020年版一部，其质量应符合该品种项下的有关规定。

碱面：为天然碱土Trona soil自然粗结晶，或经风化的产物。主含碳酸钠（Na_2CO_3）。其标准应符合《内蒙古蒙药饮片炮制规范》2020年版第502页该品种项下的有关规定。

赤瓟子：为葫芦科植物赤瓟 *Thladiantha dubia* Bge.的干燥成熟果实。其标准应符合《中华人民共和国卫生部药品标准》（蒙药分册）1998年版第17页该品种项下的有关规定。

【制法】

以上七味，粉碎成细粉，过筛，混匀，分装，即得。

【性状】

本品为口服制剂散剂，性状为浅黄色至棕黄色粉末；气微香，味苦、涩。

【鉴别】

本品为药材粉末制成的散剂，方中大黄、沙棘的显微特征较明显，故建立显微鉴别，并对处方中山奈建立了薄层鉴别。

1. 试剂与试药

供试品：供试品（批号20190733、20190734、20190735）由内蒙古自治区国际蒙医医院提供，模拟样品（批号201911010）模拟。

对照品：山奈对照药材（批号121504-201203），购于中国食品药品检定研究院。薄层板：硅胶GF_{254}板，购于青岛海洋化工有限公司。

所用其他试剂均为分析纯，水为离子交换高纯水。

2. 试验方法与结果

（1）显微鉴别

大黄：草酸钙簇晶大，直径20~140μm。沙棘：果肉薄壁细胞含多数橙红色或橙黄色颗粒状物；油滴鲜黄色。

（2）山奈薄层鉴别

山柰具有行气温中, 消食, 止痛的功效。参照《中国药典》2020年版一部"山柰"项下薄层条件, 制定出正文所述的鉴别方法。通过阴性对照试验观察, 方中其他药材对山柰的检出无干扰, 证明此方法具有专属性。

【检查】

按照散剂(《中国药典》2020年版四部通则0115)项下的规定, 对三批供试品及模拟样品的外观均匀度、水分、重金属、砷盐和微生物限度进行了检查。具体方法及测定数据如下:

1. 外观均匀度: 按《中国药典》2020年版四部通则0115散剂项下规定, 取三批供试品及模拟样品适量, 置光滑纸上, 平铺约5cm², 将其表面压平, 在明亮处观察, 应色泽均匀, 无花纹与色斑。结果三批供试品及模拟样品均符合规定。

2. 水分: 取供试品照水分测定法(《中国药典》2020年版四部通则0832)测定。三批供试品及模拟样品测定结果见表1。

表1 水分测定结果

序号	批号	水分(%)
1	20190733	4.12
2	20190734	4.09
3	20190735	4.26
4	201911010	4.19

药典规定散剂水分含量不得大于9.0%。从表1数据可见, 本品的水分含量均符合要求。

3. 对三批供试品及模拟样品进行了重金属和砷盐考察。方法与结果如下:

重金属: 分别取每个批号样品0.5g、0.67g、1.0g、2.0g, 按《中国药典》2020年版四部0821第二法检查。

供试品溶液的制备: 取本品0.5g、0.67g、1.0g、2.0g, 分别缓缓炽灼至完全炭化, 放冷, 加硫酸0.5ml, 使湿润, 低温加热至硫酸除尽后, 加硝酸0.5ml, 蒸干, 至氧化氮蒸气除尽后, 放冷, 于600℃炽灼至完全灰化, 放冷。加盐酸2ml, 置水浴上蒸干后加水15ml, 滴加氨试液至对酚酞指示液显中性, 再加醋酸盐缓冲液(pH3.5)2ml, 微热溶解后, 移置纳氏比色管中, 加水稀释至25ml, 作为供试品溶液。

标准铅对照管的制备: 另取配制供试品溶液的试剂两份, 分别置瓷皿中蒸干后, 加醋酸盐缓冲液(pH3.5)2ml, 加水15ml微热溶解后, 移至两支纳氏比色管中, 分别加标准铅溶液(10μg/ml Pb)2ml, 再加水稀释至25ml, 作为标准铅对照管。

检视: 于上述供试品溶液和标准铅对照管中分别加硫代乙酰胺试液各2ml, 摇匀, 放置2分钟, 同置白色背景上, 从上向下进行观察。试验结果见表2。

表2 重金属检查结果

序号	批号	重金属含量(ppm)			
1	20190733	<10	<20	<30	<40
2	20190734	<10	<20	<30	<40
3	20190735	<10	<20	<30	<40
4	201911010	<10	<20	<30	<40

结果显示, 供试品溶液的颜色明显浅于2ml的标准铅对照溶液。经过三批供试品及模拟样品的检查, 含重金属均未超过百万分之十, 故未列入正文。

砷盐: 取本品1g和标准砷溶液(1μg/ml AS)2ml, 分别加无砷氢氧化钙1g, 加少量水, 搅匀, 烘干, 用小火缓缓炽灼至炭化, 再在600℃炽灼至完全灰化, 放冷。分别加盐酸7ml使溶解, 再加水21ml, 按《中国药典》2020年版四部通则0822第一法（古蔡氏法）检查砷盐含量。

结果：供试品砷斑浅于标准砷斑的颜色，表明本品含砷量未超过百万分之二（小于2ppm）。故砷盐检查项目未列入正文。

4. 微生物限度：照微生物计数法（《中国药典》2020年版四部通则1105）和控制菌检查法（《中国药典》2020年版四部通则1106）及《内蒙古蒙药制剂规范》（第三册）附录Ⅲ微生物限度标准，进行检查。结果均符合规定。

【含量测定】

胡吉日-7散是由碱面、大黄、沙棘、山奈、木香、赤瓟子、芒硝七味药组成的复方制剂。临床功效为解凝破痞。用于闭经，妇女血症，血痞，因妇女赫依引起的腰胯酸痛等。处方中的木香，具有行气止痛，健脾消食的功效。用于胸胁、脘腹胀痛，泻痢后重，食积不消，不思饮食。故参照《中国药典》2020年版一部"木香"项下的含量测定方法，选择木香烃内酯作为指标成分，对本制剂中的木香进行了HPLC含量测定方法研究。经分析方法验证，表明该方法重复性好，专属性强，方中其他组分对木香烃内酯的测定无干扰。

1 仪器与试剂试药

1.1 仪器

Waters e2695型高效液相色谱仪；Mettler-TOledo MS105DU型百万分之一电子天平，Mettler-TOledo XPR10型万分之一电子天平；SBL-22DT型超声波清洗器（宁波新芝生物科技股份有限公司，40kHz）；Heal Force NW15UV型超纯水系统；FW400A型多功能粉碎机（材茂科技有限公司）。

1.2 试剂与试药

供试品（批号20190733、20190734、20190735）由国际蒙医医院提供；模拟样品（批号201911010）模拟；木香烃内酯对照品（批号111524-201809），购于中国食品药品检定研究院；甲醇为色谱纯，水为超纯水，其他试剂均为分析纯。

2 方法学考察

2.1 色谱条件

2.1.1 色谱柱：色谱柱填充剂为十八烷基硅烷键合硅胶，本试验采用Tnature C$_{18}$（250mm×4.6mm，5μm）色谱柱。

2.1.2 流动相的选择：参照《中国药典》2020年版一部"木香"含量测定项下的测定方法，以甲醇-水溶液（65:35）为流动相，供试品中的木香烃内酯与其他成分能达到较好的分离，色谱峰具有比较好的保留时间、分离度和对称性。故选择以甲醇-水溶液（65:35）为流动相。

2.1.3 柱温：30℃可以保证柱压较低，分离效果稳定，保留时间变化小，故选择柱温为30℃。

2.1.4 检测波长的选择：参照《中国药典》2020年版一部"木香"含量测定项下木香烃内酯的测定方法，选用225nm处作为检测波长。

2.1.5 理论板数的确定：从对三批数据的测定结果可见，木香烃内酯峰理论板数在3000以上即能达到较好的分离效果，故规定理论板数按木香烃内酯峰计算不低于3000。

2.2 提取溶剂及提取效率的考察

参考《中国药典》2020年版一部"木香"含量测定项下的方法，以甲醇作为提取溶剂进行超声提取，为保证被测成分提取完全，在供试品的细度一致、提取溶剂确定、超声功率250W（频率40kHz）的条件下，试验中考察了20分钟、30分钟和40分钟等不同提取时间对提取效率的影响。结果见表3。

表3 木香烃内酯提取时间考察

提取时间（min）	称样量（g）	平均峰面积值	含量（mg/g）
20	1.8025	1204160	1.25
30	1.8020	1272856	1.32
40	1.8027	1252650	1.30

从表3数据可见，超声提取30分钟供试品中木香烃内酯的含量较高，故将提取时间定为30分钟，与《中国药典》2020年版一部"木香"含量测定项下的提取时间一致。

2.3 专属性考察

2.3.1 对照品溶液的制备：取木香烃内酯对照品适量，精密称定，加甲醇制成每1ml含100μg的溶液，作为对照品溶液。

2.3.2 供试品溶液的制备：取本品适量，研细，取约1.8g，精密称定，置具塞锥形瓶中，精密加入甲醇25ml，密塞，称定重量，超声处理（功率250W，频率40kHz）30分钟，放冷，再称定重量，用甲醇补足减失的重量，摇匀，滤过，取续滤液，作为供试品溶液。

2.3.3 阴性对照溶液的制备：按本品处方配比制备不含木香的阴性供试品，取约1.8g，精密称定，从"置具塞锥形瓶中……"起操作同"供试品溶液的制备"，取续滤液，作为阴性对照溶液。

2.3.4 测定：分别精密吸取上述三种溶液各10μl，注入液相色谱仪，记录色谱图。

试验结果显示，供试品色谱中在与对照品色谱保留时间相同的位置上有色谱峰出现，而阴性对照在与对照品色谱保留时间相同的位置上无色谱峰出现，表明共存组分对处方中木香烃内酯的测定无干扰。

2.4 线性关系考察

取木香烃内酯对照品约2.5mg，精密称定，置25ml量瓶中，加甲醇使溶解，并稀释至刻度，摇匀，作为对照品溶液（木香烃内酯实际浓度为0.09694mg/ml）。分别精密吸取上述对照品溶液2μl、5μl、10μl、15μl、20μl、25μl注入液相色谱仪，按上述色谱条件进行测定，以峰面积对对照品进样量进行回归分析。结果见表4。

表4 标准曲线数据及回归分析结果

序号	进样量（μg）	峰面积值	回归方程	r
1	0.1939	330555		
2	0.4847	938889		
3	0.9694	1930810	$y=2031188x-45006$	0.9998
4	1.4541	2930285		
5	1.9389	3916296		
6	2.4236	4845145		

从表4数据可见，木香烃内酯在0.1939~2.424μg范围内与峰面积呈良好的线性关系。

2.5 精密度试验

取同供试品（批号201911010）溶液，连续进样6针，记录色谱图。木香烃内酯峰面积的精密度计算结果见表5。

表5 木香烃内酯精密度试验结果

序号	峰面积值	峰面积平均值	RSD（%）
1	1276428		
2	1261093		
3	1263437	1261845	0.62
4	1255897		
5	1255337		
6	1258879		

从表5数据可见，符合《中国药典》2020年版四部通则0512中规定的RSD值小于2.0%的要求。

2.6 稳定性试验

取同一供试品（批号201911010）溶液，分别在溶液制备后的0小时、2小时、4小时、6小时、8小时、10小时、12小时进样测定。结果见表6。

表6 溶液的稳定性试验结果

序号	时间（h）	峰面积值	RSD（%）
1	0	1278656	
2	2	1275530	
3	4	1266633	
4	6	1247039	1.70
5	8	1244630	
6	10	1259170	
7	12	1307600	

从表6数据可见，木香烃内酯在12小时内峰面积值基本稳定。

2.7 重复性试验

取同一供试品（批号201911010）6份，各约1.8g，精密称定，置具塞锥形瓶中，精密加入甲醇25ml，密塞，称定重量，超声处理（功率250W，频率40kHz）30分钟，放冷，再称定重量，用甲醇补足减失的重量，摇匀，滤过，取续滤液，作为供试品溶液。取木香烃内酯对照品适量，精密称定，加甲醇制成每1ml含100μg的溶液，作为对照品溶液。分别精密吸取以上两种溶液各10μl，注入液相色谱仪，记录各自的色谱图，用外标法以峰面积计算含量。结果见表7。

表7 木香烃内酯重复性试验结果

称样量（g）	峰面积值	含量（mg/g）	平均含量（mg/g）	RSD（%）
1.8061	1278656	1.30		
1.8063	1278192	1.30		
1.8037	1269368	1.30	1.29	1.41
1.8050	1260196	1.28		
1.8056	1235188	1.26		
1.8023	1242502	1.27		

从表7数据可见，在相同的细度、提取溶剂和色谱条件下，6份供试品含量测定结果的均值为1.29mg/g，RSD为1.41%，表明该方法的重复性好。

2.8 加样回收试验

取已知含量（批号201911010；木香烃内酯含量为1.29mg/g）的供试品9份，各约0.2g，精密称定，分别置9个具塞锥形瓶中，分别在其中3个具塞锥形瓶中精密加入木香烃内酯对照品溶液（浓度为0.1254mg/ml）1ml（约相当于供试品含有量的50%）及甲醇24ml，另3个具塞锥形瓶中各精密加入上述对照品溶液2ml（约相当于供试品含有量的100%）及甲醇23ml，其余3个具塞锥形瓶中各精密加入上述对照品溶液3ml（约相当于供试品含有量的150%）及甲醇22ml，分别称定重量，超声处理30分钟，取出，再称重，用甲醇补足减失重量，摇匀，滤过，取续滤液，作为供试品溶液。分别精密吸取各溶液10μl进样测定，按外标法以峰面积计算含量并计算回收率。结果见表8。

表8 加样回收试验结果

称样量（g）	供试品含量（mg）	对照品加入量（mg）	测得总量（mg）	回收率（%）	平均回收率（%）	RSD（%）
0.2009	0.2592	0.1254	0.3787	95.3		
0.2007	0.2589	0.1254	0.3773	94.4		
0.2048	0.2642	0.1254	0.3869	97.9		
0.2095	0.2703	0.2508	0.5177	98.7		
0.2020	0.2606	0.2508	0.5055	97.6	95.9	1.79
0.2051	0.2646	0.2508	0.5037	95.3		
0.2017	0.2602	0.3762	0.6181	95.1		
0.2065	0.2664	0.3762	0.6231	94.8		
0.2024	0.2611	0.3762	0.6143	93.9		

从表8数据可见，本方法的平均回收率为95.9%，RSD为1.79%。该方法准确度好。

2.9 耐用性试验

取供试品（批号201911010）2份，各约1.8g，精密称定，按重复性试验项下的方法处理，换不同厂家、不同型号的色谱柱，分别测定供试品的含量。结果见表9。

表9 色谱柱耐用性试验

序号	称样量（g）	柱型号	峰面积值	含量（mg/g）
1	1.8056	Tnature C_{18}柱	1235188	1.26
	1.8056	phenomenex C_{18}柱	1315846	1.31
2	1.8023	Tnature C_{18}柱	1242502	1.27
	1.8023	phenomenex C_{18}柱	1323086	1.32

从表9数据可见，在使用不同型号或厂家的色谱柱时，对测定结果影响较小。

3 样品含量测定

取三批样品（批号20190733、20190734、20190735），每批各1份，各约1.8g，精密称定，按重复性试验项下的方法处理并测定含量。测定结果见表10。

表10 样品中木香烃内酯的含量测定结果

批号	称样量（g）	峰面积平均值	含量（mg/g）	平均含量（mg/g）
20190733	1.8003	990422	0.62	
20190734	1.8013	988698	0.61	0.62
20190735	1.8031	1020620	0.63	

从表10数据可见，样品中木香烃内酯含量最低为0.61mg/g，最高为0.63mg/g。含量之间无明显差异。

4 木香药材含量测定

采用同法对上述三批样品生产用木香药材进行了含量测定。测定结果见表11。

表11 木香药材中木香烃内酯的含量测定结果

序号	称样量（g）	测得峰面积值	峰面积平均值	含量（mg/g）	平均含量（mg/g）
1	0.1536	1903302 1896667	1899985	14.92	
2	0.1521	1828902 1844976	1836939	14.57	14.71
3	0.1509	1825805 1836034	1830920	14.64	

从表11数据可见，木香药材中木香烃内酯含量为14.71mg/g（1.47%）。

5 本制剂含量限度的确定

从表中数据可见，三批样品中木香烃内酯含量最低为0.61mg/g，木香药材中木香烃内酯含量为14.71mg/g（1.47%），模拟样品中木香烃内酯含量为1.29mg/g。

根据本品处方量折算，理论上每1g供试品含木香药材0.09091g，木香烃内酯含量=0.09091（g）×14.71（mg/g）=1.3373mg，即1.34mg/g。因此，转移率为1.29（mg/g）÷1.34（mg/g）×100%=96.27%。

参照《中国药典》2020年版一部"木香"药材项下规定的木香烃内酯含量限度不得少于0.9%，转移率为96.27%，考虑不同产地药材的质量差异，并结合其他影响因素及三批样品的测定结果，下浮15%，按此限度折算本品含木香烃内酯的理论量应不低于20÷220×1000×0.9%×96.27%×85%=0.66mg/g。

标准正文暂定为：本品每1g含木香以木香烃内酯（$C_{15}H_{20}O_2$）计，不得少于0.65mg。

【功能与主治】

解凝破痞。用于闭经，妇女血症，血痞，因妇女赫依引起的腰胯酸痛等。

【用法与用量】

口服。一次1.5~3g，一日1~2次，温开水送服。

【注意事项】

孕妇忌服。

【规格】

每袋装（1）3g；（2）15g；（3）250g。

【贮藏】

密封，防潮。

起草单位：内蒙古盛唐国际蒙医药研究院　　张跃祥　崔圆圆　王　伟
　　　　　赤峰市药品检验所　　　　　　　　陆　静　王天媛　刘建海　张学英
　　　　　内蒙古自治区国际蒙医医院　　　　康晓娜

查干·乌珠莫–7散 质量标准起草说明

【历史沿革】

本方来源于《蒙医金匮》（内蒙古人民出版社 1978年版，蒙古文，第695页）。

【处方来源】

本制剂由内蒙古自治区国际蒙医医院提供。

【名称】

查干·乌珠莫–7散

【药材和饮片的来源和执行标准】

1. 处方组成及药味排列顺序：白葡萄30g、天竺黄25g、石榴22g、甘草18g、香附13g、肉桂11g、红花11g。

2. 处方中除了白葡萄、石榴两味药外，其余石膏等药味均收载于《中国药典》2020年版一部，其质量应符合该品种项下的有关规定。

白葡萄：为葡萄科植物葡萄*Vitis vinifera* L.的干燥果实。其标准应符合《内蒙古蒙药材标准》1986年版400页该品种项下的有关规定。

石榴：为石榴科植物石榴*Punica granatum* L.的干燥成熟果实。其标准应符合《内蒙古蒙药材炮制规范》2020年版第119页该品种项下的有关规定。

【制法】

以上七味，除白葡萄外，其余天竺黄等六味，粉碎成粗粉，再加白葡萄，粉碎，烘干，粉碎成细粉，过筛，混匀，分装，即得。

【性状】

本品为浅黄色至棕黄色粉末；气香，味甘、微涩。

【鉴别】

本品为原药材细粉制成的散剂。处方中大多数药味的显微特征较明显，故对处方中肉桂、石榴、红花、香附建立了显微鉴别，并对肉桂、香附进行薄层鉴别。

1. 试剂与试药

供试品：供试品（批号20190620、20190838、20191221）由内蒙古自治区国际蒙医医院提供，模拟样品（批号20200017）模拟。

对照品：桂皮醛对照品（批号110710–202022），α–香附酮（批号111525–201912），香附对照药材（批号121637–201201），均购于中国食品药品检定研究院。

薄层板：硅胶G板，购于青岛海洋化工有限公司。

所用其他试剂均为分析纯，水为离子交换高纯水。

2. 试验方法与结果

（1）显微鉴别

红花：花粉粒呈椭圆形或球形，具三个萌发孔，外壁具齿状突起。香附：分泌细胞类圆形，含淡黄棕色至红棕色分泌物，其周围细胞呈放射状排列。肉桂：石细胞类方形或类圆形，直径32~88μm，壁一面菲薄。石榴皮：石细胞无色，椭圆形或类圆形，壁厚，孔沟细密。

（2）肉桂薄层鉴别

参照《中国药典》2020年版一部"肉桂"药材项下的薄层条件，制定出正文所述的鉴别方法。通过阴性对照试验观察，方中其他药材对肉桂药材及主要成分桂皮醛薄层检验无干扰，证明此方法具专属性。

（3）香附薄层鉴别

参照《中国药典》2020年版一部"香附"项下的薄层条件，制定出正文所述的鉴别方法。通过阴性对照试验观察，方中其他药材对香附药材及主要成分α-香附酮薄层检验无干扰，证明此方法具专属性。

【检查】

按照散剂（《中国药典》2020年版四部通则0115）项下的规定，对三批供试品及模拟样品的外观均匀度、水分、重金属、砷盐和微生物限度进行了检查。具体方法及测定数据如下：

1. 外观均匀度：取供试品适量，置光滑纸上，平铺约5cm²，将其表面压平，在亮处观察，呈现均匀的色泽，无花纹、色斑。结果三批供试品及模拟样品均符合规定。

2. 取供试品照水分测定法（《中国药典》2020年版四部通则0832）测定。三批供试品及模拟样品的测定结果见表1。

表1　水分测定结果

序号	批号	水分（％）
1	20190620	6.13
2	20190838	5.94
3	20191221	5.95
4	20200017	5.61

药典规定散剂水分含量不得大于9.0%。从表1数据可见，本品水分含量均符合要求。

3. 对三批供试品及模拟样品进行了重金属、砷盐、微生物限度考察。方法与结果如下：

重金属：分别取每个批号供试品0.5g、0.67g、1.0g、2.0g，按《中国药典》2020年版四部0821第二法检查。

供试品溶液的制备：取本品0.5g、0.67g、1.0g、2.0g，分别缓缓炽灼至完全炭化，放冷，加硫酸0.5ml，使湿润，低温加热至硫酸除尽后，加硝酸0.5ml，蒸干，至氧化氮蒸气除尽后，放冷，于600℃炽灼至完全灰化，放冷。加盐酸2ml，置水浴上蒸干后加水15ml，滴加氨试液至对酚酞指示液显中性，再加醋酸盐缓冲液（pH3.5）2ml，微热溶解后，移置纳氏比色管中，加水稀释至25ml，作为供试品溶液。

标准铅对照溶液的制备：另取配制供试品溶液的试剂两份，分别置瓷皿中蒸干后，加醋酸盐缓冲液（pH3.5）2ml，加水15ml微热溶解后，移置两支纳氏比色管中，分别加标准铅溶液（10μg/ml Pb）2ml，再加水稀释至25ml，作为标准铅对照溶液。

检视：于上述供试品溶液和标准铅对照溶液中分别加硫代乙酰胺试液各2ml，摇匀，放置2分钟，同置白色背景上，从上向下进行观察。试验结果见表2。

表2　重金属检查结果

序号	批号	重金属含量（ppm）			
1	20190620	<10	<20	<30	<40
2	20190838	<10	<20	<30	<40
3	20191221	<10	<20	<30	<40
4	20200017	<10	<20	<30	<40

结果显示,供试品溶液的颜色明显浅于2ml的标准铅对照溶液。经过三批供试品及模拟样品的检查,含重金属均未超过百万分之十,故未收入正文。

砷盐:取本品1g和标准砷溶液(1μg/ml AS)2ml,分别加无砷氢氧化钙1g,加少量水,搅匀,烘干,用小火缓缓炽灼至炭化,再在600℃炽灼至完全灰化,放冷。分别加盐酸7ml使溶解,再加水21ml,按《中国药典》2020年版四部通则0822第一法(古蔡氏法)做砷盐限量检查。

结果:供试品砷斑浅于标准砷斑的颜色,表明本品含砷量未超过百万分之二(小于2ppm),故砷盐检查项目未收入正文。

4. 微生物限度:照微生物计数法(《中国药典》2020年版四部通则1105)和控制菌检查法(《中国药典》2020年版四部通则1106)及《内蒙古蒙药制剂规范》(第三册)附录Ⅲ微生物限度标准,进行检查。结果均符合规定。

【含量测定】

查干·乌珠莫-7散是由白葡萄、天竺黄、红花、甘草、香附、肉桂、石榴等七味药组成。对方中甘草的主要成分甘草酸建立了含量测定方法。通过试验摸索,确定了比较理想的色谱条件和测定方法,经方法学考察及阴性对照试验,表明该方法重复性好,专属性强,方中其他组分对甘草酸的测定无干扰。

1 仪器与试剂试药

1.1 仪器

岛津LC-20A SPD-M20A型检测器,LCsolution色谱工作站。岛津LC-2550型紫外分光光度计。

1.2 试剂与试药

供试品(批号20190620、20190838、20191221)由内蒙古自治区国际蒙医医院提供,模拟样品(批号20200017)模拟;甘草酸单铵盐对照品(批号110731-201720以甘草酸计含量为96.6%)购于中国食品药品检定研究院;甲醇为色谱纯,水为高纯水,其他试剂均为分析纯。

2 方法学考察

2.1 色谱条件

2.1.1 色谱柱:色谱柱填充剂为十八烷基硅烷键合硅胶,本试验研究采用SHIMADZU VP-ODS柱(150mm×4.6mm)及Diamonsil C_{18}柱(250mm×4.6mm,5μm)。

2.1.2 流动相的选择:参照《中国药典》2020年版一部"甘草"项下含量测定方法中的流动相,即用乙腈-0.05%磷酸溶液(36:64),分离效果不理想,调整流动相比例为甲醇-0.2mol/L醋酸铵溶液-冰醋酸(67:33:1),分离效果较好,阴性对照无干扰。

2.1.3 柱温:采用30℃柱温,可降低流动相黏度和柱压并改善分离效果,故将柱温定为30℃。

2.1.4 检测波长的选择:取甘草酸铵对照品溶液,于紫外可见分光光度仪上,自200~700nm做光谱扫描,甘草酸在波长为252nm处最大吸收,再参考《中国药典》2020年版一部甘草项下HPLC的测定波长为250nm,因此本标准规定250nm作为该化合物的检测波长。

2.1.5 理论板数的确定:对多批供试品测定结果表明,甘草酸的理论板数在2500以上即能达到与相邻峰分开,并符合《中国药典》规定R>1.5的要求,故本标准规定理论板数按甘草酸峰计不得低于2500。

2.2 提取效率的考察

以流动相进行超声提取,试验中考察了超声20分钟、30分钟、40分钟等不同提取时间对提取效率的影响,含量测定结果见表3。

表3　甘草酸提取效率考察

序号	提取时间（min）	甘草酸含量（mg/g）
1	20	3.9029
2	30	3.9286
3	40	3.9102

从表3数据可见，超声30分钟对供试品甘草酸的提取率较高，故将提取时间定为超声30分钟。

2.3　专属性考察

2.3.1　对照品溶液的制备：取甘草酸单铵盐对照品0.0243g，置25ml量瓶中，加流动相使溶解，并稀释至刻度，摇匀，即得（相当于含甘草酸单铵盐0.972mg/ml）。

2.3.2　供试品溶液的制备：取本品适量，研细，取约2.0g，精密称定，置具塞锥形瓶中，精密加入流动相25ml，密塞，称定重量，超声30分钟，放冷，再称定重量，用流动相补足减失的重量，摇匀，滤过，取续滤液，即得。

2.3.3　阴性对照溶液的制备：按本品处方工艺制备不含甘草的阴性样品，按供试品溶液的制备方法制备阴性对照溶液（缺甘草）。

2.3.4　测定：分别精密吸取以上三种溶液各10μl，注入色谱仪，记录各自的色谱图。

试验结果显示，供试品色谱中在与对照品色谱保留时间相同的位置上有色谱峰出现，而阴性对照在与对照品色谱保留时间相同的位置上无色谱峰出现，表明该含量测定方法阴性无干扰，专属性好。

2.4　线性关系考察

取甘草酸单铵盐对照品0.0243g，置25ml量瓶中，加流动相使溶解，并稀释至刻度，摇匀（相当于含甘草酸单铵盐0.972mg/ml），精密吸取0.5ml、1ml、2ml、3ml、4ml、5ml溶液分别置10ml量瓶中，加流动相至刻度，摇匀，分别精密吸取20μl进样，按上述色谱条件测定，以进样量对峰面积进行回归分析。结果见表4。

表4　甘草酸标准曲线数值表

序号	对照品浓度（μg/ml）	峰面积值	回归方程	r
1	9.72	314709		
2	0.972	599278		
3	1.944	1296175	$y=325856.4x-3253.4$	0.9997
4	3.888	1909618		
5	5.832	2526354		
6	7.776	3153050		

从表4数据可见，甘草酸单铵盐在0.972～9.72μg范围内与峰面积值呈良好的线性关系。

2.5　稳定性试验

取同一份供试品（批号20190620）溶液，分别于0小时、2小时、4小时、6小时、8小时、12小时进样测定。结果见表5。

表5　不同时间测得溶液中甘草酸峰面积值

序号	时间（h）	峰面积值	RSD（%）
1	0	1034099	
2	2	1033326	
3	4	1024972	0.72
4	6	1037574	
5	8	1021220	
6	12	1040632	

从表5数据可见,甘草酸在12小时内峰面积值基本稳定不变,能够满足测定所需要的时间。

2.6 重复性试验

取同一批号(批号20190620)供试品6份,各约2.0g,精密称定,置具塞锥形瓶中,精密加入流动相25ml,密塞,称定重量,超声30分钟,放冷,再称定重量,用流动相补足减失的重量,摇匀,滤过,取续滤液,作为供试品溶液。另精密称取甘草酸单铵盐对照品0.0243g,置25ml量瓶中,加流动相使溶解,并稀释至刻度,摇匀,作为对照品溶液(相当于含甘草酸单铵盐0.972mg/ml)。分别精密吸取以上两种溶液各10μl,注入液相色谱仪,记录各自的色谱图,用外标法以峰面积计算含量。结果见表6。

表6 甘草酸重复性试验结果

取样量(g)	峰面积值	含量(mg/g)	平均含量(mg/g)	RSD(%)
2.0116	1036914	3.9077		
2.0100	1028186	3.8778		
2.0052	1023738	3.8702		
2.0060	1023838	3.8692	3.88	0.39
2.0045	1021885	3.8647		
2.0076	1027273	3.8791		

从表6数据可见,在相同的提取溶剂和色谱条件下,6份供试品含量测定结果的均值为3.88 mg/g,RSD为0.39%,表明该方法的重复性良好。

2.7 加样回收试验

取供试品(批号20190620;以甘草酸单铵盐计算含量为3.9593mg/g,甘草酸折算含量为3.8781mg/g)9份,各1.0g精密称定,分别精密加入甘草酸单铵盐对照品溶液(甘草酸单铵盐浓度0.972mg/ml)3ml、4ml、5ml,每个浓度各3份,加流动相至50ml,密塞,称定重量,超声30分钟,放冷,再称定重量,用流动相补足减失的重量,摇匀,滤过,取续滤液,作为供试品溶液。另精密称取甘草酸单铵盐对照品0.0243g,置25ml量瓶中,加流动相使溶解,并稀释至刻度,摇匀,作为对照品溶液(相当于含甘草酸单铵盐0.972mg/ml)。分别精密吸取以上两种溶液各10μl,注入液相色谱仪,记录各自的色谱图,用外标法以峰面积计算含量。结果见表7。

表7 甘草酸加样回收试验结果

取样量(g)	供试品含量(mg)	对照品加入量(mg)	测得总量(mg)	回收率(%)	平均回收率(%)	RSD(%)
1.0124	4.0083	2.916	6.8952	99.0		
1.0073	3.9882	2.916	6.8439	97.9		
1.0055	3.9810	2.916	6.8371	97.9		
1.0109	4.0024	3.888	7.9651	102.0		
1.0381	4.1101	3.888	8.0741	102.0	99.53	1.84
1.0398	4.1168	3.888	8.0816	102.0		
1.0142	4.0155	4.860	8.8098	98.6		
1.0087	3.9937	4.860	8.7552	98.0		
1.0663	4.0238	4.860	8.8125	98.5		

从表7数据可见,本方法的平均回收率为99.53%,RSD为1.84%。该方法准确度好。

3 样品含量测定

取两批样品(批号20190620、20190838、20191221)各3份,各约2.0g,精密称定,置具塞锥形瓶中,精密加入流动相25ml,密塞,称定重量,超声30分钟,放冷,再称定重量,用流动相补足减失的重量,摇匀,滤过,取续滤液,作为供试品溶液。另精密称取甘草酸单铵盐对照品0.0243g,置25ml量瓶中,加流动相使溶解,并稀释至刻度,摇匀,作为对照品溶液（相当于含甘草酸单铵盐0.972mg/ml）。分别精密吸取各溶液10μl，注入液相色谱仪测定，按外标法计算含量。结果见表8。

表8　样品中甘草酸的含量测定结果

批号	取样量（g）	平均峰面积值	含量（mg/g）	平均含量（mg/g）
20190620	2.0116	1036914	3.908	
	2.0100	1028186	3.878	3.89
	2.0052	1023738	3.870	
20190838	2.0098	1017224	3.835	
	2.0107	1020260	3.847	3.85
	2.0111	1025473	3.865	
20191221	2.0074	1112614	4.202	
	2.0065	1107257	4.183	4.23
	2.0098	1144533	4.318	

从表8数据可见，查干·乌珠莫–7散甘草酸含量最低为3.85mg/g。

4　甘草药材含量测定

采用同法对上述三批样品生产用甘草药材进行了含量测定，测得甘草酸含量为30.72mg/g（3.072%）。

5　本制剂含量限度的确定

从表中数据可见，甘草药材中甘草酸含量为30.72mg/g（30.72%），批号为（20191221）样品中甘草酸含量为4.23mg/g。

按理论值折算，样品应含甘草酸为$18 \div 130 \times 30.72 = 4.2535$mg/g，即4.25mg/g。可见，甘草酸转移率为4.23（mg/g）$\div 4.25$（mg/g）$\times 100\% = 99.52\%$。

参照《中国药典》2020年版一部"甘草"药材的甘草酸（$C_{42}H_{62}O_{16}$）含量限度不得少于2.0%。转移率为99.52%，考虑不同产地药材的质量差异，并结合其他影响因素及三批样品的测定结果，下浮50%，按此限度折算本品含甘草酸的理论量应不低于$18 \div 130 \times 2.0\% \times 50\% \times 1000 = 1.377$mg/g。

标准正文暂定为：本品每1g含甘草以甘草酸（$C_{42}H_{62}O_{16}$）计，不得少于1.3mg。

【功能与主治】

止咳，平喘。用于慢性气喘，肺瘤疾，百日咳，咳嗽。

【用法与用量】

口服。一次1.5~3g，一日1~2次，温开水送服。

【规格】

每袋（1）3g；（2）15g；（3）250g。

【贮藏】

密闭，防潮。

起草单位：内蒙古自治区国际蒙医医院　　　　青　松　那松巴乙拉　宝　山
　　　　　鄂尔多斯市检验检测中心　　　　　　刘业萍　郭　慧　王艳霞

查干·赞丹-8散质量标准起草说明

【历史沿革】

本方来源于《四部医典》（内蒙古人民出版社 1978年版，蒙古文，第375页）。

【处方来源】

本制剂由内蒙古自治区国际蒙医医院提供。

【名称】

查干·赞丹-8散

【药材和饮片的来源和执行标准】

1. 处方组成及药味排列顺序：檀香20g、石膏10g、红花10g、甘草10g、丁香10g、桔梗10g、拳参10g、白葡萄10g。

2. 处方中除了白葡萄药材外，其余檀香等药味均收载于《中国药典》2020年版一部，其质量应符合该品种项下的有关规定。

白葡萄：为葡萄科植物葡萄*Vitis vinifera* L.的干燥果实。其标准应符合《内蒙古蒙药饮片炮制规范》2020年版第145页该品种项下的有关规定。

【制法】

以上八味，除檀香、丁香、白葡萄外，其余石膏等五味粉碎成粗粉，加白葡萄，粉碎，烘干，再加檀香、丁香，粉碎成细粉，过筛，混匀，分装，即得。

【性状】

本品为浅黄色至棕黄色的粉末；气香，味甘、微涩而凉。

【鉴别】

本品为药材粉末制成的散剂，方中部分药材显微特征明显，故建立了显微鉴别，并对处方中的红花、丁香等建立了薄层鉴别。

1. 试剂与试药

供试品：供试品（批号20190615、20190811、20200104）由内蒙古自治区国际蒙医医院提供，模拟样品（批号20200018）模拟。

对照品：丁香酚对照品（批号110725-201917），红花对照药材（批号120907-201412），均购于中国食品药品检定研究院。

薄层板：硅胶G板，购于青岛海洋化工有限公司。

所用其他试剂均为分析纯，水为离子交换高纯水。

2. 试验方法与结果

（1）显微鉴别

红花：花粉粒呈椭圆形或球形，具三个萌发孔，外壁具齿状突起。拳参：草酸钙簇晶直径约40μm。檀香：含晶细胞方形或长方形，壁厚，木化，层纹明显，胞腔含草酸钙方晶。甘草：纤维束周围薄壁细胞含草酸钙方晶，形成晶纤维。丁香：花粉粒三角形，直径约16μm。

（2）红花薄层鉴别

参照《中国药典》2020年版一部"红花"药材项下的薄层条件，制定出正文所述的鉴别方法。通过阴性对照试验观察，方中其他药材对红花药材薄层检验无干扰，证明此方法具专属性。

（3）丁香薄层鉴别

丁香含有特殊的化学成分丁香酚，参照《中国药典》2020年版一部"丁香"药材项下的薄层条件，制定出正文所述的鉴别方法。通过阴性对照试验观察，方中其他药材对丁香药材及主要成分丁香酚薄层检验无干扰，证明此方法具专属性。

【检查】

按照散剂（《中国药典》2020年版四部通则0115）项下的规定，对三批供试品及模拟样品的外观均匀度、水分、重金属、砷盐和微生物限度进行了检查。具体方法及测定数据如下：

1. 外观均匀度：外观均匀度：取供试品适量，置光滑纸上，平铺约5cm²，将其表面压平，在亮处观察，呈现均匀的色泽，无花纹、色斑。结果三批供试品及模拟样品均符合规定。

2. 水分：取供试品照水分测定法（《中国药典》2020年版四部通则0832）测定。三批供试品及模拟样品的测定结果见表1。

表1　水分测定结果

序号	批号	水分（%）
1	20190615	5.4
2	20190811	4.9
3	20200104	5.4
4	20200018	5.6

药典规定散剂水分含量不得大于9.0%。从表1数据可见，本品水分含量均符合要求。

3. 对三批供试品及模拟样品进行了重金属和砷盐考察。方法与结果如下：

重金属：分别取每个批号供试品0.5g、0.67g、1.0g、2.0g，按《中国药典》2020年版四部0821第二法检查。

供试品溶液的制备：取本品0.5g、0.67g、1.0g、2.0g，分别缓缓炽灼至完全炭化，放冷，加硫酸0.5ml，使湿润，低温加热至硫酸除尽后，加硝酸0.5ml，蒸干，至氧化氮蒸气除尽后，放冷，于600℃炽灼至完全灰化，放冷。加盐酸2ml，置水浴上蒸干后加水15ml，滴加氨试液至对酚酞指示液显中性，再加醋酸盐缓冲液（pH3.5）2ml，微热溶解后，移置纳氏比色管中，加水稀释至25ml，作为供试品溶液。

标准铅对照溶液的制备：另取配制供试品溶液的试剂两份，分别置瓷皿中蒸干后，加醋酸盐缓冲液（pH3.5）2ml，加水15ml微热溶解后，移置两支纳氏比色管中，分别加标准铅溶液（10μg/ml Pb）2ml，再加水稀释至25ml，作为标准铅对照溶液。

检视：于上述供试品溶液和标准铅对照溶液中分别加硫代乙酰胺试液各2ml，摇匀，放置2分钟，同置白色背景上，从上向下进行观察。试验结果见表2。

表2　重金属检查结果

序号	批号	重金属含量（ppm）			
1	20190615	<10	<20	<30	<40
2	20190811	<10	<20	<30	<40
3	20200104	<10	<20	<30	<40
4	20200018	<10	<20	<30	<40

结果显示,供试品溶液的颜色明显浅于2ml的标准铅对照溶液。经过三批供试品及模拟样品的检查,含重金属均未超过百万分之十,故未收入正文。

砷盐:取本品1g和标准砷溶液(1μg/ml AS)2ml,分别加无砷氢氧化钙1g,加少量水,搅匀,烘干,用小火缓缓炽灼至炭化,再在600℃炽灼至完全灰化,放冷。分别加盐酸7ml使溶解,再加水21ml,按《中国药典》2020年版四部通则0822第一法(古蔡氏法)做砷盐限量检查。

结果:供试品砷斑浅于标准砷斑的颜色,表明本品含砷量未超过百万分之二(小于2ppm),故砷盐检查项目未收入正文。

4. 微生物限度:照微生物计数法(《中国药典》2020年版四部通则1105)和控制菌检查法(《中国药典》2020年版四部通则1106)及《内蒙古蒙药制剂规范》(第三册)附录Ⅲ微生物限度标准,进行检查。结果均符合规定。

【含量测定】

查干·赞丹-8散由檀香、石膏、红花、甘草、丁香、桔梗、拳参、白葡萄等八味药组成。对方中甘草的主要成分甘草酸建立了含量测定方法。通过试验摸索,确定了比较理想的色谱条件和测定方法,经方法学考察及阴性对照试验,表明该方法重复性好,专属性强,方中其他组分对甘草酸的测定无干扰。

1 仪器与试剂试药

1.1 仪器

岛津LC-20A SPD-M20A型检测器,LCsolution色谱工作站。岛津LC-2550型紫外分光光度计。

1.2 试剂与试药

供试品(批号20190615、20190811、20200104)由内蒙古自治区国际蒙医医院提供,模拟样品一批(批号20200018);甘草酸单铵盐对照品(批号110731-201720以甘草酸计含量为96.6%),均购于中国食品药品检定研究院;甲醇为色谱纯,水为高纯水,其他试剂均为分析纯。

2 方法学考察

2.1 色谱条件

2.1.1 色谱柱:色谱柱填充剂为十八烷基硅烷键合硅胶,本试验研究采用SHIMADZU VP-ODS柱(250mm×4.6mm,5μm)及Diamonsil C$_{18}$柱(250mm×4.6mm,5μm)。

2.1.2 流动相的选择参照:《中国药典》2020年版一部"甘草"项下含量测定方法中的流动相,即用乙腈-0.05%磷酸溶液(36:64),分离效果不理想,调整流动相比例为甲醇-0.2mol/L醋酸铵溶液-冰醋酸(67:33:1),分离效果较好,阴性对照无干扰。

2.1.3 柱温:采用30℃柱温,可降低流动相黏度和柱压并改善分离效果,故将柱温定为30℃。

2.1.4 检测波长的选择:取甘草酸铵对照品溶液,于紫外可见分光光度仪上,自200~700nm做光谱扫描,甘草酸在波长为252nm处有最大吸收,再参考《中国药典》2020年版一部"甘草"项下HPLC的测定波长为250nm,因此本标准规定250nm作为该化合物的检测波长。

2.1.5 理论板数的确定:对多批供试品测定结果表明,甘草酸的理论板数在2500以上即能达到与相邻峰分开,并符合《中国药典》规定R>1.5的要求,故本标准规定理论板数按甘草酸峰计不得低于2500。

2.2 提取效率的考察

以流动相进行超声提取,试验中考察了超声20分钟、30分钟、40分钟等不同提取时间对提取效率的影响,含量测定结果见表3。

表3　甘草酸单铵盐提取效率考察

序号	提取时间（min）	甘草酸含量（mg/g）
1	20	3.9029
2	30	3.9286
3	40	3.9102

从表3数据可见，超声30分钟对供试品甘草酸的提取率较高，故将提取时间定为超声30分钟。

2.3　专属性考察

2.3.1　对照品溶液的制备：取甘草酸单铵盐对照品0.0243g，置25ml量瓶中，加流动相使溶解，并稀释至刻度，摇匀，即得（相当于含甘草酸单铵盐0.972mg/ml）。

2.3.2　供试品溶液的制备：取本品适量，研细，取约2.0g，精密称定，置具塞锥形瓶中，精密加入流动相25ml，密塞，称定重量，超声30分钟，放冷，再称定重量，用流动相补足减失的重量，摇匀，滤过，取续滤液，即得。

2.3.3　阴性对照溶液的制备：按本品处方工艺制备不含甘草的阴性样品，按供试品溶液的制备方法制备阴性对照溶液（缺甘草）。

2.3.4　测定：分别精密吸取对照品溶液、供试品溶液、阴性对照溶液各20μl，分别注入液相色谱仪，记录色谱图。

试验结果显示，供试品色谱中在与对照品色谱保留时间相同的位置上有色谱峰出现，而阴性对照在与对照品色谱保留时间相同的位置上无色谱峰出现，表明该含量测定方法阴性无干扰，专属性好。

2.4　线性关系考察

取甘草酸单铵盐对照品0.0243g，置25ml量瓶中，加流动相使溶解，并稀释至刻度，摇匀（相当于含甘草酸单铵盐0.972mg/ml），精密吸取0.5ml、1ml、2ml、3ml、4ml、5ml溶液分别置10ml量瓶中，加流动相至刻度，摇匀，分别精密吸取20μl进样，按上述色谱条件测定，以进样量对峰面积进行回归分析。结果见表4。

表4　甘草酸单铵盐标准曲线数值表

序号	对照品浓度（μg/ml）	峰面积值	回归方程	r
1	9.72	314709		
2	0.972	599278		
3	1.944	1296175	$y=325856.4x-3253.4$	0.9997
4	3.888	1909618		
5	5.832	2526354		
6	7.776	3153050		

从表4数据可见，甘草酸单铵盐在0.972~9.72μg范围内与峰面积呈良好的线性关系。

2.5　稳定性试验

取同一份供试品（批号20190615）溶液，分别于0小时、2小时、4小时、6小时、8小时、12小时进样测定。结果见表5。

表5　不同时间测得溶液中甘草酸单铵盐面积值

序号	时间（h）	峰面积值	RSD（%）
1	0	1034099	
2	2	1033326	
3	4	1024972	0.72
4	6	1037574	
5	8	1021220	
6	12	1040632	

从表5数据可见,甘草酸在12小时内峰面积值基本稳定,能够满足测定所需要的时间。

2.6 重复性试验

取同一批号(批号20190615)供试品6份,各约1.5g,精密称定,置具塞锥形瓶中,精密加入流动相25ml,密塞,称定重量,超声30分钟,放冷,再称定重量,用流动相补足减失的重量,摇匀,滤过,取续滤液,作为供试品溶液。另精密称取甘草酸单铵盐对照品0.0243g,置25ml量瓶中,加流动相使溶解,并稀释至刻度,摇匀,作为对照品溶液(相当于含甘草酸单铵盐0.972mg/ml)。分别精密吸取10μl注入液相色谱仪测定。按外标法与峰面积计算含量。结果见表6。

表6 甘草酸单铵盐重复性试验结果

取样量(g)	峰面积值	含量(mg/g)	平均含量(mg/g)	RSD(%)
1.5116	1036914	2.1077		
1.5100	1028186	2.1778		
1.5052	1023738	2.1702	2.16	0.39
1.5060	1023838	2.1692		
1.5045	1021885	2.1647		
1.5076	1027273	2.1791		

从表6数据可见,在相同的提取溶剂和色谱条件下,6份供试品含量测定结果的均值为2.16mg/g,RSD为0.39%,表明该方法的重复性良好。

2.7 加样回收试验

取供试品(以甘草酸单铵盐计算含量为2.185mg/g,甘草酸折算含量为3.8781mg/g)9份,各1.0g精密称定,分别精密加入甘草酸单铵盐对照品溶液(甘草酸单铵盐浓度0.972 mg/ml)3ml、4ml、5ml,每个浓度各3份,加流动相至50ml,密塞,称定重量,超声30分钟,放冷,再称定重量,用流动相补足减失的重量,摇匀,滤过,取续滤液,作为供试品溶液。另精密称取甘草酸单铵盐对照品0.0243g,置25ml量瓶中,加流动相使溶解,并稀释至刻度,摇匀,作为对照品溶液(相当于含甘草酸单铵盐0.972mg/ml)。分别精密吸取各溶液10μl,注入液相色谱仪测定,按外标法计算含量。分别按含量测定项下方法操作,测定每份供试品含量,计算回收率。结果见表7。

表7 甘草酸单铵盐加样回收试验结果

取样量(g)	供试品含量(mg)	对照品加入量(mg)	测得总量(mg)	回收率(%)	平均回收率(%)	RSD(%)
1.0124	4.0083	2.916	6.8952	99.0		
1.0073	3.9882	2.916	6.8439	97.9		
1.0055	3.9810	2.916	6.8371	97.9		
1.0109	4.0024	3.888	7.9651	102.0		
1.0381	4.1101	3.888	8.0741	102.0	99.53	1.84
1.0398	4.1168	3.888	8.0816	102.0		
1.0142	4.0155	4.860	8.8098	98.6		
1.0087	3.9937	4.860	8.7552	98.0		
1.0663	4.0238	4.860	8.8125	98.5		

从表7数据可见,本方法的平均回收率为99.53%,RSD为1.84%。该方法准确度好。

3 样品含量测定

取三批样品(批号220190615、20190811、20200104)各3份,各约1.5g,精密称定,置具塞锥形瓶中,精密加入流动相25ml,密塞,称定重量,超声30分钟,放冷,再称定重量,用流动相补足减失的重量,摇匀,滤过,取续滤液,作为供试品溶液。另精密称取甘草酸单铵盐对照品0.0243g,置25ml量瓶中,加流动相使溶解,并稀释至刻度,摇匀,作为对照品溶液（相当于含甘草酸单铵盐0.972mg/ml）。分别精密吸取各溶液10μl，注入液相色谱仪测定，按外标法计算含量。结果见表8。

表8　样品中甘草酸单铵盐的含量测定结果

批号	取样量（g）	平均峰面积值	含量（mg/g）	平均含量（mg/g）
20190615	1.5116	1036914	2.208	2.185
	1.5100	1028186	2.178	
	1.5052	1023738	2.170	
20190811	1.5098	1017224	2.235	2.215
	1.5107	1020260	2.247	
	1.5111	1025473	2.165	
20200104	1.5074	1112614	2.602	2.601
	1.5065	1107257	2.583	
	1.5098	1144533	2.618	

从表8数据可见，查干·赞丹-8散甘草酸含量最低为2.185mg/g。

4　甘草药材含量测定

采用同法对上述三批样品生产用甘草药材进行了含量测定，测得甘草酸含量为30.72mg/g（3.072%）。

5　本制剂含量限度的确定

从表中数据可见，甘草药材中甘草酸含量为30.72mg/g（30.72%），批号为（20200104）样品中甘草酸含量为2.601mg/g。

按理论值折算，样品应含甘草酸为10÷90×30.72=3.413mg/g，即3.41mg/g。可见，甘草酸转移率为2.601（mg/g）÷3.41（mg/g）×100%=76.27%。

参照《中国药典》2020年版一部 "甘草" 药材的甘草酸（$C_{42}H_{62}O_{16}$）含量限度不得少于2.0%。转移率为76.27%，考虑不同产地药材的质量差异，并结合其他影响因素及三批样品的测定结果，下浮10%，按此限度折算本品含甘草酸的理论量应不低于10÷90×2.0%×76.27%×1000×90%=1.5254mg/g。

标准正文暂定为：本品每1g含甘草以甘草酸（$C_{42}H_{62}O_{16}$）计，不得少于1.5mg。

【功能与主治】

清热、润肺、止咳、化痰。用于肺热咳嗽、痰中带脓。

【用法与用量】

口服。一次1.5~3g，一日1~2次，温开水送服。

【规格】

每袋装（1）3g；（2）15g；（3）250g。

【贮藏】

密闭，防潮。

起草单位：内蒙古自治区国际蒙医医院　　　　宝　山　青　松　艾毅斯　那松巴乙拉

鄂尔多斯市检验检测中心　　　　刘业萍　郭　慧　王艳霞

哈日·阿嘎如-35散质量标准起草说明

【历史沿革】

本方来源于《蒙药验方》(内蒙古自治区人民医院编, 1971年版, 蒙古文, 第9页)。

【处方来源】

本制剂由内蒙古自治区国际蒙医医院提供。

【名称】

哈日·阿嘎如-35散

【蒙药材和饮片的来源和执行标准】

1. 处方组成及药味排列顺序: 沉香30g、紫檀20g、红花20g、豆蔻20g、诃子20g、旋覆花20g、细辛20g、诃子汤泡草乌20g、木棉花20g、胡黄连20g、没药20g、枫香脂10g、山沉香30g、檀香20g、石膏20g、肉豆蔻20g、生草果仁20g、栀子20g、白头翁20g、瞿麦20g、石榴20g、北沙参20g、丁香20g、木香20g、紫花地丁20g、苦参20g、川楝子20g、悬钩子20g、山奈20g、广枣20g、牦牛心20g、土木香20g、人工麝香1g、降香30g、炒马钱子20g。

2. 处方中除紫檀、旋覆花、诃子汤泡草乌、生草果仁、山沉香、石榴、悬钩子、人工麝香、牦牛心和炒马钱子药材外, 其余沉香等药味均收载于《中国药典》2020年版一部, 其质量应符合该品种项下的有关规定。

炒马钱子: 为马前科植物马钱*Strychnos nux-vomica* L.的干燥成熟种子。其标准应符合《内蒙古蒙药饮片炮制规范》2020年版第261页该品种项下有关规定。

旋覆花: 为菊科植物旋覆花*Inula japonica* Thunb. 或欧亚旋覆花*Inula britannica* L.的干燥头状花序。其标准应符合《内蒙古蒙药饮片炮制规范》2020年版第409页该品种项下有关规定。

紫檀: 为豆科植物紫檀*Pterocarpus sindicus* Willd的干燥新材。其标准应符合《内蒙古蒙药饮片炮制规范》2020年版第440页该品种项下的有关规定。

诃子汤泡草乌: 毛茛科植物北乌头*Aconitum kusenzoffii* Reichb.的干燥块根。炮制方法见《内蒙古蒙药饮片炮制规范》2020年版第307页该品种项下的有关规定。

生草果仁: 为姜科植物草果*Amomum tsao-ko* Crevost et Lemaire 的干燥成熟果实。其标准应符合《内蒙古蒙药饮片炮制规范》2020年版第313页该品种项下的有关规定。

山沉香: 为木犀科植物贺兰山丁香*Syringa pinnatifolia* Hemsl.var.alashanensis Ma.et S.Q.Zhou削去外皮的干燥枝。其标准应符合《中华人民共和国卫生部药品标准》(蒙药分册)1998 年版第 4 页该品种项下的有关规定。

石榴: 为石榴科植物石榴*Punica granatum* L.的干燥成熟果实。其标准应符合《内蒙古蒙药饮片炮制规范》2020年版第119页该品种项下的有关规定。

牦牛心: 为牛科动物牦牛*Bos grunniens* L. 的干燥心脏。其质量应符合《内蒙古蒙药饮片炮制规范》2020年版第247页该品种项下的有关规定。

悬钩子: 为蔷薇科植物库页悬钩子*Rubus sachalinensis* Leveille的干燥茎。其标准应符合《内蒙古蒙药饮片炮制规范》2020年版第393页该品种项下的有关规定。

人工麝香: 应符合卫生部标准(试行)WS-210(Z-32)-93标准的有关规定。

【制法】

以上三十五味, 除人工麝香外, 其余沉香等三十四味, 粉碎成细粉, 将人工麝香研细, 与上述细粉配研, 过筛, 混匀, 分装, 即得。

【性状】

本品为浅黄色至棕黄色粉末; 气香, 味苦。

【鉴别】

本品为药材粉末制成的散剂, 方中大多数药味的显微特征都比较明显, 故对处方中的旋覆花、栀子、紫檀建立显微鉴别, 并对处方中的红花建立了薄层鉴别。

1. 试剂与试药

供试品: 供试品(批号202011、202012、202013)由内蒙古自治区国际蒙医医院提供, 模拟样品(批号20190915)模拟。

对照品: 红花对照药材(批号120907-201713), 购于中国食品药品检定研究院。

薄层板: 硅胶H板, 购于烟台市化学工业研究所。

所用其他试剂均为分析纯, 水为离子交换高纯水。

2. 试验方法与结果

(1)显微鉴别

旋覆花: 冠毛为多列性非腺毛, 边缘细胞稍向外突出。栀子: 果皮含晶石细胞类圆形或多角形, 直径17~31μm, 壁厚, 胞腔内含草酸钙方晶。紫檀: 木射线棕红色1~3列细胞, 纹孔较密。

(2)红花薄层鉴别

参照《中国药典》2020年版一部"红花"项下的薄层条件, 制定正文所述的鉴别方法。通过阴性对照试验观察, 方中其他药材对红花药材的检出无干扰, 证明此方法具有专属性。

【检查】

按照散剂(《中国药典》2020年版四部通则0115)项下规定, 对三批供试品及模拟样品的外观均匀度、水分、重金属、砷盐、微生物限度和乌头碱限量进行了检查, 结果符合规定。具体方法及测定数据如下:

1. 外观均匀度: 取供试品适量, 置光滑纸上, 平铺约5cm², 将其表面压平, 在亮处观察, 呈现均匀的色泽, 无花纹、色斑。结果三批供试品及模拟样品均符合规定。

2. 水分: 取供试品照水分测定法(《中国药典》2020年版四部通则0832)测定。三批供试品及模拟样品的测定结果见表1。

表1 水分测定结果

序号	批号	水分(%)
1	202011	6.28
2	202012	6.20
3	202013	6.36
4	20190915	6.04

药典规定散剂水分含量不得大于9.0%。从表1数据可见, 本品水分含量符合要求。

3. 对三批供试品及模拟样品进行了重金属和砷盐考察。方法与结果如下:

重金属: 分别取每个批号供试品0.5g、0.67g、1.0g、2.0g, 按《中国药典》2020年版四部0821第二法检查。

供试品溶液的制备：取本品0.5g、0.67g、1.0g、2.0g，分别缓缓炽灼至完全炭化，放冷，加硫酸0.5ml，使湿润，低温加热至硫酸除尽后，加硝酸0.5ml，蒸干，至氧化氮蒸气除尽后，放冷，于600℃炽灼至完全灰化，放冷。加盐酸2ml，置水浴上蒸干后加水15ml，滴加氨试液至对酚酞指示液显中性，再加醋酸盐缓冲液（pH3.5）2ml，微热溶解后，移置纳氏比色管中，加水稀释至25ml，作为供试品溶液。

标准铅对照溶液的制备：另取配制供试品溶液的试剂两份，分别置瓷皿中蒸干后，加醋酸盐缓冲液（pH3.5）2ml，加水15ml微热溶解后，移置两支纳氏比色管中，分别加标准铅溶液（10μg/ml Pb）2ml，再加水稀释至25ml，作为标准铅对照溶液。

检视：于上述供试品溶液和标准铅对照溶液中分别加硫代乙酰胺试液各2ml，摇匀，放置2分钟，同置白色背景上，从上向下进行观察。试验结果见表2。

表2　重金属检查结果

序号	批号	重金属含量（ppm）			
1	202011	<10	<20	<30	<40
2	202012	<10	<20	<30	<40
3	202013	<10	<20	<30	<40
4	20190915	<10	<20	<30	<40

结果显示，供试品溶液的颜色明显浅于1ml的标准铅对照溶液。经过三批供试品及模拟样品的检查，含重金属均未超过百万分之十，故未收入正文。

砷盐：取本品1g和标准砷溶液（1μg/ml AS）2ml，分别加无砷氢氧化钙1g，加少量水，搅匀，烘干，用小火缓缓炽灼至炭化，再在600℃炽灼至完全灰化，放冷。分别加盐酸7ml使溶解，再加水21ml，按《中国药典》2020年版四部通则0822第一法（古蔡氏法）检查砷盐含量。

结果：供试品砷斑浅于标准砷斑的颜色，表明本品含砷量未超过百万分之二（小于2ppm），故砷盐检查项目未列入正文。

4. 乌头碱限量：本处方中含有制川乌，因为草乌中含有的乌头碱、次乌头碱和新乌头碱等双酯类生物碱具有很高的毒性，同时还有一定的药效，所以需对该制剂中双酯型乌头碱的限量进行控制，故参照《中国药典》2020年版一部"附子"项下乌头碱等的TLC鉴别方法和"附子理中丸"项下乌头碱限量检查方法，设计出本制剂乌头碱的限量检查方法，以控制质量，确保安全、有效。供试品溶液的制备方法参照"附子理中丸"和"附子"项下的方法，并结合本处方实际情况，用氨试液碱化、乙醚作溶剂提取后，浓缩，无水乙醇溶解，结果既保证了被测成分全部提净，又可排除其他成分对试验结果的干扰，还可以避免供试品中乌头碱、次乌头碱和新乌头碱等双酯类生物碱在制备供试品溶液中的水解问题。

限度检查取样量确定：诃子汤泡草乌占处方量=20÷701×100%=2.85%；取供试品20g相当于取制川乌0.6g。

供试品溶液的制备：取本品20g（相当于诃子汤泡草乌0.6g），置锥形瓶中，加氨试液5ml，拌匀，密塞，放置2小时，加乙醚50ml，振摇1小时，放置过夜，滤过，滤渣用乙醚洗涤2次，每次15ml，合并乙醚液，蒸干，残渣加无水乙醇溶解并转移至1ml量瓶中，稀释至刻度，摇匀，作为供试品溶液。

对照品溶液的制备：另取乌头碱对照品，加无水乙醇制成每1ml含1mg的溶液，作为对照品溶液。

阴性对照溶液的制备：按处方比例配制缺紫花高乌头药材的阴性供试品。取阴性供试品粉末20g，制法同供试品溶液的制备，作为阴性对照溶液。

点样与展开：照薄层色谱法（《中国药典》2020年版四部通则0502）试验，吸取供试品溶液12μl、对照品溶液5μl，分别点于同一硅胶G薄层板上，以二氯甲烷（经无水硫酸钠脱水处理）-丙酮-甲醇（6:1:1）为展开剂，展开，取出, 晾干。

显色: 喷以稀碘化铋钾试液。

结果: 供试品色谱中, 在与对照品色谱相应的位置上, 显相同的橙红色斑点, Rf值为0.23。出现的斑点小于并颜色浅于对照品的斑点或不出现斑点, 即乌头碱限量小于20ppm。注: L=1 (mg/ml)×5 (μl)÷[20 (g/ml)×12 (μl)×1000]=20ppm。

5. 微生物限度: 照微生物计数法(《中国药典》2020年版四部通则1105)和控制菌检查法(《中国药典》2020年版四部通则1106)及《内蒙古蒙药制剂规范》(第三册)附录Ⅲ微生物限度标准进行检查。结果符合规定。

【含量测定】

哈日·阿嘎如-35散是由沉香、紫檀、红花、豆蔻、诃子等三十五药组成。临床功效调节赫依热、血、黏相讧, 止咳, 平喘。用于山川间热, 赫依、热兼盛, 胸满气喘, 心悸失眠, 神昏谵语, 空虚热等。栀子功能为泻火除烦、清热利湿。栀子苷是栀子的主要化合物之一, 故选择栀子苷作为指标成分, 对本制剂中的栀子进行含量测定方法的研究。参照《中国药典》2020年版一部"栀子"项下的含量测定方法, 选择栀子苷作为指标成分, 对本制剂中的栀子进行了HPLC含量测定方法研究。经分析方法验证, 表明该方法重复性好, 专属性强, 方中其他组分对栀子苷的测定无干扰。

1 仪器与试剂试药

1.1 仪器

U3000型高效液相色谱仪; Mettler-Toledo MS105DU型百万分之一电子天平; Mettler-Toledo XPR10型万分之一电子天平; SBL-22DT型超声波清洗器(宁波新芝生物科技股份有限公司, 40kHz); Heal Force NW15UV型超纯水系统; FW400A型多功能粉碎机(材茂科技有限公司)。

1.2 试剂与试药

供试品(批号 202011、202012、202013)由内蒙古自治区国际蒙医医院提供, 模拟样品(批号20190915)模拟; 栀子苷对照品(批号110749-201919), 购于中国食品药品检定研究院; 乙腈为色谱纯, 水为超纯水, 所用其他试剂均为分析纯。

2 方法学考察

2.1 色谱条件

2.1.1 色谱柱: 色谱柱填充剂为十八烷基硅烷键合硅胶, 本试验采用Alltima C_{18} (250mm×4.6mm, 5μm)色谱柱。

2.1.2 流动相的选择: 参照《中国药典》2020年版一部"栀子"含量测定项下的测定方法, 以乙腈-水(15:85)为流动相, 供试品中的栀子苷与其他成分能达到较好的分离, 色谱峰具有比较好的保留时间、分离度和对称性。故选择以乙腈-水(15:85)为流动相。

2.1.3 柱温: 30℃可以保证柱压较低, 分离效果稳定, 保留时间变化小。

2.1.4 检测波长的选择: 参照《中国药典》2020年版一部"栀子"含量测定项下栀子苷的测定方法, 选用238nm处作为检测波长。

2.1.5 理论板数的确定: 从对三批样品的测定结果可见, 栀子苷峰理论板数在1500以上即能达到较好的分离效果, 故规定理论板数按栀子苷峰计算应不低于1500。

2.2 提取溶剂及提取效率的考察

2.2.1 提取溶剂的选择: 参照《中国药典》2020年版第一部"栀子"含量测定项下方法采用甲醇作为提取溶剂。

2.2.2 提取效率的考察: 以甲醇作为提取溶剂进行超声提取。为保证被测成分提取完全, 在供试品的细度一致、提取溶剂为甲醇、超声(功率250W,频率40kHz)的条件下,分别考察了提取10分钟、20分钟、30分钟和40分钟时的提取效率。结果见表3。

表3 栀子苷提取时间考察

时间(min)	取样量(g)	峰面积值		平均峰面积值	含量(mg/g)	平均含量(mg/g)
		A	B			
10	1.0016	6.3836	6.3255	6.3545	0.9094	0.8799
	1.0057	5.9675	5.9680	5.9677	0.8505	
20	1.0039	6.8146	6.9130	6.8638	0.9800	0.9751
	1.0024	6.7861	6.7837	6.7849	0.9072	
30	1.0052	7.1583	7.1590	7.1587	1.0209	1.0095
	1.0029	6.9584	7.0098	6.9841	0.9982	
40	1.0016	6.5128	6.5733	6.5441	0.9365	0.9435
	1.0033	6.7385	6.5686	6.6535	0.9506	

从表3数据可见,超声提取30分钟时供试品中栀子苷的含量最高,故将提取时间定为30分钟。

2.3 专属性考察

2.3.1 对照品溶液的制备:取栀子苷对照品适量,精密称定,加甲醇制成每1ml含45μg的溶液,作为对照品溶液。

2.3.2 供试品溶液的制备:取本品细粉约1.0g,精密称定,置具塞锥形瓶中,精密加入甲醇25ml,称定重量,超声处理30分钟(功率250W,频率40kHz),放冷,再称定重量,用甲醇补足减失的重量,摇匀,滤过,取续滤液,作为供试品溶液。

2.3.3 阴性对照溶液的制备:按本品处方工艺制备不含栀子的阴性供试品,按"供试品溶液的制备"方法制备阴性对照溶液。

2.3.4 测定:在上述色谱条件下,分别精密吸取上述三种溶液各10μl,分别注入液相色谱仪进行测定,记录色谱图。

试验结果显示,供试品色谱中在与对照品色谱保留时间相同的位置上有色谱峰出现,而阴性对照在与对照品色谱保留时间相同的位置上无色谱峰出现,表明该含量测定方法阴性无干扰,专属性好。

2.4 线性关系考察

取栀子苷对照品约7.3mg,精密称定,置100ml量瓶中,加甲醇使溶解,并稀释至刻度,摇匀,作为对照品溶液(对照品溶液实际浓度为0.0734mg/ml);分别精密吸取上述对照品溶液1μl、5μl、10μl、12μl、15μl和20μl注入液相色谱仪,按上述色谱条件进行测定,以峰面积对进样量进行回归分析。结果见表4。

表4 栀子苷标准曲线数据及回归方程结果表

序号	进样量(μg)	峰面积值	回归方程	r
1	0.0723	1.3260		
2	0.3670	6.8643		
3	0.7340	13.6120	$y=18.4532x-0.0618$	1.0000
4	0.8808	16.3485		
5	1.101	20.3931		
6	1.468	27.0542		

从表4数据可见,栀子苷在0.0723~1.468μg质量浓度范围内与峰面积呈良好的线性关系。

2.5 精密度试验

取同一份供试品（批号20190915）溶液，连续进样6针，记录色谱图。栀子苷峰面积的精密度计算结果见表5。

表5　供试品溶液中栀子苷精密度试验结果

序号	峰面积值	平均峰面积值	γ值
1	6.7246		
2	6.8689		
3	6.8171	6.8530	1.08
4	6.8959		
5	6.9384		
6	6.8728		

从表5数据可见，符合《中国药典》2020年版四部通则0512中规定的RSD值小于2.0%的要求。

2.6　稳定性试验

取同一份供试品（批号20190915）溶液，分别于制备溶液后的0小时、2小时、4小时、6小时、7小时、8小时进行测定。结果见表6。

表6　供试品溶液中栀子苷稳定性试验结果

序号	取样量（g）	峰面积值	RSD（%）
1	0	6.9493	
2	2	6.9356	
3	4	6.6938	1.78
4	6	6.9910	
5	7	6.9302	
6	8	7.0582	

从表6数据可见，栀子苷在8小时内的峰面积值RSD值基本稳定。

2.7　重复性试验

取同一供试品（批号20190915）6份，各约1.0g，精密称定，置具塞锥形瓶中，精密加入甲醇25ml，称定重量，超声处理40分钟（功率250W，频率40kHz），放冷，再称定重量，用甲醇补足减失的重量，摇匀，滤过，取续滤液，作为供试品溶液。精密吸取10μl注入液相色谱仪进行测定，记录色谱图及峰面积，按外标法计算含量。结果见表7。

表7　供试品溶液中栀子苷重复性试验结果

样品号	称样量（g）	平均峰面积值	含量（mg/g）	平均含量（mg/g）	RSD（%）
1	1.0052	7.1587	1.0208		
2	1.0029	6.9841	0.9982		
3	1.0036	6.9404	0.9912	0.9985	1.80
4	1.0047	6.8430	0.9763		
5	1.0033	7.1320	1.0189		
6	1.0050	6.9098	0.9855		

从表7数据可见，6份供试品含量测定结果的均值为0.9985mg/g，RSD为1.80%，表明该方法的重复性好。

2.8　加样回收试验

取已知含量（批号 20190915，含量为0.9985mg/g）的供试品6份，各约0.5g，精密称定，分别置6个具塞锥形瓶中，分别在锥形瓶中精密加入浓度为0.0465mg/ml的栀子苷对照品溶液10ml（约相当于供试品含有量的100%）及甲醇15ml，分别称定重量，超声处理30分钟，取出，再称重，用甲醇补足减失重量，摇匀，滤过，取续滤液，即得。各取上清液10μl进样，分别精密吸取各溶液10μl注入液相色谱仪进行测定，记录色谱图和峰面积，按外标法计算含量，再计算回收率。结果见表8。

表8　供试品溶液中栀子苷加样回收试验结果

序号	样品量（g）	供试品含量（mg）	对照品加入量（mg）	测得总量（mg）	回收率（%）	平均回收率（%）	RSD（%）
1	0.5052	0.5044	0.4650	0.9474	95.25		
2	0.5018	0.5010	0.4650	0.9419	94.80		
3	0.5079	0.5071	0.4650	0.9609	97.58	95.34	1.96
4	0.5031	0.5023	0.4650	0.9515	96.59		
5	0.5012	0.5004	0.4650	0.9288	92.12		
6	0.5042	0.5034	0.4650	0.9486	95.73		

从表8数据可见，栀子苷的平均回收率为95.34%，RSD为1.96%。该方法准确度好。

2.9　耐用性试验

取供试品（批号20190915）1份，各约1.0g，精密称定，按重复性试验项下方法处理，换不同厂家、不同型号的色谱柱，分别测定供试品的含量。结果见表9。

表9　色谱柱耐用性试验（栀子苷）

样品号	取样量（g）	柱型号	平均峰面积值	含量（mg/g）
1	1.0024	Apollo C$_{18}$	6.9546	1.03
	1.0024	Alltima C$_{18}$	6.8456	0.96

从表9数据可见，不同型号或厂家的色谱柱对栀子苷的测定结果影响较小。

3　样品含量测定

取三批样品（批号202011、202012、202013）及模拟样品（批号20190915）各2份，各约1.0g，精密称定，按重复性试验项下方法处理，分别测定并按外标法计算三批样品含量。含量测定结果见表10。

表10　样品中栀子苷的含量测定结果

批号	取样量（g）	样品峰面积值 A	样品峰面积值 B	样品峰面积值 平均	含量（mg/g）	平均含量（mg/g）
202011	1.0058	1156417	1191574	1173996	1.67	
202012	1.0049	1145293	1155946	1150620	1.64	1.62
202013	1.0017	1088294	1087921	1088108	1.55	
20190915	1.0033	7.0805	7.1836	7.1320	1.02	1.00
	1.0050	6.9538	6.8658	6.9098	0.99	

从表10数据可见，三批样品和模拟样品中栀子苷含量最低为0.99mg/g，最高为1.67mg/g。模拟样品含量比较低。

4　栀子药材含量测定

试验中采用同法对上述三批样品生产用栀子药材进行了含量测定，测定结果见表11。

表11　栀子药材中栀子苷的含量测定结果

序号	取样量（g）	平均峰面积值（n=2）	含量（mg/g）	平均含量（mg/g）
1	0.0528	11.7043 11.3587	11.5315	30.19	
					30.13
2	0.0535	12.4195 12.4015	12.4105	30.07	

从表11数据可见，栀子药材中栀子苷的含量为30.13mg/g（3.013%）。

5　本制剂含量限度的确定

从表中数据可见，三批样品中栀子苷的含量最低为1.55mg/g，模拟制样品中栀子苷的含量为1.00mg/g，栀子药材中栀子苷的含量为30.13mg/g（3.013%）。

根据本品处方量折算，理论上每1g供试品含栀子药材0.0286g，栀子苷的含量=0.0286（g）×3.013%×1000=0.86mg，即0.86mg/g。因此，转移率为1.00/0.86×100%=116.28%，转移率过高，故不计入含量限度的计算中。

参照《中国药典》2020年版一部"栀子"药材的栀子苷含量限度不得少于1.8%，平均转移率为107%，转移率过高，故不计入含量限度计算里。考虑不同产地药材的质量差异，并结合其他影响因素及三批样品的测定结果，下浮15%，按此限度折算本品含栀子苷的理论量应不低于20÷701（g）×1000×1.8%×85%=0.436mg/g。

标准正文暂定为：本品每1g含栀子以栀子苷（$C_{17}H_{24}O_{10}$）计，不得少于0.45mg。

【功能与主治】

调节赫依热、血、黏相讧，止咳，平喘。用于山川间热，赫依、热兼盛，胸满气喘，心悸失眠，神昏谵语，空虚热，陈咳，干咳痰少，气喘，百日咳，心赫依热，赫依性刺痛，陈刺痛，睾丸肿，赫如虎病。

【用法与用量】

口服。一次1.5~3g，一日1~2次，温开水送服。

【规格】

每袋（1）3g；（2）15g；（3）250g。

【注意事项】

孕妇慎用。

【贮藏】

密封，防潮。

起草单位： 内蒙古盛唐国际蒙医药研究院　　崔圆圆　张跃祥　王　伟
　　　　　　包头市检验检测中心　　　　　　管艳艳　斯　琴　张艳茹
　　　　　　鄂尔多斯市检验检测中心　　　　杜　健

哈日·嘎布日-11散质量标准起草说明

【历史沿革】

本方来源于锡林郭勒盟镶黄旗蒙医医院经验方。

【处方来源】

本制剂由锡林郭勒盟镶黄旗蒙医医院提供。

【名称】

哈日·嘎布日-11散

【蒙药材和饮片的来源和执行标准】

1. 处方组成及药味排列顺序：黑冰片100g、煅贝齿80g、沙棘80g、连翘80g、木通10g、石榴10g、牛胆粉10g、黄连10g、制硼砂10g、麦冬10g、拳参10g。

2. 处方中除黑冰片、石榴、煅贝齿和牛胆粉药材外，其余连翘等药味均收载于《中国药典》2020年版一部，其质量应符合该品种项下的有关规定。

黑冰片：为猪科动物野猪*Sus scrofa* Linnaeus 的成形粪便野猪粪的炮制加工品。主含活性炭和微量元素。其质量应符合《内蒙古蒙药饮片炮制规范》2020年版第444页该品种项下的有关规定。

石榴：为石榴科植物石榴*Punica granatum* L.的干燥成熟果实。其标准应符合《内蒙古蒙药饮片炮制规范》2020年版第119页该品种项下的有关规定。

煅贝齿：为宝贝科动物货贝*Monetaria. monrta*（L.）、环纹货贝*Monetaria annulus*（L.）、阿拉伯绶贝*Mauritia arabica*（L.）等的贝壳贝齿，前二者为"白贝齿"，后者为"紫贝齿"，主含碳酸钙（$CaCO_3$）。其质量应符合《内蒙古蒙药饮片炮制规范》（2020年版）第70页该品种项下的有关规定。

牛胆粉：为牛科动物牛*Bos taurus domesticus* Gmelin 的干燥胆汁粉。其标准应符合《内蒙古蒙药饮片炮制规范》2020年版第74页该品种项下的有关规定。

【制法】

以上十一味，粉碎成细粉，过筛，混匀，分装，既得。

【性状】

本品为灰黑色至黑色粉末；气微，味酸、涩。

【鉴别】

本品为药材粉末制成的散剂，方中石榴、连翘、黄连、拳参的显微特征较明显，故建立显微鉴别，并对处方中黄连建立了薄层鉴别。

1. 试剂与试药

供试品：供试品（批号20191020、20191021、20191022）由锡林郭勒盟镶黄旗蒙医医院提供，模拟样品（批号20191266）模拟。

对照品：黄连对照药材（批号120913-201611），购于中国食品药品检定研究院。

薄层板：硅胶G板，青岛海洋化工有限公司制造。

所用其他试剂均为分析纯，水为离子交换高纯水。

2.试验方法与结果

（1）显微鉴别

石榴：石细胞椭圆形或类圆形，壁厚，孔沟细密。连翘：内果皮纤维上下层纵横交错，纤维短梭形。黄连：纤维束鲜黄色，壁稍厚，纹孔明显。拳参：草酸钙簇晶，直径15～65μm。

（2）黄连薄层鉴别

参照《中国药典》2020年版一部"黄连"药材项下的薄层条件，制定出正文所述的鉴别方法。通过阴性对照试验观察，方中其他药材对黄连药材的检出无干扰，证明此方法具有专属性。

【检查】

按照散剂（《中国药典》2020年版四部通则0115）项下的规定，对三批供试品及模拟样品的外观均匀度、水分、重金属、砷盐和微生物限度进行了检查。具体方法及测定数据如下：

1.外观均匀度：取供试品适量，置光滑纸上，平铺约5cm²，将其表面压平，在亮处观察，呈现均匀的色泽，无花纹、色斑。结果三批供试品及模拟样品均符合规定。

2.水分：取供试品照水分测定法（《中国药典》2020年版四部 通则0832）测定。三批供试品及模拟样品的测定结果见表1。

表1 水分测定法结果

序号	批号	水分（%）
1	20191020	6.81
2	20191021	6.56
3	20191022	6.82
4	20191266	5.92

药典规定散剂水分含量不得大于9.0%。从表1数据可见，本品水分含量符合要求。

3.对三批供试品及模拟样品进行了重金属和砷盐考察。方法与结果如下：

重金属：分别取每个批号供试品0.5g、0.67g、1.0g、2.0g，按《中国药典》2020年版四部0821第二法检查。

供试品溶液的制备：取本品0.5g、0.67g、1.0g、2.0g，分别缓缓炽灼至完全炭化，放冷，加硫酸0.5ml，使湿润，低温加热至硫酸除尽后，加硝酸0.5ml，蒸干，至氧化氮蒸气除尽后，放冷，于600℃炽灼至完全灰化，放冷。加盐酸2ml，置水浴上蒸干后加水15ml，滴加氨试液至对酚酞指示液显中性，再加醋酸盐缓冲液（pH3.5）2ml，微热溶解后，移置纳氏比色管中，加水稀释至25ml，作为供试品溶液。

标准铅对照溶液的制备：另取配制供试品溶液的试剂两份，分别置瓷皿中蒸干后，加醋酸盐缓冲液（pH3.5）2ml，加水15ml微热溶解后，移置两支纳氏比色管中，分别加标准铅溶液（10μg/ml Pb）2ml，再加水稀释至25ml，作为标准铅对照溶液。

检视：于上述供试品溶液和标准铅对照溶液中分别加硫代乙酰胺试液各2ml，摇匀，放置2分钟，同置白色背景上，从上向下进行观察。试验结果见表2。

表2 重金属检查结果

序号	批号	重金属含量（ppm）			
1	2018071801	<10	<20	<30	< 40
2	2018181802	<10	<20	<30	< 40
3	2018091903	<10	<20	<30	< 40
4	20190816	<10	<20	<30	< 40

结果显示,供试品溶液的颜色明显浅于1ml的标准铅对照溶液。经过三批供试品及模拟样品的检查,含重金属均未超过百万分之十,故未收入正文。

砷盐:取本品1g和标准砷溶液(1μg/ml AS)2ml,分别加无砷氢氧化钙1g,加少量水,搅匀,烘干,用小火缓缓炽灼至炭化,再在600℃炽灼至完全灰化,放冷。分别加盐酸7ml使溶解,再加水21ml,按《中国药典》2020年版四部通则0822第一法(古蔡氏法)做砷盐限量检查。

结果:供试品砷斑浅于标准砷斑的颜色,表明本品含砷量未超过百万分之二(小于2ppm),故砷盐检查项目未收入正文。

4. 浸出物:按照浸出物测定法《中国药典》2020年版四部通则2201,分别按醇浸出物的冷浸法测定。对三批供试品的测定结果见表3。

表3 醇浸出物冷浸法测定结果

序号	批号	水分(%)
1	20191020	12.23
2	20191021	12.19
3	20191022	12.20
4	20191266	12.21

从表3数据可见,三批供试品及模拟样品浸出物最低为12.19%,最高为12.21%。考虑不同产地药材质量有差异,下浮20%,故用无水乙醇作溶剂,浸出物不得少于10.0%。

微生物限度:照微生物计数法(《中国药典》2020年版四部 通则 1105)和控制菌检查法(《中国药典》2020年版四部 通则1106)及《内蒙古蒙药制剂规范》(第三册)附录Ⅲ微生物限度标准,进行检查。结果均符合规定。

【功能与主治】

清血、希日热,破痞。用于腑器新、旧希日性痞,子宫血痞,胃希日病。

【用法与用量】

口服。一次1.5~3g,一日1~2次,温开水送服。

【规格】

每袋(1)3g;(2)15g;(3)250g。

【贮藏】

密封,防潮。

起草单位: 内蒙古盛唐国际蒙医药研究院　　　崔丽敏　张跃祥　王 伟
　　　　　　鄂尔多斯市检验检测中心　　　　　殷 乐　陈羽涵　樊 敏
　　　　　　呼和浩特市蒙医中医医院　　　　　李素梅

哈布德日-8散质量标准起草说明

【历史沿革】

本方来源于《蒙药验方》(内蒙古自治区人民医院编,1971年版,蒙古文,第293页)。

【处方来源】

本制剂由内蒙古自治区国际蒙医医院提供。

【名称】

哈布德日-8散

【蒙药材和饮片的来源和执行标准】

1. 处方组成及药味排列顺序:瑞香狼毒10g、蒙酸模 10g、多叶棘豆10g、玉竹10g、姜黄10g、石菖蒲10g、草乌10g、天冬10g。

2. 方中除了瑞香狼毒、多叶棘豆、蒙酸模药材外,其余玉竹等药味均收载于《中国药典》2020年版一部,其质量应符合该品种项下的有关规定。

瑞香狼毒:为瑞香科植物瑞香狼毒*Stellera chamaejasme* L.的干燥根。其标准应符合《内蒙古蒙药饮片炮制规范》2020年版第451页该品种项下的有关规定。

多叶棘豆:为豆科植物多叶棘豆*Oxytropis myriophylla*(Pall.)DC.的干燥全草。其标准应符合《中华人民共和国卫生部药品标准》(蒙药分册)1998年版第14页该品种项下有关规定。

蒙酸模:为蓼科植物毛脉酸模*Rumex acetosa* L.、皱叶酸模*Rumex crispus* L.或巴天酸模*Rumex patientia* L.的干燥根。其标准应符合《中华人民共和国卫生部药品标准》(蒙药分册)1998年版第46页该品种项下有关规定。

【制法】

以上八味,粉碎成细粉,过筛,混匀,分装,即得。

【性状】

本品为姜黄色至黄绿色粉末;气微,味微辛、涩、麻。

【鉴别】

本品为原药材细粉制成的散剂。处方中大多数药味的显微特征较明显,故对处方中草乌、姜黄进行显微鉴别,对处方中姜黄建立了薄层鉴别。

1. 试剂与试药

供试品:供试品(批号20200701、20200603、20200516)由内蒙古自治区国际蒙医医院提供,模拟样品(批号20200035)模拟。

对照品:大黄对照药材(批号120984-201202),大黄酸对照品(批号110757-201607),姜黄对照药材(批号121188-201605),姜黄素对照品(批号110823-201706),均购于中国食品药品检定研究院。

薄层板:硅胶G板、H板、硅胶G、H预制板,均购于烟台化学工业研究所。

其他试剂均为分析纯,水为超纯水。

2. 试验方法与结果

（1）显微鉴别

草乌：石细胞呈类方形或长条形，直径20~133μm，壁厚不一，壁厚者层纹明显；后生皮层细胞棕色或深棕色，形大，易破碎，壁微弯曲厚度不均匀。姜黄：糊化淀粉粒黄色，呈类圆形或不规则形，表面不平坦；分泌细胞直径18~90μm，胞腔内含棕色分泌物。

（2）姜黄薄层鉴别

参照《中国药典》2020年版一部"姜黄"项下薄层条件，制定出正文所述的鉴别方法。通过阴性对照试验观察，方中其他药材对姜黄及姜黄素的检出无干扰，证明此法具专属性，未入正文。

【检查】

按照散剂（《中国药典》2020年版四部通则0115）项下的规定，对三批供试品及模拟样品的外观均匀度、水分、重金属、砷盐和乌头碱限度进行了检查。具体方法及测定数据如下：

1. 外观均匀度：取供试品适量，置光滑纸上，平铺约5cm²，将其表面压平，在亮处观察，呈现均匀的色泽，无花纹、色斑。结果三批供试品及模拟样品均符合规定。

2. 水分：取供试品照水分测定法（《中国药典》2020年版四部通则0832）测定。三批供试品及模拟样品的测定结果见表1。

表1　水分测定结果

序号	批号	水分（%）
1	20200516	3.9
2	20200701	3.9
3	20200603	3.9
4	20200035	3.8

药典规定散剂水分含量不得大于9.0%。从表1数据可见，本品水分含量均符合要求。

3. 对三批供试品及模拟样品进行了重金属和砷盐考察，方法与结果如下：

重金属：分别取每个批号供试品0.5g、0.67g、1.0g、2.0g，按《中国药典》2020年版四部0821第二法检查。

供试品溶液的制备：取本品0.5g、0.67g、1.0g、2.0g，分别缓缓炽灼至完全炭化，放冷，加硫酸0.5ml，使湿润，低温加热至硫酸除尽后，加硝酸0.5ml，蒸干，至氧化氮蒸气除尽后，放冷，于600℃炽灼至完全灰化，放冷。加盐酸2ml，置水浴上蒸干后加水15ml，滴加氨试液至对酚酞指示液显中性，再加醋酸盐缓冲液（pH3.5）2ml，微热溶解后，移置纳氏比色管中，加水稀释至25ml，作为供试品溶液。

标准铅对照溶液的制备：另取配制供试品溶液的试剂两份，分别置瓷皿中蒸干后，加醋酸盐缓冲液（pH3.5）2ml，加水15ml微热溶解后，移置两支纳氏比色管中，分别加标准铅溶液（10μg/ml Pb）2ml，再加水稀释至25ml，作为标准铅对照溶液。

检视：于上述供试品溶液和标准铅对照溶液中分别加硫代乙酰胺试液各2ml，摇匀，放置2分钟，同置白色背景上，从上向下进行观察。试验结果见表2。

表2　重金属检查结果

序号	批号	重金属含量（ppm）			
1	20200516	<10	<20	<30	<40
2	20200701	<10	<20	<30	<40
3	20200603	<10	<20	<30	<40
4	20200035	<10	<20	<30	<40

结果显示,供试品溶液的颜色明显浅于2ml的标准铅对照溶液。经过三批供试品及模拟样品的检查,含重金属均未超过百万分之十,故未收入正文。

砷盐:取本品1g和标准砷溶液(1μg/ml AS)2ml,分别加无砷氢氧化钙1g,加少量水,搅匀,烘干,用小火缓缓炽灼至炭化,再在600℃炽灼至完全灰化,放冷。分别加盐酸7ml使溶解,再加水21ml,按《中国药典》2020年版四部通则0822第一法(古蔡氏法)做砷盐限量检查。

结果:供试品砷斑浅于标准砷斑的颜色,表明本品含砷量未超过百万分之二(小于2ppm),故砷盐检查项目未收入正文。

乌头碱限量检查:生草乌具有杀黏、止痛等作用。因其所含双酯型生物碱毒性较强,故需对乌头碱类进行限量检查。本试验研究参照《中国药典》2020年版一部"草乌"项下含量测定方法,采用高效液相色谱法,以乌头碱、次乌头碱、新乌头碱为对照进行测定,因处方中其他药味的影响,供试品溶液提取过程中黏性大,不易操作且供试品溶液高效液相色谱中,三种乌头碱与其他成分分离效果不好,后通过酸化、碱化等萃取纯化处理,供试品溶液黏性得到改善,液相色谱图中基本无干扰成分峰,但因纯化处理后乌头碱等双酯型生物碱损失导致含量极低,故改用薄层鉴别法。具体内容如下。

参照《中国药典》2020年版一部"草乌"项下的双酯型生物碱总量不得过0.50%及《中国药典》2020年版一部"附子理中丸"项下的乌头碱限量的提取方法折算供试品取样量4.111g,故定取样量为4.1g。具体为:取本品粉末(过三号筛)4.1g,加氨试液0.5ml,拌匀,放置2小时,加乙醚20ml,振摇1小时,放置24小时,滤过,滤液蒸干,残渣用无水乙醇溶解使成1ml,作为供试品溶液。取乌头碱对照品适量,加无水乙醇制成每1ml含1.0g的溶液,作为对照品溶液。照薄层色谱法试验,吸取供试品溶液12μl、对照品溶液5μl,分别点于同一硅胶G薄层板上,以二氯甲烷(经无水硫酸钠脱水处理)-丙酮-甲醇(6:1:1)为展开剂,展开,取出,晾干,喷稀碘化铋钾试液。供试品色谱中,在与对照品色谱相应的位置上的斑点应小于对照品的斑点且分离效果好、无其他干扰。

【含量测定】

哈布德日-8散是由瑞香狼毒、蒙酸模、多叶棘豆、玉竹、姜黄、石菖蒲、草乌、天冬等八味药组成的复方制剂。根据《内蒙古蒙药制剂规范》第三册标准研究项目课题科研立项综合意见要求,参照《中国药典》2020年版一部"姜黄"项下方法,采用高效液相色谱法,对姜黄中姜黄素的含量进行了试验条件摸索。通过方法学考察,供试品中姜黄素峰达到了较好的分离效果,且阴性对照无干扰。

1 仪器与试剂试药

1.1 仪器

Thermo ultimate 3000型高效液相色谱仪, Sartorius BT25S型电子天平, Sartorius BSA224S型电子天平, MSA6.6S-OCE-DM型电子天平, Sartorius BSA423S型电子天平, KQ-500DE型数控超声清洗器。

1.2 试剂与试药

供试品(批号20200701、20200603、20200516)由内蒙古自治区国际蒙医医院提供,模拟样品(批号201909050)模拟;姜黄素对照品(批号110823-201706),购于中国食品药品检定研究院;乙腈、甲醇为色谱纯,其他均为分析纯试剂,水为超纯水。

2 方法学验证

2.1 色谱条件

2.1.1 色谱柱:以十八烷基硅烷键合硅胶为填充剂,本试验研究用SHIMADZU C$_{18}$(250mm×4.6mm, 5μm)、phenomenex C$_{18}$(250mm×4.6mm, 5μm)色谱柱。

2.1.2 流动相的选择:参照《中国药典》2020年版一部"姜黄"含量测定项下方法,采用乙腈-4%冰醋酸溶液

（48:52）作为流动相进行测定,供试品中姜黄素与其他成分能达到较好的分离,色谱峰具有比较好的保留时间、分离度和对称性,故确定乙腈-4%冰醋酸溶液（48:52）作为流动相。

2.1.3 柱温:试验中对30℃和40℃柱温进行了比较,结果保留时间略有差异,但分离度及理论板数没有变化,故本试验研究采用柱温30℃。

2.1.4 检测波长的选择:通过二极管阵列检测器对姜黄素自200～800nm进行光谱扫描,结果姜黄素在427nm处有吸收峰,结合《中国药典》2020年版一部"姜黄"项下选择430nm作为检测波长。

2.1.5 理论板数的确定:对供试品测定结果表明,姜黄素的理论板数在5000以上均能达到与相邻峰分开,结合《中国药典》2020年版一部"姜黄"项下要求,本标准规定理论板数按姜黄素峰计应不低于4000。

2.2 提取方法的选择及提取效率的考察

2.2.1 提取方法的选择

参照《中国药典》2020年版一部"姜黄"项下选用甲醇作为提取溶剂,干扰成分少,供试品分离效果好,故选择甲醇作为提取溶剂。《中国药典》2020年版一部"姜黄"项下采用回流提取,为了使提取方法更简便,将回流提取改为超声提取,测定结果基本一致,故将甲醇回流提取改为甲醇超声提取。比较结果见表3。

表3 回流提取和超声提取的比较结果

供试品含量（mg/g）	姜黄药材含量（mg/g）	相对偏差（%）
1.316	15.215	0.82
1.338	15.243	0.09

从表3数据可见,测定结果基本一致,故将甲醇回流提取改为甲醇超声提取。

2.2.2 提取效率考察

取本品粉末5份,各约0.4g,精密称定,置具塞锥形瓶中,精密加甲醇25ml,密塞,称定重量,分别超声处理（功率为400W,频率为40kHz）10分钟、20分钟、30分钟、40分钟、50分钟,取出放冷,再称定重量,用甲醇补足减失的重量,摇匀,滤过,取续滤液,按上述色谱条件测定。结果见表4。

表4 姜黄素提取效率的考察结果

序号	超声时间（min）	姜黄素含量（mg/g）
1	10	1.301
2	20	1.317
3	30	1.326
4	40	1.339
5	50	1.337

从表4数据可见,超声处理40分钟后,姜黄素含量基本不再增加,故确定超声时间为40分钟。

2.3 专属性考察

2.3.1 对照品溶液的制备:取姜黄素对照品适量,精密称定,加甲醇制成每1ml含20μg的溶液,即得。

2.3.2 供试品溶液的制备:取本品粉末约0.4g,精密称定,置具塞锥形瓶中,精密加入甲醇25ml,密塞,称定重量,超声处理（功率400W,频率40kHz）40分钟,取出,放冷,再称定重量,用甲醇补足减失的重量,摇匀,滤过,取续滤液,即得。

2.3.3 阴性对照溶液的制备:按本品处方工艺制备不含姜黄的阴性样品,按供试品溶液的制备方法制备阴性对照溶液（缺姜黄）。

2.3.4 测定:分别精密吸取以上三种溶液各10μl,注入液相色谱仪测定。记录各自的色谱图。

试验结果显示，供试品色谱中在与对照品色谱保留时间相同的位置上有色谱峰出现，而阴性对照在与对照品色谱保留时间相同的位置上无色谱峰出现，表明该含量测定方法阴性无干扰，专属性好。

2.4 线性关系考察

取姜黄素对照品2.018mg，置100ml量瓶中，加甲醇使溶解，并稀释至刻度，摇匀，精密吸取2μl、5μl、10μl、15μl、20μl、30μl注入液相色谱仪，按上述色谱条件测定，以峰面积对进样量进行回归分析。结果见表5。

表5 姜黄素标准曲线数值表

进样量（μg）	姜黄素峰面积值	回归方程	r
0.04036	306121.2		
0.1009	780458.8		
0.2018	1556680	$y=7721.5x-869.908$	0.9999
0.3027	2341230		
0.4036	3117063		
0.6054	4670455		

从表5数据可见，姜黄素在0.04036～0.6054μg范围内与峰面积呈良好的线性关系。

2.5 稳定性试验

取同一供试品溶液（批号20200516），分别于0小时、2小时、4小时、8小时、12小时、24小时进行测定。结果见表6。

表6 不同时间测定姜黄素峰面积值

序号	时间（h）	峰面积值	RSD（%）
1	0	1624973	
2	2	1630935	
3	4	1635673	
4	6	1631675	0.30
5	8	1637107	
6	12	1640608	
7	24	1635109	

从表6数据可见，在24小时内姜黄素峰面积值基本稳定，能够满足测定所需的时间。

2.6 重复性试验

取同一批号供试品（批号20200516）6份，各约0.4g，精密称定，置具塞锥形瓶中，精密加入甲醇25ml，密塞，称定重量，超声处理（功率250W，频率40kHz）40分钟，取出，放冷，再称定重量，用甲醇补足减失的重量，摇匀，滤过，取续滤液，作为供试品溶液。另精密称取姜黄素对照品适量，精密称定，加甲醇制成每1ml含20μg的溶液，作为对照品溶液。分别精密吸取供试品溶液和对照品溶液各10μl，注入色谱仪，记录色谱图。按外标法以峰面积计算含量，结果见表7。

表7 姜黄素重复性试验结果

序号	取样量（g）	峰面积值		含量（mg/g）	平均含量（mg/g）	RSD（%）
1	0.3989	1624973	1633135	1.328		
2	0.3999	1629931	1633069	1.327		
3	0.3997	1626686	1628842	1.324	1.338	1.02
4	0.3996	1657446	1656722	1.348		
5	0.3998	1664200	1665913	1.354		
6	0.3995	1658474	1660951	1.351		

从表7数据可见，在相同的提取溶剂和色谱条件下，6份供试品胡椒碱含量测定结果的均值为1.338mg/g，RSD为1.02%，表明该方法的重复性良好。

2.7 加样回收率试验

取同一批号供试品（批号20200516，含姜黄素1.338mg/g）6份，各约0.2g，精密称定，置具塞锥形瓶中，分别精密加入姜黄素对照品溶液1ml（浓度为0.2782mg/ml），再精密加甲醇24ml，按重复性试验方法测定。结果见表8。

表8 姜黄素加样回收试验

序号	样品量（g）	供试品含量（mg）	对照品加入量（mg）	测得总量（mg）	回收率（%）	平均回收率（%）	RSD（%）
1	0.2015	0.2689		0.5487	100.57		
2	0.2006	0.2684		0.5463	99.89		
3	0.2004	0.2681	0.2782	0.5430	98.81	99.74	0.58
4	0.2003	0.2680		0.5457	99.82		
5	0.2003	0.2680		0.5459	99.89		
6	0.2002	0.2678		0.5445	99.46		

从表8数据可见，本方法的平均回收率为99.74%，RSD为0.58%。该方法准确度好。

2.8 范围

2.8.1 低浓度：按准确度试验方法，取供试品（批号20200516，含姜黄素1.338mg/g）约0.1g，各6份，精密称定，分别精密加入姜黄素对照品溶液5ml（浓度为0.0237mg/ml），再分别精密加甲醇20ml，作为低浓度加样供试品。分别按准确度项下方法操作，计算回收率及低浓度点6份样品的RSD，结果见表9。

表9 范围考察结果表（低浓度）

序号	样品量（g）	供试品含量（mg）	对照品加入量（mg）	测得总量（mg）	回收率（%）	平均回收率（%）	RSD（%）
1	0.0990	0.1324		0.2490	98.39		
2	0.0995	0.1331		0.2504	98.98		
3	0.1012	0.1354	0.1185	0.2545	100.50	99.79	0.98
4	0.1013	0.1355		0.2545	100.42		
5	0.1012	0.1354		0.2534	99.57		
6	0.1011	0.1352		0.2548	100.92		

2.8.2 高浓度：按准确度试验方法，取供试品（批号20200516，含姜黄素1.338mg/g）约0.25g，各6份，精密称定，分别精密加入姜黄素对照品溶液5ml（浓度为0.07702mg/ml），再分别精密加甲醇20ml，作为高浓度加样供试品。分别按准确度项下方法操作，计算回收率及低浓度点6份样品的RSD，结果见表10。

表10 范围考察结果表（高浓度）

序号	样品量（g）	供试品含量（mg）	对照品加入量（mg）	测得总量（mg）	回收率（%）	平均回收率（%）	RSD（%）
1	0.2507	0.3354		0.7181	99.37		
2	0.2507	0.3354		0.7137	98.23		
3	0.2507	0.3354	0.3851	0.7166	98.98	98.66	0.54
4	0.2513	0.3362		0.7177	99.06		
5	0.2500	0.3345		0.7130	98.28		
6	0.2504	0.3350		0.7127	98.07		

从表9、表10数据可见，在含量限度约2倍和70%高低浓度两个点，均达到了精密度、准确度和线性的要求。

2.9 耐用性试验

换不同厂家、不同型号的色谱柱,按确定的色谱条件,取重复性试验中的4号供试品进行测定。结果见表11。

表11 不同色谱柱的耐用试验

序号	柱型号	分离度	测得平均含量(mg/g)
1	SHIMADZU C_{18}	4.156	1.348
2	Phenomenex C_{18}	2.989	1.314

从表11数据可见,不同型号或厂家的色谱柱对测定结果影响较小。

3 样品含量测定

取三批样品适量,各2份,称取约0.4g,精密称定,按重复性试验项下的方法处理并测定。含量测定结果见表12。

表12 样品中姜黄素含量测定结果

批号	取样量(g)	峰面积值		含量(mg/g)	平均含量(mg/g)
20200603	0.4031	2000497	2001256	1.428	1.692
	0.4062	2002365	2003309	1.427	
20200516	0.3997	1626686	1628842	1.324	1.336
	0.3996	1657446	1656722	1.348	
20200701	0.4012	1674106	1665913	1.401	1.3985
	0.4005	1678320	1660951	1.396	

从表12数据可见,三批样品中姜黄素含量最高为1.692mg/g。

4 姜黄药材含量测定

试验中采用同法对样品(20200603)生产用姜黄药材进行了含量测定。测定结果见表13。

表13 姜黄药材含量测定

取样量	峰面积值		姜黄药材含量(mg/g)
0.2056	3262210	3300250	14.53

从表13数据可见,姜黄药材含量测定结果为14.53mg/g。

5 本制剂含量限度的确定

从表12、表13数据可见,姜黄药材中姜黄素含量为14.53mg/g,样品中姜黄素含量为1.692mg/g。

按理论值折算,样品应含姜黄素为$10 \div 80 \times 14.53$(mg/g)=1.816mg/g,可见,姜黄素的转移率=$1.692 \div 1.816 \times 100\%$=93.17%。

参照《中国药典》2020年版一部"姜黄"药材的姜黄素含量限度不得少于1.0%,转移率为93.17%,考虑不同产地药材的质量差异,并结合其他影响因素及三批样品的测定结果,下浮25%,按此限度折算本品含姜黄素的理论量应不低于$10 \div 80 \times 1.0\% \times 1000 \times 93.17\% \times 90\%$=1.048mg/g。

标准正文暂定为:本品每1g含姜黄以姜黄素计($C_{21}H_{20}O_6$)计,不得少于1.0mg/g。

【功能与主治】

清热,消肿,止痛。用于急性腮腺炎,乳腺炎,软组织损伤,疖肿,痈肿,蜂窝组织炎,急性淋巴管炎,淋巴结炎,皮下及深部脓肿,丹毒,无名肿毒,红肿热痛,风湿痹痛,关节疼痛。

【用法与用量】

外用。用醋、鸡蛋清或香油调敷患处。

【注意事项】

忌口服,避免药物接触溃烂面。

【规格】

每袋装10g。

【贮藏】

密封,防潮。

起草单位: 内蒙古自治区国际蒙医医院　　　那松巴乙拉　奥东塔那　斯琴塔娜

　　　　　　包头市检验检测中心　　　　　张　欣　陈媛媛

恒格日格·额布斯-13散 质量标准起草说明

【历史沿革】

本方来源于锡林郭勒盟西乌珠穆沁旗蒙医医院经验方。

【处方来源】

本制剂由锡林郭勒盟西乌珠穆沁旗蒙医医院提供。

【名称】

恒格日格·额布斯-13散

【蒙药材和饮片的来源和执行标准】

1. 处方组成及药味排列顺序：菥蓂子50g、芒果核25g、蒲桃25g、大托叶云实25g、豆蔻25g、刀豆25g、紫草茸20g、茜草20g、枇杷叶20g、刺柏叶18g、诃子18g、齿叶草15g、波棱瓜子5g。

2. 处方中除了菥蓂子、芒果核、蒲桃、大托叶云实、刀豆、紫草茸、刺柏叶、齿叶草和波棱瓜子药材外，其余诃子等药味均收载于《中国药典》2020年版一部，其质量应符合该品种项下的有关规定。

菥蓂子：为十字花科植物遏蓝菜*Thlaspi arvense* L. 的干燥成熟种子。其标准应符合《内蒙古蒙药饮片炮制规范》（2020年版）第376页该品种项下的规定。

芒果核：为漆树科植物芒果*Mangifera indica* L. 的干燥成熟果核。其质量应符合《内蒙古蒙药饮片炮制规范》2020年版第152页该品种项下的有关规定。

蒲桃：为桃金娘科植物海南蒲桃*Syzygium cumi*（L.）Skeels的干燥成熟果实。其标准应符合《内蒙古蒙药饮片炮制规范》2020年版第464页该品种项下的有关规定。

大托叶云实：为豆科植物大托叶云实*Caesalpinia crista* L.的干燥成熟种子。其标准应符合《内蒙古蒙药饮片炮制规范》2020年版第15页该品种项下的有关规定。

刀豆：为豆科植物刀豆*Caesalpinia gladiate*（Jacq.）DC.的干燥成熟种子。其标准应符合《内蒙古蒙药饮片炮制规范》2020年版第8页该品种项下的有关规定。

紫草茸：为胶蚧科昆虫紫胶虫*Laccifer lacca* Kerr 在树枝上所分泌的树脂状胶质。其质量应符合《内蒙古蒙药饮片炮制规范》2020年版第436页该品种项下的有关规定。

刺柏叶：为柏科植物杜松*Juniperus rigida* Sieb.et Zucc.的干燥嫩枝叶。其标准应符合《中华人民共和国卫生部药品标准》（蒙药分册）1998年版第23页该品种项下的规定。

齿叶草：为玄参科植物齿叶草*Odontites serotina*（Lam.）Dum.的干燥地上部分。其标准应符合《中华人民共和国卫生部药品标准》蒙药分册（1998年版）第28页该品种项下的有关规定。

波棱瓜子：为葫芦科植物波棱瓜*Herpetospermum pedunculosum*（Sex.）Baill. 的干燥种子。其标准应符合《内蒙古蒙药饮片炮制规范》2020年版第277页该品种项下的有关规定。

【制法】

以上十三味，粉碎成细粉，过筛，混匀，即得。

【性状】

本品为浅黄色至棕黄色粉末；气香，味甘、微辛。

【鉴别】

本品为药材粉末制成的散剂，方中豆蔻、茜草、诃子的显微特征较明显，故建立显微鉴别，并对处方中茜草建立了薄层鉴别。

1. 试剂与试药

供试品：供试品（批号2018072201、2018080802、2018091403）由锡林郭勒盟西乌珠穆沁旗蒙医医院提供，模拟样品（20191231）模拟。

对照品：大叶茜草素（批号110884-201606），购于中国食品药品检定研究院。

薄层板：硅胶G板，购于青岛海洋化工有限公司。

所用其他试剂均为分析纯，水为离子交换高纯水。

2. 试验方法与结果

（1）显微鉴别

豆蔻：油细胞类圆形或长圆形，含黄绿色油滴。茜草：薄壁细胞中含草酸钙针晶束并含有红棕色颗粒。诃子：石细胞成群，呈类圆形、长卵形、长方形或长条形，孔沟细密而明显。

（2）茜草的鉴别

参照《中国药典》2020年版一部"茜草"项下薄层条件，制定出正文所述的鉴别方法。通过阴性对照试验观察，方中其他药材对茜草的检出无干扰，证明此方法具有专属性。

【检查】

按照散剂（《中国药典》2020年版四部通则0115）项下的规定，对三批供试品及模拟样品的外观均匀度、水分、重金属、砷盐、浸出物和微生物限度进行了检查。具体方法及测定数据如下：

1. 外观均匀度：取供试品适量，置光滑纸上，平铺约5cm²，将其表面压平，在亮处观察，呈现均匀的色泽，无花纹、色斑。结果三批供试品及模拟样品均符合规定。

2. 水分：取供试品照水分测定法（《中国药典》2020年版四部 通则0832）测定。三批供试品及模拟样品的测定结果见表1。

表1 水分测定法结果

序号	批号	水分（%）
1	2018072201	6.62
2	2018080802	6.21
3	2018091403	6.29
4	20191231	6.41

药典规定散剂水分含量不得大于9.0%。从表1数据可见，本品水分含量均符合要求。

3. 对三批供试品及模拟样品进行了重金属和砷盐考察。方法与结果如下：

重金属：分别取每个批号供试品0.5g、0.67g、1.0g、2.0g，按《中国药典》2020年版四部0821第二法检查。

供试品溶液的制备：取本品0.5g、0.67g、1.0g、2.0g，分别缓缓炽灼至完全炭化，放冷，加硫酸0.5ml，使湿润，低温加热至硫酸除尽后，加硝酸0.5ml，蒸干，至氧化氮蒸气除尽后，放冷，于600℃炽灼至完全灰化，放冷。加盐酸2ml，置水浴上蒸干后加水15ml，滴加氨试液至对酚酞指示液显中性，再加醋酸盐缓冲液（pH3.5）2ml，微热溶解后，移置纳氏比色管中，加水稀释至25ml，作为供试品溶液。

标准铅对照溶液的制备：另取配制供试品溶液的试剂两份，分别置瓷皿中蒸干后，加醋酸盐缓冲液（pH3.5）2ml，加水15ml微热溶解后，移置两支纳氏比色管中，分别加标准铅溶液（10μg/ml Pb）2ml，再加水稀释至25ml，作为标准铅对照溶液。

检视：于上述供试品溶液和标准铅对照溶液中分别加硫代乙酰胺试液各2ml，摇匀，放置2分钟，同置白色背景上，从上向下进行观察。试验结果见表2。

表2　重金属检查结果

序号	批号	重金属含量（ppm）			
1	2018072201	<10	<20	<30	<40
2	2018080802	<10	<20	<30	<40
3	2018091403	<10	<20	<30	<40
4	20191231	<10	<20	<30	<40

结果显示，供试品溶液的颜色明显浅于1ml的标准铅对照溶液。经过三批供试品及模拟样品的检查，含重金属均未超过百万分之十，故未收入正文。

砷盐：取本品1g和标准砷溶液（1μg/ml AS）2ml，分别加无砷氢氧化钙1g，加少量水，搅匀，烘干，用小火缓缓炽灼至炭化，再在600℃炽灼至完全灰化，放冷。分别加盐酸7ml使溶解，再加水21ml，按《中国药典》2020年版四部通则0822第一法（古蔡氏法）做砷盐限量检查。

结果：供试品砷斑浅于标准砷斑的颜色，表明本品含砷量未超过百万分之二（小于2ppm），故砷盐检查项目未收入正文。

4. 浸出物：按照浸出物测定法《中国药典》2020年版四部通则2201，分别按醇浸出物的冷浸法测定。对三批样品的测定结果见表3。

表3　醇浸出物冷浸法测定结果

序号	批号	浸出物（%）
1	2018072201	15.54
2	2018080802	15.58
3	2018091403	15.55
4	20191231	15.45

从表3数据可见，三批供试品及模拟样品浸出物最低为15.45%，最高为15.58%。考虑不同产地药材质量有差异，故用无水乙醇作溶剂，浸出物不得少于10.0%。

5. 微生物限度：照微生物计数法（《中国药典》2020年版四部通则1105）和控制菌检查法（《中国药典》2020年版四部通则1106）及《内蒙古蒙药制剂规范》（第三册）附录Ⅲ微生物限度标准，进行检查。结果均符合规定。

【功能与主治】

清肾热，消肿。用于肾震伤，血尿，赫依热，寒性睾丸肿。

【用法与用量】

口服。一次1.5~3g，一日1~2次，温开水送服。

【规格】

每袋（1）3g；（2）15g；（3）250g。

【贮藏】

密封,防潮。

起草单位: 内蒙古医科大学药学院　　崔丽敏　崔圆圆　孙丽君

内蒙古医科大学附属医院　　王秋桐

鄂尔多斯市检验检测中心　　殷　乐　裴春梅　史永惠

浩列-6散质量标准起草说明

【历史沿革】

本方来源于《四部医典》（内蒙古人民出版社 1978年版，蒙古文，第1023页）。

【处方来源】

本制剂由内蒙古自治区国际蒙医医院提供。

【名称】

浩列-6散

【蒙药材和饮片的来源和执行标准】

1. 处方组成及药味排列顺序：丁香25g、石膏15g、甘草15g、木香10g、诃子10g、白花龙胆10g。

2. 处方中除了白花龙胆药材外，其余丁香等药味均收载于《中国药典》2020年版一部，其质量应符合该品种项下的有关规定。

白花龙胆：为龙胆科植物高山龙胆*Gentiana algida* Pall.的干燥花。其标准应符合《内蒙古蒙药饮片炮制规范》2020年版第136页该品种项下有关规定。

【制法】

以上六味，粉碎成细粉，过筛，混匀，分装，即得。

【性状】

本品为浅黄色至棕黄色的粉末；气芳香，味甘，微辛。

【鉴别】

本品为药材粉末制成的散剂，方中大多数药味的显微特征都比较明显，故对处方中的丁香、甘草、诃子、白花龙胆建立显微鉴别。

1. 试剂与试药

供试品：供试品（批号 2019102501、2019102502、2019102503），由内蒙古自治区国际蒙医医院提供，模拟样品（批号20191025）模拟。

所用其他试剂均为分析纯，水为离子交换高纯水。

2. 试验方法与结果

显微鉴别

丁香：花粉粒极面观呈三角形，赤道面观呈双凸镜形，具三副合沟，直径约16μm。甘草：纤维束周围薄壁细胞含草酸钙方晶，形成晶纤维。诃子：石细胞呈类圆形、长卵形、长方形或长条形，孔沟细密而明显。白花龙胆：花粉粒黄色，类圆球形、卵圆形或椭圆形，具3个萌发孔，表面细微突起，赤道面观可见一条或两条萌发沟。

【检查】

按照散剂（《中国药典》2020年版四部通则0115）项下规定，对三批供试品及模拟样品的外观均匀度、水分、重金属、砷盐和微生物限度进行了检查。具体方法及测定数据如下：

外观均匀度: 取供试品适量, 置光滑纸上, 平铺约5cm², 将其表面压平, 在亮处观察, 呈现均匀的色泽, 无花纹、色斑。结果三批供试品及模拟样品均符合规定。

水分: 取供试品照水分测定法 (《中国药典》2020年版四部通则0832) 测定。三批供试品及模拟样品的测定结果见表1。

表1 水分测定结果

序号	批号	水分 (%)
1	2019102501	5.69
2	2019102502	5.47
3	2019102503	5.12
4	20191025	5.38

药典规定散剂水分含量不得大于9.0%。从表1数据可见, 本品水分含量符合要求。

3. 对三批供试品及模拟样品进行了重金属和砷盐考察。方法与结果如下:

重金属: 分别取每个批号供试品0.5g、0.67g、1.0g、2.0g, 按《中国药典》2020年版四部0821第二法检查。

供试品溶液的制备: 取本品0.5g、0.67g、1.0g、2.0g, 分别缓缓炽灼至完全炭化, 放冷, 加硫酸0.5ml, 使湿润, 低温加热至硫酸除尽后, 加硝酸0.5ml, 蒸干, 至氧化氮蒸气除尽后, 放冷, 于600℃炽灼至完全灰化, 放冷。加盐酸2ml, 置水浴上蒸干后加水15ml, 滴加氨试液至对酚酞指示液显中性, 再加醋酸盐缓冲液 (pH3.5) 2ml, 微热溶解后, 移置纳氏比色管中, 加水稀释至25ml, 作为供试品溶液。

标准铅对照溶液的制备: 另取配制供试品溶液的试剂两份, 分别置瓷皿中蒸干后, 加醋酸盐缓冲液 (pH3.5) 2ml, 加水15ml微热溶解后, 移置两支纳氏比色管中, 分别加标准铅溶液 (10μg/ml Pb) 2ml, 再加水稀释至25ml, 作为标准铅对照溶液。

检视: 于上述供试品溶液和标准铅对照溶液中分别加硫代乙酰胺试液各2ml, 摇匀, 放置2分钟, 同置白色背景上, 从上向下进行观察。试验结果见表2。

表2 重金属检查结果

序号	批号	重金属含量 (ppm)			
1	2019102501	<10	<20	<30	<40
2	2019102502	<10	<20	<30	<40
3	2019102503	<10	<20	<30	<40
4	20191025	<10	<20	<30	<40

结果显示, 供试品溶液的颜色明显浅于1ml的标准铅对照溶液。经过三批供试品及模拟样品的检查, 含重金属均未超过百万分之十, 故未收入正文。

砷盐: 取本品1g和标准砷溶液 (1μg/ml AS) 2ml, 分别加无砷氢氧化钙1g, 加少量水, 搅匀, 烘干, 用小火缓缓炽灼至炭化, 再在600℃炽灼至完全灰化, 放冷。分别加盐酸7ml使溶解, 再加水21ml, 按《中国药典》2020年版四部通则0822第一法 (古蔡氏法) 检查砷盐含量。

结果: 供试品砷斑浅于标准砷斑的颜色, 表明本品含砷量未超过百万分之二 (小于2ppm), 故砷盐检查项目未列入正文。

4. 微生物限度: 照微生物计数法 (《中国药典》2020年版四部通则1105) 和控制菌检查法 (《中国药典》2020年版四部通则1106) 及《内蒙古蒙药制剂规范》(第三册) 附录Ⅲ微生物限度标准进行检查。结果符合规定。

【含量测定】

浩列-6散是由丁香、石膏、甘草、木香、诃子、白花龙胆六味药组成。临床功效利咽,清热,止咳。用于感冒咳嗽,气喘,咽热喉塞,喑哑等症。木香功效行气止痛,健脾消食。木香烃内酯和去氢木香内酯为木香中的主要成分,故选择木香烃内酯和去氢木香内酯作为指标成分,对本制剂中的木香进行含量测定方法的研究。故参照《中国药典》2020年版一部"木香"项下的含量测定方法,选择木香烃内酯和去氢木香内酯作为指标成分,对本制剂中的木香进行了HPLC含量测定方法研究。经分析方法验证,表明该方法重复性好、专属性强,方中其他组分对木香烃内酯和去氢木香内酯的测定无干扰。

1 仪器与试剂试药

1.1 仪器

Waters e2695型高效液相色谱仪,Mettler-Toledo MS105DU型百万分之一电子天平,Mettler-Toledo XPR10型万分之一电子天平,SBL-22DT型超声波清洗器(宁波新芝生物科技股份有限公司,40kHz),Heal Force NW15UV型超纯水系统,FW400A型多功能粉碎机(材茂科技有限公司)。

1.2 试剂与试药

供试品(批号2019102501、2019102502、2019102503)由内蒙古自治区国际蒙医医院提供,模拟样品(批号20191025)模拟;木香烃内酯对照品(批号111524-2019111)、去氢木香内酯对照品(批号111525-201912),均购于中国食品药品检定研究院;甲醇为色谱纯,水为超纯水,所用其他试剂均为分析纯。

2 方法学考察

2.1 色谱条件

2.1.1 色谱柱:色谱柱填充剂为十八烷基硅烷键合硅胶,本试验采用Pheomenex C₁₈(250mm×4.6mm,5μm)色谱柱。

2.1.2 流动相的选择:参照《中国药典》2020年版一部"木香"含量测定项下的测定方法,对甲醇和水的比例优化后,确定以甲醇-水(61:39)为流动相,供试品中的木香烃内酯和去氢木香内酯与其他成分能达到较好的分离,色谱峰具有比较好的保留时间、分离度和对称性,故选择以甲醇-水(61:39)为流动相。

2.1.3 柱温:35℃可以保证柱压较低,分离效果稳定,保留时间变化小。

2.1.4 检测波长的选择:参照《中国药典》2020年版一部"木香"含量测定项下木香烃内酯的测定方法,选用225nm处作为检测波长。

2.1.5 理论板数的确定:从对三批样品的测定结果可见,木香烃内酯和去氢木香内酯峰理论板数在3000以上即能达到较好的分离效果,故规定理论板数按木香烃内酯和去氢木香内酯峰计算均应不低于3000。

2.2 提取溶剂及提取效率的考察

2.2.1 提取溶剂的选择:参照《中国药典》2020年版第一部"木香"含量测定项下方法采用甲醇作为提取溶剂。

2.2.2 提取效率的考察:以甲醇作为提取溶剂进行超声提取。为保证被测成分提取完全,在供试品的细度一致、提取溶剂为甲醇、超声(功率250W,频率40kHz)的条件下,分别考察了提取20分钟、30分钟和40分钟时的提取效率。结果见表3和表4。

表3 木香烃内酯提取时间考察

提取时间(min)	取样量(g)	平均峰面积值	含量(mg/g)
20	1.5021	1910364	1.24
30	1.5010	1932595	1.25
40	1.5008	1769667	1.15

表4　去氢木香内酯提取时间考察

提取时间（min）	取样量（g）	平均峰面积值	含量（mg/g）
20	1.5021	1815226	1.97
30	1.5010	1833155	1.99
40	1.5008	1773322	1.93

从表3、表4数据可见，超声提取20分钟、30分钟和40分钟时，供试品中木香烃内酯和去氢木香内酯的含量基本一致，故将提取时间定为30分钟。这与《中国药典》2020年版一部"木香"含量测定项下的提取时间一致。

2.3　专属性考察

2.3.1　对照品溶液的制备：取木香烃内酯对照品适量，精密称定，加甲醇制成每1ml含木香烃内酯100μg、去氢木香内酯100μg的混合对照品溶液，作为对照品溶液。

2.3.2　供试品溶液的制备：取供试品粉末约1.5g，精密称定，置具塞锥形瓶中，精密加入甲醇25ml，密塞，称定重量，超声处理（功率250W，频率40kHz）30分钟，放冷至室温，再称定重量，用甲醇补足减失的重量，摇匀，滤过，取续滤液，作为供试品溶液。

2.3.3　阴性对照溶液的制备：按本品处方工艺制备不含木香的阴性供试品，按"供试品溶液的制备" 方法制备阴性对照溶液。

2.3.4　测定：在上述色谱条件下，分别精密吸取对照品溶液、阴性对照溶液、供试品溶液各10μl，分别注入液相色谱仪进行测定，记录色谱图。

试验结果显示，供试品色谱中在与对照品色谱保留时间相同的位置上有色谱峰出现，而阴性对照在与对照品色谱保留时间相同的位置上无色谱峰出现，表明该含量测定方法阴性无干扰，专属性好。

2.4　线性关系考察

取木香烃内酯约2.4mg和去氢木香内酯对照品约2.4mg，精密称定，置25ml容量瓶中，用甲醇使溶解，并稀释至刻度，摇匀，作为对照品溶液（木香烃内酯浓度为0.09704mg/ml，去氢木香内酯浓度为 0.09692mg/ml）；精密吸取上述对照品溶液2μl、5μl、10μl、15μl、20μl和25μl注入液相色谱仪，按上述色谱条件进行测定，以峰面积对进样量进行回归分析。结果见表5和表6。

表5　木香烃内酯标准曲线数据及回归方程结果表

序号	进样量（μg）	峰面积值	回归方程	r
1	0.1941	284959		
2	0.4852	910210		
3	0.9704	1890584	$y=2933097.3493x-208274.4270$	0.9998
4	1.456	2915857		
5	1.941	3887613		
6	2.426	4867393		

表6　去氢木香内酯标准曲线数据及回归方程结果表

序号	进样量（μg）	峰面积值	回归方程	r
1	0.1938	169452		
2	0.4846	704561		
3	0.9692	1523349	$y=1783273.2765x-179262.3013$	0.9999
4	1.454	2399889		
5	1.938	3288459		
6	2.423	4146928		

从表5、表6数据可见，木香烃内酯在0.1941~2.426μg质量浓度范围内与峰面积呈良好的线性关系，去氢木香内酯在0.1938~2.423μg质量浓度范围内与峰面积呈良好的线性关系。

2.5　精密度试验

取同一供试品（批号2019102501）溶液，连续进样6针，记录色谱图。木香烃内酯和去氢木香内酯峰面积的精密度计算结果见表7和表8。

表7　供试品溶液中木香烃内酯精密度试验结果

序号	峰面积值	平均峰面积值	RSD（%）
1	2119517		
2	2152394		
3	2061266	2096816	1.59
4	2079502		
5	2077462		
6	2090755		

表8　供试品溶液中去氢木香内酯精密度试验结果

序号	峰面积值	平均峰面积值	RSD（%）
1	1972275		
2	2092464		
3	2105211	2044538	1.2
4	1987815		
5	2047519		
6	2091942		

从表7、表8数据可见，符合《中国药典》2020年版四部通则0512中规定的RSD值小于2.0%的要求。

2.6　稳定性试验

取同一份供试品（批号 2019102501）溶液，分别于制备溶液后的0小时、3小时、6小时、9小时、12小时进行测定。结果见表9和表10。

表9　供试品溶液中木香烃内酯稳定性试验结果

序号	取样量（g）	峰面积值	RSD（%）
1	0	1976292	
2	3	1962903	
3	6	1968777	1.85
4	9	1999820	
5	12	2053393	

表10　供试品溶液中去氢木香内酯稳定性试验结果

序号	取样量（g）	峰面积值	RSD（%）
1	0	1995439	
2	3	1983239	
3	6	2070007	2.17
4	9	2078479	
5	12	2009088	

从表9、表10数据可见，供试品溶液中的木香烃内酯和去氢木香内酯在12小时内的峰面积值基本稳定。

2.7 重复性试验

取同一供试品（批号201908001）6份，各约1.5g，精密称定，置具塞锥形瓶中，精密加入甲醇25ml，密塞，称定重量，超声处理（功率250W，频率40kHz）30分钟，放冷至室温，再称定重量，用甲醇补足减失的重量，摇匀，滤过，取续滤液，作为供试品溶液。精密吸取10μl注入液相色谱仪进行测定，记录色谱图及峰面积，按外标法计算含量。结果见表11和表12。

表11 供试品溶液中木香烃内酯重复性试验结果

样品号	称样量（g）	平均峰面积值	含量（mg/g）	平均含量（mg/g）	RSD（%）
1	1.5008	2053393	1.17		
2	1.5056	2022623	1.14		
3	1.5089	2103681	1.19	1.18	2.03
4	1.5013	2091432	1.19		
5	1.5006	2092241	1.19		
6	1.5027	2135956	1.21		

表12 供试品溶液中去氢木香内酯重复性试验结果

样品号	称样量（g）	平均峰面积值	含量（mg/g）	平均含量（mg/g）	RSD（%）
1	1.2023	2009088	1.94		
2	1.2016	2071715	1.99		
3	1.2017	2096377	2.00	1.96	2.12
4	1.2028	2068163	1.99		
5	1.2021	1957843	1.89		
6	1.2026	2032370	1.96		

从表11、表12数据可见，6份供试品中木香烃内酯和去氢木香内酯含量测定结果的均值分别为1.18mg/g（RSD为2.03%）和1.96mg/g（RSD为2.12%），表明该方法的重复性好。

2.8 加样回收试验

取已知含量的（木香烃内酯含量为1.18mg/g，去氢木香内酯含量1.96mg/g）供试品9份，各约0.2g，精密称定，分别置9个具塞锥形瓶中，分别在其中3个具塞锥形瓶中精密加入木香烃内酯对照品溶液（浓度为0.126mg/ml）和去氢木香内酯对照品（浓度为0.224mg/ml）混合对照品溶液1ml（约相当于供试品含有量的50%）及甲醇24ml，另3个具塞锥形瓶中各精密加入上述对照品溶液2ml（约相当于供试品含有量的100%）及甲醇23ml，其余3个具塞锥形瓶中各精密加入上述对照品溶液3ml（约相当于供试品含有量的150%）及甲醇22ml，分别称定重量，超声处理30分钟，取出，再称重，用甲醇补足减失重量，摇匀，滤过。分别精密吸取各溶液10μl注入液相色谱仪进行测定，记录色谱图和峰面积，按外标法计算含量，再计算回收率。结果见表13和表14。

表13 供试品溶液中木香烃内酯加样回收试验结果

序号	称样量（g）	供试品含量（mg）	对照品加入量（mg）	测得总量（mg）	回收率（%）	平均回收率（%）	RSD（%）
1	0.2003	0.2283	0.126	0.35	93.60		
2	0.2015	0.2297	0.126	0.34	90.89		
3	0.2027	0.2311	0.126	0.34	89.37		
4	0.2083	0.2375	0.252	0.47	92.08		
5	0.2063	0.2352	0.252	0.47	91.56	91.19	1.71
6	0.2061	0.2350	0.252	0.46	89.09		
7	0.2079	0.2370	0.378	0.59	92.51		
8	0.2075	0.2366	0.378	0.58	92.05		
9	0.2068	0.2358	0.378	0.58	89.63		

表14 供试品溶液中去氢木香内酯加样回收试验结果

序号	称样量（g）	供试品含量（mg）	对照品加入量（mg）	测得总量（mg）	回收率（%）	平均回收率（%）	RSD（%）
1	0.2003	0.3926	0.224	0.60	93.80		
2	0.2015	0.3949	0.224	0.60	93.54		
3	0.2027	0.3973	0.224	0.61	94.29		
4	0.2083	0.4083	0.448	0.83	94.24		
5	0.2063	0.4043	0.448	0.83	95.75	95.34	1.57
6	0.2061	0.4040	0.448	0.84	96.87		
7	0.2079	0.4075	0.672	1.05	95.28		
8	0.2075	0.4067	0.672	1.05	96.41		
9	0.2068	0.4053	0.672	1.06	97.84		

从表13、表14数据可见，木香烃内酯和去氢木香内酯的平均回收率分别为9119%和95.34%，RSD分别为1.71%和1.57%。该方法准确度好。

2.9 耐用性试验

取供试品（批号201908001）2份，各约1.5g，置具塞锥形瓶中，精密加入甲醇25ml，密塞，称定重量，超声处理（功率250W，频率40kHz）30分钟，放冷至室温，再称定重量，用甲醇补足减失的重量，摇匀，滤过，取续滤液，作为供试品溶液。换不同厂家、不同型号的色谱柱，分别测定供试品的含量。结果见表15和表16。

表15 色谱柱耐用性试验（木香烃内酯）

样品号	取样量（g）	柱型号	平均峰面积值	含量（mg/g）
1	1.5018	Pheomenex C$_{18}$	2091432	1.19
	1.5018	Alltima C$_{18}$	2071911	1.16
2	1.5027	Pheomenex C$_{18}$	2135956	1.21
	1.5027	AlltimaC$_{18}$	2084501	1.17

表16 色谱柱耐用性试验（去氢木香内酯）

样品号	取样量（g）	柱型号	平均峰面积值	含量（mg/g）
1	1.5018	Pheomenex C$_{18}$	2068163	1.99
	1.5018	Alltima C$_{18}$	2101156	2.10
2	1.5027	Pheomenex C$_{18}$	2032370	1.96
	1.5027	AlltimaC$_{18}$	2016139	2.01

从表15、表16数据可见，不同型号或厂家的色谱柱对木香烃内酯和去氢木香内酯的测定结果影响较小，耐用性好。

3 样品含量测定

取三批样品（批号 2019102501、2019202502、2019102503）及模拟样品（批号20191025）各2份，各约1.5g，精密称定，按重复性试验项下方法处理，分别测定并按外标法计算三批样品含量。含量测定结果见表17和表18。

表17 样品中木香烃内酯的含量测定结果

批号	取样量（g）	样品峰面积值			含量（mg/g）	平均含量（mg/g）
		A	B	平均		
2019102501	1.5032	27301	27235	27268	1.41	
2019102502	1.5049	28112	26970	27541	1.42	1.43
2019102503	1.5039	27855	28945	28400	1.46	
20191025	1.5008	2036867	2069918	2053393	1.17	1.15
	1.5056	2003389	2041857	2022623	1.14	

表18　样品中去氢木香内酯的含量测定结果

批号	取样量（g）	样品峰面积			含量（mg/g）	平均含量（mg/g）
		A	B	平均		
2019102501	1.5032	23213	22271	22742	1.92	
2019102502	1.5056	21840	23234	22537	1.90	1.90
2019102503	1.5039	22594	22042	22318	1.89	
20191025	1.5008	2025787	1992389	2009088	1.94	1.96
	1.5056	2063779	2079651	2071715	1.99	

从表17、表18数据可见，三批样品和模拟样品中木香烃内酯含量最低为1.14mg/g，最高为1.46mg/g；去氢木香内酯含量最低为1.89mg/g，最高为1.99mg/g。含量之间无明显差异。

4　木香药材含量测定

试验中采用同法对上述三批样品生产用木香药材进行了含量测定。测定结果见表19和表20。

表19　木香药材中木香烃内酯的含量测定结果

序号	取样量（g）	平均峰面积值（n=2）		含量（mg/g）	平均含量（mg/g）
1	0.1520	1918230　1928450	1923340	10.68	
2	0.1520	1889844　1899016	1894430	10.52	10.55
3	0.1520	1885396　1881479	1883438	10.46	

表20　木香药材中去氢木香内酯的含量测定结果

序号	取样量（g）	平均峰面积值（n=2）		含量（mg/g）	平均含量（mg/g）
1	0.1520	1787940　1834186	1811063	17.38	
2	0.1520	1791789　1789397	1790593	17.18	17.26
3	0.1520	1797567　1789480	1793524	17.21	

从表19、表20数据可见，木香药材中木香烃内酯和去氢木香内酯的含量分别为10.55mg/g和17.26mg/g，总含量为27.81mg/g（2.78%）。

5　本制剂含量限度的确定

从表中数据可见，三批样品中木香烃内酯和去氢木香内酯的总含量最低为3.30mg/g，木香药材中木香烃内酯和去氢木香内酯总含量为27.81mg/g（2.78%），模拟样品中木香烃内酯和去氢木香内酯的总含量平均为3.11mg/g。

根据本品处方量折算，理论上每1g供试品含木香药材0.1176g，木香烃内酯的含量=0.1176（g）×2.78%×1000=3.27mg，即3.27mg/g。因此，转移率为3.32÷3.27×100%= 101.6% 到3.11÷3.27×100%＝95.1%，平均转移率为98.35%。

参照《中国药典》2020年版一部"木香"药材的木香烃内酯和去氢木香内酯的总含量限度不得少于1.8%，转移率为98.35%，考虑不同产地药材的质量差异，并结合其他影响因素及三批样品的测定结果，下浮30%，按此限度折算本品含木香烃内酯和去氢木香内酯总的理论量应不低于10÷85×1000×1.8%×98.35%×70%=1.457mg/g。

标准正文暂定为：本品每1g含木香以木香烃内酯（$C_{15}H_{20}O_2$）和去氢木香内酯（$C_{15}H_{18}O_2$）总量计，不得少于1.5mg。

【功能与主治】

利咽，清热，止咳。用于感冒咳嗽，气喘，咽热喉塞，喑哑症。

【用法与用量】

口服。一次1.5~3g，一日1~2次，温开水送服。

【规格】

每袋(1)3g;(2)15g;(3)250g。

【贮藏】

密封,防潮。

起草单位: 内蒙古盛唐国际蒙医药研究院 崔圆圆 张跃祥 王 伟
内蒙古医科大学附属医院 王秋桐
赤峰市药品检验所 郭莘莘 曹 月 李彦铮

清心沉香-8散质量标准起草说明

【历史沿革】

本方来源于《蒙医药选编》(内蒙古人民出版社1975年版,蒙古文,第343页)。

【处方来源】

本制剂由内蒙古自治区国际蒙医医院提供。

【名称】

清心沉香-8散

【蒙药材和饮片的来源和执行标准】

1. 处方组成及药味排列顺序:山沉香25g、广枣30g、肉豆蔻20g、木香20g、诃子20g、木棉花20g、石膏15g、枫香脂10g。

2. 处方中除了山沉香药材外,其余广枣等药味均收载于《中国药典》2020年版一部,其质量应符合该品种项下的有关规定。

山沉香:为木犀科植物贺兰山丁香*Syringa pinnatifolia* Hemsl.var. alashanensis Ma.et S.Q.Zhou削去外皮的干燥枝。其标准应符合《中华人民共和国卫生部药品标准》(蒙药分册)1998年版第4页该品种项下的有关规定。

【制法】

以上八味,粉碎成细粉,过筛,混匀,分装,即得。

【性状】

本品为浅黄色至棕黄色粉末;气芳香,味咸、涩、微苦。

【鉴别】

本品为原药材细粉制成的散剂。处方中大多数药味的显微特征较明显,故对处方中广枣、肉豆蔻建立显微鉴别。

1. 试剂与试药

供试品:由内蒙古自治区国际蒙医医院提供(批号20190316、20190317、20190318),模拟样品为(批号20200054)模拟。

2. 试验方法与结果

显微鉴别

肉豆蔻:油滴多。用水合氯醛液装片后,脂肪油滴析出针簇状或羽毛状结晶。广枣:内果皮石细胞呈类圆形、椭圆形、梭形、长方形或不规则形,直径14~72μm,长25~294μm,壁厚,孔沟明显,胞腔内含淡黄棕色或黄褐色物。

【检查】

按照散剂(《中国药典》2020年版四部通则0115)项下规定,对三批供试品及模拟样品的外观均匀度、水分、重金属、砷盐和微生物限度进行了检查。具体方法及测定数据如下:

外观均匀度：取供试品适量，置光滑纸上，平铺约5cm²，将其表面压平，在亮处观察，呈现均匀的色泽，无花纹、色斑。结果三批供试品及模拟样品均符合规定。

水分：取供试品照水分测定法（《中国药典》2020年版四部 通则0832）测定。三批供试品及模拟样品的测定结果见表1。

表1　水分测定结果

序号	批号	水分（%）
1	20190316	6.1
2	20190317	5.3
3	20190318	7.5
4	20200054	7.0

药典规定散剂水分含量不得大于9.0%。从表1数据可见，本品水分含量符合要求。

3. 对三批供试品及模拟样品进行了重金属和砷盐考察。方法与结果如下：

重金属：分别取每个批号供试品0.5g、0.67g、1.0g、2.0g，按《中国药典》2020年版四部0821第二法检查。

供试品溶液的制备：取本品0.5g、0.67g、1.0g、2.0g，分别缓缓炽灼至完全炭化，放冷，加硫酸0.5ml，使湿润，低温加热至硫酸除尽后，加硝酸0.5ml，蒸干，至氧化氮蒸气除尽后，放冷，于600℃炽灼至完全灰化，放冷。加盐酸2ml，置水浴上蒸干后加水15ml，滴加氨试液至对酚酞指示液显中性，再加醋酸盐缓冲液（pH3.5）2ml，微热溶解后，移置纳氏比色管中，加水稀释至25ml，作为供试品溶液。

标准铅对照溶液的制备：另取配制供试品溶液的试剂两份，分别置瓷皿中蒸干后，加醋酸盐缓冲液（pH3.5）2ml，加水15ml微热溶解后，移置两支纳氏比色管中，分别加标准铅溶液（10μg/ml Pb）2ml，再加水稀释至25ml，作为标准铅对照溶液。

检视：于上述供试品溶液和标准铅对照溶液中分别加硫代乙酰胺试液各2ml，摇匀，放置2分钟，同置白色背景上，从上向下进行观察。试验结果见表2。

表2　重金属检查结果

序号	批号	重金属含量（ppm）			
1	20190316	<10	<20	<30	<40
2	20190317	<10	<20	<30	<40
3	20190318	<10	<20	<30	<40
4	20200054	<10	<20	<30	<40

从表2数据可见，供试品溶液的颜色明显浅于2ml的标准铅对照管。经过三批供试品及模拟样品的检查，含重金属均未超过百万分之十，故未收入正文。

砷盐：取本品1g和标准砷溶液（1μg/ml AS）2ml，分别加无砷氢氧化钙1g，加少量水，搅匀，烘干，用小火缓缓炽灼至炭化，再在600℃炽灼至完全灰化，放冷。分别加盐酸7ml使溶解，再加水21ml，按《中国药典》2020年版四部通则0822第一法（古蔡氏法）做砷盐限量检查。

结果：供试品砷斑浅于标准砷斑的颜色，表明本品含砷量未超过百万分之二（小于2ppm），故砷盐检查项目未列入正文。

4. 微生物限度：照微生物计数法（《中国药典》2020年版四部通则1105）和控制菌检查法（《中国药典》2020年版四部通则1106）及《内蒙古蒙药制剂规范》（第三册）附录Ⅲ微生物限度标准，进行检查。结果均符合规定。

【含量测定】

清心沉香-8散是由山沉香、木香等八味药组成，木香为处方中主要药味，参照《中国药典》2020年版一部"木香"药材项下含量测定方法，对其所含主要成分木香烃内酯和去氢木香内酯进行了含量测定条件摸索，经方法学考察及阴性对照试验，表明该方法专属性较强，处方中其他组分对木香烃内酯和去氢木香内酯的测定无干扰。

1 仪器与试剂试药

1.1 仪器

日本岛津高效液相色谱仪，LC-10ATVP泵，SPD-10AVP检测器，SCL-10AVP色谱工作站；日本岛津UV-2501型紫外可见分光光度计；Mettier AE-100电子分析天平，Mettler AR-100电子天平，PL-203梅特勒-托利多电子天平；KQ-500DE型数控超声清洗器。

1.2 试剂与试药

供试品（批号20190316、20190317、20190318）由内蒙古自治区国际蒙医医院提供，模拟样品（批号20200054）模拟。木香烃内酯（批号111524-201208）、去氢木香内酯（批号111525-200505），均购于中国食品药品检定研究院；甲醇为色谱纯和分析纯；其他试剂均为分析纯。

2 方法学考察

2.1 色谱条件

2.1.1 色谱柱：本试验选择Kromasil、APOLLO、Diamonsil柱进行试验摸索，试验结果表明选用 Allteah 色谱柱（250mm×4.6mm，5μm）理论板数高，分离效果好。

2.1.2 流动相的选择：参照文献分别选甲醇-乙腈-水（55:5:40），甲醇-乙腈-水（65:5:35），甲醇-水（68:32），甲醇-水（60:40），甲醇-水（65:35）进行试验摸索。结果表明：以甲醇-水（60:40）为流动相，有效成分主峰保留时间适中。

2.1.3 柱温的选择：分别设定柱温为25℃、30℃、35℃、40℃进行试验摸索。柱温30℃时，主峰与其他杂质峰基线分离良好，保留时间恰当。

2.1.4 检测波长的选择：取对照品溶液在190~300nm波长处进行光谱扫描，结果木香烃内酯对照品在216.60nm处有最大吸收峰，去氢木香内酯对照品在207.4nm处有最大吸收峰，二者在225nm处均有吸收，最终确定本试验检测波长为225nm。

2.2 提取溶剂的选择及提取效率的考察

2.2.1 提取溶剂的选择：采用乙醚、石油醚（60~90℃）、乙醇、三氯甲烷、乙酸乙酯进行试验摸索，试验表明以甲醇作为提取溶剂提取完全且副产物干扰小。

2.2.2 提取率的考察：取本品粉末约2g，取4份，精密称定，置具塞锥形瓶中，精密加甲醇50ml，密塞，称定重量，放置过夜，分别超声处理（功率250W，频率40kHz）10分钟、20分钟、30分钟、40分钟、50分钟、60分钟，取出，放冷，再称定重量，用甲醇补足减失的重量，摇匀，滤过，取续滤液，即得。按上述色谱条件测定，测得结果见表3。

表3 不同超声提取时间的考察结果

提取时间（min）	木香烃内酯（mg/g）	去氢木香内酯（mg/g）
10	2.521	2.496
20	2.957	2.914
30	3.299	3.180
40	3.287	3.199
50	3.236	3.207
60	3.284	3.204

从表3数据可见，超声处理30分钟后，木香烃内酯、去氢木香内酯的含量基本不再增加，故确定超声处理时间为30分钟。

2.3 专属性考察

2.3.1 供试品溶液的制备：取本品粉末约2g，精密称定，置具塞锥形瓶中，精密加入甲醇50ml，密塞，称定重量，放置过夜，超声处理（功率250W，频率40kHz）30分钟，取出，放冷，再称定重量，用甲醇补足减失的重量，摇匀，滤过，取续滤液，作为供试品溶液。

2.3.2 对照品溶液的制备：精密称取木香烃内酯对照品、去氢木香内酯对照品适量，加甲醇制成每1ml含60μg的溶液，作为对照品溶液。

2.3.3 阴性对照试验：按处方比例1/10量制备缺木香的供试品，同供试品同制备工艺的阴性样品，按供试品的溶液制备方法制得阴性对照溶液。

2.3.4 测定：分别精密吸取以上三种溶液各10μl，注入色谱仪，记录各自的色谱图。

试验结果显示：供试品色谱中在与对照品色谱保留时间相同的位置上有色谱峰出现，而阴性对照在与对照品色谱保留时间相同的位置上无色谱峰出现，表明该含量测定方法阴性无干扰，专属性好。

2.4 线性关系考察

取木香烃内酯对照品2.987mg，去氢木香内酯对照品3.071mg，置50ml量瓶中，加甲醇使溶解，并稀释至刻度，摇匀。分别精密吸取2μl、5μl、10μl、15μl、20μl、25μl、30μl注入液相色谱仪，按上述色谱条件测定，以峰面积值对进样量进行回归分析。结果见表4、表5。

表4 木香烃内酯标准曲线数据及回归分析结果

木香烃内酯量（ng）	峰面积值	回归方程	r
119.48	177768		
198.70	405532		
597.40	879138		
896.10	1326789	$y=1423.7x+54772$	0.9984
1194.80	1769781		
1493.50	2170600		
1792.20	2611887		

表5 去氢木香烃内酯标准曲线数据及回归分析结果

去氢木香内酯量（ng）	峰面积值	回归方程	r
122.84	189900		
307.10	484932		
614.20	957458		
921.30	1436927	$y=0.000649868x-7.43761$	0.9990
1228.40	1923689		
1535.50	2359653		
1842.60	2840289		

从表4、表5数据可见，木香烃内酯在119.48~1792.2ng、去氢木香内酯在122.84~1842.6ng范围内与峰面积值呈良好的线性关系。

2.5 稳定性试验

取同一供试品（批号20200316），分别在溶液制备后的0小时、2小时、4小时、8小时、12小时、24小时按拟定条件进行测定，结果见表6。

表6 稳定性试验结果

时间（h）	木香烃内酯峰面积值	RSD（%）	去氢木香内酯峰面积值	RSD（%）
0	971214		1007969	
2	971709		1005218	
4	971439	0.83	1008903	0.72
8	970717		1008615	
12	969156		990003	
24	951294		1004405	

从表6数据可见，木香烃内酯、去氢木香内酯峰面积值在24小时内基本稳定。

2.6 重复性试验

取同一供试品（批号20200316）6份，各约2g，精密称定，置具塞锥形瓶中，精密加入甲醇50ml，密塞，称定重量，放置过夜，超声处理（功率250w，频率40kHz）30分钟，取出，放冷，再称定重量，用甲醇补足减失的重量，摇匀，滤过，取续滤液，作为供试品溶液。另精密称取木香烃内酯对照品、去氢木香内酯对照品适量，加甲醇制成每1ml含60μg的溶液，作为对照品溶液。分别精密吸取以上两种溶液各10μl，注入液相色谱仪，记录各自的色谱图，用外标法以峰面积计算含量。结果见表7。

表7 重复性试验结果

取样量（g）	峰面积值		含量（mg/g）		平均含量（mg/g）		RSD（%）	
	A	B	A	B	A	B	A	B
2.0002	946558.5	975990.5	3.203	3.114				
2.0008	944186.0	968346.5	3.193	3.087				
2.0000	949971.5	978904.5	3.215	3.123	3.197	3.112	1.46	0.79
2.0029	967444.0	990734.5	3.265	3.152				
2.0030	944451.5	977754.0	3.187	3.110				
2.0020	923844.5	969164.0	3.120	3.086				

*A为木香烃内酯、B为去氢木香内酯。

从表7数据可见，在相同的提取溶剂和色谱条件下，6份供试品含量测定结果的均值为A：3.197 mg/g，RSD为1.46%；B：3.112 mg/g，RSD为0.79%。表明该方法的重复性良好。

2.7 加样回收试验

取同一供试品（批号20200316，含量6.21mg/g）粉末1.0g，平行制备6份，精密称定，置100ml具塞锥形瓶中，按100%加入量分别加入木香烃内酯、去氢木香内酯对照品约1.5mg，精密加甲醇50ml，称定重量，放置过夜，超声处理（功率250W，频率40kHz）30分钟，取出，放冷，再称定重量，用甲醇补足减失的重量，摇匀，滤过，取续滤液，按拟定色谱条件测定。结果见表8。

表8 加样回收试验结果

取样量（g）	含量（mg）		对照品加入量（mg）		总含量（mg）		回收率（%）		平均回收率（%）		RSD（%）	
	A	B	A	B	A	B	A	B	A	B	A	B
1.0089	1.627	1.584	1.553	1.553	3.204	3.114	101.5	98.5				
1.0089	1.627	1.584	1.553	1.553	3.193	3.109	100.9	98.2				
1.0047	1.614	1.570	1.585	1.537	3.169	3.123	98.1	101.0	100.3	99.8	1.38	1.26
1.0047	1.614	1.570	1.585	1.537	3.185	3.124	99.1	101.1				
1.0034	1.609	1.567	1.495	1.535	3.119	3.108	101.0	100.4				
1.0034	1.609	1.567	1.495	1.535	3.124	3.092	101.3	99.4				

*A为木香烃内酯，B为去氢木香内酯。

从表8数据可见，本方法的平均回收率为A：100.3%，RSD为1.38%；B：99.8%，RSD为1.26%。该方法准确度好。

2.8 耐用性试验

取供试品（20200316）及对照品，按拟定的条件制备供试品溶液、对照品溶液，分别用不同的色谱柱、不同型号的高效液相色谱仪进行测定。结果见表9。

表9 耐用性试验

仪器型号	柱型号	分离度	测得平均含量（mg/g）		相对误差（%）	
			A	B	A	B
岛津	Kromasil C$_{18}$	>1.5	1.57	1.5395	1.23	1.20
岛津	Diamonsil C$_{18}$	>1.5	1.5438	1.5135	1.23	1.20

从表9数据可见，不同型号或厂家的色谱柱对测定结果影响较小。

3 样品含量测定

按拟定的条件对三批样品进行测定，结果见表10。

表10 含量测定结果

批号	取样量（g）	峰面积值		含量（mg/g）		平均含量（mg/g）		总含量（mg/g）
		A（n=2）	B（n=2）	A	B	A	B	
20200316	2.0285	949889.0	987641.0	3.126	2.746	1.5705	1.5395	3.11
	2.0129	944324.5	981958.0	3.064	3.093			
20200317	2.0311	1398545.0	1498677.0	4.591	4.638	2.2725	2.213	4.485
	2.0709	1423652.0	1414265.0	4.499	4.214			
20200318	2.0147	1144596.5	1332295.0	3.818	4.189	1.9175	2.075	3.9925
	2.0502	1195338.0	1290480.0	3.852	3.921			

*A为木香烃内酯，B为去氢木香内酯。

从表10数据可见，清心沉香-8散中木香烃内酯、去氢木香内酯的平均总量在3.86mg/g以上。

4 木香药材的含量测定

试验中采用同法对上述三批样品生产用木香药材进行了含量测定，木香药材中木香烃内酯和去氢木香内酯的含量分别为10.55mg/g和17.26mg/g，总含量为27.81mg/g（2.78%）。

5 本制剂含量限度的确定

从表中数据可见，三批样品中木香烃内酯和去氢木香内酯的总含量最低为3.11mg/g，木香药材中木香烃内酯和去氢木香内酯总含量为27.81mg/g（2.78%）。

按理论值折算，样品应含木香烃内酯和去氢木香内酯为20÷160×27.81=3.476mg/g，即3.476mg/g。可见，木香烃内酯和去氢木香内酯转移率为3.11（mg/g）÷3.476（mg/g）×100%=89.47%。

参照《中国药典》2020年版一部"木香"药材的木香烃内酯、去氢木香内酯的总含量限度不得少于1.8%，转移率为89.47%，考虑不同产地药材的质量差异，并结合其他影响因素及三批样品的测定结果，下浮10%，按此限度折算本品含木香烃内酯和去氢木香内酯总的理论量应不低于20÷160×1000×1.8%×89.47%×90%=1.811mg/g。

标准正文暂定为：本品每1g含木香以木香烃内酯（C$_{15}$H$_{20}$O$_2$）和去氢木香内酯（C$_{15}$H$_{18}$O$_2$）的总量计，不得少于1.8mg。

【功能与主治】

清心赫依热。用于心赫依热，心悸，心激荡，伤热，讧热，胸胁作痛，神昏谵语。

【用法与用量】

口服。一次1.5~3g,一日1~3次,温开水送服。

【规格】

每袋装(1)3g;(2)15g;(3)250g。

【贮藏】

密闭,防潮。

起草单位: 内蒙古自治区国际蒙医医院　　　　那松巴乙拉　乌仁高娃　萨茹拉

　　　　　　包头市检验检测中心　　　　　　　闫　婧　赵梦中　石晓丽

清肺沉香-8散质量标准起草说明

【历史沿革】

本方来源于《医疗手册》(内蒙古人民出版社1973年版,蒙古文,第1230页)。

【处方来源】

本制剂由内蒙古自治区国际蒙医医院提供。

【名称】

清肺沉香-8散

【蒙药材和饮片的来源和执行标准】

1. 处方组成及药味排列顺序:山沉香50g、广枣20g、檀香20g、红花20g、肉豆蔻20g、北沙参20g、紫檀10g、石膏10g。

2. 处方中除了山沉香和紫檀药材外,其余广枣等药味均收载于《中国药典》2020年版一部,其质量应符合该品种项下的有关规定。

山沉香:为木犀科植物贺兰山丁香*Syringa pinnatifolia* Hemsl. var. alashanensis Ma. et S.Q. Zhou削去外皮的干燥枝。其标准应符合《中华人民共和国卫生部药品标准》(蒙药分册)1998年版第4页该品种项下的有关规定。

紫檀:为豆科植物紫檀*Pterocarpus sindicus* Willd的心材。其标准应符合《内蒙古蒙药饮片炮制规范》2020年版第440页该品种项下的有关规定。

【制法】

以上八味,粉碎成细粉,过筛,混匀,分装,即得。

【性状】

本品为浅红色至棕红色的粉末;气香,味微酸、苦。

【鉴别】

本品为药材粉末制成的散剂,方中广枣、檀香、紫檀的显微特征都比较明显,故建立显微鉴别,并对处方中的檀香建立了薄层鉴别。

1. 试剂与试药

供试品:供试品(批号20190826、20190521、20190941)由内蒙古自治区国际蒙医医院提供,模拟样品(批号20200053)模拟。

对照品:檀香醇对照品(批号110789-201906),购于中国食品药品检定研究院。

薄层板:硅胶G板,购于青岛海洋化工有限公司。

所用其他试剂均为分析纯,水为离子交换高纯水。

2. 试验方法与结果

(1)显微鉴别

广枣:内果皮石细胞呈类圆形、椭圆形、梭形、长方形或不规则形,有的延长呈纤维状或有分枝,直径

14~72μm,长25~294μm,壁厚,孔沟明显。檀香:木纤维淡黄色,其周围的含晶细胞壁厚,木化,内含草酸钙方晶,形成晶纤维。紫檀:木射线细胞切向纵断面观呈类圆形或类三角形,壁稍厚,木化,孔沟明显,胞腔内含草酸钙方晶。

（2）檀香薄层鉴别

参照《中国药典》2020年版一部"檀香"药材项下的薄层条件,制定出正文所述的鉴别方法。通过阴性对照试验观察,方中其他药材对檀香药材的检出无干扰,此法具专属性。

【检查】

按照散剂（《中国药典》2020年版四部 通则0115）项下的规定,对三批供试品及模拟样品的外观均匀度、水分、重金属、砷盐和微生物限度进行了检查。具体方法及测定数据如下:

1. 外观均匀度:取供试品适量,置光滑纸上,平铺约5cm²,将其表面压平,在明亮处观察,色泽均匀,无花纹、色斑。

2. 水分:取供试品照水分测定法（《中国药典》2020年版四部）测定,三批供试品及模拟样品测得结果见表1。

表1　水分测定结果

序号	批号	水分（%）
1	20190826	4.4
2	20190521	4.0
3	20190941	4.4
4	20200053	4.0

药典规定散剂水分含量不得大于9.0%。从表1数据可见,本品水分含量符合要求。

3. 对三批供试品及模拟样品进行了重金属和砷盐检查。方法与结果如下:

重金属:分别取每个批号供试品0.5g、0.67g、1.0g、2.0g,按《中国药典》2020年版四部通则0821第二法检查。

供试品溶液的制备:取本品0.5g、0.67g、1.0g、2.0g,分别缓缓炽灼至完全炭化,放冷,加硫酸0.5ml,使湿润,低温加热至硫酸除尽后,加硝酸0.5ml,蒸干,至氧化氮蒸气除尽后,放冷,于600℃炽灼至完全灰化,放冷,加盐酸2ml,置水浴上蒸干后加水15ml,滴加氨试液至对酚酞指示液显中性,再加醋酸盐缓冲液（pH3.5）2ml,微热溶解后,移置纳氏比色管中,加水稀释至25ml,作为供试品溶液。

标准铅对照溶液的制备:另取配制供试品溶液的试剂两份,分别置瓷皿中蒸干后,加醋酸盐缓冲液（pH3.5）2ml,加水15ml微热溶解后,移置两支纳氏比色管中,分别加标准铅溶液（10μg/ml Pb）2ml,再加水稀释至25ml,作为标准铅对照溶液。

检视:于上述供试品溶液和标准铅对照溶液中分别加硫代乙酰胺试液各2ml,摇匀,放置2分钟,同置白色背景上,从上向下进行观察。试验结果见表2。

表2　重金属检查结果

序号	批号	重金属含量（ppm）			
1	20190826	<10	<20	<30	< 40
2	20190521	<10	<20	<30	< 40
3	20190941	<10	<20	<30	< 40
4	20200053	<10	<20	<30	< 40

从表2数据可见,供试品溶液的颜色明显浅于2ml的标准铅对照管。经过三批供试品及模拟样品的检查,含重金属均未超过百万分之十,故未收入正文。

砷盐：取本品1g和标准砷溶液（1μg/ml AS）2ml，分别加无砷氢氧化钙1g，加少量水，搅匀，烘干，用小火缓缓炽灼至炭化，再在600℃炽灼至完全灰化，放冷。分别加盐酸7ml使溶解，再加水21ml，按《中国药典》2020年版四部通则0822第一法（古蔡氏法）做砷盐限量检查。

结果：供试品砷斑浅于标准砷斑的颜色，表明本品含砷量未超过百万分之二（小于2ppm），故砷盐检查项目未列入正文。

4. 微生物限度：照微生物计数法（《中国药典》2020年版四部通则1105）和控制菌检查法（《中国药典》2020年版四部通则1106）及《内蒙古蒙药制剂规范》（第三册）附录Ⅲ微生物限度标准，进行检查。结果均符合规定。

【含量测定】

清肺沉香-8散是由山沉香、广枣、檀香、紫檀、红花、肉豆蔻、石膏、北沙参八味药组成。主要用于镇赫依，平喘。主治赫依偏盛性气喘，心赫依，哮喘，咳嗽，咳白沫痰，赫依性心脏激荡症，胸刺痛症。红花为方中的主药，红花中的黄色素和红色素成分由黄酮类化合物组成，水溶性黄色素的主要成分包括红花黄色素A、B、C，近年来的研究还发现了羟基化的红花黄色素A为主要成分。标准制定过程中，以羟基红花黄色素A作为测定指标，采用高效液相色谱法对本品中的红花建立了含量测定方法。通过试验摸索，确定了比较理想的色谱条件，并经过方法学考察及阴性对照试验，表明该方法操作简单，重复性好，专属性强，方中其他组分对羟基红花黄色素A的测定无干扰。

1 仪器与试剂试药

1.1 仪器

岛津LC-10AT泵，岛津SPD-10A检测器，岛津CLASS-VP色谱工作站；岛津uv-1700型紫外分光光度仪；Sartorius BP211D型电子分析天平，Precisa 92SM-202A型电子分析天平。

1.2 试剂与试药

供试品（批号20190826、20190521、20190941）由内蒙古自治区国际蒙医医院提供，模拟样品（批号20200053）模拟。羟基红花黄色素A对照品（批号111637-201810），购于中国食品药品检定研究院；甲醇、乙腈为色谱纯，水为高纯水，其他试剂均为分析纯。

2 方法学考察

2.1 色谱条件

2.1.1 色谱柱：色谱柱填充剂为十八烷基硅烷键合硅胶，本试验研究采用Phenomenex C_{18}柱（250mm×4.6mm，5μm）及Kromasil ODS柱（250mm×4.6mm，5μm）。

2.1.2 流动相的选择：参照《中国药典》2020年版四部"红花"项下的流动相比例进行流动相条件摸索，样品保留时间太短，经调整流动相比例至0.7%磷酸溶液-甲醇（70∶30），羟基红花黄色素A与其他成分达到较好的分离度，并具合适的保留时间，但拖尾现象较为严重，加三乙胺调节pH值至6.0，解除了拖尾现象，故将流动相定为以0.7%磷酸溶液-甲醇（用三乙胺调节pH值至6.0±0.1）（70∶30）。

2.1.3 柱温：采用30℃柱温，可降低流动相黏度，降低柱压，故将柱温定为30℃。

2.1.4 检测波长的选择：取羟基红花黄色素A对照品溶液，于紫外可见分光光度仪上，自200~700nm做光谱扫描，结果羟基红花黄色素A在波长402nm与226nm处有最大吸收，参照《中国药典》2020年版四部"红花"项下的规定，选用403nm作为检测波长。

2.1.5 理论板数的确定：对多批供试品测定结果表明，羟基红花黄色素A峰的理论板数在3000以上即能达到与相邻峰分开，并符合《中国药典》规定R＞1.5的要求，故本标准规定理论板数按羟基红花黄色素A峰计不得低于3000。

2.2 提取方法的选择及提取效率的考察

参照《中国药典》2020年版四部"红花"项下,以25%甲醇作为提取溶剂进行超声处理,试验中考察了超声30分钟、45分钟、60分钟等不同提取时间对提取效率的影响,结果见表3。羟基红花黄色素A对照品溶液制备:精密称取羟基红花黄色素A对照品适量,加甲醇制成每1ml含88.4μg的溶液,即得。羟基红花黄色素A对照品峰面积分别为1894271、1892374、1894087、1891335、1886649,平均为1891374。

表3 羟基红花黄色素A提取效率考察

时间（min）	取样量	对照品峰面积平均值	峰面积值			含量（mg/g）
			A	B	平均	
30	1.5400	1891743	1391160	1394183	1392672	1.056
	1.5000	1891743	1360371	1360054	1360212	1.059
45	1.4902	1891743	1360680	1360877	1360778	1.067
	1.5032	1891743	1364446	1366814	1365630	1.061
60	1.4312	1891743	1286164	1293287	1289726	1.053
	1.4926	1891743	1353547	1346215	1349881	1.057

从表3数据可见,超声处理45分钟后,对供试品中羟基红花黄色素A的含量没有太大的影响,故将提取时间定为超声处理45分钟。

2.3 专属性考察

2.3.1 对照品溶液的制备:取羟基红花黄色素A对照品适量,精密称定,加25%甲醇制成每1ml含30μg的溶液,作为对照品溶液。

2.3.2 供试品溶液的制备:取本品细粉约2g,精密称定,置具塞锥形瓶中,精密加入25%甲醇25ml,称定重量,超声处理(功率250W,频率40kHz)40分钟,取出,放冷,再次称定重量,用25%甲醇补足减失的重量,摇匀,滤过,取续滤液,作为供试品溶液。

2.3.3 阴性对照溶液的制备:按处方配比制备缺红花的阴性供试品,按"供试品溶液的制备"方法制备阴性对照溶液。

2.3.4 测定:分别精密吸取以上三种溶液各10μl,注入色谱仪,记录各自的色谱图。

试验结果显示:供试品色谱中在与对照品色谱保留时间相同的位置上有色谱峰出现,而阴性对照在与对照品色谱保留时间相同的位置上无色谱峰出现,表明该含量测定方法阴性无干扰,专属性好。

2.4 线性关系考察

取羟基红花黄色素A对照品约7mg,精密称定,置25ml量瓶中,加25%甲醇使溶解并稀释至刻度,摇匀,滤过,精密量取续滤液1ml,置10ml量瓶中,加25%甲醇稀释至刻度,摇匀(含羟基红花黄色素A 55.6μg/ml),然后吸取上述溶液2μl、4μl、8μl、12μl、16μl、20μl分别进样,按上述色谱条件测定,以峰面积对羟基红花黄色素A的进样量进行回归分析。结果见表4。

表4 标准曲线数据及回归分析结果

对照品量（μg）	峰面积值A	峰面积值B	平均峰面积值	回归方程	r
0.1112	354658	328893	341776		
0.2224	671556	669529	670542		
0.4448	1368153	1380126	1374140	$y=2523078x-22169$	0.9999
0.6672	2070942	2086972	2078957		
0.8896	2808123	2805913	2807018		
1.1120	3470890	3493396	3482143		

从表4数据可见,羟基红花黄色素A在0.1112~1.1120μg范围内与峰面积值呈良好的线性关系。

2.5 稳定性试验

取同一份供试品溶液,分别在溶液制备后的0小时、2小时、4小时、6小时、8小时、24小时进样测定。结果见表5。

表5 溶液的稳定性试验结果

时间（h）	峰面积值A	峰面积值B	平均峰面积值	RSD（%）
0	1610864	1613268	1612066	
2	1624076	1618590	1621333	
4	1613343	1600555	1606949	0.92
6	1606667	1600856	1603762	
8	1597402	1584382	1590892	
24	1577033	1583665	1580349	

从表5数据可见,羟基红花黄色素A在24小时内的峰面积值基本稳定。

2.6 重复性试验

取同一供试品（批号20190826）6份,各约1.5g,精密称定,置具塞锥形瓶中,精密加入25%甲醇25ml,称定重量,超声处理（功率250W,频率40kHz）40分钟,取出,放冷,再次称定重量,用25%甲醇补足减失的重量,摇匀,滤过,取续滤液,作为供试品溶液。羟基红花黄色素A对照品溶液制备:精密称取羟基红花黄色素A对照品适量,加甲醇制成每1ml含88.4μg的溶液,即得。羟基红花黄色素A对照峰面积分别为1894271、1892374、1894087、1891335、1886649,平均为1891374。结果见表6。

表6 羟基红花黄色素A含量重复性试验结果

取样量（g）	对照品峰面积平均值	峰面积值			含量（mg/g）	平均含量（mg/g）	RSD（%）
		A	B	平均			
1.5401	1891743	1390462	1393334	1391898	1.056		
1.5562	1891743	1424939	1423339	1424139	1.069		
1.5347	1891743	1402840	1403822	1403331	1.068	1.065	0.44
1.5056	1891743	1371376	1377136	1374256	1.066		
1.5321	1891743	1402767	1395750	1399258	1.067		
1.5389	1891743	1403376	1401028	1402202	1.064		

从表6数据可见,在相同的提取溶剂和色谱条件下,6份供试品含量测定结果的均值为1.065mg/g,RSD为0.44%,表明该方法的重复性良好。

2.7 加样回收试验

取供试品（批号20190826,含量1.065mg/g）9份,各约0.75g,精密称定,其中1、2、3号各精密加入用25%甲醇配置的羟基红花黄色素A对照品溶液（羟基红花黄色素A浓度0.4102mg/ml）0.5ml,4、5、6号各精密加入上述对照品溶液1ml,7、8、9号各精密加入上述对照品溶液1.5ml,分别按重复性试验项下方法操作,测定每份供试品含量,计算回收率。结果见表7。

羟基红花黄色素A对照品溶液制备:精密称取羟基红花黄色素A对照品适量,加甲醇制成每1ml含88.4μg的溶液,即得。各溶液取20μl进样,按上述色谱条件测定,以峰面积对注入量进行回归分析。结果见表7。

表7　羟基红花黄色素A加样回收试验结果

取样量（g）	供试品含量（mg）	对照品加入量（mg）	峰面积值			测得总量（mg）	回收率（%）	平均回收率（%）	RSD（%）
			A	B	平均				
0.7499	0.799	0.4102	1011856	1041528	1026692	1.199	97.51		
0.7545	0.804	0.4102	1023588	1039727	1030658	1.204	97.51		
0.7385	0.787	0.4102	1016660	1020083	1018372	1.190	98.24		
0.7551	0.804	0.8204	1391793	1388556	1390174	1.624	99.95		
0.7562	0.805	0.8204	1402114	1403569	1402842	1.639	101.66	99.84	1.74
0.7546	0.804	0.8204	1400678	1401517	1401098	1.637	101.54		
0.7488	0.797	1.2306	1730505	1730917	1730711	2.022	99.54		
0.7514	0.800	1.2306	1749260	1749366	1749313	2.044	101.09		
0.7526	0.802	1.2306	1756220	1754897	1755558	2.051	101.50		

从表7数据可见，本方法的平均回收率为99.84%，RSD为1.74%。该方法准确度好。

2.8　耐用性试验

换不同厂家、不同型号的色谱柱，取重复性试验中的1、2号供试品及对照品分别进样，测定含量，结果见表8。

表8　不同色谱柱的耐用性试验

柱型号	含量（mg/g）	相对偏差（%）
Phenomenex C_{18}柱	1.058	0.24
Kromasil ODS柱	1.063	
Phenomenex C_{18}柱	1.072	0.89
Kromasil ODS柱	1.053	

从表8数据可见，不同型号或厂家的色谱柱对测定结果影响较小。

3　样品含量测定

取本品按重复性试验项下的方法处理并测定，三批样品及模拟样品的测定结果见表9。

表9　样品中羟基红花黄色素A含量测定结果

批号	取样量（g）	样品峰面积			含量（g）	平均含量（g）	RSD（%）
		A	B	平均			
20190826	1.5022	1361125	1358619	1359872	1.058		
	1.5056	1402312	1398491	1400402	1.087	1.08	1.40
	1.5063	1388936	1392603	1390770	1.079		
20190521	1.5043	1375581	1374153	1374867	1.068		
	1.5000	1358619	1358181	1358400	1.058	1.07	1.13
	1.5016	1387988	1394254	1391121	1.082		
20190941	1.5008	1378777	1371794	1375286	1.071		
	1.5012	1359619	1356318	1357968	1.057	1.06	0.68
	1.4100	1282293	1279206	1280750	1.061		
20200053	1.5035	2404016	2405247	2404632	1.868		
	1.5038	2368345	2377570	2372958	1.84	1.86	0.69
	1.5089	2404066	2400832	2402449	1.86		

注：羟基红花黄色素A对照品溶液为1ml含88.4μg。

从表9数据可见，模拟样品的含量为1.857mg/g。

4 红花药材的含量考察

取6批不同的红花药材粉末（过三号筛），各约0.4g，精密称定，按《中国药典》2020年一部"红花"项下的方法处理并测定，6批红花药材中羟基红花黄色素A的含量测定结果见表10。

表10 红花药材中羟基红花黄色素A的含量测定结果

药材编号	取样量（g）	测得药材峰面积值			含量（mg/g）	平均含量（mg/g）
		A	B	平均		
1	0.4069	1176103	1166710	1171406	5.258	5.224
	0.4051	1154666	1148221	1151444	5.191	
2	0.4250	4623157	4607340	4615248	19.834	19.690
	0.4190	4481997	4486590	4484294	19.547	
3	0.4065	3019350	3031657	3025504	13.594	13.561
	0.4076	3015371	3022513	3018942	13.528	
4	0.4036	2332507	2163427	2346967	10.621	10.714
	0.4083	2420542	2411125	2415834	10.807	
5	0.4046	3943307	3944634	3943970	17.804	17.886
	0.4029	3965058	3961789	3963424	17.967	
6	0.4087	3928262	3902694	3915478	17.498	17.574
	0.4097	3952065	3965908	3958986	17.649	

从表10数据可见，模拟样品所用红花药材5的含量为17.886mg/g。

5 本制剂含量限度的确定

从表中数据可见，模拟样品的含量为1.857mg/g。从表10数据可见，模拟样品所用红花药材5的含量为17.886mg/g。

按理论值折算，样品应含羟基红花黄色素A为20÷170×17.886=2.104mg/g，即2.10mg/g。可见，羟基红花黄色素A转移率为1.857（mg/g）÷2.10（mg/g）×100%=88.42%。

参考《中国药典》2020年版一部"红花"药材的羟基红花黄色素A含量限度不得少于1.0%，转移率为88.42%，考虑不同产地药材的质量差异，并结合其他影响因素及三批样品的测定结果，按此限度折算本品含羟基红花黄色素A的理论量应不低于20÷170×1.0%×1000×88.42%=1.04mg/g。

标准正文暂定为：本品为每1g含红花以羟基红花黄色素A（$C_{27}H_{32}O_{16}$）计，不得少于1.0mg。

【功能与主治】

镇赫依，平喘。用于赫依偏盛性气喘，心赫依，哮喘，咳嗽，咳白沫痰，赫依性心脏激荡症，胸刺痛症。

【用法与用量】

口服。一次1.5~3g，一日1~2次，温开水送服。

【规格】

每袋（1）3g；（2）15g；（3）250g。

【贮藏】

密闭，防潮。

起草单位：内蒙古自治区国际蒙医医院　　　　那松巴乙拉　青　松　宝　山
　　　　　鄂尔多斯市检验检测中心　　　　　　李　珍　杨　洋　张　烨

绰森·哈伦-8散质量标准起草说明

【历史沿革】

本处方来源于《蒙药验方》(内蒙古自治区人民医院编,1971年版,蒙古文,第75页)。

【处方来源】

本制剂由内蒙古自治区国际蒙医医院提供。

【名称】

绰森·哈伦-8散

【药材和饮片的来源和执行标准】

1. 处方组成及药味排列顺序:紫草170g、栀子70g、土木香26g、齿叶草30g、石膏21g、甘草10g、人工牛黄22g、寒制红石膏170g。

2. 处方中除了齿叶草和寒制红石膏药材外,其余紫草等药味均收载于《中国药典》2020年版一部,其质量应符合该品种项下的有关规定。

齿叶草:为玄参科植物齿叶草*Odontites serotina*(Lam.)Dum.的干燥地上部分。其标准应符合《中华人民共和国卫生部药品标准》蒙药分册(1998年版)第28页该品种项下的有关规定。

寒制红石膏:为单斜晶系硫酸钙矿石族红石膏Gypsum的矿石红石膏(北寒水石)的炮制加工品。主含含水硫酸钙($CaSO_4 \cdot 2H_2O$)。其标准应符合《内蒙古蒙药饮片炮制规范》2020年版第188页该品种项下的有关规定。

【制法】

以上八味,除人工牛黄外,其余紫草等七味,粉碎成细粉,将人工牛黄与上述细粉配研,过筛,混匀,分装,即得。

【性状】

本品为浅褐色至紫褐色的粉末;气微香,味微苦。

【鉴别】

本品为药材粉末制成的散剂,方中大多数药味的显微特征都比较明显,故对处方中的土木香、栀子、甘草建立显微鉴别,并对处方中的人工牛黄建立了薄层鉴别。

1. 试剂与试药

供试品:供试品(批号20190911、20190912、20190913)由内蒙古自治区国际蒙医医院提供,模拟样品(批号20190901)模拟。

对照:胆酸对照品(批号 100078-201415),猪去氧胆酸对照品(批号100087-201411),均购于中国食品药品检定研究院。

薄层板:硅胶G板,购于青岛海洋化工有限公司。

所用其他试剂均为分析纯,水为离子交换高纯水。

2. 试验方法与结果

（1）显微鉴别

土木香：菊糖众多，无色，呈不规则碎块状；栀子：种皮石细胞黄色或淡棕色，多破碎，完整者长多角形、长方形或形状不规则，直径60~112μm，长至230μm，壁厚，纹孔甚大，胞腔棕红色；甘草：纤维成束，直径8~14μm，壁厚，微木化，周围薄壁细胞含草酸钙方晶，形成晶纤维。

（2）人工牛黄薄层鉴别

参照《中国药典》2020年版一部"人工牛黄"项下的薄层条件，制定正文所述的鉴别方法。通过阴性对照试验观察，方中其他药材对人工牛黄药材的检出无干扰，证明此方法具有专属性。

【检查】

按照散剂（《中国药典》2020年版四部通则0115）项下规定，对三批供试品及模拟样品的外观均匀度、水分、重金属、砷盐和微生物限度进行了检查。具体方法及测定数据如下：

1. 外观均匀度：取供试品适量，置光滑纸上，平铺约5cm²，将其表面压平，在亮处观察，呈现均匀的色泽，无花纹、色斑。结果三批供试品及模拟样品均符合规定。

2. 水分：取供试品照水分测定法（《中国药典》2020年版四部通则0832）测定。三批供试品及模拟样品的测定结果见表1。

表1 水分测定结果

序号	样品批号	水分（%）
1	20190911	5.69
2	20190912	5.47
3	20190913	5.12
4	20190901	5.04

药典规定散剂水分含量不得大于9.0%。从表1数据可见，本品水分含量符合要求。

3. 对三批供试品及模拟样品进行了重金属和砷盐考察。方法与结果如下：

重金属：分别取每个批号供试品0.5g、0.67g、1.0g、2.0g，按《中国药典》2020年版四部0821第二法检查。

供试品溶液的制备：取本品0.5g、0.67g、1.0g、2.0g，分别缓缓炽灼至完全炭化，放冷，加硫酸0.5ml，使湿润，低温加热至硫酸除尽后，加硝酸0.5ml，蒸干，至氧化氮蒸气除尽后，放冷，于600℃炽灼至完全灰化，放冷。加盐酸2ml，置水浴上蒸干后加水15ml，滴加氨试液至对酚酞指示液显中性，再加醋酸盐缓冲液（pH3.5）2ml，微热溶解后，移置纳氏比色管中，加水稀释至25ml，作为供试品溶液。

标准铅对照溶液的制备：另取配制供试品溶液的试剂两份，分别置瓷皿中蒸干后，加醋酸盐缓冲液（pH3.5）2ml，加水15ml微热溶解后，移置两支纳氏比色管中，分别加标准铅溶液（10μg/mlPb）2ml，再加水稀释至25ml，作为标准铅对照溶液。

检视：于上述供试品溶液和标准铅对照溶液中分别加硫代乙酰胺试液各2ml，摇匀，放置2分钟，同置白色背景上，从上向下进行观察。试验结果见表2。

表2 重金属检查结果

序号	批号	重金属含量（ppm）			
1	20190911	<10	<20	<30	<40
2	20190912	<10	<20	<30	<40
3	20190913	<10	<20	<30	<40
4	20190901	<10	<20	<30	<40

试验结果显示,供试品溶液的颜色明显浅于2ml的标准铅对照溶液。经过三批供试品及模拟样品的检查,含重金属均未超过百万分之十,故未收入正文。

砷盐:取本品1g和标准砷溶液(1μg/ml AS)2ml,分别加无砷氢氧化钙1g,加少量水,搅匀,烘干,用小火缓缓炽灼至炭化,再在600℃炽灼至完全灰化,放冷。分别加盐酸7ml使溶解,再加水21ml,按《中国药典》2020年版四部通则0822第一法(古蔡氏法)检查砷盐含量。

结果:供试品砷斑浅于标准砷斑的颜色,表明本品含砷量未超过百万分之二(小于2ppm),故砷盐检查项目未列入正文。

4. 微生物限度:照微生物计数法(《中国药典》2020年版四部通则1105)和控制菌检查法(《中国药典》2020年版四部通则1106)及《内蒙古蒙药制剂规范》(第三册)附录Ⅲ微生物限度标准进行检查。结果符合规定。

【含量测定】

绰森·哈伦-8散由寒制红石膏、土木香、紫草、栀子、齿叶草、石膏、甘草、人工牛黄八味药材组成。临床功效清血热。用于血热引起的头痛,牙痛,中暑头痛,眼红,不宜放血治疗之血热病。栀子功能为泻火除烦、清热利湿。栀子苷是栀子的主要化合物之一,故选择栀子苷作为指标成分,对本制剂中的栀子进行含量测定方法的研究。参照《中国药典》2020年版一部"栀子"项下的含量测定方法,选择栀子苷作为指标成分,对本制剂中的栀子进行了HPLC含量测定方法研究。经分析方法验证,表明该方法重复性好,专属性强,方中其他组分对栀子苷的测定无干扰。

1 仪器与试剂试药

1.1 仪器

U3000型高效液相色谱仪,Mettler-Toledo MS105DU型百万分之一电子天平,Mettler-Toledo XPR10型万分之一电子天平,SBL-22DT型超声波清洗器(宁波新芝生物科技股份有限公司,40kHz),Heal Force NW15UV型超纯水系统,FW400A型多功能粉碎机(材茂科技有限公司)。

1.2 试剂与试药

供试品(批号20190911、20190912、20190913)由内蒙古自治区国际蒙医医院提供,模拟样品(批号20190901)模拟;栀子苷对照品(批号 110749-201919),购于中国食品药品检定研究院;乙腈为色谱纯,水为超纯水,所用其他试剂均为分析纯。

2 方法学考察

2.1 色谱条件

2.1.1 色谱柱:色谱柱填充剂为十八烷基硅烷键合硅胶,本试验采用Alltima C_{18}(250mm×4.6mm,5μm)色谱柱。

2.1.2 流动相的选择:参照《中国药典》2020年版一部"栀子"含量测定项下的测定方法,以乙腈-水(15:85)为流动相,供试品中的栀子苷与其他成分能达到较好的分离,色谱峰具有比较好的保留时间、分离度和对称性。故选择以乙腈-水(15:85)为流动相。

2.1.3 柱温:30℃可以保证柱压较低,分离效果稳定,保留时间变化小。

2.1.4 检测波长的选择:参照《中国药典》2020年版一部"栀子"含量测定项下栀子苷的测定方法,选用238nm处作为检测波长。

2.1.5 理论板数的确定:从对三批样品的测定结果可见,栀子苷峰理论板数在1500以上即能达到较好的分离效果,故规定理论板数按栀子苷峰计算应不低于1500。

2.2 提取溶剂及提取效率的考察

2.2.1 提取溶剂的选择

参照《中国药典》2020年版第一部"栀子"含量测定项下方法采用甲醇作为提取溶剂。

2.2.2 提取效率的考察

以甲醇作为提取溶剂进行超声提取。为保证被测成分提取完全，在供试品的细度一致、提取溶剂为甲醇、超声（功率250W，频率40kHz）的条件下，分别考察了提取20分钟、30分钟、40分钟和50分钟时的提取效率。结果见表3。

表3　栀子苷提取时间考察

时间（min）	取样量（g）	峰面积值			含量（mg/g）	平均含量（mg/g）
		A	B	平均		
20	0.5063	14.5214	14.5307	14.5261	3.8293	3.7791
	0.5035	14.0286	14.1046	14.0666	3.7288	
30	0.5023	14.2503	14.0235	14.1369	3.7564	3.8549
	0.5083	15.0922	15.0199	15.0561	3.9534	
40	0.5036	16.2115	16.2181	16.2148	4.2974	4.2365
	0.5048	15.7897	15.7963	15.7930	4.1757	
50	0.5089	16.1494	16.1552	16.1523	4.2363	4.2917
	0.5085	16.5622	16.5622	16.5622	4.3472	

从表3数据可见，超声提取40分钟和50分钟时供试品中栀子苷的含量高于超声提取20分钟和30分钟时，且超声提取40分钟和50分钟时供试品中栀子苷的含量变化不大，故将提取时间定为40分钟。

2.3 专属性考察

2.3.1 对照品溶液的制备：取栀子苷对照品适量，精密称定，加甲醇制成每1ml含73μg的溶液，作为对照品溶液。

2.3.2 供试品溶液的制备：取本品细粉约0.5g，精密称定，置具塞锥形瓶中，精密加入甲醇25ml，称定重量，超声处理40分钟（功率250W，频率40kHz），放冷，再称定重量，用甲醇补足减失的重量，摇匀，滤过，取续滤液，作为供试品溶液。

2.3.3 阴性对照溶液的制备：按本品处方工艺制备不含栀子的阴性供试品，按"供试品溶液的制备"方法制备阴性对照溶液。

2.3.4 测定：在上述色谱条件下，分别精密吸取上述三种溶液各10μl，分别注入液相色谱仪进行测定，记录色谱图。

试验结果显示，供试品色谱中在与对照品色谱保留时间相同的位置上有色谱峰出现，而阴性对照在与对照品色谱保留时间相同的位置上无色谱峰出现，表明该含量测定方法阴性无干扰，专属性好。

2.4 线性关系考察

取栀子苷对照品约7.3mg，精密称定，置100ml量瓶中，加甲醇使溶解，并稀释至刻度，摇匀，作为对照品溶液（对照品溶液实际浓度为0.0734mg/ml）。分别精密吸取上述对照品溶液1μl、5μl、10μl、12μl、15μl和20μl注入液相色谱仪，按上述色谱条件进行测定，以峰面积对进样量进行回归分析。结果见表4。

表4　栀子苷标准曲线数据及回归方程结果表

序号	进样量（μg）	峰面积值	回归方程	r
1	0.0723	1.3260		
2	0.3670	6.8643		
3	0.7340	13.6120	$y=18.453x+0.0618$	1.0000
4	0.8808	16.3485		
5	1.101	20.3931		
6	1.468	27.0542		

从表4数据可见，栀子苷在0.0723~1.468μg质量浓度范围内与峰面积呈良好的线性关系。

2.5 精密度试验

取同一份供试品（批号20190911）溶液，连续进样6针，记录色谱图。栀子苷峰面积的精密度计算结果见表5。

表5 精密度试验结果

序号	峰面积值	平均峰面积值	RSD（%）
1	15.6881		
2	15.3296		
3	15.7673	15.6152	0.99
4	15.6925		
5	15.5609		
6	15.6526		

从表5数据可见，符合《中国药典》2020年版四部通则0512中规定的RSD值小于2.0%的要求。

2.6 稳定性试验

取同一供试品（批号20190911）溶液，分别于制备溶液后的0小时、2小时、4小时、6小时、7小时、8小时进行测定。结果见表6。

表6 供试品溶液稳定性试验结果

序号	时间（h）	峰面积值	RSD（%）
1	0	15.3471	
2	2	15.4687	
3	4	15.5837	1.61
4	6	15.7725	
5	7	15.9532	
6	8	15.9475	

表6数据可见，栀子苷在8小时内的峰面积值、RSD值基本稳定不变。

2.7 重复性试验

取同一供试品（批号20190911）6份，各约0.5g，精密称定，置具塞锥形瓶中，精密加入甲醇25ml，称定重量，超声处理40分钟（功率250W，频率40kHz），放冷，再称定重量，用甲醇补足减失的重量，摇匀，滤过，取续滤液，作为供试品溶液。精密吸取10μl注入液相色谱仪进行测定，记录色谱图及峰面积，按外标法计算含量。结果见表7。

表7 栀子苷重复性试验结果

样品号	称样量（g）	平均峰面积值	含量（mg/g）	平均含量（mg/g）	RSD（%）
1	0.5005	15.4799	4.2416		
2	0.5012	15.8516	4.3374		
3	0.5023	15.4504	4.2184	4.2821	1.44
4	0.5003	15.9701	4.3779		
5	0.5008	15.5505	4.2585		
6	0.5011	15.5635	4.2594		

从表7数据可见，6份供试品含量测定结果的均值为4.28mg/g，RSD为1.44%，表明该方法的重复性好。

2.8 加样回收试验

取已知含量（批号20190911，含量为4.28mg/g）的供试品9份，各约0.25g，精密称定，分别置9个具塞锥形瓶中，再分别在其中3个具塞锥形瓶中精密加入浓度为0.1083mg/ml的栀子苷对照品溶液5ml（约相当于供试品含有量的

50%）及甲醇20ml，另3个具塞锥形瓶中各精密加入上述对照品溶液10ml（约相当于供试品含有量的100%）及甲醇15ml，其余3个具塞锥形瓶中各精密加入上述对照品溶液15ml（约相当于供试品含有量的150%）及甲醇10ml，分别称定重量，超声处理40分钟，取出，再称重，用甲醇补足减失重量，摇匀，滤过，取续滤液，即得。各取上清液10μl进样，分别精密吸取各溶液10μl注入液相色谱仪进行测定，记录色谱图和峰面积，按外标法计算含量，再计算回收率。结果见表8。

表8　加样回收试验结果

序号	样品量（g）	供试品含量（mg）	对照品加入量（mg）	测得总量（mg）	回收率（%）	平均回收率（%）	RSD（%）
1	0.2498	1.0691	0.5415	1.6248	102.61		
2	0.2519	1.0781	0.5415	1.6460	104.86		
3	02509	1.0738	0.5415	1.6218	101.81		
4	0.2516	1.0768	1.0830	2.1979	103.51		
5	0.2532	1.0837	1.0830	2.2072	103.74	103.37	2.20
6	0.2508	1.0734	1.0830	2.2400	107.71		
7	0.2521	1.0790	1.6245	2.7781	104.59		
8	0.2527	1.0816	1.6245	2.7021	99.75		
9	0.2534	1.086	1.6245	2.7476	102.37		

从表8数据可见，栀子苷的平均回收率为103.7%，RSD为2.20%。该方法准确度好。

2.9　耐用性试验

取供试品（批号20190911）2份，各约0.5g，精密称定，按重复性试验项下方法处理，换不同厂家、不同型号的色谱柱，分别测定供试品的含量。结果见表9。

表9　色谱柱耐用性试验（栀子苷）

样品号	取样量（g）	柱型号	平均峰面积值	含量（mg/g）
1	05013	Apollo C_{18}	15.2564	4.07
	0.5013	Alltima C_{18}	15.3612	4.26

从表9数据可见，不同型号或厂家的色谱柱对栀子苷的测定结果影响较小，耐用性好。

3　样品含量测定

取三批样品（批号20190911、20190912、20190913）及模拟样品（批号20190901）各2份，各约0.5g，精密称定，按重复性试验项下方法处理，分别测定并按外标法计算三批样品含量。含量测定结果见表10。

表10　样品含量测定结果

批号	取样量（g）	样品峰面积值			含量（mg/g）	平均含量（mg/g）
		A	B	平均		
20190911	0.5021	2146229	2184521	2165375	6.13	
20190912	0.5066	2203202	2210131	2206667	6.19	6.25
20190913	0.5061	2276750	2296609	2286680	6.43	
20190911	0.5008	15.5449	15.5562	15.5505	4.26	4.26
	0.5011	15.6309	15.4961	15.5635	4.26	

从表10数据可见，三批样品和模拟样品中栀子苷含量最低为4.26mg/g，最高为6.43mg/g。模拟样品含量比较低。

4 栀子药材含量测定

试验中采用同法对上述三批样品生产用栀子药材进行了含量测定,结果见表11。

表11 栀子药材含量测定结果

序号	取样量（g）	平均峰面积值（*n*=2）		含量（mg/g）	平均含量（mg/g）
1	0.0548	11.7043 11.3587	11.5315	28.31	29.19
2	0.0556	12.4195 12.4015	12.4105	30.07	

从表11数据可见,栀子药材中栀子苷的含量为29.19mg/g（2.919%）。

5 本制剂含量限度的确定

从表中数据可见,三批样品中栀子苷的含量最低为6.13mg/g,模拟样品中栀子苷的含量为4.26mg/g,栀子药材中栀子苷的含量为29.19mg/g（2.919%）。

按理论值折算,样品应含栀子苷为0.1349g×2.919%×1000=3.94mg,即3.94mg/g。因此,转移率为4.26÷3.940×100%=108.1%。

参照《中国药典》2020年版一部"栀子"药材的栀子苷含量限度不得少于1.8%,转移率为108.1%,转移率过高,故不计入含量限度的计算中。考虑不同产地药材的质量差异,并结合其他影响因素及三批样品的测定结果,下浮20%,按此限度折算本品含栀子苷的理论量应不低于70÷519（g）×1000×1.8%×80%=1.942mg/g。

标准正文暂定为:本品每1g含栀子以栀子苷（$C_{17}H_{24}O_{10}$）计,不得少于2.0mg。

【功能与主治】

清血热。用于血热引起的头痛,牙痛,中暑头痛,眼红,不宜放血治疗之血热病。

【用法与用量】

口服。一次1.5~3g,一日1~2次,温开水送服。

【规格】

每袋（1）3g；（2）15g；（3）250g。

【贮藏】

密封,防潮。

起草单位: 内蒙古盛唐国际蒙医药研究院　　崔圆圆　张跃祥　王　伟

　　　　　包头市检验检测中心　　　　　　张冬梅　包　舟　魏颖轩

　　　　　鄂尔多斯市蒙医医院　　　　　　阿米拉　哈斯巴雅尔

斯日西散质量标准起草说明

【历史沿革】

本方来源于内蒙古自治区国际蒙医医院经验方，是由蒙药阿拉坦–阿如–5丸和阿木日–6散组成的复方制剂，两种蒙成药都记载于蒙医药历史文献上。

【处方来源】

本制剂由内蒙古自治区国际蒙医医院提供。

【名称】

斯日西散

【蒙药材和饮片的来源和执行标准】

1. 处方组成及药味排列顺序：诃子112g、奶制红石膏80g、黑冰片76g、大黄48g、山柰32g、碱面32g、五灵脂28g、石榴24g、土木香16g、制木鳖10g。

2. 处方中除了奶制红石膏、黑冰片、碱面和石榴药材外，其余诃子等药味均收载于《中国药典》2020年版一部，其质量应符合该品种项下的有关规定。

石榴：为石榴科植物石榴*Punica granatum* L.的干燥成熟果实。其质量应符合《内蒙古蒙药饮片炮制规范》2020年版第119页该品种项下的有关规定。

黑冰片：为猪科动物野猪*Sus scrofa* L. 的干燥成形粪便经焖煅制成的炭。主要产地：内蒙古。其标准应符合《内蒙古蒙药材标准》1986年版495页该品种项下有关规定。

碱面：本品为天然碱土Trona soil自然粗结晶，或经风化的产物。主含碳酸钠（Na_2CO_3），还含较多量的硫酸盐和镁、钙、铝等。其标准应符合《内蒙古蒙药饮片炮制规范》2020年版第106页该品种项下有关规定。

奶制红石膏：为单斜晶系硫酸钙矿石族红石膏 Gypsum 的矿石红石膏（北寒水石）的炮制加工品。主含含水硫酸钙（$CaSO_4 \cdot 2H_2O$）。其质量应符合《内蒙古蒙药饮片炮制规范》2020年版第189页该品种项下的有关规定。

【制法】

以上十味，粉碎成细粉，过筛，混匀，分装，即得。

【性状】

本品为灰黑色至黑色的粉末；气微，味微苦、微涩。

【鉴别】

本品为药材粉末制成的散剂，方中石榴、黑冰片、奶制红石膏、制木鳖的显微特征较明显，故建立显微鉴别，并对处方中大黄、山柰、土木香进行了薄层鉴别研究。

1. 试剂与试药

供试品：供试品（批号20180512、20180709、20181032）由内蒙古自治区国际蒙医医院提供，模拟样品（批号20200062）模拟。

对照品：山柰对照药材（批号121504–201203）、对甲氧基桂皮酸乙酯对照品（批号110835–201603）、大黄对照药材（批号120984-201202）、大黄酸对照品（批号110757-201607）、土木香内酯对照品（批号110760-201008）、异土木香内酯对照品（批号110761-200203），均购于中国食品药品检定研究院。

薄层板：硅胶G板、硅胶H板、硅胶GF$_{254}$板，均购于青岛海洋化工有限公司。

其他试剂均为分析纯，水为离子交换高纯水。

2. 试验方法与结果

（1）显微鉴别

石榴：石细胞，呈类圆形或长卵形。黑冰片：黑色、呈不规则碎块状。奶制红石膏：晶体团块不规则形，大小不等，近透明。制木鳖：子叶薄壁细胞多角形，内含脂肪油滴及糊粒粉。

（2）大黄薄层鉴别

参照《中国药典》2020年版一部"大黄"项下的薄层条件，制定正文所述的鉴别方法。通过阴性对照试验观察，方中其他药材对大黄药材的检出无干扰，证明此方法具有专属性，故未收入正文。

（3）山奈薄层鉴别

参照《中国药典》2020年版一部"山奈"项下的薄层条件，制定正文所述的鉴别方法。通过阴性对照试验观察，方中其他药材对山奈药材的检出无干扰，证明此方法具有专属性。

（4）土木香薄层鉴别

参照《中国药典》2020年版一部"土木香"项下的薄层条件，制定正文所述的鉴别方法。通过阴性对照试验观察，方中其他药材对土木香药材的检出无干扰，证明此方法具有专属性，故未收入正文。

【检查】

按照散剂（《中国药典》2020年版四部通则0115）项下的规定，对三批供试品及模拟样品的外观均匀度、水分、重金属、砷盐和微生物限度进行了检查。具体方法及测定数据如下：

1. 外观均匀度：取供试品适量，置光滑纸上，平铺约5cm^2，将其表面压平，在亮处观察，呈现均匀的色泽，无花纹、色斑。结果三批供试品均符合规定。

2. 水分：取供试品照水分测定法（《中国药典》2020年版四部通则0832）第二法测定。三批供试品及模拟样品的测定结果见表1。

表1　水分测定的检查表

序号	批号	水分（%）
1	20180512	4.4
2	20180709	4.8
3	20181032	4.6
4	20200062	4.6

从表1数据可见，供试品中含水量不超过9%，符合规定。

3. 对三批供试品及模拟样品进行了重金属和砷盐考察。方法与结果如下：

重金属：分别取每个批号供试品0.5g、0.67g、1.0g、2.0g，按《中国药典》2020年版四部0821第二法检查。

供试品溶液的制备：取本品0.5g、0.67g、1.0g、2.0g，分别缓缓炽灼至完全炭化，放冷，加硫酸0.5ml，使湿润，低温加热至硫酸除尽后，加硝酸0.5ml，蒸干，至氧化氮蒸气除尽后，放冷，于600℃炽灼至完全灰化，放冷。加盐酸2ml，置水浴上蒸干后加水15ml，滴加氨试液至对酚酞指示液显中性，再加醋酸盐缓冲液（pH3.5）2ml，微热溶解后，移置纳氏比色管中，加水稀释至25ml，作为供试品溶液。

标准铅对照溶液的制备：另取配制供试品溶液的试剂两份，分别置瓷皿中蒸干后，加醋酸盐缓冲液（pH3.5）

2ml，加水15ml微热溶解后，移置两支纳氏比色管中，分别加标准铅溶液（10μg/ml Pb）2ml，再加水稀释至25ml，作为标准铅对照溶液。

检视：于上述供试品溶液和标准铅对照溶液中分别加硫代乙酰胺试液各2ml，摇匀，放置2分钟，同置白色背景上，从上向下进行观察。试验结果见表2。

表2　重金属检查结果

序号	批号	重金属含量（ppm）			
1	20180512	＜10	＜20	＜30	＜40
2	20180709	＜10	＜20	＜30	＜40
3	20181032	＜10	＜20	＜30	＜40
4	20200062	＜10	＜20	＜30	＜40

结果显示，供试品溶液的颜色明显浅于2ml的标准铅对照管。经过三批供试品及模拟样品的检查，含重金属均未超过百万分之十，故未收入正文。

砷盐：取本品1g和标准砷溶液（1μg/ml AS）2ml，分别加无砷氢氧化钙1g，加少量水，搅匀，烘干，用小火缓缓炽灼至炭化，再在600℃炽灼至完全灰化，放冷。分别加盐酸7ml使溶解，再加水21ml，按《中国药典》2020年版四部通则0822第一法（古蔡氏法）做砷盐限量检查。

结果：供试品砷斑浅于标准砷斑的颜色，表明本品含砷量未超过百万分之二（小于2ppm），故砷盐检查项目未列入正文。

4. 微生物限度：照微生物计数法（《中国药典》2020年版四部通则1105）和控制菌检查法（《中国药典》2020年版四部通则1106）及《内蒙古蒙药制剂规范》（第三册）附录Ⅲ微生物限度标准，进行检查。结果均符合规定。

【含量测定】

斯日西散是由诃子、制木鳖、五灵脂、碱面、大黄、石榴、黑冰片、奶制红石膏、土木香、山柰等十味药组成的复方制剂，大黄为处方中主要药味之一。参照《中国药典》2020年版一部"大黄"项下的含量测定方法，对本品中游离大黄素的含量测定进行了试验条件摸索，经分析方法验证，该方法重复性好，专属性强，方法中其他成分对大黄素测定无干扰。

1　仪器与试剂试药

1.1　仪器

Thermo ultimate3000型高效液相色谱仪；Sartorius BT25S型电子天平，Sartorius BSA224S型电子天平，Sartorius BSA423S型电子天平；KQ-500DE型数控超声清洗器。

1.2　试剂与试药

供试品（批号20180512、20180709、20181032）由内蒙古自治区国际蒙医医院提供，模拟样品（批号20200062）模拟。大黄素对照品（批号110756-201512），购于中国食品药品检定研究院；乙腈、甲醇为色谱纯，其他均为分析纯试剂，水为超纯水。

2　方法学考察

2.1　色谱条件

2.1.1　色谱柱：以十八烷基硅烷键合硅胶为填充剂，本试验研究用Thermo scientific C18柱（250mm×4.6mm，5μm）。

2.1.2　流动相的选择：《中国药典》2020年版一部"六味安消散"含量测定项下方法，采用乙腈-甲醇-0.1%磷酸溶液（42：23：35）作为流动相进行测定，样品中大黄素分离效果好，保留时间适中，故确定乙腈-甲醇-0.1%磷酸溶液（42∶23∶35）作为流动相。

2.1.3 柱温：试验中对25℃和30℃柱温进行了比较，结果大黄素保留时间略有差异，但分离度及理论板数没有变化，故本试验研究采用柱温25℃。

2.1.4 检测波长的选择：取大黄素对照品溶液，进样10μl，利用DAD检测器自190~400nm做光谱扫描，结果大黄素在221~288nm处有吸收峰，结合《中国药典》2020年版一部"大黄"项选择254nm作为检测波长。

2.1.5 理论板数的确定：参照《中国药典》2020年版一部"大黄"含量测定项下要求，本标准规定理论板数按大黄素峰计应不低于3000。

2.2 提取方法的选择及提取效率的考察

参考《中国药典》2020年版一部"六味安消散"含量测定项下的方法，以甲醇作为提取溶剂进行超声提取。为保证被测成分提取完全，在供试品的细度一致、提取溶剂为甲醇、超声（功率250W，频率40kHz）的条件下，分别考察了提取15分钟、30分钟、45分钟、60分钟时的提取效率。结果见表3。

表3 提取效率的考察表

提取时间（min）	游离大黄素峰面积值	游离大黄素含量（mg/g）
15	5.4025	0.04899
30	5.4582	0.05020
45	5.5888	0.05128
60	5.5862	0.05125
90	5.5082	0.05061

从表3数据可见，超声处理时间45分钟时，游离大黄素含量最高，故确定超声时间为45分钟。

2.3 专属性考察

2.3.1 对照品溶液的制备：精密称取大黄素对照品0.00338g，加甲醇25ml制成每1ml含0.1352mg的溶液，作为对照品溶液。

2.3.2 供试品溶液的制备：取本品约4.5g，精密称定，置具塞锥形瓶中，精密加甲醇25ml，密塞，称定重量，分别超声处理（功率250W，频率40kHz）45分钟，再称定重量，用甲醇补足减失的重量，摇匀，滤过，取续滤液，作为供试品溶液。

2.3.3 阴性对照溶液的制备：按本品处方工艺制备不含大黄的阴性样品，按供试品溶液的制备方法制备阴性对照溶液（缺大黄）。

2.3.4 测定：分别精密吸取以上三种溶液各10μl，注入色谱仪，记录各自的色谱图。

试验结果显示：供试品色谱中在与对照品色谱保留时间相同的位置上有色谱峰出现，而阴性对照在与对照品色谱保留时间相同的位置上无色谱峰出现，表明该含量测定方法阴性无干扰，专属性好。

2.4 线性关系考察

取大黄素对照品0.00338g，置25ml量瓶中，加甲醇使溶解，并稀释至刻度，摇匀配制浓溶液。精密吸取浓溶液不同体积，再依次倍比稀释成浓度梯度的稀释液。精密吸取10μl注入液相色谱仪，按上述色谱条件测定，以峰面积对大黄素量进行回归分析。结果见表4。

表4 标准曲线数据及回归分析结果

对照品浓度（μg/ml）	峰面积值		回归方程	r
1.69	0.9489	0.9518		
3.38	1.9745	1.9757	$y=0.6844x-0.7358$	0.9998
6.76	4.0307	4.0323		

续表

对照品浓度（μg/ml）	峰面积值		回归方程	r
13.52	8.4186	8.4243		
27.04	17.3309	17.3237	y=0.6844x−0.7358	0.9998
54.08	35.1740	35.2761		
135.2	92.2105	92.2766		

从表4数据可见，大黄素在1.69~135.2μg/ml范围内与峰面积值呈良好的线性关系。

2.5 稳定性试验

取同一供试品（批号20180512），分别于制备溶液后的0小时、2小时、4小时、8小时、12小时、24小时进行测定。结果见表5。

表5 溶液的稳定性试验结果

时间（h）	峰面积值	RSD（%）
0	5.5824	
2	5.5990	
4	5.6109	
8	5.5990	0.26
12	5.6184	
24	5.6214	

从表5数据可见，大黄素在24小时内峰面积值基本稳定，RSD值为0.26%，能够满足测定所需要的时间。

2.6 重复性试验

取同一供试品（批号20180512）6份，各约4.5g，精密称定，置具塞锥形瓶中，精密加甲醇25ml，密塞，称定重量，分别超声处理（功率200W，频率40kHz）45分钟，再称定重量，用甲醇补足减失的重量，摇匀，滤过，取续滤液，作为供试品溶液。另精密称取大黄素对照品0.00338g，加甲醇25ml制成每1ml含0.1352mg的溶液，作为对照品溶液。分别精密吸取以上两种溶液各10μl，注入液相色谱仪，记录各自的色谱图，用外标法以峰面积计算含量。结果见表6。

表6 重复性试验结果

取样量（g）	峰面积值		含量（mg/g）	平均含量（mg/g）	RSD（%）
4.5054	5.4726	5.4618	0.05029		
4.5083	5.5034	5.5106	0.05058		
4.5057	5.4754	5.4883	0.05041	0.05063	0.70
4.5072	5.5004	5.5000	0.05054		
4.5076	5.5963	5.5932	0.05130		
4.5063	5.5127	5.5115	0.05065		

从表6数据可见，在相同的提取溶剂和色谱条件下，6份供试品含量测定结果的均值为0.05mg/g，RSD为0.70%，表明该方法的重复性良好。

2.7 加样回收试验

取同一供试品（批号20180512，含量0.05063mg/g）6份，各约2.25g，精密称定，置具塞锥形瓶中，分别精密加入大黄素对照品溶液2ml（大黄素浓度为0.0544mg/ml），再分别精密加甲醇23ml，按上述方法测定。结果见表7。

表7　加样回收试验结果

取样量（g）	供试品含有量（mg）	对照品加入量（mg）	峰面积值		测得总含量（mg）	回收率（%）	平均回收率（%）	RSD（%）
2.257	0.1143		5.4286	5.4313	0.2252	101.9		
2.257	0.1143		5.3741	5.3639	0.2230	99.91		
2.259	0.1144	0.1088	5.4387	5.4383	0.2255	102.1	102.1	1.17
2.258	0.1143		5.4739	5.4498	0.2264	103.0		
2.259	0.1144		5.4525	5.4545	0.2261	102.7		
2.254	0.1141		5.4641	5.4581	0.2264	103.2		

从表7数据可见，本方法的平均回收率为102.1%，RSD为1.17%。该方法准确度好。

3　样品含量测定

取本品按上述方法处理并测定，不同批次样品进行含量测定，结果见表8。

表8　样品中游离大黄素含量测定结果

批号	取样量（g）	测得峰面积值		含量（mg/g）	平均含量（mg/g）
20180512	4.5054	5.4723	5.4610	0.05029	
	4.5083	5.5025	5.5095	0.05057	0.05042
	4.5057	5.4730	5.4853	0.05039	
20180709	1.5077	5.0829	5.0905	0.14106	
	1.5081	5.1376	5.0444	0.14113	0.14065
	1.5084	5.0282	5.0423	0.13976	
20181032	2.0063	6.1610	6.2035	0.12596	
	2.0082	6.1422	6.1492	0.12517	0.12547
	2.0089	6.1498	6.1588	0.12528	

从表8数据可见，本品每1g含大黄以游离大黄素（$C_{15}H_{10}O_5$）计，均大于0.05mg，以最低含量的80%作为限度，故标准正文暂定为：本品每1g含大黄以游离大黄素（$C_{15}H_{10}O_5$）计，不得少于0.040 mg。

【功能与主治】

止酸，润肠，消食，解痉。用于胃肠积热，宿食不消，胃腹胀满，肝胆热症，胃痧症，便秘，痛经。

【用法用量】

口服，一次1.5～3g，一日1-2次，温开水送服。

【规格】

每袋（1）3g；（2）15g；（3）250g。

【贮藏】

密闭，防潮。

起草单位：内蒙古自治区国际蒙医医院　　　　斯琴塔娜　奥东塔娜　宝　山

赤峰市药品检验所　　　　周国立　王天媛　刘建海

朝伦·细莫–21散质量标准起草说明

【历史沿革】

本方来源于《蒙医药选编》（内蒙古人民出版社 1999年版，蒙古文，第353页）。

【处方来源】

本制剂由内蒙古自治区国际蒙医医院提供。

【名称】

朝伦·细莫–21散

【蒙药材和饮片的来源和执行标准】

1. 处方组成及药味排列顺序：奶制红石膏50g、石榴50g、五灵脂50g、沙棘50g、木香40g、紫檀40g、酸梨干40g、栀子35g、麦冬35g、诃子35g、人工牛黄25g、波棱瓜子25g、豆蔻25g、荜茇25g、紫花地丁25g、蓝盆花20g、芫荽子20g、瞿麦20g、连翘15g、花香青兰15g、土木香15g。

2. 处方中除了奶制红石膏、花香青兰、石榴、酸梨干、波棱瓜子、蓝盆花、紫檀和五灵脂药材外，其余豆蔻等药味均收载于《中国药典》2020年版一部，其质量应符合该品种项下的有关规定。

奶制红石膏：为单斜晶系硫酸钙矿石族红石膏 Gypsum 的矿石红石膏（北寒水石）的炮制加工品。 主含含水硫酸钙（$CaSO_4 \cdot 2H_2O$）。其质量应符合《内蒙古蒙药饮片炮制规范》2020年版第189页该品种项下的有关规定。

花香青兰：为唇形科植物香青兰*Dracocephalum moldavica* L. 的干燥带花地上部分。其标准应符合《内蒙古蒙药饮片炮制规范》2020年版第201页该品种项下的有关规定。

石榴：为石榴科植物石榴*Punica granatum* L.的干燥成熟果实。其标准应符合《内蒙古蒙药饮片炮制规范》2020年版第119 页该品种项下的有关规定。

蓝盆花：为川续断科植物窄叶蓝盆花*Scabiosa comosa* Fisch.ex Roem.et Schult和华北蓝盆花*Scabiosa tschilliensis* Grunning的干燥花序。其质量标准应符合《中华人民共和国卫生部药品标准》（蒙药分册）1998 年版第52 页该品种项下的有关规定。

酸梨干：为蔷薇科植物花盖梨*Pyrus ussuriensis* Maxim的干燥成熟果实。其标准应符合《内蒙古蒙药饮片炮制规范》2020年版第498 页该品种项下的有关规定。

波棱瓜子：为葫芦科植物波棱瓜*Herpetospermum pedunculosum*（Sex.）Baill. 的干燥种子。其标准应符合《内蒙古蒙药饮片炮制规范》2020年版第277 页该品种项下的有关规定。

紫檀：为豆科植物紫檀*Pterocarpus sindicus* Willd的干燥新材。其标准应符合《内蒙古蒙药饮片炮制规范》2020年版第440 页该品种项下的有关规定。

五灵脂：为松鼠科动物灰鼯鼠*Petaurista xanthotis*（Milne –Edwards）的干燥粪便。其质量应符合《内蒙古蒙药饮片炮制规范》2020年版第364页该品种项下的有关规定。

【制法】

以上二十一味，除人工牛黄外，其余奶制红石膏等二十味，粉碎成细粉，将人工牛黄与上述细粉配研，过筛，混匀,分装,即得。

【性状】

本品为口服制剂散剂,性状为灰黄色至棕黄色;气微香,味甘、微酸。

【鉴别】

本品为药材粉末制成的散剂,方中石榴、豆蔻、沙棘、木香的显微特征较明显,故建立显微鉴别,并对处方中人工牛黄建立了薄层鉴别。

1.试剂与试药

供试品:供试品(批号20190901、20190902、20190903)由国际蒙医医院提供,模拟样品(批号20190914)模拟。

对照品:胆酸对照品(批号100078-201415)、猪去氧胆酸对照品(批号100087-201411),购于中国食品药品检定研究院。

薄层板:硅胶G板,购于青岛海洋化工有限公司。

所用其他试剂均为分析纯,水为离子交换高纯水。

2.试验方法与结果

(1)显微鉴别

石榴:石细胞无色,椭圆形或类圆形,壁厚,孔沟细密;豆蔻:内种皮厚壁细胞黄棕色或棕红色,表面观类多角形,壁厚,胞腔含硅质块;沙棘:果肉薄壁细胞含多数橙红色或橙黄色颗粒状物,鲜黄色油滴甚多;木香:菊糖团块形状不规则,有时可见微细放射状纹理。

(2)人工牛黄薄层鉴别

参照《中国药典》2020年版一部"人工牛黄"项下薄层条件,制定出正文所述的鉴别方法。通过阴性对照试验观察,方中其他药材对人工牛黄的检出无干扰,证明此方法具有专属性。

【检查】

按照散剂(《中国药典》2020年版四部通则0115)项下的规定,对三批供试品及模拟样品的外观均匀度、水分、重金属、砷盐和微生物限度进行了检查。具体方法及测定数据如下:

1.外观均匀度:按《中国药典》2020年版四部通则0115散剂项下规定,取三批供试品及模拟样品适量,置光滑纸上,平铺约5cm²,将其表面压平,在明亮处观察,应色泽均匀,无花纹与色斑。结果三批供试品及模拟样品均符合规定。

2.水分:取供试品照水分测定法(《中国药典》2020年版四部通则0832)测定。三批供试品及模拟样品测定结果见表1。

表1 水分测定结果

序号	批号	水分(%)
1	20190901	6.59
2	20190902	6.47
3	20190903	6.52
4	20190914	7.11

药典规定散剂水分含量不得大于9.0%。从表1数据可见,本品的水分含量均符合要求。

3.对三批供试品及模拟样品进行了重金属和砷盐考察。方法与结果如下:

重金属:分别取每个批号样品0.5g、0.67g、1.0g、2.0g,按《中国药典》2020年版四部0821第二法检查。

供试品溶液的制备：取本品0.5g、0.67g、1.0g、2.0g，分别缓缓炽灼至完全炭化，放冷，加硫酸0.5ml，使湿润，低温加热至硫酸除尽后，加硝酸0.5ml，蒸干，至氧化氮蒸气除尽后，放冷，于600℃炽灼至完全灰化，放冷。加盐酸2ml，置水浴上蒸干后加水15ml，滴加氨试液至对酚酞指示液显中性，再加醋酸盐缓冲液（pH3.5）2ml，微热溶解后，移置纳氏比色管中，加水稀释至25ml，作为供试品溶液。

标准铅对照管的制备：另取配制供试品溶液的试剂两份，分别置瓷皿中蒸干后，加醋酸盐缓冲液（pH3.5）2ml，加水15ml微热溶解后，移置两支纳氏比色管中，分别加标准铅溶液（10μg/ml Pb）2ml，再加水稀释至25ml，作为标准铅对照管。

检视：于上述供试品溶液和标准铅对照管中分别加硫代乙酰胺试液2ml，摇匀，放置2分钟，同置白色背景上，从上向下进行观察。试验结果见表2。

表2　重金属检查结果

序号	批号	重金属含量（ppm）			
1	20190901	<10	<20	<30	<40
2	20190902	<10	<20	<30	<40
3	20190903	<10	<20	<30	<40
4	20190914	<10	<20	<30	<40

结果显示，供试品溶液的颜色明显浅于2ml的标准铅对照溶液。经过三批供试品及模拟样品的检查，含重金属均未超过百万分之十，故未列入正文。

砷盐：取本品1g和标准砷溶液（1μg/ml AS）2ml，分别加无砷氢氧化钙1g，加少量水，搅匀，烘干，用小火缓缓炽灼至炭化，再在600℃炽灼至完全灰化，放冷。分别加盐酸7ml使溶解，再加水21ml，按《中国药典》2020年版四部通则0822第一法（古蔡氏法）检查砷盐含量。

结果：供试品砷斑浅于标准砷斑的颜色，表明本品含砷量未超过百万分之二（小于2ppm），故砷盐检查项目未列入正文。

4. 微生物限度：照微生物计数法（《中国药典》2020年版四部通则1105）和控制菌检查法（《中国药典》2020年版四部通则1106）及《内蒙古蒙药制剂规范》（第三册）附录Ⅲ微生物限度标准，进行检查。结果均符合规定。

【含量测定】

朝伦-细莫-21散是由奶制红石膏、石榴、栀子、瞿麦、诃子等二十一味药组成。临床功效为愈聚合宝日，止吐。用于吐酸水，胸部灼热，肝胃区及胸背疼痛等。方中栀子具有泻火除烦，清热利湿，凉血解毒作用；外用消肿止痛。栀子中的栀子苷对心脑血管、肝胆疾病及糖尿病均有良好的干预效果，故参照《中国药典》2020年版一部"栀子"项下的含量测定方法，选择栀子苷作为指标成分，对本制剂中的栀子进行了HPLC含量测定方法研究。经分析方法验证，表明该方法重复性好，专属性强，方中其他组分对栀子苷的测定无干扰。

1　仪器与试剂试药

1.1　仪器

U3000型高效液相色谱仪；SCL-10AvP型控制器，SPD-10AvP型检测器，Class-vP色谱工作站，岛津UV-1700型紫外-可见分光光度仪；隔膜真空泵（巩义市英峪仪器厂）；KQ-250DB型超声波清洗器（昆山市超声仪器有限公司）；Heal Force NW15UV型超纯水系统；ADVENTURERTM型电子天平（万分之一），Ohaus Discovery型电子天平（十万分之一）；FW400A型多功能粉碎机（材茂科技有限公司）。

1.2　试剂与试药

供试品三批（批号20190901、20190902、20190903）由内蒙古自治区国际蒙医医院提供，模拟样品（批号

20190914）模拟；栀子苷对照品（批号110749-201617），购于中国食品药品检定研究院；乙腈为色谱纯，水为超纯水，其他试剂均为分析纯。

2 方法学考察

2.1 色谱条件

2.1.1 色谱柱：色谱柱填充剂为十八烷基硅烷键合硅胶，本试验采用Alltima C_{18} 柱（250mm×4.6mm，5μm）。

2.1.2 流动相的选择：参照《中国药典》2020年版一部"栀子"项下的流动相比例进行流动相条件摸索，经试验验证，分离效果好，色谱峰对称，故将流动相定为乙腈-水（15:85）。

2.1.3 柱温：33℃。

2.1.4 检测波长的选择：参照《中国药典》2020年版一部"栀子"含量测定项下栀子苷的测定方法，选用238nm处作为检测波长。

2.1.5 理论板数的确定：三批供试品的测定结果表明，栀子苷峰的理论板数在1500以上即能达到与相邻峰分开，并符合《中国药典》2020版第一部规定 $R>1.5$ 的要求，故规定理论板数按栀子苷计不低于1500。

2.2 提取溶剂及提取时间的考察

参考《中国药典》2020年版一部"栀子"含量测定项下的方法，以甲醇作为提取溶剂进行超声提取，为保证被测成分提取完全，在供试品的细度一致、提取溶剂确定、超声（功率250W，频率40kHz）的条件下，试验中考察了超声处理20分钟、30分钟、40分钟等不同提取时间对提取效率的影响。结果见表3。

表3　栀子苷提取效率考察

| 提取时间 | 称样量 | 供试品峰面积值 | | 平均 | 含量 | 平均含量 |
(min)	(g)	A	B	峰面积值	(mg/g)	(mg/g)
20-1	0.5003	5.8079	5.6453	5.7266	1.5459	1.5890
20-2	0.5006	6.0472	6.0521	6.0497	1.6321	
30-1	0.5028	6.5713	6.6168	6.5941	1.7711	1.7615
30-2	0.5026	6.6064	6.4332	6.5198	1.7519	
40-1	0.5013	5.8197	5.8694	5.8445	1.5745	1.5917
40-2	0.5006	6.0468	5.8814	5.9641	1.6090	

从表3数据可见，超声处理30分钟时，在供试品中提取栀子苷的含量最高，故将提取时间定为30分钟。

2.3 专属性考察

2.3.1 对照品溶液的制备：取栀子苷对照品适量，精密称定，加甲醇制成每1ml含70μg的溶液，作为对照品溶液。

2.3.2 供试品溶液的制备：取本品细粉约0.5g，精密称定，置具塞锥形瓶中，精密加入甲醇25ml，称定重量，超声处理（功率250W，频率40kHz）30分钟，放冷，再称定重量，用甲醇补足减失的重量，摇匀，滤过，取续滤液，作为供试品溶液。

2.3.3 阴性对照溶液的制备：按本品处方比例制备不含栀子的阴性样品，取约0.5g，精密称定，从"置具塞锥形瓶中……"起操作同"供试品溶液的制备"，取续滤液，作为阴性对照溶液。

2.3.4 测定：分别精密吸取上述三种溶液各10μl，注入液相色谱仪，记录色谱图。

试验结果显示，供试品色谱中在与对照品色谱保留时间相同的位置上有色谱峰出现，而阴性对照在与对照品色谱保留时间相同的位置上无色谱峰出现，表明该含量测定方法阴性无干扰。

2.4 线性关系考察

取栀子苷对照品约7.3mg，精密称定，置100ml量瓶中，加纯甲醇使溶解并稀释至刻度，摇匀，作为对照品溶液

（栀子苷实际浓度为0.0734mg/ml），然后精密吸取上述溶液1μl、3μl、5μl、7μl、10μl、12μl、15μl、20μl分别进样，按上述色谱条件测定，以峰面积对栀子苷的进样量进行回归分析。结果见表4。

表4　标准曲线数据及回归分析结果

序号	进样量（μg）	峰面积值	回归方程	r
1	0.0734	1.326		
2	0.2202	4.1818		
3	0.3670	6.8643		
4	0.5138	9.5585	$y=0.1.35223x-0.07817$	0.9999
5	0.7340	13.612		
6	0.8808	16.3485		
7	1.1010	20.3931		
8	1.4680	27.0542		

从表4数据可见，栀子苷在0.0734~1.47μg范围内与峰面积呈良好的线性关系。

2.5　稳定性试验

取同一供试品（批号20190914）溶液，分别在溶液制备后的0小时、1小时、2小时、3小时、4小时、5小时、6小时、7小时进样测定。结果见表5。

表5　溶液的稳定性试验结果

序号	时间（h）	峰面积值	RSD（%）
1	0	6.6769	
2	1	6.809	
3	2	6.7844	
4	3	6.5322	1.99
5	4	6.8901	
6	5	6.7188	
7	6	6.5036	
8	7	6.6638	

从表5数据可见，栀子苷在7小时内峰面积值基本稳定。

2.6　精密度试验

取同一供试品（批号20190914）溶液，连续进样6针，记录色谱图。栀子苷峰面积的精密度计算结果见表6。

表6　栀子苷精密度试验结果

序号	峰面积值	平均峰面积值	RSD（%）
1	6.0069		
2	6.1883		
3	6.0040	6.1159	1.44
4	6.1443		
5	6.1498		
6	6.2022		

从表6数据可见，符合《中国药典》2020年版四部通则0512中规定的RSD值小于2.0%的要求。

2.7　重复性试验

取同一供试品（批号20190914）7份，各约0.5g，精密称定，置具塞锥形瓶中，精密加入甲醇25ml，称定重量，超声处理（功率250W，频率40kHz）30分钟，放冷，再称定重量，用甲醇补足减失的重量，摇匀，滤过，取续滤液，作为供试品溶液。取栀子苷对照品适量,精密称定,加甲醇制成每1ml含70μg的溶液,作为对照品溶液。分别精密吸取以上两种溶液各10μl,注入液相色谱仪,记录各自的色谱图,用外标法以峰面积计算含量。结果见表7。

表7　栀子苷重复性试验结果

称样量(g)	供试品峰面积值	含量(mg/g)	平均含量(mg/g)	RSD(%)
0.5073	5.9630	1.6383		
0.5025	6.3034	1.7483		
0.5071	6.2428	1.7158		
0.5064	6.3655	1.7520	1.71	1.83
0.5071	6.1928	1.7021		
0.5036	6.0758	1.6815		
0.5058	6.0980	1.6803		

从表7数据可见,在相同的细度、提取溶剂和色谱条件下,6份供试品含量测定结果的均值为1.71mg/g,RSD为1.83%,表明该方法的重复性好。

2.8　加样回收试验

取已知含量(批号20190914,含量为1.71mg/g)的供试品9份,各约0.25g,精密称定,分别置9个具塞锥形瓶中,其中1、2、3号各精密加入用甲醇配制的栀子苷对照品溶液(栀子苷浓度为0.045mg/ml)5ml及甲醇20ml,4、5、6号各精密加入上述对照品溶液10ml及甲醇15ml,7、8、9号各精密加入上述对照品溶液15ml及甲醇10ml,称定重量,超声处理(功率250W,频率40kHz)30分钟,放冷,再称定重量,用甲醇补足减失的重量,摇匀,滤过,取续滤液,作为供试品溶液。分别精密吸取各溶液10μl进样测定,按外标法以峰面积计算含量并计算回收率。结果见表8。

表8　加样回收试验结果

称样量(g)	供试品含量(mg)	对照品加入量(mg)	测得总量(mg)	回收率(%)	平均回收率(%)	RSD(%)
0.2558	0.4374	0.2250	0.6781	106.95		
0.2527	0.4321	0.2250	0.6683	104.96		
0.2530	0.4326	0.2250	0.6722	106.48		
0.2554	0.4367	0.4500	0.9244	108.37		
0.2543	0.4349	0.4500	0.8952	102.30	105.2	1.89
0.2570	0.4394	0.4500	0.9000	102.35		
0.2540	0.4343	0.6750	1.1433	105.03		
0.2556	0.4371	0.6750	1.1476	105.26		
0.2576	0.4405	0.6750	1.1480	104.82		

从表8数据可见,本方法的平均回收率为105.2%,RSD为1.89%。该方法准确度好。

2.9　耐用性试验

取供试品(批号20190914)2份,各约0.5g,精密称定,按重复性试验项下的方法处理,换不同厂家、不同型号的色谱柱,分别测定供试品的含量。结果见表9。

表9　色谱柱耐用性试验

序号	称样量(g)	柱型号	平均含量(mg/g)
1	0.5022	Apollo C_{18}	1.8784
2	0.5049	Alltima C_{18}	1.7834

从表9数据可见,在使用不同型号或厂家的色谱柱时,对测定结果影响较小。

3 样品含量测定

取三批样品(批号20190901、20190902、20190903)及模拟样品(批号20190914),每批各2份,各约0.5g,精密称定,按重复性试验项下的方法处理并测定含量。测定结果见表10。

表10 样品中栀子苷的含量测定结果

批号	称样量(g)	峰面积值	含量(mg/g)	平均含量(mg/g)
20190901	0.5035	8.1428	2.2806	2.27
	0.5078	8.0459	2.2548	
20190902	0.5017	8.5629	2.3017	2.29
	0.5030	8.5412	2.2879	
20190903	0.5048	8.3479	2.2799	2.28
	0.5023	8.4064	2.2855	
20190914	0.5054	6.3655	1.7520	1.73
	0.5018	6.1928	1.7021	

从表10数据可见,三批样品和模拟样品中栀子苷含量最低为1.73mg/g,最高为2.29mg/g。

4 栀子药材的含量测定

采用同法对上述三批样品生产用栀子药材进行了含量测定。测定结果见表11。

表11 栀子药材中栀子苷的含量测定结果

序号	称样量(g)	测得药材峰面积值			含量(mg/g)	平均含量(mg/g)
		A	B	平均		
1	0.0528	11.7043	11.3587	11.5315	29.4943	30.4108
2	0.0535	12.4195	12.4015	12.4105	31.3272	

从表11数据可见,栀子药材中栀子苷含量为30.41mg/g(3.0%)。

5 本制剂含量限度的确定

从表中数据可见,模拟样品中栀子苷的含量为1.73mg/g,三批样品中栀子苷最低含量在2.27mg/g。从表11数据可见,栀子药材中栀子苷的含量为30.41mg/g。

根据本品处方量折算,理论上成品每1g含栀子苷应为1.63mg,因此,栀子苷的转移率为1.73(mg/g)÷1.63(mg/g)×100%=106.13%。

参照《中国药典》2020年版一部"栀子"药材项下规定的栀子苷含量限度不得少于1.8%,转移率为106.13%,转移率过高,故不计入含量限度计算里。考虑不同产地药材的质量差异,并结合其他影响因素及三批样品的测定结果,下浮20%,按此限度折算本品含栀子苷的理论量应不低于1.8%×1000×35/655×106.13%×80%=0.82mg/g。

标准正文暂定为:本品每1g含栀子以栀子苷($C_{17}H_{24}O_{10}$)计,不得少于0.80mg。

【功能与主治】

愈聚合宝日,止吐。用于吐酸水,胸部灼热,肝胃区及胸背疼痛,关节痛,血、希日性胃病,宝日扩散,宝日隐伏,宝日相讧及转移、陈旧性胃病。

【用法与用量】

口服。一次1.5~3g,一日1~2次,温开水送服。

【规格】

每袋(1)3g;(2)15g;(3)250g。

【贮藏】

　　密封,防潮。

起草单位: 内蒙古盛唐国际蒙医药研究院　　张跃祥　崔圆圆　王　伟

　　　　　包头市检验检测中心　　　　　　张冬梅　包　冉　魏颖轩

　　　　　内蒙古自治区药品检验研究院　　籍学伟　郭宝凤

朝伦·细莫–6散质量标准起草说明

【历史沿革】

本方来源于《蒙药验方》(内蒙古自治区人民医院编,1971年版,蒙古文,第34页)。

【处方来源】

本制剂由内蒙古自治区国际蒙医医院提供。

【名称】

朝伦·细莫–6散

【蒙药材和饮片的来源和执行标准】

1. 处方组成及药味排列顺序:奶制红石膏100g、红花80g、荜茇30g、石榴25g、土木香50g、豆蔻30g。

2. 处方中除了寒制红石膏和石榴药材外,其余红花等药味均收载于《中国药典》2020年版一部,其质量应符合该品种项下的有关规定。

奶制红石膏:为单斜晶系硫酸钙矿石族红石膏 Gypsum 的矿石红石膏(北寒水石)的炮制加工品。主含含水硫酸钙($CaSO_4 \cdot 2H_2O$)。其标准应符合《内蒙古蒙药饮片炮制规范》2020年版第188页该品种项下的有关规定。

石榴:为石榴科植物石榴*Punicagranatum* L.的干燥成熟果实。其标准应符合《内蒙古蒙药材炮制规范》2020年版第119页该品种项下的有关规定。

【制法】

以上六味,粉碎成细粉,过筛,混匀,分装,即得。

【性状】

本品为浅黄色至棕色的粉末;味辛、涩。

【鉴别】

本品为药材粉末制成的散剂,方中大多数药味的显微特征都比较明显,故处方中奶制红石膏,土木香,豆蔻建立显微鉴别,并对处方中荜茇和红花建立了薄层鉴别。

1. 试剂与试药

供试品:供试品(批号201900702、20190925、20200131)由内蒙古自治区国际蒙医医院提供,模拟样品(批号20200021)模拟。

对照品:胡椒碱对照品(批号110775–201706),购于中国食品药品检定研究院。

薄层板:硅胶G板,购于青岛海洋化工有限公司。

2. 试验方法与结果

(1)显微鉴别

奶制红石膏:晶体团块不规则形,近透明。土木香:菊糖团块呈不规则形,有的呈扇形,并可见细微放射状纹理,加热后渐溶化。豆蔻:内种皮厚壁细胞黄棕色或棕红色,表面观类多角形,壁厚,胞腔含硅质块。

(2)荜茇薄层鉴别

参照《中国药典》2020年版一部"荜茇"项下的薄层条件,制定出正文所述的鉴别方法。通过阴性对照试验观察,方中其他药材对荜茇的检出无干扰,此法具专属性。本规定对荜茇进行了含量测定,故其薄层鉴别未入正文。

（3）红花薄层鉴别

参照《中国药典》2020年版一部"红花"项下的薄层条件,制定出正文所述的鉴别方法。通过阴性对照试验观察,方中其他药材对红花的检出无干扰,此法具专属性。

【检查】

按照散剂（《中国药典》2020年版四部通则0115）项下的规定,对三批供试品及模拟样品的外观均匀度、水分、重金属、砷盐、浸出物和微生物限度进行了检查。具体方法及测定数据如下:

1. 外观均匀度:取供试品适量,置光滑纸上,平铺约5cm²,将其表面压平,在亮处观察,呈现均匀的色泽,无花纹、色斑。结果三批供试品及模拟样品均符合规定。

2. 水分:取供试品照水分测定法（《中国药典》2020年版四部 通则0832）测定。三批供试品及模拟样品的测定结果见表1。

表1 水分测定结果

序号	批号	水分（%）
1	20190702	2.5
2	20190925	2.4
3	20200131	2.3
4	20200021	2.4

药典规定散剂水分含量不得大于9.0%。从表1数据可见,本品水分含量均符合要求。

3. 对三批供试品及模拟样品进行了重金属和砷盐考察。方法与结果如下:

重金属:分别取每个批号供试品0.5g、0.67g、1.0g、2.0g,按《中国药典》2020年版四部0821第二法检查。

供试品溶液的制备:取本品0.5g、0.67g、1.0g、2.0g,分别缓缓炽灼至完全炭化,放冷,加硫酸0.5ml,使湿润,低温加热至硫酸除尽后,加硝酸0.5ml,蒸干,至氧化氮蒸气除尽后,放冷,于600℃炽灼至完全灰化,放冷。加盐酸2ml,置水浴上蒸干后加水15ml,滴加氨试液至对酚酞指示液显中性,再加醋酸盐缓冲液（pH3.5）2ml,微热溶解后,移置纳氏比色管中,加水稀释至25ml,作为供试品溶液。

标准铅对照溶液的制备:另取配制供试品溶液的试剂两份,分别置瓷皿中蒸干后,加醋酸盐缓冲液（pH3.5）2ml,加水15ml微热溶解后,移置两支纳氏比色管中,分别加标准铅溶液（10μg/ml Pb）2ml,再加水稀释至25ml,作为标准铅对照溶液。

检视:于上述供试品溶液和标准铅对照溶液中分别加硫代乙酰胺试液各2ml,摇匀,放置2分钟,同置白色背景上,从上向下进行观察。试验结果见表2。

表2 重金属检查结果

序号	批号	重金属含量（ppm）			
1	20190702	<10	<20	<30	<40
2	20190925	<10	<20	<30	<40
3	20200131	<10	<20	<30	<40
4	20200021	<10	<20	<30	<40

结果显示,供试品溶液的颜色明显浅于2ml的标准铅对照溶液。经过三批供试品及模拟样品的检查,含重金属均未超过百万分之十,故未收入正文。

砷盐：取本品1g和标准砷溶液（1μg/ml AS）2ml，分别加无砷氢氧化钙1g，加少量水，搅匀，烘干，用小火缓缓炽灼至炭化，再在600℃炽灼至完全灰化，放冷。分别加盐酸7ml使溶解，再加水21ml，按《中国药典》2020年版四部通则0822第一法（古蔡氏法）做砷盐限量检查。

结果：供试品砷斑浅于标准砷斑的颜色，表明本品含砷量未超过百万分之二（小于2ppm），故砷盐检查项目未收入正文。

4. 浸出物：本品处方中挥发油类成分、脂溶性成分较少，水溶性成分较多，故将水溶性浸出物的测定作为本制剂的定量测定方法，以便有效控制制剂的内在质量，按照水溶性浸出物测定法项下的冷浸法（《中国药典》2020年版四部通则2201）测定。对三批供试品及模拟样品的测定结果见表3。

表3　供试品中水溶性浸出物测定结果

序号	批号	水溶性浸出物（%）
1	20190702	19.10
2	20190925	19.20
3	20200131	19.11
4	20200021	20.42

从表3数据可见，三批供试品及模拟样品中水溶性浸出物的含量均在19.0%以上，考虑到不同产地、不同批次药材的质量不同，标准正文暂定为：本品含水溶性浸出物不得少于14.0%。

5. 微生物限度：照微生物计数法（《中国药典》2020年版四部通则1105）和控制菌检查法（《中国药典》2020年版四部则1106）及《内蒙古蒙药制剂规范》（第三册）附录Ⅲ微生物限度标准，进行检查。结果均符合规定。

【含量测定】

朝伦·细莫-6散是由奶制红石膏、红花、荜茇、石榴、土木香、豆蔻等六味药组成的复方制剂。荜茇为处方中主味药之一，温中散寒，下气止痛。用于脘腹冷痛，呕吐，泄泻，寒凝气滞，胸痹心痛，头痛，牙痛。参照《中国药典》2020年版一部"荜茇"含量测定项下方法进行了试验条件摸索，结果达到了较好的分离效果。

1　仪器与试剂试药

1.1　仪器

日本岛津LC-20AT型高效液相色谱仪（带SPD-M20A型二极管阵列检测器）；Sartorius ME5型电子天平，Mettler AE-100电子天平，JD200-2型电子天平；AS 5150A超声清洗仪。

1.2　试剂与试药

供试品：供试品（批号20190702、20190925、20200131）由内蒙古自治区国际蒙医医院提供，模拟样品（批号20200021）模拟；胡椒碱对照品（批号110775-201706）购于中国食品药品检定研究院；甲醇、乙腈为色谱纯，其他均为分析纯试剂，水为高纯水。

2　方法学验证

2.1　色谱条件

2.1.1　色谱柱：十八烷基硅烷键合硅胶为填充剂，本试验研究用SHMADZU C$_{18}$（250mm×4.6mm，5μm）柱、phenomenex C$_{18}$（250mm×4.6mm，5μm）柱。

2.1.2　流动相的选择：结合《中国药典》2020年版一部"荜茇"含量测定项下方法，经试验摸索，将流动相比例调整为甲醇-水（67∶33），结果分离效果好、保留时间适中，故确定其作为本品含量测定的流动相。

2.1.3　柱温：试验中对30℃和40℃柱温进行了比较，结果保留时间略有差异，但分离度及理论板数没有变化，本试验研究选择柱温为30℃。

2.1.4　检测波长的选择：通过二极管阵列检测器对胡椒碱以800～190nm进行光谱扫描，结果胡椒碱在340nm处有最大吸收峰，故结合《中国药典》2020年版一部"荜茇"项选择343nm作为检测波长。

2.2　供试品溶液制备方法的选择

2.2.1　提取溶剂的选择：结合《中国药典》2020年版一部"荜茇"项选用无水乙醇作为提取溶剂，可保证供试品得到较好的提取效果。

2.2.2　提取方法的选择：《中国药典》2020年版一部"荜茇"项采用超声提取，方法比较完善，故参照药典选择无水乙醇超声提取。

2.2.3　提取效率考察：取本品粉末4份，各约1g，研细，精密称定，置50ml棕色量瓶中，加无水乙醇40ml，依次超声处理（功率250W，频率40kHz）20分钟、30分钟、40分钟、60分钟，取出，放冷，用无水乙醇定容至刻度，摇匀，滤过，各精密量取续滤液10ml，置25ml棕色量瓶中，分别加无水乙醇至刻度，摇匀，离心，用微孔滤膜（0.45μm）滤过，按上述色谱条件测定。结果见表4。

表4　不同超声提取时间的考察结果

序号	超声时间（min）	胡椒碱含量（mg/g）
1	20	2.42
2	30	2.55
3	40	2.42
4	60	2.54

从表4数据可见，超声处理30分钟后，胡椒碱含量最高，故确定超声时间为30分钟。

2.3　专属性考察

2.3.1　对照品溶液的制备：精密称取胡椒碱对照品适量，置棕色量瓶中，加无水乙醇制成每1ml含20μg的溶液，摇匀，即得。

2.3.2　供试品溶液的制备：取本品适量，研细，取约1g，精密称定，置50ml棕色量瓶中，加无水乙醇40ml，超声处理（功率250W，频率40kHz）30分钟，放冷，用无水乙醇至刻度，摇匀，滤过，精密量取续滤液10ml，至25ml棕色量瓶中，加无水乙醇至刻度，摇匀，用微孔滤膜（0.45μm）滤过，即得。

2.3.3　阴性对照溶液的制备：按处方配比制备缺荜茇的阴性供试品。按"供试品溶液的制备"方法制备阴性对照溶液。

2.3.4　测定：分别精密吸取以上三种溶液各10μl，注入液相色谱仪测定。

试验结果显示，供试品色谱中在与对照品色谱保留时间相同的位置上有色谱峰出现，且分离效果较好，而阴性对照在与对照品色谱保留时间相同的位置上无色谱峰出现，表明该含量测定方法阴性无干扰，专属性好。

2.4　峰纯度检查

精密吸取"2.3"项下的对照品溶液和供试品溶液各10μl，注入液相色谱仪，以二极管阵列检测对被测成分胡椒碱峰进行纯度验证。结果表明被测样品中胡椒碱为单一成分。

2.5　线性关系考察

取胡椒碱对照品2.158mg，置100ml量瓶中，加无水乙醇使溶解，并稀释至刻度，摇匀（含胡椒碱21.58μg/ml），精密吸取2μl、5μl、10μl、20μl、30μl注入液相色谱仪，按上述色谱条件测定，以峰面积对对照品量进行回归分析。结果见表5。

表5 标准曲线数值表

胡椒碱量（ng）	胡椒碱峰面积值	回归方程	r
43.16	261764		
107.9	687119		
215.8	1358619	$y=6291.5x-1245.0$	0.9999
431.6	2709991		
647.4	4072944		

从表5数据可见，胡椒碱在43.16~647.40ng范围内与峰面积呈良好的线性关系。

2.6 重复性试验

取同一供试品（批号20190702）6份，各约1g，精密称定，置50ml棕色量瓶中，加无水乙醇40ml，超声处理（功率150W，频率40kHz）30分钟，放冷，加无水乙醇至刻度，摇匀，滤过，精密量取续滤液10ml，至25ml棕色量瓶中，加无水乙醇至刻度，摇匀，用微孔滤膜（0.45μm）滤过，作为供试品溶液。另精密称取胡椒碱对照品适量，置棕色量瓶中，加无水乙醇制成每1ml含20μg的溶液，摇匀，作为对照品溶液。分别精密吸取10μl注入液相色谱仪测定。按外标法以峰面积计算含量。结果见表6。

表6 胡椒碱重复性试验结果

取样量（g）	峰面积值	含量（mg/g）	平均含量（mg/g）	RSD（%）
1.0185	1525290	2.5431		
1.0197	1495017	2.4897		
1.0082	1538403	2.5911	2.5227	1.8
1.0012	1505126	2.5528		
1.0507	1542119	2.4923		
1.0300	1496442	2.4671		

从表6数据可见，在相同的提取溶剂和色谱条件下，6份供试品含量测定结果的均值为2.5227mg/g，RSD为1.8%，表明该方法的重复性良好。

2.7 加样回收率试验

取同一供试品（批号20190702，含胡椒碱2.5227mg/g）6份，各约0.5g，精密称定，置50ml棕色量瓶中，分别精密加入胡椒碱对照品溶液（浓度0.04748mg/ml）25ml，再加入无水乙醇15ml，按上述方法操作并测定。结果见表7。

表7 胡椒碱加样回收试验

样品号	取样量（g）	供试品含量（mg）	对照品加入量（mg）	测得总含量（mg）	回收率（%）	平均回收率（%）	RSD（%）
1	0.4991	1.2590	1.187	2.4422	99.67		
2	0.5131	1.2943	1.187	2.4912	100.82		
3	0.5045	1.2727	1.187	2.4423	98.53	99.72	2.0
4	0.5056	1.2754	1.187	2.4482	98.79		
5	0.5094	1.2850	1.187	2.4931	101.77		
6	0.5091	1.2843	1.187	2.4921	101.75		

从表7数据可见，本方法的平均回收率为99.72%，RSD为2.0%。该方法准确度好。

2.8 范围

按准确度试验方法，取供试品（批号20190702，含胡椒碱2.5227mg/g）6份，各约0.35g，精密称定，置50ml棕色量瓶中，分别精密加入胡椒碱对照品溶液（浓度0.034564mg/ml）25ml，再加入无水乙醇15ml；另取供试品6份，各约

1.5g,精密称定,置棕色量瓶中,分别精密加入胡椒碱约3.5mg;再分别按准确度项下方法操作并测定,计算回收率及高、低浓度点6份样品的RSD,结果见表8、表9。

表8 范围考察结果表(低浓度)

样品号	取样量(g)	供试品含量(mg)	对照品加入量(mg)	测得总含量(mg)	回收率(%)	平均回收率(%)	RSD(%)
1	0.3524	0.8889	0.8641	1.7559	100.3		
2	0.3525	0.8892	0.8641	1.7478	99.36		
3	0.3626	0.9147	0.8641	1.7909	101.3	99.77	1.47
4	0.3619	0.9129	0.8641	1.7892	101.4		
5	0.3655	0.9220	0.8641	1.7691	98.03		
6	0.3712	0.9364	0.8641	1.7852	98.23		

表9 范围考察结果表(高浓度)

样品号	取样量(g)	供试品含量(mg)	对照品加入量(mg)	测得总含量(mg)	回收率(%)	平均回收率(%)	RSD(%)
1	1.4913	3.7621	3.497	7.2061	98.48		
2	1.5074	3.8027	3.599	7.4535	101.43		
3	1.4998	3.7835	3.524	7.2582	98.60	100.1	1.8
4	1.5099	3.8090	3.511	7.2514	98.04		
5	1.5079	3.8039	3.687	7.5520	101.65		
6	1.5127	3.8160	3.638	7.5363	102.26		

从表8和表9数据可见,在相当于含量限度和含量限度的4倍两个点处,均达到了精密度、准确度和线性的要求。

2.9 耐用性试验

2.9.1 换不同厂家、不同型号的色谱柱,按确定的色谱条件,取重复试验中的1号、2号样品进行测定,结果见表10。

表10 不同色谱柱的耐用试验

序号	柱型号	分离度	测得平均含量(mg/g)	相对偏差(%)
20190702	SHMADZU C_{18}	6.3	2.51	0.59
	Phenomenex C_{18}	1.9	2.54	
20190925	SHMADZU C_{18}	6.3	2.50	0.40
	Phenomenex C_{18}	1.9	2.48	

从表10数据可见,不同型号或厂家的色谱柱对测定结果影响较小。

2.9.2 稳定性试验:取同一供试品溶液(批号20190702),分别于溶液制备后的0小时、2小时、4小时、8小时、12小时、24小时进行测定。结果见表11。

表11 不同时间测定胡椒碱的峰面积值

时间(h)	峰面积值	RSD(%)
0	1504807	
2	1498182	
4	1500583	0.26
8	1494435	
12	1495051	
24	1495288	

从表11数据可见，在24小时内胡椒碱面积积分值基本稳定不变。

3　样品含量测定及含量限度确定

取本品按重复性试验方法处理并测定。三批样品的测定结果见表12。

表12　样品中胡椒碱含量测定结果

批号	取样量（g）	测得峰面积值	含量（mg/g）	平均含量（mg/g）
20190702	1.091	1399265	2.2956	2.3926
	1.0079	1401988	2.4897	
20190925	1.0646	1496943	2.5167	2.5088
	1.0792	1507848	2.5008	
20200131	1.0231	946520.5	1.5667	1.5478
	1.0471	945450	1.5290	

从表12数据可见，朝伦·细莫-6散中胡椒碱的含量除一批为1.5mg/g外，其余两批含量均在2.0mg/g以上。

4　药材的含量测定

按相同方法对生产朝伦·细莫-6散相应批次的荜茇原料药材进行含量测定，根据药材含量，计算出成品中胡椒碱的转移率。结果见表13。

表13　荜茇药材含量及成药转移率

成品批号	成品含量（mg/g）	荜茇药材含量（%）	胡椒碱转移率（%）
20190702	3.2551		73.24
20190925	3.3482	3.2	75.33
20200131	3.2836		73.88

从表13数据可见，朝伦·细莫-6散制备过程中胡椒碱的转移率差异较大。

5　本制剂含量限度的确定

参照《中国药典》2020年版一部"荜茇"药材的胡椒碱含量限度不得少于2.5%，按平均转移率为74.15%，考虑不同产地药材的质量差异，并结合其他影响因素及三批样品的测定结果，下浮10%，按此限度折算本品含胡椒碱的理论量应不低于15÷170×1000×2.5%×74.15%×90%=1.47mg/g。

标准正文暂定为：本品每1g含荜茇以胡椒碱（$C_{17}H_{19}NO_3$）计，不得少于1.5mg。

【功能与主治】

祛巴达干，止吐。用于胃巴达干热，胸内灼热，泛酸，吐酸水。

【用法与用量】

口服。一次1.5~3g，一日1~2次，温开水送服。

【规格】

每袋（1）3g；（2）15g；（3）250g。

【贮藏】

密闭，防潮。

起草单位：内蒙古自治区国际蒙医医院　　　那松巴乙拉　青　松　乌恩其

　　　　　包头市检验检测中心　　　　　　周智臣　杨宇慧　王晓东

道日图·赫依–8散质量标准起草说明

【历史沿革】

本方来源于《四部医典》(内蒙古人民出版社 1978年版, 蒙古文, 第1031页)。

【处方来源】

本制剂由内蒙古自治区国际蒙医医院提供。

【名称】

道日图·赫依–8散

【蒙药材和饮片的来源和执行标准】

1. 处方组成及药味排列顺序: 大黄45g、光明盐40g、山柰30g、碱面20g、酸藤果20g、土木香20g、石榴15g、诃子10g。

2. 处方中除光明盐、碱面、酸藤果、石榴药材外, 其余大黄等药味均收载于《中国药典》2020年版一部, 其质量应符合该品种项下的有关规定。

石榴: 为石榴科植物石榴 *Punicagranatum* L.的干燥成熟果实。其质量应符合《内蒙古蒙药材炮制规范》2020年版第119页该品种项下的有关规定。

酸藤果: 为紫金牛科植物叶酸藤果 *Embelia oblongifolia* Hemsl.的干燥成熟果实。其标准应符合《内蒙古蒙药饮片炮制规范》2020年版第499页该品种项下的有关规定。

碱面: 为天然碱土 Trona soil 自然粗结晶, 或经风化的产物。主含碳酸钠(Na_2CO_3)。其标准应符合《内蒙古蒙药饮片炮制规范》2020年版第502页该品种项下的有关规定。

光明盐: 为天然石盐 Halite 结晶体, 主含氯化钠(NaCl)。其标准应符合《内蒙古蒙药饮片炮制规范》2020年版第160页该品种项下的有关规定。

【制法】

以上八味, 粉碎成细粉, 过筛, 混匀, 分装, 即得。

【性状】

本品为浅黄色至棕黄色的粉末; 气香, 味苦、微辛、涩。

【鉴别】

本品为药材粉末制成的散剂, 方中大黄、酸藤果、石榴、诃子的显微特征比较明显, 故建立了显微鉴别, 并对处方中石榴建立了薄层鉴别。

1. 试剂与试药

供试品: 供试品(批号20181207、20171216、20200227)由内蒙古自治区国际蒙医医院提供, 模拟样品(批号20200022)模拟。

对照品: 熊果酸对照品(批号110742–201622), 购于中国食品药品检定研究院。

薄层板: 硅胶G板, 购于青岛海洋化工有限公司。

所用其他试剂均为分析纯, 水为离子交换高纯水。

2. 试验方法与结果

（1）显微鉴别

大黄: 草酸钙簇晶大, 直径60~140μm。山柰: 淀粉粒多为单粒, 圆形、椭圆形或类三角形, 直径5~30μm, 脐点、层纹均不明显。酸藤果: 非腺毛2~5个细胞, 长45~175μm, 壁具疣突。石榴: 石细胞无色, 椭圆形或类圆形, 壁厚, 层纹细密, 极明显, 孔沟细密。诃子: 内果皮石细胞呈类圆形、长卵形、长方形或长条形, 孔沟细密而明显。

（2）石榴薄层鉴别

参照《中国药典》2020年版一部 "石榴" 项下的薄层条件, 制定出正文所述的鉴别方法。通过阴性对照试验观察, 方中其他药材对处方中石榴的检出无干扰, 证明此法具有专属性。

【检查】

按照散剂（《中国药典》2020年版四部通则0115）项下的规定, 对三批供试品及模拟样品的外观均匀度、水分、重金属、砷盐和微生物限度进行了检查。具体方法及测定数据如下:

1. 外观均匀度: 取供试品适量, 置光滑纸上, 平铺约5cm², 将其表面压平, 在亮处观察, 呈现均匀的色泽, 无花纹、色斑。结果三批供试品及模拟样品均符合规定。

2. 水分: 取供试品照水分测定法（《中国药典》2020年版四部通则0832）测定。三批供试品及模拟样品的测定结果见表1。

表1　水分测定结果

序号	批号	水分（%）
1	20181207	0.03
2	20171216	0.02
3	20200227	0.02
4	20200022	0.04

药典规定散剂水分含量不得大于9.0%。从表1数据可见, 本品水分含量均符合要求。

3. 对三批供试品及模拟样品进行了重金属和砷盐考察。方法与结果如下:

重金属: 分别取每个批号供试品0.5g、0.67g、1.0g、2.0g, 按《中国药典》2020年版四部0821第二法检查。

供试品溶液的制备: 取本品0.5g、0.67g、1.0g、2.0g, 分别缓缓炽灼至完全炭化, 放冷, 加硫酸0.5ml, 使湿润, 低温加热至硫酸除尽后, 加硝酸0.5ml, 蒸干, 至氧化氮蒸气除尽后, 放冷, 于600℃炽灼至完全灰化, 放冷。加盐酸2ml, 置水浴上蒸干后加水15ml, 滴加氨试液至对酚酞指示液显中性, 再加醋酸盐缓冲液（pH3.5）2ml, 微热溶解后, 移置纳氏比色管中, 加水稀释至25ml, 作为供试品溶液。

标准铅对照溶液的制备: 另取配制供试品溶液的试剂两份, 分别置瓷皿中蒸干后, 加醋酸盐缓冲液（pH3.5）2ml, 加水15ml微热溶解后, 移置两支纳氏比色管中, 分别加标准铅溶液（10μg/ml Pb）2ml, 再加水稀释至25ml, 作为标准铅对照溶液。

检视: 于上述供试品溶液和标准铅对照溶液中分别加硫代乙酰胺试液各2ml, 摇匀, 放置2分钟, 同置白色背景上, 从上向下进行观察。试验结果见表2。

表2　重金属检查结果

序号	批号	重金属含量（ppm）			
1	20181207	<10	<20	<30	<40
2	20171216	<10	<20	<30	<40
3	20200227	<10	<20	<30	<40
4	20200022	<10	<20	<30	<40

结果显示,供试品溶液的颜色明显浅于2ml的标准铅对照溶液。经过三批供试品及模拟样品的检查,含重金属均未超过百万分之十,故未收入正文。

砷盐:取本品1g和标准砷溶液(1μg/ml AS)2ml,分别加无砷氢氧化钙1g,加少量水,搅匀,烘干,用小火缓缓炽灼至炭化,再在600℃炽灼至完全灰化,放冷。分别加盐酸7ml使溶解,再加水21ml,按《中国药典》2020年版四部通则0822第一法(古蔡氏法)做砷盐限量检查。

结果:供试品砷斑浅于标准砷斑的颜色,表明本品含砷量未超过百万分之二(小于2ppm),故砷盐检查项目未收入正文。

4. 微生物限度:照微生物计数法(《中国药典》2020年版四部通则1105)和控制菌检查法(《中国药典》2020年版四部通则1106)及《内蒙古蒙药制剂规范》(第三册)附录Ⅲ微生物限度标准,进行检查。结果均符合规定。

【含量测定】

道日图·赫依-8散是由光明盐、大黄、山奈、土木香、石榴、诃子、酸藤果、碱面等八味药组成的复方制剂,其中大黄为方中君药。故参照《中国药典》2020年版一部"大黄"项下的含量测定方法,选择大黄素作为指标成分,对本制剂中的大黄进行了HPLC含量测定方法研究。经分析方法验证,表明该方法重复性好,专属性强,方中其他组分对大黄素的测定无干扰。

1 仪器与试剂试药

1.1 仪器

岛津LC-10ATvp 泵,岛津SCL-10Avp 型控制器,岛津SPA-10Avp型检测器,岛津CLASS-VP 色谱工作站,岛津UV-1700型紫外分光光度仪,赛多利斯BP211D型电子天平。

1.2 试剂与试药

供试品(批号20181207、20171216、20200227)由内蒙古自治区国际蒙医医院提供,模拟样品(批号20200022)模拟;大黄素对照品(批号110756-201512),购于中国食品药品检定研究院;甲醇为色谱纯,水为超纯水,其他试剂均为分析纯。

2 方法学考察

2.1 色谱条件

2.1.1 色谱柱:色谱柱填充剂为十八烷基硅烷键合硅胶,本试验研究采用 Kromasil C$_{18}$柱(250mm×4.6mm,5μm)。

2.1.2 流动相的选择:参照《中国药典》2020年版一部"大黄"含量测定项下的测定方法,以甲醇-0.1%磷酸(85∶15)为流动相,供试品中的大黄素与其他成分能达到较好的分离效果,色谱峰具有比较好的保留时间、分离度和对称性,故选择以甲醇-0.1%磷酸(85∶15)为流动相。

2.1.3 柱温:30℃可以保证柱压较低,分离效果稳定,保留时间变化小。

2.1.4 检测波长的选择:参照《中国药典》2020年版一部"大黄"含量测定项下大黄素的测定方法,选用254nm处作为检测波长。

2.1.5 理论板数的确定:从对三批样品的测定结果可见,大黄素峰理论板数在5000以上即能达到较好的分离效果,故规定理论板数按大黄素峰计算应不低于5000。

2.2 提取溶剂及提取效率的考察

2.2.1 提取溶剂的选择:参照《中国药典》2020年版一部"大黄"含量测定项下的方法,以甲醇作为提取溶剂,效果良好。

2.2.2 提取效率的考察:甲醇提取后,蒸干,加2.5mol/L硫酸20ml超声使溶解,经观察:超声5分钟,有的残渣不能全部溶解;超声10分钟,即可全部溶解,故选择超声10分钟。水浴加热1小时水解后,立即冷却,曾选用三氯甲烷萃取,三氯甲烷在下层,易于分出,操作简便,但蒸干后提取物颜色发黑,是由于三氯甲烷中残留硫酸造成的,经测定大黄素含量偏低;改用乙醚萃取后,将乙醚液合并,用15ml水洗涤乙醚液,使硫酸除净,蒸干后提取物呈黄色,经测定大黄素含量较高,故选用乙醚萃取。

2.3 专属性考察

2.3.1 对照品溶液的制备:取大黄素对照品适量,精密称定,加甲醇制成每1ml含4μg的溶液,即得。

2.3.2 供试品溶液的制备:取本品细粉约1g,精密称定,置具塞锥形瓶中,精密加入甲醇25ml,称定重量,加热回流1小时,放冷,再称定重量,用甲醇补足减失的重量,摇匀,滤过。精密量取续滤液5ml,置100ml锥形瓶中,蒸去甲醇,残渣加2.5mol/L硫酸溶液20ml,超声处理10分钟使溶解,置水浴中加热1小时,立即冷却,用乙醚提取3次,每次25ml,合并乙醚液,用水15ml洗涤,弃去水液,乙醚液蒸干,残渣加甲醇适量使溶解并转移至25ml量瓶中,加甲醇至刻度,摇匀,滤过,取续滤液,即得。

2.3.3 阴性对照溶液的制备:按处方配比制备缺大黄的阴性供试品。按"供试品溶液的制备"方法制备阴性对照溶液。

2.3.4 测定:分别精密吸取以上三种溶液各10μl,注入液相色谱仪,记录色谱图。

试验结果显示,供试品色谱中在与对照品色谱保留时间相同的位置上有色谱峰出现,而阴性对照在与对照品色谱保留时间相同的位置上无色谱峰出现,表明该含量测定方法阴性无干扰,专属性好。

2.4 线性关系考察

取大黄素对照品约4.45mg,置100ml量瓶中,加甲醇使溶解,并稀释至刻度,摇匀(相当于含大黄素0.0445mg/ml),分别精密吸取上述对照品溶液2μl、4μl、8μl、12μl、16μl和20μl注入液相色谱仪,按上述色谱条件进行测定。以峰面积对进样量进行回归分析。结果见表3。

表3 标准曲线数值表

序号	进样量（μg）	峰面积值	回归方程	r
1	0.0089	30494		
2	0.0178	66601		
3	0.0356	134979	$y=3953180x-4838.51$	0.9999
4	0.0534	205018		
5	0.0712	276904		
6	0.0890	347657		

从表3数据可见,大黄素在0.0089~2.80μg范围内与峰面积呈良好的线性关系。

2.5 精密度试验

取同一份供试品(批号20181207)溶液,连续进样5针,记录色谱图。大黄素峰面积的精密度计算结果见表4。

表4 大黄素精密度试验结果

序号	峰面积值	平均值	RSD（%）
1	218722		
2	215354		
3	220004	215517	0.65
4	209187		
5	214319		

从表4数据可见,符合《中国药典》2020年版四部通则0512中规定的RSD值小于2.0%的要求。

2.6 稳定性试验

取同一份供试品溶液,分别于溶液制备后的0小时、2小时、4小时、8小时、24小时、32小时进样测定。结果见表5。

表5 不同时间测得溶液中大黄素的峰面积值

序号	时间(h)	峰面积值	RSD(%)
1	0	172734	
2	2	168894	
3	4	167089	1.29
4	8	167012	
5	24	167617	
6	32	167724	

从表5数据可见,大黄素在32小时内峰面积值符合(《中国药典》2020年版四部通则0512)中规定的RSD值小于2.0%的要求,能够满足测定所需要的时间。

2.7 重复性试验

取同一批号(批号20181207)供试品5份,各约1.0g,精密称定,置具塞锥形瓶中,精密加入甲醇25ml,称定重量,加热回流1小时,放冷,再称定重量,用甲醇补足减失的重量,摇匀,滤过。精密量取续滤液5ml,置100ml锥形瓶中,蒸去甲醇,残渣加2.5mol/L硫酸溶液20ml,超声处理10分钟使溶解,置水浴中加热1小时,立即冷却,用乙醚提取3次,每次25ml,合并乙醚液,用水15ml洗涤,弃去水液,乙醚液蒸干,残渣加甲醇适量使溶解并转移至25ml量瓶中,加甲醇至刻度,摇匀,滤过,取续滤液,作为供试品溶液。另精密称取大黄素对照品适量,精密称定,加甲醇制成每1ml含4μg的溶液,作为对照品溶液。分别精密吸取10μl注入液相色谱仪测定。按外标法以峰面积计算含量。结果见表6。

表6 大黄素含量重复性试验结果

称样量(g)	峰面积值	含量(mg/g)	平均含量(mg/g)	RSD(%)
1.0179	218722	0.7240		
0.9990	215354	0.7263		
1.0249	220004	0.7232	0.7216	0.65
0.9784	209187	0.7204		
1.0112	214319	0.7141		

从表6数据可见,在相同的细度、提取溶剂和色谱条件下,5份供试品含量测定结果的均值为0.7216mg/g,RSD为0.65%,表明该方法的重复性好。

2.8 加样回收试验

取供试品(批号20181207,含量0.7216mg/g)6份,各约0.5g,精密称定,各精密加入用甲醇配置的大黄素对照品溶液(大黄素浓度为0.3588mg/ml)1ml,再各精密加入甲醇24ml,密塞,称定重量,置具塞锥形瓶中,精密加入甲醇25ml,称定重量,加热回流1小时,放冷,再称定重量,用甲醇补足减失的重量,摇匀,滤过。精密量取续滤液5ml,置100ml锥形瓶中,蒸去甲醇,残渣加2.5mol/L硫酸溶液20ml,超声处理10分钟使溶解,置水浴中加热1小时,立即冷却,用乙醚提取3次,每次25ml,合并乙醚液,用水15ml洗涤,弃去水液,乙醚液蒸干,残渣加甲醇适量使溶解并转移至25ml量瓶中,加甲醇至刻度,摇匀,滤过,取续滤液,作为供试品溶液。另精密称取木香烃内酯对照品适量,精密称定,加甲醇制成每1ml含100μg的溶液,作为对照品溶液。分别精密吸取各溶液10μl,注入液相色谱仪进行测定。按外标法以峰面积计算含量。结果见表7。

表7　大黄素加样回收试验结果

供试品量（g）	供试品含量（mg）	对照品加入量（mg）	测得总量（mg）	回收率（%）	平均回收率（%）	RSD（%）
0.4952	0.3573	0.3588	0.7228	101.9		
0.5007	0.3613	0.3588	0.7311	103.1		
0.4999	0.3607	0.3588	0.7172	99.4	100.5	1.65
0.4602	0.3321	0.3588	0.6860	98.6		
0.4564	0.3294	0.3588	0.6874	99.8		
0.4739	0.3420	0.3588	0.7018	100.3		

从表7数据可见，本方法的平均回收率为100.5%，RSD为1.65%。该方法准确度好。

2.9　耐用性试验

取供试品（批号20181207）2份，各约3g，按重复性试验项下方法进行操作，分别精密吸取各溶液10μl，注入液相色谱仪进行测定。按外标法以峰面积计算含量，换不同厂家、不同型号的色谱柱，结果见表8。

表8　色谱柱耐用性试验

序号	称样量（g）	柱型号	峰面积值	含量（mg/g）
1	3.0010	Tnature C_{18}柱	1470696	0.59
	3.0010	phenomenex C_{18}柱	1470648	0.57
2	3.0055	Tnature C_{18}柱	1473617	0.54
	3.0055	phenomenex C_{18}柱	1473424	0.53

从表8数据可见，在使用不同型号或厂家的色谱柱时，对测定结果影响较小。

3　样品含量测定

取本品细粉约1g，精密称定，置具塞锥形瓶中，精密加入甲醇25ml，称定重量，加热回流1小时，放冷，再称定重量，用甲醇补足减失的重量，摇匀，滤过。精密量取续滤液5ml，置100ml锥形瓶中，蒸去甲醇，残渣加2.5mol/L硫酸溶液20ml，超声处理10分钟使溶解，置水浴中加热1小时，立即冷却，用乙醚提取3次，每次25ml，合并乙醚液，用水15ml洗涤，弃去水液，乙醚液蒸干，残渣加甲醇适量使溶解并转移至25ml量瓶中，加甲醇至刻度，摇匀，滤过，取续滤液，即得。另取大黄素对照品适量，精密称定，加甲醇制成每1ml含4μg的溶液，作为对照品溶液。分别精密吸取各溶液10μl，注入液相色谱仪进行测定。按外标法以峰面积计算含量，结果见表9。

表9　样品中大黄素的含量测定结果

批号	称样量（g）	峰面积平均值	含量（mg/g）	平均含量（mg/g）
050519	0.9975	186716	0.6306	0.634
	0.9981	188658	0.6368	
20060105	1.0112	214319	0.7141	0.717
	0.9867	210888	0.7201	
050107	1.0315	229092	0.7483	0.748
	1.0040	222722	0.7474	
201909050	3.0047	1524251	0.55	0.55
	3.0056	1521919	0.54	

从表9数据可见，三批样品中大黄素的含量最低为0.634mg/g，最高为0.748mg/g。模拟样品中大黄素的含量是0.55mg/g。

4　大黄药材含量测定

采用同法对上述三批样品生产用大黄药材进行了含量测定。测定结果见表10。

表10　大黄药材中大黄素的含量测定结果

序号	称样量（g）	测得峰面积值	峰面积平均值	含量（mg/g）	平均含量（mg/g）
1	0.1534	1748394　1744245	1746320	3.71	3.72
2	0.1518	1761869　1759945	1760907	3.73	

从表10数据可见，上述三批样品生产用大黄药材中大黄素含量为3.72mg/g。

5　本制剂含量限度的确定

表9数据可见，三批样品中大黄素的含量最低为0.634mg/g，试验中用相同方法对上述三批样品生产用大黄药材进行了含量测定，测得大黄素含量为3.72mg/g。

按理论值折算，样品含大黄素应为3.72×45÷200=0.837mg/g，大黄素的转移率为0.634÷0.837×100%=75.74%。

参照《中国药典》2020年版一部"大黄"药材的大黄酚、大黄酸、大黄素、芦荟大黄素和大黄素甲醚总含量限度不得少于1.5%，大黄素约为1.5%÷5×1=0.3%折算，转移率为75.74%。考虑不同产地药材的质量差异，并结合其他影响因素及三批样品的测定结果，下浮25%，按此限度折算本品含大黄素的理论量应不低于45÷200×1000×1.5%÷5×75.74%×60%=0.306mg/g。

标准正文暂定为：本品每1g含大黄以大黄素（$C_{15}H_{10}O_5$）计，不得少于0.30mg。

【功能与主治】

行下行赫依，通便，解痉。用于食不消，胃肠痧症，腹胀，便秘，排气不畅。

【用法与用量】

口服。一次1.5~3g，一日1~2次，温开水送服。

【注意事项】

孕妇忌服。

【规格】

每袋（1）3g；（2）15g；（3）250g。

【贮藏】

密闭，防潮。

起草单位：内蒙古自治区国际蒙医医院　　　　那松巴乙拉　乌恩奇　萨茹拉

赤峰市药品检验所　　　　姜明慧　刘建海　李海华

新·如达–6散质量标准起草说明

【历史沿革】

本方来源于《蒙医常用方剂选》（吉林人民出版社 1975年版，蒙古文，第36页）。

【处方来源】

本制剂由内蒙古自治区国际蒙医医院提供。

【名称】

新·如达–6散

【蒙药材和饮片的来源和执行标准】

1. 处方组成及药味排列顺序：木香40g、栀子30g、石榴20g、闹羊花14g、砂仁14g、荜茇14g。

2. 处方中除了石榴药材外，其余木香等药味均收载于《中国药典》2020年版一部，其质量应符合该品种项下的有关规定。

石榴：为石榴科植物石榴*Punica granatum* L.的干燥成熟果实。其质量应符合《内蒙古蒙药饮片炮制规范》2020年版第119页该品种项下的有关规定。

【制法】

以上六味，粉碎成细粉，过筛，混匀，分装，即得。

【性状】

本品为浅黄色至棕黄色的粉末；气香，味辛、苦。

【鉴别】

本品为药材粉末制成的散剂，方中木香、栀子的显微特征较明显，故建立显微鉴别，并对处方中栀子、荜茇建立了薄层鉴别。

1. 试剂与试药

供试品：供试品（批号 20190923、20200331、20200432）由内蒙古自治区国际蒙医医院提供，模拟样品（批号 20200091）模拟。

对照品：栀子苷对照品（批号 110749–200714），胡椒碱对照品（批号 110775–201706），均购于中国食品药品检定研究院。

薄层板：硅胶G板，购于青岛海洋化工有限公司。

所用其他试剂均为分析纯，水为离子交换高纯水。

2. 试验方法与结果

（1）显微鉴别

木香：菊糖团块形状不规则，有时可见微细放射状纹理，加热后溶解。栀子：果皮含晶石细胞类圆形或多角形，直径17~31μm，壁厚，胞腔内含草酸钙方晶。

（2）栀子薄层鉴别

参照《中国药典》2020年版一部"栀子"项下的薄层条件,制定出正文所述的鉴别方法。通过阴性对照试验观察,方中其他药材对栀子药材及主要成分栀子苷薄层检验无干扰,证明此方法具专属性。

(3)荜茇薄层鉴别

参照《中国药典》2020年版一部"荜茇"项下的薄层条件,制定出正文所述的鉴别方法。通过阴性对照试验观察,方中其他药材对荜茇药材及主要成分胡椒碱薄层检验无干扰,证明此方法具专属性。

【检查】

按照散剂(《中国药典》2020年版四部通则0115)项下的规定,对三批供试品及模拟样品的外观均匀度、水分、重金属、砷盐和微生物限度进行了检查。具体方法及测定数据如下:

1. 外观均匀度:取供试品适量,置光滑纸上,平铺约5cm²,将其表面压平,在亮处观察,呈现均匀的色泽,无花纹、色斑。结果三批供试品及模拟样品均符合规定。

2. 水分:取供试品照水分测定法(《中国药典》2020年版四部通则0832)测定。三批供试品及模拟样品的测定结果见表1。

表1　水分测定结果

序号	批号	水分(%)
1	20190923	2.5
2	20200331	3.4
3	20200432	7.2
4	20200091	5.6

药典规定散剂水分含量不得大于9.0%。从表1数据可见,本品水分含量符合要求。

3. 对三批供试品及模拟样品进行了重金属和砷盐考察。方法与结果如下:

重金属:分别取每个批号供试品0.5g、0.67g、1.0g、2.0g,按《中国药典》2020年版四部0821第二法检查。

供试品溶液的制备:取本品0.5g、0.67g、1.0g、2.0g,分别缓缓炽灼至完全炭化,放冷,加硫酸0.5ml,使湿润,低温加热至硫酸除尽后,加硝酸0.5ml,蒸干,至氧化氮蒸气除尽后,放冷,于600℃炽灼至完全灰化,放冷。加盐酸2ml,置水浴上蒸干后加水15ml,滴加氨试液至对酚酞指示液显中性,再加醋酸盐缓冲液(pH3.5)2ml,微热溶解后,移置纳氏比色管中,加水稀释至25ml,作为供试品溶液。

标准铅对照溶液的制备:另取配制供试品溶液的试剂两份,分别置瓷皿中蒸干后,加醋酸盐缓冲液(pH3.5)2ml,加水15ml微热溶解后,移置两支纳氏比色管中,分别加标准铅溶液(10μg/ml Pb)2ml,再加水稀释至25ml,作为标准铅对照溶液。

检视:于上述供试品溶液和标准铅对照溶液中分别加硫代乙酰胺试液各2ml,摇匀,放置2分钟,同置白色背景上,从上向下进行观察。试验结果见表2。

表2　重金属检查结果

序号	批号	重金属含量(ppm)			
1	20190923	<10	<20	<30	<40
2	20200331	<10	<20	<30	<40
3	20200432	<10	<20	<30	<40
4	20200091	<10	<20	<30	<40

结果显示,供试品溶液的颜色明显浅于2ml的标准铅对照管。经过三批供试品及模拟样品的检查,含重金属均未超过百万分之十,故未收入正文。

砷盐：取本品1g和标准砷溶液（1μg/ml AS）2ml，分别加无砷氢氧化钙1g，加少量水，搅匀，烘干，用小火缓缓炽灼至炭化，再在600℃炽灼至完全灰化，放冷。分别加盐酸7ml使溶解，再加水21ml，按《中国药典》2020年版四部通则0822第一法（古蔡氏法）做砷盐限量检查。

结果：供试品砷斑浅于标准砷斑的颜色，表明本品含砷量未超过百万分之二（小于2ppm），故砷盐检查项目未列入正文。

4. 微生物限度：照微生物计数法（《中国药典》2020年版四部通则1105）和控制菌检查法（《中国药典》2020年版四部通则1106）及《内蒙古蒙药制剂规范》（第三册）附录Ⅲ微生物限度标准，进行检查。结果均符合规定。

【含量测定】

新·如达-6散是由木香、栀子、石榴、闹羊花、砂仁、荜茇等药组成的复方制剂。木香为处方中主要药味，参照《中国药典》2020年版一部"木香"药材项下含量测定方法，对其所含主要成分木香烃内酯和去氢木香内酯进行了含量测定条件摸索，经方法学考察及阴性对照试验，表明该方法专属性较强，处方中其他组分对木香烃内酯和去氢木香内酯的测定无干扰，故选择木香烃内酯和去氢木香内酯作为含量测定的指标性成分。

1 仪器与试剂试药

1.1 仪器

日本岛津高效液相色谱仪，LC-10ATVP泵，SPD-10AVP检测器，SCL-10AVP色谱工作站；日本岛津UV-2501型紫外可见分光光度计；Mettier AE-100电子分析天平，Mettler AR-100电子天平，PL-203梅特勒-托利多电子天平；KQ-500DE型数控超声清洗器。

1.2 试剂与试药

供试品（批号20190923、20200331、20200432）由内蒙古自治区国际蒙医医院提供，模拟样品（批号20200091）模拟。木香烃内酯对照品（批号111524-201208）、去氢木香内酯对照品（批号111525-200505），均购于中国药品生物制品检定所；甲醇为色谱纯，水为超纯水，所用其他试剂均为分析纯。

2 方法学考察

2.1 色谱条件

2.1.1 色谱柱：本试验选择Kromasil、APOLLO、Diamonsil柱进行试验摸索，试验结果表明选用Allteah色谱柱（250mm×4.6mm，5μm），理论板数高，分离效果好。

2.1.2 流动相的选择：参照文献分别选甲醇-乙腈-水（55:5:40），甲醇-乙腈-水（65:5:35），甲醇-水（68:32），甲醇-水（60:40），甲醇-水（65:35）进行试验摸索。结果表明：以甲醇-水（65:35）为流动相，有效成分主峰保留时间适中。

2.1.3 柱温的选择：分别设定柱温为25℃、30℃、35℃、40℃进行试验摸索。结果柱温30℃时，主峰与其他杂质峰基线分离良好，保留时间恰当。

2.1.4 检测波长的选择：取对照品溶液在190～300nm波长处进行光谱扫描，结果木香烃内酯对照品在216.60nm处有最大吸收峰，去氢木香内酯对照品在207.4nm处有最大吸收峰，二者在225nm处均有吸收，最终确定本试验检测波长为225nm。

2.2 提取溶剂的选择及提取效率的考察

2.2.1 提取溶剂的选择：采用乙醚、石油醚（60~90℃）、乙醇、三氯甲烷、乙酸乙酯进行试验摸索，试验表明以甲醇作为提取溶剂提取完全且副产物干扰小。

2.2.2 提取率的考察：

取本品粉末约1g，取4份，精密称定，置具塞锥形瓶中，精密加甲醇50ml，密塞，称定重量，放置过夜，分别超声处理（功率250W，频率50kHz）10分钟、20分钟、30分钟、40分钟、50分钟、60分钟，取出，放冷，再称定重量，用甲醇补足减失的重量，摇匀，滤过，取续滤液，即得。按上述色谱条件测定，结果见表3。

表3　不同超声提取时间的考察结果

提取时间（min）	木香烃内酯（mg/g）	去氢木香内酯（mg/g）
10	2.521	2.496
20	2.957	2.914
30	3.299	3.180
40	3.287	3.199
50	3.236	3.207
60	3.284	3.204

从表3数据可见，超声处理30分钟后，木香烃内酯、去氢木香内酯的含量基本不再增加，故确定超声处理时间为30分钟。

2.3　专属性考察

2.3.1　供试品溶液的制备：取本品粉末约1g，精密称定，置具塞锥形瓶中，精密加入甲醇50ml，密塞，称定重量，放置过夜，超声处理（功率250W，频率50kHz）30分钟，取出，放冷，再称定重量，用甲醇补足减失的重量，摇匀，滤过，取续滤液，作为供试品溶液。

2.3.2　对照品溶液的制备：精密称取木香烃内酯对照品、去氢木香内酯对照品适量，加甲醇制成每1ml含60μg的溶液，作为对照品溶液。

2.3.3　阴性对照试验：按处方比例1/10量制备缺木香的供试品，同供试品同制备工艺的阴性样品，按供试品的溶液制备方法制得阴性对照溶液。

2.3.4　测定：分别精密吸取以上三种溶液各10μl，注入色谱仪，记录各自的色谱图。

试验结果显示，供试品色谱中在与对照品色谱保留时间相同的位置上有色谱峰出现，而阴性对照在与对照品色谱保留时间相同的位置上无色谱峰出现，表明该含量测定方法阴性无干扰，专属性好。

2.4　线性关系考察

取木香烃内酯对照品2.987mg，去氢木香内酯对照品3.071mg，置50ml量瓶中，加甲醇使溶解，并稀释至刻度，摇匀。分别精密吸取2μl、5μl、10μl、15μl、20μl、25μl、30μl注入液相色谱仪，按上述色谱条件测定，以峰面积值对进样量进行回归分析。结果见表4、表5。

表4　木香烃内酯标准曲线数据及回归分析结果

木香烃内酯量（ng）	峰面积值	回归方程	r
119.48	177768		
198.70	445532		
597.40	879138		
896.10	1326789	$y=0.000687558x-8.20824$	0.9990
1194.80	1769781		
1493.50	2170600		
1792.20	2611887		

表5 去氢木香内酯标准曲线数据及回归分析结果

去氢木香内酯量（ng）	峰面积值	回归方程	r
122.84	189900		
307.10	484932		
614.20	957458		
921.30	1436927	$y=0.000649868x-7.43761$	0.9990
1228.40	1923689		
1535.50	2359653		
1842.60	2840289		

从表4、表5数据可见，木香烃内酯在119.48~1792.2ng、去氢木香内酯在122.84~1842.6ng范围内与峰面积值呈良好的线性关系。

2.5 稳定性试验

取同一供试品溶液（批号20190923），分别在溶液制备后的0小时、2小时、4小时、8小时、12小时、24小时按拟定条件进行测定，结果见表6。

表6 稳定性试验结果

时间（h）	木香烃内酯峰面积值	RSD（%）	去氢木香内酯峰面积值	RSD（%）
0	971214		1007969	
2	971709		1005218	
4	971439	0.83	1008903	0.72
8	970717		1008615	
12	969156		990003	
24	951294		1004405	

从表6数据可见，木香烃内酯、去氢木香内酯峰面积值在24小时内基本稳定。

2.6 重复性试验

取同一供试品（批号20190923）6份，各约1g，精密称定，置具塞锥形瓶中，精密加入甲醇50ml，密塞，称定重量，放置过夜，超声处理（功率250W，频率50kHz）30分钟，取出，放冷，再称定重量，用甲醇补足减失的重量，摇匀，滤过，取续滤液，作为供试品溶液。另精密称取木香烃内酯对照品、去氢木香内酯对照品适量，加甲醇制成每1ml含60μg的溶液，作为对照品溶液。分别精密吸取以上两种溶液各10μl，注入液相色谱仪，记录各自的色谱图，用外标法以峰面积计算含量。结果见表7。

表7 重复性试验结果

取样量	峰面积值		含量（mg/g）		平均含量（mg/g）		RSD（%）	
（g）	A（n=2）	B（n=2）	A	B	A	B	A	B
1.0002	946558.5	975990.5	3.203	3.114				
1.0008	944186.0	968346.5	3.193	3.087				
1.0000	949971.5	978904.5	3.215	3.123	3.197	3.112	1.46	0.79
1.0029	967444.0	990734.5	3.265	3.152				
1.0030	944451.5	977754.0	3.187	3.110				
1.0020	923844.5	969164.0	3.120	3.086				

*A为木香烃内酯，B为去氢木香内酯。

从表7数据可见，在相同的提取溶剂和色谱条件下，6份供试品含量测定结果的均值为A：3.197mg/g，RSD为

1.46%；B：3.112 mg/g，RSD为0.79%。表明该方法的重复性良好。

2.7 加样回收试验

取同一批号供试品（批号20190923，含量6.21mg/g）粉末0.5g，平行制备6份，精密称定，置100ml具塞锥形瓶中，按100%加入量分别加入木香烃内酯、去氢木香内酯对照品约1.5mg，精密加甲醇50ml，称定重量，放置过夜，超声处理（功率250W，频率50kHz）30分钟，取出，放冷，再称定重量，用甲醇补足减失的重量，摇匀，滤过，取续滤液，按拟定色谱条件测定。结果见表8。

表8 加样回收试验结果

取样量 (g)	含量（mg）		对照品加入量（mg）		总含量（mg）		回收率（%）		平均回收率（%）		RSD（%）	
	A	B	A	B	A	B	A	B	A	B	A	B
0.5089	1.627	1.584	1.553	1.553	3.204	3.114	101.5	98.5	100.3	99.8	1.38	1.26
0.5089	1.627	1.584	1.553	1.553	3.193	3.109	100.9	98.2				
0.5047	1.614	1.570	1.585	1.537	3.169	3.123	98.1	101.0				
0.5047	1.614	1.570	1.585	1.537	3.185	3.124	99.1	101.1				
0.5034	1.609	1.567	1.495	1.535	3.119	3.108	101.0	100.4				
0.5034	1.609	1.567	1.495	1.535	3.124	3.092	101.3	99.4				

*A为木香烃内酯，B为去氢木香内酯。

从表8数据可见，本方法的平均回收率为A：100.3%，RSD为1.38%；B：99.8%，RSD为1.26%。该方法准确度好。

2.8 耐用性试验

取供试品（批号20190923、20200331、20200432）及对照品，按拟定的条件制备供试品溶液、对照品溶液，分别用不同的色谱柱、不同型号的高效液相色谱仪进行测定。结果见表9。

表9 耐用性试验

批号	仪器型号	柱型号	分离度	测得含量（mg/g）		相对误差（%）	
				A	B	A	B
20190923				3.141	3.079	1.23	1.20
20200331	岛津CLASS-10AVP	Kromasil C$_{18}$	>1.5	4.545	4.426	1.08	1.18
20200432				3.835	4.055	1.13	1.25
20190923				3.087	3.027	1.23	1.20
20200331	岛津LC-2010AHT	Diamonsil C$_{18}$	>1.5	4.476	4.353	1.08	1.18
20200432				3.774	3.984	1.13	1.25

从表9数据可见，不同型号或厂家的色谱柱对测定结果影响较小。

3 样品含量测定

按拟定的条件对三批样品进行测定。结果见表10。

表10 含量测定结果

批号	取样量 (g)	峰面积值		含量（mg/g）		平均含量（mg/g）		总量 mg/g
		A (n=2)	B (n=2)	A	B	A	B	
20190923	1.0285	949889.0	987641.0	3.126	2.746	3.141	3.079	6.220
	1.0129	944324.5	981958.0	3.064	3.093			
20200432	1.0311	1398545.0	1498677.0	4.591	4.638	4.545	4.426	8.971
	1.0709	1423652.0	1414265.0	4.499	4.214			
20200331	1.0147	1144596.5	1332295.0	3.818	4.189	3.835	4.055	7.890
	1.0502	1195338.0	1290480.0	3.852	3.921			

*A为木香烃内酯，B为去氢木香内酯。

从表10数据可见,新·如达-6散中木香烃内酯、去氢木香内酯的总量在6.22mg/g以上。

4 木香药材含量测定

试验中,采用相同方法对生产新·如达-6散相应批次的木香药材进行了含量测定,含木香烃内酯、去氢木香内酯的总量为2.14%。

5 本制剂含量限度确定

从表中数据可见,新·如达-6散中木香烃内酯、去氢木香内酯的总量在6.22mg/g以上。试验中,采用相同方法对生产新·如达-6散的木香药材进行了含量测定,含木香烃内酯、去氢木香内酯的总量为2.14%。

按理论值折算,样品应含木香烃内酯、去氢木香内酯的总量为2.14%×40÷132=6.48mg/g,可见,木香烃内酯、去氢木香内酯的总量的转移率为6.22÷6.48×100%=95.98%。

参照《中国药典》2020年版一部"木香"药材的木香烃内酯和去氢木香内酯的总含量限度不得少于1.8%,转移率为95.98%,考虑不同产地药材的质量差异,并结合其他影响因素及三批样品的测定结果,下浮5%,按此限度折算本品含木香烃内酯、去氢木香内酯总的理论量应不低于40÷132×1.8%×1000×95.98%×95%=4.97mg/g。

标准正文暂定为:本品每1g含木香以木香烃内酯($C_{15}H_{20}O_2$)和去氢木香内酯($C_{15}H_{18}O_2$)的总量计,不得少于5.0mg。

【功能与主治】

镇赫依、血相讧,制痧,止吐。用于宝日之寒、热兼杂期,痧症,嗳气,呕吐,胃疼等。

【用法与用量】

口服。一次1.5~3g,一日1~2次,温开水送服。

【规格】

每袋装(1)3g;(2)15g;(3)250g。

【贮藏】

密闭,防潮。

起草单位: 内蒙古自治区国际蒙医医院　　　青　松　那松巴乙拉　宝　山

包头市检验检测中心　　　　　　菅艳艳　斯　琴　张艳茹

新·哈塔嘎其-7散质量标准起草说明

【历史沿革】

本方来源于《蒙药验方》(内蒙古自治区人民医院编,1971年版,蒙古文,第292页)。

【处方来源】

本制剂由内蒙古自治区国际蒙医医院提供。

【名称】

新·哈塔嘎其-7散

【蒙药材和饮片的来源和执行标准】

处方组成及药味排列顺序:寒制红石膏70g、合成冰片50g、珍珠20g、雄黄20g、朱砂粉10g、银朱10g、人工麝香2g。

处方中除了寒制红石膏、银朱和人工麝香药材外,其余雄黄等药味均收载于《中国药典》2020年版一部,其质量应符合该品种项下的有关规定。

寒制红石膏:为单斜晶系硫酸钙矿石族红石膏 Gypsum 的矿石红石膏(北寒水石)的炮制加工品。主含含水硫酸钙($CaSO_4 \cdot 2H_2O$)。其标准应符合《内蒙古蒙药饮片炮制规范》2020年版第188页该品种项下的有关规定。

银朱:为人工制成的赤色硫化汞(HgS)。其标准应符合《内蒙古蒙药饮片炮制规范》2020年版400页该品种项下的有关规定。

人工麝香:应符合卫生部标准(试行)WS-210(Z-32)-93标准的有关规定。

【制法】

以上七味,除人工麝香、冰片、朱砂粉、银朱外,其余寒制红石膏等三味,粉碎成极细粉,将人工麝香、冰片分别研细,朱砂粉、银朱粉碎成极细粉,与上述细粉配研,过筛,混匀,分装,即得。

【性状】

本品为外用散剂,性状为粉红色至红色的粉末;气香,味苦。

【鉴别】

本品为原药材细粉制成的散剂。对处方中珍珠建立显微鉴别,并对处方中的合成冰片建立了薄层鉴别。

1. 试剂与试药

供试品:供试品(批号 20200520、20200327、20190725)由内蒙古自治区国际蒙医医院提供,模拟样品(批号20200090)模拟。

对照品:合成冰片对照品(批号110743-201706),购于中国食品药品检定研究院。

薄层板:硅胶G板,购于青岛海洋化工有限公司。

所用其他试剂均为分析纯,水为离子交换高纯水。

2. 试验方法与结果

(1)显微鉴别

珍珠:不规则碎块,半透明,具彩虹样光泽。表面显颗粒性,由数至十数薄层重叠,片层结构排列紧密,可见致密的成层线条或极细密的微波状纹理。

（2）合成冰片薄层鉴别

参照《中国药典》2020年版一部"冰片"项下的薄层条件，制定正文所述的鉴别方法。通过阴性对照试验观察，方中其他药材对冰片药材的检出无干扰，证明此方法具有专属性。

【检查】

按照散剂（《中国药典》2020年版四部通则0115）项下规定，对三批供试品及模拟样品的外观均匀度、水分、砷盐进行了检查。具体方法及测定数据如下：

1. 外观均匀度：取供试品适量，置光滑纸上平铺约5cm^2，将其表面压平，在亮处观察，呈现均匀的色泽，无花纹、色斑。结果三批供试品及模拟样品均符合规定。

2. 水分：取供试品照水分测定法（《中国药典》2020年版四部 通则0832）测定，三批供试品及模拟样品测得结果见表1。

表1 水分测定结果

序号	批号	水分（%）
1	20200520	2.2
2	20200327	2.2
3	20190725	2.5
4	20200090	2.3

药典规定散剂水分含量不得大于9.0%。从表1数据可见，本品水分含量符合要求。

3. 对三批供试品及模拟样进行了砷盐的考察，方法与结果如下：

三氧化二砷：取本品4.4g，加稀盐酸20ml，时时搅拌40分钟，滤过，残渣用稀盐酸洗涤2次，每次10ml，搅拌10分钟。洗液与滤液合并，置500ml量瓶中，加水至刻度，摇匀。精密量取10ml置100ml量瓶中，加水至刻度，摇匀。精密量取2ml，加盐酸5ml与水21ml，照砷盐检查法（《中国药典》2020年版四部通则0822）检查，所显砷斑颜色不得深于标准砷斑。

【含量测定】

新·哈塔嘎其-7散是由珍珠、银朱、寒制红石膏、合成冰片、雄黄、朱砂、人工麝香等七味药组成的外用制剂。处方中朱砂和银朱具有清热、安神、解毒作用，是治疗疮疡的主药，但又为毒性药材，故采用硫氰酸铵滴定法对本品中朱砂和银朱中的硫化汞进行了含量限度测定条件的摸索。经方法学考察和阴性对照试验比较，表明采用该方法操作简便，重复性好，专属性强，方中其他组分对硫化汞的测定无干扰。

1. 试剂与试药

供试品（批号20200520、20200327、20190725）由内蒙古自治区国际蒙医医院提供，模拟样品（批号20200090）模拟。甲醇为色谱纯，水为高纯水，其他试剂均为分析纯。

2. 测定方法的选择

朱砂和银朱中均主含硫化汞（HgS）。主要参照《中国药典》2020年版一部"朱砂"项下硫氰酸铵滴定法测定硫化汞（HgS）含量。本试验研究选用此方法对样品中的总硫化汞进行含量测定。

具体试验方法：取本品细粉约2.5g，精密称定，置250ml凯氏烧瓶中，凯氏烧瓶口处放置一漏斗，加硝酸50ml，微沸15分钟，放冷，滤过，药渣用硝酸洗涤2次，每次25ml，再用水洗至滤液无色，药渣及滤纸转移至原凯氏烧瓶中，加硝酸钾2g，硫酸15ml，加热至溶液近无色，放冷，转移至250ml锥形瓶中，用水50ml分次洗涤烧瓶，洗液并入溶液中，加1%高锰酸钾溶液至显粉红色，2分钟内不褪色，再滴加2%硫酸亚铁溶液至红色消失后，加硫酸铁铵指示液

2ml，用硫氰酸铵滴定液（0.1mol/L）滴定。每1ml硫氰酸铵滴定液（0.1mol/L）相当于11.63mg的硫化汞（HgS）。

3 方法学考察

3.1 供试品处理方法的选择

参照《中国药典》2020年版一部"朱砂"项下含量测定方法，对按相同工艺相同法配制的模拟样直接进行消解处理后测定总硫化汞含量，测得结果和理论含量比较接近。又分别测得朱砂和银朱的含量，测得含量也与理论值接近。所以参照《中国药典》2020年版一部朱砂含量测定项下方法，对模拟样直接进行消解处理。

3.2 重复性试验

取同一供试品（批号20200520）5份，各约0.5g，精密称定，置250ml凯氏烧瓶中，凯氏烧瓶口处放置一漏斗，加硝酸50ml，微沸15分钟，放冷，滤过，药渣用硝酸洗涤2次，每次25ml，再用水洗至滤液无色，药渣及滤纸转移至原凯氏烧瓶中，加硝酸钾2g，硫酸15ml，加热至溶液近无色，放冷，转移至250ml锥形瓶中，用水50ml分次洗涤烧瓶，洗液并入溶液中，加1%高锰酸钾溶液至显粉红色，2分钟内不褪色，再滴加2%硫酸亚铁溶液至红色消失后，加硫酸铁铵指示液2ml，用硫氰酸铵滴定液（0.1mol/L）滴定。每1ml硫氰酸铵滴定液（0.1mol/L）相当于11.63mg的硫化汞（HgS）。分别按含量测定项下方法操作，结果见表2。

表2 重复性试验结果

取样量（g）	消耗滴定液体积（ml）	测得含量（mg/g）	平均含量（mg/g）	RSD（%）
0.5253	12.5	285.32		
0.5276	12.4	281.56		
0.5779	13.9	288.40	284.47	0.98
0.5698	13.55	285.13		
0.5082	11.95	281.95		

从表2数据可见，在相同的提取溶剂和色谱条件下，6份供试品含量测定结果的均值为284.47mg/g，RSD为0.98%，表明该方法的重复性良好。

3.3 加样回收试验

取同一供试品（批号20200520，含量284.47mg/g）6份，各约0.3g，精密称定，依次精密加入阳性对照用朱砂约0.2g，分别按重复性试验项下方法操作，测定每份含量。结果见表3。

表3 加样回收试验结果

取样量（g）	供试品含量（mg）	对照品加入量（g）	对照品含量（mg）	测得总量（mg）	回收率（%）	平均（%）	RSD（%）
0.3138	89.27	0.1977	191.71	278.18	98.5		
0.3186	90.63	0.2030	196.85	284.18	98.3		
0.3037	86.39	0.2042	198.01	282.98	99.3	98.2	0.95
0.3032	86.25	0.1974	191.42	270.98	96.5		
0.3039	86.45	0.2088	202.47	285.37	98.3		
0.3030	86.19	0.2019	195.78	279.38	98.7		

从表3数据可见，本方法的平均回收为98.2%，RSD为0.95%。该方法准确度好。

4 朱砂的含量测定

采用《中国药典》2020年版一部"朱砂"项下的含量测定方法，对样品质量标准起草过程中所用朱砂进行含量进行测定。三份样品的测定结果见表4。

表4 朱砂的含量测定

样品号	取样量（g）	消耗滴定液体积（ml）	测得含量（%）	平均含量（%）	RSD（%）
1	0.3095	25.1	97.24		
2	0.3344	26.9	96.45		
3	0.3022	24.4	96.81	96.97	0.34
4	0.3093	24.9	96.99		
5	0.3030	24.6	97.35		

从表4数据可见，本方法的平均回收率为96.67%，RSD为0.34%。该方法准确度好。

5 样品含量测定

取本品按重复性试验项下的方法测定三批样品含量。测定结果见表5。

表5 样品中含量测定结果

批号	取样量（g）	消耗滴定液体积（ml）	含量（mg/g）	平均含量（mg/g）	RSD（%）
20200520	0.5253	12.5	285.32		
	0.5276	12.4	281.56	285.09	1.20
	0.5779	13.9	288.40		
20200327	0.5011	11.3	265.14		
	0.5444	12.1	261.34	262.45	0.89
	0.5138	11.4	260.88		
20190725	0.5192	13.1	295.58		
	0.4919	12.6	300.07	297.53	0.77
	0.4971	12.6	296.94		

从表5数据可见，新·哈塔嘎其-7散中朱砂和银朱的含量为260.88~300.07mg/g。试验中对样品所用的朱砂和银朱进行了含量测定，朱砂含硫化汞（HgS）为96.97%，银朱含硫化汞（HgS）为98.4%，按理论值折算，本品每1g应含硫化汞（HgS）309.23mg。从三批样品的实测结果可见，硫化汞（HgS）的转移率为84.4%~97.0%，考虑到各地朱砂和银朱质量不同及制备工艺的影响，并结合三批样品的实际含量，标准正文暂定为：本品每1g含朱砂和银朱以硫化汞（HgS）计，应为80~120mg/g。

【功能主治】

消肿，止腐，生肌，愈伤。用于因热咽喉肿痛，喑哑，口腔糜烂，疮疡，刀伤，宫颈糜烂等糜烂性病变，

【用法用量】

外用。每日1~2次，取适量，咽喉肿痛可用细管吹撒于红肿部位；治疗肿胀，用醋调和，敷于肿块上；疮疡可直接敷于疮疡部位，

【注意事项】

忌口服。不宜大量使用或久用。

【规格】

每瓶装10g。

【贮藏】

密闭，防潮。

起草单位： 内蒙古自治区国际蒙医医院　　　　那松巴乙拉　斯琴塔娜　青　松　萨茹拉

　　　　　　　包头市检验检测中心　　　　　　张冬梅　包　冉　魏颖轩

赫如虎-18散质量标准起草说明

【历史沿革】

本处方来源于锡林郭勒盟西乌珠穆沁旗蒙医医院经验方。

【处方来源】

本制剂由锡林郭勒盟西乌珠穆沁旗蒙医医院提供。

【名称】

赫如虎-18散

【蒙药材和饮片的来源和执行标准】

1. 处方组成及药味排列顺序: 益智仁200g、生草果仁200g、拳参200g、高良姜200g、大黄200g、赤瓟子200g、苏木200g、苦地丁200g、川木香100g、诃子100g、金银花100g、绿豆100g、槟榔40g、土木香30g、甘草30g、肉豆蔻30g、琥珀30g、黄连20g。

2. 处方中除了生草果仁、赤瓟子、绿豆、琥珀药材外, 其余益智仁等药味均收载于《中国药典》2020年版一部, 其质量应符合该品种项下的有关规定。

生草果仁: 为姜科植物草果 *Amomum tsao-ko* Crevost et Lemaire 的干燥成熟果实。其标准应符合《内蒙古蒙药饮片炮制规范》2020年版第313页该品种项下的有关规定。

赤瓟子: 为葫芦科植物赤瓟 *Thladiantha dubia* Bge.的干燥成熟果实。其标准应符合《中华人民共和国卫生部药品标准》(蒙药分册)1998 年版第17页该品种项下的有关规定。

琥珀: 为古代松柏科植物的树脂, 经地质作用掩埋后石化而成。为一种有机矿物, 成分相当于$C_{10}H_{16}O$。其标准应符合《内蒙古蒙药饮片炮制规范》2020年版第416页该品种项下的规定。

绿豆: 为豆科植物绿豆 *Phaseolus radiatus* L. 的干燥成熟种子。其标准应符合《内蒙古蒙药饮片炮制规范》2020年版第413页该品种项下的规定。

【制法】

以上十八味, 粉碎成细粉, 过筛, 混匀, 分装, 即得。

【性状】

本品为浅黄色至棕黄色的粉末; 气微香, 味苦、涩。

【鉴别】

本品为药材粉末制成的散剂, 方中大多数药味的显微特征都比较明显, 故对处方中的苏木、诃子、金银花、槟榔建立显微鉴别, 并对处方中的苏木建立了薄层鉴别。

1. 试剂与试药

供试品: 供试品(批号2018071901、2018081702、2018091103)由锡林郭勒盟西乌珠穆沁旗蒙医医院提供, 模拟样品(批号20190925)模拟。

对照药材: 苏木药材(批号121067-201606), 购于中国食品药品检定研究院。

薄层板: 硅胶GF$_{254}$板, 购于青岛海洋化工有限公司。

所用其他试剂均为分析纯, 水为离子交换高纯水。

2. 试验方法与结果

（1）显微鉴别

苏木: 纤维束橙黄色, 有的周围薄壁细胞含草酸钙方晶, 形成晶纤维。诃子: 木化细胞呈类长方形、类多角形、类三角形, 纹孔圆点状、斜裂缝状或人字状, 少数胞腔内含草酸钙簇晶。金银花: 花粉粒类圆形或三角形, 表面具细密短刺及细颗粒状雕纹, 具3孔沟。槟榔: 内胚乳细胞碎片壁较厚, 有较多大的类圆形纹孔。

（2）苏木薄层鉴别

参照《中国药典》2020年版一部"苏木"项下的薄层条件, 制定正文所述的鉴别方法。通过阴性对照试验观察, 方中其他药材对苏木药材的检出无干扰, 证明此方法具有专属性。

【检查】

按照散剂（《中国药典》2020年版四部通则0115）项下规定, 对三批供试品及模拟样品的外观均匀度、水分、重金属、砷盐和微生物限度进行了检查。具体方法及测定数据如下:

1. 外观均匀度: 取供试品适量, 置光滑纸上, 平铺约5cm^2, 将其表面压平, 在亮处观察, 呈现均匀的色泽, 无花纹、色斑。结果三批供试品及模拟样品均符合规定。

2. 水分: 取供试品照水分测定法（《中国药典》2020年版四部 通则0832）测定。三批供试品及模拟样品的测定结果见表1。

表1　水分测定结果

序号	供试品批号	水分（%）
1	2018071901	6.26
2	2018071902	6.35
3	2018071903	6.19
4	20190925	7.01

药典规定散剂水分含量不得大于9.0%。从表1数据可见, 本品水分含量符合要求。

3. 对三批供试品及模拟样品进行了重金属和砷盐考察。方法与结果如下:

重金属: 分别取每个批号供试品0.5g、0.67g、1.0g、2.0g, 按《中国药典》2020年版四部0821第二法检查。

供试品溶液的制备: 取本品0.5g、0.67g、1.0g、2.0g, 分别缓缓炽灼至完全炭化, 放冷, 加硫酸0.5ml, 使湿润, 低温加热至硫酸除尽后, 加硝酸0.5ml, 蒸干, 至氧化氮蒸气除尽后, 放冷, 于600℃炽灼至完全灰化, 放冷。加盐酸2ml, 置水浴上蒸干后加水15ml, 滴加氨试液至对酚酞指示液显中性, 再加醋酸盐缓冲液（pH3.5）2ml, 微热溶解后, 移置纳氏比色管中, 加水稀释至25ml, 作为供试品溶液。

标准铅对照溶液的制备: 另取配制供试品溶液的试剂两份, 分别置瓷皿中蒸干后, 加醋酸盐缓冲液（pH3.5）2ml, 加水15ml微热溶解后, 移置两支纳氏比色管中, 分别加标准铅溶液（10μg/ml Pb）2ml, 再加水稀释至25ml, 作为标准铅对照溶液。

检视: 于上述供试品溶液和标准铅对照溶液中分别加硫代乙酰胺试液各2ml, 摇匀, 放置2分钟, 同置白色背景上, 从上向下进行观察。试验结果见表2。

表2　重金属检查结果

序号	批号	重金属含量（ppm）			
1	2018071901	<10	<20	<30	<40
2	2018071902	<10	<20	<30	<40
3	2018071903	<10	<20	<30	<40
4	20190925	<10	<20	<30	<40

结果显示，供试品溶液的颜色明显浅于1ml的标准铅对照溶液。经过三批供试品及模拟样品的检查，含重金属均未超过百万分之十，故未收入正文。

砷盐：取本品1g和标准砷溶液（1μg/ml AS）2ml，分别加无砷氢氧化钙1g，加少量水，搅匀，烘干，用小火缓缓炽灼至炭化，再在600℃炽灼至完全灰化，放冷。分别加盐酸7ml使溶解，再加水21ml，按《中国药典》2020年版四部通则0822第一法（古蔡氏法）做砷盐限量检查。

结果：供试品砷斑浅于标准砷斑的颜色，表明本品含砷量未超过百万分之二（小于2ppm），故砷盐检查项目未收入正文。

4. 微生物限度：照微生物计数法（《中国药典》2020年版四部 通则1105）和控制菌检查法（《中国药典》2020年版四部通则1106）及《内蒙古蒙药制剂规范》（第三册）附录Ⅲ微生物限度标准进行检查。结果符合规定。

【含量测定】

赫如虎-18散是由益智仁、生草果仁、川木香等十八味药组成。临床功效解毒，调经养血。用于药物中毒，新、旧创伤，腰腹酸痛，脏腑黏热、温热、隐热、希日热、赫依热、盛热、遗精、闭经等。川木香功效行气止痛。木香烃内酯为川木香中的主要成分，故选择木香烃内酯作为指标成分，对本制剂中的木香进行含量测定方法的研究。故参照《中国药典》2020年版一部"川木香"项下的含量测定方法，选择木香烃内酯作为指标成分，对本制剂中的川木香进行了HPLC含量测定方法研究。经分析方法验证，表明该方法重复性好、专属性强，方中其他组分对木香烃内酯的测定无干扰。

1　仪器与试剂试药

1.1　仪器

Waters e2695型高效液相色谱仪；Mettler-Toledo MS105DU型百万分之一电子天平，Mettler-Toledo XPR10型万分之一电子天平；SBL-22DT型超声波清洗器（宁波新芝生物科技股份有限公司，40kHz）；Heal Force NW15UV型超纯水系统；FW400A型多功能粉碎机（材茂科技有限公司）。

1.2　试剂与试药

供试品（批号2018071901，2018081702，2018091103）由锡林郭勒盟西乌珠穆沁旗蒙医医院提供，模拟样品（批号20190925）模拟；木香烃内酯对照品（批号111524-2019111），购于中国食品药品检定研究院；甲醇为色谱纯，水为超纯水，所用其他试剂均为分析纯。

2　方法学考察

2.1　色谱条件

2.1.1　色谱柱：色谱柱填充剂为十八烷基硅烷键合硅胶，本试验采用Pheomenex C$_{18}$（250mm×4.6mm，5μm）色谱柱。

2.1.2　流动相的选择：参照《中国药典》2020年版一部"川木香"含量测定项下的测定方法，优化甲醇和水的比例，进行梯度洗脱，结果供试品中的木香烃内酯与其他成分能达到较好的分离效果，色谱峰具有比较好的保留时间、分离度和对称性。梯度洗脱程序见表3。

表3 梯度洗脱程序表

时间（min）	流动相A（%）	流动相B（%）
0~27	65	35
27~31	65~80	35~20
31~37	80	20
37~39	80~65	20~35
39~45	65	35

2.1.3 柱温：35℃可以保证柱压较低，分离效果稳定，保留时间变化小。

2.1.4 检测波长的选择：参照《中国药典》2020年版一部"川木香"含量测定项下木香烃内酯的测定方法，选用225nm处作为检测波长。

2.1.5 理论板数的确定：从对三批供试品的测定结果可见，木香烃内酯峰理论板数在4000以上即能达到较好的分离效果，故规定理论板数按木香烃内酯峰计算应不低于4000。

2.2 提取溶剂及提取效率的考察

2.2.1 提取溶剂的选择：参照《中国药典》2020年版第一部"川木香"含量测定项下方法采用甲醇作为提取溶剂。

2.2.2 提取效率的考察：以甲醇作为提取溶剂进行超声提取。为保证被测成分提取完全，在供试品的细度一致、提取溶剂为甲醇、超声功率为250W（频率40kHz）的条件下，分别考察了提取20分钟、30分钟和40分钟时的提取效率。结果见表4。

表4 木香烃内酯提取时间考察

提取时间（min）	取样量（g）	平均峰面积值	含量（mg/g）
20	3.0002	1307812	0.38
30	3.0010	1323324	0.39
40	3.0008	1278614	0.37

从表4数据可见，超声提取20分钟、30分钟和40分钟时，供试品中木香烃内酯的含量基本一致，故将提取时间定为30分钟。这与《中国药典》2020年版一部"川木香"含量测定项下的提取时间一致。

2.3 专属性考察

2.3.1 对照品溶液的制备：取木香烃内酯对照品适量，精密称定，加甲醇制成每1ml含木香烃内酯100μg的对照品溶液，作为对照品溶液。

2.3.2 供试品溶液的制备：取供试品粉末约3.0g，精密称定，置具塞锥形瓶中，精密加入甲醇25ml，密塞，称定重量，超声处理（功率250W，频率40kHz）30分钟，放冷至室温，再称定重量，用甲醇补足减失的重量，摇匀，滤过，取续滤液，作为供试品溶液。

2.3.3 阴性对照溶液的制备：按本品处方工艺制备不含川木香的阴性供试品，按"供试品溶液的制备"方法制备阴性对照溶液。

2.3.4 测定：在上述色谱条件下，分别精密吸取对照品溶液、阴性对照溶液、供试品溶液各10μl，分别注入液相色谱仪进行测定，记录色谱图。

试验结果显示，供试品色谱中在与对照品色谱保留时间相同的位置上有色谱峰出现，而阴性对照在与对照品色谱保留时间相同的位置上无色谱峰出现，表明该含量测定方法阴性无干扰，专属性好。

2.4 线性关系考察

取木香烃内酯约3.0mg，精密称定，置25ml容量瓶中，用甲醇使溶解，并稀释至刻度，摇匀，作为对照品溶液（木香烃内酯浓度为0.119mg/ml）。精密吸取上述对照品溶液1μl、2μl、5μl、10μl、15μl、20μl和25μl注入液相色谱仪，按上述色谱条件进行测定，以峰面积对进样量进行回归分析。结果见表5。

表5　木香烃内酯标准曲线数据及回归方程结果表

序号	进样量（μg）	峰面积值	回归方程	r
1	0.1190	135448		
2	0.2238	453137		
3	0.5595	1645808		
4	1.119	3454257	$y=3267845.1394x-229386.9495$	0.9999
5	1.679	5290983		
6	2.238	7085000		
7	2.798	8875266		

从表5数据可见，木香烃内酯在0.1190~2.798μg质量浓度范围内与峰面积呈良好的线性关系。

2.5　精密度试验

取同一供试品（批号2018071901）溶液，连续进样6针，记录色谱图。木香烃内酯峰面积的精密度计算结果见表6。

表6　供试品溶液中木香烃内酯精密度试验结果

序号	峰面积值	平均峰面积值	RSD（%）
1	1242758		
2	1269059		
3	1250422	1251056	0.93
4	1260448		
5	1237961		
6	1245685		

从表6数据可见，符合《中国药典》2020年版四部通则0512中规定的RSD值小于2.0%的要求。

2.6　稳定性试验

取同一份供试品（批号2018071901）溶液，分别于制备溶液后的0小时、3小时、6小时、9小时、12小时进行测定。结果见表7。

表7　供试品溶液中木香烃内酯稳定性试验结果

序号	取样量（g）	峰面积值	RSD（%）
1	0	1254745	
2	2	1268430	
3	4	1265808	0.45
4	10	1257112	
5	12	1262135	

从表7数据可见，供试品溶液木香烃内酯在12小时内的峰面积值基本稳定。

2.7　重复性试验

取同一供试品（批号2018071901）6份，各约3.0g，精密称定，置具塞锥形瓶中，精密加入甲醇25ml，密塞，称定重量，超声处理（功率250W，频率40kHz）30分钟，放冷至室温，再称定重量，用甲醇补足减失的重量，摇匀，滤过，取续滤液，作为供试品溶液。精密吸取10μl注入液相色谱仪进行测定，记录色谱图及峰面积，按外标法计算含量。结果见表8。

表8　供试品溶液中木香烃内酯重复性试验结果

样品号	称样量（g）	平均峰面积值	含量（mg/g）	平均含量（mg/g）	RSD（%）
1	3.0034	1292842	0.39		
2	3.0044	1314903	0.39		
3	3.0039	1285043	0.39	0.38	1.70
4	3.0043	1266589	0.38		
5	3.0036	1265200	0.38		
6	3.0035	1255909	0.38		

从表8数据可见，6份供试品含量测定结果的均值为0.38mg/g，RSD为1.70%，表明该方法的重复性好。

2.8　加样回收试验

取已知含量的（木香烃内酯含量为0.38mg/g）供试品9份，各约1.0g，精密称定，分别置9个具塞锥形瓶中，分别在其中3个具塞锥形瓶中精密加入木香烃内酯对照品溶液1ml（浓度为0.163mg/ml，约相当于供试品含有量的50%）及甲醇24ml，另3个具塞锥形瓶中各精密加入上述对照品溶液2ml（约相当于供试品含有量的100%）及甲醇23ml，其余3个具塞锥形瓶中各精密加入上述对照品溶液3ml（约相当于供试品含有量的150%）及甲醇22ml，分别称定重量，超声处理30分钟，取出，再称重，用甲醇补足减失重量，摇匀，滤过。分别精密吸取各溶液10μl注入液相色谱仪进行测定，记录色谱图和峰面积，按外标法计算含量，再计算回收率。结果见表9。

表9　供试品溶液中木香烃内酯加样回收试验结果

序号	称样量（g）	供试品含量（mg）	对照品加入量（mg）	测得总量（mg）	回收率（%）	平均回收率（%）	RSD（%）
1	1.0012	0.3805	0.163	0.54	97.08		
2	1.0011	0.3804	0.163	0.54	97.27		
3	1.0013	0.3805	0.163	0.54	97.84		
4	1.0007	0.3803	0.326	0.69	94.96		
5	1.0015	0.3806	0.326	0.70	97.72	96.21	1.72
6	1.0019	0.3807	0.326	0.70	97.65		
7	1.0011	0.3804	0.489	0.84	94.05		
8	1.0022	0.3808	0.489	0.85	95.71		
9	1.002	0.3808	0.489	0.84	93.65		

从表9数据可见，木香烃内酯的平均回收率为96.21%，RSD为1.72%。该方法准确度好。

3　样品含量测定

取三批样品（批号2018071901、2018081702、2018091103）及模拟样品（批号20200115）各2份，各约3.0g，精密称定，按重复性试验项下方法处理，分别测定并按外标法计算三批样品含量。含量测定结果见表10。

表10　样品中木香烃内酯的含量测定结果

批号	取样量（g）	样品峰面积值			含量（mg/g）	平均含量（mg/g）
		A	B	平均		
2018071901	3.0036	1624122	1621491	1622807	0.42	0.42
	3.0035	1603268	1649316	1626292	0.42	
2018081702	3.0012	1228525	1225506	1227016	0.32	0.32
	3.0061	1240034	1242311	1241173	0.32	
2018091103	3.0031	1458493	1440445	1449469	0.38	0.38
	3.0059	1456168	1464150	1460159	0.38	
20190925	3.0039	1128470	1116448	1122459	0.33	0.35
	3.0024	1211452	1228749	1220101	0.36	

从表10数据可见，三批样品和模拟样品中木香烃内酯含量最低为0.32mg/g，最高为0.42mg/g。模拟样品含量稍高些。

4 川木香药材含量测定

试验中采用同法对上述三批样品生产用川木香药材进行了含量测定。测定结果见表11。

表11 川木香药材中木香烃内酯的含量测定结果

序号	取样量（g）	平均峰面积值（n=2）		含量（mg/g）	平均含量（mg/g）
1	0.1502	1384102 1401302	1392702	8.32	
2	0.1501	1402727 1395835	1399281	8.28	8.24
3	0.1498	1381054 1386377	1383716	8.20	

从表11数据可见，川木香药材中木香烃内酯的含量为8.24mg/g（0.824%）。

5 本制剂含量限度的确定

三批样品中木香烃内酯的含量最低为0.32mg/g，木香药材中木香烃内酯含量为8.24mg/g（0.824%），模拟样品中木香烃内酯的含量为0.35mg/g。

按理论值折算，样品应含木香烃内酯为0.0459（g）×0.824%×1000=0.378mg。因此，木香烃内酯转移率为0.32÷0.378×100%=84.7% 到0.35÷0.378×100%=92.6%，平均转移率为88.65%。

参照《中国药典》2020年版一部"川木香"药材的木香烃内酯和去氢木香内酯的总含量限度不得少于3.2%，平均转移率为88.65%，考虑不同产地药材的质量差异，并结合其他影响因素及三批样品的测定结果，下浮20%，按此限度折算本品含木香烃内酯的理论量应不低于50÷1090×1000×3.2%÷2×80%×88.65%=0.52mg/g。

标准正文暂定为：本品每1g含木香以木香烃内酯（$C_{15}H_{20}O_2$）计，不得少于0.50mg。

【功能与主治】

解毒，调经养血。用于药物中毒，新、旧创伤，腰腹酸痛，脏腑黏热，温热，隐热，希日热，赫依热，盛热，遗精，闭经。

【用法与用量】

口服。一次1.5~3g，一日1~2次，温开水送服。

【规格】

每袋（1）3g；（2）15g；（3）250g。

【贮藏】

密封，防潮。

起草单位：内蒙古医科大学药学院　崔圆圆　张跃祥　王玉华

内蒙古医科大学附属医院　王秋桐

赤峰市药品检验所　　高嘉琦　兰利军　王静宝

嘎日西质量标准起草说明

【历史沿革】

本方来源于内蒙古自治区国际蒙医医院经验方,是由蒙药哈日嘎布日–10味散和如阿木日–6散组成的复方制剂,两种蒙成药都记载于蒙医药历史文献上。

【处方来源】

本制剂由内蒙古自治区国际蒙医医院提供。

【名称】

嘎日西

【蒙药材和饮片的来源和执行标准】

1. 处方组成及药味排列顺序:奶制红石膏340g、黑冰片221g、大黄204g、石榴177g、诃子156g、碱面136g、山奈136g、连翘110g、制木鳖110g、豆蔻88g、土木香68g、光明盐66g、牛胆粉44g、荜茇44g、肉桂20g。

2. 处方中除了奶制红石膏、黑冰片、碱面、石榴、光明盐、牛胆粉药材外,其余诃子等药味均收载于《中国药典》2020年版一部,其质量应符合该品种项下的有关规定。

奶制红石膏:为单斜晶系硫酸钙矿石族红石膏 Gypsum 的矿石红石膏(北寒水石)的炮制加工品。主含含水硫酸钙($CaSO_4 \cdot 2H_2O$)。其标准应符合《内蒙古蒙药饮片炮制规范》2020年版第188页该品种项下的有关规定。

碱面:为天然碱土Trona soil自然粗结晶,或经风化的产物。主含碳酸钠(Na_2CO_3)。其标准应符合《内蒙古蒙药饮片炮制规范》2020年版第502页该品种项下的有关规定。

黑冰片:为猪科动物野猪 *Sus scrofa* Linnaeus 的成形粪便野猪粪的炮制加工品。主含活性炭和微量元素。其标准应符合《内蒙古蒙药饮片炮制规范》2020年版第444页该品种项下的有关规定。

石榴:为石榴科植物石榴*Punica granatum* L.的干燥成熟果实。其标准应符合《内蒙古蒙药饮片炮制规范》2020年版第119页该品种项下的有关规定。

光明盐:为天然石盐 Halite 结晶体,主含氯化钠(NaCl)。其标准应符合《内蒙古蒙药饮片炮制规范》2020年版第160页该品种项下的有关规定。

牛胆粉:为牛科动物牛*Bos taurus domesticus* Gmelin 的干燥胆汁粉。其质量应符合《内蒙古蒙药饮片炮制规范》2020年版第74页该品种项下的有关规定。

【制法】

以上十五味,粉碎成细粉,过筛,混匀,分装,即得。

【性状】

本品为棕褐色至灰黑色的粉末;气香,味微苦、辛、酸、涩。

【鉴别】

本品为原药材细粉制成的散剂。处方中大多数药味的显微特征较明显,故对处方中大黄、豆蔻、荜茇、山奈进行显微鉴别,对处方中大黄、荜茇、连翘等建立了薄层鉴别。

1. 试剂与试药

供试品: 供试品 (批号20190111、20190110、20181102) 由内蒙古自治区国际蒙医医院提供, 模拟样品 (批号20200030) 模拟。

对照品: 大黄对照药材 (批号120984-201202), 荜茇对照药材 (批号121023-201103), 连翘对照药材 (批号120908-201817), 均购于中国食品药品检定研究院。

薄层板: 硅胶G薄层板、硅胶H薄层板、硅胶GF$_{254}$薄层板, 购于青岛海洋化工有限公司。

所用其他试剂均为色谱纯、分析纯, 水为超纯水。

2. 试验方法与结果

（1）显微鉴别

大黄: 草酸钙簇晶棱角大多短钝。诃子: 石细胞类圆形、卵圆形, 孔沟明显, 具层纹。土木香菊糖无色, 呈扇形或不规则碎块状。黑冰片: 碎片黑色、呈不规则碎块状。豆蔻内种皮细胞红棕色, 细胞系小, 呈多角形。荜茇: 外胚乳细胞呈亮黄色, 细胞内充满淀粉粒。山柰: 淀粉粒众多, 主为单粒, 圆形、椭圆形或类三角形, 多数扁平, 直径5~30μm, 脐点、层纹均不明显。

（2）荜茇薄层鉴别

参照《中国药典》2020年版一部 "荜茇" 项下的薄层条件, 制定正文所述的鉴别方法。通过阴性对照试验观察, 方中其他药材对荜茇药材的检出无干扰, 证明此方法具有专属性。

（3）大黄薄层鉴别

参照《中国药典》2020年版一部 "大黄" 项下的薄层条件, 制定正文所述的鉴别方法。通过阴性对照试验观察, 方中其他药材对大黄药材的检出无干扰, 证明此方法具有专属性。故未收入正文。

（4）连翘薄层鉴别

参照《中国药典》2020年版一部 "连翘" 项下的薄层条件, 制定正文所述的鉴别方法。通过阴性对照试验观察, 方中其他药材对连翘药材的检出无干扰, 证明此方法具有专属性。故未收入正文。

【检查】

按照散剂 (《中国药典》2020年版四部通则0115) 项下规定, 对三批供试品及模拟样品的外观均匀度、水分、重金属、砷盐和微生物限度进行了检查。具体方法及测定数据如下:

1. 外观均匀度: 取供试品适量, 置光滑纸上, 平铺约5cm^2, 将其表面压平, 在亮处观察, 呈现均匀的色泽, 无花纹、色斑。结果三批供试品及模拟样品均符合规定。

2. 水分: 取供试品照水分测定法 (《中国药典》2020年版四部通则0832) 测定。三批供试品及模拟样品的测定结果见表1。

表1　水分测定结果 ($n=10$)

序号	批号	水分（%）
1	20190111	5.2
2	20190110	4.8
3	20181102	4.3
4	20200030	4.5

药典规定散剂水分含量不得大于9.0%。从表1数据可见, 本品水分含量均符合要求。

3. 对三批供试品及模拟样品进行了重金属和砷盐考察。方法与结果如下:

重金属: 分别取每个批号供试品0.5g、0.67g、1.0g、2.0g, 按《中国药典》2020年版四部0821第二法检查。

供试品溶液的制备：取本品0.5g、0.67g、1.0g、2.0g，分别缓缓炽灼至完全炭化，放冷，加硫酸0.5ml，使湿润，低温加热至硫酸除尽后，加硝酸0.5ml，蒸干，至氧化氮蒸气除尽后，放冷，于600℃炽灼至完全灰化，放冷。加盐酸2ml，置水浴上蒸干后加水15ml，滴加氨试液至对酚酞指示液显中性，再加醋酸盐缓冲液（pH3.5）2ml，微热溶解后，移置纳氏比色管中，加水稀释至25ml，作为供试品溶液。

标准铅对照溶液的制备：另取配制供试品溶液的试剂两份，分别置瓷皿中蒸干后，加醋酸盐缓冲液（pH3.5）2ml，加水15ml微热溶解后，移置两支纳氏比色管中，分别加标准铅溶液（10μg/ml Pb）2ml，再加水稀释至25ml，作为标准铅对照溶液。

检视：于上述供试品溶液和标准铅对照溶液中分别加硫代乙酰胺试液各2ml，摇匀，放置2分钟，同置白色背景上，从上向下进行观察。试验结果见表2。

表2 重金属检查结果

序号	批号	重金属含量（ppm）			
1	20190111	<10	<20	<30	<40
2	20190110	<10	<20	<30	<40
3	20181102	<10	<20	<30	<40
4	20200030	<10	<20	<30	<40

结果显示，供试品溶液的颜色明显浅于2ml的标准铅对照溶液。经过三批供试品及模拟样品的检查，含重金属均未超过百万分之十，故未收入正文。

砷盐：取本品1g和标准砷溶液（1μg/ml AS）2ml，分别加无砷氢氧化钙1g，加少量水，搅匀，烘干，用小火缓缓炽灼至炭化，再在600℃炽灼至完全灰化，放冷。分别加盐酸7ml使溶解，再加水21ml，按《中国药典》2020年版四部通则0822第一法（古蔡氏法）做砷盐限量检查。

结果：供试品砷斑浅于标准砷斑的颜色，表明本品含砷量未超过百万分之二（小于2ppm），故砷盐检查项目未收入正文。

4. 微生物限度：照微生物计数法（《中国药典》2020年版四部通则1105）和控制菌检查法（《中国药典》2020年版四部通则1106）及《内蒙古蒙药制剂规范》（第三册）附录Ⅲ微生物限度标准，进行检查。结果均符合规定。

【含量测定】

嘎日西是由诃子、大黄、石榴、黑冰片等十五味药组成的复方制剂，大黄为处方中主要药味之一。故参照《中国药典》2020年版一部"大黄"项下的含量测定方法，选择游离大黄酚作为指标成分，对本制剂中的大黄进行了HPLC含量测定方法研究。经分析方法验证，表明该方法重复性好、专属性强，方中其他组分对游离大黄酚的测定无干扰。

1 仪器与试剂试药

1.1 仪器

Thermo ultimate3000型高效液相色谱仪；Sartorius BT25S型电子天平，Sartorius BSA224S型电子天平，MSA6.6S-OCE-DM型电子天平，Sartorius BSA423S型电子天平；KQ-500DE型数控超声清洗器。

1.2 试剂与试药

供试品（批号20190111、20190110、20181102）由内蒙古自治区国际蒙医医院提供，模拟样品（批号20200030）模拟；大黄酚对照品（批号110796-201621），购于中国食品药品检定研究院；甲醇为色谱纯，水为超纯水，所用其他试剂均为分析纯。

2 方法学验证

2.1 色谱条件

2.1.1　色谱柱：以十八烷基硅烷键合硅胶为填充剂，本试验研究用Thermo scientific C₁₈（250mm×4.6mm，5μm）、Phenomenex C₁₈（250mm×4.6mm，5μm）色谱柱。

2.1.2　流动相的选择：参考《中国药典》2020年版一部"六味安消散"含量测定项下方法，采用乙腈-甲醇-0.1%磷酸溶液（42∶23∶35）作为流动相进行测定，供试品中大黄酚与其他成分能达到较好的分离效果，色谱峰具有比较好的保留时间、分离度和对称性，故确定乙腈-甲醇-0.1%磷酸溶液（42∶23∶35）作为流动相。

2.1.3　柱温：试验中对柱温25℃和30℃进行了比较，结果大黄酚保留时间略有差异，但分离度及理论板数没有变化，故本试验研究采用柱温25℃。

2.1.4　检测波长的选择：取大黄酚对照品溶液，进样10μl，利用DAD检测器在190~400nm做光谱扫描，大黄酚在257nm处有吸收峰，结合《中国药典》2020年版一部"大黄"项下选择254nm作为检测波长。

2.1.5　理论板数的确定：结合《中国药典》2020年版一部"大黄"含量测定项下要求，本标准规定理论板数按大黄酚峰计应不低于3000。

2.2　提取方法的选择及提取效率的考察

参考《中国药典》2020年版一部"六味安消散"含量测定项下游离大黄酚供试品溶液的制备方法，以甲醇作为提取溶剂进行超声提取。为保证被测成分提取完全，在供试品的细度一致、提取溶剂为甲醇、超声（功率250W，频率40kHz）的条件下，分别考察了提取15分钟、30分钟、45分钟、60分钟、90分钟时的提取效率。结果见表3。

表3　游离大黄酚提取效率的考察

序号	甲醇超声时间（min）	游离大黄酚峰面积值	游离大黄酚含量（mg/g）
1	15	31.0493	0.2885
2	30	31.1237	0.2906
3	45	33.0949	0.3082
4	60	32.412	0.3017
5	90	32.5547	0.3028

从表3数据可见，超声时间45分钟时，游离大黄酚含量最高，故确定超声时间为45分钟。

2.3　专属性考察

2.3.1　对照品溶液的制备：精密称取大黄酚对照品9.49mg，加甲醇100ml制成每1ml含0.0949mg大黄酚的溶液。

2.3.2　供试品溶液的制备：取本品约3g，精密称定，置具塞锥形瓶中，精密加甲醇25ml，密塞，称定重量，分别超声处理（功率250W，频率40kHz）45分钟，再称定重量，用甲醇补足减失的重量，摇匀，滤过，取续滤液，即得。

2.3.3　阴性对照溶液的制备：按本品处方工艺制备不含大黄的阴性样品，按供试品溶液的制备方法制备阴性对照溶液（缺大黄）。

2.3.4　测定：分别精密吸取以上三种溶液各10μl，分别注入液相色谱仪，记录色谱图。

试验结果显示，供试品色谱中在与对照品色谱保留时间相同的位置上有色谱峰出现，而阴性对照在与对照品色谱保留时间相同的位置上无色谱峰出现，表明该含量测定方法阴性无干扰，专属性好。

2.4　线性关系考察

取大黄酚对照品9.49mg，置100ml量瓶中，加甲醇使溶解，并稀释至刻度，分别设置进样量为0.5μl、1.0μl、2.0μl、5.0μl、10.0μl、20.0μl，按上述色谱条件进行测定。以峰面积对进样量进行回归分析。结果见表4。

表4　游离大黄酚标准曲线数值

进样量（μl）	大黄酚量（μg）	峰面积值		回归方程	r
0.5	0.04745	4.1725	4.2016		
1	0.0949	8.5663	8.5194		
2	0.1898	16.8277	16.8273	$y=0.0881x+0.1661$	1.0
5	0.4745	42.1533	42.1341		
10	0.949	84.029	83.917		
20	1.898	167.2508	167.4021		

从表4数据可见，大黄酚在0.04745~1.898μg范围内与峰面积呈良好的线性关系。

2.5　稳定性试验

取供试品（批号20161106）1份，按上述供试品溶液的制备和色谱条件，每过2小时测定一次。结果见表5。

表5　游离大黄酚稳定性试验结果

序号	时间（h）	峰面积值	RSD（%）
1	0	31.5735	
2	2	31.5222	
3	4	31.5795	
4	6	31.522	0.09
5	8	31.5605	
6	10	31.5909	
7	12	31.5726	

从表5数据可见，在12小时内游离大黄酚峰面积值基本稳定不变，能够满足测定所需要的时间。

2.6　重复性试验

取同一供试品（批号20181102）6份，各约3g，精密称定，置具塞锥形瓶中，精密加甲醇25ml，密塞，称定重量，分别超声处理（功率250W，频率40kHz）45分钟，再称定重量，用甲醇补足减失的重量，摇匀，滤过，取续滤液，作为供试品溶液。另精密称取大黄酚对照品9.49mg，加甲醇100ml制成每1ml含0.0949mg大黄酚的溶液。分别精密吸取供试品溶液和对照品溶液各10μl，注入色谱仪，记录色谱图。按外标法以峰面积计算含量，结果见表6。

表6　游离大黄酚重复性试验结果

序号	取样量（g）	峰面积值		平均含量（mg/g）	总平均含量（mg/g）	RSD（%）
1	3.039	32.2743	31.3545	0.2955		
2	3.040	31.6516	31.7135	0.2942		
3	3.028	31.6564	31.6522	0.2951	0.2963	0.55
4	3.027	31.9852	31.9678	0.2982		
5	3.029	31.8756	31.8686	0.2970		
6	3.044	32.0873	32.1576	0.2979		

从表6数据可见，在相同的提取溶剂和色谱条件下，6份供试品含量测定结果的均值为0.2963mg/g，RSD为0.55%，表明该方法的精密度好。

2.7　加样回收试验

取供试品（批号20181102，含量0.2963mg/g）6份，取1.5g，精密称定，置具塞锥形瓶中，各精密加入浓度为0.0949mg/ml的大黄酚对照品甲醇溶液5ml（约相当于供试品含有量的50%），加20ml甲醇，分别按重复性试验项下的方法操作，测定每份含量，计算回收率。结果见表7。

表7　游离大黄酚加样回收试验结果

序号	样品量（g）	供试品含量（mg）	对照品加入量（mg）	峰面积值		测得总量（mg）	回收率（%）	平均回收率（%）	RSD（%）
1	1.517	0.4495		32.3355	32.7772	0.9191	98.97		
2	1.527	0.4525		32.1141	32.1220	0.9067	95.72		
3	1.520	0.4504	0.4745	32.2320	32.2213	0.9098	96.82	97.08	1.12
4	1.524	0.4516		32.3645	32.3787	0.9139	97.43		
5	1.531	0.4536		32.3606	32.3489	0.9134	96.90		
6	1.528	0.4527		32.2686	32.2792	0.9111	96.61		

从表7数据可见，回收率为85%~110%，准确度符合要求。

2.8　范围

取供试品6份，每份约0.75g（批号20181102，含游离大黄酚0.2963mg/g），精密称定，分别精密加入对照品溶液2.5ml（大黄酚浓度为0.0949mg/ml）；另取供试品6份，每份约2.25g，精密称定，再分别精密加入上述对照品溶液7.5ml，分别按准确度项下方法操作，计算回收率及低、高浓度点各6份样品的RSD，结果见表8、表9。

表8　游离大黄酚加样回收试验（低浓度）

序号	样品量（g）	供试品含量（mg）	对照品加入量（mg）	峰面积值		测得总量（mg）	回收率（%）	平均回收率（%）	RSD（%）
1	0.756	0.2240		16.5207	16.7645	0.4676	102.7		
2	0.759	0.2249		16.9390	16.9706	0.4764	106.0		
3	0.758	0.2246	0.2373	16.9027	16.9186	0.4752	105.6	104.5	1.21
4	0.754	0.2234		16.6840	16.6911	0.4688	103.4		
5	0.755	0.2237		16.8092	16.8180	0.4724	104.8		
6	0.758	0.2246		16.7957	16.8030	0.4720	104.3		

表9　游离大黄酚加样回收试验（高浓度）

序号	样品量（g）	供试品含量（mg）	对照品加入量（mg）	峰面积值		测得总量（mg）	回收率（%）	平均回收率（%）	RSD（%）
1	2.255	0.6682		46.5283	46.4264	1.3142	90.76		
2	2.256	0.6685		46.6778	46.8241	1.3219	91.80		
3	2.260	0.6696	0.7118	46.7125	46.6291	1.3197	91.33	90.50	1.74
4	2.257	0.6687		45.5977	45.7288	1.2911	87.44		
5	2.259	0.6693		46.4522	46.3975	1.3127	90.39		
6	2.257	0.6687		46.5859	46.6836	1.3186	91.30		

从表8和表9数据可见，在相当于样品含量限度约50%和150%的两个点，均达到了精密度、准确度和线性的要求。

2.9　耐用性试验

换不同厂家、不同型号的色谱柱，其他按正文的色谱条件，取重复性试验中的1号、2号样品进行测定，进样量为10μl。结果见表10。

表10 不同色谱柱温的耐用试验

序号	柱型号	分离度	测得平均含量（mg/g）
1	Thermo scientific C_{18}	2.1	0.2955
	Phenomenex C_{18}	2.4	0.2982
2	Thermo scientific C_{18}	2.1	0.2942
	Phenomenex C_{18}	2.4	0.2890

从表10数据可见，不同型号或厂家的色谱柱对测定结果影响较小。

3 样品含量测定

取三批样品（批号20190111、20190110、20181102）各约3g，精密称定，按重复性试验项下的方法处理并测定。含量测定结果见表11。

表11 样品中游离大黄酚含量测定结果

批号	取样量（g）	峰面积值		含量（mg/g）	平均含量（mg/g）
20190111	3.039	32.2743	31.3545	0.2955	0.2949
	3.040	31.6516	31.7135	0.2942	
	3.028	31.6564	31.6522	0.2951	
20190110	3.025	47.8625	48.1006	0.4485	0.4528
	3.031	50.1224	49.3026	0.4639	
	3.038	47.6114	48.2386	0.4461	
20181102	3.019	52.3564	51.6267	0.4871	0.4765
	3.025	49.8836	49.9040	0.4665	
	3.025	50.8750	50.9171	0.4759	

从表11数据可见，结合三批样品的实测结果，本品每1g含大黄以游离大黄酚（$C_{15}H_{10}O_4$）计，均大于0.29mg，以最低含量的70%作为限度，故标准正文暂定为：本品每1g含大黄以游离大黄酚（$C_{15}H_{10}O_4$）计，不得少于0.20mg。（计算方法参看2007制剂规范24页）。

【功能与主治】

消食，止酸，祛巴达干希日。用于寒性希日症，嗳气，胃胀痛，泛酸，新旧食积不消，疹症胃火衰败，大便秘结，下清赫依功能异常。

【用法与用量】

口服。一次1.5~3g，一日1~2次，温开水送服。

【规格】

每袋（1）3g；（2）15g；（3）250g。

【贮藏】

密封，防潮。

起草单位：内蒙古自治区国际蒙医医院 青 松 那松巴乙拉 奥东塔那 艾毅斯

赤峰市药品检验所 王静宝 姜明慧 陆 静

嘎希古纳-8散 质量标准起草说明

【历史沿革】

本处方来源于锡林郭勒盟蒙医医院的传统经验方。

【处方来源】

本制剂由锡林郭勒盟蒙医医院提供。

【名称】

嘎希古纳-8散

【蒙药材和饮片的来源和执行标准】

1. 处方组成及药味排列顺序: 肋柱花50g、波棱瓜子40g、木香40g、苦荬菜40g、黄连40g、角茴香40g、紫花高乌头40g、黄柏40g。

2. 处方中除了肋柱花、苦荬菜和紫花高乌头药材外, 其余木香等药味均收载于《中国药典》2020年版一部, 其质量应符合该品种项下的有关规定。

肋柱花: 为龙胆科植物肋柱花 *Lomatogonium rotatum* (L.) Fries ex Nym 的干燥全草。其标准应符合《中华人民共和国卫生部药品标准》(蒙药分册) 1998 年版第15页该品种项下的规定。

苦荬菜: 为菊科植物抱茎苦荬菜 *Ixeris sonchifolia* (Bunge) Hance 的干燥地上部分。其标准应符合《中华人民共和国卫生部药品标准》(蒙药分册) 1998 年版第25页该品种项下的规定。

紫花高乌头: 毛莨科植物紫花高乌头 *Aconitum excelsum* Reichb.的干燥地上部分。其标准应符合《内蒙古蒙药饮片炮制规范》2020年版第431页该品种项下的有关规定。

【制法】

以上八味, 粉碎成细粉, 过筛, 混匀, 分装, 即得。

【性状】

本品为灰黄色至黄绿色的粉末; 气微香, 味苦。

【鉴别】

本品为药材粉末制成的散剂, 方中大多数药味的显微特征都比较明显, 故对处方中的肋柱花、黄柏、黄连建立显微鉴别, 并对处方中的黄连建立了薄层鉴别。

1. 试剂与试药

供试品: 供试品 (批号 201808001、201808002、201808003) 由锡林郭勒盟蒙医医院提供, 模拟样品为 (批号 20190820) 模拟。

对照药材: 黄连 (三角叶黄连) 药材 (批号120913-201611), 购于中国食品药品检定研究院。

薄层板: 硅胶G板, 购于青岛海洋化工有限公司。

所用其他试剂均为分析纯, 水为离子交换高纯水。

2. 试验方法与结果

（1）显微鉴别

肋柱花：花粉粒浅黄色，呈类三角形、圆球形或椭圆形，直径25～46μm，具三个孔沟，表面具条纹或网状雕纹。黄柏：纤维束鲜黄色，周围细胞含草酸钙方晶，形成晶纤维，含晶细胞壁木化增厚。黄连：纤维束鲜黄色，壁稍厚，纹孔明显。

（2）黄连薄层鉴别

参照《中国药典》2020年版一部"黄连"项下的薄层条件，制定正文所述的鉴别方法。通过阴性对照试验观察，方中其他药材对黄连药材的检出无干扰，证明此方法具有专属性。

【检查】

按照散剂（《中国药典》2020年版四部通则0115）项下规定，对三批供试品及模拟样品的外观均匀度、水分、重金属、砷盐、微生物限度、乌头碱限量和急性毒性试验进行了检查。具体方法及测定数据如下：

1. 外观均匀度：取供试品适量，置光滑纸上，平铺约5cm^2，将其表面压平，在亮处观察，呈现均匀的色泽，无花纹、色斑。结果三批供试品及模拟样品均符合规定。

2. 水分：取供试品照水分测定法（《中国药典》2020年版四部通则0832）测定。三批供试品及模拟样品的测定结果见表1。

表1　水分测定结果

序号	批号	水分（%）
1	201808001	5.01
2	201808002	5.06
3	201808003	5.12
4	20190820	5.49

药典规定散剂水分含量不得大于9.0%。从表1数据可见，本品水分含量符合要求。

3. 对三批供试品及模拟样品进行了重金属和砷盐考察。方法与结果如下：

重金属：分别取每个批号供试品0.5g、0.67g、1.0g、2.0g，按《中国药典》2020年版四部0821第二法检查。

供试品溶液的制备：取本品0.5g、0.67g、1.0g、2.0g，分别缓缓炽灼至完全炭化，放冷，加硫酸0.5ml，使湿润，低温加热至硫酸除尽后，加硝酸0.5ml，蒸干，至氧化氮蒸气除尽后，放冷，于600℃炽灼至完全灰化，放冷。加盐酸2ml，置水浴上蒸干后加水15ml，滴加氨试液至对酚酞指示液显中性，再加醋酸盐缓冲液（pH3.5）2ml，微热溶解后，移置纳氏比色管中，加水稀释至25ml，作为供试品溶液。

标准铅对照溶液的制备：另取配制供试品溶液的试剂两份，分别置瓷皿中蒸干后，加醋酸盐缓冲液（pH3.5）2ml，加水15ml微热溶解后，移置两支纳氏比色管中，分别加标准铅溶液（10μg/ml Pb）2ml，再加水稀释至25ml，作为标准铅对照溶液。

检视：于上述供试品溶液和标准铅对照溶液中分别加硫代乙酰胺试液各2ml，摇匀，放置2分钟，同置白色背景上，从上向下进行观察。试验结果见表2。

表2　重金属检查结果

序号	批号	重金属含量（ppm）			
1	20190716	<10	<20	<30	<40
2	20200223	<10	<20	<30	<40
3	20180911	<10	<20	<30	<40
4	20200003	<10	<20	<30	<40

结果显示,供试品溶液的颜色明显浅于2ml的标准铅对照溶液。经过三批供试品及模拟样品的检查,含重金属均未超过百万分之十,故未收入正文。

砷盐:取本品1g和标准砷溶液(1μg/ml AS)2ml,分别加无砷氢氧化钙1g,加少量水,搅匀,烘干,用小火缓缓炽灼至炭化,再在600℃炽灼至完全灰化,放冷。分别加盐酸7ml使溶解,再加水21ml,按《中国药典》2020年版四部通则0822第一法(古蔡氏法)做砷盐限量检查。

结果:供试品砷斑浅于标准砷斑的颜色,表明本品含砷量未超过百万分之二(小于2ppm),故砷盐检查项目未收入正文。

4. 微生物限度:照微生物计数法(《中国药典》2020年版四部通则1105)和控制菌检查法(《中国药典》2020年版四部通则1106)及《内蒙古蒙药制剂规范》(第三册)附录Ⅲ微生物限度标准进行检查。结果符合规定。

5. 乌头碱限量:本处方有紫花高乌头,其中含有少量乌头碱、次乌头碱和新乌头碱等双酯类生物碱,故参照《中国药典》2020年版一部"附子"项下乌头碱等的TLC鉴别方法和"附子理中丸"项下乌头碱限量检查方法,设计出本制剂乌头碱的限量检查方法并进行试验研究。供试品溶液的制备方法参照"附子理中丸"和"附子"项下的方法,并结合本处方实际情况,用氨试液碱化、乙醚作溶剂提取后,浓缩,无水乙醇溶解,结果既保证了被测成分全部提净,又可排除其他成分对试验结果的干扰,还可以避免供试品中乌头碱、次乌头碱和新乌头碱等双酯类生物碱在制备供试品溶液中的水解问题。

供试品溶液的制备:取本品20g(相当于紫花高乌头2.4g),置锥形瓶中,加氨试液5ml,拌匀,密塞,放置2小时,加乙醚50ml,振摇1小时,放置过夜,滤过,滤渣用乙醚洗涤2次,每次15ml,合并乙醚液,蒸干,残渣加无水乙醇溶解并转移至1ml量瓶中,稀释至刻度,摇匀,作为供试品溶液。

对照品溶液的制备:另取乌头碱对照品,加无水乙醇制成每1ml含1mg的溶液,作为对照品溶液。

阴性对照溶液的制备:按处方比例配制缺紫花高乌头药材的阴性供试品。取阴性供试品粉末20g,制法同供试品溶液的制备,作为阴性对照溶液。

点样与展开:照薄层色谱法(《中国药典》2020年版四部通则0502)试验,吸取供试品溶液12μl,对照品溶液5μl,分别点于同一硅胶G薄层板上,以二氯甲烷(经无水硫酸钠脱水处理)-丙酮-甲醇(6:1:1)为展开剂,展开,取出,晾干。

显色:喷以稀碘化铋钾试液。

结果:供试品色谱中,在与对照品色谱相应的位置上(Rf值为0.23)不显相同的橙红色斑点。十批样品检测均显示同样的结果,即乌头碱量小于百万分之二十,故乌头碱检查项目未收入正文。

6. 急性毒性试验:试验研究以及结果见本文后面的附件。

【含量测定】

本品由肋柱花、波棱瓜子、木香、苦荬菜、黄连、角茴香、黄柏、紫花高乌头八味药材组成。临床功效清希日,泻肝火,利胆。用于希日热引起的头痛,肝胆热症,目肤和小便赤黄,黄疸。木香功效行气止痛,健脾消食。木香烃内酯和去氢木香内酯为木香中的主要成分,故选择木香烃内酯和去氢木香内酯作为指标成分,对本制剂中的木香进行含量测定方法的研究。故参照《中国药典》2020年版一部"木香"项下的含量测定方法,选择木香烃内酯和去氢木香内酯作为指标成分,对本制剂中的木香进行了HPLC含量测定方法研究。经分析方法验证,表明该方法重复性好、专属性强,方中其他组分对木香烃内酯和去氢木香内酯的测定无干扰。

1 仪器与试剂试药

1.1 仪器

Waters e2695 型高效液相色谱仪;Mettler-Toledo MS105DU型百万分之一电子天平,Mettler-Toledo XPR10型万

分之一电子天平；SBL-22DT型超声波清洗器（宁波新芝生物科技股份有限公司，40kHz）；Heal Force NW15UV型超纯水系统；FW400A型多功能粉碎机（材茂科技有限公司）。

1.2 试剂与试药

供试品（批号201808001、201808002、201808003）由锡林郭勒盟蒙医医院提供，模拟样品（批号 20190820）模拟；木香烃内酯对照品（批号 111524-2019111）、去氢木香内酯对照品（批号111525-201912），均购于中国食品药品检定研究院；甲醇为色谱纯，水为超纯水，所用其他试剂均为分析纯。

2 方法学考察

2.1 色谱条件

2.1.1 色谱柱：色谱柱填充剂为十八烷基硅烷键合硅胶，本试验采用Pheomenex C_{18}（250mm×4.6mm，5μm）色谱柱。

2.1.2 流动相的选择：参照《中国药典》2020年版一部"木香"含量测定项下的测定方法，以甲醇-水（65∶35）为流动相，供试品中的木香烃内酯和去氢木香内酯与其他成分能达到较好的分离效果，色谱峰具有比较好的保留时间、分离度和对称性。故选择以甲醇-水（65∶35）为流动相。

2.1.3 柱温：30℃可以保证柱压较低，分离效果稳定，保留时间变化小。

2.1.4 检测波长的选择：参照《中国药典》2020年版一部"木香"含量测定项下木香烃内酯和去氢木香内酯的测定方法，选用225nm处作为检测波长。

2.1.5 理论板数的确定：从对三批供试品的测定结果可见，木香烃内酯和去氢木香内酯峰理论板数在4000以上即能达到较好的分离效果，故规定理论板数按木香烃内酯和去氢木香内酯峰计算均应不低于4000。

2.2 提取溶剂及提取效率的考察

2.2.1 提取溶剂的选择：参照《中国药典》2020年版第一部"木香"含量测定项下方法采用甲醇作为提取溶剂。

2.2.2 提取效率的考察：以甲醇作为提取溶剂进行超声提取。为保证被测成分提取完全，在供试品的细度一致、提取溶剂为甲醇、超声（功率250W，频率40kHz）的条件下，分别考察了提取20分钟、30分钟和40分钟时的提取效率。结果见表3和表4。

表3 木香烃内酯提取时间考察

提取时间（min）	取样量（g）	平均峰面积值	含量（mg/g）
20	1.2051	1603030	1.81
30	1.2037	1591655	1.80
40	1.2038	1579950	1.79

表4 去氢木香内酯提取时间考察

提取时间（min）	取样量（g）	平均峰面积值	含量（mg/g）
20	1.2051	1329156	2.22
30	1.2037	1318026	2.21
40	1.2038	1325620	2.22

从表3、表4数据可见，超声提取20分钟、30分钟和40分钟时，供试品中木香烃内酯和去氢木香内酯的含量基本一致，故将提取时间定为30分钟。这与《中国药典》2020年版一部"木香"含量测定项下的提取时间一致。

2.3 专属性考察

2.3.1 对照品溶液的制备：取木香烃内酯对照品和去氢木香内酯对照品适量，精密称定，加甲醇制成每1ml含木香烃内酯100μg、去氢木香内酯80μg的混合对照品溶液,作为对照品溶液。

2.3.2　供试品溶液的制备:取供试品粉末约1.2g,精密称定,置具塞锥形瓶中,精密加入甲醇25ml,密塞,称定重量,超声处理(功率250W,频率40kHz)30分钟,放冷至室温,再称定重量,用甲醇补足减失的重量,摇匀,滤过,取续滤液,作为供试品溶液。

2.3.3　阴性对照溶液的制备:按本品处方工艺制备不含木香的阴性供试品,按"供试品溶液的制备"方法制备阴性对照溶液。

2.3.4　测定:在上述色谱条件下,分别精密吸取对照品溶液、阴性对照溶液、供试品溶液各10μl,分别注入液相色谱仪进行测定,记录色谱图。

试验结果显示,供试品色谱中在与对照品色谱保留时间相同的位置上有色谱峰出现,而阴性对照在与对照品色谱保留时间相同的位置上无色谱峰出现,表明该含量测定方法阴性无干扰,专属性好。

2.4　线性关系考察

取木香烃内酯对照品约2.5mg和去氢木香内酯对照品约2.0mg,精密称定,置25ml容量瓶中,用甲醇使溶解,并稀释至刻度,摇匀,作为对照品溶液(木香烃内酯浓度为0.10304mg/ml,去氢木香内酯浓度为0.0829mg/ml)。分别精密吸取上述对照品溶液各2μl、5μl、10μl、15μl、20μl和25μl注入液相色谱仪,按上述色谱条件进行测定,以峰面积对进样量进行回归分析。结果见表5和表6。

表5　木香烃内酯标准曲线数据及回归方程结果表

序号	进样量(μg)	峰面积值	回归方程	r
1	0.2061	284959		
2	0.5152	910210		
3	1.030	1890584	$y=1932362.3999x-95887.8316$	0.9999
4	1.546	2915857		
5	2.061	3887613		
6	2.576	4867393		

表6　去氢木香内酯标准曲线数据及回归方程结果表

序号	进样量(μg)	峰面积值	回归方程	r
1	0.1658	133427		
2	0.4146	476744		
3	0.8292	1023804	$y=1336685.2834x-85361.7660$	0.9998
4	1.244	1578798		
5	1.658	2105002		
6	2.023	2637421		

从表5、表6数据可见,木香烃内酯在0.2061~2.576μg范围内与峰面积呈良好的线性关系,去氢木香内酯在0.1658~2.023μg范围内与峰面积呈良好的线性关系。

2.5　精密度试验

取同一份供试品(批号201908001)溶液,连续进样6针,记录色谱图。木香烃内酯和去氢木香内酯峰面积的精密度计算结果见表7和表8。

表7　供试品溶液中木香烃内酯精密度试验结果

序号	峰面积值	平均峰面积值	RSD(%)
1	1602584	1586747	1.04
2	1604490		

续表

序号	峰面积值	平均峰面积值	RSD（%）
3	1597194		
4	1569165	1586747	1.04
5	1569002		
6	1578046		

表8　供试品溶液中去氢木香内酯精密度试验结果

序号	峰面积值	平均峰面积值	RSD（%）
1	1371092		
2	1324165		
3	1330970	1342429	1.21
4	1340850		
5	1346574		
6	1340921		

从表7、表8数据可见，符合《中国药典》2020年版四部通则0512中规定的RSD值小于2.0%的要求。

2.6　稳定性试验

取同一供试品（批号201908001）溶液，分别于制备溶液后的0小时、2小时、4小时、10小时、12小时、14小时进行测定。结果见表9和表10。

表9　供试品溶液中木香烃内酯稳定性试验结果

序号	时间（h）	峰面积值	RSD（%）
1	0	1503759	
2	2	1532097	
3	4	1546617	1.76
4	10	1568256	
5	12	1578359	
6	14	1560465	

表10　供试品溶液中去氢木香内酯稳定性试验结果

序号	时间（h）	峰面积值	RSD（%）
1	0	1279439	
2	2	1297248	
3	4	1315868	1.78
4	10	1332621	
5	12	1343835	
6	14	1318229	

从表9、表10数据可见，供试品溶液木香烃内酯和去氢木香内酯在14小时内的峰面积值基本稳定。

2.7　重复性试验

取同一供试品（批号201908001）6份，各约1.2g，精密称定，置具塞锥形瓶中，精密加入甲醇25ml，密塞，称定重量，超声处理（功率250W，频率40kHz）30分钟，放冷至室温，再称定重量，用甲醇补足减失的重量，摇匀，滤过，取续滤液，作为供试品溶液。精密吸取10μl注入液相色谱仪进行测定，记录色谱图及峰面积，按外标法计算含量。结果见表11和表12。

表11 供试品溶液中木香烃内酯重复性试验结果

称样量（g）	平均峰面积值	含量（mg/g）	平均含量（mg/g）	RSD（%）
1.2023	1532097	1.72		
1.2016	1563731	1.76		
1.2017	1557429	1.75	1.74	1.00
1.2028	1551975	1.74		
1.2021	1573459	1.77		
1.2026	1549438	1.74		

表12 供试品溶液中去氢木香内酯重复性试验结果

称样量（g）	平均峰面积值	含量（mg/g）	平均含量（mg/g）	RSD（%）
1.2023	1297248	2.19		
1.2016	1296436	2.19		
1.2017	1347070	2.27	2.22	1.70
1.2028	1323549	2.23		
1.2021	1303791	2.20		
1.2026	1348770	2.27		

表11、表12数据可见，6份供试品溶液中木香烃内酯和去氢木香内酯含量测定结果的均值分别为1.74mg/g（RSD为1.00%）和2.22mg/g（RSD为1.70%），表明该方法的重复性好。

2.8 加样回收试验

取已知含量的（木香烃内酯含量为1.74mg/g，去氢木香内酯含量2.22mg/g）供试品9份，各1.2g，精密称定，置具塞锥形瓶中，精密加入甲醇25ml，密塞，称定重量，超声处理（功率250W，频率40kHz）30分钟，放冷至室温，再称定重量，用甲醇补足减失的重量，摇匀，滤过，取续滤液，备用。从每份中分别取出2ml置9个5ml容量瓶中，分成三组，每组三份，每组分别精密加入木香烃内酯对照品（浓度为0.0884mg/ml）和去氢木香内酯对照品（浓度为0.1069mg/ml）混合溶液各1ml、2ml、3ml（约相当于供试品含有量的50%、100%、150%），用甲醇定容到刻度，分别精密吸取各溶液10μl注入液相色谱仪进行测定，记录色谱图和峰面积，按外标法计算含量，再计算回收率。结果见表13和表14。

表13 供试品溶液中木香烃内酯加样回收试验结果

称样量（g）	供试品含量（mg）	对照品加入量（mg）	测得总量（mg）	回收率（%）	平均回收率（%）	RSD（%）
1.2009	0.1671	0.0884	0.25	95.16		
1.2022	0.1673	0.0884	0.25	92.51		
1.2003	0.1671	0.0884	0.25	95.36		
1.2009	0.1671	0.1768	0.33	94.07		
1.2022	0.1673	0.1768	0.33	92.01	94.23	1.94
1.2003	0.1671	0.1768	0.34	96.72		
1.2009	0.1671	0.2652	0.42	94.94		
1.2022	0.1673	0.2652	0.42	95.82		
1.2003	0.1671	0.2652	0.41	91.52		

表14 供试品溶液中去氢木香内酯加样回收试验结果

称样量（g）	供试品含量（mg）	对照品加入量（mg）	测得总量（mg）	回收率（%）	平均回收率（%）	RSD（%）
1.2009	0.2227	0.1069	0.32	95.43		
1.2022	0.2223	0.1069	0.32	92.18		
1.2003	0.2228	0.1069	0.32	95.21		
1.2009	0.2227	0.2138	0.43	97.39		
1.2022	0.2223	0.2138	0.43	97.15	94.33	1.92
1.2003	0.2228	0.2138	0.43	98.91		
1.2009	0.2227	0.3206	0.52	93.75		
1.2022	0.2223	0.3206	0.53	96.31		
1.2003	0.2228	0.3206	0.52	93.68		

从表13、表14数据可见，木香烃内酯和去氢木香内酯的平均回收率分别为94.23%和94.33%，RSD分别为1.94%和1.92%。该方法准确度好。

2.9 耐用性试验

取供试品（批号201908001）2份，各约1.2g，精密称定，置具塞锥形瓶中，精密加入甲醇25ml，密塞，称定重量，超声处理（功率250W，频率40kHz）30分钟，放冷至室温，再称定重量，用甲醇补足减失的重量，摇匀，滤过，取续滤液，作为供试品溶液。换不同厂家、不同型号的色谱柱，分别测定供试品的含量。结果见表15和表16。

表15 色谱柱耐用性试验（木香烃内酯）

样品号	取样量（g）	柱型号	平均峰面积值	含量（mg/g）
1	1.2043	Pheomenex C$_{18}$	1438959	1.56
	1.2043	Alltima C$_{18}$	1474937	1.57
2	1.2054	Pheomenex C$_{18}$	1633972	1.77
	1.2054	AlltimaC$_{18}$	1667933	1.78

表16 色谱柱耐用性试验（去氢木香内酯）

样品号	取样量（g）	柱型号	平均峰面积值	含量（mg/g）
1	1.2043	Pheomenex C$_{18}$	1301533	2.21
	1.2043	Alltima C$_{18}$	1359596	2.18
2	1.2054	Pheomenex C$_{18}$	1433875	2.43
	1.2054	AlltimaC$_{18}$	1617873	2.59

从表15、表16数据可见，不同型号或厂家的色谱柱对木香烃内酯和去氢木香内酯的测定结果影响较小，耐用性好。

3 样品含量测定

取三批样品（批号201908001、201908002、201908003）及模拟样品（批号20190820）各2份，各约1.2g，精密称定，按重复性试验项下方法处理，分别测定并按外标法计算三批样品含量。含量测定结果见表17和表18。

表17 样品中木香烃内酯的含量测定结果

批号	取样量（g）	平均峰面积值	含量（mg/g）	平均含量（mg/g）
201908001	1.2013	1586213	1.76	1.76
	1.2013	1583114	1.76	
201908002	1.2029	1575547	1.75	1.76
	1.2020	1599454	1.77	

续表

批号	取样量（g）	平均峰面积值	含量（mg/g）	平均含量（mg/g）
201908003	1.2027	1610945	1.79	1.77
	1.2023	1564564	1.74	
20190820	1.2028	1613764	1.79	1.81
	1.2029	1640171	1.82	

表18　样品中去氢木香内酯的含量测定结果

批号	取样量（g）	平均峰面积值	含量（mg/g）	平均含量（mg/g）
201908001	1.2013	1375144	2.31	2.31
	1.2013	1375850	2.31	
201908002	1.2029	1386140	2.32	2.32
	1.2020	1384280	2.32	
201908003	1.2027	1389131	2.33	2.31
	1.2023	1365838	2.29	
20190820	1.2028	1410576	2.36	2.28
	1.2029	1308785	2.19	

从表17、表18数据可见，在三批样品和模拟样品中，木香烃内酯含量最低为1.76mg/g，最高为1.81mg/g；去氢木香内酯含量最低为2.28mg/g，最高为2.32mg/g。含量之间无明显差异。

4　木香药材含量测定

试验中采用同法对上述三批样品生产用木香药材进行了含量测定。测定结果见表19和表20。

表19　木香药材中木香烃内酯的含量测定结果

序号	取样量（g）	平均峰面积值（n=2）		含量（mg/g）	平均含量（mg/g）
1	0.1510	1700381 1679211	1689796	15.10	15.59
2	0.1505	1797454 1789594	1793524	16.08	

表20　木香药材中去氢木香内酯的含量测定结果

序号	取样量（g）	平均峰面积值（n=2）		含量（mg/g）	平均含量（mg/g）
1	0.1510	1456038 1443183	1449611	19.45	19.90
2	0.1505	1517586 1505193	1511390	20.35	

从表19、表20数据可见，木香药材中木香烃内酯和去氢木香内酯的含量分别为15.59mg/g和19.90mg/g，总含量为35.49mg/g（3.55%）。

5　本制剂含量限度的确定

三批样品中木香烃内酯和去氢木香内酯的总含量最低为4.06mg/g，木香药材中木香烃内酯和去氢木香内酯总含量为35.49mg/g（3.55%），模拟样品中木香烃内酯和去氢木香内酯的总含量平均为4.18mg/g。

按理论值折算，样品应含木香烃内酯和去氢木香内酯为$20 \div 165 \times 35.49 = 4.30$mg/g。因此，转移率为$4.06 \div 4.30 \times 100\% = 94.42\%$到$4.18 \div 4.30 \times 100\% = 97.21\%$，平均转移率为95.82%。

参照《中国药典》2020年版一部"木香"药材的木香烃内酯和去氢木香内酯的总含量限度不得少于1.8%，平均转移率为95.82%，考虑不同产地药材的质量差异，并结合其他影响因素及三批样品的测定结果，下浮20%，按此限度折算本品含木香烃内酯和去氢木香内酯总的理论量应不低于$20 \div 165 \times 1000 \times 1.8\% \times 95.82\% \times 80\% = 1.67$mg/g。

标准正文暂定为:本品每1g含木香以木香烃内酯($C_{15}H_{20}O_2$)和去氢木香内酯($C_{15}H_{18}O_2$)总量计,不得少于1.7mg。

【功能与主治】

清希日,泻肝火,利胆。用于希日热引起的头痛,肝胆热症,目肤和小便赤黄,黄疸。

【用法与用量】

口服。一次1.5~3g,一日1~2次,温开水送服。

【规格】

每袋(1)3g;(2)15g;(3)250g。

【贮藏】

密封,防潮。

附件 昆明小鼠灌胃嘎希古纳-8散急性毒性试验研究报告

1 摘要

目的:

通过一天内大剂量(≥临床等效量的50倍)对昆明种小鼠灌胃嘎希古纳-8散,观察其产生的毒性反应及严重程度、主要毒性靶器官,为重复给药毒性研究计量设计和主要观察指标提供参考。

方法:

根据药物急性毒性预试验测定,无法测出LD50,故采用急性毒性限度试验测定方法。小鼠按0.4mL/10g灌胃给药,给药4次,总给药体积为160mL/kg。成人每日最大剂量6.0g/(60kg·d),换算成小鼠临床等效最大剂量为0.75g/(kg·d)。配制药物最大可混悬浓度为0.4332g/ml,灌胃给药4次,给药剂量为69.3173g/(kg·d),经计算为临床给药量的92.42倍。故一天内给药1次,小鼠给药总量为临床等效量的92.42倍,给药后观察动物的临床症状,连续观察至第14天,每天进行体重、摄食量、饮水量测定。第15天解剖动物,并进行大体病理学检查,若发现病变,则对病变组织进行组织病理学检查。

结果:

(1)一般状态观察:给药后,供试品组动物自主活动减少,给药后第2天上述异常症状恢复。

(2)对动物体重的影响:试验期间,各组动物的体重增加之间比较,无显著性差异($P>0.05$),说明嘎希古纳-8散对试验动物的体重无显著性影响。

(3)对动物摄食量的影响:试验期间,给药当天嘎希古纳-8散组动物摄食量略有减少。从给药第2天开始,各组动物的摄食量之间比较,无显著性差异($P>0.05$),说明嘎希古纳-8散对试验动物的摄食量无显著性影响。

(4)病理学检查:大体病理学检查,肉眼观察组织、器官未发现异常或病变。

结论:

嘎希古纳-8散口服给药为无毒或低毒药物。

2 研究的一般信息

2.1 专题名称及研究目的

专题名称:昆明小鼠灌胃嘎希古纳-8散急性毒性试验研究报告。

研究目的：采用昆明小鼠，单次灌胃嘎希古纳-8散，观察其产生的毒性反应及严重程度、主要毒性靶器官，为重复给药毒性研究计量设计和主要观察指标提供参考。

2.2 研究遵循的GLP法规性文件

《药物非临床研究质量规范》（国家食品药品监督管理局令第34号，原CFDA 2017.9.1）。

2.3 所用毒性研究指导原则的文件和名称及参考文献

2.3.1 所用毒性研究指导原则的文件和名称

《药物单次给药毒性研究技术指导原则》（原CFDA 2014.5）。

《中药、天然药物急性毒性研究技术指导原则》（原CFDA 2005.3）。

2.3.2 所用参考文献

[1] 陈奇. 中药药理研究方法学[M]. 北京：人民卫生出版社，2000.

[2] 李仪奎. 中药药理试验方法学[M]. 上海：上海科学技术出版社，2006.

[3] 魏伟，吴希美，李元建. 药理试验方法学[M]（第四版）. 北京：人民卫生出版社，2010.

3 试验材料

3.1 受试物及剩余受试物的处理

3.1.1 供试品

名　　称：嘎希古纳-8散。

提供单位：内蒙古自治区国际蒙医医院国家蒙药制剂中心。

3.1.2 剩余供试品的处理

对送样供试品留样60丸，留样保存至有效期2022年12月31日废弃。

3.2 试验系统

3.2.1 试验动物

动物种系、级别：小鼠，昆明种，SPF级。

繁育单位：内蒙古医科大学试验动物中心。

内蒙古医科大学试验动物中心试验动物生产许可证编号：SCXK（蒙）2015-0001。

发证机关：内蒙古自治区科学技术厅。

3.2.2 动物选择理由

作为一般毒性研究，昆明种小鼠是常用的啮齿类哺乳动物，且此种动物的国内外背景资料丰富，动物供应充足。

3.2.3 动物的饲养管理

3.2.3.1 动物的饲养环境

饲育环境：屏障环境。

温度：20～26℃，日温差≤3℃。

相对湿度：41%～64%。

换气次数：≥15次/小时。

照明时间：12/12明暗交替（150～300 lx）。

动物笼具：PC材质小鼠饲养笼。

饲养密度：5只/笼。

笼具的换新频率：3次/周。

粪便的处理：在更换饲养盒时，随动物废弃垫料装入专用垃圾袋，密封后统一处理。

清扫与消毒：全部操作结束后清扫，采用0.1%新洁尔灭和0.2% 84消毒液进行轮换消毒，每周一次轮流交换消毒液的种类。

3.2.3.2 检疫

检疫与适应性饲养时程：7天（含购入日）。

3.2.3.2.1 购入日检疫内容：

动物外观健康检查：外表（有无外伤、卷尾、肿瘤、畸残等）；体形（有无消瘦、过肥）；行动（有无倦怠、躁动）；体温（有无发热、发冷）；呼吸（有无呼吸不规律和异常呼吸音）；被毛（有无竖毛、脱毛、脏污）；鼻（有无流涕、出血、流脓）；口腔（有无流涎、齿过长）；眼（有无流泪、分泌物过多、眼球浑浊）；耳（有无外伤、耳癣）；生殖器（有无外伤、异常分泌物）；尿（有无血尿）；粪便（有无下痢、血便、脓便）；其他异常。

3.2.3.2.2 第2~7天检疫驯化内容

每天上、下午各1次对检疫动物进行观察，检疫过程中，如出现外观、临床症状观察等任何异常现象，对试验可能有影响的动物予以淘汰。

3.2.3.2.3 检疫驯化期体重测定

在检疫第1天（动物入室日）和第7天（分组前）称量动物体重。

3.2.3.3 饲料

饲料种类：^{60}Co放射灭菌鼠全价颗粒饲料。

生产单位：斯贝福（北京）试验动物科技有限公司。

斯贝福（北京）试验动物科技有限公司试验动物生产许可证编号：SCXK（京）2015-0015。

发证机关：北京市科学技术委员会。

给料方法：定时投饲，自由摄取。

饲料的保存：保存在专门的通风、清洁、干燥的饲料间里。

3.2.3.4 饮用水

种类：试验动物高压灭菌饮用水。

给水方法：饮水瓶不间断供水，自由摄取。

3.2.3.5 垫料

垫料名称：玉米芯垫料。

提供单位：北京凌云博际（北京）科技有限公司。

北京凌云博际（北京）科技有限公司试验动物生产许可证编号：SCXK（京）2015-0014。

发证机关：北京市科学技术委员会。

灭菌方法：121℃、20分钟真空高压蒸汽灭菌。

3.2.4 动物的个体识别方法

分组前采用耳标记法，分组后采用躯体背部毛涂抹苦味酸溶液标记法。标记部位分别为头、背、尾、左前、左中、左后、右前、右中、右后和空白。鼠笼以笼卡标记组别、动物号、给药剂量及给药时间等信息。

3.3 药物剂量

成人临床每日用量为1.5~3g，一日1~2次，所以成人每日最小剂量为1.5g/（60kg·d），最大剂量6.0g/（60kg·d），换算成小鼠临床等效最大剂量为0.75g/（kg·d），最大给药剂量为69.3173g/（kg·d），为人临床给药剂量的92.42倍。

3.4 试验试剂

水合氯醛（天津市大茂化学试剂厂，批号20181124），羧甲基纤维素钠（天津市致远化学试剂有限公司，批号20190304）。

3.5 试验仪器

BS2202S型电子天平（北京塞多利斯仪器系统有限公司），BS2402S型电子天平（北京塞多利斯仪器系统有限公司）；实体解剖显微镜（德国Leica公司，型号DFC 290）。

4 试验方法

4.1 试验分组

选取健康昆明小鼠40只，雌雄各半。适应性饲养7天后，按性别、体重将小鼠随机分为空白对照组（0.5%CMC-Na）、供试品组（嘎希古纳-8散），共2组，每组20只，雌雄各半。

4.2 临床症状观察

观察时间和次数：

检疫期：每天上、下午各1次对检疫动物进行观察。

试验期：给药日，给药前、给药开始至给药结束后30分钟连续观察，如无异常则停止观察，如果有异常则继续观察至恢复正常为止，但最长不超过给药后2小时；下午观察一次。非给药日，每天上、下午各观测一次。

观察例数：全部试验动物。

观察方法：隔笼观察，观察内容包括是否死亡、濒死、活动状况、外观及被毛、有无外伤、分辨情况等。

观察指征：见表1。

表1 临床症状观察

观察	指征		可能涉及的组织、器官、系统
Ⅰ.鼻孔呼吸阻塞，呼吸频率和深度改变，体表颜色改变	呼吸困难：呼吸困难或费力，喘息，通常呼吸频率减慢	1.腹式呼吸：膈膜呼吸，吸气时膈膜向腹部偏移	CNS呼吸中枢，肋间肌麻痹，胆碱能神经麻痹
		2.喘息：吸气很困难，伴随有喘息声	CNS呼吸中枢，肺水肿，呼吸道分泌物蓄积，胆碱能功能增强
	呼吸暂停：用力呼吸后出现短暂的呼吸停止		CNS呼吸中枢，肺心功能不全
	紫绀：尾部、口和足垫呈现青紫色		肺心功能不全，肺水肿
	呼吸急促：呼吸快而浅		呼吸中枢刺激，肺心功能不全
	鼻分泌物：红色或无色		肺水肿，出血
Ⅱ.运动功能：运动频率和特征的改变	自发活动、探究、梳理、运动增加或减少		躯体运动，CNS
	嗜睡：动物嗜睡，但可被针刺唤醒而恢复正常活动		CNS睡眠中枢
	正位反射（翻正反射）消失：动物体处于异常体位时所产生的恢复正常体位的反射消失		CNS，感觉，神经肌肉
	麻痹：正位反射和疼痛反应消失		CNS，感觉
	僵住：保持原姿势不变		CNS，感觉，神经肌肉，自主神经
	共济失调：动物行走时无法控制和协调运动，但无痉挛、局部麻痹、轻瘫或僵直		CNS，感觉，自主神经
	异常运动：痉挛，足尖步态，踏步，忙碌，低伏		CNS，感觉，神经肌肉
	俯卧：不移动，腹部贴地		CNS，感觉，神经肌肉
	震颤：包括四肢和全身的颤抖和震颤		神经肌肉，CNS
	肌束震颤：包括背部、肩部、后肢和足趾肌肉的运动		神经肌肉，CNS，自主神经

续表

观 察	指 征	可能涉及的组织、器官、系统
Ⅲ. 惊厥（癫痫发作）：随意肌明显的不自主收缩或痉挛性收缩	阵挛性惊厥：肌肉收缩和松弛交替性痉挛	CNS，呼吸衰竭，神经肌肉，自主神经
	强直性惊厥：肌肉持续性收缩，后肢僵硬性伸展	CNS，呼吸衰竭，神经肌肉，自主神经
	强直性-阵挛性惊厥：两种惊厥类型交替出现	CNS，呼吸衰竭，神经肌肉，自主神经
	窒息性惊厥：通常是阵挛性惊厥并伴有喘息和紫绀	CNS，呼吸衰竭，神经肌肉，自主神经
	角弓反张：背部弓起、头向背部抬起的强直性痉挛	CNS，呼吸衰竭，神经肌肉，自主神经
Ⅳ. 反射	角膜性眼睑闭合反射：接触角膜导致眼睑闭合	感觉，神经肌肉
	基本条件反射：轻轻敲击耳内表面，引起外耳抽搐	感觉，神经肌肉
	正位反射：翻正反射的能力	CNS，感觉，神经肌肉
	牵张反射：后肢被牵拉至从某一表面边缘掉下时缩回的能力	感觉，神经肌肉
	对光反射：瞳孔反射；见光瞳孔收缩	感觉，神经肌肉，自主神经
	惊跳反射：对外部刺激（如触摸、噪声）的反应	感觉，神经肌肉
Ⅴ. 眼检指征	流泪：眼泪过多，泪液清澈或有色	自主神经
	缩瞳：无论有无光线，瞳孔缩小	自主神经
	散瞳：无论有无光线，瞳孔扩大	自主神经
	眼球突出：眼眶内眼球异常突出	自主神经
	上睑下垂：上睑下垂，针刺后不能恢复正常	自主神经
	血泪症：眼泪呈红色	自主神经，出血，感染
	瞬膜松弛	自主神经
	角膜混浊，虹膜炎，结膜炎	眼睛刺激
Ⅵ. 心血管指征	心动过缓：心率减慢	自主神经，肺心功能不全
	心动过速：心率加快	自主神经，肺心功能不全
	血管舒张：皮肤、尾、舌、耳、足垫、结膜、阴囊发红，体热	自主神经、CNS、心输出量增加，环境温度高
	血管收缩：皮肤苍白，体凉	自主神经、CNS、心输出量降低，环境温度低
	心律不齐：心律异常	CNS、自主神经、肺心功能不全，心肌梗塞
Ⅶ. 流涎	唾液分泌过多：口周毛发潮湿	自主神经
Ⅷ. 竖毛	毛囊竖毛组织收缩导致毛发蓬乱	自主神经
Ⅸ. 痛觉缺失	对痛觉刺激（如热板）反应性降低	感觉，CNS
Ⅹ. 肌张力	张力低下：肌张力全身性降低	自主神经
	张力过高：肌张力全身性增高	自主神经
Ⅺ. 胃肠指征		
排便（粪）	干硬固体，干燥，量少	自主神经，便秘，胃肠动力
	体液丢失，水样便	自主神经，腹泻，胃肠动力
呕吐	呕吐或干呕	感觉，CNS，自主神经（小鼠无呕吐）
多尿	红色尿	肾脏损伤
	尿失禁	自主神经
Ⅻ. 皮肤	水肿：液体充盈组织所致肿胀	刺激性,肾功能衰竭,组织损伤,长时间静止不动
	红斑：皮肤发红	刺激性，炎症，过敏

4.3　体重测定

测定次数：首次给药至给药后第14天，连续14天进行体重测定。

测定例数：全部试验动物。

测定方法：用电子天平进行体重测定。

4.4 摄食量测定

测定次数：首次给药至给药后第14天，连续14天进行摄食量测定。

测定例数：全部动物。

测定方法：第1天上午测定每个饲养笼所给饲料量，次日上午相同时间测定剩余饲料量，以二者差值计算每饲养笼动物的总进食量，并计算该笼每只动物每天的平均进食量。

4.5 饮水量测定

测定次数：首次给药至给药后第14天，连续14天进行摄食量测定。

测定例数：全部动物。

测定方法：第1天上午测定每个饲养笼所给水量，次日上午相同时间测定剩余水量，以二者差值计算每饲养笼动物的总饮水量，并计算该笼每只动物每天的平均饮水量。

4.6 病理学检查

4.6.1 剖检

剖检例数：全部预定解剖的动物、各组死亡或濒临死亡的动物。

剖检方法：对于全部预定解剖的动物和各组濒临死亡动物，腹腔注射20%水合氯醛进行麻醉。从腹腔后大静脉完全放血处死，然后进行解剖。如濒死动物，迅速解剖。

尸检：肉眼观察脑、脊髓、心脏、主动脉、肺（含支气管）、肝脏、肾脏、脾脏、胰脏、胃、十二指肠、空肠、回肠结肠、直肠、盲肠、睾丸、附睾、前列腺、卵巢、子宫、阴道、膀胱、脑垂体、甲状腺（含甲状旁腺）、颌下腺、肾上腺、坐骨神经、肌肉、肠系膜淋巴结、胸腺、乳腺（雌性）、胸骨，发现异常时对该组织脏器用10%的甲醛（睾丸、附睾和眼球用Davidson's液）进行固定保存，并进行组织病理学检查，如未发现异常，不进行固定保存。

4.6.2 组织病理学检查

检查方法：固定后的组织经修块取材，逐级酒精脱水，石蜡包埋，滑动切片机切片（厚度约3μm），经苏木精-伊红（HE）染色，光镜下进行检查。根据镜检结果，如果某些组织器官需用其他方法染色，以提供更多的组织病理学信息，则进一步进行特殊染色。

4.7 数据的统计与处理

对于体重、摄食量等数据均采用SPSS22.0按照以下方法进行统计，最终数据以$\bar{x}\pm s$表示：①首先用Barlett检验方法进行数据均一性检验，如有数据均一（检验$P\geq 0.05$），则进行方差分析检验（F检验）；如果Bartlett检验结果显著（$P<0.05$），则进行Kruskal-wallis检验。②如果方差分析检验结果显示（$P<0.05$），则进一步用Dunett参数检验法进行多重比较检验；如果方差分析结果不显著（$P\geq 0.05$），则统计结束。③如果Kruskal-wallis检验结果显著（$P<0.05$），则进一步用Dunett非数检验法进行多重比较检验；如果Kruskal-wallis检验结果不显著（$P\geq 0.05$），则统计结束。

临床症状观察、大体病理学检查结果、组织病理学检查结果（如果有）则无需进行统计学处理，直接列出观察结果。

5 结果

5.1 对动物临床症状的影响

给药后连续观察动物2周，小鼠进食、进水、活动、毛色、粪便姿势、躯体运动、呼吸频率，下腹及肛门周围有无污染，眼、鼻、口有无分泌物，体温等一切正常。

5.2 对动物体重的影响

试验期间，小鼠活动正常，健康活泼，小鼠无一死亡，无中毒反应，无其他异常现象。空白对照组和给药组小鼠体重比较,无显著性差异(P>0.05)。结果见表2、表3。

表2 嘎希古纳-8散对雄性小鼠体重的影响(n=10, g, $\bar{x}\pm s$)

组 别	给药第1天	给药第7天	给药第14天
空白对照组	18.26±1.86	25.27±4.65	33.85±3.71
供试品组	19.81±4.87	26.43±2.47	32.97±3.47

表3 嘎希古纳-8散对雌性小鼠体重的影响(n=10, g, $\bar{x}\pm s$)

组 别	给药第1天	给药第7天	给药第14天
空白对照组	18.33±5.30	21.93±6.17	31.48±1.74
供试品组	18.79±2.26	24.68±3.02	30.68±4.25

5.3 对动物摄食量的影响

试验期间,各组动物的摄食量之间比较,无显著性差异(P>0.05)。结果见表4、表5。

表4 嘎希古纳-8散对雄性小鼠摄食量的影响(n=10, g, $\bar{x}\pm s$)

组 别	给药第1天	给药第7天	给药第14天
空白对照组	5.86±1.37	6.10±0.28	5.56±1.74
供试品组	1.87±0.09	5.63±0.12	5.73±1.90

表5 嘎希古纳-8散对雌性小鼠摄食量的影响(n=10, g, $\bar{x}\pm s$)

组 别	给药第1天	给药第7天	给药第14天
空白对照组	5.74±0.74	6.62±0.62	5.82±0.37
供试品组	0.91±1.54	6.70±0.71	5.65±2.24

5.4 对动物饮水量的影响

试验期间,各组动物的饮水量之间比较,无显著性差异(P>0.05)。结果见表6、表7。

表6 嘎希古纳-8散对雄性小鼠饮水量的影响(n=10, g, $\bar{x}\pm s$)

组 别	给药第1天	给药第7天	给药第14天
空白对照组	5.39±1.92	5.91±2.49	6.02±2.47
供试品组	8.61±3.87	5.08±0.99	6.69±1.03

表7 嘎希古纳-8散对雌性小鼠饮水量的影响(n=10, g, $\bar{x}\pm s$)

组 别	给药第1天	给药第7天	给药第14天
空白对照组	5.82±1.71	6.03±2.17	5.86±1.43
供试品组	7.73±2.65	5.62±0.88	6.54±1.62

5.5 病理学检查

大体病理学检查,肉眼观察组织、器官未发现异常或病变。

6 结论

本试验条件下,昆明种小鼠灌胃给予嘎希古纳-8散,小鼠按0.4ml/10g灌胃给药,一日内给药4次,小鼠总给药量为160ml/kg,为人临床给药剂量的92.42倍。在观察期内(0~14天),饲养观察2周,无任何异常及中毒反应,小鼠体重增加,行为、活动、进食一切正常。

结果表明，嘎希古纳-8散口服给药为无毒或低毒药物。

7　原始记录及其资料的保存

保存地：内蒙古医科大学药学院

联系人：肖云峰

起草单位：内蒙古医科大学药学院（质量分析）　　崔圆圆　张跃祥　王玉华

　　　　　赤峰市药品检验所　　　　　　　　　　吕　颖　郭莘莘　张学英　高嘉琦

　　　　　内蒙古医科大学药学院（急性毒性试验）肖云峰　钱新宇　王　娜　韩运琪　王建民

　　　　　　　　　　　　　　　　　　　　　　　李建华　张双兰　程　前　籍紫薇

嘎鲁-10散质量标准起草说明

【历史沿革】

本方来源于《蒙医常用方剂选》（吉林人民出版社1975年版，蒙汉对照，第1225页）。

【处方来源】

本制剂由锡林郭勒盟镶黄旗蒙医医院提供。

【名称】

嘎鲁-10散

【蒙药材和饮片的来源和执行标准】

1. 处方组成及药味排列顺序：紫草150g、寒制红石膏150g、木香60g、胡黄连60g、齿叶草90g、天竺黄60g、红花90g、甘草60g、土木香60g、北沙参60g。

2. 处方中除了寒制红石膏和齿叶草药材外，其余紫草等药味均收载于《中国药典》2020年版一部，其质量应符合该品种项下的有关规定。

寒制红石膏：为单斜晶系硫酸钙矿石族红石膏Gypsum的矿石红石膏（北寒水石）的炮制加工品。主含含水硫酸钙（$CaSO_4 \cdot 2H_2O$）。其标准应符合《内蒙古蒙药饮片炮制规范》2020年版第188页该品种项下的有关规定。

齿叶草：为玄参科植物齿叶草*Odontites serotina*（Lam.）Dum.的干燥地上部分。其标准应符合《中华人民共和国卫生部药品标准》蒙药分册（1998年版）第28页该品种项下的有关规定。

【制法】

以上十味，粉碎成细粉，过筛，混匀，分装，即得。

【性状】

本品为淡灰紫色至紫褐色的粉末；味苦，微涩。

【鉴别】

本品为药材粉末制成的散剂，方中大多数药味的显微特征比较明显，故建立了红花、寒制红石膏、甘草的显微鉴别，并对处方中甘草建立了薄层鉴别。

1. 试剂与试药

供试品：供试品（批号20190723、20191016、20190307）由锡林郭勒盟镶黄旗蒙医医院提供，模拟样品（批号20200027）模拟。

对照品：甘草对照药材（批号120904-201620），购于中国食品药品检定研究院。

薄层板：硅胶G板，购于青岛海洋化工有限公司。

所用其他试剂均为分析纯，水为离子交换高纯水。

2. 试验方法与结果

（1）显微鉴别

红花：花粉粒淡黄色，类圆形、椭圆形或橄榄形，直径39~67μm，有3个萌发孔，外壁齿状突起。寒制红石膏：

晶体团块不规则形,近透明。甘草:纤维束周围薄壁细胞含草酸钙方晶,形成晶纤维。

（2）甘草薄层鉴别

参照《中国药典》2020年版一部"甘草"项下的薄层条件,制定出正文所述的鉴别方法。通过阴性对照试验观察,方中其他药材对甘草的检出无干扰,证明此方法具有专属性。

【检查】

按照散剂（《中国药典》2020年版四部通则0115）项下规定,对三批供试品及模拟样品的外观均匀度、水分、重金属、砷盐、浸出物和微生物限度进行了检查。具体方法及测定数据如下:

1. 外观均匀度:取供试品适量,置光滑纸上,平铺约5cm²,将其表面压平,在亮处观察,呈现均匀的色泽,无花纹、色斑。结果三批供试品及模拟样品均符合规定。

2. 水分:取供试品照水分测定法（《中国药典》2020年版四部 通则0832）测定。三批供试品及模拟样品的测定结果见表1。

表1 水分测定结果

序号	样品批号	水分（%）
1	20190307	5.8
2	20190723	5.8
3	20191016	6.2
4	20200027	7.5

药典规定散剂水分含量不得大于9.0%。从表1中可见,本品水分含量均符合要求。

3. 对三批供试品及模拟样品进行了重金属和砷盐考察。方法与结果如下:

重金属:分别取每个批号供试品0.5g、0.67g、1.0g、2.0g,按《中国药典》2020年版四部0821第二法检查。

供试品溶液的制备:取本品0.5g、0.67g、1.0g、2.0g,分别缓缓炽灼至完全炭化,放冷,加硫酸0.5ml,使湿润,低温加热至硫酸除尽后,加硝酸0.5ml,蒸干,至氧化氮蒸气除尽后,放冷,于600℃炽灼至完全灰化,放冷。加盐酸2ml,置水浴上蒸干后加水15ml,滴加氨试液至对酚酞指示液显中性,再加醋酸盐缓冲液（pH3.5）2ml,微热溶解后,移置纳氏比色管中,加水稀释至25ml,作为供试品溶液。

标准铅对照溶液的制备:另取配制供试品溶液的试剂两份,分别置瓷皿中蒸干后,加醋酸盐缓冲液（pH3.5）2ml,加水15ml微热溶解后,移置两支纳氏比色管中,分别加标准铅溶液（10μg/ml Pb）2ml,再加水稀释至25ml,作为标准铅对照溶液。

检视:于上述供试品溶液和标准铅对照溶液中分别加硫代乙酰胺试液各2ml,摇匀,放置2分钟,同置白色背景上,从上向下进行观察。试验结果见表2。

表2 重金属检查结果

序号	批号	重金属含量（ppm）			
1	20190307	<10	<20	<30	<40
2	20190723	<10	<20	<30	<40
3	20191016	<10	<20	<30	<40
4	20200027	<10	<20	<30	<40

结果显示,供试品溶液的颜色明显浅于2ml的标准铅对照溶液。经过三批供试品及模拟样品的检查,含重金属均未超过百万分之十,故未收入正文。

砷盐:取本品1g和标准砷溶液（1μg/ml AS）2ml,分别加无砷氢氧化钙1g,加少量水,搅匀,烘干,用小火缓缓炽灼至炭化, 再在600℃炽灼至完全灰化, 放冷。分别加盐酸7ml使溶解, 再加水21ml, 按《中国药典》2020年版四部通则0822第一法(古蔡氏法)做砷盐限量检查。

结果: 供试品砷斑浅于标准砷斑的颜色, 表明本品含砷量未超过百万分之二(小于2ppm), 故砷盐检查项目未收入正文。

4. 浸出物: 取供试品内容物照醇溶性浸出物测定法项下的热浸法(《中国药典》2020年版一部附录ⅩA)测定。三批供试品及模拟样品测得结果见表3。

表3 浸出物测定结果

序列	批号	浸出物(%)
1	20190307	15.0
2	20190723	15.1
3	20191016	15.3
4	20200027	15.0

从表3数据可见, 三批供试品及模拟样品浸出物最低为15.0%, 最高为15.3%。考虑浸出物不得少于15.0%, 故未列入标准正文。

5. 微生物限度: 照微生物计数法(《中国药典》2020年版四部通则1105)和控制菌检查法(《中国药典》2020年版四部通则1106)及《内蒙古蒙药制剂规范》(第三册)附录Ⅲ微生物限度标准, 进行检查。结果均符合规定。

【含量测定】

嘎鲁-10散是由紫草、寒制红石膏、木香、胡黄连、齿叶草、天竺黄、红花、甘草、土木香、北沙参等十味药组成的复方制剂。参照《中国药典》2020年版一部"木香"项下的含量测定方法, 选择木香烃内酯作为指标成分, 对本制剂中的木香进行了HPLC含量测定方法研究。经分析方法验证, 表明该方法重复性好, 专属性强, 方中其他组分对木香烃内酯的测定无干扰。

1 仪器与试剂试药

1.1 仪器

Waters e2695型高效液相色谱仪; Mettler-TOledo MS105DU型百万分之一电子天平, Mettler-TOledo XPR10型万分之一电子天平; SBL-22DT型超声波清洗器(宁波新芝生物科技股份有限公司, 40kHz); Heal Force NW15UV型超纯水系统; FW400A型多功能粉碎机(材茂科技有限公司)。

1.2 试剂与试药

供试品(批号20190723、20191016、20190307)由锡林郭勒盟镶黄旗蒙医医院提供, 模拟样品(批号20200027)模拟; 木香烃内酯对照品(批号111524-201208), 购于中国食品药品检定研究院; 甲醇为色谱纯, 水为超纯水, 其他试剂均为分析纯。

2 方法学考察

2.1 色谱条件

2.1.1 色谱柱: 色谱柱填充剂为十八烷基硅烷键合硅胶, 本试验采用Tnature C$_{18}$(250mm×4.6mm, 5μm)色谱柱。

2.1.2 流动相的选择: 参照《中国药典》2020年版一部"木香"含量测定项下的测定方法, 以甲醇-水溶液(65:35)为流动相, 供试品中的木香烃内酯与其他成分能达到较好的分离效果, 色谱峰具有比较好的保留时间、分离度和对称性, 故选择以甲醇-水溶液(65:35)为流动相。

2.1.3 柱温: 30℃可以保证柱压较低, 分离效果稳定, 保留时间变化小。

2.1.4 检测波长的选择：参照《中国药典》2020年版一部"木香"含量测定项下木香烃内酯的测定方法，选用225nm处作为检测波长。

2.1.5 理论板数的确定：从对三批样品的测定结果可见，木香烃内酯峰理论板数在3000以上即能达到较好的分离效果，故规定理论板数按木香烃内酯峰计算应不低于3000。

2.2 提取方法的选择及提取效率的考察

参考《中国药典》2020年版一部"木香"含量测定项下的方法，以甲醇作为提取溶剂进行超声提取，为保证被测成分提取完全，在供试品的细度一致、提取溶剂确定、超声（功率300W，频率50kHz）的条件下，试验中考察了20分钟、30分钟和40分钟等不同提取时间对提取效率的影响。结果见表4。

表4　木香烃内酯提取时间考察

提取时间（min）	称样量（g）	平均峰面积	含量（mg/g）
20	3.0005	1215494	0.45
30	3.0012	1234633	0.46
40	3.0041	1226513	0.45

从表4数据可见，超声提取20分钟、30分钟和40分钟供试品中木香烃内酯的含量基本一致，故将提取时间定为30分钟，与《中国药典》2020年版一部"木香"含量测定项下的提取时间一致。

2.3 专属性考察

2.3.1 对照品溶液的制备：取木香烃内酯对照品适量，精密称定，加甲醇制成每1ml含100μg的溶液，即得。

2.3.2 供试品溶液的制备：取本品适量，研细，取约3g，精密称定，置具塞锥形瓶中，精密加入甲醇25ml，密塞，称定重量，超声处理（功率300W，频率50kHz）30分钟，放冷，再称定重量，用甲醇补足减失的重量，摇匀，滤过，取续滤液，即得。

2.3.3 阴性对照溶液的制备：按本品处方工艺制备不含木香的阴性样品，按"供试品溶液"的制备方法制备阴性对照溶液（缺木香）。

2.3.4 测定：分别精密吸取对照品溶液、供试品溶液、阴性对照溶液各10μl，注入液相色谱仪，记录色谱图。

试验结果显示，供试品色谱中在与对照品色谱保留时间相同的位置上有色谱峰出现，而阴性对照在与对照品色谱保留时间相同的位置上无色谱峰出现，表明该含量测定方法阴性无干扰，专属性好。

2.4 线性关系考察

取木香烃内酯对照品约2.5mg，精密称定，置25ml量瓶中，加甲醇使溶解，并稀释至刻度，摇匀，作为对照品溶液（木香烃内酯实际浓度为0.112mg/ml）；分别精密吸取上述对照品溶液1μl、2μl、5μl、10μl、15μl、20μl和25μl注入液相色谱仪，按上述色谱条件进行测定，以峰面积对进样量进行回归分析。结果见表5。

表5　木香烃内酯标准曲线数值表

序号	进样量（μg）	峰面积值	回归方程	r
1	0.112	101201		
2	0.224	413072		
3	0.560	1332204		
4	1.12	2846143	$y=2734544x-205527$	1.0000
5	1.68	4377046		
6	2.24	5920193		
7	2.80	7460426		

从表5数据可见，木香烃内酯在0.112~2.80μg范围内与峰面积呈良好的线性关系。

2.5 精密度试验

取同一份供试品（批号20190307）溶液，连续进样6针，记录色谱图。木香烃内酯峰面积的精密度计算结果见表6。

表6 木香烃内酯精密度试验结果

序号	峰面积值	峰面积平均值	RSD（%）
1	1206527		
2	1208679		
3	1204681	1209612	0.31
4	1211703		
5	1214904		
6	1211175		

从表6数据可见，符合《中国药典》2020年版四部通则0512中规定的RSD值小于2.0%的要求。

2.6 稳定性试验

取同一份供试品（批号20190307）溶液，分别于0小时、2小时、4小时、6小时、8小时、10小时、12小时进行测定。结果见表7。

表7 不同时间测得溶液中木香烃内酯的峰面积值

序号	时间（h）	峰面积值	RSD（%）
1	0	1235438	
2	2	1213457	
3	4	1220654	
4	6	1205356	0.84
5	8	1224079	
6	10	1215438	
7	12	1213457	

从表7数据可见，木香烃内酯在12小时内峰面积值符合《中国药典》2020年版四部通则0512中规定的RSD值小于2.0%的要求，能够满足测定所需要的时间。

2.7 重复性试验

取同一批号供试品（批号20190307）6份，各约3g，精密称定，置具塞锥形瓶中，精密加入甲醇25ml，密塞，称定重量，超声处理（功率300W，频率50kHz）30分钟，放冷，再称定重量，用甲醇补足减失的重量，摇匀，滤过，取续滤液，作为供试品溶液。另精密称取木香烃内酯对照品适量，精密称定，加甲醇制成每1ml含100μg的溶液，作为对照品溶液。分别精密吸取供试品溶液和对照品溶液各10μl，注入色谱仪，记录色谱图。按外标法以峰面积计算含量，结果见表8。

表8 木香烃内酯重复性试验结果

称样量（g）	峰面积值	含量（mg/g）	平均含量（mg/g）	RSD（%）
3.0028	1202575	0.43		
3.0031	1223734	0.44		
3.0055	1207807	0.43	0.43	0.70
3.0015	1207657	0.43		
3.0009	1218171	0.44		
3.0033	1219597	0.44		

从表8数据可见,在相同的细度、提取溶剂和色谱条件下,6份供试品含量测定结果的均值为0.43mg/g,RSD为0.70%,表明该方法的重复性好。

2.8　加样回收试验

取已知含量(批号20190307,木香烃内酯含量为0.43mg/g)的供试品9份,各约1.5g,精密称定,分别置9个具塞锥形瓶中,分别在其中3个具塞锥形瓶中精密加入木香烃内酯对照品溶液(浓度为0.3219mg/ml)1ml(约相当于供试品含有量的50%)及甲醇24ml,另3个具塞锥形瓶中各精密加入上述对照品溶液2ml(约相当于供试品含有量的100%)及甲醇23ml,其余3个具塞锥形瓶中各精密加入上述对照品溶液3ml(约相当于供试品含有量的150%)及甲醇22ml,分别称定重量,超声处理30分钟,取出,再称重,用甲醇补足减失重量,摇匀,滤过。各取续滤液10μl进样,分别按重复性试验项下的色谱条件测定每份的含量,计算回收率。结果见表9。

表9　木香烃内酯加样回收试验结果

称样量(g)	供试品含量(mg)	对照品加入量(mg)	测得总量(mg)	回收率(%)	平均回收率(%)	RSD(%)
1.5005	0.6452	0.3219	0.9710	101.2		
1.5009	0.6454	0.3219	0.9786	103.5		
1.5001	0.6450	0.3219	0.9731	101.9		
1.5003	0.6451	0.6438	1.2876	99.8		
1.5008	0.6453	0.6438	1.2872	99.7	102.0	1.59
1.5007	0.6453	0.6438	1.2968	101.2		
1.5008	0.6453	0.9657	1.6506	104.1		
1.5005	0.6452	0.9657	1.6447	103.5		
1.5002	0.6451	0.9657	1.6378	102.8		

从表9数据可见,本方法的平均回收率为102.0%,RSD为1.59%。该方法准确度好。

2.9　耐用性试验

取供试品(批号20190307)2份,各约3g,精密称定,按重复性试验项下的方法处理,换不同厂家、不同型号的色谱柱,分别测定供试品的含量。结果见表10。

表10　色谱柱耐用性试验

序号	称样量(g)	柱型号	峰面积值	含量(mg/g)
1	3.0049	Tnature C$_{18}$柱	1211620	0.44
		phenomenex C$_{18}$柱	1217706	0.45
2	3.0097	Tnature C$_{18}$柱	1237291	0.46
		phenomenex C$_{18}$柱	1226583	0.45

从表10数据可见,在使用不同型号或厂家的色谱柱时,对测定结果影响较小。

3　样品含量测定

取三批样品(批号20190723、20191016、20190307)及模拟样品(批号20200027)各2份,各约3g,精密称定,按重复性试验项下的方法处理并测定。含量测定结果见表11。

表11　样品中木香烃内酯的含量测定结果

批号	称样量(g)	峰面积平均值	含量(mg/g)	平均含量(mg/g)
20190723	3.0015	1200556	0.64	0.65
	3.0022	1210193	0.65	
20191016	3.0008	1227009	0.65	0.66
	3.0034	1231970	0.66	

续表

批号	称样量（g）	峰面积平均值	含量（mg/g）	平均含量（mg/g）
20190307	3.0054	1218359	0.65	0.65
	3.0089	1231799	0.66	
20200027	3.0061	1309718	0.68	0.69
	3.0027	1312887	0.69	

从表11数据可见，三批样品和模拟样品中木香烃内酯的含量最低为0.65mg/g，最高为0.69mg/g。

4 木香药材含量测定

采用同法对上述三批样品生产用木香药材进行了含量测定。测定结果见表12。

表12 木香药材中木香烃内酯的含量测定结果

序号	称样量（g）	测得峰面积值	峰面积平均值	含量（mg/g）	平均含量（mg/g）
1	0.1534	1748394 1744245	1746320	11.12	
2	0.1518	1761869 1759945	1760907	11.34	11.16
3	0.1530	1722765 1727796	1725281	11.02	

从表12数据可见，木香药材中木香烃内酯的含量为11.16mg/g（1.1%）。

5 本制剂含量限度的确定

从表中数据可见，木香药材中木香烃内酯含量为11.16mg/g（1.1%），模拟样品中木香烃内酯的含量为0.69mg/g。

按理论值折算，样品应含木香烃内酯为20÷280×11.16=0.7971mg，可见，木香烃内酯转移率为0.69（mg/g）÷0.7971（mg/g）×100%=86.56%。

参照据《中国药典》2020年版一部"木香"药材项下规定的木香烃内酯含量限度不得少于0.9%，转移率为86.56%，考虑不同产地药材的质量差异，并结合其他影响因素及三批样品的测定结果，下浮10%，按此限度折算本品含木香烃内酯的理论量应不低于20÷280×1000×0.9%×86.56%×90%=0.50mg/g。

标准正文暂定为：本品每1g含木香以木香烃内酯（$C_{15}H_{20}O_2$）计，不得少于0.50mg。

【功能与主治】

清血热，明目。用于肝肺血热，宝如炽盛，血希日引起的眼疾。

【用法与用量】

口服。一次1.5~3g，一日1~2次，温开水送服。

【规格】

每袋（1）3g；（2）15g；（3）250g。

【贮藏】

密闭，防潮。

起草单位： 内蒙古自治区国际蒙医医院　　　　那松巴乙拉　青　松　唐吉斯　乌恩其

　　　　　　　赤峰市药品检验所　　　　　　　　李海华　高丽梅　赵虎义

德伦·古日古木–7散质量标准起草说明

【历史沿革】

本方来源于锡林郭勒盟西乌珠穆沁旗蒙医医院传统经验方。

【处方来源】

本制剂由锡林郭勒盟西乌珠穆沁旗蒙医医院提供。

【名称】

德伦·古日古木–7散

【蒙药材和饮片的来源和执行标准】

1. 处方组成及药味排列顺序: 荜茇20g、红花20g、人工牛黄10g、石膏10g、丁香10g、制木鳖10g、诃子10g。

2. 处方中除了制木鳖药材外, 其余荜茇药味均收载于《中国药典》2020年版一部, 其质量应符合该品种项下的有关规定。

制木鳖: 为葫芦科植物木鳖*Momordica cochinchinensis*(Lour.)Spreng的干燥成熟种子。其标准应符合《内蒙古蒙药饮片炮制规范》2020年版第241页该品种项下的有关规定。

【制法】

以上七味, 除人工牛黄外, 其余荜茇等六味, 粉碎成细粉, 将人工牛黄与上述细粉配研, 过筛, 混匀, 分装, 即得。

【性状】

本品为黄棕色的粉末; 气微香, 味苦、微涩。

【鉴别】

本品为药材粉末制成的散剂, 方中荜茇、红花、诃子的显微特征较明显, 故建立显微鉴别, 并对处方中人工牛黄建立了薄层鉴别。

1. 试剂与试药

供试品: 供试品(批号2018071801, 2018081802, 2018091903)由锡林郭勒盟西乌珠穆沁旗蒙医医院提供, 模拟样品(批号20190816)模拟。

对照品: 胆酸对照品(批号100078–201415), 猪去氧胆酸对照品(批号100087–201411), 均购于中国食品药品检定研究院。

薄层板: 硅胶G板, 购于青岛海洋化工有限公司。

所用其他试剂均为分析纯, 水为离子交换高纯水。

2. 试验方法与结果

(1)显微鉴别

荜茇: 石细胞类圆形、长卵形或多角形, 直径25~61μm, 长至170μm, 壁较厚, 有的层纹明显。红花: 花粉粒类圆形、椭圆形或橄榄形, 直径约至60μm, 具三个萌发孔, 外壁有齿状突起。诃子: 石细胞类方形、类多角形或成纤维状, 直径14~40μm, 长至130μm, 壁厚, 孔沟细密。

（2）人工牛黄薄层鉴别

参照《中国药典》2020年版一部 "人工牛黄" 项下薄层条件, 制定出正文所述的鉴别方法。通过阴性对照试验观察, 方中其他药材对人工牛黄的检出无干扰, 证明此方法具有专属性。

【检查】

按照散剂（《中国药典》2020年版四部通则0115）项下的规定, 对三批供试品及模拟样品的外观均匀度、水分、重金属、砷盐和微生物限度进行了检查。具体方法及测定数据如下：

1. 外观均匀度：取供试品适量, 置光滑纸上, 平铺约5cm^2, 将其表面压平, 在亮处观察, 呈现均匀的色泽, 无花纹、色斑。结果三批供试品及模拟样品均符合规定。

2. 水分：取供试品照水分测定法（《中国药典》2020年版四部通则0832）测定。三批供试品及模拟样品的测定结果见表1。

表1 水分测定法结果

序号	批号	水分（%）
1	2018071801	6.81
2	2018081802	6.56
3	2018091903	6.82
4	20190816	5.92

药典规定散剂水分含量不得大于9.0%。从表1数据可见, 本品水分含量符合要求。

3. 对三批供试品及模拟样品进行了重金属、砷盐考察。方法与结果如下：

重金属：分别取每个批号供试品0.5g、0.67g、1.0g、2.0g, 按《中国药典》2020年版四部0821第二法检查。

供试品溶液的制备：取本品0.5g、0.67g、1.0g、2.0g, 分别缓缓炽灼至完全炭化, 放冷, 加硫酸0.5ml, 使湿润, 低温加热至硫酸除尽后, 加硝酸0.5ml, 蒸干, 至氧化氮蒸气除尽后, 放冷, 于600℃炽灼至完全灰化, 放冷。加盐酸2ml, 置水浴上蒸干后加水15ml, 滴加氨试液至对酚酞指示液显中性, 再加醋酸盐缓冲液（pH3.5）2ml, 微热溶解后, 移置纳氏比色管中, 加水稀释至25ml, 作为供试品溶液。

标准铅对照溶液的制备：另取配制供试品溶液的试剂两份, 分别置瓷皿中蒸干后, 加醋酸盐缓冲液（pH3.5）2ml, 加水15ml微热溶解后, 移置两支纳氏比色管中, 分别加标准铅溶液（10μg/ml Pb）2ml, 再加水稀释至25ml, 作为标准铅对照溶液。

检视：于上述供试品溶液和标准铅对照溶液中分别加硫代乙酰胺试液各2ml, 摇匀, 放置2分钟, 同置白色背景上, 从上向下进行观察。试验结果见表2。

表2 重金属检查结果

序号	批号	重金属含量（ppm）			
1	2018071801	<10	<20	<30	<40
2	2018181802	<10	<20	<30	<40
3	2018091903	<10	<20	<30	<40
4	20190816	<10	<20	<30	<40

经过三批供试品及模拟样品的检查, 含重金属均未超过百万分之十, 故未列入正文。

砷盐：取本品1g和标准砷溶液（1μg/ml AS）2ml, 分别加无砷氢氧化钙1g, 加少量水, 搅匀, 烘干, 用小火缓缓炽灼至炭化, 再在600℃炽灼至完全灰化, 放冷。分别加盐酸7ml使溶解, 再加水21ml, 按《中国药典》2020年版四部通则0822第一法（古蔡氏法）做砷盐限量检查。

结果：供试品砷斑浅于标准砷斑的颜色，表明本品含砷量未超过百万分之二（小于2ppm），故砷盐检查项目未收入正文。

4. 微生物限度：照微生物计数法（《中国药典》2020年版四部通则1105）和控制菌检查法（《中国药典》2020年版四部通则1106）及《内蒙古蒙药制剂规范》（第三册）附录Ⅲ微生物限度标准，进行检查。结果均符合规定。

【含量测定】

德伦·古日古木–7散是由荜茇、红花、人工牛黄、石膏、丁香、制木鳖、诃子等七味药材组成的复方制剂。临床功效为清巴达干希日热，用于脾热症。红花性温、味辛，能活血通经、散瘀止痛等。红花中的黄色素和红色素成分是由黄酮类化合物组成。水溶性黄色素的主要成分包括红花黄色素A、B、C。近年来的研究还发现，羟基红花黄色素A为红花中主要成分。在标准制定过程中，以羟基红花黄色素A作为测定指标，采用高效液相色谱法对本品中的红花建立了含量测定方法。本试验通过摸索确定了比较理想的色谱条件并做了方法学考察。研究表明，该方法操作简单、重复性好、专属性强。

1　仪器与试剂试药

1.1　仪器

Waters e2695型高效液相色谱仪；SBL–20DT型超声波清洗机（宁波新芝生物科技股份有限公司）；循环水式多用真空泵（河南省予华仪器有限公司）；Heal Force NW15UV型超纯水系统；Mettler–T0ledo XPR10型电子天平（万分之一），Mettler–T0ledo MS105DU型电子天平（百万分之一）；FW400A型多功能粉碎机（材茂科技有限公司）。

1.2　试剂与试药

供试品（批号2018071801，2018081802，2018091903）由锡林郭勒盟西乌珠穆沁旗蒙医医院提供，模拟样品（批号20190816）模拟；羟基红花黄色素A对照品（批号111637–201810），购于中国药品生物制品检定所；甲醇、乙腈、三乙胺为色谱纯，水为超纯水，其他试剂均为分析纯。

2　方法学考察

2.1　色谱条件

2.1.1　色谱柱：色谱柱填充剂为十八烷基硅烷键合硅胶，本试验采用Phenomenex C$_{18}$柱（150mm×4.6mm，5μm）。

2.1.2　流动相的选择：参照《中国药典》2020年版一部"红花"项下的流动相比例进行流动相条件摸索，但拖尾现象较为严重，加三乙胺调节pH值至6.0，经试验，可以减少拖尾现象，使色谱峰的对称性为0.95~1.05，故将流动相定为甲醇–乙腈–0.7%磷酸水溶液（20∶2∶78），三乙胺调pH值为6.0。

2.1.3　柱温：30℃。

2.1.4　检测波长：按照《中国药典》2020年版一部"红花"项下规定，选择测定波长为403nm。

2.1.5　理论板数的确定：对三批次供试品测定结果表明，羟基红花黄色素A峰的理论板数在3000以上即能达到与相邻峰分开，并符合《中国药典》规定$R>1.5$的要求，故本标准规定理论板数按羟基红花黄色素A峰计不得低于3000。

2.2　提取溶剂的选择及提取效率的考察

2.2.1　提取溶剂的选择：参考《中国药典》2020年版一部"红花"项下的羟基红花黄色素A含量测定方法，选用25%甲醇作为提取溶剂。

2.2.2　提取时间的考察：试验中以25%甲醇溶液25ml作为提取溶剂进行超声提取，超声功率为250W，频率40kHz。取本品细粉约1.0g，精密称定，置具塞锥形瓶中，精密加入25%甲醇25ml，称定重量，超声处理（功率

250W, 频率40kHz) 30分钟、40分钟、50分钟, 放冷, 再称定重量, 用25%甲醇补足失重, 摇匀, 离心 (转速为每分钟5000转) 5分钟, 取上清液, 即得。另取羟基红花黄色素A对照品适量, 精密称定, 加25%甲醇制成每1ml含100μg的溶液, 即得。结果见表3。

表3 羟基红花黄色素A提取效率考察表

时间	称样量 (g)	峰面积值		峰面积平均值	含量 (mg/g)
		A	B		
20	1.0034	3881785	3892749	3887267	3.4762
30	1.0070	3904847	3915094	3909970.5	3.4840
40	1.0060	3957650	3997133	3977391.5	3.5476
50	1.0080	3924440	3943822	3934131	3.5021

从表3数据可见, 超声处理40分钟后, 对供试品中羟基红花黄色素A提取的含量没有太大的影响, 故将提取时间定为超声处理40分钟。

2.3 专属性

2.3.1 对照品溶液的制备: 取羟基红花黄色素A对照品适量, 精密称定, 加25%甲醇制成每1ml含100μg的溶液, 即得。

2.3.2 供试品溶液的制备: 取本品细粉约1.0g, 精密称定, 置具塞锥形瓶中, 精密加入25%甲醇25ml, 称定重量, 超声处理 (功率250W, 频率40kHz) 40分钟, 放冷, 再称定重量, 用25%甲醇补足失重, 摇匀, 离心 (转速为每分钟5000转) 5分钟, 取上清液, 即得。

2.3.3 阴性对照溶液的制备: 另取按处方比例并以相同工艺制备的缺红花的阴性对照供试品, 按供试品溶液制备法制得阴性对照溶液。

2.3.4 测定: 在上述色谱条件下, 分别精密吸取对照品溶液、阴性对照溶液、供试品溶液各10μl, 分别注入液相色谱仪。

结果显示: 阴性对照色谱中在与羟基红花黄色素A对照以及供试品色谱相对应的保留时间处无色谱峰出现, 表明其他组分对羟基红花黄色素A的测定无干扰。

2.4 线性关系考察

取羟基红花黄色素A对照品约3mg, 精密称定, 置25ml量瓶中, 加25%甲醇使溶解并稀释至刻度, 摇匀 (含羟基红花黄色素A 0.1194mg/ml), 然后吸取上述溶液1μl、3μl、5μl、7μl、10μl、12μl、15μl、20μl分别注入液相色谱仪中, 按上述色谱条件测定, 以峰面积对羟基红花黄色素A的进样量进行回归分析, 标准曲线数值见表4。

表4 标准曲线数值表

序号	进样量 (μg)	峰面积值	回归方程	r
1	0.1194	286161		
2	0.3581	921749		
3	0.5968	1613736		
4	0.8355	2314461	$y=2857783.77x-79261.13$	0.9999
5	1.1935	3326631		
6	1.4323	4028693		
7	1.7903	5029108		
8	2.3871	6745242		

从表4数据可见, 木香烃内酯在0.1194~2.3871μg范围内与峰面积呈良好的线性关系。

2.5 溶液稳定性试验

取同一供试品溶液（批号2018071801），分别于溶液制备后的0小时、2小时、3小时、4小时、5小时、6小时、8小时进样测定。结果见表5。

表5 不同时间测定供试品中羟基红花黄色素A的峰面积值

序号	时间（h）	峰面积值	RSD（%）
1	0	3928990	
2	2	4045620	
3	3	3995988	
4	4	4005435	1.14
5	5	3928389	
6	6	3940087	
7	8	3948256	

从表5数据可见，羟基红花黄色素A在8小时内的峰面积值基本稳定，可以满足供试品测定所需要的时间。

2.6 精密度试验

取同一份供试品溶液（批号2018071801），连续进样6次，测定羟基红花黄色素A峰面积值。结果见表6。

表6 精密度试验结果

序号	峰面积值	平均值	RSD（%）
1	3844881		
2	3841211		
3	3820264	3858893	1.07
4	3918714		
5	3825700		
6	3902587		

从表6数据可见，符合《中国药典》2020年版四部通则0512中规定的RSD值小于2.0%的要求。

2.7 重复性试验

取同一供试品（批号2018071801）称取6份，各约1g，精密称定，置具塞锥形瓶中，精密加入25%甲醇25ml，称定重量，超声处理（功率250W，频率40kHz）30分钟、40分钟、50分钟，放冷，再称定重量，用25%甲醇补足失重，摇匀，离心（转速为每分钟5000转）5分钟，取上清液，即得。另取羟基红花黄色素A对照品适量，精密称定，加25%甲醇制成每1ml含100μg的溶液，即得。取上述两种溶液各10μl，注入液相色谱仪中，测定每份供试品含量，结果见表7。

表7 羟基红花黄色素A重复性试验结果

称样量（g）	峰面积值	含量（mg/g）	平均含量（mg/g）	RSD（%）
1.0043	3902587	3.44		
1.0013	3917770	3.46		
1.0029	3948187	3.48	3.46	0.58
1.0024	3941054	3.48		
1.0041	3892961	3.43		
1.0029	3939474	3.48		

从表7数据可见，供试品在相同的细度、提取溶剂和色谱条件下，6份供试品含量测定结果的均值为3.46mg/g，RSD为0.58%，表明该方法重复性好。

2.8 加样回收率试验

取供试品（批号2018071801，含量3.44mg/g）称取9份，各约0.08g，精密称定，分别置9个具塞锥形瓶中，再分别在其中3个具塞锥形瓶中精密加入浓度为23.88μg/ml的羟基红花黄色素A对照品溶液5ml（约相当于供试品含有量的50%）、10ml（约相当于供试品含有量的100%）、15ml（约相当于供试品含有量的150%），各瓶加入25%甲醇补足体积至25ml，分别称定重量，超声处理40分钟，取出，再称重，用25%甲醇补足减失的重量，摇匀，滤。另取羟基红花黄色素A对照品适量，精密称定，加25%甲醇制成每1ml含100μg的溶液，即得。各取续滤液10μl注入液相色谱仪中，测定每份含量，计算回收率，结果见表8。

表8 羟基红花黄色素A加样回收试验结果

称样量（g）	供试品含量（mg）	对照品加入量（mg）	测得总量（mg）	回收率（%）	平均回收率（%）	RSD（%）
0.0804	0.2762	0.1408	0.4108	95.6		
0.0804	0.2762	0.1408	0.4135	97.5		
0.0804	0.2762	0.1408	0.4091	94.4		
0.0804	0.2762	0.2816	0.5537	98.6		
0.0804	0.2762	0.2816	0.5535	98.5	97.7	1.90
0.0804	0.2762	0.2816	0.5492	96.9		
0.0804	0.2762	0.4224	0.6945	99.0		
0.0804	0.2762	0.4224	0.6927	98.6		
0.0804	0.2762	0.4224	0.7005	100.5		

从表8数据可见，本方法的平均回收率为97.7%，RSD为1.90%，说明本方法的准确度好。

2.9 耐用性试验

换不同厂家、不同型号的色谱柱，考察该方法关键分离的主要影响，是否具备耐用性。取样品（批号2018071801）约1g，精密称定，置具塞锥形瓶中，精密加入25%甲醇25ml，称定重量，超声处理（功率250W，频率40kHz）30分钟、40分钟、50分钟，放冷，再称定重量，用25%甲醇补足失重，摇匀，离心（转速为每分钟5000转）5分钟，取上清液，即得。另取羟基红花黄色素A对照品适量，精密称定，加25%甲醇制成每1ml含100μg的溶液，即得。取上述两种溶液各10μl，注入液相色谱仪中，测定含量。结果见表9。

表9 不同色谱柱的耐用性试验

样品号	称样量（g）	柱型号	峰面积值	含量（mg/g）
1	1.0043	Phenomenex C$_{18}$	3902586	3.42
	1.0028	Alltima C$_{18}$	3902785	3.52
2	1.0038	Phenomenex C$_{18}$	3912853	3.48
	1.0096	Alltima C$_{18}$	3909549	3.50

从表9数据可见，在使用不同型号或厂家的色谱柱时，对测定结果影响较小，具有较好的耐用性。

3 样品含量测定

取三批样品及模拟样品约1g，精密称定，置具塞锥形瓶中，精密加入25%甲醇25ml，称定重量，超声处理（功率250W，频率40kHz）30分钟、40分钟、50分钟，放冷，再称定重量，用25%甲醇补足失重，摇匀，离心（转速为每分钟5000转）5分钟，取上清液，即得。另取羟基红花黄色素A对照品适量，精密称定，加25%甲醇制成每1ml含100μg的溶液，即得。取上述两种溶液各10μl，注入液相色谱仪中，按外标法计算含量。测定结果见表10。

表10 样品中羟基红花黄色素A的含量测定结果

批号	取样量（g）	样品峰面积值			含量（mg/g）	平均含量（mg/g）
		A	B	平均		
2018071801	1.0009	4045620	4028377	4036998.5	3.49	3.48
	1.0018	4035538	4013461	4024499.5	3.47	
2018081802	1.0078	4053984	4052407	4053195.5	3.48	3.47
	1.0095	4037154	4045377	4041265.5	3.46	
2018091903	1.0032	3962436	3965468	3963952	3.42	3.44
	1.0084	4027347	4032735	4030041	3.46	
模拟样品	1.0037	3019411	3013215	3016313	2.60	2.69
	1.0074	3260915	3223295	3242105	2.78	

从表10数据可见，三批样品羟基红花黄色素A含量最低为3.44mg/g，最高为3.48mg/g，含量之间无明显差异。模拟样品含量为2.69mg/g，差异可能来自药材来源不同。

4 红花药材的含量测定

取与模拟样品使用的同一批红花药材粉末约0.4g，精密称定，按《中国药典》2015年一部"红花"项下的方法处理并测定红花药材中羟基红花黄色素A的含量。测定结果见表11。

表11 红花药材中羟基红花黄色素A的含量测定结果

序号	取样量（g）	平均峰面积值（n=2）		含量（mg/g）	平均含量（mg/g）
1	0.4022	5529775 5537038	5533406	12.18	12.18
2	0.4022	5564465 5529000	5529000	12.17	
3	0.4015	5493356 5489685 5486744	5488214.5	12.20	

从表11数据可见，红花药材中羟基红花黄色素A的含量为12.18mg/g。

5 本制剂含量限度的确定

从表中数据可见，模拟样品实际测定羟基红花黄色素A的含量为2.69mg/g，红花药材中羟基红花黄色素A的平均含量为12.18mg/g。

按理论值折算，样品应含羟基红花黄色素A为20÷90×12.18=2.70mg/g，即2.7mg/g。可见，羟基红花黄色素A转移率为2.69（mg/g）÷2.7（mg/g）×100%=99.62%。

参照《中国药典》2020年版一部"红花"药材的羟基红花黄色素A含量限度不得少于1.0%，转移率为99.38%，考虑不同产地药材的质量差异，并结合其他影响因素及三批样品的测定结果，下浮25%，按此限度折算本品含羟基红花黄色素A的理论量应不低于20÷90×1.0%×1000×99.62%×75%=1.66mg/g。

标准正文暂定为：本品每1g含红花以羟基红花黄色素A（$C_{27}H_{32}O_{16}$）计，不得少于1.70mg。

【功能与主治】

清脾热。用于脾损伤，腹胀，胁肋刺痛等脾热症。

【用法与用量】

口服。一次1.5～3g，一日1～2次，温开水送服。

【规格】

每袋（1）3g；（2）15g；（3）250g。

【贮藏】

密封,防潮。

起草单位:内蒙古医科大学药学院　　赵丽娜　崔丽敏　孙丽君

　　　　　鄂尔多斯市检验检测中心　张　烨　杨　洋　孟美英

汤　剂

乌兰·赞丹-3汤质量标准起草说明

【历史沿革】

本方来源于锡林郭勒盟蒙医医院经验方。

【处方来源】

本制剂由锡林郭勒盟蒙医医院提供。

【名称】

乌兰·赞丹-3汤

【药材和饮片的来源和执行标准】

1. 处方组成及药味排列顺序：紫檀50g，肉豆蔻50g，广枣30g。

2. 处方中除了紫檀药材外，其余肉豆蔻等药味均收载于《中国药典》2020年版一部，其质量应符合该品种项下的有关规定。

紫檀：为豆科植物紫檀*Pterocarpus sindicus* Willd的干燥新材。其标准应符合《内蒙古蒙药饮片炮制规范》2020年版第440页该品种项下的有关规定。

【制法】

以上三味，粉碎成中粉，过筛，混匀，分装，即得。

【性状】

本品为棕红色的粉末。

【鉴别】

本品为药材粉末制成的汤剂，方中广枣的显微特征较明显，故建立显微鉴别，并对处方中的紫檀建立了薄层鉴别。

1. 试剂与试药

供试品：供试品（批号201908001，201908002，201908003）由锡林郭勒盟蒙医医院提供，模拟样品（批号201908010）模拟。

对照品： 紫檀对照药材（批号121310-201302），购于中国食品药品检定研究院。

薄层板：硅胶G板，购于青岛海洋化工有限公司。

所用其他试剂均为分析纯，水为离子交换高纯水。

2. 试验方法与结果

（1）显微鉴别

广枣：果皮表皮细胞成片，表面观类圆形或类多角形，胞腔内颗粒状物。

（2）紫檀薄层鉴别

紫檀具有理气、和胃的功效，故建立了紫檀的鉴别。参照文献报道的薄层鉴别条件，制定出正文所述的鉴别方法。通过阴性对照试验观察，方中其他药材对紫檀的检出无干扰，证明此方法具有专属性。

【检查】

按照汤（洗）剂［《内蒙古蒙药制剂规范》（第三册）附录Ⅰ C］项下规定，对三批供试品及模拟样品的外观均匀度、水分、重金属和砷盐进行了检查。具体方法及测定数据如下：

外观均匀度：取供试品适量，置光滑纸上，平铺约$5cm^2$，将其表面压平，在亮处观察，呈现均匀的色泽，无花纹、色斑。结果三批供试品及模拟样品均符合规定。

水分：取供试品照水分测定法（《中国药典》2020年版四部 通则0832）测定。三批供试品及模拟样品测得结果见表1。

表1　水分测定结果

序号	批号	水分（%）
1	201908001	3.98
2	201908002	3.95
3	201908003	3.90
4	201908010	3.88

《内蒙古蒙药制剂规范》（第三册）附录Ⅰ C汤（洗）剂项下规定，水分含量不得大于12.0%。从表1数据可见，本品水分含量均符合要求。

对三批供试品及模拟样品进行了重金属、砷盐考察。方法与结果如下：

重金属：分别取每个批号供试品0.5g、0.67g、1.0g、2.0g，按《中国药典》2020年版四部0821第二法检查。

供试品溶液的制备：取本品0.5g、0.67g、1.0g、2.0g，分别缓缓炽灼至完全炭化，放冷，加硫酸0.5ml，使湿润，低温加热至硫酸除尽后，加硝酸0.5ml，蒸干，至氧化氮蒸气除尽后，放冷，于600℃炽灼至完全灰化，放冷。加盐酸2ml，置水浴上蒸干后加水15ml，滴加氨试液至对酚酞指示液显中性，再加醋酸盐缓冲液（pH3.5）2ml，微热溶解后，移置纳氏比色管中，加水稀释至25ml，作为供试品溶液。

标准铅对照溶液的制备：另取配制供试品溶液的试剂两份，分别置瓷皿中蒸干后，加醋酸盐缓冲液（pH3.5）2ml，加水15 ml微热溶解后，移置两支纳氏比色管中，分别加标准铅溶液（10μg/ml Pb）2ml，再加水稀释至25ml，作为标准铅对照溶液。

检视：于上述供试品溶液和标准铅对照溶液中分别加硫代乙酰胺试液各2ml，摇匀，放置2分钟，同置白色背景上，从上向下进行观察。试验结果见表2。

表2　重金属检查结果

序号	批号	重金属含量（ppm）			
1	201908001	<10	<20	<30	<40
2	201908002	<10	<20	<30	<40
3	201908003	<10	<20	<30	<40
4	201908010	<10	<20	<30	<40

从表2数据可见，经过三批样品及模拟供试品的检查，含重金属均未超过百万分之十，故重金属检查项目未列入正文。

砷盐：取本品1g和标准砷溶液（1μg/ml AS）2ml，分别加无砷氢氧化钙1g，加少量水，搅匀，烘干，用小火缓缓炽灼至炭化，再在600℃炽灼至完全灰化，放冷。分别加盐酸7ml使溶解，再加水21ml，按《中国药典》2020年版四部通则0822第一法（古蔡氏法）做砷盐限量检查。

结果：供试品砷斑浅于标准砷斑的颜色，表明本品含砷量未超过百万分之二（小于2ppm），故砷盐检查项目未

列入正文。

【功能与主治】

清心血热, 强心。用于心血热, 心激荡症, 谵语, 胸痛, 心悸, 心刺痛。

【用法与用量】

口服。一次3~5g, 一日1~2次, 水煎服。

【规格】

每袋(1)3g;(2)5g;(3)15g;(4)250g。

【贮藏】

密封, 防潮。

起草单位: 内蒙古医科大学药学院　　　张跃祥　崔圆圆　孙丽君

　　　　　鄂尔多斯市检验检测中心　　　陈羽涵　丁　华　李雨生

　　　　　内蒙古自治区国际蒙医医院　　康晓娜

巴嘎·乌兰汤质量标准起草说明

【历史沿革】

本方来源于《蒙医常用方剂选》（吉林人民出版社1975年版，蒙古文，第93页）。

【处方来源】

本制剂由锡林郭勒盟镶黄旗蒙医医院提供。

【名称】

巴嘎·乌兰汤

【蒙药材和饮片的来源和执行标准】

1. 处方组成及药味排列顺序：茜草20g、枇杷叶20g、紫草茸20g、紫草10g。

2. 处方中除了紫草茸外，其余茜草、枇杷叶和紫草等药味均收载于《中国药典》2020年版一部，其质量应符合该品种项下的有关规定。

紫草茸：为胶蚧科动物紫胶虫*Laccifer lacca* kerr.的雌体寄生于豆科檀属*Dalbergia* L.f. 和梧桐科火绳树属*Eriolaenea* DC. 等为主的多种植物的树干上，所分泌的胶质物。其质量应符合《中华人民共和国卫生部药品标准》（藏药第一册）1995年版106页该品种项下的有关规定。

【制法】

以上四味，粉碎成中粉，过筛，混匀，分装，即得。

【性状】

本品为红棕色至褐棕色粉末；气微香，味涩、苦。

【鉴别】

本品为原药材中粉制成的汤剂，方中诸药显微特征均比较明显，故对处方中所有药建立显微鉴别，并对处方中枇杷叶建立了薄层鉴别。

1. 试剂与试药

供试品：供试品（批号20200310、20200311、20200312）由锡林郭勒盟镶黄旗蒙医医院提供，模拟样品（批号20200084）模拟。茜草对照药材（批号121049-201705）、紫草茸对照药材（批号121052-200302）、枇杷叶对照药材（批号121261-201303）、熊果酸对照品（批号110742-201823），均购于中国食品药品检定研究院。

薄层板：硅胶G板，购于青岛海洋化工有限公司。

所用其他试剂均为分析纯，水为超纯水。

2. 试验方法与结果

（1）显微鉴别

茜草：草酸钙针晶散在或成束存在于薄壁细胞中。紫草：薄壁细胞淡棕色或无色，大多充满紫红色色素。紫草茸：不规则块黄棕色或红棕色，半透明或颗粒性。枇杷叶：纤维束周围的薄壁细胞中含草酸钙方晶，形成晶鞘纤维。

（2）茜草薄层鉴别

参照《中国药典》2020年版一部"茜草"项下的薄层条件，制定出正文所述的鉴别方法。通过阴性对照试验观察，方中其他药材对茜草的检出无干扰，此法具专属性。但是由于含量测定测了茜草中大叶茜草素，故未将茜草薄层鉴别收入正文。

（3）紫草茸薄层鉴别

参照《卫生部药品标准》1995年版（藏药第一册）106页"紫草茸"项下的薄层条件，制定出正文所述的鉴别方法。通过阴性对照试验观察，方中其他药材对紫草茸的检出无干扰，此法具专属性。但由于显微鉴别涉及了紫草茸的显微特征，故未列入正文。

（4）枇杷叶薄层鉴别

参照《中国药典》2020年版一部"枇杷叶"项下的薄层条件，制定出正文所述的鉴别方法。通过阴性对照试验观察，方中其他药材对枇杷叶及主要成分熊果酸的检出无干扰，此法具专属性。

【检查】

按照汤（洗）剂［《内蒙古蒙药制剂规范》（第三册）附录ⅠC］项下规定，对三批供试品及模拟样品的外观均匀度、水分、重金属和砷盐进行了检查。具体方法及测定数据如下：

1. 外观均匀度：取供试品适量，置光滑纸上，平铺约5cm²，将其表面压平，在亮处观察，呈现均匀的色泽，无花纹、色斑。结果三批供试品及模拟样品均符合规定。

2. 水分：取供试品照水分测定法（《中国药典》2020年版四部 通则0832）测定。三批供试品及模拟样品测得结果见表1。

表1 水分测定结果

序号	批号	水分（%）
1	20200310	2.6
2	20200311	3.2
3	20200312	3.2
4	20200084	2.8

《内蒙古蒙药制剂规范》（第三册）附录ⅠC汤（洗）剂项下规定，水分含量不得大于12.0%。从表1数据可见，本品水分含量均符合要求。

3. 对三批供试品及模拟样品进行了重金属、砷盐考察。方法与结果如下：

重金属：分别取每个批号供试品0.5g、0.67g、1.0g、2.0g，按《中国药典》2020年版四部0821第二法检查。

供试品溶液的制备：取本品0.5g、0.67g、1.0g、2.0g，分别缓缓炽灼至完全炭化，放冷，加硫酸0.5ml，使湿润，低温加热至硫酸除尽后，加硝酸0.5ml，蒸干，至氧化氮蒸气除尽后，放冷，于600℃炽灼至完全灰化，放冷。加盐酸2ml，置水浴上蒸干后加水15ml，滴加氨试液至对酚酞指示液显中性，再加醋酸盐缓冲液（pH3.5）2ml，微热溶解后，移置纳氏比色管中，加水稀释至25ml，作为供试品溶液。

标准铅对照溶液的制备：另取配制供试品溶液的试剂两份，分别置瓷皿中蒸干后，加醋酸盐缓冲液（pH3.5）2ml，加水15ml微热溶解后，移置两支纳氏比色管中，分别加标准铅溶液（10μg/ml Pb）2ml，再加水稀释至25ml，作为标准铅对照溶液。

检视：于上述供试品溶液和标准铅对照溶液中分别加硫代乙酰胺试液各2ml，摇匀，放置2分钟，同置白色背景上，从上向下进行观察。结果见表2。

表2　重金属检查结果

序号	批号	重金属含量（ppm）			
1	20200310	<10	<20	<30	<40
2	20200311	<10	<20	<30	<40
3	20200312	<10	<20	<30	<40
4	20200084	<10	<20	<30	<40

从表2数据可见，供试品溶液的颜色明显浅于2ml的标准铅对照管。经过三批供试品及模拟样品的检查，含重金属均未超过百万分之十，故未收入正文。

砷盐：取本品1g和标准砷溶液（1μg/ml AS）2ml，分别加无砷氢氧化钙1g，加少量水，搅匀，烘干，用小火缓缓炽灼至炭化，再在600℃炽灼至完全灰化，放冷。分别加盐酸7ml使溶解，再加水21ml，按《中国药典》2020年版四部通则0822第一法（古蔡氏法）做砷盐限量检查。

结果：供试品砷斑浅于标准砷斑的颜色，表明本品含砷量未超过百万分之二（小于2ppm），故砷盐检查项目未列入正文。

【含量测定】

巴嘎·乌兰汤是由紫草茸、茜草、枇杷叶和紫草等四味药组成的蒙药制剂。具有清血热的功效。参照《中国药典》2020年版一部"茜草"项下的含量测定方法，选择大叶茜草素作为指标成分，进行了HPLC含量测定方法研究。经分析方法验证，表明该方法重复性好、专属性强，方中其他组分对大叶茜草素的测定无干扰。

1　仪器与试剂试药

1.1　仪器

岛津LC-2014型高效液相色谱仪；Sartorius BT25S型电子天平，Sartorius BSA223S型电子天平，Sartorius BSA224S型电子天平，MSA6.6S-CE型电子天平；KQ-500DE型超声清洗仪。

1.2　试剂与试药

供试品（批号20200310、20200311、20200312）由锡林郭勒盟镶黄旗蒙医医院提供，模拟样品（批号20200084）模拟。大叶茜草素对照品（批号110884-201606），购于中国食品药品检定研究院；甲醇、四氢呋喃为色谱纯，水为超纯水，所用其他试剂均为分析纯。

2　方法学验证

2.1　色谱条件的选择

2.1.1　色谱柱：色谱柱填充剂为十八烷基硅烷键合硅胶，本试验研究采用Phenomenex C$_{18}$柱（250mm×4.6mm，5μm）和Shim-packC$_{18}$柱（250mm×4.6mm，5μm）。

2.1.2　流动相的选择：参照《中国药典》2020年版一部"茜草"项下含量测定方法，以甲醇-水-四氢呋喃（310：90：3）为流动相。

2.1.3　柱温：试验中对35℃和40℃柱温进行了比较，结果保留时间略有差异，但分离度及理论板数没有变化，本试验研究选择柱温为35℃。

2.1.4　检测波长的选择：取大叶茜草素对照品适量，加甲醇制成每1ml含80μg的溶液，通过二极管阵列检测器，在190~500nm进行光谱扫描，结果大叶茜草素在250nm及390nm处有吸收，因供试品的液相色谱图中在250nm处杂峰太多，对主峰的分离影响大，而390nm处干扰成分少，不影响主峰的分离，所以选择390nm作为测定波长。

2.1.5　理论板数的确定：对三批供试品测定结果表明，大叶茜草素峰的理论板数在10000以上能达到与相邻峰分开，并符合《中国药典》规定R>1.5的要求，结合药典"茜草"项下的规定，确定大叶茜草素峰的理论板数应不低于4000。

2.2 提取溶剂的选择及提取效率的考察

参考《中国药典》2020版一部 "茜草" 项下含量测定方法,选择甲醇作为提取溶剂。取本品(批号20200310)5份,各约2.0g,精密称定,分别置具塞锥形瓶中,精密加入甲醇25ml,密塞,称定重量,分别超声10分钟、20分钟、30分钟、40分钟和50分钟,取出,放冷,再称定重量,用甲醇补足减失的重量,摇匀,滤过,即得。按上述色谱条件测定,测得结果见表3。

表3 大叶茜草素提取时间考察

提取时间(min)	峰面积值(n=2)	含量(mg/g)
10	1828225	1.54
20	1795908	1.51
30	1769184	1.48
40	1826677	1.537
50	1874045	1.539

从表3数据可见,超声提取10分钟,大叶茜草素的含量最高,故确定超声时间为10分钟。

2.3 专属性考察

2.3.1 对照品溶液的制备:取大叶茜草素对照品适量,加甲醇溶解,制成每1ml含80μg的溶液,作为对照品溶液。

2.3.2 供试品溶液的制备:取本品约1.0g,精密称定,置具塞锥形瓶中,精密加入甲醇25ml,密塞,称定重量,超声处理10分钟,放冷,再称定重量,用甲醇补足减失的重量,摇匀,滤过,作为供试品溶液。

2.3.3 阴性对照溶液的制备:按本品处方工艺制备不含茜草的阴性样品,按供试品溶液的制备方法制备阴性对照溶液(缺茜草)。

2.3.4 测定:分别精密吸取以上三种溶液各10μl,注入色谱仪,记录各自的色谱图。

试验结果显示:供试品色谱中在与对照品色谱保留时间相同的位置上有色谱峰出现,而阴性对照在与对照品色谱保留时间相同的位置上无色谱峰出现,表明该含量测定方法阴性无干扰,专属性好。

2.4 线性关系考察

取大叶茜草素对照品约2.0mg,精密称定,置25ml量瓶中,用甲醇溶解并稀释至刻度,摇匀,分别精密吸取2μl、5μl、10μl、15μl、20μl、25μl、30μl注入液相色谱仪,按上述色谱条件进行测定,以峰面积对进样量进行回归分析。结果见表4。

表4 标准曲线数据及回归分析结果

进样量(μg)	峰面积值	回归方程	r
0.16664	216292		
0.4166	560068		
0.8332	1139045		
1.2498	1729249	$y=1428x-39404$	0.9999
1.6664	2326965		
2.083	2933420		
2.4996	3550283		

从表4数据可见,大叶茜草素在0.16664~2.4996μg范围内与峰面积值呈良好的线性关系。

2.5 稳定性试验

取同一供试品溶液（批号20200310），分别在溶液制备后的0小时、2小时、4小时、6小时、8小时、10小时进行测定。结果见表5。

表5 不同时间测定大叶茜草素的峰面积值

序号	时间（h）	峰面积值
1	0	778188
2	2	778763
3	4	780047
4	6	782817
5	8	781826
6	10	780505

从表5数据可见，大叶茜草素在10小时内的峰面积值基本稳定，能够满足测定所需要的时间。

2.6 重复性试验

取同一批号供试品（批号20200310）6份，每份约1.0g，精密称定，置具塞锥形瓶中，精密加入甲醇25ml，密塞，称定重量，超声处理10分钟，放冷，再称定重量，用甲醇补足减失的重量，摇匀，滤过，作为供试品溶液。另取大叶茜草素对照品适量，加甲醇溶解，制成每1ml含80μg的溶液，作为对照品溶液。分别精密吸取以上两种溶液各10μl，注入液相色谱仪，记录各自的色谱图，用外标法以峰面积计算含量。结果见表6。

表6 大叶茜草素重复性试验结果

取样量（g）	峰面积值（n=2）	含量（mg/g）	平均含量（mg/g）	RSD（%）
1.0060	790350	1.509		
1.0023	785486	1.506		
1.0074	786606.5	1.500	1.504	0.19
1.0071	788233	1.504		
1.0064	787884	1.504		
1.0061	787545.5	1.504		

从表6数据可见，在相同的提取溶剂和色谱条件下，6份供试品含量测定结果的均值为1.504mg/g，RSD为0.19%，表明该方法的重复性良好。

2.7 加样回收试验

取已知含量（批号20200310，含量1.504mg/g）供试品6份，每份约0.5g，精密称定，分别置具塞锥形瓶中，各精密加入大叶茜草素对照品溶液（浓度为0.75292mg/ml）1ml，再用滴定管加入甲醇24ml，摇匀，称定重量，分别按上述供试品溶液制备方法和色谱条件测定每份含量。结果见表7。

表7 大叶茜草素加样回收试验结果

取样量（g）	供试品含量（mg）	对照品加入量（mg）	测得总含量（mg）	回收率（%）	平均回收率（%）	RSD（%）
0.5163	0.7765	0.75292	1.5200	98.74		
0.5099	0.7668	0.75292	1.5139	99.22		
0.5123	0.7704	0.75292	1.5246	100.17	99.47	0.46
0.5130	0.7715	0.75292	1.5194	99.33		
0.5083	0.7644	0.75292	1.5135	99.49		
0.5079	0.7638	0.75292	1.5161	99.91		

从表7数据可见，本方法的平均回收率为99.47%，RSD为0.46%。该方法准确度好。

2.8 范围

按上述试验方法，取供试品（批号20200310，含量1.504mg/g）约0.25g，各6份，精密称定，分别精密加入大叶茜草素对照品溶液1ml（浓度为0.3827mg/ml），再分别精密加入甲醇24ml，作为低浓度加样供试品。再取同一批号供试品约0.25g，各6份，精密称定，分别精密加入大叶茜草素对照品溶液约1.5mg，再分别精密加入甲醇25ml，作为高浓度加样供试品。分别按上述供试品溶液制备方法和色谱条件测定，计算回收率及低浓度、高浓度点各6份样品的RSD，结果见表8、表9。

表8 范围考察结果表（低浓度）

取样量（g）	供试品含量（mg）	对照品加入量（mg）	测得总含量（mg）	回收率（%）	平均回收率（%）	RSD（%）
0.2555	0.3842	0.3827	0.7739	101.82		
0.2548	0.3832	0.3827	0.7684	100.65		
0.2559	0.3848	0.3827	0.7702	100.70	100.98	0.72
0.2531	0.3806	0.3827	0.7697	101.67		
0.2550	0.3835	0.3827	0.7653	99.68		
0.2560	0.3850	0.3827	0.7730	101.38		

表9 范围考察结果表（高浓度）

取样量（g）	供试品含量（mg）	对照品加入量（mg）	测得总含量（mg）	回收率（%）	平均回收率（%）	RSD（%）
1.0346	1.5560	1.541	3.0907	99.59		
1.0281	1.5462	1.529	3.0832	100.52		
1.0810	1.5355	1.550	3.0883	100.18	99.86	0.80
1.0247	1.5411	1.543	3.0607	98.48		
1.0235	1.5393	1.522	3.0529	99.44		
1.0112	1.5208	1.552	3.0877	100.96		

从表8、表9数据可见，在相当于含量限度约80%和含量限度的3倍两个点处，均达到了精密度、准确度和线性的要求。

2.9 耐用性试验

取供试品（批号20200310）约1.0g，精密称定，分别按重复性试验项下方法处理，换不同厂家、不同型号的色谱柱，分别测定供试品的含量。结果见表10。

表10 不同色谱柱的耐用性试验

序号	色谱柱型号	分离度	含量（mg/g）
1	Shim-Pack	>1.5	1.504
2	Phenomenex	>1.5	1.530

从表10数据可见，不同型号或厂家的色谱柱对测定结果影响较小。

3 样品含量测定

取三批样品（批号20200310、20200311、20200312）各2份，约1.0g，精密称定，按重复性试验项下的方法处理并测定。结果见表11。

表11 样品中大叶茜草素的含量测定结果

批号	取样量（g）	峰面积平均值	含量（mg/g）	平均含量（mg/g）
20200310	1.0071	788233	1.504	1.504
	1.0064	787884	1.504	
20200311	1.0133	667723	1.266	1.262
	1.0475	686039.5	1.258	
20200312	1.0025	1634047	2.849	2.861
	1.0050	1652236	2.873	

从表11数据可见，三批样品含量均在1.0mg/g以上。

4 茜草药材含量测定

试验中采用同法对两批供试品生产用茜草药材进行了含量测定。根据药材含量，计算出成品中大叶茜草素的转移率，结果见表12。

表12 茜草药材含量及成药转移率

批号	成品含量（mg/g）	茜草药材含量（%）	大叶茜草素转移率（%）
20200310	1.504	0.66	68.36
20200311	1.262	0.63	60.09

从表12数据可见，本品中大叶茜草素的转移率在60%以上。

5 本制剂含量限度的确定

参照《中国药典》2020年版一部"茜草"药材的大叶茜草素含量限度不得少于0.40%，转移率为68.36%，考虑不同产地药材的质量差异，并结合其他影响因素及三批样品的测定结果，按此限度折算本品含大叶茜草素的理论量应不低于20÷70×0.40%×68.36%×1000=0.78mg/g。

标准正文暂定为：本品每1g含茜草以大叶茜草素（$C_{17}H_{15}O_4$）计，不得少于0.90mg。

【功能与主治】

清血热。用于肺、肾伤热，肺热咳嗽，痰中带血，膀胱刺痛，尿频，尿痛。

【用法与用量】

口服。一次3~5g，一日1~2次，水煎服。

【规格】

每袋（1）3g；（2）5g；（3）15g；（4）250g。

【贮藏】

密闭，防潮。

起草单位：内蒙古自治区国际蒙医医院　　　　那松巴乙拉　乌仁高娃　乌恩其　阿木古楞

赤峰市药品检验所　　　　刘建海　张　戈　张海涛

亚曼·章古-4汤质量标准起草说明

【历史沿革】

本方来源于《蒙医药选编》(内蒙古人民出版社 1999年版,蒙古文,第349页)。

【处方来源】

本制剂由内蒙古自治区国际蒙医医院提供。

【名称】

亚曼·章古-4汤

【蒙药材和饮片的来源和执行标准】

1. 处方组成及药味排列顺序:炒蒺藜10g、冬葵果10g、方海10g、海金沙10g。

2. 处方中除了冬葵果、方海药材外,其余炒蒺藜等药味均收载于《中国药典》2020年版一部,其质量应符合该品种项下的有关规定。

冬葵果:为锦葵科植物冬葵*Malva verticillata* L. 的干燥成熟果实。其标准应符合《内蒙古蒙药饮片炮制规范》2020年版第431页该品种项下的有关规定。

方海:为方蟹科中中华绒螯蟹*Eriocher sinensis* H. Milne-Edwards的干燥全体。其质量应符合《内蒙古蒙药饮片炮制规范》2020年版第431页该品种项下的有关规定。

【制法】

以上四味,粉碎成中粉,过筛,混匀,分装,即得。

【性状】

本品为浅黄色至棕黄色的粉末;气微,味微苦。

【鉴别】

本品为药材粉末制成的汤剂,方中大多数药味的显微特征都比较明显,故对处方中的炒蒺藜、冬葵果、海金沙建立显微鉴别。

1. 试剂与试药

供试品:供试品(批号 20191014、20200108、20200209)由内蒙古自治区国际蒙医医院提供,模拟样品(批号20201207)模拟。

所用其他试剂均为分析纯,水为离子交换高纯水。

2. 试验方法与结果

显微鉴别:

炒蒺藜:种皮细胞多角形或类方形,直径约30μm,壁网状增厚,木化。冬葵果:多细胞星状毛,多破碎。海金沙:孢子为四面体、三角状圆锥形,直径60~80μm,外壁有颗粒状雕纹。

【检查】

按照汤(洗)剂[《内蒙古蒙药制剂规范》(第三册)附录 I C]项下规定,对三批供试品及模拟样品的外观均匀度、水分、重金属和砷盐进行了检查。具体方法及测定数据如下：

1. 外观均匀度：取供试品适量，置光滑纸上，平铺约5cm²，将其表面压平，在亮处观察，呈现均匀的色泽，无花纹、色斑。结果三批供试品及模拟样品均符合规定。

2. 水分：取供试品照水分测定法（《中国药典》2020年版四部通则0832）测定。三批供试品及模拟样品的测定结果见表1。

表1　水分测定结果

序号	供试品批号	水分（%）
1	20200105	5.98
2	20200106	5.79
3	20200107	5.75
4	20201207	5.69

《内蒙古蒙药制剂规范》（第三册）附录Ⅰ C汤（洗）剂项下规定，水分含量不得大于12.0%。从表1数据可见，本品水分含量符合要求。

3. 对三批供试品及模拟样品进行了重金属和砷盐考察。方法与结果如下：

重金属：分别取每个批号供试品0.5g、0.67g、1.0g、2.0g，按《中国药典》2020年版四部0821第二法检查。

供试品溶液的制备：取本品0.5g、0.67g、1.0g、2.0g，分别缓缓炽灼至完全炭化，放冷，加硫酸0.5ml，使湿润，低温加热至硫酸除尽后，加硝酸0.5ml，蒸干，至氧化氮蒸气除尽后，放冷，于600℃炽灼至完全灰化，放冷。加盐酸2ml，置水浴上蒸干后加水15ml，滴加氨试液至对酚酞指示液显中性，再加醋酸盐缓冲液（pH3.5）2ml，微热溶解后，移置纳氏比色管中，加水稀释至25ml，作为供试品溶液。

标准铅对照溶液的制备：另取配制供试品溶液的试剂两份，分别置瓷皿中蒸干后，加醋酸盐缓冲液（pH3.5）2ml，加水15 ml微热溶解后，移置两支纳氏比色管中，分别加标准铅溶液（10μg/ml Pb）2ml，再加水稀释至25ml，作为标准铅对照溶液。

检视：于上述供试品溶液和标准铅对照溶液中分别加硫代乙酰胺试液2ml，摇匀，放置2分钟，同置白色背景上，从上向下进行观察。试验结果见表2。

表2　重金属检查结果

序号	批号	重金属含量（ppm）			
1	20200105	<10	<20	<30	<40
2	20200106	<10	<20	<30	<40
3	20200107	<10	<20	<30	<40
4	20201207	<10	<20	<30	<40

砷盐：取本品1g和标准砷溶液（1μg/ml AS）2ml，分别加无砷氢氧化钙1g，加少量水，搅匀，烘干，用小火缓缓炽灼至炭化，再在600℃炽灼至完全灰化，放冷。分别加盐酸7ml使溶解，再加水21ml，按《中国药典》2020年版四部通则0822第一法（古蔡氏法）做砷盐限量检查。

结果：供试品砷斑浅于标准砷斑的颜色，表明本品含砷量未超过百万分之二（小于2ppm），故砷盐检查项目未列入正文。

4. 浸出物

按照《中国药典》2020年版四部通则2201浸出物测定法项下醇溶性浸出物冷浸法进行测定。三批供试品及模拟样品的测定结果见表3。

表3　供试品浸出物测定结果

序号	批号	浸出物（％）
1	20200105	13.68
2	20200106	14.02
3	20200107	13.77
4	20201207	13.98

从表3数据可见，三批供试品及模拟样品浸出物最低为13.68%，最高为14.02%。考虑不同产地药材质量差异，下浮20%，故用无水乙醇作溶剂，浸出物不得少于11.0%。

【功能与主治】

利尿。用于水肿肾热，膀胱热，尿闭。

【用法与用量】

口服。一次3~5g，一日1~2次，水煎服。

【规格】

每袋（1）3g；（2）5g；（3）15g；（4）250g。

【贮藏】

密封，防潮。

起草单位: 内蒙古盛唐国际蒙医药研究院　　　崔圆圆　张跃祥　刘　斌

包头市检验检测中心　　　　杨桂娥　苏瑞萍　张　婷　靖彩霞

内蒙古食品药品审评查验中心　张　涛　宋春艳

朱如日阿-3汤质量标准起草说明

【历史沿革】

本方来源于锡林郭勒盟镶黄旗蒙医医院经验方。

【处方来源】

本制剂由锡林郭勒盟镶黄旗蒙医医院提供。

【名称】

朱如日阿-3汤

【蒙药材和饮片的来源和执行标准】

1. 处方组成及药味排列顺序：栀子10g、苏木10g、红花10g。

2. 处方中栀子等药味均收载于《中国药典》2020年版一部，其质量应符合该品种项下的有关规定。

【制法】

以上三味，粉碎成中粉，过筛，混匀，分装，即得。

【性状】

本品为红棕色的粉末；气微香，味苦、微酸。

【鉴别】

本品为药材粉末制成的汤剂，方中红花、栀子的显微特征较明显，故建立显微鉴别，并对处方中的苏木建立了薄层鉴别。

1. 试剂与试药

供试品：由锡林郭勒盟镶黄旗蒙医医院提供（批号201809006、201809012、201809013），模拟样品（批号20190818）模拟。

对照品：苏木对照药材（批号121067-201606），由中国食品药品检定研究院提供。

薄层板：硅胶GF$_{254}$板，购于青岛海洋化工有限公司。

所用其他试剂均为分析纯，水为离子交换高纯水。

2. 试验方法与结果

（1）显微鉴别

红花：花粉粒圆球形或椭圆形，直径约至60μm，外壁有刺，具3个萌发孔，外壁有齿状突起。栀子：内果皮石细胞类长方形、类圆形或类三角形，常上下层交错排列或与纤维连接，直径14~34μm，长约至75μm，壁厚4~13μm；胞腔内常含草酸钙方晶。

（2）苏木薄层鉴别

苏木具有活血祛瘀、消肿止痛的功效。参照《中国药典》2020年版一部"苏木"药材项下的薄层条件，制定出正文所述的鉴别方法。通过阴性对照试验观察，方中其他药材对苏木的检出无干扰，证明此方法具有专属性。

【检查】

按照汤(洗)剂[《内蒙古蒙药制剂规范》(第三册)附录Ⅰ C]项下规定,对三批供试品及模拟样品的外观均匀度、水分、重金属和砷盐进行了检查。具体方法及测定数据如下:

1. 外观均匀度:取供试品适量,置光滑纸上,平铺约5cm²,将其表面压平,在亮处观察,呈现均匀的色泽,无花纹、色斑。结果三批样品及模拟样品均符合规定。

2. 水分:取供试品照水分测定法(《中国药典》2020年版四部通则0832)测定。三批供试品及模拟样品测定结果见表1。

表1 水分测定结果

序号	批号	水分(%)
1	201809006	5.23
2	201809012	5.15
3	201809013	5.19
4	20190818	5.44

《蒙药制剂规范》2014年版(第二册)附录Ⅰ B汤(洗)剂项下规定水分含量不得大于12.0%。从表1数据可见,本品水分含量符合要求。

3. 对三批供试品及模拟样品进行了重金属和砷盐考察。方法与结果如下:

重金属:分别取每个批号样品0.5g、0.67g、1.0g、2.0g,按《中国药典》2020年版四部0821第二法检查。

供试品溶液的制备:取本品0.5g、0.67g、1.0g、2.0g,分别缓缓炽灼至完全炭化,放冷,加硫酸0.5ml,使湿润,低温加热至硫酸除尽后,加硝酸0.5ml,蒸干,至氧化氮蒸气除尽后,放冷,于600℃炽灼至完全灰化,放冷。加盐酸2ml,置水浴上蒸干后加水15ml,滴加氨试液至对酚酞指示液显中性,再加醋酸盐缓冲液(pH3.5)2ml,微热溶解后,移置纳氏比色管中,加水稀释至25ml,作为供试品溶液。

标准铅对照管的制备:另取配制供试品溶液的试剂两份,分别置瓷皿中蒸干后,加醋酸盐缓冲液(pH3.5)2ml,加水15ml微热溶解后,移置两支纳氏比色管中,分别加标准铅溶液(10g/ml Pb)2ml,再加水稀释至25ml,作为标准铅对照管。

检视:于上述供试品溶液和标准铅对照管中分别加硫代乙酰胺试液各2ml,摇匀,放置2分钟,同置白色背景上,从上向下进行观察。试验结果见表2。

表2 重金属检查结果

序号	批号	重金属含量(ppm)			
1	201809006	<10	<20	<30	<40
2	201809012	<10	<20	<30	<40
3	201809013	<10	<20	<30	<40
4	20190818	<10	<20	<30	<40

结果显示,供试品溶液的颜色明显浅于2ml的标准铅对照溶液。经过三批供试品及模拟样品的检查,含重金属均未超过百万分之十,故未列入正文。

砷盐:取本品1g和标准砷溶液(1μg/ml AS)2ml,分别加无砷氢氧化钙1g,加少量水,搅匀,烘干,用小火缓缓炽灼至炭化,再在600℃炽灼至完全灰化,放冷。分别加盐酸7ml使溶解,再加水21ml,按《中国药典》2020年版四部通则0822第一法(古蔡氏法)检查砷盐含量。

结果:供试品砷斑浅于标准砷斑的颜色,表明本品含砷量未超过百万分之二(小于2ppm),故砷盐检查项目未列入正文。

【含量测定】

朱如日阿-3汤是由栀子、苏木、红花三味药材组成。临床功效为清血热,活血通经,用于小腹胀痛,月经不通。栀子功能为泻火除烦、清热利湿。在本方中栀子所占比例较高,故在标准制定过程中,以栀子苷作为测定指标,采用高效液相色谱法对本品中的栀子建立了含量测定方法。通过试验摸索,确定了比较理想的色谱条件,并经过方法学考察及阴性对照试验,表明该方法操作简单,重复性好,专属性强,方中其他组分对栀子苷的测定均无干扰。

1 仪器与试剂试药

1.1 仪器

岛津CTO-10AS型高效液相色谱仪(日本岛津公司);SBL-20DT型超声波清洗机(宁波新芝生物科技股份有限公司);循环水式多用真空泵(河南省予华仪器有限公司);SBL-22DT型超声波清洗器(宁波蓝芝生物科技股份有限公司,KHZ);Heal Force NW15UV型超纯水系统;Mettler-TOledo PL602-S型电子天平(百分之一),Mettler-TOledo XPR10型电子天平(万分之一),Mettler-TOledo MS105DU型电子天平(百万分之一);FW400A型多功能粉碎机(材茂科技有限公司)。

1.2 试剂与试药

供试品三批(批号201809006、201809012、201809013),由锡林郭勒盟镶黄旗蒙医医院提供,模拟样品一批(批号20190818);栀子苷对照品(批号110749-201617),购于中国食品药品检定研究院;乙腈为色谱纯,水为超纯水,其他试剂均为分析纯。

2 方法学考察

2.1 色谱条件

2.1.1 色谱柱: 色谱柱填充剂为十八烷基硅烷键合硅胶,本试验采用Alltima C_{18}(250mm×4.6mm,5μm)色谱柱。

2.1.2 流动相的选择: 参照《中国药典》2020年版一部"栀子"项下的流动相比例进行流动相条件摸索。结果栀子苷峰拖尾,将流动相比例改为乙腈-水(10:90),经试验验证,该条件下峰的分离效果好,色谱峰对称,故将流动相定为乙腈-水(10:90)。

2.1.3 柱温:30℃。

2.1.4 检测波长:按照《中国药典》2020版一部"栀子"项下规定,选择波长为238nm。

2.1.5 理论板数的确定:对多批供试品测定结果表明,栀子苷峰的理论板数在1500以上即能与相邻峰分开,并符合《中国药典》规定的$R>1.5$的要求,故本标准规定理论板数按栀子苷计不低于1500。

2.2 提取溶剂及提取效率的考察

参考《中国药典》2020年版一部"栀子"项下,以甲醇作为提取溶剂进行超声处理(功率250W,40kHz),试验中考察了超声10分钟、20分钟、30分钟等不同提取时间对提取效率的影响。结果见表3。

表3 栀子苷提取效率考察

提取时间 (min)	称样量 (g)	峰面积值 A	峰面积值 B	峰面积 平均值	含量 (mg/g)
10	0.1077	10505.8352	10558.9061	10532.3706	10.5686
20	0.1088	11301.0934	11262.3876	11281.7405	11.2061
30	0.1015	9993.5988	10272.6745	10133.1366	10.7891

从表3数据可见,超声处理20分钟时,测得供试品中栀子苷的含量最高,故将提取时间定为超声处理20分钟。

2.3 专属性考察

2.3.1 对照品溶液的制备：取栀子苷对照品适量，精密称定，加甲醇制成每1ml含30μg的溶液，作为对照品溶液。

2.3.2 供试品溶液的制备：取本品细粉约0.1g，精密称定，置具塞锥形瓶中，精密加入甲醇25ml，称定重量，超声处理（功率250W，频率40kHz）20分钟，放冷，再称定重量，用甲醇补足减失的重量，摇匀，滤过，取续滤液，作为供试品溶液。

2.3.3 阴性对照溶液的制备：按本品处方配比制备不含栀子的阴性样品，取细粉约0.1g，精密称定，从"置具塞锥形瓶中……"起操作同"供试品溶液的制备"，取续滤液，作为阴性对照溶液。

2.3.4 测定：分别精密吸取上述三种溶液各10μl，注入液相色谱仪，记录色谱图。

试验结果显示，供试品色谱中在与对照品色谱保留时间相同的位置上有色谱峰出现，而阴性对照在与对照品色谱保留时间相同的位置上无色谱峰出现，表明共存组分对处方中栀子苷的测定无干扰。

2.4 线性关系考察

取栀子苷对照品约3.0mg，精密称定，置100ml量瓶中，加甲醇使溶解并稀释至刻度，摇匀（栀子苷实际浓度为27.064μg/ml）。分别精密吸取上述溶液1μl、3μl、5μl、7μl、10μl、15μl、20μl注入液相色谱仪，按上述色谱条件进行测定，以峰面积对对照品进样量进行回归分析。结果见表4。

表4 标准曲线数据及回归分析结果

序号	进样量（μg）	峰面积值	回归方程	r
1	0.0270	577.3		
2	0.0829	1766.8		
3	0.1382	2984.8		
4	0.1894	4258.7	$y=638.5896x-143.6079$	0.9999
5	0.2706	6266.7		
6	0.4060	9461.3		
7	0.5413	12632.8		

从表4数据可见，栀子苷在0.0270~0.5413μg范围内与峰面积呈良好的线性关系。

2.5 稳定性试验

取同一份供试品（批号201809006）溶液，分别于溶液制备后的0小时、1小时、2小时、3小时、4小时、5小时、6小时、7小时进样测定。结果见表5。

表5 溶液的稳定性试验结果

序号	时间（h）	峰面积值	RSD（%）
1	0	11202	
2	1	11325	
3	2	11681	
4	3	11344	
5	4	11681	1.51
6	5	11355	
7	6	11356	
8	7	11390	

从表5数据可见，栀子苷在7小时内峰面积值基本稳定不变。

2.6 精密度试验

取同一份供试品（批号201809006）溶液，连续进样6针，记录色谱图。栀子苷峰面积的精密度试验结果见表6。

表6 栀子苷精密度试验结果

序号	峰面积值	平均值	RSD（%）
1	10431		
2	10517		
3	10550	10576	0.92
4	10603		
5	10666		
6	10692		

从表6数据可见，符合《中国药典》2020年版四部通则0512中规定的RSD值小于2.0%的要求。

2.7 重复性试验

取同一供试品（批号201809006）6份，各约0.1g，精密称定，置具塞锥形瓶中，精密加入甲醇25ml，称定重量，超声处理（功率250W，频率40kHz）20分钟，放冷，再称定重量，用甲醇补足减失的重量，摇匀，滤过，取续滤液，作为供试品溶液。另取栀子苷对照品适量，精密称定，加甲醇制成每1ml含30μg的溶液，作为对照品溶液。分别精密吸取以上两种溶液各10μl，注入液相色谱仪，记录各自的色谱图，用外标法以峰面积计算含量。结果见表7。

表7 栀子苷重复性试验结果

称样量（g）	峰面积值	含量（mg/g）	平均含量（mg/g）	RSD（%）
0.1008	10692.8352	11.45977		
0.1028	10740.5407	11.28695		
0.1035	10872.9015	11.34877	11.34	1.07
0.1011	10418.3033	11.13242		
0.1023	10849.6069	11.45729		
0.1015	10666.9223	11.35316		

从表7数据可见，在相同的细度、提取溶剂和色谱条件下，6份供试品含量测定结果的均值为11.34mg/g，RSD为1.07%，表明该方法的重复性好。

2.8 加样回收试验

取已知含量（批号201809006，栀子苷含量为11.34mg/g）的供试品9份，各约0.1g，精密称定，置具塞锥形瓶中，其中1、2、3号各精密加入栀子苷对照品溶液（栀子苷浓度27.064μg/ml）1.5ml及甲醇23.5ml，4、5、6号各精密加入上述对照品溶液3ml及甲醇22ml，7、8、9号各精密加入上述对照品溶液4.5ml及甲醇20.5ml，分别称定重量，超声处理（功率250W，频率40kHz）20分钟，放冷，再称定重量，用甲醇补足减失的重量，摇匀，滤过，取续滤液，作为供试品溶液。分别精密吸取各溶液10μl进样测定，按外标法以峰面积计算含量并计算回收率。结果见表8。

表8 加样回收试验结果

称样量（g）	供试品含量（mg）	对照品加入量（mg）	测得总量（mg）	回收率（%）	平均回收率（%）	RSD（%）
0.1034	0.0943	0.0450	0.1393	100.0		
0.1056	0.0963	0.0450	0.1433	104.4		
0.1060	0.0966	0.0450	0.1419	100.7	101.8	2.23
0.1034	0.0943	0.0899	0.1842	100.0		
0.1056	0.0963	0.0899	0.1866	100.3		

续表

称样量（g）	供试品含量（mg）	对照品加入量（mg）	测得总量（mg）	回收率（%）	平均回收率（%）	RSD（%）
0.1060	0.0966	0.0899	0.1898	103.5		
0.1034	0.0943	0.1349	0.2302	100.7	101.8	2.23
0.1056	0.0963	0.1349	0.2396	106.2		
0.1060	0.0966	0.1349	0.2327	100.8		

从表8数据可见，本方法的平均回收率为101.8%，RSD为2.23%，表明该方法准确度好。

2.9 耐用性试验

取供试品（批号201809006）2份，各约0.1g，精密称定，按重复性试验项下的方法处理，换不同厂家、不同型号的色谱柱，分别测定供试品的含量。结果见表9。

表9 色谱柱耐用性试验

序号	称样量（g）	柱型号	含量（mg/g）
1	0.1009	Alltima C$_{18}$柱	11.34
		Agela Venusil C$_{18}$柱	11.21
2	0.1047	Alltima C$_{18}$柱	11.45
		Agela Venusil C$_{18}$柱	11.79

从表9数据可见，在使用不同型号或厂家的色谱柱时，对测定结果影响较小。

3 样品含量测定

取三批样品（批号201809006、201809012、201809013）及模拟样品（批号20190818），每批各2份，各约0.1g，精密称定，按重复性试验项下的方法处理并测定含量。测定结果见表10。

表10 样品中栀子苷的含量测定结果

批号	称样量（g）	峰面积 A	峰面积 B	平均值	含量（mg/g）	平均含量（mg/g）
201809006	0.1070	10726.2052	11114.3576	10920.2814	10.94	11.09
	0.1087	11377.9236	11405.7413	11391.8324	11.23	
201809012	0.1013	10291.2887	10349.8747	10320.5817	10.92	10.96
	0.1089	11238.6293	11119.7533	11179.1913	11.00	
201809013	0.1050	11042.5114	11066.5071	11054.5092	11.28	11.25
	0.1049	10930.2523	11027.9829	10979.1176	11.22	
20190818	0.1003	9985.3829	10128.1608	10056.7718	10.75	10.85
	0.1060	10819.381	10940.2601	10879.8205	11.00	

从表10数据可见，三批样品和模拟样品中栀子苷含量平均最低为10.85mg/g，最高为11.25mg/g。

4 栀子药材的含量测定

采用同法对上述三批样品生产用栀子药材中栀子苷的含量进行测定。结果见表11。

表11 栀子药材中栀子苷的含量测定结果

序号	称样量（g）	测得峰面积值 A	测得峰面积值 B	平均值	含量（mg/g）	平均含量（mg/g）
1	0.0415	14692.4394	14643.902	14668.171	38.11	34.30
2	0.0419	11930.9767	11760.463	11845.720	30.49	

从表11数据可见,栀子药材中栀子苷含量为34.30mg/g。

5　本制剂含量限度的确定

从表中数据可见,三批供试品中栀子苷最低含量在10.96mg/g,模拟样品中的栀子苷含量为10.85mg/g,栀子药材中栀子苷的含量为34.30mg/g。

根据本品处方量折算,理论上成品每1g含栀子苷应为11.43mg,转移率为10.85(mg/g)÷11.43(mg/g)×100%=94.93%。

参照《中国药典》2020年版一部"栀子"项下规定的栀子苷含量限度不得少于1.8%,转移率为94.93%,考虑不同产地药材的质量差异,并结合其他影响因素及三批样品的测定结果,下浮20%,按此限度折算本品含栀子苷的理论量应不低于10÷30×1000×1.8%×94.93%×80%=4.56mg。

标准正文暂定为:本品每1g含栀子以栀子苷($C_{17}H_{24}O_{10}$)计,不得少于4.5mg。

【功能与主治】

清血热,活血,通经。用于小腹胀痛,月经不通。

【用法与用量】

口服。一次3~5g,一日1~2次,水煎服。

【规格】

每袋(1)3g;(2)5g;(3)15g;(4)250g。

【贮藏】

密封,防潮。

起草单位:内蒙古盛唐国际蒙医药研究院　　张跃祥　崔圆圆　王　伟
　　　　　包头市检验检测中心　　　　　　吴　博　贺　鹏　王　皓
　　　　　内蒙古自治区药品检验研究院　　籍学伟　郭宝凤

伊和·乌兰汤质量标准起草说明

【历史沿革】

本方来源于《蒙医药传统验方》（内蒙古人民出版社 1975年版，蒙古文，第177页）。

【处方来源】

本制剂由内蒙古自治区国际蒙医医院提供。

【名称】

伊和·乌兰汤

【蒙药材和饮片的来源和执行标准】

1. 处方组成及药味排列顺序：橡子100g、接骨木80g、栀子60g、紫草茸40g、土木香20g、苦参20g、诃子20g、川楝子20g、茜草20g、枇杷叶20g、金莲花20g、紫草10g、山柰10g。

2. 处方中除紫草茸、橡子、接骨木和金莲花药材外，其余土木香等药味均收载于《中国药典》2020年版一部，其质量应符合该品种项下的有关规定。

紫草茸：为胶蚧科昆虫紫胶虫*Laccifer lacca* Kerr 在树枝上所分泌的树脂状胶质。其标准应符合《内蒙古蒙药饮片炮制规范》2020年版第436页该品种项下的有关规定。

接骨木：为忍冬科植物接骨木*Sambucus williamsii* Hance或毛接骨木*Sambucus siebodiana*（Miq.）Blume ex Graebner var. miquelii（Nakai）Hara的干燥茎枝。其标准应符合《中华人民共和国卫生部药品标准》（蒙药分册）1998 年版第 42 页该品种项下的有关规定。

橡子：为壳斗科植物蒙古栎*Quercus mongolica* Fisch. ex Turcx.和辽东栎*Quercus mongolica* Fisch. ex Turcz. var. liaotungensis（Koiaz）Nakai的干燥成熟果实。其标准应符合《中华人民共和国卫生部药品标准》（蒙药分册）1998 年版第 55 页该品种项下的有关规定。

金莲花：为毛茛科植物金莲花*Trollius chinensis* Bge.的干燥花。其质量应符合《中华人民共和国卫生部药品标准》（蒙药分册）1998 年版第30页该品种项下的有关规定。

【制法】

以上十三味，粉碎成中粉，过筛，混匀，分装，即得。

【性状】

本品为黄棕色至红棕色粉末；气微，味苦、辛、微涩。

【鉴别】

本品为药材粉末制成的汤剂，方中大多数药味的显微特征都比较明显，故对处方中的枇杷叶、诃子、栀子、金莲花建立显微鉴别，并对处方中紫草茸、山柰建立了薄层鉴别。

1. 试剂与试药

供试品：供试品（批号20190502、20190903、20190920）由内蒙古自治区国际蒙医医院提供，模拟样品（批号20200080）模拟。

对照品：紫草茸对照药材（批号121052-200302）、山柰对照药材（批号121504-201203）、土木香对照药材（批号1121090-201002）、对甲氧基肉桂酸乙酯对照品（批号110835-202005），均购于中国食品药品检定研究院。

薄层板：硅胶GF$_{254}$板、2%氢氧化钠溶液配制的硅胶G板，均购于青岛海洋化工有限公司。

所用其他试剂均为分析纯，水为离子交换高纯水。

2. 试验方法与结果

（1）显微鉴别

枇杷叶：非腺毛大型，单细胞，多弯曲，顶端钝圆，基部狭窄，中部直径17～43μm，微木化。诃子：石细胞淡黄色或鲜黄色，成群或单个散在，呈类圆形、卵圆形、类方形或长条形，有的略分支或一端稍尖突，孔沟细密而清晰。栀子：种皮石细胞黄色或淡棕色，多破碎，完整者长多角形、长方形或不规则形，壁厚，有大的圆形纹孔，胞腔棕红色。金莲花：花粉粒淡黄色，类圆形或圆三角形，外壁表面有细颗粒状突起，具3孔沟。

（2）栀子薄层鉴别

参照《中国药典》2020版一部"栀子"项下的薄层条件，通过阴性对照试验观察，方中其他药材对栀子的检出无干扰，此法具专属性。由于对栀子进行了含量测定，故其薄层鉴别未收入正文。

（3）苦参薄层鉴别

参照《中国药典》2020版一部"苦参"项下的薄层条件，通过阴性对照试验观察，方中其他药材对苦参的检出无干扰，此法具专属性。由于对苦参进行了显微鉴别，故其薄层鉴别未收入正文。

（4）紫草茸薄层鉴别

参照《卫生部药品标准》1995年版（藏药第一册）第106页"紫草茸"项下的薄层条件，制定出正文所述的鉴别方法。通过阴性对照试验观察，方中其他药材对紫草茸的检出无干扰，此法具专属性。

（5）山柰薄层鉴别

参照《中国药典》2020版一部"山柰"项下的薄层条件，制定出正文所述的鉴别方法。通过阴性对照试验观察，方中其他药材对山柰的检出无干扰，此法具专属性。

（6）土木香薄层鉴别

参照《中国药典》2020版一部"土木香"项下的薄层条件，通过阴性对照试验观察，方中其他药材对土木香的检出无干扰，此法具专属性。由于对土木香进行了显微鉴别，故其薄层鉴别未收入正文。

【检查】

按照汤（洗）剂［《内蒙古蒙药制剂规范》（第三册）附录Ⅰ C］项下规定，对三批供试品及模拟样品的外观均匀度、水分、重金属和砷盐进行了检查，具体方法及测定数据如下：

1. 外观均匀度：取供试品适量，置光滑纸上，平铺约5cm²，将其表面压平，在亮处观察，呈现均匀的色泽，无花纹、色斑。结果三批供试品及模拟样品均符合规定。

2. 水分：取供试品照水分测定法（《中国药典》2020年版四部通则0832）测定。三批供试品及模拟样品测得结果见表1。

表1 水分测定结果

序号	批号	水分（%）
1	20190502	3.2
2	20190903	4.8
3	20190920	3.0
4	20200080	4.1

《内蒙古蒙药制剂规范》(第三册)附录Ⅰ C汤(洗)剂项下规定,水分含量不得大于12.0%。从表1数据可见,本品水分含量均符合要求。

3. 对三批供试品及模拟样品进行了重金属和砷盐考察。方法与结果如下:

重金属:分别取每个批号供试品0.5g、0.67g、1.0g、2.0g,按《中国药典》2020年版四部0821第二法检查。

供试品溶液的制备:取本品0.5g、0.67g、1.0g、2.0g,分别缓缓炽灼至完全炭化,放冷,加硫酸0.5ml,使湿润,低温加热至硫酸除尽后,加硝酸0.5ml,蒸干,至氧化氮蒸气除尽后,放冷,于600℃炽灼至完全灰化,放冷。加盐酸2ml,置水浴上蒸干后加水15ml,滴加氨试液至对酚酞指示液显中性,再加醋酸盐缓冲液(pH3.5)2ml,微热溶解后,移置纳氏比色管中,加水稀释至25ml,作为供试品溶液。

标准铅对照溶液的制备:另取配制供试品溶液的试剂两份,分别置瓷皿中蒸干后,加醋酸盐缓冲液(pH3.5)2ml,加水15 ml微热溶解后,移置两支纳氏比色管中,分别加标准铅溶液(10μg/ml Pb)2ml,再加水稀释至25ml,作为标准铅对照溶液。

检视:于上述供试品溶液和标准铅对照溶液中分别加硫代乙酰胺试液各2ml,摇匀,放置2分钟,同置白色背景上,从上向下进行观察。试验结果见表2。

表2　重金属检查结果

序号	批号	重金属含量(ppm)			
1	20190502	<10	<20	<30	<40
2	20190903	<10	<20	<30	<40
3	20190920	<10	<20	<30	<40
4	20200080	<10	<20	<30	<40

结果显示,供试品溶液的颜色明显浅于2ml的标准铅对照管。经过三批供试品及模拟样品的检查,含重金属均未超过百万分之十,故未收入正文。

砷盐:取本品1g和标准砷溶液(1μg/ml AS)2ml,分别加无砷氢氧化钙1g,加少量水,搅匀,烘干,用小火缓缓炽灼至炭化,再在600℃炽灼至完全灰化,放冷。分别加盐酸7ml使溶解,再加水21ml,按《中国药典》2020年版四部通则0822第一法(古蔡氏法)做砷盐限量检查。

结果:供试品砷斑浅于标准砷斑的颜色,表明本品含砷量未超过百万分之二(小于2ppm),故砷盐检查项目未列入正文。

【含量测定】

伊和·乌兰汤是由土木香、苦参、接骨木等十三味药组成的蒙药制剂,具有清血热的功效。参照《中国药典》2020年版一部"土木香"项下的含量测定方法,采用气相色谱法,以土木香内酯和异土木香内酯为测定指标,进行含量测定方法的研究。因处方中其他成分干扰,未能建立土木香的含量测定方法。本试验对处方中另一药味栀子中栀子苷的含量进行了测定。参照《中国药典》2020年版一部"栀子"项下的含量测定方法,以栀子苷为指标,采用高效液相色谱法,建立含量测定方法。经方法学考察结果表明,该方法操作简单、重复性好、准确度高、专属性强。

● 栀子含量测定

1　仪器与试药试剂

1.1　仪器

高效液相色谱仪(日本岛津),LC-2030泵,SPD-20A检测器,SCL-20A色谱工作站;高效液相色谱仪(日本岛津),LC-2030A泵;BSA-223S型电子天平,BSA-224S型电子分析天平,MSA-6.6S-CE型电子天平;KQ-500DE型数控超声波清洗器。

1.2 试剂与试药

供试品（批号20190502、20190903、20190920）由内蒙古自治区国际蒙医医院提供，模拟样品（批号20200080）模拟；栀子苷对照品（批号110749-201919），购于中国食品药品检定研究院；甲醇、乙腈为色谱纯，水为高纯水，其他试剂均为分析纯。

2 方法学考察

2.1 色谱条件

2.1.1 色谱柱：色谱柱填充剂为十八烷基硅烷键合硅胶，本试验研究采用Phenomenex C$_{18}$柱（250mm×4.6mm，5μm）和Shim-packC$_{18}$柱（250mm×4.6mm，5μm）。

2.1.2 流动相的选择：参照《中国药典》2020年版一部 "栀子"项下含量测定方法，以乙腈-水（15：85）为流动相。

2.1.3 柱温：试验中对35℃和40℃柱温进行了比较，结果保留时间略有差异，但分离度及理论板数没有变化，本试验研究选择柱温为35℃。

2.1.4 检测波长的选择：取栀子苷对照品适量，加甲醇制成每1ml含0.060mg的溶液，通过二极管阵列检测器，在190～400nm进行光谱扫描，结果栀子苷在238nm处有最大吸收，因此采用238nm作为测定波长。

2.1.5 理论板数的确定：对三批供试品的测定结果表明，栀子苷峰的理论板数在5000以上能达到与相邻峰分开，故确定栀子苷峰的理论板数不低于5000。

2.2 提取方法的选择及提取效率的考察

2.2.1 提取溶剂的选择：参照《中国药典》2020年版一部 "栀子"项下含量测定方法，选择甲醇作为提取溶剂。

2.2.2 提取效率的考察：取本品（批号20190502）5份，各约1.0g，精密称定，分别置具塞锥形瓶中，精密加入甲醇25ml，密塞，称定重量，分别超声10分钟、20分钟、30分钟、40分钟、50分钟，取出，放冷，再称定重量，用甲醇补足减失的重量，摇匀，滤过，取续滤液，作为供试品溶液。精密吸取供试品溶液10μl，注入液相色谱仪进行测定。测得结果见表3。

表3 提取效率考察表

提取时间（min）	峰面积值（n =2）	栀子苷含量（mg/g）
10	3849646.5	5.172
20	3122273.5	6.462
30	3759490	6.576
40	3872185	6.508
50	3817882.5	6.570

从表3数据可见，超声提取30分钟后，栀子苷的含量基本稳定，故确定超声时间为30分钟。

2.3 专属性考察

2.3.1 对照品溶液的制备：取栀子苷对照品适量，加甲醇溶解，制成每1ml含60μg的溶液，作为对照品溶液。

2.3.2 供试品溶液的制备：取本品约1.0g，精密称定，置具塞锥形瓶中，精密加入甲醇50ml，密塞，称定重量，超声处理30分钟，放冷，再称定重量，用甲醇补足减失的重量，摇匀，滤过，取续滤液，作为供试品溶液。

2.3.3 阴性对照溶液的制备：按处方配比制备缺栀子的阴性供试品，按 "供试品溶液的制备"方法制备阴性对照溶液。

2.3.4 测定：分别精密吸取以上三种溶液各10μl，注入色谱仪，记录各自的色谱图。

试验结果显示，供试品色谱中在与对照品色谱保留时间相同的位置上有色谱峰出现，而阴性对照在与对照品色谱保留时间相同的位置上无色谱峰出现，表明该含量测定方法阴性无干扰，专属性好。

2.4 线性关系考察

取栀子苷对照品约3.0mg，精密称定，分别置25ml量瓶中，用甲醇溶解并稀释至刻度，摇匀。分别精密吸取2μl、5μl、10μl、15μl、20μl进样，按上述色谱条件测定，以峰面积对注入量进行回归分析。结果见表4。

表4 标准曲线数据及回归分析结果

对照品浓度（μg/ml）	峰面积值	回归方程	r
242.8	358890		
607	912480		
1214	1831415	$y=1515.7x-9962$	0.99998
1821	2737551		
2428	3678455		

从表4数据可见，栀子苷对照品在242.8~2428μg/ml范围内与峰面积值呈良好的线性关系。

2.5 稳定性试验

取同一供试品（20190502）溶液，分别在溶液制备后的0小时、2小时、4小时、6小时、8小时、10小时进样测定。结果见表5。

表5 溶液的稳定性试验结果

序号	时间（h）	峰面积值
1	0	1900892
2	2	1896270
3	4	1900424
4	6	1909683
5	8	1901957
6	10	1902253

从表5数据可见，供试品溶液在10小时内的峰面积值基本稳定。

2.6 重复性试验

取同一供试品（20190502）6份，各约1.0g，精密称定，置具塞锥形瓶中，精密加入甲醇50ml，密塞，称定重量，超声处理30分钟，放冷，再称定重量，用甲醇补足减失的重量，摇匀，滤过，取续滤液，作为供试品溶液。取栀子苷对照品适量，加甲醇溶解，制成每1ml含60μg的溶液，作为对照品溶液。分别精密吸取以上两种溶液各10μl，注入液相色谱仪，记录各自的色谱图，用外标法以峰面积计算含量。结果见表6。

表6 栀子苷重复性试验结果

取样量（g）	峰面积值	含量（mg/g）	平均含量（mg/g）	RSD（%）
1.0552	1947045.5	6.1440		
1.0070	1877992	6.1870		
1.0340	1950259	6.2803	6.1985	0.74
1.0608	1978634.5	6.2108		
1.0103	1872664	6.1719		
1.0075	1875199	6.1975		

从表6数据可见，在相同的提取溶剂和色谱条件下，6份供试品含量测定结果的均值为6.1985mg/g，RSD为

0.74%，表明该方法的重复性良好。

2.7 加样回收试验

取同一供试品（批号20190502，栀子苷含量6.1985mg/g）6份，每份约0.5g，精密称定，分别置具塞锥形瓶中，各精密加入栀子苷对照品3.00mg，再精密加入甲醇50ml，称定重量，摇匀，滤过，取续滤液，作为供试品溶液。分别按重复性试验项下方法进行测定，计算回收率。结果见表7。

表7 栀子苷加样回收试验结果

取样量（g）	供试品含量（mg）	对照品加入量（mg）	测得总量（mg）	回收率（%）	平均回收率（%）	RSD（%）
0.5022	3.1128	3.026	6.2246	101.82		
0.5171	3.2052	3.044	6.2570	100.25		
0.5118	3.1723	3.148	6.3612	101.29	100.6	0.87
0.5054	3.1327	3.052	6.2137	100.95		
0.5008	3.1042	3.036	6.1421	100.06		
0.5071	3.1432	3.030	6.1565	99.44		

从表7数据可见，本方法的平均回收率为100.6%，RSD为0.87%。该方法准确度好。

2.8 耐用性试验

换不同厂家、不同型号的色谱柱，取重复性试验中的供试品（批号20190502）及对照品溶液分别进样，测定含量。结果见表8。

表8 不同色谱柱的耐用试验

色谱柱型号	分离度	含量（mg/g）	相对偏差（%）
Shim-Pack	>1.5	6.1440	0.19
Phenomenex	>1.5	6.1202	

从表8数据可见，不同型号或厂家的色谱柱对测定结果影响较小。

3 样品含量测定

取三批样品（批号201900502、20190903、20190920）各2份，各约1.0g，精密称定，分别按重复性试验项下方法进行含量测定。结果见表9。

表9 样品中栀子苷的含量测定结果

批号	取样量（g）	平均峰面积值	含量（mg/g）	平均含量（mg/g）
20190502	1.0146	1138503	3.7364	3.741
	1.0056	1141317.5	3.7456	
20190903	1.0080	1166322	3.8527	3.796
	1.0212	1158679.5	3.7402	
20190920	1.0023	1138503	3.7364	3.785
	1.0103	1141317.5	3.7456	

从表9数据可见，栀子苷含量均在3.0mg/g以上。

4 药材的含量测定

在试验过程中，用相同方法对生产伊和·乌兰汤相应批次的栀子原料药材进行含量测定，根据药材含量，计算出成品中栀子苷的转移率。结果见表10。

批号	成品含量（mg/g）	栀子药材含量（%）	栀子苷转移率（%）
20190502	3.796		83.03
20190903	3.741	3.2	81.83
20190920	3.831		83.80

从表10数据可见，伊和·乌兰汤中栀子苷的转移率在80%以上。

5　本制剂含量限度的确定

参照《中国药典》2020年版一部"栀子"项下规定含栀子苷量不得少于1.8%，按平均转移率为82.88%，考虑不同产地药材的质量差异，并结合其他影响因素及三批样品的测定结果，按此限度折算本品含栀子苷的理论量应不低于60÷440×1.8%×82.88%×1000=2.03mg/g。

标准正文暂定为：本品每1g含栀子以栀子苷（$C_{17}H_{24}O_{10}$）计，不得少于2.2mg。

● 土木香含量测定

1　仪器与试剂试药

1.1　仪器

高效液相色谱仪（日本岛津），LC-2030泵，SPD-20A检测器，SCL-20A色谱工作站；高效液相色谱仪（日本岛津），LC-2030A泵；BSA-223S型电子天平，BSA-224S型电子分析天平，MSA-6.6S-CE型电子天平；KQ-500DE型数控超声波清洗器。

1.2　试剂与试药

供试品（批号20190502、20190903、20190920）由内蒙古自治区国际蒙医医院提供，模拟样品（批号20200080）模拟；土木香内酯对照品（批号110760-201008）、异土木香内酯对照品（批号110761-200203），均购于中国食品药品检定研究院；甲醇、乙腈为色谱纯，水为高纯水，其他试剂均为分析纯。

2　方法学考察

2.1　色谱条件

参照《中国药典》2020年版一部"土木香"项下的含量测定方法，采用HP-INNOAX色谱柱，柱长30m，内径0.32mm，膜厚度0.5μm；程序升温：初始温度180℃，以每分钟2℃的速率升温至200℃，保持23分钟，再以每分钟20℃的速率升温至240℃，保持7分钟；进样口温度240℃；检测器温度300℃。

2.2　溶液的制备

2.2.1　对照品溶液的制备：取土木香内酯对照品、异土木香内酯对照品，加乙酸乙酯制成每1ml各含0.2mg的混合溶液。

2.2.2　供试品溶液的制备：取本品约5.0g，精密称定，置具塞锥形瓶中，精密加入乙酸乙酯25ml，密塞，称定重量，超声处理30分钟，放冷，再称定重量，用乙酸乙酯补足减失的重量，摇匀，滤过，滤液作为供试品溶液。

2.3　专属性考察

取按处方比例并以相同工艺制备的不含土木香的阴性样品，按供试品溶液的制备方法制得阴性对照溶液。

精密吸取阴性对照溶液及"2.2"项下的供试品溶液、对照品溶液各1μl，按确定的色谱条件测定。

结果显示，阴性对照色谱中在与异土木香内酯对照品相同的保留时间处有色谱峰，表明处方中其他药味对异土木香内酯的测定有干扰，故未能建立起土木香的含量测定方法。

【功能与主治】

清血热。用于成熟与未成熟热，伤风感冒，白脉病，血热，肺热。

【用法与用量】

口服。一次3~5g,一日1~2次,水煎服。

【规格】

每袋(1)3g;(2)5g;(3)15g;(4)250g。

【贮藏】

密封,防潮。

起草单位: 内蒙古自治区国际蒙医医院　　塔　娜　浩斯毕力格　乌日乐格　那松巴乙拉

包头市检验检测中心　　靖彩霞　董　宇　张　琳

苏木-6汤 质量标准起草说明

【历史沿革】

本处方来源于《蒙医药简编》（内蒙古人民出版社1977年版，蒙古文，第75页）。

【处方来源】

本制剂由内蒙古自治区国际蒙医医院提供。

【名称】

苏木-6汤

【蒙药材和饮片的来源和执行标准】

1. 处方组成及药味排列顺序：苏木40g、木香10g、槟榔15g、益智仁10g、生草果仁10g、高良姜15g。

2. 处方中药味均收载于《中国药典》2020年版一部，其质量应符合该品种项下的有关规定。

【制法】

以上六味，粉碎成中粉，过筛，混匀，分装，即得。

【性状】

本品为黄褐色至红褐色粉末；气微香，味辛、涩。

【鉴别】

本品为药材粉末制成的汤剂，方中大多数药味的显微特征都比较明显，故对处方中的苏木、槟榔、生草果仁、高良姜建立显微鉴别，并对处方中的苏木建立了薄层鉴别。

1. 试剂与试药

供试品：供试品（批号201901001、201901002、201901003）由内蒙古自治区国际蒙医医院提供，模拟样品（批号20190917）模拟。

对照品：苏木对照药材（批号121067-201606），购于中国食品药品检定研究院。

薄层板：硅胶GF$_{254}$板，购于青岛海洋化工有限公司。

所用其他试剂均为分析纯，水为离子交换高纯水。

2. 试验方法与结果

（1）显微鉴别

苏木：纤维束橙黄色，周围薄壁细胞含草酸钙方晶，形成晶纤维。槟榔：内胚乳细胞碎片壁较厚，有较多大的类圆形纹孔。生草果仁：内种皮细胞黄棕色至红棕色，表面观呈类圆形，侧面观呈圆柱形，胞腔位于一端，内含硅质块。高良姜：淀粉粒棒槌形，长24～44μm或更长，脐点点状、短缝状或三叉状。

（2）苏木薄层鉴别

参照《中国药典》2020年版一部"苏木"项下的薄层条件，制定正文所述的鉴别方法。通过阴性对照试验观察，方中其他药材对苏木药材的检出无干扰，证明此方法具有专属性。

【检查】

按照汤(洗)剂[《内蒙古蒙药制剂规范》(第三册)附录Ⅰ C]项下规定,对三批供试品及模拟样品的外观均匀度、水分、重金属和砷盐进行了检查。具体方法及测定数据如下:

1. 外观均匀度:取供试品适量,置光滑纸上,平铺约5cm²,将其表面压平,在亮处观察,呈现均匀的色泽,无花纹、色斑。结果三批供试品及模拟样品均符合规定。

2. 水分:取供试品照水分测定法(《中国药典》2020年版四部 通则0832)测定。三批供试品及模拟样品的测定结果见表1。

表1 水分测定结果

序号	批号	水分(%)
1	201901001	6.48
2	201901002	6.29
3	201901003	6.84
4	20190917	7.01

《内蒙古蒙药制剂规范》(第三册)附录Ⅰ C汤(洗)剂项下规定,水分含量不得大于12.0%。从表1数据可见,本品水分含量符合要求。

3. 对三批供试品及模拟样品进行了重金属和砷盐考察。方法与结果如下:

重金属:分别取每个批号供试品0.5g、0.67g、1.0g、2.0g,按《中国药典》2020年版四部0821第二法检查。

供试品溶液的制备:取本品0.5g、0.67g、1.0g、2.0g,分别缓缓炽灼至完全炭化,放冷,加硫酸0.5ml,使湿润,低温加热至硫酸除尽后,加硝酸0.5ml,蒸干,至氧化氮蒸气除尽后,放冷,于600℃炽灼至完全灰化,放冷。加盐酸2ml,置水浴上蒸干后加水15ml,滴加氨试液至对酚酞指示液显中性,再加醋酸盐缓冲液(pH3.5)2ml,微热溶解后,移置纳氏比色管中,加水稀释至25ml,作为供试品溶液。

标准铅对照溶液的制备:另取配制供试品溶液的试剂两份,分别置瓷皿中蒸干后,加醋酸盐缓冲液(pH3.5)2ml,加水15ml微热溶解后,移置两支纳氏比色管中,分别加标准铅溶液(10μg/ml Pb)2ml,再加水稀释至25ml,作为标准铅对照溶液。

检视:于上述供试品溶液和标准铅对照溶液中分别加硫代乙酰胺试液2ml,摇匀,放置2分钟,同置白色背景上,从上向下进行观察。试验结果见表2。

表2 重金属检查结果

序号	批号	重金属含量(ppm)			
1	201901001	<10	<20	<30	<40
2	201901002	<10	<20	<30	<40
3	201901003	<10	<20	<30	<40
4	20190917	<10	<20	<30	<40

砷盐:取本品1g和标准砷溶液(1μg/ml AS)2ml,分别加无砷氢氧化钙1g,加少量水,搅匀,烘干,用小火缓缓炽灼至炭化,再在600℃炽灼至完全灰化,放冷。分别加盐酸7ml使溶解,再加水21ml,按《中国药典》2020年版四部通则0822第一法(古蔡氏法)做砷盐限量检查。

结果:供试品砷斑浅于标准砷斑的颜色,表明本品含砷量未超过百万分之二(小于2ppm),故砷盐检查项目未列入正文。

【含量测定】

苏木-6汤是由苏木、木香、槟榔、益智仁、生草果仁、高良姜六味药材组成，临床功效温胃，祛肾寒。用于肾寒引起的腰腿痛，膀胱痛，眼花，白带过多，尿道灼痛。木香功效行气止痛，健脾消食。木香烃内酯和去氢木香内酯为木香中的主要成分，故选择木香烃内酯和去氢木香内酯作为指标成分，对本制剂中的木香进行含量测定方法的研究。故参照《中国药典》2020年版一部"木香"项下的含量测定方法，选择木香烃内酯和去氢木香内酯作为指标成分，对本制剂中的木香进行了HPLC含量测定方法研究。经分析方法验证，表明该方法重复性好、专属性强，方中其他组分对木香烃内酯和去氢木香内酯的测定无干扰。

1 仪器与试剂试药

1.1 仪器

Waters e2695 型高效液相色谱仪；Mettler–Toledo MS105DU型百万分之一电子天平，Mettler–Toledo XPR10型万分之一电子天平；SBL–22DT型超声波清洗器（宁波新芝生物科技股份有限公司，40kHz）；Heal Force NW15UV型超纯水系统；FW400A型多功能粉碎机（材茂科技有限公司）。

1.2 试剂与试药

供试品（批号201901001、201909002、201909003），由内蒙古自治区国际蒙医医院提供，模拟样品（批号20190917）模拟；木香烃内酯对照品（批号111524–2019111）、去氢木香内酯对照品（批号111525–201912），均购于中国食品药品检定研究院；甲醇为色谱纯，水为超纯水，所用其他试剂均为分析纯。

2 方法学考察

2.1 色谱条件

2.1.1 色谱柱：色谱柱填充剂为十八烷基硅烷键合硅胶，本试验采用Pheomenex C_{18}（250mm×4.6mm，5μm）色谱柱。

2.1.2 流动相的选择：参照《中国药典》2020年版一部"木香"含量测定项下的测定方法，以甲醇–水（65∶35）为流动相，供试品中的木香烃内酯和去氢木香内酯与其他成分能达到较好的分离，色谱峰具有比较好的保留时间、分离度和对称性，故选择以甲醇–水（65∶35）为流动相。

2.1.3 柱温：35℃可以保证柱压较低，分离效果稳定，保留时间变化小。

2.1.4 检测波长的选择：参照《中国药典》2020年版一部"木香"含量测定项下木香烃内酯的测定方法，选用225nm处作为检测波长。

2.1.5 理论板数的确定：从对三批样品的测定结果可见，木香烃内酯和去氢木香内酯峰理论板数在4000以上即能达到较好的分离效果，故规定理论板数按木香烃内酯和去氢木香内酯峰计算均应不低于4000。

2.2 提取溶剂及提取效率的考察

2.2.1 提取溶剂的选择：参照《中国药典》2020年版第一部"木香"含量测定项下方法采用甲醇作为提取溶剂。

2.2.2 提取效率的考察：以甲醇作为提取溶剂进行超声提取。为保证被测成分提取完全，在供试品的细度一致、提取溶剂为甲醇、超声（功率250W，频率40kHz）的条件下，分别考察了提取20分钟、30分钟和40分钟时的提取效率。结果见表3和表4。

表3 木香烃内酯提取时间考察

提取时间（min）	取样量（g）	平均峰面积值	含量（mg/g）
20	1.8005	1872500	1.33
30	1.8069	2005450	1.42
40	1.8014	1877984	1.34
50	1.8026	1911357	1.36

表4　去氢木香内酯提取时间考察

提取时间（min）	取样量（g）	平均峰面积值	含量（mg/g）
20	1.8005	1575799	1.72
30	1.8069	1675484	1.82
40	1.8014	1568210	1.71
50	1.8026	1592718	1.73

从表3、表4数据可见，超声提取20分钟、30分钟、40分钟和50分钟时，供试品中木香烃内酯和去氢木香内酯的含量基本一致，故将提取时间定为30分钟。这与《中国药典》2020年版一部"木香"含量测定项下的提取时间一致。

2.3　专属性考察

2.3.1　对照品溶液的制备：取木香烃内酯对照品适量，精密称定，加甲醇制成每1ml含木香烃内酯100μg、去氢木香内酯80μg的混合对照品溶液，作为对照品溶液。

2.3.2　供试品溶液的制备：取供试品粉末约1.5g，精密称定，置具塞锥形瓶中，精密加入甲醇25ml，密塞，称定重量，超声处理（功率250W，频率40kHz）30分钟，放冷至室温，再称定重量，用甲醇补足减失的重量，摇匀，滤过，取续滤液，作为供试品溶液。

2.3.3　阴性对照溶液的制备：按本品处方工艺制备不含木香的阴性供试品，按"供试品溶液的制备"方法制备阴性对照溶液。

2.3.4　测定：在上述色谱条件下，分别精密吸取上述三种溶液各10μl，分别注入液相色谱仪进行测定，记录色谱图。

试验结果显示，供试品色谱中在与对照品色谱保留时间相同的位置上有色谱峰出现，而阴性对照在与对照品色谱保留时间相同的位置上无色谱峰出现，表明该含量测定方法阴性无干扰，专属性好。

2.4　线性关系考察

取木香烃内酯约2.5mg和去氢木香内酯对照品约2.0mg，精密称定，置25ml容量瓶中，用甲醇使溶解，并稀释至刻度，摇匀，作为对照品溶液（木香烃内酯浓度为0.10304mg/ml，去氢木香内酯浓度为0.0829mg/ml）；精密吸取上述对照品溶液2μl、5μl、10μl、15μl、20μl和25μl注入液相色谱仪，按上述色谱条件进行测定，以峰面积对进样量进行回归分析。结果见表5和表6。

表5　木香烃内酯标准曲线数据及回归方程结果表

序号	进样量（μg）	峰面积值	回归方程	r
1	0.2061	284959		
2	0.5152	910210		
3	1.030	1890584	$y=1932362.3999x-95887.8316$	0.9999
4	1.546	2915857		
5	2.061	3887613		
6	2.576	4867393		

表6　去氢木香内酯标准曲线数据及回归方程结果表

序号	进样量（μg）	峰面积值	回归方程	r
1	0.1658	133427		
2	0.4146	476744		
3	0.8292	1023804	$y=1336685.2834x-85361.7660$	0.9998
4	1.244	1578798		
5	1.658	2105002		
6	2.023	2637421		

从表5、表6数据可见,木香烃内酯在0.2061~2.576μg范围内与峰面积呈良好的线性关系,去氢木香内酯在0.1658~2.023μg范围内与峰面积呈良好的线性关系。

2.5 精密度试验

取同一份供试品(批号201901001)溶液,连续进样6针,记录色谱图。木香烃内酯和去氢木香内酯峰面积的精密度计算结果见表7和表8。

表7 供试品溶液中木香烃内酯精密度试验结果

序号	峰面积值	平均峰面积值	RSD(%)
1	1705437		
2	1715344		
3	1718818	1716707	0.75
4	1707293		
5	1712453		
6	1740896		

表8 供试品溶液中去氢木香内酯精密度试验结果

序号	峰面积值	平均峰面积值	RSD(%)
1	1428393		
2	1430276		
3	1436761	1438277	0.55
4	1442648		
5	1442434		
6	1449149		

从表7、表8数据可见,符合《中国药典》2020年版四部通则0512中规定的RSD值小于2.0%的要求。

2.6 稳定性试验

取同一份供试品(批号201901001)溶液,分别于制备溶液后的0小时、2小时、4小时、6小时、10小时、12小时进行测定。结果见表9和表10。

表9 供试品溶液中木香烃内酯稳定性试验结果

序号	取样量(g)	峰面积值	RSD(%)
1	0	1541731	
2	2	1563119	
3	4	1584012	1.98
4	6	1594962	
5	10	1610039	
6	12	1628485	

表10 供试品溶液中去氢木香内酯稳定性试验结果

序号	取样量(g)	峰面积值	RSD(%)
1	0	1284232	
2	2	1298368	
3	4	1326288	1.81
4	6	1334591	
5	10	1329313	
6	12	1347608	

从表9、表10数据可见，供试品溶液木香烃内酯和去氢木香内酯在12小时内的峰面积值基本稳定。

2.7 重复性试验

取同一供试品（批号201901001）6份，各约1.5g，精密称定，置具塞锥形瓶中，精密加入甲醇25ml，密塞，称定重量，超声处理（功率250W，频率40kHz）30分钟，放冷至室温，再称定重量，用甲醇补足减失的重量，摇匀，滤过，取续滤液，作为供试品溶液。精密吸取10μl注入液相色谱仪进行测定，记录色谱图及峰面积，按外标法计算含量。结果见表11和表12。

表11 供试品溶液中木香烃内酯重复性试验结果

序号	称样量（g）	平均峰面积值	含量（mg/g）	平均含量（mg/g）	RSD（%）
1	1.4998	1560585.5	1.34		
2	1.5038	1623455.5	1.37		
3	1.5037	1602612.5	1.36	1.37	1.81
4	1.5023	1580830	1.35		
5	1.5029	1628027	1.38		
6	1.5098	1674032.5	1.41		

表12 供试品溶液中去氢木香内酯重复性试验结果

序号	称样量（g）	平均峰面积值	含量（mg/g）	平均含量（mg/g）	RSD（%）
1	1.4998	1306788	1.73		
2	1.5038	1332951	1.76		
3	1.5037	1318383	1.74	1.77	1.94
4	1.5023	1335293	1.76		
5	1.5029	1370384	1.81		
6	1.5098	1379604	1.81		

从表11、表12数据可见，6份供试品中木香烃内酯和去氢木香内酯含量测定结果的均值分别为1.37mg/g，RSD为1.81%和1.77mg/g，RSD为1.94%，表明该方法的重复性好。

2.8 加样回收试验

取已知含量的（木香烃内酯含量为1.37mg/g，去氢木香内酯含量为1.77mg/g）供试品9份，各约0.2g，精密称定，分别置9个具塞锥形瓶中，分别在其中3个具塞锥形瓶中精密加入木香烃内酯对照品（浓度为0.134mg/ml）和去氢木香内酯对照品（浓度为0.174mg/ml）混合溶液1ml（约相当于供试品含有量的50%）及甲醇24ml，另3个具塞锥形瓶中各精密加入上述对照品溶液2ml（约相当于供试品含有量的100%）及甲醇23ml，其余3个具塞锥形瓶中各精密加入上述对照品溶液3ml（约相当于供试品含有量的150%）及甲醇22ml，分别称定重量，超声处理30分钟，取出，再称重，用甲醇补足减失重量，摇匀，滤过。分别精密吸取各溶液10μl注入液相色谱仪进行测定，记录色谱图和峰面积，按外标法计算含量，再计算回收率。结果见表13和表14。

表13 供试品溶液中木香烃内酯加样回收试验结果

序号	称样量（g）	供试品含量（mg）	对照品加入量（mg）	测得总量（mg）	回收率（%）	平均回收率（%）	RSD（%）
1	0.2026	0.2776	0.134	0.42	106.37		
2	0.2047	0.2804	0.134	0.42	105.19		
3	0.2022	0.2770	0.134	0.42	106.71	106.30	1.72
4	0.2054	0.2814	0.268	0.56	105.26		
5	0.2075	0.2843	0.268	0.57	107.91		
6	0.2065	0.2829	0.268	0.57	108.04		

续表

序号	称样量（g）	供试品含量（mg）	对照品加入量（mg）	测得总量（mg）	回收率（%）	平均回收率（%）	RSD（%）
7	0.2046	0.2803	0.402	0.69	102.43		
8	0.2086	0.2858	0.402	0.71	106.64	106.30	1.72
9	0.2091	0.2865	0.402	0.72	108.17		

表14 供试品溶液中去氢木香内酯加样回收试验结果

序号	称样量（g）	供试品含量（mg）	对照品加入量（mg）	测得总量（mg）	回收率（%）	平均回收率（%）	RSD（%）
1	0.2146	0.3798	0.174	0.56	102.54		
2	0.2147	0.3800	0.174	0.55	99.02		
3	0.2162	0.3827	0.174	0.56	102.20		
4	0.2154	0.3813	0.348	0.73	100.04		
5	0.2155	0.3814	0.348	0.74	102.27	100.64	1.90
6	0.215	0.3806	0.348	0.73	100.42		
7	0.2156	0.3816	0.522	0.92	102.26		
8	0.2156	0.3816	0.522	0.89	96.82		
9	0.2051	0.3630	0.522	0.91	100.25		

从表13、14数据可见，木香烃内酯和去氢木香内酯的平均回收率分别为106.30%和100.64%，RSD分别为1.72%和1.90%。该方法准确度好。

2.9 耐用性试验

取供试品（批号201901001）2份，各约1.5g，精密称定，置具塞锥形瓶中，精密加入甲醇25ml，密塞，称定重量，超声处理（功率250W，频率40kHz）30分钟，放冷至室温，再称定重量，用甲醇补足减失的重量，摇匀，滤过，取续滤液，作为供试品溶液。换不同厂家、不同型号的色谱柱，分别测定供试品的含量。结果见表15和表16。

表15 色谱柱耐用性试验（木香烃内酯）

序号	取样量（g）	柱型号	平均峰面积值	含量（mg/g）
1	1.5038	Pheomenex C18	1958121	1.30
	1.5038	Alltima C18	1890732	1.23
2	1.5037	Pheomenex C18	1819161	1.20
	1.5037	AlltimaC18	1797163	1.16

表16 色谱柱耐用性试验（去氢木香内酯）

序号	取样量（g）	柱型号	平均峰面积值	含量（mg/g）
1	1.5038	Pheomenex C18	1717988	1.70
	1.5038	Alltima C18	1686795	1.63
2	1.5037	Pheomenex C18	1608454	1.59
	1.5037	AlltimaC18	1643687	1.59

从表15、表16数据可见，不同型号或厂家的色谱柱对木香烃内酯和去氢木香内酯的测定结果影响较小。

3 样品含量测定

取三批样品（批号201901001、201901002、201901003）及模拟样品（批号20191001）各2份，各约1.5g，精密称定，按重复性试验项下方法处理，分别测定并按外标法计算三批样品含量。含量测定结果见表17和表18。

表17　样品中木香烃内酯的含量测定结果

批号	取样量（g）	样品峰面积值			含量（mg/g）	平均含量（mg/g）
		A	B	平均		
201901001	1.5002	1462443	1341975	1402209	1.02	
201901002	1.5005	1533286	1584523	1558904.5	1.14	1.05
201901003	1.5069	1347804	1349832	1348836	0.98	
20190917	1.4998	1562669	1558502	1560585.5	1.34	1.35
	1.5038	1606520	1640391	1623455.5	1.37	

表18　样品中去氢木香内酯的含量测定结果

批号	取样量（g）	样品峰面积值			含量（mg/g）	平均含量（mg/g）
		A	B	平均		
201901001	1.5002	1255089	1197437	1226263	1.76	
201901002	1.5005	1299362	1218689	1259025.5	1.77	1.76
201901003	1.5069	1340108	1243656	1291882	1.74	
20190917	1.4998	1303902	1309673	1306787.5	1.79	1.80
	1.5038	1312869	1353032	1332950.5	1.82	

从表17、表18数据可见，三批样品和模拟样品中木香烃内酯含量最低为0.98mg/g，最高为1.37mg/g，去氢木香内酯含量最低为1.74mg/g，最高为1.82mg/g。含量之间无明显差异。

4　木香药材含量测定

试验中采用同法对上述三批样品生产用木香药材进行了含量测定。测定结果见表19和表20。

表19　木香药材中木香烃内酯的含量测定结果

序号	取样量（g）	平均峰面积值（n=2）		含量（mg/g）	平均含量（mg/g）
1	0.2028	2406508 2351108	2378808	16.18	
2	0.2062	2404952 2390045	2397499	16.04	16.11

表20　木香药材中去氢木香内酯的含量测定结果

序号	取样量（g）	平均峰面积值（n=2）		含量（mg/g）	平均含量（mg/g）
1	1.2008	2023051 2032099	2027575	20.99	
2	0.2062	2045731 2050993	2048362	20.86	20.93

从表19、表20数据可见，木香药材中木香烃内酯和去氢木香内酯的平均含量分别为16.11mg/g和20.93mg/g，总含量为37.04mg/g（3.70%）。

5　本制剂含量限度的确定

三批样品中木香烃内酯和去氢木香内酯的总含量最低为2.72mg/g，木香药材中木香烃内酯和去氢木香内酯总含量为37.04mg/g（3.70%），模拟样品中木香烃内酯和去氢木香内酯的总含量平均为3.15mg/g。

根据本品处方量折算，理论上每1g供试品含木香药材0.1000g，木香烃内酯的含量为0.1000（g）×3.70%×1000=3.70mg，即3.70mg/g。因此，转移率为2.72÷3.7×100%=73.5%到3.15÷3.7×100%=85.1%，平均转移率为79.3%。

参照《中国药典》2020年版一部"木香"药材的木香烃内酯和去氢木香内酯的总含量限度不得少于1.8%，转移率为79.3%，考虑不同产地药材的质量差异，并结合其他影响因素及三批样品的测定结果，下浮20%，按此限度折算本品含木香烃内酯和去氢木香内酯总的理论量应不低于$10 \div 100 \times 1000 \times 1.8\% \times 79.3\% \times 80\% = 1.14$mg/g。

标准正文暂定为：本品每1g含木香以木香烃内酯（$C_{15}H_{20}O_2$）和去氢木香内酯（$C_{15}H_{18}O_2$）总量计，不得少于1.2mg。

【功能与主治】

温胃，祛肾寒。用于肾寒引起的腰腿痛，膀胱痛，眼花，白带过多，尿道灼痛。

【用法与用量】

口服。一次3~5g，一日1~2次，水煎服。

【规格】

每袋（1）3g；（2）5g；（3）15g；（4）250g。

【贮藏】

密封，防潮。

起草单位：内蒙古盛唐国际蒙医药研究院　　崔圆圆　张跃祥　赵粉荣

赤峰市药品检验所　　刘建海　李海华　张德瑞　张　戈

内蒙古医科大学附属医院　　王秋桐

苏格木勒-4汤质量标准起草说明

【历史沿革】

本方来源于国医大师苏荣扎布大夫经验方。

【处方来源】

本制剂由内蒙古自治区国际蒙医医院提供。

【名称】

苏格木勒-4汤

【蒙药材和饮片的来源和执行标准】

1. 处方组成及药味排列顺序：豆蔻10g、香旱芹10g、荜茇10g、酸枣仁10g。

2. 处方中除了香旱芹药材外，其余豆蔻等药味均收载于《中国药典》2020年版一部，其质量应符合该品种项下的有关规定。

香旱芹：为伞形科植物香旱芹 *Cuminum cyminum* L.的干燥成熟果实。其标准应符合《中华人民共和国卫生部药品标准》（藏药第一册）1995年版第72页该品种项下的有关规定。

【制法】

以上四味，粉碎成中粉，过筛，混匀，分装，即得。

【性状】

本品为灰棕色至棕褐色粉末；气香，味辛、微辣。

【鉴别】

本品为药材粉末制成的汤剂，对处方中豆蔻、荜茇、酸枣仁建立显微鉴别，并对处方中豆蔻建立了薄层鉴别。

1. 试剂与试药

供试品：供试品（批号20190811、20200330、20200721）由内蒙古自治区国际蒙医医院提供，模拟样品（批号20200089）模拟。

对照品：桉油精对照品（批号110788-201707），购于中国食品药品检定研究院。

薄层板：硅胶G板，购于青岛海洋化工有限公司。

所用其他试剂均为分析纯，水为离子交换高纯水。

2. 试验方法与结果

（1）显微鉴别

豆蔻：内种皮细胞成片，红棕色或黄棕色，表面观大多呈五角形或六角形，壁厚，非木化，胞腔内含硅质块。荜茇：石细胞类圆形、长卵形或多角形，直径25~61μm，长至170μm，壁较厚，有的层纹明显。酸枣仁：内种皮细胞棕黄色，表面观长方形或类方形，垂周壁连珠状增厚。

（2）豆蔻薄层鉴别

参照《中国药典》2020年版一部"豆蔻"项下的薄层条件，制定出正文所述的鉴别方法。通过阴性对照试验观察,方中其他药材对豆蔻的检出无干扰,证明此方法具有专属性。

【检查】

按照汤(洗)剂[《内蒙古蒙药制剂规范》(第三册)附录Ⅰ C]项下规定,对三批供试品及模拟样品的外观均匀度、水分、重金属和砷盐进行了检查,具体方法及测定数据如下:

1. 外观均匀度:取供试品适量,置光滑纸上,平铺约5cm²,将其表面压平,在亮处观察,呈现均匀的色泽,无花纹、色斑。结果三批供试品及模拟样品均符合规定。

2. 水分:取供试品照水分测定法(《中国药典》2020年版四部通则0832)测定。三批供试品及模拟样品测得结果见表1。

表1 水分测定结果

序号	批号	水分(%)
1	20190811	0.05
2	20200330	0.03
3	20200721	0.03
4	20200089	0.03

《内蒙古蒙药制剂规范》(第三册)附录Ⅰ C汤(洗)剂项下规定,水分含量不得大于12.0%。从表1数据可见,本品水分含量均符合要求。

3. 对三批供试品及模拟样品进行了重金属和砷盐考察。方法与结果如下:

重金属:分别取每个批号供试品0.5g、0.67g、1.0g、2.0g,按《中国药典》2020年版四部0821第二法检查。

供试品溶液的制备:取本品0.5g、0.67g、1.0g、2.0g,分别缓缓炽灼至完全炭化,放冷,加硫酸0.5ml,使湿润,低温加热至硫酸除尽后,加硝酸0.5ml,蒸干,至氧化氮蒸气除尽后,放冷,于600℃炽灼至完全灰化,放冷。加盐酸2ml,置水浴上蒸干后加水15ml,滴加氨试液至对酚酞指示液显中性,再加醋酸盐缓冲液(pH3.5)2ml,微热溶解后,移置纳氏比色管中,加水稀释至25ml,作为供试品溶液。

标准铅对照溶液的制备:另取配制供试品溶液的试剂两份,分别置瓷皿中蒸干后,加醋酸盐缓冲液(pH3.5)2ml,加水15 ml微热溶解后,移置两支纳氏比色管中,分别加标准铅溶液(10μg/ml Pb)2ml,再加水稀释至25ml,作为标准铅对照溶液。

检视:于上述供试品溶液和标准铅对照溶液中分别加硫代乙酰胺试液各2ml,摇匀,放置2分钟,同置白色背景上,从上向下进行观察。试验结果见表2。

表2 重金属检查结果

序号	批号	重金属含量(ppm)			
1	20190811	<10	<20	<30	<40
2	20200330	<10	<20	<30	<40
3	20200721	<10	<20	<30	<40
4	20200089	<10	<20	<30	<40

结果显示,供试品溶液的颜色明显浅于2ml的标准铅对照管。经过三批供试品及模拟样品的检查,含重金属均未超过百万分之十,故未收入正文。

砷盐:取本品1g和标准砷溶液(1μg/ml AS)2ml,分别加无砷氢氧化钙1g,加少量水,搅匀,烘干,用小火缓缓炽灼至炭化,再在600℃炽灼至完全灰化,放冷。分别加盐酸7ml使溶解,再加水21ml,按《中国药典》2020年版四部通则0822第一法(古蔡氏法)做砷盐限量检查。

结果：供试品砷斑浅于标准砷斑的颜色，表明本品含砷量未超过百万分之二（小于2ppm），故砷盐检查项目未列入正文。

【含量测定】

苏格木勒-4汤是由豆蔻、荜茇、香旱芹、酸枣仁等四味药组成的复方制剂。具有治疗失眠作用，是本制剂镇静、安神的基础，其中荜茇具温中散寒，下气止痛作用。参照《中国药典》2020年版一部中"荜茇"项下的含量测定方法，对处方中荜茇所含的胡椒碱进行测定，通过试验分析，结果表明该方法重复性好，专属性强，方中其他组分胡椒碱的测定无干扰。

1 仪器与试剂试药

1.1 仪器

岛津LC-10AT泵，岛津SPD-10A检测器，岛津CLASS-VP色谱工作站；岛津uv-1700型紫外分光光度仪；Sartorius BP211D型电子分析天平，Precisa 92SM-202A型电子分析天平。

1.2 试剂与试药

供试品（批号20190811、20200330、20200721）由内蒙古自治区国际蒙医医院提供，模拟样品（批号20200089）模拟。胡椒碱对照品（批号110775-201706），购于中国药品生物制品检定所；甲醇为色谱纯，水为高纯水，其他试剂均为分析纯。

2 方法学考察

2.1 色谱条件

2.1.1 色谱柱：色谱柱填充剂为十八烷基硅烷键合硅胶，本试验研究采用Phenomenex C_{18}柱（250mm×4.6mm，5μm）及Kromasil ODS柱（250mm×4.6mm，5μm）。

2.1.2 流动相的选择：参照《中国药典》2020年版一部"荜茇"项下方法，以甲醇-水（77：23）为流动相，样品中胡椒碱峰与其他成分达到较好的分离度，并具合适的保留时间，故将流动相定为甲醇-水（77：23）。

2.1.3 柱温：采用40℃柱温，可降低流动相黏度和柱压并改善分离效果，故将柱温定为40℃。

2.1.4 检测波长的选择：取胡椒碱对照品溶液，于紫外可见分光光度仪上，在200~700nm做光谱扫描，胡椒碱在336nm波长处有最大吸收，参照《中国药典》2020年版一部"荜茇"项下的规定，选用343nm作为检测波长。

2.1.5 理论板数的确定：对多批供试品测定结果表明，胡椒碱峰的理论板数在3000以上即能达到与相邻峰分开，并符合《中国药典》规定R>1.5的要求，故本标准规定理论板数按胡椒碱峰计不得低于3000。

2.2 提取方法的选择及提取效率的考察

参照《中国药典》2020年版一部"荜茇"项下方法，以无水乙醇作为提取溶剂进行超声处理，试验中考察了超声20分钟、30分钟、40分钟等不同提取时间对提取效率的影响，结果见表3。胡椒碱对照品峰面积分别为1766691、1759638、1767669、1760925、1766685，平均为1764322。胡椒碱对照品溶液制备：精密称取胡椒碱对照品0.01055g置于10ml量瓶中，加无水乙醇到刻度，精密量取1ml加无水乙醇稀释至50ml。

表3 提取时间考察

提取时间（min）	取样量（g）	平均峰面积	含量（mg/g）
20	0.5045	1753644	2.076
30	0.5046	1750294	2.077
40	0.5032	1773110	2.010

从表3数据可见，超声处理30分钟后，对供试品中胡椒碱的含量没有太大的影响，故将提取时间定为超声处理30分钟。

2.3 专属性考察

2.3.1 对照品溶液的制备：取胡椒碱对照品适量，精密称定，置棕色量瓶中，加无水乙醇制成每1ml含35μg的溶液，作为对照品溶液。

2.3.2 供试品溶液的制备：取取本品细粉约1g，精密称定，置25ml棕色量瓶中，加无水乙醇25ml，超声处理（功率250W，频率40kHz）30分钟，放冷，加无水乙醇至刻度，摇匀，滤过，取续滤液，作为供试品溶液。

2.3.3 阴性对照溶液的制备：按处方配比制备缺荜茇的阴性供试品，按"供试品溶液的制备"方法制备阴性对照溶液。

2.3.4 测定：分别精密吸取以上三种溶液各10μl，注入色谱仪，记录各自的色谱图。

试验结果显示，供试品色谱中在与对照品色谱保留时间相同的位置上有色谱峰出现，而阴性对照在与对照品色谱保留时间相同的位置上无色谱峰出现，表明该含量测定方法阴性无干扰，专属性好。

2.4 线性关系考察

取胡椒碱对照品约5mg，精密称定，置25ml量瓶中，加无水乙醇使溶解并稀释至刻度，摇匀，滤过，精密量取续滤液1ml，置10ml量瓶中，加无水乙醇稀释至刻度，摇匀（含胡椒碱20.44μg/ml），然后精密吸取上述溶液2μl、4μl、8μl、12μl、16μl、20μl分别进样，按上述色谱条件测定，以峰面积对胡椒碱的进样量进行回归分析。结果见表4。

表4 标准曲线数据及回归分析结果

进样量（μg）	峰面积值	回归方程	r
0.04088	345598		
0.08176	690228		
0.16352	1376404	$y=8248354x+1842.6$	1.0000
0.24528	2063502		
0.32704	2753116		
0.40880	3439740		

从表4数据可见，胡椒碱在0.04088～0.40880μg范围内与峰面积值呈良好的线性关系。

2.5 稳定性试验

取同一供试品溶液，分别在溶液制备后的0小时、2小时、4小时、8小时、12小时、24小时进样测定。结果见表5。

表5 溶液的稳定性试验结果

序号	时间（h）	峰面积值	RSD（%）
1	0	3491732	
2	2	3499732	
3	4	3499466	0.15
4	8	3496936	
5	12	3494528	
6	24	3507172	

从表5数据可见，胡椒碱峰在24小时内的峰面积值基本稳定。

2.6 重复性试验

取同一供试品（批号20190811）6份，各约1g，精密称定，置25ml棕色量瓶中，加无水乙醇25ml，超声处理（功率250W，频率40kHz）30分钟，放冷，加无水乙醇至刻度，摇匀，滤过，取续滤液，作为供试品溶液。另取胡椒碱对照品适量，精密称定，置棕色量瓶中，加无水乙醇制成每1ml含35μg的溶液，作为对照品溶液。分别精密吸取以上两种溶液各10μl,注入液相色谱仪,记录各自的色谱图,用外标法以峰面积计算含量。结果见表6。

表6 胡椒碱重复性试验结果

取样量（g）	峰面积值	含量（mg/g）	平均含量（mg/g）	RSD（%）
1.0084	3508068	4.16		
1.0070	3535340	4.198		
1.0052	3533178	4.204	4.18	0.60
0.9742	3430084	4.21		
1.0002	3475780	4.156		
1.0012	3482316	4.16		

从表6数据可见,在相同的提取溶剂和色谱条件下,6份供试品含量测定结果的均值为4.18mg/g,RSD为0.60%。该方法的重复性良好。

2.7 加样回收试验

取供试品(批号20190811,含量2.091mg/g)9份,各约0.5g,精密称定,其中1、2、3号各精密加入用无水乙醇配置的胡椒碱对照品溶液(胡椒碱浓度0.4768mg/ml)0.5ml,4、5、6号各精密加入上述对照品溶液1ml,7、8、9号各精密加入上述对照品溶液1.5ml,分别重复性试验项下方法操作,测定每份供试品含量,计算回收率。结果见表7。

表7 胡椒碱加样回收试验结果

取样量（g）	供试品含量（mg）	对照品加入量（mg）	测得总量（mg）	回收率（%）	平均回收率（%）	RSD（%）
0.4688	0.98	0.4442	1.412	97.3		
0.4872	1.018	0.4442	1.45	97.3		
0.4846	1.014	0.4442	1.442	96.4		
0.5092	1.064	0.8884	1.952	100.0		
0.4818	1.008	0.8884	1.904	100.9	99.3	1.82
0.4942	1.034	0.8884	1.928	100.6		
0.4602	0.962	1.3326	2.302	100.6		
0.4588	0.96	1.3326	2.296	100.3		
0.461	0.964	1.3326	2.306	100.7		

从表7数据可见,本方法的平均回收率为99.3%,RSD为1.82%。该方法准确度好。

2.8 耐用性试验

换不同厂家、不同型号的色谱柱,取重复性试验中的1、2号供试品及对照品分别进样,测定含量。结果见表8。

表8 不同色谱柱的耐用性试验

柱型号	对照品峰面积平均值	峰面积值			含量（mg/g）
		A	B	平均	
Phenomenex C_{18}柱	3528644	3506318	3509818	3517481	4.16
Kromasil ODS柱	3507418	3430344	3444514	3468881	4.1
Phenomenex C_{18}柱	3528644	3523638	3547040	3526141	4.2
Kromasil ODS柱	3507418	3449854	3456688	3478636	4.12

从表8数据可见,不同型号或厂家的色谱柱对测定结果影响较小。

3 样品含量测定

取本品按重复性试验项下的方法处理并测定,三批样品及模拟样品的测定结果见表9。

表9　样品中胡椒碱的含量测定结果

批号	取样量（g）	平均峰面积值	含量（mg/g）	平均含量（mg/g）
20190811	0.9624	3302722	4.1	4.11
	0.9638	3368836	4.12	
20200330	1.0104	3512900	4.16	4.15
	1.0240	3542318	4.14	
20200721	1.0058	3526612	4.2	4.16
	1.0032	3453202	4.12	
20200089	1.0078	3507264	4.16	4.17
	1.0120	3542548	4.18	

从表9数据可见，三批样品中胡椒碱含量最低为4.11mg/g，最高为4.16mg/g，模拟样品含量4.17mg/g。含量之间无明显差异。

4　荜茇药材含量测定

取三批不同的荜茇药材粉末约0.05g，精密称定，参照《中国药典》2020年一部"荜茇"项下的方法处理并测定，三批荜茇药材中胡椒碱的含量测定结果见表10。

表10　荜茇药材中胡椒碱的含量测定结果

序号	取样量（g）	平均峰面积值（$n=2$）	含量（mg/g）	平均含量（mg/g）
1	0.0534	2006966	21.02	21.44
	0.0510	1863693	21.85	
2	0.0537	2714805	30.23	29.66
	0.0564	2743930	29.09	
3	0.0440	1928756	26.21	26.19
	0.0549	2403243	26.18	

从表10数据可见，试验中同法对模拟样品生产的荜茇药材进行了含量测定，结果最高为29.66mg/g。

5　本制剂含量限度的确定

从表中的数据可见，苏格木勒-4汤模拟样品胡椒碱含量为4.17mg/g以上。试验中，采用相同方法对生产苏格木勒-4汤的胡椒药材进行了含量测定，胡椒碱含量为26.19mg/g（2.619%）。

按理论值折算，样品应含胡椒碱为$10 \div 40 \times 26.19$（mg/g）$= 6.5475$mg/g，可见，胡椒碱的转移率为$4.17 \div 6.5475 \times 100\% = 63.68\%$。

参照《中国药典》2020年版一部"荜茇"项下规定胡椒碱含量不得少于2.5%，转移率为63.68%。据此制定样品含量低限为$10 \div 40 \times 2.5\% \times 1000 \times 63.68\% = 3.98$mg/g。

标准正文暂定为：本品每1g含荜茇以胡椒碱（$C_{17}H_{19}NO_3$）计，不得少于4.0mg。

【功能与主治】

镇赫依。用于失眠。

【用法与用量】

口服。一次3~5g，一日1~2次，水煎服。

【规格】

每袋（1）3g；（2）5g；（3）15g；（4）250g。

【贮藏】

密闭, 防潮。

起草单位: 内蒙古自治区国际蒙医医院　　　苏伊拉其其格　乌日乐格　塔　娜　那松巴乙拉

　　　　　赤峰市药品检验所　　　　　　　吴　迪　张学英　高嘉琦

希精-4汤质量标准起草说明

【历史沿革】

本方来源于《蒙医药传统验方》(内蒙古人民出版社 1975年版,蒙古文,第229页)。

【处方来源】

本制剂由内蒙古自治区国际蒙医医院提供。

【名称】

希精-4汤

【蒙药材和饮片的来源和执行标准】

1.处方组成及药味排列顺序:姜黄30g、炒菱角30g、栀子24g、黄柏18g。

2.处方中除了菱角药材外,其余栀子等药味均收载于《中国药典》2020年版一部,其质量应符合该品种项下的有关规定。

炒菱角:为菱科植物乌菱*Trapa bicornis* Osbeck 的干燥成熟果实。其标准应符合《内蒙古蒙药饮片炮制规范》2020年版第264页该品种项下的有关规定。

【制法】

以上四味,粉碎成中粉,过筛,混匀,分装,即得。

【性状】

本品为黄色至黄棕色的粉末;味甘、辛、略苦。

【鉴别】

本品为药材粉末制成的汤剂,对处方中栀子、黄柏建立了薄层鉴别。

1.试剂与试药

供试品:供试品(批号20200103、20200406、20200708)由内蒙古自治区国际蒙医医院提供,模拟样品(批号20200095)模拟。

对照品:栀子苷对照品(批号110749-200714)、栀子对照药材(批号120986-201610)、黄柏对照药材(批号121510-201606)、盐酸小檗碱对照品(批号110713-201613),均购于中国食品药品检定研究院。

薄层板:硅胶G板,购于青岛海洋化工有限公司。

所用其他试剂均为分析纯,水为离子交换高纯水。

2.试验方法与结果

(1)栀子薄层鉴别

参照《中国药典》2020版一部"栀子"项下的薄层条件,制定出正文所述的鉴别方法。通过阴性对照试验观察,方中其他药材对栀子的检出无干扰,此法具专属性。

(2)黄柏薄层鉴别

参照《中国药典》2020版一部"黄柏"项下的薄层条件,制定出正文所述的鉴别方法。通过阴性对照试验观察,方中其他药材对黄柏的检出无干扰,此法具专属性。

【检查】

按照汤(洗)剂[《内蒙古蒙药制剂规范》(第三册)附录ⅠC]项下规定,对三批供试品及模拟样品的外观均匀度、水分、重金属和砷盐进行了检查。具体方法及测定数据如下:

1. 外观均匀度:取供试品适量,置光滑纸上,平铺约5cm²,将其表面压平,在亮处观察,呈现均匀的色泽,无花纹、色斑。结果三批供试品及模拟样品均符合规定。

2. 水分:取供试品照水分测定法(《中国药典》2020年版四部通则0832)测定。三批供试品及模拟样品测得结果见表1。

表1 水分测定结果

序列	批号	水分(%)
1	20200103	5.9
2	20200406	5.7
3	20200708	5.7
4	20200095	5.5

《内蒙古蒙药制剂规范》(第三册)附录ⅠC汤(洗)剂项下规定,水分含量不得大于12.0%。从表1数据可见,本品水分含量均符合要求。

3. 对三批供试品及模拟样品进行了重金属和砷盐考察。方法与结果如下:

重金属:分别取每个批号供试品0.5g、0.67g、1.0g、2.0g,按《中国药典》2020年版四部0821第二法检查。

供试品液液的制备:取本品0.5g、0.67g、1.0g、2.0g,分别缓缓炽灼至完全炭化,放冷,加硫酸0.5ml,使湿润,低温加热至硫酸除尽后,加硝酸0.5ml,蒸干,至氧化氮蒸气除尽后,放冷,于600℃炽灼至完全灰化,放冷。加盐酸2ml,置水浴上蒸干后加水15ml,滴加氨试液至对酚酞指示液显中性,再加醋酸盐缓冲液(pH3.5)2ml,微热溶解后,移置纳氏比色管中,加水稀释至25ml,作为供试品溶液。

标准铅对照溶液的制备:另取配制供试品溶液的试剂两份,分别置瓷皿中蒸干后,加醋酸盐缓冲液(pH3.5)2ml,加水15ml微热溶解后,移置两支纳氏比色管中,分别加标准铅溶液(10μg/ml Pb)2ml,再加水稀释至25ml,作为标准铅对照溶液。

检视:于上述供试品溶液和标准铅对照溶液中分别加硫代乙酰胺试液各2ml,摇匀,放置2分钟,同置白色背景上,从上向下进行观察。

表2 重金属检查结果

序号	批号	重金属含量(ppm)			
1	20200103	<10	<20	<30	<40
2	20200406	<10	<20	<30	<40
3	20200708	<10	<20	<30	<40
4	20200095	<10	<20	<30	<40

结果显示,供试品溶液的颜色明显浅于2ml的标准铅对照溶液。经过三批供试品及模拟样品的检查,含重金属均未超过百万分之十,故未收入正文。

砷盐:取本品1g和标准砷溶液(1μg/ml AS)2ml,分别加无砷氢氧化钙1g,加少量水,搅匀,烘干,用小火缓缓炽灼至炭化,再在600℃炽灼至完全灰化,放冷。分别加盐酸7ml使溶解,再加水21ml,按《中国药典》2020年版四部通则0822第一法(古蔡氏法)做砷盐限量检查。

结果：供试品砷斑浅于标准砷斑的颜色，表明本品含砷量未超过百万分之二（小于2ppm），故砷盐检查项目未列入正文。

【含量测定】

希精-4汤是由姜黄、黄柏、栀子、炒菱角等四味药材组成，参照《中国药典》2020年版一部"姜黄"项下方法，采用高效液相色谱法，对姜黄中姜黄素的含量进行了试验条件摸索。通过方法学考察，供试品中姜黄素峰达到了较好的分离效果，且阴性对照无干扰。

1　仪器与试剂试药

1.1　仪器

Thermo ultimate3000型高效液相色谱仪；Sartorius BT25S型电子天平，Sartorius BSA224S型电子天平，MSA6.6S-OCE-DM型电子天平，Sartorius BSA423S型电子天平；KQ-500DE型数控超声清洗器。

1.2　试剂与试药

供试品（批号20200103、20200406、20200708）由内蒙古自治区国际蒙医医院提供，模拟样品（批号201909050）模拟；姜黄素对照品（批号110823-201706），购于中国食品药品检定研究院；乙腈、甲醇为色谱纯，其他均为分析纯试剂，水为超纯水。

2　方法学考察

2.1　色谱条件

2.1.1　色谱柱：以十八烷基硅烷键合硅胶为填充剂，本试验研究用SHIMADZU C_{18}（250×4.6mm，5μm）、phenomenex C_{18}（250mm×4.6mm，5μm）色谱柱。

2.1.2　流动相的选择：参照《中国药典》2020年版一部"姜黄"含量测定项下方法，采用乙腈-4%冰醋酸溶液（48:52）作为流动相进行测定，供试品中姜黄素与其他成分能达到较好的分离效果，色谱峰具有比较好的保留时间、分离度和对称性，故确定乙腈-4%冰醋酸溶液（48:52）作为流动相。

2.1.3　柱温：试验中对30℃和40℃柱温进行了比较，结果保留时间略有差异，但分离度及理论板数没有变化，故本试验研究采用柱温30℃。

2.1.4　检测波长的选择：通过二极管阵列检测器对姜黄素在200~800nm进行光谱扫描，结果姜黄素在427nm处有吸收峰，结合《中国药典》2020年版一部"姜黄"项下方法选择430nm作为检测波长。

2.1.5　理论板数的确定：对供试品测定结果表明，姜黄素的理论板数在5000以上均能达到与相邻峰分开，结合《中国药典》2020年版一部"姜黄"项下要求，本标准规定理论板数按姜黄素峰计应不低于4000。

2.2　提取方法的选择

参照《中国药典》2020年版一部"姜黄"项下方法选用甲醇作为提取溶剂，干扰成分少，供试品分离效果好，故选择甲醇作为提取溶剂。《中国药典》2020年版一部"姜黄"项下采用回流提取。

2.3　专属性考察

2.3.1　对照品溶液的制备：取姜黄素对照品适量，精密称定，加甲醇制成每1ml含10μg的溶液，即得。

2.3.2　供试品溶液的制备：取本品细粉约1g，精密称定，置具塞锥形瓶中，精密加入甲醇10ml，称定重量，加热回流30分钟，取出，放冷，再称定重量，用甲醇补足减失的重量，摇匀，滤过，精密量取续滤液2ml，置25ml量瓶中，用甲醇稀释至刻度，摇匀，滤过，取续滤液，即得。

2.3.3　阴性对照溶液的制备：按本品处方工艺制备不含姜黄的阴性样品，按供试品溶液的制备方法制备阴性对照溶液（缺姜黄）。

2.3.4　测定：分别精密吸取以上三种溶液各10μl，注入液相色谱仪测定，记录各自的色谱图。

试验结果显示,供试品色谱中在与对照品色谱保留时间相同的位置上有色谱峰出现,而阴性对照在与对照品色谱保留时间相同的位置上无色谱峰出现,表明该含量测定方法阴性无干扰,专属性好。

2.4 线性关系考察

精密量取姜黄素对照品储备溶液(0.0417mg/ml)2ml、4ml、6ml、8ml、10ml、12ml、14ml到25ml容量瓶中,甲醇定容至刻度,即得,精密量取对照品溶液10μl注入高效液相色谱仪,记录色谱图,测定其峰面积,结果见表3。

表3 姜黄素标准曲线数值表

进样量(μg)	峰面积值	回归方程	r
0.03336	295113		
0.06672	545601		
0.10008	816430		
0.13344	1053741	$y = 7367028.79x + 60824$	1.00
0.16682	1297451		
0.20016	1519841		
0.23352	1779125		

从表3数据可见,姜黄素在0.03336~0.23352μg范围内与峰面积呈良好的线性关系。

2.5 稳定性试验

取供试品试液(批号20200103)分别于0小时、4小时、8小时进样10μl,测得结果见表4。

表4 稳定性试验结果

时间	峰面积值	峰面积平均值	RSD(%)
0h	1595238		
4h	1601879	1600667	0.2647
8h	1603085		

从表4数据可见,在8小时内姜黄素峰面积值基本稳定,能够满足测定所需要的时间。

2.6 精密度试验

精密吸取对照品溶液(0.00976mg/ml)10μl注入液相色谱仪,连续进样6次,测得结果见表5。

表5 精密度试验结果

试验次数	峰面积值	峰面积平均值	RSD%
1	808282		
2	809867		
3	813095	811284	0.4087
4	815911		
5	813210		
6	807340		

从表5数据可见,符合《中国药典》2020年版四部通则0512中规定的RSD值小于2.0%的要求。

2.7 重复性试验

取同一批号供试品(批号20200103)5份,各约1.0g,精密称定,置具塞锥形瓶中,精密加入甲醇10ml,称定重量,加热回流30分钟,取出,放冷,再称定重量,用甲醇补足减失的重量,摇匀,滤过,精密量取续滤液2ml,置25ml量瓶中,用甲醇稀释至刻度,摇匀,滤过,取续滤液,作为供试品溶液。另精密称取姜黄素对照品适量,精密称定,加甲醇制成每1ml含10μg的溶液,作为对照品溶液。分别精密吸取供试品溶液和对照品溶液各10μl,注入色谱仪,记录色谱图。按外标法以峰面积计算含量,结果见表6。

表6 姜黄素重复性试验结果

取样量(g)	峰面积值	含量(mg/g)	平均含量(mg/g)	RSD(%)
0.9589	1593999	2.45	2.454	0.4646
	1595238			
0.9593	1590309	2.45		
	1600273			
0.9664	1600720	2.44		
	1600583			
0.9589	1604377	2.46		
	1600987			
0.9580	1604535	2.47		
	1607881			

从表6数据可见,在相同的提取溶剂和色谱条件下,5份供试品胡椒碱含量测定结果的均值为2.454mg/g,RSD为1.02%,表明该方法的重复性良好。

2.8 加样回收试验

取已知含量的供试品(批号20200103)约0.5g,分别加入对照品溶液(0.62mg/ml)1ml 、2ml、3 ml ,按重复性试验方法测定。结果见表7。

表7 姜黄素加样回收试验

供试品量(g)	姜黄素量(mg)	加入姜黄素量(mg)	测得量(mg)	回收率(%)
0.4987	1.2218	0.62	1.8388	99.52
0.4871	1.1934	0.62	1.8078	99.10
0.4907	1.2022	0.62	1.8123	98.39
0.4997	1.2243	1.24	2.4275	97.04
0.4968	1.2172	1.24	2.4480	99.26
0.4912	1.2034	1.24	2.4326	99.13
0.4801	1.1762	1.86	2.9794	96.94
0.4813	1.1792	1.86	2.9912	97.42
0.4801	1.1762	1.86	2.9840	97.19

从表7数据可见,回收率在96.94%～99.52%之间,加样回收良好。

3 样品含量测定

取三批样品适量,各2份,称取约1g,精密称定,按重复性试验项下的方法处理并测定。含量测定结果见表8。

表8 样品中姜黄素含量测定结果

批号	取样量(g)	姜黄素含量(mg/g)
20200103	0.9610	2.45
	0.9614	
20200406	0.9504	2.46
	0.9596	
20200708	0.9390	2.41
	0.9354	

从表8数据可见,三批样品中姜黄素含量最高为2.46mg/g。

4 姜黄药材含量测定

试验中采用同法对样品（批号20200708）生产用姜黄药材进行了含量测定。测定结果见表9。

表9 姜黄药材含量测定

产地	取样量（g）	含量（%）
河北	0.1999	1.48
安徽	0.1985	1.34
	0.2007	1.31

从表9数据可见，姜黄药材中姜黄素的含量为13.1mg/g（1.31%）。

5 本制剂含量限度的确定

从表中数据可见，三批样品中姜黄素的含量最低为2.41mg/g，姜黄药材中姜黄素含量为13.1mg/g（1.31%）。

按理论值折算，样品应含姜黄素为13.1（mg/g）×30÷102=3.85mg/g，可见，栀子苷的转移率为2.41÷3.85×100%=62.59%。

参照《中国药典》2020年版一部"姜黄"药材的姜黄素含量限度不得少于1.0%，转移率为62.59%，考虑不同产地药材的质量差异，并结合其他影响因素及三批样品的测定结果，下浮20%，按此限度折算本品含姜黄素的理论量应不低于30÷102×1000×1.0%×62.59%×80%=1.47mg/g。

标准正文暂定为：本品每1g含姜黄以姜黄素（$C_{21}H_{20}O_6$）计，不得少于1.5mg。

【功能与主治】

杀黏，清热，利尿。用于肾热，膀胱热，血尿，尿闭，尿频。

【用法与用量】

口服。一次3~5g，一日1~2次，水煎服。

【规格】

每袋（1）3g；（2）5g；（3）15g；（4）250g。

【贮藏】

密闭，防潮。

起草单位：内蒙古自治区国际蒙医医院　　　浩斯毕力格　那松巴乙拉　乌恩其

　　　　　赤峰市药品检验所　　　　　　　陆　静　李海华　高丽梅

　　　　　内蒙古医科大学附属第二医院　　莎仁图雅　阿日嘎太

沙日汤 质量标准起草说明

【历史沿革】

本方来源于《蒙医药简编》（内蒙古人民出版社1977年版，蒙古文，第72页）。

【处方来源】

本制剂由内蒙古自治区国际蒙医医院提供。

【名称】

沙日汤

【蒙药材和饮片的来源和执行标准】

1. 处方组成及药味排列顺序：栀子25g、川楝子20g、诃子10g。

2. 处方中药味均收载于《中国药典》2020年版一部，其质量应符合该品种项下的有关规定。

【制法】

以上三味，粉碎成中粉，过筛，混匀，分装，即得。

【性状】

本品为姜黄色至棕黄色的粉末；气微，味苦、涩、微酸。

【鉴别】

本品为药材粉末制成的汤剂，方中川楝子的显微特征较明显，故建立显微鉴别。

1. 试剂与试药

供试品：供试品（批号20200106、20200310、20200402）由内蒙古自治区国际蒙医医院提供，模拟样品（批号20200061）模拟。

对照品：诃子对照药材（批号121015-201605）、栀子苷对照品（批号110749-200714），均购于中国食品药品检定研究院。

薄层板：硅胶G板，购于青岛海洋化工有限公司。

所用其他试剂均为分析纯，水为离子交换高纯水。

2. 试验方法与结果

（1）显微鉴别

川楝子：果皮纤维束旁的细胞中含草酸钙方晶或少数簇晶，形成晶纤维，含晶细胞壁厚薄不一，木化。

（2）诃子、栀子薄层鉴别

参照《中国药典》2020年版一部"栀子"项下的薄层条件，制定出正文所述的鉴别方法。通过阴性对照试验观察，方中其他药材对栀子和诃子的检出无干扰，证明此方法具有专属性。

【检查】

按照汤（洗）剂［《内蒙古蒙药制剂规范》（第三册）附录Ⅰ C］项下规定，对三批供试品及模拟样品的外观均匀度、水分、重金属和砷盐进行了检查。具体方法及测定数据如下：

1. 外观均匀度：取供试品适量，置光滑纸上，平铺约5cm²，将其表面压平，在亮处观察，呈现均匀的色泽，无花纹、色斑。结果三批供试品及模拟样品均符合规定。

2. 水分：取供试品照水分测定法（《中国药典》2020年版四部 通则0832）测定。三批供试品及模拟样品测得结果见表1。

表1 水分测定结果

序号	批号	水分（%）
1	20200106	5.5
2	20180310	5.6
3	20200402	5.6
4	20200061	6.0

《内蒙古蒙药制剂规范》（第三册）附录Ⅰ C汤（洗）剂项下规定，水分含量不得大于12.0%。从表1数据可见，本品水分含量均符合要求。

3. 对三批供试品及模拟样品进行了重金属和砷盐考察。方法与结果如下：

重金属：分别取每个批号供试品0.5g、0.67g、1.0g、2.0g，按《中国药典》2020年版四部0821第二法检查。

供试品溶液的制备：取本品0.5g、0.67g、1.0g、2.0g，分别缓缓炽灼至完全炭化，放冷，加硫酸0.5ml，使湿润，低温加热至硫酸除尽后，加硝酸0.5ml，蒸干，至氧化氮蒸气除尽后，放冷，于600℃炽灼至完全灰化，放冷。加盐酸2ml，置水浴上蒸干后加水15ml，滴加氨试液至对酚酞指示液显中性，再加醋酸盐缓冲液（pH3.5）2ml，微热溶解后，移置纳氏比色管中，加水稀释至25ml，作为供试品溶液。

标准铅对照溶液的制备：另取配制供试品溶液的试剂两份，分别置瓷皿中蒸干后，加醋酸盐缓冲液（pH3.5）2ml，加水15ml微热溶解后，移置两支纳氏比色管中，分别加标准铅溶液（10μg/ml Pb）2ml，再加水稀释至25ml，作为标准铅对照溶液。

检视：于上述供试品溶液和标准铅对照溶液中分别加硫代乙酰胺试液各2ml，摇匀，放置2分钟，同置白色背景上，从上向下进行观察。试验结果见表2。

表2 重金属检查结果

序号	批号	重金属含量（ppm）			
1	20200106	<10	<20	<30	<40
2	20180310	<10	<20	<30	<40
3	20200402	<10	<20	<30	<40
4	20200061	<10	<20	<30	<40

结果显示，供试品溶液的颜色明显浅于2ml的标准铅对照管。经过三批供试品及模拟样品的检查，含重金属均未超过百万分之十，故未收入正文。

砷盐：取本品1g和标准砷溶液（1μg/ml AS）2ml，分别加无砷氢氧化钙1g，加少量水，搅匀，烘干，用小火缓缓炽灼至炭化，再在600℃炽灼至完全灰化，放冷。分别加盐酸7ml使溶解，再加水21ml，按《中国药典》2020年版四部通则0822第一法（古蔡氏法）做砷盐限量检查。

结果：供试品砷斑浅于标准砷斑的颜色，表明本品含砷量未超过百万分之二（小于2ppm），故砷盐检查项目未列入正文。

【含量测定】

沙日汤是由诃子、川楝子、栀子三味药材组成。临床功效为清血热，分离污血与精华血。主治新旧血热症，血热引起的眼红、头痛、牙痛、未成熟热、污血与精华血混淆、瘟疫、讧热、希日热等。以栀子苷作为测定指标，采用高效液相色谱法对本品中的栀子建立了含量测定方法。通过试验摸索，确定了比较理想的色谱条件，并经过方法学考察及阴性对照试验，表明该方法操作简单、重复性好、专属性强，方中其他组分对栀子苷的测定均无干扰。

1 仪器与试剂试药

1.1 仪器

岛津CTO-10AS型高效液相色谱仪（日本岛津公司）；SBL-20DT型超声波清洗机（宁波新芝生物科技股份有限公司）；循环水式多用真空泵（河南省予华仪器有限公司）；SBL-22DT型超声波清洗器（宁波蓝芝生物科技股份有限公司，KHZ）；Heal Force NW15UV型超纯水系统；Mettler-TOledo PL602-S型电子天平（百分之一），Mettler-TOledo XPR10型电子天平（万分之一），Mettler-TOledo MS105DU型电子天平（百万分之一）；FW400A型多功能粉碎机（材茂科技有限公司）。

1.2 试剂与试药

供试品（批号20200106、20200310、20200402）由内蒙古自治区国际蒙医医院提供，模拟样品（批号20200061）模拟；栀子苷对照品（批号110749-200714），购于中国食品药品检定研究院；乙腈为色谱纯，水为超纯水，其他试剂均为分析纯。

2 方法学考察

2.1 色谱条件

2.1.1 色谱柱：色谱柱填充剂为十八烷基硅烷键合硅胶，本试验采用Alltima C$_{18}$柱（250mm×4.6mm，5μm）。

2.1.2 流动相的选择：参照《中国药典》2020年版一部"栀子"项下的方法，以乙腈-水溶液（10∶90）为流动相。

2.1.3 柱温：30℃。

2.1.4 检测波长：按照《中国药典》2020版一部"栀子"项下规定，选择波长为238nm。

2.1.5 理论板数的确定：对多批供试品测定结果表明，栀子苷峰的理论板数在1500以上即能与相邻峰分开，并符合《中国药典》2020版一部"栀子"项下规定$R>1.5$的要求，故本标准规定理论板数按栀子苷计不得低于4000。

2.2 提取方法的选择及提取时间的考察

参考《中国药典》2020年版一部"栀子"项下，以甲醇作为提取溶剂进行超声处理（功率250W，频率40kHz），试验中考察了超声10分钟、20分钟、30分钟等不同提取时间对提取效率的影响。结果见表3。

表3 栀子苷提取效率考察

时间（min）	取样量（g）	峰面积值		平均值	含量（mg/g）
		A	B		
10	0.1077	10505.8352	10558.9061	10532.3706	10.5686
20	0.1088	11301.0934	11262.3876	11281.7405	11.2061
30	0.1015	9993.5988	10272.6745	10133.1366	10.7891

从表3数据可见，超声处理20分钟时，测得供试品中栀子苷的含量最高，故将提取时间定为超声处理20分钟。

2.3 专属性考察

2.3.1 对照品溶液的制备：取栀子苷对照品适量，精密称定，加甲醇制成每1ml含30μg的溶液，作为对照品溶液。

2.3.2 供试品溶液的制备：取本品细粉约0.3g，精密称定，置具塞锥形瓶中，精密加入甲醇25ml，密塞，称定重量，超声处理20分钟（功率250W，频率40kHz），放冷，再称定重量，用甲醇补足减失的重量，摇匀，滤过。精密量取续滤液10ml，置25ml量瓶中，加甲醇至刻度，摇匀，滤过，取续滤液，作为供试品溶液。

2.3.3 阴性对照溶液的制备：按处方配比制备缺栀子的阴性供试品，按"供试品溶液的制备"方法制备阴性对照溶液。

2.3.4 测定:分别精密吸取以上三种溶液各10μl,注入色谱仪,记录各自的色谱图。

试验结果显示,供试品色谱中在与对照品色谱保留时间相同的位置上有色谱峰出现,而阴性对照在与对照品色谱保留时间相同的位置上无色谱峰出现,表明该含量测定方法阴性无干扰,专属性好。

2.4 线性关系考察

取栀子苷对照品约3mg,精密称定,置100ml量瓶中,加甲醇使溶解并稀释至刻度,摇匀(栀子苷实际浓度27.064μg/ml),然后吸取上述溶液1μl、3μl、5μl、7μl、10μl、15μl、20μl分别进样,按上述色谱条件测定,以峰面积对注入量进行回归分析。结果见表4。

表4 标准曲线数据及回归分析结果

对照品量（μg）	峰面积值	回归方程	r
0.0270	577.3		
0.0829	1766.8		
0.1382	2984.8		
0.1894	4258.7	$y=638.5896x-143.6079$	0.9999
0.2706	6266.7		
0.4060	9461.3		
0.5413	12632.8		

从表4数据可见,栀子苷在0.0270~0.5413μg范围内与峰面积值呈良好的线性关系。

2.5 稳定性试验

取同一供试品(20200106),分别在溶液制备后的0小时、1小时、2小时、3小时、4小时、5小时、6小时、7小时进样测定。结果见表5。

表5 不同时间测定供试品中栀子苷的峰面积值

时间（h）	峰面积值	RSD（%）
0	11202	
1	11325	
2	11681	
3	11344	1.51
4	11681	
5	11355	
6	11356	
7	11390	

从表5数据可见,栀子苷在7小时内的峰面积值基本稳定,可以满足供试品测定所需要的时间。

2.6 精密度试验

取同一份供试品(20200106)溶液,连续进样6次,测定栀子苷峰面积值。结果见表6。

表6 精密度试验结果

序号	峰面积值	RSD（%）
1	10431	
2	10517	
3	10550	
4	10603	0.92
5	10666	
6	10692	

从表6数据可见，符合《中国药典》2020年版四部通则0512中规定的RSD值小于2.0%的要求。

2.7 重复性试验

取同一供试品6份（批号20200106），各约0.1g，精密称定，置具塞锥形瓶中，精密加入甲醇25ml，密塞，称定重量，超声处理20分钟（功率250W，频率40kHz），放冷，再称定重量，用甲醇补足减失的重量，摇匀，滤过。精密量取续滤液10ml，置25ml量瓶中，加甲醇至刻度，摇匀，滤过，取续滤液，作为供试品溶液。另取栀子苷对照品适量，精密称定，加甲醇制成每1ml含30μg的溶液，作为对照品溶液。分别精密吸取以上两种溶液各10μl，注入液相色谱仪，记录各自的色谱图，用外标法以峰面积计算含量。结果见表7。

表7 重复性试验结果

取样量（g）	峰面积值	含量（mg/g）	平均含量（mg/g）	RSD（%）
0.3008	10692.8352	14.45977		
0.3028	10740.5407	14.28695		
0.3035	10872.9015	14.34877	14.34	1.07
0.3011	10418.3033	14.13242		
0.3023	10849.6069	14.45729		
0.3015	10666.9223	14.35316		

从表7数据可见，在相同的提取溶剂和色谱条件下，6份供试品含量测定结果的均值为14.34 mg/g，RSD为1.07%，表明该方法的重复性良好。

2.8 加样回收率试验

取供试品（批号20200106）9份，各约0.3g，精密称定，其中1、2、3号各精密加入栀子苷对照品溶液（栀子苷浓度27.064μg/ml）1.5ml，4、5、6号各精密加入上述对照品溶液3ml，7、8、9号各精密加入上述对照品溶液4.5ml，分别按重复性试验项下方法操作，测定每份供试品含量，计算回收率。结果见表8。

表8 栀子苷加样回收试验结果

称样量（g）	供试品含有量（mg）	对照品加入量（mg）	测得总量（mg）	回收率（%）	均值（%）	RSD（%）
0.3034	0.0943	0.0450	0.1393	100.0		
0.3056	0.0963	0.0450	0.1433	104.4		
0.3060	0.0966	0.0450	0.1419	100.7		
0.3034	0.0943	0.0899	0.1842	100.0		
0.3056	0.0963	0.0899	0.1866	100.3	101.85	2.2
0.3060	0.0966	0.0899	0.1898	103.5		
0.3034	0.0943	0.1349	0.2302	100.7		
0.3056	0.0963	0.1349	0.2396	106.2		
0.3060	0.0966	0.1349	0.2327	100.8		

从表8数据可见，本方法的平均回收率为101.85%，RSD为2.2%。该方法准确度好。

2.9 耐用性试验

换不同厂家、不同型号的色谱柱，取样品（20200106）约0.1g，精密称定，按重复性试验项下方法操作并测定含量。结果见表9。

表9 不同色谱柱的耐用性试验

柱型号	平均含量（mg/g）	相对偏差（%）
Alltima C_{18}	14.34	0.5
Agela Venusil C_{18}	14.21	

从表9数据可见,在使用不同型号或厂家的色谱柱时,对测定结果影响较小,具有较好的耐用性。

3 样品含量测定

取本品,按重复性试验项下的方法处理并测定,三批样品及模拟样品的测定结果见表10。

表10 样品中栀子苷的含量测定结果

批号	取样量（g）	峰面积		平均值	含量（mg/g）	平均含量（mg/g）
20200106	0.3087	11377.9236	11405.7413	11391.8324	11.23	11.09
20200310	0.3013	10291.2887	10349.8747	10320.5817	10.92	10.96
	0.3089	11238.6293	11119.7533	11179.1913	11.00	
20200402	0.3050	11042.5114	11066.5071	11054.5092	11.28	11.25
	0.3049	10930.2523	11027.9829	10979.1176	11.22	
20200061	0.1003	9985.3829	10128.1608	10056.7718	10.75	10.85
	0.1060	10819.381	10940.2601	10879.8205	11.00	

从表10数据可见,三批样品中的栀子苷含量最高为11.25mg/g。

4 栀子药材的含量测定

取栀子药材粉末约0.04g,精密称定,按《中国药典》2020年一部"栀子"项下的方法处理并测定,栀子药材中栀子苷的含量测定结果见表11。

表11 栀子药材中栀子苷的含量测定结果

取样量（g）	峰面积值			含量（mg/g）	平均含量（mg/g）
	A	B	平均		
0.0415	14692.4394	14643.902	14668.171	38.11	34.30
0.0419	11930.9767	11760.463	11845.720	30.49	

从表11数据可见,模拟样品所用栀子药材中栀子苷的含量为34.30mg/g。

5 本制剂含量限度的确定

从表中数据可见,样品(20200402)中的栀子苷含量最高为11.25mg/g。

测得栀子原料的栀子苷含量为34.30mg/g,

按理论值折算,样品应含栀子苷为34.3×30÷70=14.70mg/g,可见,栀子苷的转移率为11.25÷14.7×100%=76.53%。

参照《中国药典》2020年版一部"栀子"项下规定栀子苷含量不得少于1.8%。转移率为76.53%,考虑不同产地药材的质量差异,并结合其他影响因素及三批样品的测定结果,下浮15%,按此限度折算本品含栀子苷的理论量应不低于1.8%×1000×25÷55×76.53%×85%=5.32mg/g。

标准正文暂定为:本品每1g含栀子以栀子苷（$C_{17}H_{24}O_{10}$）计,不得少于5.4mg。

【功能与主治】

清血热,分离污血与精华血。用于新旧血热症,血热引起的眼红,头痛,牙痛,未成熟热,污血与精华血混淆,瘟疫,讧热,希日热等。

【用法与用量】

口服。一次3~5g,一日1~2次,水煎服。

【规格】

每袋（1）3g；（2）5g；（3）15g；（4）250g。

【贮藏】

密闭,防潮。

起草单位: 内蒙古自治区国际蒙医医院　　塔　娜　苏伊拉其其格　那松巴乙拉

　　　　　 包头市检验检测中心　　　　　 李　强　董　博　谢美萍

沙日·僧登-4汤质量标准起草说明

【历史沿革】

本方来源于《蒙医药传统方剂选》(内蒙古人民出版社 1975年版, 蒙古文, 第156页)。

【处方来源】

本制剂由内蒙古自治区国际蒙医医院提供。

【名称】

沙日·僧登-4汤

【蒙药材和饮片的来源和执行标准】

1. 处方组成及药味排列顺序: 文冠木25g、诃子10g、黄柏10g、秦艽花10g。

2. 处方中除了文冠木和秦艽花药材外, 其余诃子等药味均收载于《中国药典》2020年版一部, 其质量应符合该品种项下的有关规定。

文冠木: 为无患子科植物文冠果*Xanthoceras sorbifolia* Bge.的茎干或枝条的干燥木部。其标准应符合《内蒙古蒙药饮片炮制规范》2020年版第85页该品种项下的有关规定。

秦艽花: 为龙胆科植物麻花秦艽*Gentiana straminea* Maxim. 的带花干燥地上部分。其标准应符合《内蒙古蒙药饮片炮制规范》2020年版第405页该品种项下的有关规定。

【制法】

以上四味, 粉碎成中粉, 过筛, 混匀, 分装, 即得。

【性状】

本品为淡黄褐色的粉末; 气微, 味涩、微苦。

【鉴别】

本品为药材粉末制成的汤剂, 方中大多数药味的显微特征都比较明显, 故对处方中的诃子、黄柏建立显微鉴别。

1. 试剂与试药

供试品: 供试品(批号20200403、20200107、20200305)由内蒙古自治区国际蒙医医院提供, 模拟样品(批号20201019)模拟。

所用其他试剂均为分析纯, 水为离子交换高纯水。

2. 试验方法与结果

显微鉴别

诃子: 果皮纤维层淡黄色, 斜向交错排列, 壁较薄, 有纹孔。黄柏: 纤维束鲜黄色, 周围细胞含草酸钙方晶, 形成晶纤维, 含晶细胞壁木化增厚。

【检查】

按照汤(洗)剂[《内蒙古蒙药制剂规范》(第三册)附录Ⅰ C]项下规定, 对三批供试品及模拟样品的外观均匀度、水分、重金属、砷盐和浸出物进行了检查。具体方法及测定数据如下：

1. 外观均匀度：取供试品适量，置光滑纸上，平铺约5cm²，将其表面压平，在亮处观察，呈现均匀的色泽，无花纹、色斑。结果三批供试品及模拟样品均符合规定。

2. 水分：取供试品照水分测定法（《中国药典》2020年版四部通则0832）测定。三批供试品及模拟样品的测定结果见表1。

表1 水分测定结果

序号	批号	水分（%）
1	20200403	6.58
2	20200107	6.79
3	20200305	6.54
4	20201019	6.89

《内蒙古蒙药制剂规范》（第三册）附录 I C汤（洗）剂项下规定，水分含量不得大于12.0%。从表1数据可见，本品水分含量符合要求。

3. 对三批供试品及模拟样品进行了重金属和砷盐考察。方法与结果如下：

重金属：分别取每个批号供试品0.5g、0.67g、1.0g、2.0g，按《中国药典》2020年版四部0821第二法检查。

供试品溶液的制备：取本品0.5g、0.67g、1.0g、2.0g，分别缓缓炽灼至完全炭化，放冷，加硫酸0.5ml，使湿润，低温加热至硫酸除尽后，加硝酸0.5ml，蒸干，至氧化氮蒸气除尽后，放冷，于600℃炽灼至完全灰化，放冷。加盐酸2ml，置水浴上蒸干后加水15ml，滴加氨试液至对酚酞指示液显中性，再加醋酸盐缓冲液（pH3.5）2ml，微热溶解后，移置纳氏比色管中，加水稀释至25ml，作为供试品溶液。

标准铅对照溶液的制备：另取配制供试品溶液的试剂两份，分别置瓷皿中蒸干后，加醋酸盐缓冲液（pH3.5）2ml，加水15ml微热溶解后，移置两支纳氏比色管中，分别加标准铅溶液（10μg/ml Pb）2ml，再加水稀释至25ml，作为标准铅对照溶液。

检视：于上述供试品溶液和标准铅对照溶液中分别加硫代乙酰胺试液2ml，摇匀，放置2分钟，同置白色背景上，从上向下进行观察。试验结果见表2。

表2 重金属检查结果

序号	批号	重金属含量（ppm）			
1	20200403	<10	<20	<30	<40
2	20200107	<10	<20	<30	<40
3	20200305	<10	<20	<30	<40
4	20201019	<10	<20	<30	<40

砷盐：取本品1g和标准砷溶液（1μg/mlAS）2ml，分别加无砷氢氧化钙1g，加少量水，搅匀，烘干，用小火缓缓炽灼至炭化，再在600℃炽灼至完全灰化，放冷。分别加盐酸7ml使溶解，再加水21ml，按《中国药典》2020年版四部通则0822第一法（古蔡氏法）做砷盐限量检查。

结果：供试品砷斑浅于标准砷斑的颜色，表明本品含砷量未超过百万分之二（小于2ppm），故砷盐检查项目未列入正文。

4. 浸出物：按照《中国药典》2020年版四部通则2201浸出物测定法项下醇溶性浸出物冷浸法进行测定。三批供试品及模拟样品的测定结果见表3。

表3　供试品浸出物测定结果

序号	批号	浸出物（%）
1	20200403	12.01
2	20200107	11.92
3	20200305	11.84
4	20201019	11.90

从表3数据可见，三批供试品及模拟样品浸出物最低为11.84%，最高为12.01%。故用无水乙醇作溶剂，浸出物不得少于12.0%。

【含量测定】

沙日·僧登-4汤是由文冠木、诃子、黄柏、秦艽花组成的复方制剂。参照《内蒙古蒙药制剂规范》2007年版毛勒日-达布斯-4汤项下"诃子"的含量测定方法在对本品中诃子进行含量测定时，发现阴性对照品色谱中在与没食子酸对照品色谱相应的保留时间处有色谱峰出现，阴性存在干扰。本品没有能够建立起含量测定项。

【功能与主治】

清热，燥协日乌素，消肿。用于陶赖，赫如虎，关节协日乌素，水肿。

【用法与用量】

口服。一次3~5g，一日1~2次，水煎服。

【规格】

每袋（1）3g；（2）5g；（3）15g；（4）250g。

【贮藏】

密封，防潮。

起草单位：内蒙古盛唐国际蒙医药研究院　　　崔圆圆　　张跃祥　　赵粉荣
　　　　　　包头市检验检测中心　　　　　　　杨桂娥　　苏瑞萍　　张　婷

胡日亚各其汤 质量标准起草说明

【历史沿革】

本方来源于《蒙医金匮》（内蒙古人民出版社1978年版，蒙古文，第65页）。

【处方来源】

本制剂由锡林郭勒盟蒙医医院提供。

【名称】

胡日亚各其汤

【蒙药材和饮片的来源和执行标准】

1. 处方组成及药味排列顺序：红花50g、猪血50g、诃子30g、栀子30g、川楝子30g、土木香25g、木香25g、扁蕾20g、胡黄连20g、角茴香20g、麦冬20g、石榴20g、酸梨干20g、贯众20g、小秦艽花20g、野菊花20g、细辛20g、芫荽子20g、波棱瓜子20g、款冬花20g、蓝盆花20g、瞿麦20g、花香青兰20g、寒制红石膏20g、豆蔻20g。

2. 处方中除了猪血、角茴香、石榴、酸梨干、波棱瓜子、蓝盆花、小秦艽花、花香青兰、寒制红石膏等药材外，其余红花等药味均收载于《中国药典》2020年版一部，其质量应符合该品种项下的有关规定。

猪血：为猪科动物猪*Sus scrofa domestica* Brisson 的干燥血。其标准应符合《内蒙古蒙药饮片炮制规范》2020年版第403页该品种项下的有关规定。

角茴香：为罂粟科植物角茴香*Hypecoum erectum* L.的干燥全草。其标准应符合《内蒙古蒙药饮片炮制规范》2020年版第234页该品种项下的有关规定。

石榴：为石榴科植物石榴*Punica granatum* L.的干燥成熟果实。其质量应符合《内蒙古蒙药材炮制规范》2020年版第119页该品种项下的有关规定。

酸梨干：为蔷薇科植物花盖梨*Pyrus ussuriensis* Maxim的干燥成熟果实。其质量应符合《内蒙古蒙药材炮制规范》2020年版第498页该品种项下的有关规定。

小秦艽：为龙胆科植物小秦艽*Gentiana dahurica* Fisch的干燥花。其质量应符合《内蒙古蒙药材炮制规范》2020年版第28页该品种项下的有关规定。

波棱瓜子：为葫芦科植物波棱瓜*Herpetospermum pedunculosum*（Sex.）Baill. 的干燥种子。其标准应符合《内蒙古蒙药饮片炮制规范》2020年版第277页该品种项下的有关规定。

蓝盆花：为川续断科植物窄叶蓝盆花*Scabiosa comosa* Fisch.ex Roem.et Schult和华北蓝盆花*Scabiosa tschiliensis* Grunning的干燥花序。其标准应符合《中华人民共和国卫生部药品标准》（蒙药分册）1998年版第52页该品种项下有关规定。

寒制红石膏：为单斜晶系硫酸钙矿石族红石膏Gypsum的矿石红石膏（北寒水石）的炮制加工品。主含含水硫酸钙（$CaSO_4 \cdot 2H_2O$）。其标准应符合《内蒙古蒙药饮片炮制规范》2020年版第188页该品种项下的有关规定。

花香青兰：为唇形科植物香青兰*Dracocephalum moldavica* L. 的干燥带花地上部分。其标准应符合《内蒙古蒙药饮片炮制规范》2020年版第201页该品种项下的有关规定。

【制法】

以上二十五味, 粉碎成中粉, 过筛, 混匀, 分装, 即得。

【性状】

本品为浅黄色至棕黄色粉末; 气微香, 味苦。

【鉴别】

本品为药材粉末制成的汤剂, 方中大多数药味的显微特征都比较明显, 故对处方中的川楝子、诃子、栀子、豆蔻建立显微鉴别, 并对处方中栀子建立了薄层鉴别。

1. 试剂与试药

供试品: 供试品 (批号20200422、20200316、20191205) 由锡林郭勒盟蒙医医院提供, 模拟样品 (批号20200087) 模拟。

对照品: 栀子苷对照品 (批号110749-200714), 购于中国食品药品检定研究院。

薄层板: 模拟2%氢氧化钠溶液制备硅胶G板、模拟0.25%硝酸银溶液制备硅胶G板。

所用其他试剂均为分析纯, 水为离子交换高纯水。

2. 试验方法与结果

(1) 显微鉴别

川楝子: 果皮纤维束旁的细胞中含草酸钙方晶或少数的簇晶, 形成晶纤维, 含晶细胞厚薄不一, 木化。诃子: 木化细胞呈类长方形、类多角形、类三角形, 纹孔圆点状、斜裂缝状或人字状, 少数胞腔内含草酸钙簇晶。豆蔻: 内种皮厚壁细胞黄棕色或棕红色, 表面观类多角形, 壁厚, 胞腔含硅质块。栀子: 种皮石细胞黄色或淡棕色, 多破碎, 完整者长多角形、长方形或不规则形, 壁厚, 有大的圆形纹孔, 胞腔棕红色。

(2) 栀子薄层鉴别

参照《中国药典》2020年版一部 "栀子" 项下的薄层条件, 制定出正文所述的鉴别方法。通过阴性对照试验观察, 方中其他药材对栀子的检出无干扰, 证明此方法具有专属性。

【检查】

按照汤 (洗) 剂 [《内蒙古蒙药制剂规范》(第三册) 附录Ⅰ C] 项下规定, 对三批供试品及模拟样品的外观均匀度、水分、重金属和砷盐进行了检查。具体方法及测定数据如下:

1. 外观均匀度: 取供试品适量, 置光滑纸上, 平铺约5cm², 将其表面压平, 在亮处观察, 呈现均匀的色泽, 无花纹、色斑。结果三批供试品及模拟样品均符合规定。

2. 水分: 取供试品照水分测定法 (《中国药典》2020年版四部通则0832) 测定。三批供试品及模拟样品测得结果见表1。

表1 水分测定结果

序号	批号	水分 (%)
1	20200422	0.07
2	20200316	0.02
3	20191205	0.04
4	20200087	0.03

《内蒙古蒙药制剂规范》(第三册) 附录Ⅰ C汤 (洗) 剂项下规定, 水分含量不得大于12.0%。从表1数据可见, 本品水分含量均符合要求。

3. 对三批供试品及模拟样品进行了重金属和砷盐考察。方法与结果如下:

重金属：分别取每个批号供试品0.5g、0.67g、1.0g、2.0g，按《中国药典》2020年版四部0821第二法检查。

供试品溶液的制备：取本品0.5g、0.67g、1.0g、2.0g，分别缓缓炽灼至完全炭化，放冷，加硫酸0.5ml，使湿润，低温加热至硫酸除尽后，加硝酸0.5ml，蒸干，至氧化氮蒸气除尽后，放冷，于600℃炽灼至完全灰化，放冷。加盐酸2ml，置水浴上蒸干后加水15ml，滴加氨试液至对酚酞指示液显中性，再加醋酸盐缓冲液（pH3.5）2ml，微热溶解后，移置纳氏比色管中，加水稀释至25ml，作为供试品溶液。

标准铅对照溶液的制备：另取配制供试品溶液的试剂两份，分别置瓷皿中蒸干后，加醋酸盐缓冲液（pH3.5）2ml，加水15ml微热溶解后，移置两支纳氏比色管中，分别加标准铅溶液（10μg/ml Pb）2ml，再加水稀释至25ml，作为标准铅对照溶液。

检视：于上述供试品溶液和标准铅对照溶液中分别加硫代乙酰胺试液各2ml，摇匀，放置2分钟，同置白色背景上，从上向下进行观察。试验结果见表2。

表2 重金属检查结果

序号	批号	重金属含量（ppm）			
1	20200422	<10	<20	<30	<40
2	20200316	<10	<20	<30	<40
3	20191205	<10	<20	<30	<40
4	20200087	<10	<20	<30	<40

结果显示，供试品溶液的颜色明显浅于2ml的标准铅对照管。经过三批供试品及模拟样品的检查，含重金属均未超过百万分之十，故未收入正文。

砷盐：取本品1g和标准砷溶液（1μg/ml AS）2ml，分别加无砷氢氧化钙1g，加少量水，搅匀，烘干，用小火缓缓炽灼至炭化，再在600℃炽灼至完全灰化，放冷。分别加盐酸7ml使溶解，再加水21ml，按《中国药典》2020年版四部通则0822第一法（古蔡氏法）做砷盐限量检查。

结果：供试品砷斑浅于标准砷斑的颜色，表明本品含砷量未超过百万分之二（小于2ppm），故砷盐检查项目未列入正文。

【含量测定】

胡日亚各其汤是由红花、猪血、诃子、栀子、川楝子等二十五味药组成。故参照《中国药典》2020年版一部"红花"项下的含量测定方法，选择羟基红花黄色素A作为指标成分，对本制剂中的红花进行了HPLC含量测定方法研究。经分析方法验证，表明该方法重复性好、专属性强，方中其他组分对羟基红花黄色素A的测定无干扰。

1 仪器与试剂试药

1.1 仪器

岛津LC-2014型高效液相色谱仪；Sartorius BT25S型电子天平，Sartorius BSA223S型电子天平，Sartorius BSA224S型电子天平，MSA6.6S-.CE型电子天平；KQ-500DE型超声清洗仪。

1.2 试剂与试药

供试品（批号20200422、20200316、20191205）由锡林郭勒盟蒙医医院提供，模拟样品（批号20200087）模拟。羟基红花黄色素A对照品（批号111637-201609），购于中国食品药品检定研究院；甲醇、乙腈为色谱纯，水为超纯水，其他试剂均为分析纯。

2 方法学考察

2.1 色谱条件

2.1.1 色谱柱：色谱柱填充剂为十八烷基硅烷键合硅胶，本试验研究采用Agilent zorbax C₁₈（250mm×4.6mm，

5μm）色谱柱。

2.1.2 流动相的选择：参照《中国药典》2020年版一部"红花"项下的含量测定方法，以甲醇-乙腈-0.7%磷酸溶液（26：2：72）为流动相。

2.1.3 柱温：40℃可以保证柱压较低，分离效果稳定，保留时间变化小。

2.1.4 检测波长的选择：参照《中国药典》2020年版一部"红花"含量测定项下羟基红花黄色素A的测定方法，选用403nm处作为检测波长。

2.1.5 理论板数的确定：从对三批数据的测定结果可见，羟基红花黄色素A峰的理论板数在3000以上即能达到较好的分离效果，故确定理论板数按羟基红花黄色素A峰计算应不低于3000。

2.2 提取溶剂及提取效率的考察

参照《中国药典》2020年版一部"红花"项下的含量测定方法，以25%甲醇作为提取溶剂进行超声提取。为保证被测成分提取完全，在供试品的细度一致、提取溶剂为25%甲醇、超声（功率250W，频率40kHz）条件下，分别考察了提取20分钟、40分钟、60分钟和80分钟时的提取效率。结果见表3。

表3 羟基红花黄色素A提取时间考察

序号	提取时间（min）	含量（mg/g）
1	20	2.081
2	40	2.117
3	60	2.095
4	80	2.154

从表3数据可见，超声提取时间为40分钟后供试品中羟基红花黄色素A的含量基本稳定，故将提取时间定为40分钟。

2.3 专属性考察

2.3.1 对照品溶液的制备：取羟基红花黄色素A对照品适量，精密称定，加25%甲醇制成每1ml含30μg的溶液，作为对照品溶液。

2.3.2 供试品溶液的制备：取本品适量，研细，取约1.5g，精密称定，置具塞锥形瓶中，精密加入25%甲醇25ml，称定重量，超声处理（功率250W，频率40kHz）40分钟，放冷，再称定重量，用甲醇补足减失的重量，摇匀，滤过，取续滤液，作为供试品溶液。

2.3.3 阴性对照溶液的制备：按本品处方工艺制备不含红花的阴性供试品，按供试品溶液的制备方法制备阴性对照溶液（缺红花）。

2.3.4 测定：分别精密吸取以上三种溶液各10μl，注入色谱仪，记录各自的色谱图。

试验结果显示：供试品色谱中在与对照品色谱保留时间相同的位置上有色谱峰出现，而阴性对照在与对照品色谱保留时间相同的位置上无色谱峰出现，表明该含量测定方法阴性无干扰，专属性好。

2.4 线性关系考察

取羟基红花黄色素A对照品约14mg，精密称定，置50ml量瓶中，加25%甲醇使溶解，并稀释至刻度，摇匀，作为对照品溶液（羟基红花黄色素A浓度为0.2796mg/ml）；分别精密吸取0.5ml、1ml、2ml、3ml、4ml、5ml溶液分别置于25ml量瓶中，加25%甲醇至刻度，摇匀，各取10μl进样，按上述色谱条件测定，以峰面积对进样量进行回归分析。结果见表4。

表4 羟基红花黄色素A标准曲线数值表

对照品量（μg）	峰面积值	回归方程	r
0.05592	156509		
0.11184	305919		
0.22368	617042	$y=284.04x-11961$	0.9998
0.33552	933327.5		
0.44736	1249103		
0.55920	1590306		

从表4数据可见，羟基红花黄色素A在0.05592～0.55920μg范围内与峰面积值呈良好的线性关系。

2.5 稳定性试验

取同一供试品（批号20200422）溶液，分别于制备溶液后的0小时、2小时、4小时、6小时、10小时、14小时、18小时进样测定。结果见表5。

表5 不同时间测定的溶液中羟基红花黄色素A的峰面积值

序号	时间（h）	峰面积值
1	0	538531
2	2	539204
3	4	540896
4	6	534877
5	10	530797
6	14	536903
7	18	537963

从表5数据可见，羟基红花黄色素A在18小时内的峰面积值基本稳定，能够满足测定所需要的时间。

2.6 重复性试验

取同一供试品（批号20200422）6份，各约1.5g，精密称定，置具塞锥形瓶中，精密加入25%甲醇25ml，称定重量，超声处理（功率250W，频率40kHz）40分钟，放冷，再称定重量，用甲醇补足减失的重量，摇匀，滤过，取续滤液，作为供试品溶液。另取羟基红花黄色素A对照品适量，精密称定，加25%甲醇制成每1ml含30μg的溶液，作为对照品溶液。分别精密吸取以上两种溶液各10μl，注入液相色谱仪，记录各自的色谱图，用外标法以峰面积计算含量。结果见表6。

表6 羟基红花黄色素A含量重复试验结果

取样量（g）	峰面积值	含量（mg/g）	平均含量（mg/g）	RSD（%）
1.4710	525844	2.123		
1.4693	519119	2.098		
1.4677	520826	2.107	2.105	0.44
1.4653	516501	2.093		
1.4840	526004	2.105		
1.4653	519444	2.105		

从表6数据可见，在相同的提取溶剂和色谱条件下，6份供试品含量测定结果的均值为2.105mg/g，RSD为0.44%，表明该方法的重复性良好。

2.7 加样回收试验

取供试品（批号20200422，含量2.105mg/g）9份，各约0.75g，精密称定，分别精密加入对照品溶液（含

0.02008mg/ml）10ml、20ml、30ml，每个浓度各3份，分别按重复性试验项下的色谱条件测定每份的含量，计算回收率。结果见表7。

表7 羟基红花黄色素A加样回收试验结果

称样量（g）	供试品含量（mg）	对照品加入量（mg）	测得总量（mg）	回收率（%）	平均回收率（%）	RSD（%）
0.7453	0.4707	0.2008	0.6703	99.4		
0.7500	0.4736	0.2008	0.6744	100		
0.7627	0.4816	0.2008	0.6822	99.9		
0.7517	0.4748	0.4016	0.8762	100		
0.7523	0.4751	0.4016	0.877	100.1	99.71	0.47
0.7707	0.4867	0.4016	0.8908	100.6		
0.7460	0.469	0.6024	1.0665	99.2		
0.7340	0.4635	0.6024	1.06	99		
0.7520	0.4749	0.6024	1.0761	99.8		

从表7数据可见，本方法的平均回收率为99.71%，RSD为0.47%。该方法准确度好。

2.8 耐用性试验

取供试品（批号20200422）约1.5g，精密称定，按重复性试验项下的方法处理，换不同厂家、不同型号的色谱柱，分别测定供试品的含量。结果见表8。

表8 色谱柱耐用性试验

取样量（g）	柱型号	峰面积值	含量（mg/g）
1.5452	Shim-pack Scepter C_{18}柱	526004	2.105
1.5452	phenomenex C_{18}柱	526569	2.107

从表8数据可见，不同型号或厂家的色谱柱对测定结果影响较小。

3 样品含量测定

供试品（批号20200422、20200316、20191205）由内蒙古自治区国际蒙医医院提供，模拟样品（批号20200087）模拟。各约1.5g，精密称定，按重复性试验项下的方法处理并测定。结果见表9。

表9 样品中羟基红花黄色素A含量测定结果

批号	取样量（g）	峰面积值	含量（mg/g）	平均含量（mg/g）
	1.4710	525844	2.123	
20200422	1.4693	519119	2.098	2.109
	1.4677	520826	2.107	
	1.5087	516726	2.152	
20200316	1.5080	522352	2.176	2.161
	1.5110	518329	2.155	
	1.5070	521250	2.174	
20191205	1.5057	518428	2.163	2.169
	1.5060	520429	2.171	
	1.5080	263664	1.098	
20200087	1.5043	257818	1.077	1.091
	1.5077	263818	1.099	

从表9数据可见，三批样品中羟基红花黄色素A的含量最低为2.109mg/g，模拟样品中羟基红花黄色素A的含量

平均为1.091mg/g。

4 红花药材含量测定

试验中采用同法对上述三批供试品生产用红花药材进行了含量测定。测定结果见表10。

表10 红花药材中羟基红花黄色素A含量测定结果

取样量（g）	平均峰面积值（n=2）	含量（mg/g）	平均含量（mg/g）	RSD（%）
0.4004	2461290	13.91		
0.4018	2456601	13.82	13.86	0.33
0.405	2474296	13.85		

从表10数据可见，红花药材羟基红花黄色素A的含量平均值为13.86mg/g。

5 本制剂含量限度确定

从表中数据可见，红花药材的羟基红花黄色素A含量为13.86mg/g，模拟样品中羟基红花黄色素A的含量平均为1.091mg/g。

按理论值折算，样品应含羟基红花黄色素A为$50 \div 600 \times 13.86$（mg/g）=1.155mg/g，可见，羟基红花黄色素A的转移率为$1.091 \div 1.155 \times 100\% = 94.45\%$。

参照《中国药典》2020年版一部"红花"药材的羟基红花黄色素A含量限度不得少于1.0%，转移率为94.45%，考虑不同产地药材的质量差异，并结合其他影响因素及三批样品的测定结果，下浮30%，按此限度折算本品含羟基红花黄色素A的理论量应不低于$50 \div 600 \times 1000 \times 1.0\% \times 94.45\% \times 70\% = 0.550$（mg/g）。

标准正文暂定为：本品每1g含红花以羟基红花黄色素A（$C_{27}H_{32}O_{16}$）计，不得少于0.50mg。

【功能与主治】

调元，解毒，收敛扩散之宝日热，开胃，祛巴达干希日。用于宝日病，毒热，陈旧热，不思饮食，寒热不平。

【用法与用量】

口服。一次3~5g，一日1~2次，水煎服。

【规格】

每袋装（1）3g；（2）5g；（3）15g；（4）250g。

【贮藏】

密闭，防潮。

起草单位：内蒙古自治区国际蒙医医院　　乌日乐格　青　松　那松巴乙拉

　　　　　赤峰市药品检验所　　　　　　王天媛　张德瑞　张　戈

　　　　　内蒙古自治区药品检验研究院　　娜仁图雅　包顺茹　乌云索德

查干·扫日劳-4汤质量标准起草说明

【历史沿革】

本方来源于《四部医典》(内蒙古人民出版社 1978年版,蒙古文,第1004页)。

【处方来源】

本制剂由内蒙古自治区国际蒙医医院提供。

【名称】

查干·扫日劳-4汤

【蒙药材和饮片的来源和执行标准】

1. 处方组成及药味排列顺序:北沙参50g、紫草茸28g、拳参15g、甘草10g。

2. 处方中除了紫草茸药材外,其余北沙参等药味均收载于《中国药典》2020年版一部,其质量应符合该品种项下的有关规定。

紫草茸:为胶蚧科昆虫紫胶虫 *Laccifer lacca* Kerr 在树枝上所分泌的树脂状胶质。其质量应符合《内蒙古蒙药饮片炮制规范》2020年版第436页该品种项下的有关规定。

【制法】

以上四味,粉碎成中粉,过筛,混匀,分装,即得。

【性状】

本品为淡红色的粉末;气微,味甘。

【鉴别】

本品为药材粉末制成的汤剂,方中大多数药味的显微特征都比较明显,故对处方中的甘草、拳参建立显微鉴别,并对处方中的紫草茸建立了薄层鉴别。

1. 试剂与试药

供试品:供试品(批号20200101、20200103、20200301)由内蒙古自治区国际蒙医医院提供,模拟样品(批号20201220)模拟。

对照药材:紫草茸药材(批号121052-201302),购于中国食品药品检定研究院。

薄层板:硅胶G板,购于青岛海洋化工有限公司。

所用其他试剂均为分析纯,水为离子交换高纯水。

2. 试验方法与结果

(1)显微鉴别

甘草:纤维成束,直径8~14μm,壁厚,微木化,周围薄壁细胞含草酸钙方晶,形成晶纤维。拳参:草酸钙簇晶,直径15~65μm。

(2)紫草茸薄层鉴别

参考相关文献对紫草茸的薄层条件进行了优化,制定正文所述的鉴别方法。通过阴性对照试验观察,方中其他药材对紫草茸药材的检出无干扰,证明此方法具有专属性。

【检查】

按照汤(洗)剂[《内蒙古蒙药制剂规范》(第三册)附录Ⅰ C]项下规定,对三批供试品及模拟样品的外观均匀度、水分、重金属和砷盐、浸出物进行了检查。具体方法及测定数据如下:

1. 外观均匀度:取供试品适量,置光滑纸上,平铺约5cm²,将其表面压平,在亮处观察,呈现均匀的色泽,无花纹、色斑。结果三批供试品及模拟样品均符合规定。

2. 水分:取供试品照水分测定法(《中国药典》2020年版四部通则0832)测定。三批供试品及模拟样品的测定结果见表1。

表1 水分测定结果

序号	批号	水分(%)
1	20200101	5.93
2	20200103	5.87
3	20200301	5.88
4	20201220	6.00

《内蒙古蒙药制剂规范》(第三册)附录Ⅰ C汤(洗)剂项下规定,水分含量不得大于12.0%。从表1数据可见,本品水分含量符合要求。

3. 对三批供试品及模拟样品进行了重金属和砷盐考察。方法与结果如下:

重金属:分别取每个批号供试品0.5g、0.67g、1.0g、2.0g,按《中国药典》2020年版四部0821第二法检查。

供试品溶液的制备:取本品0.5g、0.67g、1.0g、2.0g,分别缓缓炽灼至完全炭化,放冷,加硫酸0.5ml,使湿润,低温加热至硫酸除尽后,加硝酸0.5ml,蒸干,至氧化氮蒸气除尽后,放冷,于600℃炽灼至完全灰化,放冷。加盐酸2ml,置水浴上蒸干后加水15ml,滴加氨试液至对酚酞指示液显中性,再加醋酸盐缓冲液(pH3.5)2ml,微热溶解后,移置纳氏比色管中,加水稀释至25ml,作为供试品溶液。

标准铅对照溶液的制备:另取配制供试品溶液的试剂两份,分别置瓷皿中蒸干后,加醋酸盐缓冲液(pH3.5)2ml,加水15ml微热溶解后,移置两支纳氏比色管中,分别加标准铅溶液(10μg/ml Pb)2ml,再加水稀释至25ml,作为标准铅对照溶液。

检视:于上述供试品溶液和标准铅对照溶液中分别加硫代乙酰胺试液2ml,摇匀,放置2分钟,同置白色背景上,从上向下进行观察。试验结果见表2。

表2 重金属检查结果

序号	批号	重金属含量(ppm)			
1	20200101	<10	<20	<30	<40
2	20200103	<10	<20	<30	<40
3	20200301	<10	<20	<30	<40
4	20201220	<10	<20	<30	<40

结果显示,供试品溶液的颜色明显浅于2ml的标准铅对照溶液。经过三批供试品及模拟样品的检查,含重金属均未超过百万分之十,故未收入正文。

砷盐:取本品1g和标准砷溶液(1μg/mlAS)2ml,分别加无砷氢氧化钙1g,加少量水,搅匀,烘干,用小火缓缓炽灼至炭化,再在600℃炽灼至完全灰化,放冷。分别加盐酸7ml使溶解,再加水21ml,按《中国药典》2020年版四部通则0822第一法(古蔡氏法)做砷盐限量检查。

结果：供试品砷斑浅于标准砷斑的颜色，表明本品含砷量未超过百万分之二（小于2ppm），故砷盐检查项目未列入正文。

4.浸出物

按照《中国药典》2020年版四部通则2201浸出物测定法项下醇溶性浸出物冷浸法进行测定。三批供试品及模拟样品的测定结果见表3。

表3 供试品浸出物测定结果

序号	批号	浸出物（%）
1	20200101	27.25
2	20200103	27.01
3	20200301	27.16
4	20201220	27.18

从表3数据可见，三批供试品及模拟样品浸出物最低为27.01%，最高为27.25%。考虑不同产地药材质量差异，下浮20%，故用无水乙醇作溶剂，浸出物不得少于21.0%。

【含量测定】

查干·扫日劳–4汤是由北沙参、甘草、紫茸草、拳参四味药组成。临床功效清热、止咳、祛痰，用于肺热，咳嗽，多痰，胸背刺痛。参照《中国药典》2020年版一部"甘草"项下含量测定方法，发现其提取方法较为复杂，不适合于医院制剂。参照《内蒙古蒙药制剂规范》2007年版"毛勒日–达布斯–4汤"项下"诃子"中没食子酸的含量测定方法在对本品中"拳参"中的没食子酸进行含量测定时，发现阴性对照品色谱中在与没食子酸对照品色谱相应的保留时间处有色谱峰出现，阴性存在干扰。其他两种药材没有相应的含量测定标准，因此本品无含量测定项。

【功能与主治】

清热，止咳。用于肺热，气喘，咳嗽，痰呈黄色或带血，血热引起的肺部作痛，肺感冒等。

【用法与用量】

口服。一次3~5g，一日1~2次，水煎服。

【规格】

每袋（1）3g；（2）5g；（3）15g；（4）250g。

【贮藏】

密封，防潮。

起草单位：内蒙古盛唐国际蒙医药研究院　　崔圆圆　张跃祥　王　伟

　　　　　包头市检验检测中心　　　　　　　张冬梅　包　冉　魏颖轩

　　　　　鄂尔多斯市蒙医医院　　　　　　　哈斯巴雅尔　阿米拉

查干汤质量标准起草说明

【历史沿革】

本方来源于《蒙医药选编》（内蒙古人民出版社1975年版，蒙古文，第340页）。

【处方来源】

本制剂由内蒙古自治区国际蒙医医院提供。

【名称】

查干汤

【蒙药材和饮片的来源和执行标准】

1. 处方组成及药味排列顺序：苦参40g、土木香40g、接骨木20g、山柰10g。

2. 方中除了接骨木药材外，其余土木香等药味均收载于《中国药典》2020年版一部，其质量应符合该品种项下的有关规定。

接骨木：为忍冬科植物接骨木*Sambucus williamsii* Hance或毛接骨木*Sambucus williamsii* Hance var. *miquelii* (Nakai) Y. C. Tang的干燥茎枝。其标准应符合《中华人民共和国卫生部药品标准》（蒙药分册）1998年版第42页该品种项下有关规定。

【制法】

以上四味，粉碎成中粉，过筛，混匀，分装，即得。

【性状】

本品为黄白色的粉末；气香，味极苦、微辛。

【鉴别】

本品为药材粉末制成的汤剂，处方中土木香、苦参的显微特征较明显，故建立显微鉴别，并对处方中苦参、山柰建立了薄层鉴别。

1. 试剂与试药

供试品：供试品（批号20200313、20200314、20200315）由内蒙古自治区国际蒙医医院提供，模拟样品（批号20200019）模拟。

对照品：苦参碱对照品（批号110805-201909），槐定碱对照品（批号110784-201405），对甲氧基肉桂酸乙酯对照品（批号110835-202005），均购于中国食品药品检定研究院。

薄层板：模拟2%氢氧化钠溶液制备硅胶G板、硅胶G板，购于青岛海洋化工有限公司。

所用其他试剂均为分析纯，水为离子交换高纯水。

2. 试验方法与结果

（1）显微鉴别

土木香：菊糖众多，无色，呈不规则碎块状。苦参：纤维束无色，周围薄壁细胞含草酸钙方晶，形成晶纤维。

（2）苦参薄层鉴别

参照《中国药典》2020版一部"苦参"项下的薄层条件，制定出正文所述的鉴别方法。通过阴性对照试验观察，方中其他药材对苦参的检出无干扰，证明此方法具有专属性。

（3）山柰薄层鉴别

参照《中国药典》2020版一部"山柰"项下的薄层条件，制定出正文所述的鉴别方法。通过阴性对照试验观察，方中其他药材对山柰的检出无干扰，证明此方法具有专属性。

【检查】

按照汤（洗）剂［《内蒙古蒙药制剂规范》（第三册）附录Ⅰ C］项下规定，对三批供试品及模拟样品的外观均匀度、水分、重金属、砷盐、浸出物进行了检查。具体方法及测定数据如下：

1. 外观均匀度：取供试品适量，置光滑纸上，平铺约5cm²，将其表面压平，在亮处观察，呈现均匀的色泽，无花纹、色斑。结果三批供试品及模拟样品均符合规定。

2. 水分：取供试品照水分测定法（《中国药典》2020年版四部通则0832）测定。三批供试品及模拟样品测得结果见表1。

表1 水分测定结果

序号	批号	水分（%）
1	20200313	5.8
2	20200314	6.4
3	20200315	6.4
4	20200016	6.5

《内蒙古蒙药制剂规范》（第三册）附录Ⅰ C汤（洗）剂项下规定，水分含量不得大于12.0%。从表1数据可见，本品水分含量均符合要求。

3. 对三批供试品及模拟样品进行了重金属和砷盐考察。方法与结果如下：

重金属：分别取每个批号供试品0.5g、0.67g、1.0g、2.0g，按《中国药典》2020年版四部0821第二法检查。

供试品溶液的制备：取本品0.5g、0.67g、1.0g、2.0g，分别缓缓炽灼至完全炭化，放冷，加硫酸0.5ml，使湿润，低温加热至硫酸除尽后，加硝酸0.5ml，蒸干，至氧化氮蒸气除尽后，放冷，于600℃炽灼至完全灰化，放冷。加盐酸2ml，置水浴上蒸干后加水15ml，滴加氨试液至对酚酞指示液显中性，再加醋酸盐缓冲液（pH3.5）2ml，微热溶解后，移置纳氏比色管中，加水稀释至25ml，作为供试品溶液。

标准铅对照溶液的制备：另取配制供试品溶液的试剂两份，分别置瓷皿中蒸干后，加醋酸盐缓冲液（pH3.5）2ml，加水15ml微热溶解后，移置两支纳氏比色管中，分别加标准铅溶液（10g/ml Pb）2ml，再加水稀释至25ml，作为标准铅对照溶液。

检视：于上述供试品溶液和标准铅对照溶液中分别加硫代乙酰胺试液各2ml，摇匀，放置2分钟，同置白色背景上，从上向下进行观察。试验结果见表2。

表2 重金属检查结果

序号	批号	重金属含量（ppm）			
1	20200313	<10	<20	<30	<40
2	20200314	<10	<20	<30	<40
3	20200315	<10	<20	<30	<40
4	20200016	<10	<20	<30	<40

结果显示，供试品溶液的颜色明显浅于2ml的标准铅对照溶液。经过三批供试品及模拟样品的检查，含重金属

均未超过百万分之十，故未收入正文。

砷盐：取本品1g和标准砷溶液（1μg/ml AS）2ml，分别加无砷氢氧化钙1g，加少量水，搅匀，烘干，用小火缓缓炽灼至炭化，再在600℃炽灼至完全灰化，放冷。分别加盐酸7ml使溶解，再加水21ml，按《中国药典》2020年版四部通则0822第一法（古蔡氏法）做砷盐限量检查。

结果：供试品砷斑浅于标准砷斑的颜色，表明本品含砷量未超过百万分之二（小于2ppm），故砷盐检查项目未收入正文。

4. 浸出物：按照醇溶性浸出物的热浸法作为本制剂的定量测定方法，以更有效控制制剂的内在质量。按照浸出物测定法（《中国药典》2020年版第四部通则2201）测定。对三批样品和模拟样品的测定结果见表3。

表3 浸出物的测定结果

序号	批号	浸出物（%）
1	20200313	12.7
2	20200314	12.4
3	20200315	12.7
4	20200016	13.8

从表3数据可见，三批供试品及模拟样品中浸出物的含量均小于15.0%，故未将浸出物收入正文。

【含量测定】

查干汤是由土木香、苦参、接骨木和山柰等四味药组成的蒙药制剂，促使热病及疫热成熟，平赫依、血相讧。用于未成熟热，疫热等。参照《中国药典》2020年版一部"土木香"项下的含量测定方法，采用液相色谱法，以土木香内酯和异土木香内酯为测定指标，进行含量测定方法研究，因处方中其他成分干扰土木香内酯，所以异土木香内酯能建立含量测定方法。经方法学考察和对三批供试品的测定结果表明，该方法操作简单、重复性好、准确度高、专属性强。

1 仪器与试剂试药

1.1 仪器

高效液相色谱仪（日本岛津），LC-10ATVP泵，SPD-10AVP检测器，SCL-10AVP色谱工作站；Sartorius ME5型电子天平，Mettler AE-100电子分析天平，JD200-2型电子天平；岛津UV-2550型紫外可见分光光度计；AS 5150A超声清洗仪。

1.2 试剂与试药

供试品（批号20200313、20200314、20200315）由内蒙古自治区国际蒙医医院提供，模拟样品（20200016）模拟；苦参碱对照品（批号110805-201909），槐定碱对照品（批号110784-201405），对甲氧基肉桂酸乙酯对照品（批110835-202005），均购于中国食品药品检定研究院；甲醇为分析纯和色谱纯，其他试剂均为分析纯，水为离子交换高纯水。

2 方法学考察

2.1 色谱条件

2.1.1 色谱柱：色谱柱填充剂为十八烷基硅烷键合硅胶，本试验研究采用Kromasil C$_{18}$柱（250mm×4.6mm，5μm）。

2.1.2 流动相的选择：根据文献，以流动相为乙腈-水（50：50）进行条件摸索，结果拖尾现象严重；流动相为乙腈-0.04%的磷酸溶液（50：50），样品分离效果较好，无拖尾现象，且阴性对照无干扰。结果：选用流动相为乙腈-0.04%的磷酸溶液（50：50）。

2.1.3 柱温:采用30℃为柱温。

2.1.4 检测波长的选择:通过Genesys50型紫外可见分光光度计对异土木香内酯在300~190nm进行光谱扫描,结果异土木香内酯对照品在203nm、195nm处均有吸收峰,分别用两个波长对液相色谱进行测定,其中在195nm处的色谱图中干扰波较多,影响样品的分离,203nm处杂质峰较多,参照相关文献并结合试验情况选择测定波长为210nm。在210nm处干扰成分少,且样品分离效果较好。

2.1.5 理论板数的确定:对多批样品测定结果表明,异土木香内酯峰的理论板数在4000~10000范围内异土木香内酯的分离度较好,故确定异土木香内酯的理论板数应不低于4000。

2.2 提取溶剂的选择及提取效率的考察

2.2.1 提取溶剂的选择:文献记载异土木香内酯不溶于水,溶于甲醇、乙醇、乙醚、乙酸乙酯,微溶于石油醚。为排除过多杂质的干扰,并参照文献乌努日图-3项下土木香的含量测定方法,选择甲醇作为提取溶剂。

2.2.2 提取效率的考察

取本品(批号20200313)4份,各约0.3g,精密称定,分别置具塞锥形瓶中,精密加入甲醇25ml,密塞,称定重量,放置过夜,分别超声处理15分钟、30分钟、45分钟、60分钟,取出,放冷,再称定重量,用甲醇补足减失的重量,摇匀,滤过,取续滤液,即得。按上述色谱条件测定,测得结果见表4。

表4 提取效率考察表

提取时间(min)	峰面积值	含量(mg/g)
15	1336243	9.24
30	1372583	9.40
45	1359713	9.37
60	1387917	9.38

从表4数据可见,超声30分钟之后,峰面积值不再增加,即异土木香内酯的含量不再增加,故选择30分钟作为超声时间。

2.3 专属性考察

2.3.1 对照品溶液的制备:取异土木香内酯对照品适量,加甲醇制成每1ml含0.025mg的溶液,作为对照品溶液。

2.3.2 供试品溶液的制备:取供试品约0.3g,精密称定,置具塞锥形瓶中,精密加入甲醇25ml,密塞,称定重量,放置过夜,超声处理30分钟,放冷,再称定重量,用甲醇补足减失的重量,摇匀,滤过,取续滤液,作为供试品溶液。

2.3.3 阴性对照溶液的制备:按处方配比制备阴性对照,称取约1.8g,精密称定,从"置具塞锥形瓶中……"起操作同"供试品溶液的制备",取续滤液,作为阴性对照溶液。

2.3.4 测定:分别精密吸取以上三种溶液各10μl,注入色谱仪,记录各自的色谱图。

结果为阴性对照色谱图中在与异土木香内酯对照品色谱图中相对应的保留时间处无色谱峰出现,表明本制剂中其他组分对异土木香内酯的测定无干扰。

2.4 线性关系考察

取异土木香内酯对照品约3mg,精密称定,定容在100ml量瓶中,用甲醇稀释至刻度,摇匀,精密吸取5μl、10μl、15μl、20μl、25μl、30μl进样,按上述色谱条件测定。以峰面积对注入量进行回归分析,结果见表5。

表5　异土木香内酯的标准曲线数值表

对照品量（μg）	峰面积值	回归方程	r
0.15365	442847		
0.3073	844124		
0.46095	1251562	$y= 2661736.04x-29386.73$	1.00
0.6146	1666204		
0.76825	2077127		
0.9219	2482947		

从表5数据可见，异土木香内酯在0.15365～0.9219μg范围内与峰面积值呈良好的线性关系。

2.5　稳定性试验

取同一供试品（批号20200313），分别于制备溶液后的0小时、2小时、4小时、8小时、12小时、24小时进行测定。结果见表6。

表6　不同时间测定的异土木香内酯的峰面积值

时间（h）	峰面积值	RSD（%）
0	1684239	
2	1696917	
4	1702886	
8	1693539	0.54
12	1708814	
24	1706900	

从表6数据可见，异土木香内酯在24小时内的峰面积值基本稳定。

2.6　重复性试验

取同一批号样品（批号20200313）适量，取6份，每份约0.3克，精密称定，分别按上述供试品溶液的制备和色谱条件进行测定。进样量各10μl，结果见表7。

表7　异土木香内酯含量重复性试验结果

样品号	取样品量（g）	峰面积值	平均含量（mg/g）	总平均值（mg/g）	RSD（%）
1	0.3014	1710184	5.396		
2	0.3013	1722451	5.449		
3	0.3016	1715766	5.423	5.433	0.67
4	0.3007	1707395	5.430		
5	0.3023	1740089	5.473		
6	0.3026	1719926	5.426		

从表7数据可见，在相同的提取溶剂和色谱条件下，6份供试品含量测定结果的均值为5.433mg/g，RSD为0.67%，表明该方法的重复性良好。

2.7　加样回收率试验

分别取供试品（批号20200313，含量5.43mg/g）6份，每份约0.15克，精密称定，分别置于100ml锥形瓶中，依次精密加入甲醇24ml和异土木香内酯对照品溶液（浓度为0.815mg/ml）1ml，密塞，称定重量，放置过夜，超声处理30分钟，放冷，再称定重量，用甲醇补足减失的重量，摇匀，滤过，取续滤液，作为供试品溶液。按上述色谱条件进行测定并计算回收率，结果见表8。

表8 异土木香内酯加样回收试验结果

序号	对照品加入量（ml）	取样量（g）	供试品含量（mg）	对照品加入量（mg）	测得总含量（mg）	回收率（%）	平均回收率（%）	RSD（%）
1	1	0.1573	0.8546	0.8096	1.6736	101.16	100.76	0.55
2		0.1572	0.8540	0.8096	1.6727	101.12		
3		0.1563	0.8491	0.8096	1.6675	101.08		
4		0.1573	0.8546	0.8096	1.6639	99.96		
5		0.1549	0.8415	0.8096	1.6601	101.11		
6		0.1585	0.8611	0.8096	1.6718	100.13		

从表8数据可见，本方法的平均回收率为100.76%，RSD为0.55%。该方法准确度好。

3 样品含量测定

取三批样品，每批各3份，研细，各约0.3g，精密称定，置具塞锥形瓶中，精密加入甲醇25ml，密塞，称定重量，放置过夜，超声处理30分钟，放冷，再称定重量，用甲醇补足减失的重量，摇匀，滤过，取续滤液，作为供试品溶液。另精密称取异土木香内酯对照品适量，加甲醇制成每1ml含0.025mg的溶液，作为对照品溶液。分别精密吸取各溶液10μl，注入液相色谱仪测定，按外标法计算含量。结果见表9。

表9 三批样品中异土木香内酯含量测定

批号	样品号	取样量（g）	峰面积值	含量（mg/g）	平均含量（mg/g）
20200313	1	0.3008	1568310	4.894	4.89
			1566895		
	2	0.3003	1562397	4.895	
			1568326		
20200314	1	0.3002	1485380	4.652	4.79
			1488713		
	2	0.3005	1579847	4.932	
			1576872		
20200315	1	0.3003	1397793	4.378	4.38
			1402504		
	2	0.3003	1407909	4.401	
			1407084		

从表9数据可见，三批样品异土木香内酯的含量均在4.0mg/g以上。

4 土木香药材含量测定

试验中采用同法对上述三批供试品生产用土木香药材进行了含量测定，结果土木香药材中异土木香内酯的含量为13.67mg/g。

5 本制剂含量限度的确定

从表中数据可见，三批样品中异土木香内酯的平均含量为4.686mg/g，土木香药材中异土木香内酯的含量为13.67mg/g。

按理论值折算，样品应含异土木香内酯为40÷110×13.67=4.970mg/g，即4.97mg/g，可见异土木香内酯转移率为4.686（mg/g）÷4.97（mg/g）×100%=94.28%。

参照《中国药典》2020年版一部"土木香"药材的土木香内酯和异土木香内酯的总含量限度不得少于2.2%，转移率为94.28%，考虑不同产地药材的质量差异，并结合其他影响因素及三批样品的测定结果，下浮35%，按此限度折算本品含异土木香内酯的理论量应不低于 $40 \div 110 \times 2.2\% \div 2 \times 1000 \times 94.28\% \times 65\% = 2.45$ mg/g。

标准正文暂定为: 本品每1g含土木香以异土木香内酯($C_{15}H_{20}O_2$)计, 不得少于2.5mg。

【功能与主治】

促使热病及疫热成熟, 平赫依、血相讧。用于未成熟热, 疫热, 空虚热, 宝日巴达干, 赫依、血不调, 血刺痛, 感冒。

【用法与用量】

口服。一次 3~5g, 一日1~2次, 水煎服。

【规格】

每袋(1)3g; (2)5g; (3)15g; (4)250g。

【贮藏】

密闭, 防潮。

起草单位: 内蒙古自治区国际蒙医医院   臧 璇 赛罕其其格 那松巴乙拉 青 松

            包头市检验检测中心   张 欣 陈媛媛

特莫根·呼呼-4汤质量标准起草说明

【历史沿革】

处方来源于《蒙医常用方剂选》（吉林人民出版社1980年版，蒙古文，第102页）。

【处方来源】

本制剂由内蒙古自治区国际蒙医医院提供。

【名称】

特莫根·呼呼-4汤

【药材和饮片的来源和执行标准】

1. 处方组成及药味排列顺序：地梢瓜24g、川木通21g、拳参21g、麦冬15g。

2. 处方中除了地梢瓜药材外，其余川木通等药味均收载于《中国药典》2020年版一部，其质量应符合该品种项下的有关规定。

地梢瓜：为萝藦科植物地梢瓜 *Cynanchum thesioides*（Freyn）K. Schum. 的干燥成熟种子。其标准符合《中华人民共和国卫生部药品标准》（蒙药分册）1998年版第13页该品种项下的有关规定。

【制法】

以上四味，粉碎成中粉，过筛，混匀，分装，即得。

【性状】

本品为内服汤剂，性状应为浅灰黄色的粉末；气微香，味甘、微涩。

【鉴别】

本品为药材粉末制成的汤剂，方中麦冬、拳参的显微特征较明显，故建立显微鉴别。

1. 试剂与试药

供试品：供试品（批号20200102、20200311、20200410）由内蒙古自治区国际蒙医医院提供，模拟样品（批号20200101）模拟。

对照品：拳参对照药材（批号121569-201602），购于中国食品药品检定研究院。

薄层板：硅胶G板，购于青岛海洋化工有限公司。

所用其他试剂均为分析纯，水为离子交换高纯水。

2. 试验方法与结果

（1）显微鉴别

麦冬：散有含草酸钙针晶束的黏液细胞，直径至10μm。拳参：草酸钙簇晶，直径15~65μm。

（2）拳参薄层鉴别

参照《中国药典》2020年版一部"拳参"项下薄层条件，制定鉴别方法。通过阴性对照试验观察，方中其他药材对拳参的检出有干扰，故未收入正文。

【检查】

按照汤（洗）剂〔《内蒙古蒙药制剂规范》（第三册）附录Ⅰ C〕项下规定，对三批供试品及模拟样品的外观均匀度、水分、重金属和砷盐进行了检查。具体方法及测定数据如下：

1. 外观均匀度：取供试品适量，置光滑纸上，平铺约5cm²，将其表面压平，在明亮处观察，呈现色泽均匀，无花纹与色斑。结果三批供试品及模拟样品均符合规定。

2. 水分：取供试品照水分测定法（《中国药典》2020年版四部通则0832）测定。三批供试品及模拟样品测定结果见表1。

表1 水分测定结果

序号	批号	水分（%）
1	20200102	8.09
2	20200311	8.17
3	20200410	8.02
4	20200101	7.05

《蒙药制剂规范》2014年版（第二册）附录Ⅰ B汤（洗）剂项下规定水分含量不得大于12.0%。从表1数据可见，本品水分含量符合要求。

3. 对三批供试品及模拟样品进行了重金属、砷盐、浸出物考察。方法与结果如下：

重金属：分别取每个批号样品0.5g、0.67g、1.0g、2.0g，按《中国药典》2020年版四部0821第二法检查。

供试品溶液的制备：取本品0.5g、0.67g、1.0g、2.0g，分别缓缓炽灼至完全炭化，放冷，加硫酸0.5ml，使湿润，低温加热至硫酸除尽后，加硝酸0.5ml，蒸干，至氧化氮蒸气除尽后，放冷，于600℃炽灼至完全灰化，放冷。加盐酸2ml，置水浴上蒸干后加水15ml，滴加氨试液至对酚酞指示液显中性，再加醋酸盐缓冲液（pH3.5）2ml，微热溶解后，移置纳氏比色管中，加水稀释至25ml，作为供试品溶液。

标准铅对照管的制备：另取配制供试品溶液的试剂两份，分别置瓷皿中蒸干后，加醋酸盐缓冲液（pH3.5）2ml，加水15ml微热溶解后，移至两支纳氏比色管中，分别加标准铅溶液（10μg/ml Pb）2ml，再加水稀释至25ml，作为标准铅对照管。

检视：于上述供试品溶液和标准铅对照管中分别加硫代乙酰胺试液各2ml，摇匀，放置2分钟，同置白色背景上，从上向下进行观察。试验结果见表2。

表2 重金属检查结果

序号	批号	重金属含量（ppm）			
1	20200102	<10	<20	<30	<40
2	20200311	<10	<20	<30	<40
3	20200410	<10	<20	<30	<40
4	20200101	<10	<20	<30	<40

结果显示，供试品溶液的颜色明显浅于2ml的标准铅对照溶液。经过3批供试品及模拟样品的检查，含重金属均未超过百万分之十，故未列入正文。

砷盐：取本品1g和标准砷溶液（1μg/ml AS）2ml，分别加无砷氢氧化钙1g，加少量水，搅匀，烘干，用小火缓缓炽灼至炭化，再在600℃炽灼至完全灰化，放冷。分别加盐酸7ml使溶解，再加水21ml，按《中国药典》2020年版四部通则0822第一法（古蔡氏法）检查砷盐含量。

结果：供试品砷斑浅于标准砷斑的颜色，表明本品含砷量未超过百万分之二（小于2ppm），故砷盐检查项目未

列入正文。

4. 浸出物: 照水溶性浸出物测定法(《中国药典》2020年版四部通则2201)项下的冷浸法测定。具体操作如下:

取本品4.0g,精密称定,置250ml锥形瓶中,精密加水100ml,密塞,冷浸,前6小时内时时振摇,再静置18小时,用干燥滤器迅速滤过,精密量取续滤液20ml,置已干燥至恒重的蒸发皿中,在水浴上蒸干后,于105℃干燥3小时,置干燥器中冷却30分钟,迅速精密称定重量。除另有规定外,以干燥品计算供试品中水溶性浸出物的含量。结果见表3。

表3 水溶性浸出物结果

序号	批号	水溶性浸出物(%)
1	20200102	26.5
2	20200311	26.2
3	20200410	25.9

从表3数据可见,三批供试品中水溶性浸出物的含量均在25%以上,考虑到不同产地,不同批次药材的质量不同,下浮7%,标准正文暂定为: 本品含水溶性浸出物不得少于18.0%。

【含量测定】

处方中各药材均没有合适的含量测定标准,因此本品无含量测定项。

【功能与主治】

清热,止泻。用于大小肠等腑热,肠刺痛,聚合疫,热泻。

【用法与用量】

口服。一次3~5g,一日1~2次,水煎服。

【规格】

每袋(1)3g;(2)5g;(3)15g;(4)250g。

【贮藏】

密封,防潮。

起草单位: 内蒙古盛唐国际蒙医药研究院   张跃祥 崔圆圆 王 伟
　　　　　 鄂尔多斯市检验检测中心   裴春梅 殷 乐 史永惠
　　　　　 内蒙古自治区药品检验研究院   籍学伟 郭宝凤

浩如图·宝日-4汤 质量标准起草说明

【历史沿革】

本处方来源于锡林郭勒盟蒙医医院经验方。

【处方来源】

本制剂由锡林郭勒盟蒙医医院提供。

【名称】

浩如图·宝日-4汤

【蒙药材和饮片的来源和执行标准】

1. 处方组成及药味排列顺序：寒制红石膏60g、通经草30g、杜仲24g、朱砂粉6g。

2. 处方中除了寒制红石膏药材外，其余杜仲等药味均收载于《中国药典》2020年版一部，其质量应符合该品种项下的有关规定。

寒制红石膏：为单斜晶系硫酸钙矿石族红石膏 Gypsum 的矿石红石膏（北寒水石）的炮制加工品。主含含水硫酸钙（$CaSO_4 \cdot 2H_2O$）。其标准应符合《内蒙古蒙药饮片炮制规范》2020年版第188页该品种项下的有关规定。

【制法】

以上四味，除朱砂粉外，其余寒制红石膏等三味，粉碎成中粉，将朱砂粉与上述中粉配研，过筛，混匀，分装，即得。

【性状】

本品为淡红棕色的粉末；气微，味苦。

【鉴别】

本品为药材粉末制成的汤剂，方中杜仲药材的显微特征比较明显，故对处方中的杜仲建立显微鉴别。

1. 试剂与试药

供试品：供试品（批号20200801、20200802、20200803）由锡林郭勒盟蒙医医院提供，模拟样品（批号20201129）模拟。

所用其他试剂均为分析纯，水为离子交换高纯水。

2. 试验方法与结果

显微鉴别

杜仲：橡胶丝呈条状或扭曲成团，表面显颗粒性。

【检查】

按照汤（洗）剂［《内蒙古蒙药制剂规范》（第三册）附录Ⅰ C］项下规定，对三批供试品及模拟样品的外观均匀度、水分、重金属和砷盐进行了检查。具体方法及测定数据如下：

1. 外观均匀度：取供试品适量，置光滑纸上，平铺约5cm²，将其表面压平，在亮处观察，呈现均匀的色泽，无花纹、色斑。结果三批供试品及模拟样品均符合规定。

2. 水分: 取供试品照水分测定法(《中国药典》2020年版四部通则0832)测定。三批供试品及模拟样品的测定结果见表1。

表1 水分测定结果

序号	批号	水分(%)
1	20200801	7.28
2	20200802	7.49
3	20200803	7.34
4	20201129	7.65

《内蒙古蒙药制剂规范》(第三册)附录Ⅰ C汤(洗)剂项下规定,水分含量不得大于12.0%。从表1数据可见,本品水分含量符合要求。

3. 对三批供试品及模拟样品进行了重金属和砷盐考察。方法与结果如下:

重金属: 分别取每个批号供试品0.5g、0.67g、1.0g、2.0g,按《中国药典》2020年版四部0821第二法检查。

供试品溶液的制备: 取本品0.5g、0.67g、1.0g、2.0g,分别缓缓炽灼至完全炭化,放冷,加硫酸0.5ml,使湿润,低温加热至硫酸除尽后,加硝酸0.5ml,蒸干,至氧化氮蒸气除尽后,放冷,于600℃炽灼至完全灰化,放冷。加盐酸2ml,置水浴上蒸干后加水15ml,滴加氨试液至对酚酞指示液显中性,再加醋酸盐缓冲液(pH3.5)2ml,微热溶解后,移置纳氏比色管中,加水稀释至25ml,作为供试品溶液。

标准铅对照溶液的制备: 另取配制供试品溶液的试剂两份,分别置瓷皿中蒸干后,加醋酸盐缓冲液(pH3.5)2ml,加水15 ml微热溶解后,移置两支纳氏比色管中,分别加标准铅溶液(10μg/ml Pb)2ml,再加水稀释至25ml,作为标准铅对照溶液。

检视: 于上述供试品溶液和标准铅对照溶液中分别加硫代乙酰胺试液2ml,摇匀,放置2分钟,同置白色背景上,从上向下进行观察。试验结果见表2。

表2 重金属检查结果

序号	批号	重金属含量(ppm)			
1	20200801	<10	<20	<30	<40
2	20200802	<10	<20	<30	<40
3	20200803	<10	<20	<30	<40
4	20201129	<10	<20	<30	<40

砷盐: 取本品1g和标准砷溶液(1μg/ml AS)2ml,分别加无砷氢氧化钙1g,加少量水,搅匀,烘干,用小火缓缓炽灼至炭化,再在600℃炽灼至完全灰化,放冷。分别加盐酸7ml使溶解,再加水21ml,按《中国药典》2020年版四部通则0822第一法(古蔡氏法)做砷盐限量检查。

结果: 供试品砷斑浅于标准砷斑的颜色,表明本品含砷量未超过百万分之二(小于2ppm),故砷盐检查项目未列入正文。

4. 浸出物: 按照《中国药典》2020年版四部通则2201浸出物测定法项下醇溶性浸出物冷浸法进行测定。三批供试品及模拟样品的测定结果见表3。

表3 供试品浸出物测定结果

序号	批号	浸出物(%)
1	20200801	3.46
2	20200802	3.57
3	20200803	3.32
4	20201129	3.40

从表3数据可见, 三批供试品及模拟样品浸出物最低为3.32%, 最高为3.57%。故用无水乙醇作溶剂, 浸出物不得少于3.0%。

【含量测定】

参照《中国药典》2020年版一部"杜仲"项下含量测定方法, 发现其提取方法较为复杂, 不适合于医院制剂。其他三种药材没有相应的含量测定制备成分, 故本品无含量测定项。

【功能与主治】

消肿, 强筋骨。用于骨折, 骨质疏松。

【用法与用量】

口服。一次3~5g, 一日1~2次, 水煎服。

【规格】

每袋 (1) 3g; (2) 5g; (3) 15g; (4) 250g。

【贮藏】

密封, 防潮。

起草单位: 内蒙古盛唐国际蒙医药研究院　　崔圆圆　张跃祥　王　伟
　　　　　包头市检验检测中心　　　　　　李　强　董　博　谢美萍
　　　　　鄂尔多斯市检验检测中心　　　　杜　健

塔斯–7汤质量标准起草说明

【历史沿革】

本方来源于《蒙医药选集》（内蒙古人民出版社1977年版，蒙古文，第11页）。

【处方来源】

本制剂由锡林郭勒盟镶黄旗蒙医医院提供。

【名称】

塔斯–7汤

【蒙药材和饮片的来源和执行标准】

1. 处方组成及药味排列顺序：苏木20g、黄柏20g、高良姜10g、木香10g、生草果仁10g、槟榔10g、益智仁10g。

2. 处方中药味均收载于《中国药典》2020年版一部，其质量应符合该品种项下的有关规定。

【制法】

以上七味，粉碎成中粉，过筛，混匀，分装，即得。

【性状】

本品为棕黄色至棕红色的粉末；气香，味辛、涩、微苦。

【鉴别】

本品为药材粉末制成的汤剂，方中大多数药味的显微特征都比较明显，故对处方中的木香、益智仁建立显微鉴别，并对处方中苏木、黄柏建立了薄层鉴别。

1. 试剂与试药

供试品：供试品（批号20191017、20191018、20191019）由锡林郭勒盟镶黄旗蒙医医院提供，模拟样品（批号20200067）模拟。

对照品：苏木对照药材（批号121067–201606）、盐酸小檗碱对照品（批号110713–202015），均购于中国食品药品检定研究院。

薄层板：模拟2%氢氧化钠溶液制备硅胶G板，模拟0.25%硝酸银溶液制备硅胶G板。

所用其他试剂均为分析纯，水为离子交换高纯水。

2. 试验方法与结果

（1）显微鉴别

木香：菊糖表面现放射状纹理。益智仁：种皮表皮细胞类圆形、类方形或长方形，壁较厚。

（2）苏木和黄柏薄层鉴别

参照《中国药典》2020年版一部"苏木""黄柏"项下的薄层条件，制定出正文所述的鉴别方法。通过阴性对照试验观察，方中其他药材对塔斯–7汤中苏木和黄柏的检出无干扰，证明此法具有专属性。

【检查】

按照汤（洗）剂［《内蒙古蒙药制剂规范》（第三册）附录Ⅰ C］项下规定，对三批供试品及模拟样品的外观均匀度、水分、重金属和砷盐进行了检查。具体方法及测定数据如下：

1. 外观均匀度：取供试品适量，置光滑纸上，平铺约5cm²，将其表面压平，在亮处观察，呈现均匀的色泽，无花纹、色斑。结果三批供试品及模拟样品均符合规定。

2. 水分：取供试品照水分测定法（《中国药典》2020年版四部通则0832）测定。三批供试品及模拟样品测得结果见表1。

表1 水分测定法结果

序号	批号	水分（%）
1	20191017	5.93
2	20191018	6.04
3	20191019	5.89

《内蒙古蒙药制剂规范》（第三册）附录Ⅰ C汤（洗）剂项下规定，水分含量不得大于12.0%。从表1数据可见，本品水分含量均符合要求。

3. 对三批供试品及模拟样品进行了重金属和砷盐考察。方法与结果如下：

重金属：分别取每个批号供试品0.5g、0.67g、1.0g、2.0g，按《中国药典》2020年版四部0821第二法检查。

供试品溶液的制备：取本品0.5g、0.67g、1.0g、2.0g，分别缓缓炽灼至完全炭化，放冷，加硫酸0.5ml，使湿润，低温加热至硫酸除尽后，加硝酸0.5ml，蒸干，至氧化氮蒸气除尽后，放冷，于600℃炽灼至完全灰化，放冷。加盐酸2ml，置水浴上蒸干后加水15ml，滴加氨试液至对酚酞指示液显中性，再加醋酸盐缓冲液（pH3.5）2ml，微热溶解后，移置纳氏比色管中，加水稀释至25ml，作为供试品溶液。

标准铅对照溶液的制备：另取配制供试品溶液的试剂两份，分别置瓷皿中蒸干后，加醋酸盐缓冲液（pH3.5）2ml，加水15 ml微热溶解后，移置两支纳氏比色管中，分别加标准铅溶液（10μg/ml Pb）2ml，再加水稀释至25ml，作为标准铅对照溶液。

检视：于上述供试品溶液和标准铅对照溶液中分别加硫代乙酰胺试液各2ml，摇匀，放置2分钟，同置白色背景上，从上向下进行观察。试验结果见表2。

表2 重金属检查结果

序号	批号	重金属含量（ppm）			
1	20191017	<10	<20	<30	<40
2	20191018	<10	<20	<30	<40
3	20201019	<10	<20	<30	<40
4	20200067	<10	<20	<30	<40

从表2数据可见，供试品溶液的颜色明显浅于2ml的标准铅对照管。经过三批供试品及模拟样品的检查，含重金属均未超过百万分之十，故未收入正文。

砷盐：取本品1g和标准砷溶液（1μg/ml AS）2ml，分别加无砷氢氧化钙1g，加少量水，搅匀，烘干，用小火缓缓炽灼至炭化，再在600℃炽灼至完全灰化，放冷。分别加盐酸7ml使溶解，再加水21ml，按《中国药典》2020年版四部通则0822第一法（古蔡氏法）做砷盐限量检查。

结果：供试品砷斑浅于标准砷斑的颜色，表明本品含砷量未超过百万分之二（小于2ppm），故砷盐检查项目未列入正文。

【含量测定】

塔斯-7汤是由苏木、高良姜、生草果仁、木香、槟榔、益智仁、黄柏等七味药组成。具有镇肾赫依，明目功效，主治肾赫依性视觉模糊。

1 仪器与试剂试药

1.1 仪器

Quaternary Solvent Manager-R 泵, Sample Manager FTN-R进样器, 2998 PDA Detector检测器, Empower色谱工作站; FA2004N型电子分析天平。

1.2 试药与试剂

供试品(批号20191017、20191018、20191019)由锡林郭勒盟镶黄旗蒙医医院提供, 模拟样品(批号20200067)模拟。高良姜素对照品(批号111699-200602), 购于中国食品药品检定研究院; 甲醇为色谱纯, 水为纯化水, 其他试剂均为分析纯。

2 方法学考察

2.1 色谱条件

2.1.1 色谱柱: 色谱柱填充剂为十八烷基硅烷键合硅胶, 本试验采用Agilent 反相色谱柱(250mm×4.6mm, 5μm)。

2.1.2 流动相的选择: 以甲醇–水(70∶30)为流动相进行试验分析, 供试品中的高良姜素与其他成分达到较好的分离, 并具有比较好的保留时间和分离度。

2.1.3 柱温: 在40℃的条件下, 高良姜素的保留时间一致, 而且分离效果比较好, 因此选择柱温为40℃。

2.1.4 检测波长的选择: 于紫外可见分光光度仪上, 在200~400nm做光谱扫描, 可见高良姜素在波长266nm处有最大吸收。

2.1.5 理论板数的确定: 从对多批数据的测定结果可见, 高良姜素理论板数在6000以上即能达到较好的分离效果, 故定理论板数按高良姜素峰计算应不低于6000。

2.2 专属性考察

2.2.1 对照品溶液的制备: 取高良姜素对照品适量, 精密称定, 加甲醇制成每1ml含40μg的溶液, 作为对照品溶液。

2.2.2 供试品溶液的制备: 取本品适量, 研细, 取约1g, 精密称定, 精密加入25ml乙酸乙酯, 称定重量, 超声处理(功率250W, 频率40kHz)30分钟, 放冷, 再称定重量, 用乙酸乙酯补足减失的重量, 摇匀, 滤过, 精密量取续滤液10ml, 浓缩至近干, 残渣加甲醇适量使溶解, 转移至25ml量瓶中, 并稀释至刻度, 摇匀, 滤过, 取续滤液, 作为供试品溶液。

2.2.3 阴性对照溶液的制备: 按处方配比制备缺高良姜的阴性供试品, 按"供试品溶液的制备"方法制备阴性对照溶液。

2.2.4 测定: 分别精密吸取以上三种溶液各10μl, 注入色谱仪, 记录各自的色谱图。

试验结果显示, 供试品色谱中在与对照品色谱保留时间相同的位置上有色谱峰出现, 而阴性对照在与对照品色谱保留时间相同的位置上无色谱峰出现, 表明该含量测定方法阴性无干扰, 专属性好。

2.3 线性关系考察

取高良姜素对照品1mg, 加甲醇使溶解并定容到10ml容量瓶中, 制成含高良姜素0.1mg/ml的对照品溶液; 然后分别配制浓度0.1mg/ml, 0.05mg/ml, 0.025mg/ml, 0.0125mg/ml, 0.00625mg/ml, 0.003125mg/ml的对照品溶液, 各取10μl进样, 按上述色谱条件测定, 以峰面积对进样量进行回归分析。结果见表3。

表3 标准曲线数据及回归分析结果

进样浓度（μg/ml）	峰面积值	回归方程	r
100.00	2213160		
50.00	1110414		
25.00	571425	$y=22076x+8042.8$	0.9998
12.50	296142		
6.25	128937		
3.12	74346		

从表3数据可见，高良姜素对照品在3.12~100μg/ml范围内与峰面积值呈良好的线性关系。

2.4 稳定性试验

取同一份供试品溶液，分别在溶液制备后的0小时、2小时、4小时、6小时、8小时、10小时进样测定。结果见表4。

表4 稳定性试验结果

时间	峰面积值	RSD（%）
0	422386	
2	425860	
4	430576	
6	431235	1.04
8	434878	
10	431319	

从表4数据可见，高良姜素在10小时内的峰面积基本稳定不变。

2.5 精密度试验

精密吸取对照品溶液10μl，重复进样6次，测定结果见表5。

表5 精密度试验结果

序号	峰面积值	RSD（%）
1	422386	
2	421383	
3	422337	
4	424983	0.794
5	425867	
6	430492	

从表5数据可见，精密度良好。

2.6 重复性试验

取同一供试品（20191017）6份，各约1.0g，精密称定，精密加入25ml乙酸乙酯，称定重量，超声处理（功率250W，频率40kHz）30分钟，放冷，再称定重量，用乙酸乙酯补足减失的重量，摇匀，滤过，精密量取续滤液10ml，浓缩至近干，残渣加甲醇适量使溶解，转移至25ml量瓶中，并稀释至刻度，摇匀，滤过，取续滤液，作为供试品溶液。取高良姜素对照品适量，精密称定，加甲醇制成每1ml含40μg的溶液，作为对照品溶液。分别精密吸取以上两种溶液各10μl，注入液相色谱仪，记录各自的色谱图，用外标法以峰面积计算含量。结果见表6。

表6　重复性试验结果

样品号	取样品量（g）	峰面积积分值	平均含量（mg/g）	总平均值（mg/g）	RSD（%）
1	1.00156	482341	2.148		
2	1.00150	473170	2.107		
3	1.00153	479083	2.133	2.1213	0.81
4	1.00423	480675	2.112		
5	1.00325	480392	2.125		
6	1.00402	480285	2.103		

从表6数据可见，在相同的提取溶剂和色谱条件下，6份供试品含量测定结果的均值为2.1213mg/g，RSD为0.81%，表明该方法的重复性良好。

2.7　加样回收率试验

称取已知含量的供试品6份，每份约1.0g，精密称定，照《中国药典》（2020年版四部通则9101）药品质量标准分析方法验证指导原则进行测定，加入适量的高良姜素对照品，按供试品溶液制备方法制成供试品溶液。分别精密吸取10μl，注入液相色谱仪，测定，计算回收率。结果见表7。

表7　加样回收率试验结果（n=6）

取样量（g）	供试品含有量（mg）	对照品加入量（mg）	峰面积值	测得总量（mg）	加样回收率（%）	平均回收率（%）	RSD（%）
1.00169	2.1325	2.13	969133	4.35	104.27		
1.00160	2.1324	2.13	973137	4.37	105.13		
1.00164	2.1324	2.13	972264	4.37	104.95	103.7	1.90
1.00153	2.1322	2.13	975159	4.38	105.57		
1.00150	2.1320	2.13	939079	4.22	101.2		
1.00156	2.1323	2.13	939432	4.22	101.32		

从表7数据可见，平均回收率为103.7%，RSD为1.90%，表明该方法准确度良好。

3　样品含量测定

取样品（批号20191017、20191018、20191019）约1g，分别精密称定，按供试品溶液制备方法进行制备，各精密吸取10μl，注入液相色谱仪，测定。三批样品的含量测定结果见表8。

表8　样品中高良姜素含量测定结果

批号	取样量（g）	峰面积	测得含量（mg/g）	平均含量（mg/g）
20191017	1.00156	482341	2.148	
	1.00150	473170	2.107	2.129
	1.00153	479083	2.133	
20191018	1.00169	490675	2.186	
	1.00164	490392	2.185	2.185
	1.00160	490285	2.184	
20191019	1.00320	444546	1.977	
	1.00318	433267	1.926	1.937
	1.00316	429409	1.908	

从表8数据可见，塔斯-7汤中高良姜素的含量最低为1.937mg/g。

4 高良姜药材含量测定

试验中,采用相同方法对生产塔斯-7汤(批号为20191019)相应批次的高良姜药材进行了含量测定,高良姜素为1.97%。

5 本制剂含量限度确定

从表中三批样品测定的数据可见,塔斯-7汤中高良姜素的含量为1.937mg/g,试验中,采用相同方法对生产塔斯-7汤的高良姜药材进行了含量测定,高良姜素为1.97%。

按理论值折算,样品应含高良姜素的量为1.97%×10÷90=2.188mg/g,可见,高良姜素的转移率为1.937÷2.188×100%=88.52%。

参照《中国药典》2020年版一部"高良姜"项下规定高良姜素含量不得少于0.70%,转移率为88.52%,考虑不同产地药材的质量差异,并结合其他影响因素及三批样品的测定结果,下浮20%,按此限度折算本品含高良姜素的理论量应不低于10÷90×0.7%×1000×88.52%×80%=0.55mg/g。

标准正文暂定为:本品每1g含高良姜以高良姜素($C_{15}H_{10}O_5$)计,不得少于0.50mg。

【功能与主治】

镇肾赫依,明目。用于肾赫依引起的眼花症。

【用法与用量】

口服。一次3~5g,一日1~2次,水煎服。

【规格】

每袋(1)3g;(2)5g;(3)15g;(4)250g。

【贮藏】

密闭,防潮。

起草单位:内蒙古医科大学蒙医药学院　　　吉日木巴图　莎楚拉　邓·乌力吉
　　　　　鄂尔多斯市检验检测中心　　　　　丁　华　陈羽涵　李雨生

嘎希古纳-4汤质量标准起草说明

【历史沿革】

本方来源于《蒙医药选编》(内蒙古人民出版社1975年版,蒙古文,第342页)。

【处方来源】

本制剂由内蒙古自治区国际蒙医医院提供。

【名称】

嘎希古纳-4汤

【蒙药材和饮片的来源和执行标准】

1. 处方组成及药味排列顺序:苦地丁50g、栀子25g、黄连25g、瞿麦25g。

2. 处方中药味均收载于《中国药典》2020年版一部,其质量应符合该品种项下的有关规定。

【制法】

以上四味,粉碎成中粉,过筛,混匀,即得。

【性状】

本品为姜黄色至棕黄色粉末;气微香,味苦。

【鉴别】

本品为药材粉末制成的汤剂,处方中栀子的显微特征较明显,故建立显微鉴别。

1. 试剂与试药

供试品:供试品(批号20191113, 20190926, 20190912)由内蒙古自治区国际蒙医医院提供,模拟样品(批号20190910)模拟。

所用其他试剂均为分析纯,水为离子交换高纯水。

2. 试验方法与结果

显微鉴别

栀子:种皮石细胞黄色或淡棕色,多破碎,完整者长多角形、长方形或不规则形,壁厚,有大的圆形纹孔,胞腔棕红色。

【检查】

按照汤(洗)剂[《内蒙古蒙药制剂规范》(第三册)附录ⅠC]项下规定,对三批供试品及模拟样品的外观均匀度、水分、重金属和砷盐进行了检查。具体方法及测定数据如下:

1. 外观均匀度:取供试品适量,置光滑纸上,平铺约5cm²,将其表面压平,在亮处观察,呈现均匀的色泽,无花纹、色斑。结果三批供试品及模拟样品均符合规定。

2. 水分:取供试品照水分测定法(《中国药典》2020年版四部通则0832)测定。三批供试品及模拟样品测得结果见表1。

表1 水分测定法结果

序号	批号	水分（%）
1	20191113	6.48
2	20190926	6.29
3	20190912	6.84
4	20190910	6.58

《内蒙古蒙药制剂规范》（第三册）附录Ⅰ C汤（洗）剂项下规定，水分含量不得大于12.0%。从表1数据可见，本品水分含量均符合要求。

3. 对三批供试品及模拟样品进行了重金属和砷盐考察。方法与结果如下：

重金属：分别取每个批号供试品0.5g、0.67g、1.0g、2.0g，按《中国药典》2020年版四部0821第二法检查。

供试品溶液的制备：取本品0.5g、0.67g、1.0g、2.0g，分别缓缓炽灼至完全炭化，放冷，加硫酸0.5ml，使湿润，低温加热至硫酸除尽后，加硝酸0.5ml，蒸干，至氧化氮蒸气除尽后，放冷，于600℃炽灼至完全灰化，放冷。加盐酸2ml，置水浴上蒸干后加水15ml，滴加氨试液至对酚酞指示液显中性，再加醋酸盐缓冲液（pH3.5）2ml，微热溶解后，移置纳氏比色管中，加水稀释至25ml，作为供试品溶液。

标准铅对照溶液的制备：另取配制供试品溶液的试剂两份，分别置瓷皿中蒸干后，加醋酸盐缓冲液（pH3.5）2ml，加水15ml微热溶解后，移置两支纳氏比色管中，分别加标准铅溶液（10μg/ml Pb）2ml，再加水稀释至25ml，作为标准铅对照溶液。

检视：于上述供试品溶液和标准铅对照溶液中分别加硫代乙酰胺试液各2ml，摇匀，放置2分钟，同置白色背景上，从上向下进行观察。试验结果见表2。

表2 重金属检查结果

序号	批号	重金属含量（ppm）			
1	20191113	<10	<20	<30	<40
2	20190926	<10	<20	<30	<40
3	20190912	<10	<20	<30	<40
4	20190910	<10	<20	<30	<40

砷盐：取本品1g和标准砷溶液（1μg/ml AS）2ml，分别加无砷氢氧化钙1g，加少量水，搅匀，烘干，用小火缓缓炽灼至炭化，再在600℃炽灼至完全灰化，放冷。分别加盐酸7ml使溶解，再加水21ml，按《中国药典》2020年版四部通则0822第一法（古蔡氏法）做砷盐限量检查。

结果：供试品砷斑浅于标准砷斑的颜色，表明本品含砷量未超过百万分之二（小于2ppm），故砷盐检查项目未列入正文。

【含量测定】

嘎希古纳-4汤是由苦地丁、栀子、瞿麦、黄连四味药材组成。栀子功能为泻火除烦、清热利湿，在本方中所占比例较高，故在标准制定过程中，以栀子苷作为测定指标，参照《中国药典》2020年版一部"栀子"项下高效液相色谱法对其进行含量测定，并经过方法学考察及阴性对照试验，表明该方法操作简单，重复性好，专属性强，方中其他组分对栀子苷的测定均无干扰。

1 仪器与试剂试药

1.1 仪器

U3000型高效液相色谱仪；隔膜真空泵（巩义市英峪仪器厂）；KQ-250DB型超声波清洗器（昆山市超声仪器有

限公司）；Heal Force NW15UV型超纯水系统；ADVENTURERTM型电子天平（万分之一），Ohaus Discovery型电子天平（十万分之一）；FW400A型多功能粉碎机（材茂科技有限公司）。

1.2 试剂与试药

供试品（批号20191113、20190926、20190912）由内蒙古自治区国际蒙医医院提供，模拟样品（批号20190910）模拟；栀子苷对照品（批号110749-201617），购于中国食品药品检定研究院；甲醇、乙腈为色谱纯，水为超纯水。

2 方法学考察

2.1 色谱条件

2.1.1 色谱柱：Alltima C$_{18}$柱（250mm×4.6mm，5μm）。

2.1.2 流动相的选择：参照《中国药典》2020年版一部"栀子"项下的流动相比例进行流动相条件摸索，经试验验证，分离效果好，色谱峰对称，故将流动相定为乙腈-水溶液（15∶85）。

2.1.3 柱温：33℃。

2.1.4 检测波长：按照《中国药典》2020版一部"栀子"项下规定，选择测定波长为238nm。

2.1.5 理论板数的确定：对多批供试品测定结果表明，栀子苷峰的理论板数在1500以上即能达到与相邻峰分开，并符合《中国药典》2020版第一部规定$R>1.5$的要求，故本标准规定理论板数按栀子苷计不得低于3000。

2.2 提取效率的考察

参考《中国药典》2020年版一部"栀子"项下方法，以甲醇作为提取溶剂进行超声处理，取本品细粉约0.2g，精密称定，置具塞锥形瓶中，精密加入甲醇25ml，称定重量，超声处理（功率250W，频率40kHz）20分钟、30分钟、40分钟、50分钟，放冷，再称定重量，用甲醇补足减失的重量，摇匀，滤过，取续滤液，即得。另取栀子苷对照品适量，精密称定，加甲醇制成每1ml含60μg的溶液，即得。结果见表3。

表3 提取效率考察表

时间（min）	称样量（g）	峰面积值		平均峰面积值	含量（mg/g）	平均含量（mg/g）
		A	B			
20	0.2048	9.0714	9.0673	9.0693	5.9919	5.9659
	0.2030	9.0337	8.7898	8.9117	5.9400	
30	0.2045	10.2558	10.0331	10.1445	6.7120	6.6071
	0.2058	9.8526	9.9272	9.8899	6.5022	
40	0.2013	10.7828	10.5136	10.6482	7.1573	6.8788
	0.2031	9.8668	9.9479	9.9073	6.6003	
50	0.2089	10.7976	10.9131	10.8553	7.0311	6.8644
	0.2075	10.2795	10.2634	10.2715	6.6978	

从表3数据可见，超声处理40分钟和50分钟时，在供试品中提取栀子苷的含量最高且变化不大，故将提取时间定为40分钟。

2.3 专属性考察

2.3.1 对照品溶液的制备：取栀子苷对照品适量，精密称定，加甲醇制成每1ml含60μg的溶液，即得。

2.3.2 供试品溶液的制备：取本品细粉约0.2g，精密称定，置具塞锥形瓶中，精密加入甲醇25ml，称定重量，超声处理（功率250W，频率40kHz）40分钟，放冷，再称定重量，用甲醇补足减失的重量，摇匀，滤过，取续滤液，即得。

2.3.3 阴性对照溶液的制备：按本品处方工艺制备不含栀子的阴性样品，按供试品溶液的制备方法制备阴性对照溶液（缺栀子）。

2.3.4 测定:在上述色谱条件下,分别精密吸取对照品溶液、供试品溶液、阴性对照溶液各10μl,分别注入液相色谱仪,记录色谱图。

试验结果显示,供试品色谱中在与对照品色谱保留时间相同的位置上有色谱峰出现,而阴性对照在与对照品色谱保留时间相同的位置上无色谱峰出现,表明该含量测定方法阴性无干扰,专属性好。

2.4 线性关系考察

取栀子苷对照品约6.3mg,精密称定,置100ml量瓶中,加纯甲醇使溶解并稀释至刻度,摇匀(栀子苷实际浓度为0.0633mg/ml),然后吸取上述溶液1μl、3μl、5μl、7μl、10μl、12μl分别进样,按上述色谱条件测定,以峰面积对栀子苷的进样量进行回归分析。结果见表4。

表4 标准曲线数据及回归分析结果

序号	进样体积(μl)	峰面积值	回归方程	r
1	1	1.18535		
2	3	3.5776		
3	5	5.9163	$y=0.8629x-0.07253$	0.9999
4	7	8.2131		
5	10	11.707		
6	12	13.926		

从表4数据可见,木香烃内酯在0.2012~2.5150μg范围内,呈良好的线性关系。

2.5 溶液稳定性试验

取同一份供试品(批号20190910),分别于制备溶液后的0小时、1小时、2小时、3小时、4小时、5小时、6小时、7小时、8小时进样测定。结果见表5。

表5 溶液的稳定性试验结果

序号	时间(h)	峰面积值	RSD(%)
1	0	10.1925	
2	1	10.2973	
3	2	10.1762	
4	3	10.2292	
5	4	10.2349	0.57
6	5	10.2705	
7	6	10.3358	
8	7	10.1612	
9	8	10.1999	

从表5数据可见,栀子苷在8小时内的峰面积值基本稳定。能够满足测定所需要的时间。

2.6 精密度试验

取同一份供试品(批号20190910)0.2061g,精密称定,置具塞锥形瓶中,精密加入甲醇25ml,称定重量,超声处理(功率250W,频率40kHz)40分钟,放冷,再称定重量,用甲醇补足减失的重量,摇匀,滤过,取续滤液,即得。另取栀子苷对照品适量,精密称定,加甲醇制成每1ml含60μg的溶液,即得。精密吸取两种溶液10μl,注入液相色谱仪。连续进样7次,测定栀子苷峰面积值,测定供试品含量。结果见表6。

表6　精密度试验结果

序号	峰面积值	平均峰面积值	RSD（%）
1	7.1786		
2	7.1129		
3	7.1833		
4	7.1517	7.1514	0.6
5	7.1517		
6	7.1254		
7	7.1561		

从6数据可见，符合《中国药典》2020年版四部通则0512中规定的RSD值小于2.0%的要求。

2.7　重复性试验

取同一供试品（批号20190910）6份，各约0.2g，精密称定，置具塞锥形瓶中，精密加入甲醇25ml，称定重量，超声处理（功率250W，频率40kHz）40分钟，放冷，再称定重量，用甲醇补足减失的重量，摇匀，滤过，取续滤液，即得。另取栀子苷对照品适量，精密称定，加甲醇制成每1ml含60μg的溶液，即得。精密吸取两种溶液10μl，注入液相色谱仪，测定每份供试品含量。结果见表7。

表7　栀子苷重复性试验结果

称样量（g）	峰面积值	含量（mg/g）	平均含量（mg/g）	RSD（%）
0.2061	9.8645	7.0911		
0.2034	9.6951	7.0618		
0.2024	9.8380	7.2013	7.1410	1.7
0.2049	9.6568	6.9824		
0.2058	10.1912	7.3366		
0.2003	9.6975	7.1728		

从表7数据可见，供试品在相同的细度、提取溶剂和色谱条件下，测定结果稳定。

2.8　加样回收率试验

取供试品（批号20190910）9份，均约0.1g，精密称定，其中1、2、3号各精密加入用甲醇配制的栀子苷对照品溶液（栀子苷浓度0.0724mg/ml）5ml，4、5、6号各精密加入上述对照品溶液10ml，7、8、9号各精密加入上述对照品溶液15ml，最后加入甲醇标定体积至25ml，称定重量，超声处理（功率250W，频率40kHz）40分钟，放冷，再称定重量，用甲醇补足减失的重量，摇匀，滤过，取续滤液，即得。另取栀子苷对照品适量，精密称定，加甲醇制成每1ml含60μg的溶液，即得。精密吸取两种溶液10μl，注入液相色谱仪，测定每份供试品含量，计算回收。结果见表8。

表8　栀子苷加样回收试验结果

称样量（g）	供试品含量（mg）	对照品加入量（mg）	测得总量（mg）	回收率（%）	平均回收率（%）	RSD（%）
0.1086	0.7754	0.3620	1.1376	100.06		
0.1025	0.7319	0.3620	1.0966	100.76		
0.1089	0.7775	0.3620	1.1397	100.06		
0.1069	0.7633	0.7240	1.4849	99.67		
0.1098	0.7840	0.7240	1.5164	101.16	99.65	1.8
0.1088	0.7768	0.7240	1.4890	98.37		
0.1026	0.7326	1.0860	1.8150	99.67		
0.1052	0.7511	1.0860	1.8191	98.34		
0.1028	0.7340	1.0860	1.8065	98.76		

从表8数据可见,本方法的平均回收率为99.65%,RSD为1.8%。该方法准确度好。

2.9 耐用性试验

换不同厂家、不同型号的色谱柱,取供试品(批号20190910)约0.2g,精密称定,置具塞锥形瓶中,精密加入甲醇25ml,称定重量,超声处理(功率250W,频率40kHz)40分钟,放冷,再称定重量,用甲醇补足减失的重量,摇匀,滤过,取续滤液,即得。另取栀子苷对照品适量,精密称定,加甲醇制成每1ml含60μg的溶液,即得。精密吸取两种溶液10μl,注入液相色谱仪。测定结果见表9。

表9 不同色谱柱的耐用性试验

样品号	称样量(g)	柱型号	峰面积值	含量(mg/g)
1	0.2042	Apollo C$_{18}$	9.6745	7.90
	0.2032	Alltima C$_{18}$	9.7523	7.86
2	0.2030	Apollo C$_{18}$	9.8705	7.88
	0.2023	Alltima C$_{18}$	9.7528	7.80

从表9数据可见,在使用不同型号或厂家的色谱柱时,对测定结果影响较小,具有较好的耐用性。

3 样品含量测定

取三批样品及模拟样品约0.2g,精密称定,置具塞锥形瓶中,精密加入甲醇25ml,称定重量,超声处理(功率250W,频率40kHz)40分钟,放冷,再称定重量,用甲醇补足减失的重量,摇匀,滤过,取续滤液,即得。另取栀子苷对照品适量,精密称定,加甲醇制成每1ml含60μg的溶液,即得。精密吸取两种溶液10μl,注入液相色谱仪。测定结果见表10。

表10 样品中栀子苷的含量测定结果

批号	取样量(g)	样品峰面积值			含量(mg/g)	平均含量(mg/g)
		A	B	平均		
20191113	0.2067	1202034	1195125	1198580	7.94	7.94
20190926	0.2009	1135604	1202848	1169226	7.97	
20190912	0.2007	1123358	1197372	1160365	7.92	
20190910	0.2034	926581	930512	928581	6.48	6.48

从表10数据可见,栀子苷平均含量为7.94mg/g,模拟样品含量与其差异较大。

4 栀子药材的含量考察

取栀子药材粉末约0.05g,精密称定,按《中国药典》2020年一部"栀子"项下的方法处理并测定。栀子药材中栀子苷的含量测定结果见表11。

表11 栀子药材中栀子苷的含量测定结果

取样量(g)	测得药材峰面积值			含量(mg/g)	平均含量(mg/g)
	A	B	平均		
0.0556	14.2234	14.3780	14.3007	34.82	35.44
0.0539	14.3980	14.3223	14.3601	36.07	

从表11数据可见,栀子药材中栀子苷的含量为35.44mg/g(3.544%)。

5 本制剂含量限度的确定

从表中数据可见,三批样品中栀子苷的含量最低为7.92mg/g,模拟样品中栀子苷的平均含量为6.48mg/g,试验中用相同方法对生产用相同栀子药材进行了含量测定,测得栀子苷的含量为35.44mg/g(3.544%)。

根据本品处方量折算,理论上每1g供试品含栀子药材0.200g,本品栀子苷的含量7.088mg/g。因此,转移率为91.4%。

参照《中国药典》2020年版一部栀子药材的栀子苷的含量限度不得少于1.8%,转移率为91.4%,考虑不同产地药材的质量差异,并结合其他影响因素及三批样品的测定结果,下浮10%,按此限度折算本品含栀子苷的理论量应不低于$25 \div 125 \times 1000 \times 1.8\% \times 91.4\% \times 90\% = 2.961$mg/g。

标准正文暂定为:本品每1g含栀子以栀子苷($C_{17}H_{24}O_{10}$)计,不得少于3.0mg。

【功能与主治】

清血热相讧,分解精华与糟粕。用于血热相讧症。

【用法与用量】

口服。一次3~5g,一日1~2次,水煎服。

【规格】

每袋(1)3g;(2)5g;(3)15g;(4)250g。

【贮藏】

密封,防潮。

起草单位:内蒙古盛唐国际蒙医药研究院　　　崔丽敏　崔圆圆　王　伟

包头市检验检测中心　　　　　　　　　段　羚　宋　超　赵艳霞

德伦-4汤质量标准起草说明

【历史沿革】

本方来源于《蒙医验方》(内蒙古自治区医院编,1971年版,蒙古文,第163页)。

【处方来源】

本制剂由内蒙古自治区国际蒙医医院提供。

【名称】

德伦-4汤

【蒙药材和饮片的来源和执行标准】

1. 处方组成及药味排列顺序:生草果仁15g、木香25g、丁香10g、小茴香10g。

2. 处方中药味均收载于《中国药典》2020年版一部,其质量应符合该品种项下有关规定。

【制法】

以上四味,粉碎成中粉,过筛,混匀,分装,即得。

【性状】

本品为浅黄色至棕黄色粉末;气芳香,味辛、苦。

【鉴别】

本品为药材粉末制成的汤剂,方中大多数药味的显微特征都比较明显,故对处方中生草果仁、丁香、木香建立显微鉴别,并对处方中木香建立了薄层鉴别。

1. 试剂与试药

供试品:供试品(批号20180219、20200136、20200305)由内蒙古自治区国际蒙医医院提供,模拟样品(20200024)模拟。

对照品:木香对照药材(批号110775-202023)购于中国食品药品检定研究院。

薄层板:硅胶G板,购于青岛海洋化工有限公司。

2. 试验方法与结果

(1)显微鉴别

丁香:内种皮杯状细胞棕红色,表面观多角形,胞腔内含硅质块,断面观呈栅状,内壁及侧壁极厚,胞腔位于上端,内含硅质块,花粉粒三角形,无色或微黄色,直径12~16μm;草酸钙簇晶成行排列。木香:菊糖团块形状不规则,用水合氯醛液装置(不加热)有时可见微细放射状纹理;网纹导管多见。生草果仁:内果皮镶嵌层细胞,表面观细胞狭长,壁薄,常与多角形中果皮细胞重叠。

(2)木香薄层鉴别

参照《中国药典》2020年版一部"木香"项下的薄层条件,制定出正文所述的鉴别方法。通过阴性对照试验观察,方中其他药材对木香的检出无干扰,此法具专属性。

【检查】

按照汤（洗）剂［《内蒙古蒙药制剂规范》（第三册）附录Ⅰ C］项下规定，对三批供试品及模拟样品的外观均匀度、水分、重金属、砷盐和浸出物进行了检查。具体方法及测定数据如下：

1. 外观均匀度：取供试品适量，置光滑纸上，平铺约5cm²，将其表面压平，在亮处观察，呈现均匀的色泽，无花纹、色斑。结果三批供试品及模拟样品均符合规定。

2. 水分：取供试品照水分测定法（《中国药典》2020年版四部通则0832）测定。三批供试品及模拟样品测得结果见表1。

表1　水分测定结果

序列	批号	水分（%）
1	20180219	5.9
2	20200136	5.7
3	20200305	5.7
4	20200024	5.5

《内蒙古蒙药制剂规范》（第三册）附录Ⅰ C汤（洗）剂项下规定，水分含量不得大于12.0%。从表1数据可见，本品水分含量均符合要求。

3. 对三批供试品及模拟样品进行了重金属、砷盐、浸出物考察。方法与结果如下：

重金属：分别取每个批号供试品0.5g、0.67g、1.0g、2.0g，按《中国药典》2020年版四部0821第二法检查。

供试品液液的制备：取本品0.5g、0.67g、1.0g、2.0g，分别缓缓炽灼至完全炭化，放冷，加硫酸0.5ml，使湿润，低温加热至硫酸除尽后，加硝酸0.5ml，蒸干，至氧化氮蒸气除尽后，放冷，于600℃炽灼至完全灰化，放冷。加盐酸2ml，置水浴上蒸干后加水15ml，滴加氨试液至对酚酞指示液显中性，再加醋酸盐缓冲液（pH3.5）2ml，微热溶解后，移置纳氏比色管中，加水稀释至25ml，作为供试品溶液。

标准铅对照溶液的制备：另取配制供试品溶液的试剂两份，分别置瓷皿中蒸干后，加醋酸盐缓冲液（pH3.5）2ml，加水15ml微热溶解后，移至两支纳氏比色管中，分别加标准铅溶液（10μg/ml Pb）2ml，再加水稀释至25ml，作为标准铅对照溶液。

检视：于上述供试品溶液和标准铅对照溶液中分别加硫代乙酰胺试液各2ml，摇匀，放置2分钟，同置白色背景上，从上向下进行观察。试验结果见表2。

表2　重金属检查结果

序号	批号	重金属含量（ppm）			
1	20180219	<10	<20	<30	<40
2	20200136	<10	<20	<30	<40
3	20200305	<10	<20	<30	<40
4	20200024	<10	<20	<30	<40

结果显示，供试品溶液的颜色明显浅于2ml的标准铅对照溶液。经过三批供试品及模拟样品的检查，含重金属均未超过百万分之十，故未收入正文。

砷盐：取本品1g和标准砷溶液（1μg/ml AS）2ml，分别加无砷氢氧化钙1g，加少量水，搅匀，烘干，用小火缓缓炽灼至炭化，再在600℃炽灼至完全灰化，放冷。分别加盐酸7ml使溶解，再加水21ml，按《中国药典》2020年版四部通则0822第一法（古蔡氏法）做砷盐限量检查。

结果：供试品砷斑浅于标准砷斑的颜色，表明本品含砷量未超过百万分之二（小于2ppm），故砷盐检查项目未

列入正文。

4. 浸出物: 以醇溶性浸出物的热浸法作为本制剂的定量测定方法, 以更有效控制制剂的内在质量。按照浸出物测定法(《中国药典》2020年版第四部通则2201)测定。对三批供试品和模拟样品的测定结果见表3。

表3　浸出物的测定结果

序号	批号	浸出物(%)
1	20180219	12.01
2	20200136	11.92
3	20200305	11.84
4	20200024	11.90

从表3数据可见, 三批供试品及模拟样品中浸出物的含量均小于15.0%, 故未将浸出物列入正文。

【含量测定】

德伦-4汤是由生草果仁、木香、丁香、小茴香等四味药组成的复方制剂, 丁香为处方中主要药味之一。参照《内蒙古蒙药制剂规范》2014年版(第二册)"匝迪-4汤"项下的含量测定方法, 以丁香酚对照品作为指标成分, 进行含量测定方法研究。经分析方法验证, 该方法重现性好, 专属性强, 方法中其他成分对丁香酚对照品的测定无干扰。

1　仪器与试剂试药

1.1　仪器

岛津LC-2014一体机; Labsolution色谱工作站; Sartorius BT25S型电子天平, Sartorius BSA223S型电子天平, Sartorius BSA224S型电子天平, MSA6.6S-OCE-DM型百万分之一电子天平。

1.2　试剂与试药

供试品(批号20180219、20200136、20200305)由内蒙古自治区国际蒙医医院提供, 模拟样品(20200024)模拟; 丁香酚对照品(批号110725-201716)、丁香对照药材, 购于中国食品药品检定研究院; 甲醇为色谱纯, 水为高纯水, 其他试剂均为分析纯。

2　方法学考察

2.1　色谱条件

2.1.1　色谱柱: 参照《内蒙古蒙药制剂规范》2014年版(第二册)"匝迪-4汤"项下的含量测定方法, 色谱柱填充剂为十八烷基硅烷键合硅胶, 本试验研究采用岛津C_{18}柱(250mm×4.6mm, 5μm)。

2.1.2　流动相的选择: 参照《内蒙古蒙药制剂规范》2014年版(第二册)"匝迪-4汤"项下的含量测定方法, 以甲醇-水(55:45)为流动相, 进行条件摸索, 结果供试品色谱中的丁香酚对照品分离效果好, 理论板数较高, 并具适宜保留时间, 并且阴性无干扰, 故作为检测流动相。

2.1.3　柱温: 采用25℃柱温, 可减小流动相黏度, 降低柱压, 并改善分离效果。

2.1.4　检测波长的选择: 参照《内蒙古蒙药制剂规范》2014年版(第二册)"匝迪-4汤"项下的含量测定方法, 选择203nm作为检测波长。

2.1.5　理论板数的确定: 经对三批样品测定的结果可见, 丁香酚对照品的理论板数在2000以上时均能达到较好的分离效果, 结合《内蒙古蒙药制剂规范》2014年版(第二册)"匝迪-4汤"项下的含量测定方法项下的规定, 故确定理论板数按丁香酚对照品峰计不得低于2000。

2.2　提取方法的选择及提取效率的考察

2.2.1 提取溶剂的选择：参照《内蒙古蒙药制剂规范》2014年版（第二册）"匝迪–4汤"项下的含量测定方法，以无水乙醇作提取溶剂。

2.2.2 提取效率的考察：以无水乙醇作提取溶剂进行浸泡处理，为了保证被测成分提取完全，试验中考察了1小时、2小时、3小时、12小时、24小时、48小时等不同浸泡时间对提取效率的影响。结果见表4。

表4 提取效率的考察表

序号	浸泡时间（小时）	丁香酚（mg/g）
1	1	24.5206
2	2	24.3240
3	3	24.6450
4	12	24.3449
5	24	24.3607
6	48	24.7785

从表4数据可见，浸泡提取24小时的丁香酚含量基本不再增加，故确定超声时间为24小时。

2.3 专属性考察

2.3.1 对照品溶液的制备：取丁香酚对照品适量，精密称定，加无水乙醇制成每1ml含40μg的溶液，即得。

2.3.2 供试品溶液的制备：取本品粉末约0.2g，精密称定，置具塞锥形瓶中，精密加入无水乙醇50ml，浸泡24小时，摇匀，滤过，取续滤液，即得。

2.3.3 阴性对照溶液的制备：按处方配比制备缺丁香的阴性供试品，按"供试品溶液的制备"方法制备阴性对照溶液。

2.3.4 测定：分别精密吸取以上三种溶液各10μl，注入色谱仪，记录各自的色谱图。

试验结果显示，阴性对照色谱图中在与丁香酚对照品以及供试品色谱相对应的保留时间处无色谱峰出现，表明处方中其他组分对丁香酚对照品的测定无干扰。

2.4 线性关系考察

精密称取丁香酚对照品0.5116g（对照品纯度99.6%），置25ml量瓶中，加无水乙醇使溶解，并稀释至刻度，摇匀，再精密吸取1ml，置100ml量瓶中，用无水乙醇稀释至刻度，摇匀，即得。（丁香酚对照品 0.2038mg/ml）分别取1μl、2μl、5μl、10μl、20μl、30μl进样，按上述色谱条件测定。以峰面积对进样量进行回归分析，标准曲线数据见表5。

表5 标准曲线数值表

进样量（μl）	峰面积值	回归方程	r
1	37.1993		
2	76.3006		
5	195.881	$y=39.48x + 0.115$	1.0000
10	391.5109		
20	788.9202		
30	1186.71		

从表5数据可见，丁香酚对照品在203.8～6114.6μg范围内与峰面积值呈良好的线性关系。

2.5 稳定性试验

取同一份供试品（批号20180219），分别在溶液制备后的0小时、2小时、4小时、6小时、8小时、10小时、12

小时、进行测定。结果见表6。

表6 不同时间测定样品中丁香酚的峰面积值

时间（h）	峰面积值	RSD（%）
0	218.0697	
2	218.8466	
4	218.6512	
6	218.4322	0.11
8	218.3266	
10	218.4116	
12	218.5423	

从表6数据可见，丁香酚在12小时内的峰面积值基本稳定不变。

2.6 重复性试验

取同一批号样品（批号20180219）6份，各取约0.2g，精密称定，置具塞锥形瓶中，精密加入无水乙醇50ml，浸泡24小时，摇匀，滤过，取续滤液，作为供试品溶液。另精密称取丁香酚对照品适量，精密称定，加无水乙醇制成每1ml含40μg的溶液，作为对照品溶液。分别精密吸取以上两种溶液各10μl，注入液相色谱仪，记录各自的色谱图，用外标法以峰面积计算含量。结果见表7。

表7 丁香酚含量重复性试验结果

序号	取样量（g）	峰面积值（n=2）	含量（mg/g）	平均含量（mg/g）	RSD（%）
1	0.2057	218.4582	24.7762		
2	0.2056	218.1581	24.7532		
3	0.2015	213.2787	24.6929	24.6528	0.49
4	0.2053	217.2442	24.6865		
5	0.2023	212.4338	24.4979		
6	0.2036	213.8954	24.5089		

从表7数据可见，在相同的提取溶剂和色谱条件下，6份供试品含量测定结果的均值为24.6528mg/g，RSD为0.49%，表明该方法的重复性良好。

2.7 加样回收试验

称取同一批号供试品（批号20180219，含量24.6528mg/g）6份，每份约0.1g，精密称定，分别置具塞锥形瓶中，分别依次精密加入丁香酚对照品溶液（浓度为2.0382mg/ml）1ml，精密加入无水乙醇49ml，摇匀，称定重量，按上述供试品溶液的制备方法操作，测定每份含量，计算回收率。结果见表8。

表8 丁香酚加样回收试验结果

序号	样品取样量（g）	供试品含量（mg）	对照品加入量（mg）	测得总量（mg）	回收率（%）	平均回收率（%）	RSD（%）
1	0.1049	2.1685	2.0382	4.1199	95.74		
2	0.1072	2.1535	2.0382	4.1624	98.56		
3	0.1044	2.1578	2.0382	4.1879	99.60	97.68	1.8
4	0.1062	2.1664	2.0382	4.1093	95.32		
5	0.1065	2.0804	2.0382	4.0692	97.57		
6	0.1080	2.1664	2.0382	4.1908	99.32		

从表8数据可见，本方法的平均回收率为97.68%，RSD为1.8%。该方法准确度好。

2.8 耐用性试验

换不同厂家、不同型号的色谱柱,取三批供试品含量测定中的两批供试品及对照品溶液分别进样,测定含量。结果见表9。

表9 不同色谱柱的耐用性试验

批号	色谱柱型号	理论板数	含量(mg/g)	误差(%)
20180219	岛津C$_{18}$	6954	24.65	0.12
20180219	Alltech C$_{18}$	6961	24.59	

从表9数据可见,不同型号或厂家的色谱柱对测定结果影响较小。

3 样品含量测定及含量限度确定

取本品按重复性试验项下的方法处理并测定,三批样品的测定结果见表10。

表10 样品中丁香酚含量测定结果

批号	取样量(g)	测得峰面积值(n=2)	含量(mg/g)	平均含量(mg/g)
20180219	0.2057	218.4582	24.7762	24.6528
20200136	0.2066	217.8288	24.5972	24.595
	0.2069	218.1174	24.5941	
模拟样品	0.2077	218.5402	24.5468	24.517
	0.2078	218.1141	24.4872	

从表10数据可见,样品含量都在24.0mg/g以上。

4 丁香药材含量测定

试验中采用《中国药典》2020年版一部"丁香"项下含量测定方法对上述三批供试品生产用丁香药材进行了含量测定,测得丁香药材含量为169.56mg/g(16.956%)。

5 本制剂含量限度的确定

三批样品中丁香酚的含量最低为24.517mg/g,丁香药材中丁香酚含量为169.56mg/g(16.956%)。

根据本品处方量折算,理论上每1g供试品含丁香药材0.04878g,丁香酚的含量为10÷60×169.56(mg/g)=28.26mg/g。转移率为24.517(mg/g)÷29.26(mg/g)×100%=83.79%。

参照《中国药典》2020年版一部"丁香"药材的丁香酚含量限度不得少于11.0%,转移率为83.79%,考虑不同产地药材的质量差异,并结合其他影响因素及三批样品的测定结果,下浮30%,按此限度折算本品含丁香酚的理论量应不低于10÷60×1000×11.0%×83.79%×70%=10.75mg/g。

标准正文暂定为:本品每1g含丁香以丁香酚(C$_{10}$H$_{12}$O$_2$)计,不得少于10.0mg。

【功能与主治】

镇赫依,止痛。用于上行赫依、司命赫依引起的头刺痛,腹胀肠鸣,脾脏赫依。

【用法与用量】

口服。一次1.5~3g,一日2~3次,水煎服。

【规格】

每袋(1)3g;(2)5g;(3)15g;(4)250g。

【贮藏】

密闭,防潮。

起草单位: 内蒙古自治区国际蒙医医院　　　臧　璇　那松巴乙拉　青　松　庆　日

包头市检验检测中心　　　赵光远　朱学友　王鸿宇

额日敦-7汤质量标准起草说明

【历史沿革】

本方来源于《蒙医药简编》(伊稀丹金旺吉拉著)中。

【处方来源】

本制剂由内蒙古自治区国际蒙医医院提供。

【名称】

额日敦-7汤

【蒙药材和饮片的来源和执行标准】

1. 处方组成及药味排列顺序:苦参40g、接骨木30g、栀子30g、土木香20g、川楝子20g、山柰20g、诃子10g。

2. 处方中除了接骨木药材外,其余苦参等药味均收载于《中国药典》2020年版一部,其质量应符合该品种项下的有关规定。

接骨木:为忍冬科植物接骨木*Sambucus williamsii* Hance或毛接骨木*Sambucus williamsii* Hance var. *miquelii* (Nakai) Y. C. Tang的干燥茎枝。其标准应符合《中华人民共和国卫生部药品标准》(蒙药分册)1998年版第42页该品种项下有关规定。

【制法】

以上七味,粉碎成中粉,过筛,混匀,分装,即得。

【性状】

本品为浅黄色至棕黄色的粉末;气微,味苦、辛、微酸。

【鉴别】

本品为原药材粉末制成的汤剂,处方中大多数药味的显微特征较明显,故建立苦参、诃子、栀子的显微鉴别,并对处方中的苦参、土木香建立了薄层鉴别。

1. 试剂与试药

供试品:供试品(批号20200303、20200306、20200308)由内蒙古自治区国际蒙医医院提供,模拟样品(批号20200025)模拟。

对照品:苦参对照药材(批号121019-201407),栀子苷对照品(批号110749-200714),土木香内酯对照品(批号110760-201008),异土木香内酯对照品(批号110761-200203),苦参碱对照品(批号110805-200507),均购于中国食品药品检定研究院。

薄层板:模拟2%氢氧化钠溶液制备硅胶G板,模拟0.25%硝酸银溶液制备硅胶G板。

所用其他试剂均为分析纯,水为离子交换高纯水。

2. 试验方法与结果

(1)显微鉴别

苦参:纤维束无色,平直或稍弯曲,直径 11~27μm,壁甚厚,非木化,孔沟不明显;周围的细胞含草酸钙方晶,形成晶纤维。诃子：石细胞淡黄色或鲜黄色，成群或单个散在，呈类圆形、卵圆形、类方形、长方形或长条形，有的略分支或一端稍尖突，孔沟细密而清晰。栀子：种皮石细胞黄色或淡棕色，多破碎，完整者长多角形、长方形或不规则形，壁厚，有大的圆形纹孔，胞腔棕红色。

（2）苦参薄层鉴别

参照《中国药典》2020年版一部"苦参"项下的薄层条件，制定出正文所述的鉴别方法。通过阴性对照试验观察，方中其他药材对苦参的检出无干扰，证明此方法具有专属性。

（3）土木香薄层鉴别

参照《中国药典》2020年版一部"土木香"项下的薄层条件，以土木香内酯、异土木香内酯作为对照品，根据其所含成分的性质，以甲醇作为溶剂制得供试品溶液，并经展开剂①②［①环己烷-三氯甲烷-乙酸乙酯（5∶1∶1）；②石油醚（30~60℃）-甲苯-乙酸乙酯（10∶1∶1）］的筛选，认为展开剂②的效果更好。展开后，喷以5%茴香醛硫酸溶液，加热至斑点显色清晰。制定出正文所述的鉴别方法。通过阴性对照试验观察，方中其他药材对土木香的检出无干扰，证明此方法具有专属性。

【检查】

按照汤（洗）剂［《内蒙古蒙药制剂规范》（第三册）附录Ⅰ C］项下规定，对三批供试品及模拟样品的外观均匀度、水分、重金属和砷盐进行了检查。具体方法及测定数据如下：

1. 外观均匀度：取供试品适量，置光滑纸上，平铺约5cm²，将其表面压平，在亮处观察，呈现均匀的色泽，无花纹、色斑。结果三批供试品及模拟样品均符合规定。

2. 水分：取供试品照水分测定法（《中国药典》2020年版四部通则0832）测定。三批供试品及模拟样品测得结果见表1。

表1　水分测定结果

序号	批号	水分（%）
1	20200303	4.7
2	20200306	4.9
3	20200308	5.0
4	20200025	5.0

《内蒙古蒙药制剂规范》（第三册）附录Ⅰ C汤（洗）剂项下规定，水分含量不得大于12.0%。从表1数据可见，本品水分含量均符合要求。

3. 对三批供试品及模拟样品进行了重金属和砷盐考察。方法与结果如下：

重金属：分别取每个批号供试品0.5g、0.67g、1.0g、2.0g，按《中国药典》2020年版四部0821第二法检查。

供试品液液的制备：取本品0.5g、0.67g、1.0g、2.0g，分别缓缓炽灼至完全炭化，放冷，加硫酸0.5ml，使湿润，低温加热至硫酸除尽后，加硝酸0.5ml，蒸干，至氧化氮蒸气除尽后，放冷，于600℃炽灼至完全灰化，放冷。加盐酸2ml，置水浴上蒸干后加水15ml，滴加氨试液至对酚酞指示液显中性，再加醋酸盐缓冲液（pH3.5）2ml，微热溶解后，移置纳氏比色管中，加水稀释至25ml，作为供试品溶液。

标准铅对照溶液的制备：另取配制供试品溶液的试剂两份，分别置瓷皿中蒸干后，加醋酸盐缓冲液（pH3.5）2ml，加水15ml微热溶解后，移至两支纳氏比色管中，分别加标准铅溶液（10μg/ml Pb）2ml，再加水稀释至25ml，作为标准铅对照溶液。

检视：于上述供试品溶液和标准铅对照溶液中分别加硫代乙酰胺试液各2ml，摇匀，放置2分钟，同置白色背景上，从上向下进行观察。供试品溶液的颜色明显浅于1ml的标准铅对照管，经过三批供试品及模拟样品的检查，含重金属均未超过百万分之十，故未收入正文。试验结果见表2。

表2　重金属检查结果

序号	批号	重金属含量（ppm）			
1	20200303	<10	<20	<30	<40
2	20200306	<10	<20	<30	<40
3	20200308	<10	<20	<30	<40
4	20200025	<10	<20	<30	<40

砷盐：取本品1g和标准砷溶液（1μg/ml AS）2ml，分别加无砷氢氧化钙1g，加少量水，搅匀，烘干，用小火缓缓炽灼至炭化，再在600℃炽灼至完全灰化，放冷。分别加盐酸7ml使溶解，再加水21ml，按《中国药典》2020年版四部通则0822第一法（古蔡氏法）做砷盐限量检查。

结果：供试品砷斑浅于标准砷斑的颜色，表明本品含砷量未超过百万分之二（小于2ppm），故砷盐检查项目未列入正文。

【含量测定】

额日敦–7汤是由诃子、川楝子、栀子、土木香、苦参、接骨木、山柰等七味药材组成。临床功效为促使热病成熟，使热收敛、清除。主治未成熟热、疫热、轻型热症、赫依、血相讧之热等。在本方中栀子量比较大，故在标准制定过程中，以栀子苷作为测定指标，采用高效液相色谱法对本品中的栀子建立了含量测定方法。通过试验摸索，确定了比较理想的色谱条件，并经过方法学考察及阴性对照试验，表明该方法操作简单，重复性好，专属性强，方中其他组分对栀子苷的测定均无干扰。

1　仪器与试剂试药

1.1　仪器

日本岛津LC-20AT型高效液相色谱仪（带SPD-M20A型二极管阵列检测器）和LC-10ATvp型高效液相色谱仪（带SPD-10Avp型紫外检测器）；Sartorius ME5型电子天平，Mettler AE-100电子天平，JD200-2型电子天平；AS 5150A超声清洗仪。

1.2　试剂与试药

供试品（批号20200303、20200306、20200308）由内蒙古自治区国际蒙医医院提供，模拟样品（批号20200025）模拟；栀子苷对照品（批号110749-200714）购于中国药品生物制品检定所；乙腈、甲醇为色谱纯，其他均为分析纯试剂，水为离子交换高纯水。

2　方法学考察

2.1　色谱条件

2.1.1　色谱柱：以十八烷基硅烷键合硅胶为填充剂，本试验研究用Diamonsil C$_{18}$柱（250mm×4.6mm，5μm）、phenomenex C$_{18}$柱（250mm×4.6mm，5μm）。

2.1.2　流动相的选择：参照《国家食品药品监督管理局》标准YBZO1592009栀子含量测定项下方法，采用乙腈–0.2%磷酸水溶液（10：90）作为流动相，结果分离效果好、保留时间适中，故确定乙腈–0.2%磷酸水溶液（10：90）为流动相。

2.1.3　柱温：试验中对30℃和40℃柱温进行了比较，结果保留时间略有差异，但分离度及理论板数没有变化，故本试验研究柱温定为30℃。

2.1.4　检测波长的选择：通过二极管阵列检测器对栀子苷在200～800nm进行光谱扫描，结果栀子苷在239nm处有吸收峰，结合《中国药典》2020年版一部"栀子"项下含量测定方法选择238nm作为检测波长。

2.1.5 理论板数的确定：对多批供试品测定结果表明，栀子苷的理论板数在5000以上能达到与相邻峰分开，结合《中国药典》2020年版一部"栀子"项下及YBZO1592009标准含量测定项下要求本标准规定理论板数按栀子苷峰计应不低于1500。

2.2 供试品溶液制备方法的选择

2.2.1 提取溶剂的选择：参照《国家食品药品监督管理局》标准YBZO1592009及《中国药典》2020年版一部"栀子"项下选用甲醇作为提取溶剂，干扰成分少，供试品分离效果好，故选择甲醇作为提取溶剂。

2.2.2 提取方法的选择：《国家食品药品监督管理局》标准YBZO1592009及《中国药典》2020年版一部"栀子"项下超声提取，方法比较成熟，故选择甲醇超声提取。

2.2.3 提取效率考察：取本品粉末5份，各约0.5g，精密称定，置具塞锥形瓶中，精密加甲醇50ml，密塞，称定重量，分别超声处理（功率250W，频率为40kHz）10分钟、20分钟、30分钟、40分钟、50分钟，取出放冷，再称定重量，用甲醇补足减失的重量，摇匀，滤过，精密量取续滤液3ml，置10ml量瓶中，加甲醇至刻度，摇匀，滤过，取续滤液，按上述色谱条件测定。结果见表3。

表3 不同超声提取时间的考察结果

序号	超声时间（min）	栀子苷（mg/g）
1	10	14.184
2	20	14.383
3	30	14.099
4	40	14.242
5	50	14.236

从表3数据可见，超声处理20分钟后，栀子苷含量基本不再增加，故确定超声时间为20分钟。

2.3 专属性考察

2.3.1 对照品溶液的制备：精密称取栀子苷对照品适量，加甲醇制成每1ml含40μg的溶液，即得。

2.3.2 供试品溶液的制备：取本品约0.5g，精密称定，置具塞锥形瓶中，精密加入甲醇50ml，密塞，称定重量，超声处理（功率250W，频率为40kHz）20分钟，取出，放冷，再称定重量，用甲醇补足减失的重量，摇匀，滤过，精密吸取续滤液3ml，置10ml量瓶中，加甲醇至刻度，摇匀，滤过，取续滤液，即得。

2.3.3 阴性对照溶液的制备：按处方配比制备缺栀子的阴性供试品，按"供试品溶液的制备"方法制备阴性对照溶液。

2.3.4 测定：分别精密吸取以上三种溶液各10μl，注入色谱仪，记录各自的色谱图。

试验结果显示，供试品色谱中在与对照品色谱保留时间相同的位置上有色谱峰出现，而阴性对照在与对照品色谱保留时间相同的位置上无色谱峰出现，表明该含量测定方法阴性无干扰，专属性好。

2.4 峰纯度检查

精密吸取2.3项下的供试品溶液10μl，注入液相色谱仪，以二极管阵列检测对被测成分栀子苷峰进行纯度验证。结果表明被测样品中栀子苷峰为单一成分。

2.5 线性考察

取栀子苷对照品4.936mg，置25ml量瓶中，加甲醇使溶解，并稀释至刻度，摇匀，精密吸取2ml，置10ml量瓶中，加甲醇并稀释至刻度，摇匀，精密吸取2μl、5μl、10μl、15μl、20μl、30μl注入液相色谱仪，按上述色谱条件测定。以峰面积对进样量进行回归分析，结果见表4。

表4 标准曲线数值表

表4 标准曲线数值表

栀子苷量（ng）	栀子苷峰面积	回归方程	r
78.976	97645		
197.440	259748		
394.880	537113	$y=1410.4x-16947.3$	0.9999
592.320	816885		
789.760	1100573		
1184.640	1653311		

从表4数据可见，栀子苷在78.976~1184.640ng范围内与峰面积值呈良好的线性关系。

2.6 重复性试验

取同一批号供试品（批号20200303）8份，各约0.5g，精密称定，置具塞锥形瓶中，精密加入甲醇50ml，密塞，称定重量，超声处理（功率250W，频率40kHz）20分钟，取出，放冷，再称定重量，用甲醇补足减失的重量，摇匀，滤过，精密吸取续滤液3ml，置10ml量瓶中，加甲醇至刻度，摇匀，滤过，取续滤液，作为供试品溶液。另精密称取栀子苷对照品适量，加甲醇制成每1ml含40μg的溶液，作为对照品溶液。分别精密吸取以上两种溶液各10μl，注入液相色谱仪，记录各自的色谱图，用外标法以峰面积计算含量。结果见表5。

表5 栀子苷重复性试验结果

序号	取样量（g）	峰面积值		含量（mg/g）	平均含量（mg/g）	RSD（%）
1	0.5636	651933	656679	14.297		
2	0.5581	661996	663299	14.621		
3	0.5488	648564	658534	14.665		
4	0.5478	645687	638436	14.434	14.755	2.82
5	0.5537	666543	650538	14.646		
6	0.5507	652762	654616	14.618		
7	0.5130	635121	631974	15.208		
8	0.5274	664857	667315	15.553		

从表5数据可见，在相同的提取溶剂和色谱条件下，8份供试品栀子苷含量测定结果的均值为14.755mg/g，RSD为2.82%，表明该方法的重复性良好。

2.7 加样回收试验

取同一批号供试品（批号20200303，含栀子苷14.755mg/g）6份，各约0.25g，精密称定，置具塞锥形瓶中，分别精密加入对照品溶液25ml（栀子苷浓度为0.147628mg/ml），再精密加甲醇25ml，按上述方法测定。结果见表6。

表6 栀子苷加样回收试验

序号	样品量（g）	供试品含量（mg）	对照品加入量（mg）	测得总量（mg）	回收率（%）	平均回收率（%）	RSD（%）
1	0.2514	3.7094		7.397	99.92		
2	0.2523	3.7226		7.403	99.72		
3	0.2532	3.7359	3.6907	7.436	100.25	99.59	0.87
4	0.2585	3.8141		7.433	98.05		
5	0.2594	3.8274		7.489	99.21		
6	0.2580	3.8067		7.514	100.44		

从表6数据可见，本方法的平均回收率为99.59%，RSD为0.87%。该方法准确度好。

2.8 范围

按准确度试验方法，取低、高浓度各6份，每份约0.1g、0.25g（批号20200303，含栀子苷14.755mg/g），精密称定，再分别依次精密加入栀子苷对照品溶液10ml（浓度为1.476mg/ml）、25ml（浓度为3.6907mg/ml），分别按准确度项下方法操作，计算回收率及低、高浓度点6份样品的RSD。结果见表7、表8。

表7　范围考察结果表（低浓度）

序号	样品量（g）	供试品含量（mg）	对照品加入量（mg）	测得总量（mg）	回收率（%）	平均回收率（%）	RSD（%）
1	0.1008	1.487		2.936	98.17		
2	0.1010	1.490		2.952	99.05		
3	0.1004	1.481	1.476	2.939	98.78	99.40	1.11
4	0.1020	1.505		2.967	99.05		
5	0.1025	1.512		3.014	101.76		
6	0.1021	1.506		2.976	99.59		

表8　范围考察结果表（高浓度）

序号	样品量（g）	供试品含量（mg）	对照品加入量（mg）	测得总量（mg）	回收率（%）	平均回收率（%）	RSD（%）
1	0.2514	3.7094		7.397	99.92		
2	0.2523	3.7226		7.403	99.72		
3	0.2532	3.7359	3.6907	7.436	100.25	99.59	0.87
4	0.2585	3.8141		7.433	98.05		
5	0.2594	3.8274		7.489	99.21		
6	0.2580	3.8067		7.514	100.44		

从表7和表8数据可见，在低、高浓度两个点，均达到了精密度、准确度和线性的要求。

2.9 耐用性试验

换不同批号家、不同型号的色谱柱，按确定的色谱条件，取重复性试验中的4号样品进行测定。结果见表9。

表9　不同色谱柱的耐用性试验

柱型号	分离度	测得平均含量（mg/g）	相对偏差（%）
Diamonsil C_{18}	4.8	14.434	1.60
Phenomenex C_{18}	13.0	13.977	

从表9数据可见，不同型号或厂家的色谱柱对测定结果影响较小。

2.10 稳定性试验

取同一供试品溶液（批号20200303），分别于0小时、2小时、4小时、8小时、12小时、24小时进行测定。结果见表10。

表10　不同时间测定栀子苷峰面积值

时间（h）	栀子苷峰面积值	RSD（%）
0	674900	
2	674995	
4	678162	0.20
8	677429	
12	676936	
24	677728	

从表10数据可见,在24小时内栀子苷峰面积值基本稳定不变。

3 样品含量测定

取本品按重复性试验项下的方法处理并测定。三批样品的测定结果见表11。

表11 样品中栀子苷含量测定结果

批号	取样量（g）	测得峰面积值（均值）	含量（mg/g）	平均含量（mg/g）
20200303	0.5153	387696	9.120	9.150
	0.5003	378945	9.181	
20200306	0.5087	257208	6.129	6.098
	0.5002	250342	6.067	
20200308	0.5132	260950	6.163	6.137
	0.5167	260480	6.111	

从表11数据可见,三批样品中栀子苷含量为6.098~9.150mg/g。

4 药材含量测定

根据生产相应批次栀子原料药材的含量数据,计算出成品中栀子苷的转移率。结果见表12。

表12 栀子药材含量测定

序号	含量（mg/g）	栀子药材含量（%）
1	6.137	3.6

从表12数据可见,栀子药材中栀子苷的含量为36mg/g。

5 本制剂含量限度的确定

从表中数据可见,栀子药材的栀子苷含量为36mg/g,批号为（20200308）样品中栀子苷的含量为6.137mg/g。

按理论值折算,样品应含栀子苷为36×30÷170=6.35mg/g,即6.35mg/g。可见,栀子苷转移率为6.137（mg/g）÷6.35（mg/g）×100%=96.64%。

参照《中国药典》2020年版一部"栀子"药材的栀子苷含量限度不得少于1.8%,转移率为96.64%,考虑不同产地药材的质量差异,并结合其他影响因素及三批样品的测定结果,下浮25%,按此限度折算本品含栀子苷的理论量应不低于30÷170×1000×1.8%×96.64%×75%=2.3mg/g。

标准正文暂定为:本品每1g含栀子以栀子苷（$C_{17}H_{24}O_{10}$）计,不得少于2.3mg。

【功能主治】

促使热病成熟,使热收敛、清除。用于未成熟热,疫热,轻型热症,赫依、血相讧之热等。

【用法用量】

口服。一次3~5g,一日1~2次,水煎服。

【规格】

每袋（1）3g；（2）5g；（3）15g；（4）250g。

【贮藏】

密闭,防潮。

起草单位:内蒙古自治区国际蒙医医院　　　查干其其格　那松巴乙拉　乌恩奇

　　　　　包头市检验检测中心　　　　　　靖彩霞　董　宇　张　琳

洗 剤

桑布荣洗剂质量标准起草说明

【历史沿革】

处方来源于内蒙古自治区国际蒙医医院经验方。

【处方来源】

本制剂由内蒙古自治区国际蒙医医院提供。

【名称】

桑布荣洗剂

【蒙药材和饮片的来源和执行标准】

1. 处方组成及药味排列顺序: 苦参80g、毛冬青50g、芒硝100g、黄柏80g、红花50g、延胡索50g、大青盐50g、白矾30g、苯甲酸钠50g。

2. 处方中除了毛冬青药材外, 其余苦参等药味均收载于《中国药典》2020年版一部, 其质量应符合该品种项下的有关规定。

毛冬青: 为冬青科植物毛冬青*Ilex pubescens* Hook. et Arn.的干燥根, 其标准应符合《北京市中药材标准》1998年版第39页该品种项下的有关规定。

【制法】

以上九味, 将苦参、毛冬青、黄柏、红花、炒延胡索粉碎, 加八倍量水, 煎煮两次, 每次1小时, 合并煎液, 加入芒硝、大青盐、明矾、苯甲酸钠, 溶解、混匀即得。

【性状】

本品为外用洗剂, 为黄棕色至棕色液体; 气芳香。

【鉴别】

1. 试剂与试药

供试品: 供试品 (批号20180822、20180938、20180711) 由内蒙古自治区国际蒙医医院提供, 模拟样品 (批号20200058) 模拟。

对照品: 黄柏对照药材 (批号121510-201606)、盐酸小檗碱对照品 (批号110713-201613), 均购于中国食品药品检定研究院。

薄层板: 硅胶G板, 购于青岛海洋化工有限公司。

所用其他试剂均为分析纯, 水为离子交换高纯水。

2. 试验方法与结果

本品为煎煮液, 无法建立显微鉴别。根据本药的疗效, 处方中黄柏应为主要药味, 参照《中国药典》2020年版一部 "妇炎康" 项下黄柏的薄层鉴别条件, 取洗剂5ml, 用三氯甲烷10ml提取, 提取液颜色呈淡黄色; 取洗剂5ml, 用乙醇10ml振摇混匀后, 再用三氯甲烷10ml提取, 提取液呈黄色。以下试验采用了先加入乙醇10ml, 再加入三氯甲烷10ml提取, 同时按照所提供的处方做阴性对照。

取供试品和阴性对照样品各5ml，分别置分液漏斗中，分别加入乙醇各10ml混匀，再分别加入三氯甲烷各10ml，振摇提取，取三氯甲烷液，蒸干上述两种提取液，残渣用乙醇2ml溶解，作为供试品溶液和阴性对照溶液；通过阴性对照试验观察，方中其他药材对黄柏的检出无干扰。

【检查】

按照洗剂（《中国药典》2020年版通则0127）项下规定，对三批供试品及模拟样品的相对密度、pH值和装量差异进行了检查。具体方法及测定数据如下：

1. 相对密度：按照相对密度测定法（《中国药典》2020年版一部附录Ⅶ A比重瓶法）测定，三批供试品及模拟样品的测定结果见表1。

表1 相对密度测定结果

批号	相对密度（20℃，$n=2$）
20180822	1.0153
20180938	1.0154
20180711	1.0149

从表1数据可见，本品的相对密度均在1.01以上，相对密度限度制定无意义，故不收入标准。

2. pH值：照pH值测定法（《中国药典》2020年版通则0631）测定，三批供试品及模拟样品的测定结果见表2。

表2 pH值测定结果

批号	pH值（$n=2$）
20180822	4.6
20180938	4.6
20180711	4.6
20200058	4.6

从表2数据可见，本品的pH值均在4.0～5.0之间，故不收入标准。

3. 装量：按《中国药典》2020年版通则0127最低装量检查法测定。结果见表3。

表3 装量结果

批号	结果（标示装量500ml/瓶，不少于标示装量的97%，即485ml符合规定）			
20180822	510ml	500ml	490ml	均值：500ml
20180938	500ml	510ml	500ml	均值：503ml
20180711	500ml	510ml	500ml	均值：503ml

标准规定：平均装量不少于标示装量，每个容器的装量不少于标示装量的97%。

【含量测定】

参照《中国药典》2020年版一部"妇炎康片""康妇消炎栓""复方苦参肠炎康"项下的含量测定方法，选择高效液相色谱法对其处方中苦参的特征成分苦参碱进行含量测定方法学研究。经分析验证，表明该方法操作简单，重复性好，专属性强，方中其他组分对苦参碱的测定无干扰。

1 仪器与试剂试药

1.1 仪器

Waters高效液相色谱仪，Waters 2998检测器，Waters 1525色谱工作站。

1.2 试剂与试药

供试品（批号20180822、20180938、20180711）由内蒙古自治区国际蒙医医院提供，模拟样品（批号20200058）

模拟；苦参碱对照品（批号110805-200507），购于中国食品药品检定研究院；甲醇、乙腈为色谱纯，水为高纯水，其他试剂为分析纯。

2 方法学考察

2.1 色谱条件

2.1.1 色谱柱：色谱柱填充剂为十八烷基硅烷键合硅胶，本试验采用CAPCELL PAK C$_{18}$柱（4.6mm×250mm，5μm）及ZORBAX SB-C$_{18}$柱（4.6mm×250mm，5μm）。

2.1.2 流动相的选择：参照《中国药典》2020年版一部"妇炎康片"项下，以甲醇-乙腈-三乙胺-磷酸盐缓冲液（pH6.8）（13：17：0.1：70）为流动相进行测定，供试品中的苦参碱达到较好的分离效果，并具较适合的保留时间。

2.1.3 柱温：在30℃的条件下，苦参碱的保留时间一致，而且分离效果比较好，因此选择柱温为30℃。

2.1.4 检测波长的选择：取苦参碱对照品溶液和样品提取液在高效液相色谱仪上，用二极管阵列检测器在190~400nm全波长扫描，苦参碱在201nm处有最大吸收，考虑到甲醇和乙腈在200nm处都有干扰，参照《中国药典》2020年版一部"苦参"项下的含量测定及"妇炎康片"项下的含量测定规定，选用220nm。

2.1.5 理论板数的确定：对多批供试品测定结果表明，苦参碱的理论板数均在5000以上即能达到较好的分离效果，故确定理论板数按苦参碱峰计不得低于为5000。

2.2 提取方法的选择及提取率的考察

参照《中国药典》2020年版一部"妇炎康片"项下的含量测定方法，直接用三氯甲烷提取，供试品中苦参碱的提取得到了较好效果。三氯甲烷依次为15ml、15ml、15ml提取，三次提取后，对样品第四次提取苦参碱进行了考察，剩余提取液在图谱相应位置无苦参碱峰，所以采用提取液依次为15ml、15ml、15ml。

2.3 专属性考察

2.3.1 对照品溶液的制备：精密称取苦参对照品（五氧化二磷减压干燥12小时）10.71mg，置50ml量瓶中，加甲醇溶解并稀释至刻度，摇匀，精密量取3ml，置10ml量瓶中，加甲醇稀释至刻度，作为对照品溶液。

2.3.2 供试品溶液的制备：取本品，混匀，精密量取10ml，置分液漏斗中，用三氯甲烷提取三次，每次约15ml，合并提取液，水浴蒸干，残渣用甲醇适量使溶解，并转移至10ml量瓶中，加甲醇至刻度，摇匀，过滤，取续滤液，作为供试品溶液。

2.3.3 阴性对照溶液的制备：按本品处方工艺制备不含苦参的阴性样品，按供试品溶液的制备方法制备阴性对照溶液（缺苦参）。

2.3.4 测定：分别精密吸取以上三种溶液各20μl，注入色谱仪，记录各自的色谱图。

试验结果显示，供试品色谱中在与对照品色谱保留时间相同的位置上有色谱峰出现，而阴性对照在与对照品色谱保留时间相同的位置上无色谱峰出现，表明该含量测定方法阴性无干扰，专属性好。

2.4 线性关系考察

精密称取苦参对照品（五氧化二磷减压干燥12小时）10.71mg，置50ml量瓶中，加甲醇溶解并稀释至刻度，摇匀，精密量取3ml，置10ml量瓶中，加甲醇稀释至刻度，摇匀备用。然后分别以5μl、10μl、20μl、30μl、40μl、50μl进样，按上述色谱条件测定，以峰面积对进样量进行线性回归分析。结果见表4。

表4　标准曲线数据及回归分析结果

对照品浓度（μg/ml）	峰面积值	回归方程	r
321.3	168107		
642.6	367083		
1285.2	777208	y=628.51x-32677	0.9999
1927.8	1183140		
2570.4	1589875		
3213.0	1978718		

从表4数据可见，苦参碱在0.3213~3.2130μg范围内与峰面积值呈良好的线性关系。

2.5 稳定性试验

取同一供试品溶液，分别在溶液制备后的0小时、4小时、10小时、16小时、20小时、24小时进样测定。结果见表5。

表5 不同时间测得溶液中苦参碱峰面积值

时间（h）	峰面积值	RSD（%）
0	611235	
4	638508	
10	639202	
16	636101	1.6
20	627971	
24	622868	

从表5数据可见，苦参碱在24小时内峰面积值基本稳定，能够满足测定所需要的时间。

2.6 重复性试验

取同一供试品（20180822）溶液6份，分别精密量取10ml，置分液漏斗中，用三氯甲烷提取三次，每次约15ml，合并提取液，水浴蒸干，残渣用甲醇适量使溶解，并转移至10ml量瓶中，加甲醇至刻度，摇匀，过滤，取续滤液，作为供试品溶液。另精密称取苦参对照品（五氧化二磷减压干燥12小时）10.71mg，置50ml量瓶中，加甲醇溶解并稀释至刻度，摇匀，精密量取3ml，置10ml量瓶中，加甲醇稀释至刻度，作为对照品溶液。分别精密吸取以上两种溶液各20μl，注入液相色谱仪，记录各自的色谱图，用外标法以峰面积计算含量。结果见表6。

表6 苦参碱重复性试验结果

取样量（ml）	峰面积值			含量（mg/g）	平均含量（μg/ml）	RSD（%）
10	661035	672273	666654	55.634		
10	659408	661314	660361	55.133		
10	658191	661813	660002	55.104	55.47	0.60
10	663187	664229	663708	55.399		
10	665488	663668	664578	55.468		
10	680453	664518	672485.5	56.097		

从表6数据可见，在相同的提取溶剂和色谱条件下，6份供试品含量测定结果的均值为55.47μg/ml，RSD为0.60%，表明该方法的重复性良好。

2.7 加样回收试验

取供试品（批号20180822，含量55.47μg/ml）6份，分别精密量取5ml，置分液漏斗中，精密加入苦参碱对照品溶液（0.2142mg/ml）1ml，分别按重复性试验项下的方法操作，测定每份含量，计算回收率。结果见表7。

表7 苦参碱加样回收试验结果

取样量（ml）	供试品含量（μg）	对照品加入量（μg）	测得总量（μg）	回收率（%）	平均回收率（%）	RSD（%）
5	278.1	214.2	497.64	102.49		
5	278.1	214.2	491.41	99.58		
5	278.1	214.2	490.53	99.17	100.15	2.0
5	278.1	214.2	488.89	98.40		
5	278.1	214.2	489.12	98.51		
5	278.1	214.2	498.18	102.74		

从表7数据可见,本方法的平均回收率为100.15%,RSD为2.0%。该方法准确度好。

2.8　耐用性试验

换不同厂家的色谱柱,精密量取供试品(批号20180822)10ml及精密称取苦参对照品(五氧化二磷减压干燥12小时)10.65mg,按重复性试验项下的方法操作,分别进样,测定,按外标法计算含量。结果见表8。

表8　不同色谱柱耐用试验

柱型号	对照品峰面积值	供试品平均峰面积值	平均含量（μg/ml）	相对偏差（%）
ZORBAX SB-C$_{18}$	860786.7	737910.5	54.77	0.1
CAPCELL PAK C$_{18}$	777208	654247.5	54.65	

从表8数据可见,该方法耐用性较好,方法可行有效。

3　样品含量测定及含量限度确定

取三批样品(批号20180822、20180938、20180711)及模拟样品(批号20200058)各3份,各约10ml,按重复性试验项下的方法处理并测定。含量测定结果见表9。

表9　样品中苦参碱的含量测定结果

批号	取样量（ml）	峰面积值			含量（μg/ml）	平均含量（μg/ml）
		A	B	平均		
20180822	10	655012	655043	655027.5	54.709	54.65
	10	652127	654808	653467.5	54.585	
20180938	10	663348	665970	664959	55.475	55.62
	10	667841	6686434	668242	55.760	
20180711	10	629989	622928	626458.5	52.436	52.55
	10	629294	629209	629251.5	52.658	

从表9数据可见,三批样品中苦参碱的平均含量为54.27μg/ml,苦参碱的平均转移率大约在81.34%。考虑生产工艺问题,平均含量乘以平均转移率,结果再下调10%计算,标准正文暂定为:本品含苦参以苦参碱(C$_{15}$H$_{24}$N$_2$O)计,不得少于39.0μg/ml。

【功能与主治】

清热燥湿,杀虫止痒,养血祛风,活血解毒。用于肛门瘙痒,湿疹,湿疣及其他肛门皮肤疾患(包括痔疮手术后肛门创面恢复期、创伤局部的水肿疼痛以及创伤面的愈合)。

【用法与用量】

外用,坐浴。每日1~2次,每次5~10分钟。

【规格】

每瓶500ml。

【贮藏】

密封。

起草单位：内蒙古自治区国际蒙医医院　　　赛罕其其格　乌仁高娃　宝　山

　　　　　包头市检验检测中心　　　　　　闫　婧　赵梦中　石晓丽

胶囊剂

绰森·通拉嘎胶囊质量标准起草说明

【历史沿革】

本方来源于内蒙古自治区国际蒙医医院元登大夫经验方。

【处方来源】

本制剂由内蒙古自治区国际蒙医医院提供。

【名称】

绰森·通拉嘎胶囊

【蒙药材和饮片的来源和执行标准】

1. 处方组成及药味排列顺序: 广枣80g、石榴90g、丁香50g、山沉香50g、牦牛心50g、肉豆蔻50g、木香50g、红花40g、草阿魏25g、肉桂10g、豆蔻10g、荜茇10g。

2. 处方中除了牦牛心、山沉香、石榴药材外,其余丁香等药味均收载于《中国药典》2020年版一部,其质量应符合该品种项下的有关规定。

山沉香: 为木犀科植物贺兰山丁香*Syringa pinnatifolia* Hemsl. var. alashanensis Ma. et S.Q. Zhou削去外皮的干燥枝。其标准应符合《中华人民共和国卫生部药品标准》(蒙药分册)1998年版第4页该品种项下的有关规定。

牦牛心: 为牛科动物牦牛*Bos grunniens* L. 的干燥心脏。其质量应符合《内蒙古蒙药饮片炮制规范》2020年版第247页该品种项下的有关规定。

石榴: 为石榴科植物石榴*Punica granatum* L. 的干燥成熟果实。其标准应符合《内蒙古蒙药饮片炮制规范》2020年版第119页该品种项下的有关规定。

【制法】

以上十二味,粉碎成细粉,过筛,混匀,装入胶囊,即得。

【性状】

本品为硬胶囊,内容物为浅棕色至棕色的粉末;气香,味辛、苦。

【鉴别】

本品为药材细粉制成的胶囊,方中部分药材显微特征比较明显,故建立了显微鉴别,并对广枣建立了薄层色谱鉴别。

1. 试剂与试药

供试品: 供试品(批号20190113、20180112、20200708)由内蒙古自治区国际蒙医医院提供,模拟样品(批号20200019)模拟。

对照品: 胆酸对照品(批号100078-201415),猪去氧胆酸对照品(批号100087-201411),均购于中国食品药品检定研究院。

薄层板: 硅胶G板,购于青岛海洋化工有限公司。

所用其他试剂均为分析纯,水为离子交换高纯水。

2.试验方法与结果

（1）显微鉴别

红花：花粉粒，红花花冠裂片表皮细胞，红花柱头和花柱上部表皮细胞，红花长管状分泌细胞。广枣：外果皮细胞，广枣内果皮石细胞。丁香：花粉粒三角形，丁香纤维。

（2）广枣薄层鉴别

参照《中国药典》2020年版一部"广枣"项下薄层条件，制定出正文所述的鉴别方法。通过阴性对照试验观察，方中其他药材对广枣的检出无干扰，证明此方法具有专属性。

【检查】

按照胶囊剂（《中国药典》2020年版四部通则0103）项下的规定，对三批供试品及模拟样品的水分、装量差异、崩解时限、重金属、砷盐和微生物限度进行了检查。具体方法及测定数据如下：

1. 水分：取供试品照水分测定法（《中国药典》2020年版四部通则0832）测定。三批供试品及模拟样品的测定结果见表1。

表1 水分测定结果

序号	批号	水分（%）
1	20190113	5.6
2	20180112	6.0
3	20200708	5.2
4	20200019	5.8

药典规定胶囊剂水分含量不得大于9.0%。从表1数据可见，本品水分含量均符合要求。

2. 装量差异：按药典方法进行检测，结果符合规定。

3. 崩解时限：取本品按照片剂项下崩解时限检查法（《中国药典》2020年版四部通则0921）加挡板进行测定。三批供试品测定结果见表2。

表2 崩解时限测定结果

序号	批号	崩解时间（min）
1	20190113	11
2	20180112	12
3	20200708	12

药典规定胶囊剂应在30分钟内全部崩解。从表2数据可见，本品的崩解时限符合规定。

4. 微生物限度：照微生物计数法（《中国药典》2020年版四部通则1105）和控制菌检查法（《中国药典》2020年版四部通则1106）及《内蒙古蒙药制剂规范》（第三册）附录Ⅲ微生物限度标准进行检查，结果均符合规定。

【含量测定】

绰森·通拉嘎胶囊是由广枣、牦牛心、丁香、木香等十二味药组成的复方制剂。临床功效为降血脂，镇赫依，强心，提升胃火，清糟归精，清除巴达干。用于高血脂，心悸气短，失眠等。方中木香具有行气止痛，健脾消食的功效。用于胸胁、脘腹胀痛，泻痢后重，食积不消，不思饮食。木香的主要活性成分为倍半萜内酯类化合物木香烃内酯和去氢木香内酯。文献研究常采用气相色谱法测定丁香中丁香酚的含量，故参照《中国药典》2020年版一部"丁香"项下的含量测定方法，选择丁香酚作为指标成分，对本制剂中的丁香进行了气相色谱仪法（GC）含量测定方法研究。经分析方法验证，表明该方法重复性好，专属性强，方中其他组分对丁香酚的测定无干扰。

1 仪器与试剂试药

1.1 仪器

岛津GC-2014C气相色谱仪，FID检测器，GC Solution色谱工作站，以聚乙二醇（PEG）-20M为固定相；Mettler-T0ledo MS105DU型百万分之一电子天平，Mettler-T0ledo XPR10型万分之一电子天平；SBL-22DT型超声波清洗器（宁波新芝生物科技股份有限公司，40kHz）；Heal Force NW15UV型超纯水系统；FW400A型多功能粉碎机（材茂科技有限公司）。

1.2 试剂与试药

供试品（批号20190113、20180112、20200708）由内蒙古自治区国际蒙医医院提供，模拟样品（批号20200019）模拟；丁香酚对照品（批号110725-201917），购于中国食品药品检定研究院；正己烷为分析纯，水为超纯水，其他试剂均为分析纯。

2 方法学考察

2.1 色谱条件

2.1.1 色谱柱：本试验采用安捷伦DB-WAX毛细管柱（30m×0.32mm，0.25μm）及安捷伦HP-FFAP毛细管柱（30m×0.32mm，0.25μm）。

2.1.2 载气：氮气。

2.1.3 柱温：190℃。

2.1.4 检测波长的选择：参照《中国药典》2020年版一部"木香"含量测定项下木香烃内酯的测定方法，选用225nm处作为检测波长。

2.1.5 理论板数的确定：从对三批样品的测定结果可见，丁香酚峰理论板数在1500以上即能达到较好的分离效果，故规定理论板数按丁香酚峰计算应不低于1500。

2.2 提取方法的选择及提取效率的考察

参考《中国药典》2020年版一部"丁香"含量测定项下的方法取样量，根据处方中丁香所占比例，换算为取装量差异项下的本品约2.5g，精密称定，精密加入正己烷20ml，超声处理15分钟，放置至室温，再称定重量，用正己烷补足减失的重量，摇匀，滤过，取续滤液，作为供试品溶液。精密称取丁香酚对照品0.53087g，置25ml量瓶中，加正己烷溶解并稀释至刻度，精密量取5ml置50ml量瓶中，加正己烷稀释至刻度，作为对照品溶液。分别精密吸取上述对照品溶液和供试品溶液各1μl，注入气相色谱仪，测定。结果见表3。

表3 取样测定结果

序号	提取时间（min）	含量（mg/g）
1	15	2.712
2	20	2.710

从表3数据可见，超声提取15分钟和20分钟供试品中木香烃内酯的含量基本一致，故将提取时间定为15分钟，与《中国药典》2020年版一部"木香"含量测定项下的提取时间一致。

经过线性关系考察使样品峰面积落入线性范围中间，最终确定取样量为取装量差异项下的本品3g。

2.3 专属性考察

2.3.1 对照品溶液的制备：取木香烃内酯对照品适量，精密称定，加甲醇制成每1ml含100μg的溶液，即得。

精密称取丁香酚对照品0.53087g，置25ml量瓶中，加正己烷溶解并稀释至刻度，精密量取5ml置50ml量瓶中，加正己烷稀释至刻度，精密量取2.5ml置10ml量瓶中，加正己烷溶解并稀释至刻度，作为对照品溶液。（原文的没理解）

2.3.2 供试品溶液的制备：取装量差异项下的本品约3g，精密称定，置具塞锥形瓶中，精密加入正己烷20ml，超声处理15分钟，放置至室温，再称定重量，用正己烷补足减失的重量，摇匀，滤过，取续滤液，即得。

2.3.3 阴性对照溶液的制备：按取样量3g计算处方中除去丁香后其他成分的量，同工艺同法制成阴性对照溶液，即得。

2.3.4 测定：分别精密吸取上述溶液各1μl，注入气相色谱仪，测定。

结果为阴性对照色谱中在与丁香酚对照品以及供试品色谱相对应的保留时间处无色谱峰出现，表明处方中其他组分对丁香酚的测定无干扰。

2.4 线性关系考察

按"2.3项下对照品溶液"制备方法，精密吸取（5ml→50ml）对照品溶液0.5ml、1ml、1.5ml、2.5ml、3.5ml、5ml分别置10ml量瓶中，加正己烷溶解并稀释至刻度，分别精密吸取上述溶液各1μl注入气相色谱仪，记录峰面积值，与对照品浓度做线性回归。结果见表4。

表4 线性关系结果

浓度（mg/ml）	峰面积值（A）	回归方程	r
0.1061	7205		
0.2123	15819		
0.3185	22635	$y=71513x+31.848$	0.9998
0.5308	38108		
0.7430	53006		
1.0617	75983		

从表4数据可见，丁香酚在0.1061～1.0617mg/ml范围内与峰面积值呈良好的线性关系。

2.5 精密度试验

取同一批样品（批号20190113），分别注入气相色谱仪测定峰面积值，结果显示仪器进样精密度试验良好。结果见表5。

表5 丁香酚精密度试验结果

序号	峰面积值	平均值	RSD（%）
1	30310		
2	30624		
3	31286	31142	1.77
4	31730		
5	31373		
6	31530		

从表5数据可见，符合《中国药典》2020年版四部通则0512中规定的RSD值小于2.0%的要求。

2.6 稳定性试验

取供试品溶液，分别放置0小时、1小时、3小时、5小时、7小时、9小时、11小时、13小时，注入气相色谱仪，记录峰面积值。结果见表6。

表6 不同时间测定供试品中丁香酚峰面积值

序号	时间（h）	峰面积值	RSD（%）
1	0	31314	
2	1	31921	0.97
3	3	31750	

续表

序号	时间（h）	峰面积值	RSD（%）
4	5	31829	
5	7	31088	
6	9	31575	0.97
7	11	31928	
8	13	31845	

从表6数据可见，丁香酚在13小时内峰面积值符合《中国药典》2020年版四部通则0512中规定的RSD值小于2.0%的要求，能够满足测定所需要的时间。

2.7 重复性试验

取同一批（批号20190113）供试品6份，各约3.0g，精密称定，置具塞锥形瓶中，精密加入正己烷20ml，超声处理15分钟，放置至室温，再称定重量，用正己烷补足减失的重量，摇匀，滤过，取续滤液，作为供试品溶液。另精密称取丁香酚对照品0.53087g，置25ml量瓶中，加正己烷溶解并稀释至刻度，精密量取5ml置50ml量瓶中，加正己烷稀释至刻度，精密量取2.5ml置10ml量瓶中，加正己烷溶解并稀释至刻度，作为对照品溶液。分别精密吸取各溶液10μl，注入液相色谱仪进行测定。按外标法以峰面积计算含量，结果见表7。

表7 丁香酚含量重复性试验结果

序号	称样量（g）	峰面积值	丁香酚含量（mg/g）	平均含量（mg/g）	RSD（%）
1	3.3280	1468168	0.271		
2	3.3518	1465628	0.272		
3	3.3508	1464069	0.274	0.272	0.40
4	3.3526	1462170	0.272		
5	3.0858	1469752	0.272		
6	3.0291	1460325	0.271		

从表7数据可见，在相同的细度、提取溶剂和色谱条件下，6份供试品含量测定结果的均值为0.272mg/g，RSD为0.40%，表明该方法的重复性好。

2.8 丁香酚加样回收试验

取同一批（批号20190113）已知含量的样品6份，每份取1.5g（正常量的一半），精密称定，置具塞锥形瓶中，精密加入正己烷20ml，超声处理15分钟，放置至室温，再称定重量，用正己烷补足减失的重量，摇匀，滤过，取续滤液，作为供试品溶液。另精密称取丁香酚对照品0.53087g，置25ml量瓶中，加正己烷溶解并稀释至刻度，精密量取5ml置50ml量瓶中，加正己烷稀释至刻度，精密量取2.5ml置10ml量瓶中，加正己烷溶解并稀释至刻度，作为对照品溶液。分别精密吸取各溶液10μl，注入液相色谱仪进行测定。按外标法以峰面积计算含量，结果见表8。

表8 丁香酚加样回收率试验结果

序号	取样量（g）	丁香酚含量（%）	加入对照品量（mg）	测得量（mg）	回收率（%）	平均回收率（%）	RSD（%）
1	1.5043	4.0916	4.2468	8.360	100.50		
2	1.5126	4.1142	4.2468	8.398	100.87		
3	1.5046	4.0925	4.2468	8.334	99.87	101.04	1.32
4	1.4940	4.0636	4.2468	8.340	100.69		
5	1.5075	4.1004	4.2468	8.374	100.63		
6	1.5120	4.1126	4.2468	8.516	103.68		

从表8数据可见，本方法的平均回收率为101.04%，RSD为1.32%。该方法准确度好。

2.9 耐用性试验

取已知含量的供试品，考察色谱柱、进样口温度、分流比因素对含量的影响。

取装量差异项下的供试品（批号20190113）约3g，精密称定，精密加入正己烷20ml，超声处理15分钟，放置至室温，再称定重量，用正己烷补足减失的重量，摇匀，滤过，取续滤液，作为供试品溶液。另精密称取丁香酚对照品适量，制成每1ml含0.40mg的溶液，作为对照溶液。分别精密吸取供试品溶液和对照品溶液各10μl，注入色谱仪，记录色谱图。按外标法以峰面积计算含量，结果见表9。

表9　色谱柱耐用性试验

序号	称样量（g）	色谱柱型号	峰面积值	含量（mg/g）	RSD（%）
1	3.0010	安捷伦DB-WAX色谱柱，0.25μm，30m×0.32mm；进样口温度220℃，柱温190℃，检测器温度250℃，分流比90∶1	1470696	2.72	1.91
	3.0010	安捷伦DB-WAX色谱柱，0.25μm，30m×0.32mm；进样口温度210℃，柱温190℃，检测器温度250℃，分流比90∶1	1470648	2.82	
2	3.0055	安捷伦DB-WAX色谱柱，0.25μm，30m×0.32mm；进样口温度210℃，柱温190℃，检测器温度250℃，分流比85∶1	1473617	2.75	
	3.0055	安捷伦HP-FFAP色谱柱，1.00μm，30m×0.53mm；进样口温度220℃，柱温190℃，检测器温度250℃，分流比90∶1	1473424	2.70	

从表9数据可见，在使用不同型号或厂家的色谱柱时，对测定结果影响较小。

3 样品含量测定

取本品研细，称取约3.0g，精密称定，置具塞锥形瓶中，精密加入正己烷20ml，超声处理15分钟，放置至室温，再称定重量，用正己烷补足减失的重量，摇匀，滤过，取续滤液，作为供试品溶液。另精密称取丁香酚对照品0.53087g，置25ml量瓶中，加正己烷溶解并稀释至刻度，精密量取5ml置50ml量瓶中，加正己烷稀释至刻度，精密量取2.5ml置10ml量瓶中，加正己烷溶解并稀释至刻度，作为对照品溶液。分别精密吸取各溶液10μl，注入液相色谱仪进行测定。按外标法以峰面积计算含量，结果见表10。

表10　样品中丁香酚的含量测定结果

批号	称样量（g）	峰面积平均值	含量（mg/g）	平均含量（mg/g）	含量（mg/粒）
20190113	2.8657	27861	2.71	2.71	1.2195
	2.9551	28855	2.71		
20180112	3.0125	294175	2.72	2.74	1.233
	3.0119	297935	2.76		
20200708	3.0387	295815	2.71	2.71	1.2195
	3.0316	29616	2.72		
20200019	3.0047	1524251	5.50	5.48	2.466
	3.0056	1521919	5.46		

从表10数据可见，三批样品中丁香酚的含量最低为2.71mg/g，最高为2.74mg/g，丁香酚的转移率大约为48%。

4 本制剂含量限度的确定

参照《中国药典》2020年版一部"丁香"药材的丁香酚含量限度不得少于11.0%，转移率为48%，可能是工艺制备部分丁香酚挥发所致。考虑不同产地药材的质量差异，并结合其他影响因素及三批样品的测定结果，下浮50%，按此限度折算本品含丁香酚的理论量应不低于50÷515×11.0%×1000×48%×50%×0.45（g/粒）=1.15mg/g。

标准正文暂定为：本品每粒含丁香以丁香酚（$C_{10}H_{12}O_2$）计，不得少于1.2mg。

【功能与主治】

温胃，固精华，镇赫依，强心，祛巴达干。用于高血脂、心悸气短、失眠、精神错乱、提升胃火、消化不良、食欲不振。

【用法与用量】

口服。一次5~7粒，一日1~2次，温开水送服。

【规格】

每粒0.45g。

【贮藏】

密封。

起草单位：内蒙古自治区国际蒙医医院　　白嘎利　庆　日　元　登　那松巴乙拉

包头市检验检测中心　　赵光远　朱学友　王鸿宇

赤峰市巴林右旗蒙医医院　　努恩达古拉　查干莲花　新图亚